AUXILIO EN TIEMPO DE NECESIDAD

Si desea comunicarse con los Gedeones de esta área,
favor de consultar el directorio telefónico de la localidad.

HELP IN TIME OF NEED

		Page
The Way of SALVATION	John 3:3	169
	John 3:16	169
	Romans 10:9	290
PEACE in Time of Anxiety	Philippians 4:6, 7	362
	John 14	197
COURAGE in Time of Fear	Hebrews 13:5, 6	410
	2 Corinthians 4:8–18	328
RELIEF in Time of Suffering	2 Corinthians 12:8–10	338
	Hebrews 12:3–13	408
GUIDANCE in Time of Decision	James 1:5, 6	412
	Hebrews 4:16	397
REST in Time of Weariness	Matthew 11:28–30	20
	Romans 8:31–39	287
COMFORT in Time of Sorrow	2 Corinthians 1:3–5	324
	Romans 8:26–28	287
STRENGTH in Time of Temptation	James 1:12–16	412
	1 Corinthians 10:6–13	312
PRAISE in Time of Thanksgiving	1 Thessalonians 5:18	373
	Hebrews 13:15	410
REJOICING in Time of Forgiveness	1 John 1:7–10	429

If you desire to contact Gideons in this area,
please consult the local telephone directory.

LECTURAS SUGERIDAS
CUALIDADES ESPIRITUALES

Grandes Temas de las Escrituras	*Referencia*	*Página*
El Sermón del Monte	Mateo 5-7	6
La Regla de Oro	Mateo 7:12	11
El Mandamiento Más Grande	Mateo 22:36-40	44
La Justicia de la Fe	Romanos 3:19-28	279
La Ley Real	Romanos 13:8-10	294
	Santiago 2:8	413
El Nuevo Mandamiento de Cristo	Juan 13:34, 35	197
El Amor Cristiano	1 Corintios 13	317

DOCTRINAS DINÁMICAS

La Culpa Universal del Hombre	Romanos 1:18-2:16	276
Expiación	Romanos 5	281
El Nuevo Nacimiento	Juan 3	169
Justificación por la Fe	Efesios 2:1-10	350
	Gálatas 2	341
Cristo el Buen Pastor.	Juan 10:1-18	187
La Humillación y Exaltación de Cristo	Filipenses 2:5-11	359
La Resurrección de los Muertos Cristianos	1 Tesalonicenses 4:13-18	372
La Segunda Venida de Cristo	2 Tesalonicenses 1:7-2:2	374
El Juicio Final	Apocalipsis 20:10-15	465
El Cielo Nuevo e la Tierra Nueva	Apocalipsis 21 y 22	465

PRECEPTOS PRÁCTICOS

Productividad Cristiana	Juan 15	199
Responsabilidades Cristianas	Romanos 12 y 13	293
Mayordomía Cristiana	2 Corintios 8 y 9	332
La Oración Eficaz	Mateo 6:5-15	9
	Filipenses 4:6, 7	362

CE 7836

SUGGESTED READINGS
SPIRITUAL STANDARDS

DYNAMIC DOCTRINES

PRACTICAL PRECEPTS

QUIENES SON LOS "GEDEONES"?

Siendo esta una de las más frecuentes interrogaciones de los lectores de estas Escrituras, la información a continuación puede ser de interés.

En el otoño del 1898, dos viajeros que no se conocian pararon en el mismo hotel de Wisconsin, en los Estados Unidos. Al descubrir que ambos era cristianos, decidieron hacer juntos sus votos religiosos de esa noche. El Señor les iluminó con la idea de fundar una asociación de viajeros cristianos, y en julio del año siguiente, estos dos viajeros se reunieron con un tercer miembro para llevar a cabo su plan. Después de rezar, escogieron el nombre de los "Gedeones" para el grupo. Este nombre proviene de la historia de Gedeón, en los capítulos sexto y séptimo del Libro de Jueces, en la Biblia. Gedeón era el jefe de una pequeña banda de hombres dedicados a servir a Dios, y a través de ellos Dios logró el éxito de muchas obras para Su pueblo.

Los Gedeones son miembros laicos de varias denominaciones evangélicas, hombres Cristianos profesionales o de negocios con un testimonio vital que rendir al Señor. Cada Gideón es también feligrés de la iglesia de su comunidad, y todos ellos, por su participación en la Asociación de Gedeones, trabajan cooperativamente con las iglesias de denominaciones evangélicas. El objetivo principal de los Gedeones es la conversión de otros al servicio de Nuestro Señor Jusucristo, y un medio eficaz de lograr esto es a través de la distribución sin límites de la Palabra de Dios.

Los Gedeones procuran distribuir la Biblia, la Palabra de Dios, y también estimular su uso todo lo posible. El Señor ha abierto las puertas para colocar Su palabra en grupos estratégicos de la publación, y en lugares donde diariamente se desarrollan asuntos de importancia e interés nacional. Se hancolocado Biblias en habitaciones de hoteles y moteles y otros lugares públicos. Ediciones del Nuevo Testamento son colocadas en hospitales, al lado de cada cama. Copias individuales del Nuevo Testamento, incluyendo Salmos y Proverbios, son otorgadas a miembros de las fuerzas armadas, a jóvenes en las escuelas de todo el país, a enfermeras y a muchas otras personas.

En años recientes, el Señor ha abierto las puertas de otras tierras para continuar esta labor, y Asociaciones de Gedeones compuestas por miembros indígenos de esos países, existen en más de 175 naciones.

La distribución de las Biblias es patrocinada principalmente por medio de la ayuda ofrecida por cristianos en todas las iglesias de sus comunidades. Los Gedeones son un brazo no sectario de la iglesia, sembrando la preciosa Semilla, la Palabra de Dios, en los terrenos del mundo. Por lo tanto, miles de iglesias evangélicas apoyan su labor con oraciones y contribuciones.

Dios ha prometido amparar Su Palabra, y que de ella brote fruto en Su honra. Los Gedeones han sido testigos de Su bendición en esta tarea, y saben que El guarda Su promesa. Es su sincero ruego que cada lector de esta copia de Su Palabra encuentre la guía y bendición que pueda necesitar, al leer el maravilloso Libro de Dios.

WHO ARE THE GIDEONS?

This question is frequently asked by the readers of these Scriptures so the following information may be of interest.

In the fall of 1898, two traveling men, strangers to each other, met in a Wisconsin, U.S.A., hotel. Discovering each other to be a Christian, they held their evening devotions together. The Lord impressed upon them the idea of forming an association of Christian traveling men and the following July these two met with a third man for that purpose. After prayer together, the name of the Gideons was selected for the group. This name was taken from the story of Gideon in the sixth and seventh chapters of the bible book of Judges, the leader of a small band of men dedicated to the service of God, through whom God accomplished much for His people.

The Gideons are laymen from various evangelical denominations, Christian business and professional men with a vital testimony for the Lord. Each Gideon is an active member of some local church and the Gideons as an Association work in co-operation with evangelical churches and denominations. The primary object of the Gideons is to win others to the Lord Jesus Christ, and an effective means to this end has been the wide distribution of the Word of God.

The Gideons seek to spread the Bible, the Word of God, and to encourage its use as widely as possible. The Lord has opened doors for the placement of His Word among many strategic groups of the population and in places through which large and important streams of national life pass from day to day. Bibles are placed in the rooms of hotels and motels and in other public places. Large New Testaments are placed in hospitals, beside each bed. Individual copies of the New Testament, with Psalms and Proverbs, are given to the members of our armed forces, to the young people in the schools of the land, to nurses, and to others.

In recent years, the Lord has opened doors for similar work in many lands, so that Gideon Associations organized with nationals now exist in more than 175 countries.

The Bible distribution program is financed primarily through the help of Christian people in the local churches. The Gideons are essentially a non-sectarian missionary arm of the church, sowing the precious Seed, the Word of God, in the field of the world. As such, thousands of evangelical churches support the work by their prayers and contributions.

God has promised to bless His Word and to cause it to bear fruit that will honor Him. Gideons have seen many evidences of His blessing upon their work, and know that He is keeping His promise. It is their sincere prayer that each reader of this particular copy of His Word will also find the individual instruction and blessing that he may need, as he reads in the wonderful Book of God!

EL
NUEVO TESTAMENTO
DE NUESTRO SEÑOR JESUCRISTO

Antigua Versión de Casiodoro de Reina (1569)
Revisada por Cipriano de Valera (1602)
Otras Revisiones: 1862, 1909 y 1960

THE
NEW TESTAMENT
OF OUR LORD AND SAVIOUR
JESUS CHRIST

TRANSLATED OUT OF THE ORIGINAL
GREEK; AND WITH THE FORMER TRANSLATIONS
DILIGENTLY COMPARED AND REVISED
COMMONLY KNOWN AS THE
AUTHORIZED (KING JAMES) VERSION

LOS GEDEONES INTERNACIONALES

THE GIDEONS INTERNATIONAL
P. O. Box 140800
Nashville, TN 37214-0800
www.gideons.org

National Publishing Company
Philadelphia, Pennsylvania
(Cia. Publicadora Nacional)
0602

TABLA DE LOS LIBROS — THE BOOKS OF THE NEW TESTAMENT

EL SANTO EVANGELIO SEGÚN

SAN MATEO

CAPÍTULO 1

LIBRO de la genealogía de Jesucristo, hijo de David, hijo de Abraham.

2 Abraham engendró a Isaac, Isaac a Jacob, y Jacob a Judá y a sus hermanos.

3 Judá engendró de Tamar a Fares y a Zara, Fares a Esrom, y Esrom a Aram.

4 Aram engendró a Aminadab, Aminadab a Naasón, y Naasón a Salmón.

5 Salmón engendró de Rahab a Booz, Booz engendró de Rut a Obed, y Obed a Isaí.

6 Isaí engendró al rey David, y el rey David engendró a Salomón de la que fue mujer de Urías.

7 Salomón engendró a Roboam, Roboam a Abías, y Abías a Asa.

8 Asa engendró a Josafat, Josafat a Joram, y Joram a Uzías.

9 Uzías engendró a Jotam, Jotam a Acaz, y Acaz a Ezequías.

10 Ezequías engendró a Manasés, Manasés a Amón, y Amón a Josías.

11 Josías engendró a Jeconías y a sus hermanos, en el tiempo de la deportación a Babilonia.

12 Después de la deportación a Babilonia, Jeconías engendró a Salatiel, y Salatiel a Zorobabel.

13 Zorobabel engendró a Abiud, Abiud a Eliaquim, y Eliaquim a Azor.

14 Azor engendró a Sadoc, Sadoc a Aquim, y Aquim a Eliud.

15 Eliud engendró a Eleazar, Eleazar a Matán, Matán a Jacob;

16 y Jacob engendró a José, marido de María, de la cual nació Jesús, llamado el Cristo.

17 De manera que todas las generaciones desde Abraham hasta David son catorce; desde David hasta la deportación a Babilonia, catorce; y desde la deportación a Babilonia hasta Cristo, catorce.

18 El nacimiento de Jesucristo fue así: Estando desposada María su madre con

THE GOSPEL ACCORDING TO

SAINT MATTHEW

CHAPTER 1

THE book of the generation of Jesus Christ, the son of David, the son of Abraham.

2 Abraham begat Isaac; and Isaac begat Jacob; and Jacob begat Judas and his brethren;

3 And Judas begat Pha'res and Za'ra of Tha'mar; and Pha'res begat Es'rom; and Es'rom begat A'ram;

4 And A'ram begat A-min'a-dab; and A-min'a-dab begat Na-as'son; and Na-as'son begat Sal'mon;

5 And Sal'mon begat Bo'oz of Ra'chab; and Bo'oz begat O'bed of Ruth; and O'bed begat Jesse;

6 And Jesse begat David the king; and David the king begat Solomon of her *that had been the wife* of U-ri'as;

7 And Solomon begat Ro-bo'am; and Ro-bo'am begat A-bi'a; and A-bi'a begat Asa;

8 And Asa begat Jos'a-phat; and Jos'a-phat begat Joram; and Joram begat O-zi'as;

9 And O-zi'as begat Jo'a-tham; and Jo'a-tham begat A'chaz; and A'chaz begat Ez-e-ki'as;

10 And Ez-e-ki'as begat Ma-nas'ses; and Ma-nas'ses begat A'mon; and A'mon begat Jo-si'as;

11 And Jo-si'as begat Jech-o-ni'as and his brethren, about the time they were carried away to Babylon:

12 And after they were brought to Babylon, Jech-o-ni'as begat Sa-la'thi-el; and Sa-la'thi-el begat Zo-rob'a-bel;

13 And Zo-rob'a-bel begat A-bi'ud; and A-bi'ud begat E-li'a-kim; and E-li'a-kim begat Azor;

14 And Azor begat Sa'doc; and Sa'doc begat A'chim; and A'chim begat E-li'ud;

15 And E-li'ud begat E-le-a'zar; and E-le-a'zar begat Mat'than; and Mat'than begat Jacob;

16 And Jacob begat Joseph the husband of Mary, of whom was born Jesus, who is called Christ.

17 So all the generations from Abraham to David *are* fourteen generations; and from David until the carrying away into Babylon *are* fourteen generations; and from the carrying away into Babylon unto Christ *are* fourteen generations.

18 Now the birth of Jesus Christ was on this wise: When as his mother Mary was espoused to Joseph, before they came to-

José, antes que se juntasen, se halló que había concebido del Espíritu Santo.

19 José su marido, como era justo, y no quería infamarla, quiso dejarla secretamente.

20 Y pensando él en esto, he aquí un ángel del Señor le apareció en sueños y le dijo: José, hijo de David, no temas recibir a María tu mujer, porque lo que en ella es engendrado, del Espíritu Santo es.

21 Y dará a luz un hijo, y llamarás su nombre JESÚS, porque él salvará a su pueblo de sus pecados.

22 Todo esto aconteció para que se cumpliese lo dicho por el Señor por medio del profeta, cuando dijo:

23 He aquí, una virgen concebirá y dará a luz un hijo, y llamarás su nombre Emanuel, que traducido es: Dios con nosotros.

24 Y despertando José del sueño, hizo como el ángel del Señor le había mandado, y recibió a su mujer.

25 Pero no la conoció hasta que dio a luz a su hijo primogénito; y le puso por nombre JESÚS.

CAPÍTULO 2

CUANDO Jesús nació en Belén de Judea en días del rey Herodes, vinieron del oriente a Jerusalén unos magos,

2 diciendo: ¿Dónde está el rey de los judíos, que ha nacido? Porque su estrella hemos visto en el oriente, y venimos a adorarle.

3 Oyendo esto, el rey Herodes se turbó, y toda Jerusalén con él.

4 Y convocados todos los principales sacerdotes, y los escribas del pueblo, les preguntó dónde había de nacer el Cristo.

5 Ellos le dijeron: En Belén de Judea; porque así está escrito por el profeta:

6 Y tú, Belén, de la tierra de Judá, no eres la más pequeña entre los príncipes de Judá; porque de ti saldrá un guiador, que apacentará a mi pueblo Israel.

7 Entonces Herodes, llamando en secreto a los magos, indagó de ellos diligentemente el tiempo de la aparición de la estrella;

8 y enviándolos a Belén, dijo: Id allá y averiguad con diligencia acerca del niño; y cuando le halléis, hacédmelo saber, para que yo también vaya y le adore.

9 Ellos, habiendo oído al rey, se fueron; y he aquí la estrella que habían visto en el oriente iba delante de ellos, hasta que lle-

gether, she was found with child of the Holy Ghost.

19 Then Joseph her husband, being a just *man*, and not willing to make her a publick example, was minded to put her away privily.

20 But while he thought on these things, behold, the angel of the Lord appeared unto him in a dream, saying, Joseph, thou son of David, fear not to take unto thee Mary thy wife: for that which is conceived in her is of the Holy Ghost.

21 And she shall bring forth a son, and thou shalt call his name JESUS: for he shall save his people from their sins.

22 Now all this was done, that it might be fulfilled which was spoken of the Lord by the prophet, saying,

23 Behold, a virgin shall be with child, and shall bring forth a son, and they shall call his name Em-man'u-el, which being interpreted is, God with us.

24 Then Joseph being raised from sleep did as the angel of the Lord had bidden him, and took unto him his wife:

25 And knew her not till she had brought forth her firstborn son: and he called his name JESUS.

CHAPTER 2

NOW when Jesus was born in Bethlehem of Judæa in the days of Herod the king, behold, there came wise men from the east to Jerusalem,

2 Saying, Where is he that is born King of the Jews? for we have seen his star in the east, and are come to worship him.

3 When Herod the king had heard *these things*, he was troubled, and all Jerusalem with him.

4 And when he had gathered all the chief priests and scribes of the people together, he demanded of them where Christ should be born.

5 And they said unto him, In Bethlehem of Judæa: for thus it is written by the prophet,

6 And thou Bethlehem, *in* the land of Juda, art not the least among the princes of Juda: for out of thee shall come a Governor, that shall rule my people Israel.

7 Then Herod, when he had privily called the wise men, inquired of them diligently what time the star appeared.

8 And he sent them to Bethlehem, and said, Go and search diligently for the young child; and when ye have found *him*, bring me word again, that I may come and worship him also.

9 When they had heard the king, they departed; and, lo, the star, which they saw in the east, went before them, till it

gando, se detuvo sobre donde estaba el niño.

10 Y al ver la estrella, se regocijaron con muy grande gozo.

11 Y al entrar en la casa, vieron al niño con su madre María, y postrándose, lo adoraron; y abriendo sus tesoros, le ofrecieron presentes: oro, incienso y mirra.

12 Pero siendo avisados por revelación en sueños que no volviesen a Herodes, regresaron a su tierra por otro camino.

13 Después que partieron ellos, he aquí un ángel del Señor apareció en sueños a José y dijo: Levántate, y toma al niño y a su madre, y huye a Egipto, y permanece allá hasta que yo te diga; porque acontecerá que Herodes buscará al niño para matarlo.

14 Y él, despertando, tomó de noche al niño y a su madre, y se fue a Egipto,

15 y estuvo allá hasta la muerte de Herodes; para que se cumpliese lo que dijo el Señor por medio del profeta, cuando dijo: De Egipto llamé a mi Hijo.

16 Herodes entonces, cuando se vio burlado por los magos, se enojó mucho, y mandó matar a todos los niños menores de dos años que había en Belén y en todos sus alrededores, conforme al tiempo que había inquirido de los magos.

17 Entonces se cumplió lo que fue dicho por el profeta Jeremías, cuando dijo:

18 Voz fue oída en Ramá, grande lamentación, lloro y gemido; Raquel que llora a sus hijos, y no quiso ser consolada, porque perecieron.

19 Pero después de muerto Herodes, he aquí un ángel del Señor apareció en sueños a José en Egipto,

20 diciendo: Levántate, toma al niño y a su madre, y vete a tierra de Israel, porque han muerto los que procuraban la muerte del niño.

21 Entonces él se levantó, y tomó al niño y a su madre, y vino a tierra de Israel.

22 Pero oyendo que Arquelao reinaba en Judea en lugar de Herodes su padre, tuvo temor de ir allá; pero avisado por revelación en sueños, se fue a la región de Galilea,

23 y vino y habitó en la ciudad que se llama Nazaret, para que se cumpliese lo que fue dicho por los profetas, que habría de ser llamado nazareno.

came and stood over where the young child was.

10 When they saw the star, they rejoiced with exceeding great joy.

11 And when they were come into the house, they saw the young child with Mary his mother, and fell down, and worshipped him: and when they had opened their treasures, they presented unto him gifts; gold, and frankincense, and myrrh.

12 And being warned of God in a dream that they should not return to Herod, they departed into their own country another way.

13 And when they were departed, behold, the angel of the Lord appeareth to Joseph in a dream, saying, Arise, and take the young child and his mother, and flee into Egypt, and be thou there until I bring thee word: for Herod will seek the young child to destroy him.

14 When he arose, he took the young child and his mother by night, and departed into Egypt:

15 And was there until the death of Herod: that it might be fulfilled which was spoken of the Lord by the prophet, saying, Out of Egypt have I called my son.

16 Then Herod, when he saw that he was mocked of the wise men, was exceeding wroth, and sent forth, and slew all the children that were in Bethlehem, and in all the coasts thereof, from two years old and under, according to the time which he had diligently inquired of the wise men.

17 Then was fulfilled that which was spoken by Jeremy the prophet, saying,

18 In Ra′ma was there a voice heard, lamentation, and weeping, and great mourning, Rachel weeping *for* her children, and would not be comforted, because they are not.

19 But when Herod was dead, behold, an angel of the Lord appeareth in a dream to Joseph in Egypt,

20 Saying, Arise, and take the young child and his mother, and go into the land of Israel: for they are dead which sought the young child's life.

21 And he arose, and took the young child and his mother, and came into the land of Israel.

22 But when he heard that Ar-che-la′us did reign in Judæa in the room of his father Herod, he was afraid to go thither: notwithstanding, being warned of God in a dream, he turned aside into the parts of Galilee:

23 And he came and dwelt in a city called Nazareth: that it might be fulfilled which was spoken by the prophets, He shall be called a Nazarene.

CAPÍTULO 3

EN aquellos días vino Juan el Bautista predicando en el desierto de Judea,

2 y diciendo: Arrepentíos, porque el reino de los cielos se ha acercado.

3 Pues éste es aquel de quien habló el profeta Isaías, cuando dijo: Voz del que clama en el desierto: Preparad el camino del Señor, enderezad sus sendas.

4 Y Juan estaba vestido de pelo de camello, y tenía un cinto de cuero alrededor de sus lomos; y su comida era langostas y miel silvestre.

5 Y salía a él Jerusalén, y toda Judea, y toda la provincia de alrededor del Jordán,

6 y eran bautizados por él en el Jordán, confesando sus pecados.

7 Al ver él que muchos de los fariseos y de los saduceos venían a su bautismo, les decía: ¡Generación de víboras! ¿Quién os enseñó a huir de la ira venidera?

8 Haced, pues, frutos dignos de arrepentimiento,

9 y no penséis decir dentro de vosotros mismos: A Abraham tenemos por padre; porque yo os digo que Dios puede levantar hijos a Abraham aun de estas piedras.

10 Y ya también el hacha está puesta a la raíz de los árboles; por tanto, todo árbol que no da buen fruto es cortado y echado en el fuego.

11 Yo a la verdad os bautizo en agua para arrepentimiento; pero el que viene tras mí, cuyo calzado yo no soy digno de llevar, es más poderoso que yo; él os bautizará en Espíritu Santo y fuego.

12 Su aventador está en su mano, y limpiará su era; y recogerá su trigo en el granero, y quemará la paja en fuego que nunca se apagará.

13 Entonces Jesús vino de Galilea a Juan al Jordán, para ser bautizado por él.

14 Mas Juan se le oponía, diciendo: Yo necesito ser bautizado por ti, ¿y tú vienes a *mí*?

15 Pero Jesús le respondió: Deja ahora, porque así conviene que cumplamos toda justicia. Entonces le dejó.

16 Y Jesús, después que fue bautizado, subió luego del agua; y he aquí los cielos le fueron abiertos, y vio al Espíritu de Dios que descendía como paloma, y venía sobre él.

17 Y hubo una voz de los cielos, que decía: Este es mi Hijo amado, en quien tengo complacencia.

CHAPTER 3

IN those days came John the Baptist, preaching in the wilderness of Judæa,

2 And saying, Repent ye: for the kingdom of heaven is at hand.

3 For this is he that was spoken of by the prophet E-sai′as, saying, The voice of one crying in the wilderness, Prepare ye the way of the Lord, make his paths straight.

4 And the same John had his raiment of camel's hair, and a leathern girdle about his loins; and his meat was locusts and wild honey.

5 Then went out to him Jerusalem, and all Judæa, and all the region round about Jordan,

6 And were baptized of him in Jordan, confessing their sins.

7 But when he saw many of the Pharisees and Sad′du-cees come to his baptism, he said unto them, O generation of vipers, who hath warned you to flee from the wrath to come?

8 Bring forth therefore fruits meet for repentance:

9 And think not to say within yourselves, We have Abraham to *our* father: for I say unto you, that God is able of these stones to raise up children unto Abraham.

10 And now also the axe is laid unto the root of the trees: therefore every tree which bringeth not forth good fruit is hewn down, and cast into the fire.

11 I indeed baptize you with water unto repentance: but he that cometh after me is mightier than I, whose shoes I am not worthy to bear: he shall baptize you with the Holy Ghost, and *with* fire:

12 Whose fan *is* in his hand, and he will throughly purge his floor, and gather his wheat into the garner; but he will burn up the chaff with unquenchable fire.

13 Then cometh Jesus from Galilee to Jordan unto John, to be baptized of him.

14 But John forbad him, saying, I have need to be baptized of thee, and comest thou to me?

15 And Jesus answering said unto him, Suffer *it to be* so now: for thus it becometh us to fulfil all righteousness. Then he suffered him.

16 And Jesus, when he was baptized, went up straightway out of the water: and, lo, the heavens were opened unto him, and he saw the Spirit of God descending like a dove, and lighting upon him:

17 And lo a voice from heaven, saying, This is my beloved Son, in whom I am well pleased.

CAPÍTULO 4

ENTONCES Jesús fue llevado por el Espíritu al desierto, para ser tentado por el diablo.

2 Y después de haber ayunado cuarenta días y cuarenta noches, tuvo hambre.

3 Y vino a él el tentador, y le dijo: Si eres Hijo de Dios, dí que estas piedras se conviertan en pan.

4 El respondió y dijo: Escrito está: No sólo de pan vivirá el hombre, sino de toda palabra que sale de la boca de Dios.

5 Entonces el diablo le llevó a la santa ciudad, y le puso sobre el pináculo del templo,

6 y le dijo: Si eres Hijo de Dios, échate abajo; porque escrito está: A sus ángeles mandará acerca de ti, y, en sus manos te sostendrán, para que no tropieces con tu pie en piedra.

7 Jesús le dijo: Escrito está también: No tentarás al Señor tu Dios.

8 Otra vez le llevó el diablo a un monte muy alto, y le mostró todos los reinos del mundo y la gloria de ellos,

9 y le dijo: Todo esto te daré, si postrado me adorares.

10 Entonces Jesús le dijo: Vete, Satanás, porque escrito está: Al Señor tu Dios adorarás, y a él solo servirás.

11 El diablo entonces le dejó; y he aquí vinieron ángeles y le servían.

12 Cuando Jesús oyó que Juan estaba preso, volvió a Galilea;

13 y dejando a Nazaret, vino y habitó en Capernaum, ciudad marítima, en la región de Zabulón y de Neftalí,

14 para que se cumpliese lo dicho por el profeta Isaías, cuando dijo:

15 Tierra de Zabulón y tierra de Neftalí, camino del mar, al otro lado del Jordán, Galilea de los gentiles;

16 el pueblo asentado en tinieblas vio gran luz; y a los asentados en región de sombra de muerte, luz les resplandeció.

17 Desde entonces comenzó Jesús a predicar, y a decir: Arrepentíos, porque el reino de los cielos se ha acercado.

18 Andando Jesús junto al mar de Galilea, vio a dos hermanos, Simón, llamado Pedro, y Andrés su hermano, que echa-

CHAPTER 4

THEN was Jesus led up of the Spirit into the wilderness to be tempted of the devil.

2 And when he had fasted forty days and forty nights, he was afterward an hungred.

3 And when the tempter came to him, he said, If thou be the Son of God, command that these stones be made bread.

4 But he answered and said, It is written, Man shall not live by bread alone, but by every word that proceedeth out of the mouth of God.

5 Then the devil taketh him up into the holy city, and setteth him on a pinnacle of the temple,

6 And saith unto him, If thou be the Son of God, cast thyself down: for it is written, He shall give his angels charge concerning thee: and in *their* hands they shall bear thee up, lest at any time thou dash thy foot against a stone.

7 Jesus said unto him, It is written again, Thou shalt not tempt the Lord thy God.

8 Again, the devil taketh him up into an exceeding high mountain, and sheweth him all the kingdoms of the world, and the glory of them;

9 And saith unto him, All these things will I give thee, if thou wilt fall down and worship me.

10 Then saith Jesus unto him, Get thee hence, Satan: for it is written, Thou shalt worship the Lord thy God, and him only shalt thou serve.

11 Then the devil leaveth him, and, behold, angels came and ministered unto him.

12 Now when Jesus had heard that John was cast into prison, he departed into Galilee;

13 And leaving Nazareth, he came and dwelt in Ca-per'na-um, which is upon the sea coast, in the borders of Zab'u-lon and Neph'tha-lim:

14 That it might be fulfilled which was spoken by E-sai'as the prophet, saying,

15 The land of Zab'u-lon, and the land of Neph'tha-lim, *by* the way of the sea, beyond Jordan, Galilee of the Gentiles;

16 The people which sat in darkness saw great light; and to them which sat in the region and shadow of death light is sprung up.

17 From that time Jesus began to preach, and to say, Repent: for the kingdom of heaven is at hand.

18 And Jesus, walking by the sea of Galilee, saw two brethren, Simon called

ban la red en el mar; porque eran pescadores.

19 Y les dijo: Venid en pos de mí, y os haré pescadores de hombres.

20 Ellos entonces, dejando al instante las redes, le siguieron.

21 Pasando de allí, vio a otros dos hermanos, Jacobo hijo de Zebedeo, y Juan su hermano, en la barca con Zebedeo su padre, que remendaban sus redes; y los llamó.

22 Y ellos, dejando al instante la barca y a su padre, le siguieron.

23 Y recorrió Jesús toda Galilea, enseñando en las sinagogas de ellos, y predicando el evangelio del reino, y sanando toda enfermedad y toda dolencia en el pueblo.

24 Y se difundió su fama por toda Siria; y le trajeron todos los que tenían dolencias, los afligidos por diversas enfermedades y tormentos, los endemoniados, lunáticos y paralíticos; y los sanó.

25 Y le siguió mucha gente de Galilea, de Decápolis, de Jerusalén, de Judea y del otro lado del Jordán.

CAPÍTULO 5

VIENDO la multitud, subió al monte; y sentándose, vinieron a él sus discípulos.

2 Y abriendo su boca les enseñaba, diciendo:

3 Bienaventurados los pobres en espíritu, porque de ellos es el reino de los cielos.

4 Bienaventurados los que lloran, porque ellos recibirán consolación.

5 Bienaventurados los mansos, porque ellos recibirán la tierra por heredad.

6 Bienaventurados los que tienen hambre y sed de justicia, porque ellos serán saciados.

7 Bienaventurados los misericordiosos, porque ellos alcanzarán misericordia.

8 Bienaventurados los de limpio corazón, porque ellos verán a Dios.

9 Bienaventurados los pacificadores, porque ellos serán llamados hijos de Dios.

10 Bienaventurados los que padecen persecución por causa de la justicia, porque de ellos es el reino de los cielos.

11 Bienaventurados sois cuando por mi causa os vituperen y os persigan, y digan toda clase de mal contra vosotros, mintiendo.

12 Gozaos y alegraos, porque vuestro galardón es grande en los cielos; porque así persiguieron a los profetas que fueron antes de vosotros.

13 Vosotros sois la sal de la tierra; pero

Peter, and Andrew his brother, casting a net into the sea: for they were fishers.

19 And he saith unto them, Follow me, and I will make you fishers of men.

20 And they straightway left *their* nets, and followed him.

21 And going on from thence, he saw other two brethren, James *the son* of Zeb'e-dee, and John his brother, in a ship with Zeb'e-dee their father, mending their nets; and he called them.

22 And they immediately left the ship and their father, and followed him.

23 And Jesus went about all Galilee, teaching in their synagogues, and preaching the gospel of the kingdom, and healing all manner of sickness and all manner of disease among the people.

24 And his fame went throughout all Syria: and they brought unto him all sick people that were taken with divers diseases and torments, and those which were possessed with devils, and those which were lunatick, and those that had the palsy; and he healed them.

25 And there followed him great multitudes of people from Galilee, and *from* De-cap'o-lis, and *from* Jerusalem, and *from* Judæa, and *from* beyond Jordan.

CHAPTER 5

AND seeing the multitudes, he went up into a mountain: and when he was set, his disciples came unto him:

2 And he opened his mouth, and taught them, saying,

3 Blessed *are* the poor in spirit: for theirs is the kingdom of heaven.

4 Blessed *are* they that mourn: for they shall be comforted.

5 Blessed *are* the meek: for they shall inherit the earth.

6 Blessed *are* they which do hunger and thirst after righteousness: for they shall be filled.

7 Blessed *are* the merciful: for they shall obtain mercy.

8 Blessed *are* the pure in heart: for they shall see God.

9 Blessed *are* the peacemakers: for they shall be called the children of God.

10 Blessed *are* they which are persecuted for righteousness' sake: for theirs is the kingdom of heaven.

11 Blessed are ye, when *men* shall revile you, and persecute *you*, and shall say all manner of evil against you falsely, for my sake.

12 Rejoice, and be exceeding glad: for great *is* your reward in heaven: for so persecuted they the prophets which were before you.

13 Ye are the salt of the earth: but if the

si la sal se desvaneciere, ¿con qué será salada? No sirve más para nada, sino para ser echada fuera y hollada por los hombres.

14 Vosotros sois la luz del mundo; una ciudad asentada sobre un monte no se puede esconder.

15 Ni se enciende una luz y se pone debajo de un almud, sino sobre el candelero, y alumbra a todos los que están en casa.

16 Así alumbre vuestra luz delante de los hombres, para que vean vuestras buenas obras, y glorifiquen a vuestro Padre que está en los cielos.

17 No penséis que he venido para abrogar la ley o los profetas; no he venido para abrogar, sino para cumplir.

18 Porque de cierto os digo que hasta que pasen el cielo y la tierra, ni una jota ni una tilde pasará de la ley, hasta que todo se haya cumplido.

19 De manera que cualquiera que quebrante uno de estos mandamientos muy pequeños, y así enseñe a los hombres, muy pequeño será llamado en el reino de los cielos; mas cualquiera que los haga y los enseñe, éste será llamado grande en el reino de los cielos.

20 Porque os digo que si vuestra justicia no fuere mayor que la de los escribas y fariseos, no entraréis en el reino de los cielos.

21 Oísteis que fue dicho a los antiguos: No matarás; y cualquiera que matare será culpable de juicio.

22 Pero yo os digo que cualquiera que se enoje contra su hermano, será culpable de juicio; y cualquiera que diga: Necio, a su hermano, será culpable ante el concilio; y cualquiera que le diga: Fatuo, quedará expuesto al infierno de fuego.

23 Por tanto, si traes tu ofrenda al altar, y allí te acuerdas de que tu hermano tiene algo contra ti,

24 deja allí tu ofrenda delante del altar, y anda, reconcíliate primero con tu hermano, y entonces ven y presenta tu ofrenda.

25 Ponte de acuerdo con tu adversario pronto, entre tanto que estás con él en el camino, no sea que el adversario te entregue al juez, y el juez al alguacil, y seas echado en la cárcel.

26 De cierto te digo que no saldrás de allí, hasta que pagues el último cuadrante.

27 Oísteis que fue dicho: No cometerás adulterio.

28 Pero yo os digo que cualquiera que mira a una mujer para codiciarla, ya adulteró con ella en su corazón.

salt have lost his savour, wherewith shall it be salted? it is thenceforth good for nothing, but to be cast out, and to be trodden under foot of men.

14 Ye are the light of the world. A city that is set on an hill cannot be hid.

15 Neither do men light a candle, and put it under a bushel, but on a candlestick; and it giveth light unto all that are in the house.

16 Let your light so shine before men, that they may see your good works, and glorify your Father which is in heaven.

17 Think not that I am come to destroy the law, or the prophets: I am not come to destroy, but to fulfil.

18 For verily I say unto you, Till heaven and earth pass, one jot or one tittle shall in no wise pass from the law, till all be fulfilled.

19 Whosoever therefore shall break one of these least commandments, and shall teach men so, he shall be called the least in the kingdom of heaven: but whosoever shall do and teach *them*, the same shall be called great in the kingdom of heaven.

20 For I say unto you, That except your righteousness shall exceed *the righteousness* of the scribes and Pharisees, ye shall in no case enter into the kingdom of heaven.

21 Ye have heard that it was said by them of old time, Thou shalt not kill; and whosoever shall kill shall be in danger of the judgment:

22 But I say unto you, That whosoever is angry with his brother without a cause shall be in danger of the judgment: and whosoever shall say to his brother, Raca, shall be in danger of the council: but whosoever shall say, Thou fool, shall be in danger of hell fire.

23 Therefore if thou bring thy gift to the altar, and there rememberest that thy brother hath ought against thee;

24 Leave there thy gift before the altar, and go thy way; first be reconciled to thy brother, and then come and offer thy gift.

25 Agree with thine adversary quickly, whiles thou art in the way with him; lest at any time the adversary deliver thee to the judge, and the judge deliver thee to the officer, and thou be cast into prison.

26 Verily I say unto thee, Thou shalt by no means come out thence, till thou hast paid the uttermost farthing.

27 Ye have heard that it was said by them of old time, Thou shalt not commit adultery:

28 But I say unto you, That whosoever looketh on a woman to lust after her hath committed adultery with her already in his heart.

29 Por tanto, si tu ojo derecho te es ocasión de caer, sácalo, y échalo de ti; pues mejor te es que se pierda uno de tus miembros, y no que todo tu cuerpo sea echado al infierno.
30 Y si tu mano derecha te es ocasión de caer, córtala, y échala de ti; pues mejor te es que se pierda uno de tus miembros, y no que todo tu cuerpo sea echado al infierno.
31 También fue dicho: Cualquiera que repudie a su mujer, dele carta de divorcio.
32 Pero yo os digo que el que repudia a su mujer, a no ser por causa de fornicación, hace que ella adultere; y el que se casa con la repudiada, comete adulterio.
33 Además habéis oído que fue dicho a los antiguos: No perjurarás, sino cumplirás al Señor tus juramentos.
34 Pero yo os digo: No juréis en ninguna manera; ni por el cielo, porque es el trono de Dios;
35 ni por la tierra, porque es el estrado de sus pies; ni por Jerusalén, porque es la ciudad del gran Rey.
36 Ni por tu cabeza jurarás, porque no puedes hacer blanco o negro un solo cabello.
37 Pero sea vuestro hablar: Sí, sí; no, no; porque lo que es más de esto, de mal procede.
38 Oísteis que fue dicho: Ojo por ojo, y diente por diente.
39 Pero yo os digo: No resistáis al que es malo; antes, a cualquiera que te hiera en la mejilla derecha, vuélvele también la otra;
40 y al que quiera ponerte a pleito y quitarte la túnica, déjale también la capa;
41 y a cualquiera que te obligue a llevar carga por una milla, vé con él dos.
42 Al que te pida, dale; y al que quiera tomar de ti prestado, no se lo rehúses.
43 Oísteis que fue dicho: Amarás a tu prójimo, y aborrecerás a tu enemigo.
44 Pero yo os digo: Amad a vuestros enemigos, bendecid a los que os maldicen, haced bien a los que os aborrecen, y orad por los que os ultrajan y os persiguen;
45 para que seáis hijos de vuestro Padre que está en los cielos, que hace salir su sol sobre malos y buenos, y que hace llover sobre justos e injustos.
46 Porque si amáis a los que os aman, ¿qué recompensa tendréis? ¿No hacen también lo mismo los publicanos?

29 And if thy right eye offend thee, pluck it out, and cast *it* from thee: for it is profitable for thee that one of thy members should perish, and not *that* thy whole body should be cast into hell.
30 And if thy right hand offend thee, cut it off, and cast *it* from thee: for it is profitable for thee that one of thy members should perish, and not *that* thy whole body should be cast into hell.
31 It hath been said, Whosoever shall put away his wife, let him give her a writing of divorcement:
32 But I say unto you, That whosoever shall put away his wife, saving for the cause of fornication, causeth her to commit adultery: and whosoever shall marry her that is divorced committeth adultery.
33 Again, ye have heard that it hath been said by them of old time, Thou shalt not forswear thyself, but shalt perform unto the Lord thine oaths:
34 But I say unto you, Swear not at all; neither by heaven; for it is God's throne:
35 Nor by the earth; for it is his footstool: neither by Jerusalem; for it is the city of the great King.
36 Neither shalt thou swear by thy head, because thou canst not make one hair white or black.
37 But let your communication be, Yea, yea; Nay, nay: for whatsoever is more than these cometh of evil.
38 Ye have heard that it hath been said, An eye for an eye, and a tooth for a tooth:
39 But I say unto you, That ye resist not evil: but whosoever shall smite thee on thy right cheek, turn to him the other also.
40 And if any man will sue thee at the law, and take away thy coat, let him have *thy* cloak also.
41 And whosoever shall compel thee to go a mile, go with him twain.
42 Give to him that asketh thee, and from him that would borrow of thee turn not thou away.
43 Ye have heard that it hath been said, Thou shalt love thy neighbour, and hate thine enemy.
44 But I say unto you, Love your enemies, bless them that curse you, do good to them that hate you, and pray for them which despitefully use you, and persecute you;
45 That ye may be the children of your Father which is in heaven: for he maketh his sun to rise on the evil and on the good, and sendeth rain on the just and on the unjust.
46 For if ye love them which love you, what reward have ye? do not even the publicans the same?

47 Y si saludáis a vuestros hermanos solamente, ¿qué hacéis de más? ¿No hacen también así los gentiles?

48 Sed, pues, vosotros perfectos, como vuestro Padre que está en los cielos es perfecto.

CAPÍTULO 6

GUARDAOS de hacer vuestra justicia delante de los hombres, para ser vistos de ellos; de otra manera no tendréis recompensa de vuestro Padre que está en los cielos.

2 Cuando, pues, des limosna, no hagas tocar trompeta delante de ti, como hacen los hipócritas en las sinagogas y en las calles, para ser alabados por los hombres; de cierto os digo que ya tienen su recompensa.

3 Mas cuando tú des limosna, no sepa tu izquierda lo que hace tu derecha,

4 para que sea tu limosna en secreto; y tu Padre que ve en lo secreto te recompensará en público.

5 Y cuando ores, no seas como los hipócritas; porque ellos aman el orar en pie en las sinagogas y en las esquinas de las calles, para ser vistos de los hombres; de cierto os digo que ya tienen su recompensa.

6 Mas tú, cuando ores, entra en tu aposento, y cerrada la puerta, ora a tu Padre que está en secreto; y tu Padre que ve en lo secreto te recompensará en público.

7 Y orando, no uséis vanas repeticiones, como los gentiles, que piensan que por su palabrería serán oídos.

8 No os hagáis, pues, semejantes a ellos; porque vuestro Padre sabe de qué cosas tenéis necesidad, antes que vosotros le pidáis.

9 Vosotros, pues, oraréis así: Padre nuestro que estás en los cielos, santificado sea tu nombre.

10 Venga tu reino. Hágase tu voluntad, como en el cielo, así también en la tierra.

11 El pan nuestro de cada día, dánoslo hoy.

12 Y perdónanos nuestras deudas, como también nosotros perdonamos a nuestros deudores.

13 Y no nos metas en tentación, mas líbranos del mal; porque tuyo es el reino, y el poder, y la gloria, por todos los siglos. Amén.

14 Porque si perdonáis a los hombres sus ofensas, os perdonará también a vosotros vuestro Padre celestial;

15 mas si no perdonáis a los hombres sus ofensas, tampoco vuestro Padre os perdonará vuestras ofensas.

16 Cuando ayunéis, no seáis austeros, como los hipócritas; porque ellos demu-

47 And if ye salute your brethren only, what do ye more *than others?* do not even the publicans so?

48 Be ye therefore perfect, even as your Father which is in heaven is perfect.

CHAPTER 6

TAKE heed that ye do not your alms before men, to be seen of them: otherwise ye have no reward of your Father which is in heaven.

2 Therefore when thou doest *thine* alms, do not sound a trumpet before thee, as the hypocrites do in the synagogues and in the streets, that they may have glory of men. Verily I say unto you, They have their reward.

3 But when thou doest alms, let not thy left hand know what thy right hand doeth:

4 That thine alms may be in secret: and thy Father which seeth in secret himself shall reward thee openly.

5 And when thou prayest, thou shalt not be as the hypocrites *are:* for they love to pray standing in the synagogues and in the corners of the streets, that they may be seen of men. Verily I say unto you, They have their reward.

6 But thou, when thou prayest, enter into thy closet, and when thou hast shut thy door, pray to thy Father which is in secret; and thy Father which seeth in secret shall reward thee openly.

7 But when ye pray, use not vain repetitions, as the heathen *do:* for they think that they shall be heard for their much speaking.

8 Be not ye therefore like unto them: for your Father knoweth what things ye have need of, before ye ask him.

9 After this manner therefore pray ye: Our Father which art in heaven, Hallowed be thy name.

10 Thy kingdom come. Thy will be done in earth, as *it is* in heaven.

11 Give us this day our daily bread.

12 And forgive us our debts, as we forgive our debtors.

13 And lead us not into temptation, but deliver us from evil: For thine is the kingdom, and the power, and the glory, for ever. Amen.

14 For if ye forgive men their trespasses, your heavenly Father will also forgive you:

15 But if ye forgive not men their trespasses, neither will your Father forgive your trespasses.

16 Moreover when ye fast, be not, as the hypocrites, of a sad countenance: for they

dan sus rostros para mostrar a los hombres que ayunan; de cierto os digo que ya tienen su recompensa.

17 Pero tú, cuando ayunes, unge tu cabeza y lava tu rostro,

18 para no mostrar a los hombres que ayunas, sino a tu Padre que está en secreto; y tu Padre que ve en lo secreto te recompensará en público.

19 No os hagáis tesoros en la tierra, donde la polilla y el orín corrompen, y donde ladrones minan y hurtan;

20 sino haceos tesoros en el cielo, donde ni la polilla ni el orín corrompen, y donde ladrones no minan ni hurtan.

21 Porque donde esté vuestro tesoro, allí estará también vuestro corazón.

22 La lámpara del cuerpo es el ojo; así que, si tu ojo es bueno, todo tu cuerpo estará lleno de luz;

23 pero si tu ojo es maligno, todo tu cuerpo estará en tinieblas. Así que, si la luz que en ti hay es tinieblas, ¿cuántas no serán las mismas tinieblas?

24 Ninguno puede servir a dos señores; porque o aborrecerá al uno y amará al otro, o estimará al uno y menospreciará al otro. No podéis servir a Dios y a las riquezas.

25 Por tanto os digo: No os afanéis por vuestra vida, qué habéis de comer o qué habéis de beber; ni por vuestro cuerpo, qué habéis de vestir. ¿No es la vida más que el alimento, y el cuerpo más que el vestido?

26 Mirad las aves del cielo, que no siembran, ni siegan, ni recogen en graneros; y vuestro Padre celestial las alimenta. ¿No valéis vosotros mucho más que ellas?

27 ¿Y quién de vosotros podrá, por mucho que se afane, añadir a su estatura un codo?

28 Y por el vestido, ¿por qué os afanáis? Considerad los lirios del campo, cómo crecen: no trabajan ni hilan;

29 pero os digo, que ni aun Salomón con toda su gloria se vistió así como uno de ellos.

30 Y si la hierba del campo que hoy es, y mañana se echa en el horno, Dios la viste así, ¿no hará mucho más a vosotros, hombres de poca fe?

31 No os afanéis, pues, diciendo: ¿Qué comeremos, o qué beberemos, o qué vestiremos?

32 Porque los gentiles buscan todas estas cosas; pero vuestro Padre celestial sabe que tenéis necesidad de todas estas cosas.

33 Mas buscad primeramente el reino

disfigure their faces, that they may appear unto men to fast. Verily I say unto you, They have their reward.

17 But thou, when thou fastest, anoint thine head, and wash thy face;

18 That thou appear not unto men to fast, but unto thy Father which is in secret: and thy Father, which seeth in secret, shall reward thee openly.

19 Lay not up for yourselves treasures upon earth, where moth and rust doth corrupt, and where thieves break through and steal:

20 But lay up for yourselves treasures in heaven, where neither moth nor rust doth corrupt, and where thieves do not break through nor steal:

21 For where your treasure is, there will your heart be also.

22 The light of the body is the eye: if therefore thine eye be single, thy whole body shall be full of light.

23 But if thine eye be evil, thy whole body shall be full of darkness. If therefore the light that is in thee be darkness, how great *is* that darkness!

24 No man can serve two masters: for either he will hate the one, and love the other; or else he will hold to the one, and despise the other. Ye cannot serve God and mammon.

25 Therefore I say unto you, Take no thought for your life, what ye shall eat, or what ye shall drink; nor yet for your body, what ye shall put on. Is not the life more than meat, and the body than raiment?

26 Behold the fowls of the air: for they sow not, neither do they reap, nor gather into barns; yet your heavenly Father feedeth them. Are ye not much better than they?

27 Which of you by taking thought can add one cubit unto his stature?

28 And why take ye thought for raiment? Consider the lilies of the field, how they grow; they toil not, neither do they spin:

29 And yet I say unto you, That even Solomon in all his glory was not arrayed like one of these.

30 Wherefore, if God so clothe the grass of the field, which to day is, and to morrow is cast into the oven, *shall he* not much more *clothe* you, O ye of little faith?

31 Therefore take no thought, saying, What shall we eat? or, What shall we drink? or, Wherewithal shall we be clothed?

32 (For after all these things do the Gentiles seek:) for your heavenly Father knoweth that ye have need of all these things.

33 But seek ye first the kingdom of God,

de Dios y su justicia, y todas estas cosas os serán añadidas.

34 Así que, no os afanéis por el día de mañana, porque el día de mañana traerá su afán. Basta a cada día su propio mal.

CAPÍTULO 7

NO juzguéis, para que no seáis juzgados.

2 Porque con el juicio con que juzgáis, seréis juzgados, y con la medida con que medís, os será medido.

3 ¿Y por qué miras la paja que está en el ojo de tu hermano, y no echas de ver la viga que está en tu propio ojo?

4 ¿O cómo dirás a tu hermano: Déjame sacar la paja de tu ojo, y he aquí la viga en el ojo tuyo?

5 ¡Hipócrita! saca primero la viga de tu propio ojo, y entonces verás bien para sacar la paja del ojo de tu hermano.

6 No deis lo santo a los perros, ni echéis vuestras perlas delante de los cerdos, no sea que las pisoteen, y se vuelvan y os despedacen.

7 Pedid, y se os dará; buscad, y hallaréis; llamad, y se os abrirá.

8 Porque todo aquel que pide, recibe; y el que busca, halla; y al que llama, se le abrirá.

9 ¿Qué hombre hay de vosotros, que si su hijo le pide pan, le dará una piedra?

10 ¿O si le pide un pescado, le dará una serpiente?

11 Pues si vosotros, siendo malos, sabéis dar buenas dádivas a vuestros hijos, ¿cuánto más vuestro Padre que está en los cielos dará buenas cosas a los que le pidan?

12 Así que, todas las cosas que queráis que los hombres hagan con vosotros, así también haced vosotros con ellos; porque esto es la ley y los profetas.

13 Entrad por la puerta estrecha; porque ancha es la puerta, y espacioso el camino que lleva a la perdición, y muchos son los que entran por ella;

14 porque estrecha es la puerta, y angosto el camino que lleva a la vida, y pocos son los que la hallan.

15 Guardaos de los falsos profetas, que vienen a vosotros con vestidos de ovejas, pero por dentro son lobos rapaces.

16 Por sus frutos los conoceréis. ¿Acaso se recogen uvas de los espinos, o higos de los abrojos?

17 Así, todo buen árbol da buenos frutos, pero el árbol malo da frutos malos.

and his righteousness; and all these things shall be added unto you.

34 Take therefore no thought for the morrow: for the morrow shall take thought for the things of itself. Sufficient unto the day *is* the evil thereof.

CHAPTER 7

JUDGE not, that ye be not judged.

2 For with what judgment ye judge, ye shall be judged: and with what measure ye mete, it shall be measured to you again.

3 And why beholdest thou the mote that is in thy brother's eye, but considerest not the beam that is in thine own eye?

4 Or how wilt thou say to thy brother, Let me pull out the mote out of thine eye; and, behold, a beam *is* in thine own eye?

5 Thou hypocrite, first cast out the beam out of thine own eye; and then shalt thou see clearly to cast out the mote out of thy brother's eye.

6 Give not that which is holy unto the dogs, neither cast ye your pearls before swine, lest they trample them under their feet, and turn again and rend you.

7 Ask, and it shall be given you; seek, and ye shall find; knock, and it shall be opened unto you:

8 For every one that asketh receiveth; and he that seeketh findeth; and to him that knocketh it shall be opened.

9 Or what man is there of you, whom if his son ask bread, will he give him a stone?

10 Or if he ask a fish, will he give him a serpent?

11 If ye then, being evil, know how to give good gifts unto your children, how much more shall your Father which is in heaven give good things to them that ask him?

12 Therefore all things whatsoever ye would that men should do to you, do ye even so to them: for this is the law and the prophets.

13 Enter ye in at the strait gate: for wide *is* the gate, and broad *is* the way, that leadeth to destruction, and many there be which go in thereat:

14 Because strait *is* the gate, and narrow *is* the way, which leadeth unto life, and few there be that find it.

15 Beware of false prophets, which come to you in sheep's clothing, but inwardly they are ravening wolves.

16 Ye shall know them by their fruits. Do men gather grapes of thorns, or figs of thistles?

17 Even so every good tree bringeth forth good fruit; but a corrupt tree bringeth forth evil fruit.

18 No puede el buen árbol dar malos frutos, ni el árbol malo dar frutos buenos.
19 Todo árbol que no da buen fruto, es cortado y echado en el fuego.
20 Así que, por sus frutos los conoceréis.
21 No todo el que me dice: Señor, Señor, entrará en el reino de los cielos, sino el que hace la voluntad de mi Padre que está en los cielos.
22 Muchos me dirán en aquel día: Señor, Señor, ¿no profetizamos en tu nombre, y en tu nombre echamos fuera demonios, y en tu nombre hicimos muchos milagros?
23 Y entonces les declararé: Nunca os conocí; apartaos de mí, hacedores de maldad.
24 Cualquiera, pues, que me oye estas palabras, y las hace, le compararé a un hombre prudente, que edificó su casa sobre la roca.
25 Descendió lluvia, y vinieron ríos, y soplaron vientos, y golpearon contra aquella casa; y no cayó, porque estaba fundada sobre la roca.
26 Pero cualquiera que me oye estas palabras y no las hace, le compararé a un hombre insensato, que edificó su casa sobre la arena;
27 y descendió lluvia, y vinieron ríos, y soplaron vientos, y dieron con ímpetu contra aquella casa; y cayó, y fue grande su ruina.
28 Y cuando terminó Jesús estas palabras, la gente se admiraba de su doctrina;
29 porque les enseñaba como quien tiene autoridad, y no como los escribas.

CAPÍTULO 8

CUANDO descendió Jesús del monte, le seguía mucha gente.
2 Y he aquí vino un leproso y se postró ante él, diciendo: Señor, si quieres, puedes limpiarme.
3 Jesús extendió la mano y le tocó, diciendo: Quiero; sé limpio. Y al instante su lepra desapareció.
4 Entonces Jesús le dijo: Mira, no lo digas a nadie; sino vé, muéstrate al sacerdote, y presenta la ofrenda que ordenó Moisés, para testimonio a ellos.
5 Entrando Jesús en Capernaum, vino a él un centurión, rogándole,
6 y diciendo: Señor, mi criado está postrado en casa, paralítico, gravemente atormentado.

18 A good tree cannot bring forth evil fruit, neither *can* a corrupt tree bring forth good fruit.
19 Every tree that bringeth not forth good fruit is hewn down, and cast into the fire.
20 Wherefore by their fruits ye shall know them.
21 Not every one that saith unto me, Lord, Lord, shall enter into the kingdom of heaven; but he that doeth the wili of my Father which is in heaven.
22 Many will say to me in that day, Lord, Lord, have we not prophesied in thy name? and in thy name have cast out devils? and in thy name done many wonderful works?
23 And then will I profess unto them, I never knew you: depart from me, ye that work iniquity.
24 Therefore whosoever heareth these sayings of mine, and doeth them, I will liken him unto a wise man, which built his house upon a rock:
25 And the rain descended, and the floods came, and the winds blew, and beat upon that house; and it fell not: for it was founded upon a rock.
26 And every one that heareth these sayings of mine, and doeth them not, shall be likened unto a foolish man, which built his house upon the sand:
27 And the rain descended, and the floods came, and the winds blew, and beat upon that house; and it fell: and great was the fall of it.
28 And it came to pass, when Jesus had ended these sayings, the people were astonished at his doctrine:
29 For he taught them as *one* having authority, and not as the scribes.

CHAPTER 8

WHEN he was come down from the mountain, great multitudes followed him.
2 And, behold, there came a leper and worshipped him, saying, Lord, if thou wilt, thou canst make me clean.
3 And Jesus put forth *his* hand, and touched him, saying, I will; be thou clean. And immediately his leprosy was cleansed.
4 And Jesus saith unto him, See thou tell no man; but go thy way, shew thyself to the priest, and offer the gift that Moses commanded, for a testimony unto them.
5 And when Jesus was entered into Caper′na-um, there came unto him a centurion, beseeching him,
6 And saying, Lord, my servant lieth at home sick of the palsy, grievously tormented.

7 Y Jesús le dijo: Yo iré y le sanaré.

8 Respondió el centurión y dijo: Señor, no soy digno de que entres bajo mi techo; solamente dí la palabra, y mi criado sanará.

9 Porque también yo soy hombre bajo autoridad, y tengo bajo mis órdenes soldados; y digo a éste: Vé, y va; y al otro: Ven, y viene; y a mi siervo: Haz esto, y lo hace.

10 Al oirlo Jesús, se maravilló, y dijo a los que le seguían: De cierto os digo, que ni aun en Israel he hallado tanta fe.

11 Y os digo que vendrán muchos del oriente y del occidente, y se sentarán con Abraham e Isaac y Jacob en el reino de los cielos;

12 mas los hijos del reino serán echados a las tinieblas de afuera; allí será el lloro y el crujir de dientes.

13 Entonces Jesús dijo al centurión: Vé, y como creíste, te sea hecho. Y su criado fue sanado en aquella misma hora.

14 Vino Jesús a casa de Pedro, y vio a la suegra de éste postrada en cama, con fiebre.

15 Y tocó su mano, y la fiebre la dejó; y ella se levantó, y les servía.

16 Y cuando llegó la noche, trajeron a él muchos endemoniados; y con la palabra echó fuera a los demonios, y sanó a todos los enfermos;

17 para que se cumpliese lo dicho por el profeta Isaías, cuando dijo: El mismo tomó nuestras enfermedades, y llevó nuestras dolencias.

18 Viéndose Jesús rodeado de mucha gente, mandó pasar al otro lado.

19 Y vino un escriba y le dijo: Maestro, te seguiré adondequiera que vayas.

20 Jesús le dijo: Las zorras tienen guaridas, y las aves del cielo nidos; mas el Hijo del Hombre no tiene dónde recostar su cabeza.

21 Otro de sus discípulos le dijo: Señor, permíteme que vaya primero y entierre a mi padre.

22 Jesús le dijo: Sígueme; deja que los muertos entierren a sus muertos.

23 Y entrando él en la barca, sus discípulos le siguieron.

24 Y he aquí que se levantó en el mar una tempestad tan grande que las olas cubrían la barca; pero él dormía.

25 Y vinieron sus discípulos y le des-

7 And Jesus saith unto him, I will come and heal him.

8 The centurion answered and said, Lord, I am not worthy that thou shouldest come under my roof: but speak the word only, and my servant shall be healed.

9 For I am a man under authority, having soldiers under me: and I say to this *man*, Go, and he goeth; and to another, Come, and he cometh; and to my servant, Do this, and he doeth *it*.

10 When Jesus heard *it*, he marvelled, and said to them that followed, Verily I say unto you, I have not found so great faith, no, not in Israel.

11 And I say unto you, That many shall come from the east and west, and shall sit down with Abraham, and Isaac, and Jacob, in the kingdom of heaven.

12 But the children of the kingdom shall be cast out into outer darkness: there shall be weeping and gnashing of teeth.

13 And Jesus said unto the centurion, Go thy way; and as thou hast believed, *so* be it done unto thee. And his servant was healed in the selfsame hour.

14 And when Jesus was come into Peter's house, he saw his wife's mother laid, and sick of a fever.

15 And he touched her hand, and the fever left her: and she arose, and ministered unto them.

16 When the even was come, they brought unto him many that were possessed with devils: and he cast out the spirits with *his* word, and healed all that were sick:

17 That it might be fulfilled which was spoken by E-sai'as the prophet, saying, Himself took our infirmities, and bare *our* sicknesses.

18 Now when Jesus saw great multitudes about him, he gave commandment to depart unto the other side.

19 And a certain scribe came, and said unto him, Master, I will follow thee whithersoever thou goest.

20 And Jesus saith unto him, The foxes have holes, and the birds of the air *have* nests; but the Son of man hath not where to lay *his* head.

21 And another of his disciples said unto him, Lord, suffer me first to go and bury my father.

22 But Jesus said unto him, Follow me; and let the dead bury their dead.

23 And when he was entered into a ship, his disciples followed him.

24 And, behold, there arose a great tempest in the sea, insomuch that the ship was covered with the waves: but he was asleep.

25 And his disciples came to *him*, and

pertaron, diciendo: ¡Señor, sálvanos, que perecemos!

26 El les dijo: ¿Por qué teméis, hombres de poca fe? Entonces, levantándose, reprendió a los vientos y al mar; y se hizo grande bonanza.

27 Y los hombres se maravillaron, diciendo: ¿Qué hombre es éste, que aun los vientos y el mar le obedecen?

28 Cuando llegó a la otra orilla, a la tierra de los gadarenos, vinieron a su encuentro dos endemoniados que salían de los sepulcros, feroces en gran manera, tanto que nadie podía pasar por aquel camino.

29 Y clamaron diciendo: ¿Qué tienes con nosotros, Jesús, Hijo de Dios? ¿Has venido acá para atormentarnos antes de tiempo?

30 Estaba paciendo lejos de ellos un hato de muchos cerdos.

31 Y los demonios le rogaron diciendo: Si nos echas fuera, permítenos ir a aquel hato de cerdos.

32 El les dijo: Id. Y ellos salieron, y se fueron a aquel hato de cerdos; y he aquí, todo el hato de cerdos se precipitó en el mar por un despeñadero, y perecieron en las aguas.

33 Y los que los apacentaban huyeron, y viniendo a la ciudad, contaron todas las cosas, y lo que había pasado con los endemoniados.

34 Y toda la ciudad salió al encuentro de Jesús; y cuando le vieron, le rogaron que se fuera de sus contornos.

CAPÍTULO 9

ENTONCES, entrando Jesús en la barca, pasó al otro lado y vino a su ciudad.

2 Y sucedió que le trajeron un paralítico, tendido sobre una cama; y al ver Jesús la fe de ellos, dijo al paralítico: Ten ánimo, hijo; tus pecados te son perdonados.

3 Entonces algunos de los escribas decían dentro de sí: Este blasfema.

4 Y conociendo Jesús los pensamientos de ellos, dijo: ¿Por qué pensáis mal en vuestros corazones?

5 Porque, ¿qué es más fácil, decir: Los pecados te son perdonados, o decir: Levántate y anda?

6 Pues para que sepáis que el Hijo del Hombre tiene potestad en la tierra para perdonar pecados (dice entonces al paralítico): Levántate, toma tu cama, y vete a tu casa.

7 Entonces él se levantó y se fue a su casa.

awoke him, saying, Lord, save us: we perish.

26 And he saith unto them, Why are ye fearful, O ye of little faith? Then he arose, and rebuked the winds and the sea; and there was a great calm.

27 But the men marvelled, saying, What manner of man is this, that even the winds and the sea obey him!

28 And when he was come to the other side into the country of the Ger´ge-senes, there met him two possessed with devils, coming out of the tombs, exceeding fierce, so that no man might pass by that way.

29 And, behold, they cried out, saying, What have we to do with thee, Jesus, thou Son of God? art thou come hither to torment us before the time?

30 And there was a good way off from them an herd of many swine feeding.

31 So the devils besought him, saying, If thou cast us out, suffer us to go away into the herd of swine.

32 And he said unto them, Go. And when they were come out, they went into the herd of swine: and, behold, the whole herd of swine ran violently down a steep place into the sea, and perished in the waters.

33 And they that kept them fled, and went their ways into the city, and told every thing, and what was befallen to the possessed of the devils.

34 And, behold, the whole city came out to meet Jesus: and when they saw him, they besought *him* that he would depart out of their coasts.

CHAPTER 9

AND he entered into a ship, and passed over, and came into his own city.

2 And, behold, they brought to him a man sick of the palsy, lying on a bed: and Jesus seeing their faith said unto the sick of the palsy; Son, be of good cheer; thy sins be forgiven thee.

3 And, behold, certain of the scribes said within themselves, This *man* blasphemeth.

4 And Jesus knowing their thoughts said, Wherefore think ye evil in your hearts?

5 For whether is easier, to say, *Thy* sins be forgiven thee; or to say, Arise, and walk?

6 But that ye may know that the Son of man hath power on earth to forgive sins, (then saith he to the sick of the palsy,) Arise, take up thy bed, and go unto thine house.

7 And he arose, and departed to his house.

8 Y la gente, al verlo, se maravilló y glorificó a Dios, que había dado tal potestad a los hombres.

9 Pasando Jesús de allí, vio a un hombre llamado Mateo, que estaba sentado al banco de los tributos públicos, y le dijo: Sígueme. Y se levantó y le siguió.

10 Y aconteció que estando él sentado a la mesa en la casa, he aquí que muchos publicanos y pecadores, que habían venido, se sentaron juntamente a la mesa con Jesús y sus discípulos.

11 Cuando vieron esto los fariseos, dijeron a los discípulos: ¿Por qué come vuestro Maestro con los publicanos y pecadores?

12 Al oir esto Jesús, les dijo: Los sanos no tienen necesidad de médico, sino los enfermos.

13 Id, pues, y aprended lo que significa: Misericordia quiero, y no sacrificio. Porque no he venido a llamar a justos, sino a pecadores, al arrepentimiento.

14 Entonces vinieron a él los discípulos de Juan, diciendo: ¿Por qué nosotros y los fariseos ayunamos muchas veces, y tus discípulos no ayunan?

15 Jesús les dijo: ¿Acaso pueden los que están de bodas tener luto entre tanto que el esposo está con ellos? Pero vendrán días cuando el esposo les será quitado, y entonces ayunarán.

16 Nadie pone remiendo de paño nuevo en vestido viejo; porque tal remiendo tira del vestido, y se hace peor la rotura.

17 Ni echan vino nuevo en odres viejos; de otra manera los odres se rompen, y el vino se derrama, y los odres se pierden; pero echan el vino nuevo en odres nuevos, y lo uno y lo otro se conservan juntamente.

18 Mientras él les decía estas cosas, vino un hombre principal y se postró ante él, diciendo: Mi hija acaba de morir; mas ven y pon tu mano sobre ella, y vivirá.

19 Y se levantó Jesús, y le siguió con sus discípulos.

20 Y he aquí una mujer enferma de flujo de sangre desde hacía doce años, se le acercó por detrás y tocó el borde de su manto;

21 porque decía dentro de sí: Si tocare solamente su manto, seré salva.

22 Pero Jesús, volviéndose y mirándola, dijo: Ten ánimo, hija; tu fe te ha salvado. Y la mujer fue salva desde aquella hora.

23 Al entrar Jesús en la casa del principal, viendo a los que tocaban flautas, y la gente que hacía alboroto,

24 les dijo: Apartaos, porque la niña no

8 But when the multitudes saw *it*, they marvelled, and glorified God, which had given such power unto men.

9 And as Jesus passed forth from thence, he saw a man, named Matthew, sitting at the receipt of custom: and he saith unto him, Follow me. And he arose, and followed him.

10 And it came to pass, as Jesus sat at meat in the house, behold, many publicans and sinners came and sat down with him and his disciples.

11 And when the Pharisees saw *it*, they said unto his disciples, Why eateth your Master with publicans and sinners?

12 But when Jesus heard *that*, he said unto them, They that be whole need not a physician, but they that are sick.

13 But go ye and learn what *that* meaneth, I will have mercy, and not sacrifice: for I am not come to call the righteous, but sinners to repentance.

14 Then came to him the disciples of John, saying, Why do we and the Pharisees fast oft, but thy disciples fast not?

15 And Jesus said unto them, Can the children of the bridechamber mourn, as long as the bridegroom is with them? but the days will come, when the bridegroom shall be taken from them, and then shall they fast.

16 No man putteth a piece of new cloth unto an old garment, for that which is put in to fill it up taketh from the garment, and the rent is made worse.

17 Neither do men put new wine into old bottles: else the bottles break, and the wine runneth out, and the bottles perish: but they put new wine into new bottles, and both are preserved.

18 While he spake these things unto them, behold, there came a certain ruler, and worshipped him, saying, My daughter is even now dead: but come and lay thy hand upon her, and she shall live.

19 And Jesus arose, and followed him, and *so did* his disciples.

20 And, behold, a woman, which was diseased with an issue of blood twelve years, came behind *him*, and touched the hem of his garment:

21 For she said within herself, If I may but touch his garment, I shall be whole.

22 But Jesus turned him about, and when he saw her, he said, Daughter, be of good comfort; thy faith hath made thee whole. And the woman was made whole from that hour.

23 And when Jesus came into the ruler's house, and saw the minstrels and the people making a noise,

24 He said unto them, Give place: for

está muerta, sino duerme. Y se burlaban de él.

25 Pero cuando la gente había sido echada fuera, entró, y tomó de la mano a la niña, y ella se levantó.

26 Y se difundió la fama de esto por toda aquella tierra.

27 Pasando Jesús de allí, le siguieron dos ciegos, dando voces y diciendo: ¡Ten misericordia de nosotros, Hijo de David!

28 Y llegado a la casa, vinieron a él los ciegos; y Jesús les dijo: ¿Creéis que puedo hacer esto? Ellos dijeron: Sí, Señor.

29 Entonces les tocó los ojos, diciendo: Conforme a vuestra fe os sea hecho.

30 Y los ojos de ellos fueron abiertos. Y Jesús les encargó rigurosamente, diciendo: Mirad que nadie lo sepa.

31 Pero salidos ellos, divulgaron la fama de él por toda aquella tierra.

32 Mientras salían ellos, he aquí, le trajeron un mudo, endemoniado.

33 Y echado fuera el demonio, el mudo habló; y la gente se maravillaba, y decía: Nunca se ha visto cosa semejante en Israel.

34 Pero los fariseos decían: Por el príncipe de los demonios echa fuera los demonios.

35 Recorría Jesús todas las ciudades y aldeas, enseñando en las sinagogas de ellos, y predicando el evangelio del reino, y sanando toda enfermedad y toda dolencia en el pueblo.

36 Y al ver las multitudes, tuvo compasión de ellas; porque estaban desamparadas y dispersas como ovejas que no tienen pastor.

37 Entonces dijo a sus discípulos: A la verdad la mies es mucha, mas los obreros pocos.

38 Rogad, pues, al Señor de la mies, que envíe obreros a su mies.

CAPÍTULO 10

ENTONCES llamando a sus doce discípulos, les dio autoridad sobre los espíritus inmundos, para que los echasen fuera, y para sanar toda enfermedad y toda dolencia.

2 Los nombres de los doce apóstoles son estos: primero Simón, llamado Pedro, y Andrés su hermano; Jacobo hijo de Zebedeo, y Juan su hermano;

3 Felipe, Bartolomé, Tomás, Mateo el publicano, Jacobo hijo de Alfeo, Lebeo, por sobrenombre Tadeo,

the maid is not dead, but sleepeth. And they laughed him to scorn.

25 But when the people were put forth, he went in, and took her by the hand, and the maid arose.

26 And the fame hereof went abroad into all that land.

27 And when Jesus departed thence, two blind men followed him, crying, and saying, *Thou* Son of David, have mercy on us.

28 And when he was come into the house, the blind men came to him: and Jesus saith unto them, Believe ye that I am able to do this? They said unto him, Yea, Lord.

29 Then touched he their eyes, saying, According to your faith be it unto you.

30 And their eyes were opened; and Jesus straitly charged them, saying, See *that* no man know *it*.

31 But they, when they were departed, spread abroad his fame in all that country.

32 As they went out, behold, they brought to him a dumb man possessed with a devil.

33 And when the devil was cast out, the dumb spake: and the multitudes marvelled, saying, It was never so seen in Israel.

34 But the Pharisees said, He casteth out devils through the prince of the devils.

35 And Jesus went about all the cities and villages, teaching in their synagogues, and preaching the gospel of the kingdom, and healing every sickness and every disease among the people.

36 But when he saw the multitudes, he was moved with compassion on them, because they fainted, and were scattered abroad, as sheep having no shepherd.

37 Then saith he unto his disciples, The harvest truly *is* plenteous, but the labourers *are* few;

38 Pray ye therefore the Lord of the harvest, that he will send forth labourers into his harvest.

CHAPTER 10

AND when he had called unto *him* his twelve disciples, he gave them power *against* unclean spirits, to cast them out, and to heal all manner of sickness and all manner of disease.

2 Now the names of the twelve apostles are these; The first, Simon, who is called Peter, and Andrew his brother; James *the son* of Zeb'e-dee, and John his brother;

3 Philip, and Bartholomew; Thomas, and Matthew the publican; James *the son* of Al-phæ'us, and Leb-bæ'us, whose surname was Thad-dæ'us;

4 Simón el cananista, y Judas Iscariote,
el que también le entregó.
5 A estos doce envió Jesús, y les dio
instrucciones, diciendo: Por camino de
gentiles no vayáis, y en ciudad de samari-
tanos no entréis,
6 sino id antes a las ovejas perdidas de
la casa de Israel.
7 Y yendo, predicad, diciendo: El reino
de los cielos se ha acercado.
8 Sanad enfermos, limpiad leprosos, re-
sucitad muertos, echad fuera demonios;
de gracia recibisteis, dad de gracia.
9 No os proveáis de oro, ni plata, ni
cobre en vuestros cintos;
10 ni de alforja para el camino, ni de
dos túnicas, ni de calzado, ni de bordón;
porque el obrero es digno de su alimento.
11 Mas en cualquier ciudad o aldea
donde entréis, informaos quién en ella
sea digno, y posad allí hasta que salgáis.
12 Y al entrar en la casa, saludadla.
13 Y si la casa fuere digna, vuestra paz
vendrá sobre ella; mas si no fuere digna,
vuestra paz se volverá a vosotros.
14 Y si alguno no os recibiere, ni oyere
vuestras palabras, salid de aquella casa o
ciudad, y sacudid el polvo de vuestros
pies.
15 De cierto os digo que en el día del
juicio, será más tolerable el castigo para
la tierra de Sodoma y de Gomorra, que
para aquella ciudad.
16 He aquí, yo os envío como a ovejas
en medio de lobos; sed, pues, prudentes
como serpientes, y sencillos como palo-
mas.
17 Y guardaos de los hombres, porque
os entregarán a los concilios, y en sus si-
nagogas os azotarán;
18 y aun ante gobernadores y reyes se-
réis llevados por causa de mí, para testi-
monio a ellos y a los gentiles.
19 Mas cuando os entreguen, no os
preocupéis por cómo o qué hablaréis;
porque en aquella hora os será dado lo
que habéis de hablar.
20 Porque no sois vosotros los que ha-
bláis, sino el Espíritu de vuestro Padre
que habla en vosotros.
21 El hermano entregará a la muerte al
hermano, y el padre al hijo; y los hijos se
levantarán contra los padres, y los harán
morir.
22 Y seréis aborrecidos de todos por
causa de mi nombre; mas el que perse-
vere hasta el fin, éste será salvo.
23 Cuando os persigan en esta ciudad,
huid a la otra; porque de cierto os digo,
que no acabaréis de recorrer todas las
ciudades de Israel, antes que venga el
Hijo del Hombre.

4 Simon the Canaanite, and Judas Isca-
riot, who also betrayed him.
5 These twelve Jesus sent forth, and
commanded them, saying, Go not into
the way of the Gentiles, and into *any* city
of the Sa-mar′i-tans enter ye not:
6 But go rather to the lost sheep of the
house of Israel.
7 And as ye go, preach, saying, The
kingdom of heaven is at hand.
8 Heal the sick, cleanse the lepers, raise
the dead, cast out devils: freely ye have
received, freely give.
9 Provide neither gold, nor silver, nor
brass in your purses,
10 Nor scrip for *your* journey, neither
two coats, neither shoes, nor yet staves:
for the workman is worthy of his meat.
11 And into whatsoever city or town ye
shall enter, inquire who in it is worthy;
and there abide till ye go thence.
12 And when ye come into an house,
salute it.
13 And if the house be worthy, let your
peace come upon it: but if it be not wor-
thy, let your peace return to you.
14 And whosoever shall not receive
you, nor hear your words, when ye de-
part out of that house or city, shake off
the dust of your feet.
15 Verily I say unto you, It shall be
more tolerable for the land of Sodom and
Go-mor′rha in the day of judgment, than
for that city.
16 Behold, I send you forth as sheep in
the midst of wolves: be ye therefore wise
as serpents, and harmless as doves.
17 But beware of men: for they will de-
liver you up to the councils, and they will
scourge you in their synagogues;
18 And ye shall be brought before gov-
ernors and kings for my sake, for a testi-
mony against them and the Gentiles.
19 But when they deliver you up, take
no thought how or what ye shall speak:
for it shall be given you in that same hour
what ye shall speak.
20 For it is not ye that speak, but the
Spirit of your Father which speaketh in
you.
21 And the brother shall deliver up the
brother to death, and the father the child:
and the children shall rise up against
their parents, and cause them to be put to
death.
22 And ye shall be hated of all *men* for
my name's sake: but he that endureth to
the end shall be saved.
23 But when they persecute you in this
city, flee ye into another: for verily I say
unto you, Ye shall not have gone over the
cities of Israel, till the Son of man be
come.

24 El discípulo no es más que su maestro, ni el siervo más que su señor.

25 Bástale al discípulo ser como su maestro, y al siervo como su señor. Si al padre de familia llamaron Beelzebú, ¿cuánto más a los de su casa?

26 Así que, no los temáis; porque nada hay encubierto, que no haya de ser manifestado; ni oculto, que no haya de saberse.

27 Lo que os digo en tinieblas, decidlo en la luz; y lo que oís al oído, proclamadlo desde las azoteas.

28 Y no temáis a los que matan el cuerpo, mas el alma no pueden matar; temed más bien a aquel que puede destruir el alma y el cuerpo en el infierno.

29 ¿No se venden dos pajarillos por un cuarto? Con todo, ni uno de ellos cae a tierra sin vuestro Padre.

30 Pues aun vuestros cabellos están todos contados.

31 Así que, no temáis; más valéis vosotros que muchos pajarillos.

32 A cualquiera, pues, que me confiese delante de los hombres, yo también le confesaré delante de mi Padre que está en los cielos.

33 Y a cualquiera que me niegue delante de los hombres, yo también le negaré delante de mi Padre que está en los cielos.

34 No penséis que he venido para traer paz a la tierra; no he venido para traer paz, sino espada.

35 Porque he venido para poner en disensión al hombre contra su padre, a la hija contra su madre, y a la nuera contra su suegra;

36 y los enemigos del hombre serán los de su casa.

37 El que ama a padre o madre más que a mí, no es digno de mí; el que ama a hijo o hija más que a mí, no es digno de mí;

38 y el que no toma su cruz y sigue en pos de mí, no es digno de mí.

39 El que halla su vida, la perderá; y el que pierde su vida por causa de mí, la hallará.

40 El que a vosotros recibe, a mí me recibe; y el que me recibe a mí, recibe al que me envió.

41 El que recibe a un profeta por cuanto es profeta, recompensa de profeta recibirá; y el que recibe a un justo por cuanto es justo, recompensa de justo recibirá.

42 Y cualquiera que dé a uno de estos pequeñitos un vaso de agua fría solamente, por cuanto es discípulo, de cierto os digo que no perderá su recompensa.

24 The disciple is not above *his* master, nor the servant above his lord.

25 It is enough for the disciple that he be as his master, and the servant as his lord. If they have called the master of the house Be-el′ze-bub, how much more *shall they call* them of his household?

26 Fear them not therefore: for there is nothing covered, that shall not be revealed; and hid, that shall not be known.

27 What I tell you in darkness, *that* speak ye in light: and what ye hear in the ear, *that* preach ye upon the housetops.

28 And fear not them which kill the body, but are not able to kill the soul: but rather fear him which is able to destroy both soul and body in hell.

29 Are not two sparrows sold for a farthing? and one of them shall not fall on the ground without your Father.

30 But the very hairs of your head are all numbered.

31 Fear ye not therefore, ye are of more value than many sparrows.

32 Whosoever therefore shall confess me before men, him will I confess also before my Father which is in heaven.

33 But whosoever shall deny me before men, him will I also deny before my Father which is in heaven.

34 Think not that I am come to send peace on earth: I came not to send peace, but a sword.

35 For I am come to set a man at variance against his father, and the daughter against her mother, and the daughter in law against her mother in law.

36 And a man's foes *shall be* they of his own household.

37 He that loveth father or mother more than me is not worthy of me: and he that loveth son or daughter more than me is not worthy of me.

38 And he that taketh not his cross, and followeth after me, is not worthy of me.

39 He that findeth his life shall lose it: and he that loseth his life for my sake shall find it.

40 He that receiveth you receiveth me, and he that receiveth me receiveth him that sent me.

41 He that receiveth a prophet in the name of a prophet shall receive a prophet's reward; and he that receiveth a righteous man in the name of a righteous man shall receive a righteous man's reward.

42 And whosoever shall give to drink unto one of these little ones a cup of cold *water* only in the name of a disciple, verily I say unto you, he shall in no wise lose his reward.

CAPÍTULO 11

CUANDO Jesús terminó de dar instrucciones a sus doce discípulos, se fue de allí a enseñar y a predicar en las ciudades de ellos.

2 Y al oir Juan, en la cárcel, los hechos de Cristo, le envió dos de sus discípulos,

3 para preguntarle: ¿Eres tú aquel que había de venir, o esperaremos a otro?

4 Respondiendo Jesús, les dijo: Id, y haced saber a Juan las cosas que oís y veis.

5 Los ciegos ven, los cojos andan, los leprosos son limpiados, los sordos oyen, los muertos son resucitados, y a los pobres es anunciado el evangelio;

6 y bienaventurado es el que no halle tropiezo en mí.

7 Mientras ellos se iban, comenzó Jesús a decir de Juan a la gente: ¿Qué salisteis a ver al desierto? ¿Una caña sacudida por el viento?

8 ¿O qué salisteis a ver? ¿A un hombre cubierto de vestiduras delicadas? He aquí, los que llevan vestiduras delicadas, en las casas de los reyes están.

9 Pero ¿qué salisteis a ver? ¿A un profeta? Sí, os digo, y más que profeta.

10 Porque éste es de quien está escrito: He aquí, yo envío mi mensajero delante de tu faz, el cual preparará tu camino delante de ti.

11 De cierto os digo: Entre los que nacen de mujer no se ha levantado otro mayor que Juan el Bautista; pero el más pequeño en el reino de los cielos, mayor es que él.

12 Desde los días de Juan el Bautista hasta ahora, el reino de los cielos sufre violencia, y los violentos lo arrebatan.

13 Porque todos los profetas y la ley profetizaron hasta Juan.

14 Y si queréis recibirlo, él es aquel Elías que había de venir.

15 El que tiene oídos para oir, oiga.

16 Mas ¿a qué compararé esta generación? Es semejante a los muchachos que se sientan en las plazas, y dan voces a sus compañeros,

17 diciendo: Os tocamos flauta, y no bailasteis; os endechamos, y no lamentasteis.

18 Porque vino Juan, que ni comía ni bebía, y dicen: Demonio tiene.

19 Vino el Hijo del Hombre, que come y bebe, y dicen: He aquí un hombre comi-

CHAPTER 11

AND it came to pass, when Jesus had made an end of commanding his twelve disciples, he departed thence to teach and to preach in their cities.

2 Now when John had heard in the prison the works of Christ, he sent two of his disciples,

3 And said unto him, Art thou he that should come, or do we look for another?

4 Jesus answered and said unto them, Go and shew John again those things which ye do hear and see:

5 The blind receive their sight, and the lame walk, the lepers are cleansed, and the deaf hear, the dead are raised up, and the poor have the gospel preached to them.

6 And blessed is *he*, whosoever shall not be offended in me.

7 And as they departed, Jesus began to say unto the multitudes concerning John, What went ye out into the wilderness to see? A reed shaken with the wind?

8 But what went ye out for to see? A man clothed in soft raiment? behold, they that wear soft *clothing* are in kings' houses.

9 But what went ye out for to see? A prophet? yea, I say unto you, and more than a prophet.

10 For this is *he*, of whom it is written, Behold, I send my messenger before thy face, which shall prepare thy way before thee.

11 Verily I say unto you, Among them that are born of women there hath not risen a greater than John the Baptist: notwithstanding he that is least in the kingdom of heaven is greater than he.

12 And from the days of John the Baptist until now the kingdom of heaven suffereth violence, and the violent take it by force.

13 For all the prophets and the law prophesied until John.

14 And if ye will receive *it*, this is E-li'as, which was for to come.

15 He that hath ears to hear, let him hear.

16 But whereunto shall I liken this generation? It is like unto children sitting in the markets, and calling unto their fellows,

17 And saying, We have piped unto you, and ye have not danced; we have mourned unto you, and ye have not lamented.

18 For John came neither eating nor drinking, and they say, He hath a devil.

lón, y bebedor de vino, amigo de publicanos y de pecadores. Pero la sabiduría es justificada por sus hijos.
20 Entonces comenzó a reconvenir a las ciudades en las cuales había hecho muchos de sus milagros, porque no se habían arrepentido, diciendo:
21 ¡Ay de ti, Corazín! ¡Ay de ti, Betsaida! Porque si en Tiro y en Sidón se hubieran hecho los milagros que han sido hechos en vosotras, tiempo ha que se hubieran arrepentido en cilicio y en ceniza.
22 Por tanto os digo que en el día del juicio, será más tolerable el castigo para Tiro y para Sidón, que para vosotras.
23 Y tú, Capernaum, que eres levantada hasta el cielo, hasta el Hades serás abatida; porque si en Sodoma se hubieran hecho los milagros que han sido hechos en ti, habría permanecido hasta el día de hoy.
24 Por tanto os digo que en el día del juicio, será más tolerable el castigo para la tierra de Sodoma, que para ti.
25 En aquel tiempo, respondiendo Jesús, dijo: Te alabo, Padre, Señor del cielo y de la tierra, porque escondiste estas cosas de los sabios y de los entendidos, y las revelaste a los niños.
26 Sí, Padre, porque así te agradó.
27 Todas las cosas me fueron entregadas por mi Padre; y nadie conoce al Hijo, sino el Padre, ni al Padre conoce alguno, sino el Hijo, y aquel a quien el Hijo lo quiera revelar.
28 Venid a mí todos los que estáis trabajados y cargados, y yo os haré descansar.
29 Llevad mi yugo sobre vosotros, y aprended de mí, que soy manso y humilde de corazón; y hallaréis descanso para vuestras almas;
30 porque mi yugo es fácil, y ligera mi carga.

CAPÍTULO 12

En aquel tiempo iba Jesús por los sembrados en un día de reposo; y sus discípulos tuvieron hambre, y comenzaron a arrancar espigas y a comer.
2 Viéndolo los fariseos, le dijeron: He aquí tus discípulos hacen lo que no es lícito hacer en el día de reposo.
3 Pero él les dijo: ¿No habéis leído lo que hizo David, cuando él y los que con él estaban tuvieron hambre;
4 cómo entró en la casa de Dios, y comió los panes de la proposición, que no les era lícito comer ni a él ni a los que con él estaban, sino solamente a los sacerdotes?
5 ¿O no habéis leído en la ley, cómo en el día de reposo los sacerdotes en el

19 The Son of man came eating and drinking, and they say, Behold a man gluttonous, and a winebibber, a friend of publicans and sinners. But wisdom is justified of her children.
20 Then began he to upbraid the cities wherein most of his mighty works were done, because they repented not:
21 Woe unto thee, Cho-ra′zin! woe unto thee, Beth-sa′i-da! for if the mighty works, which were done in you, had been done in Tyre and Si′don, they would have repented long ago in sackcloth and ashes.
22 But I say unto you, It shall be more tolerable for Tyre and Si′don at the day of judgment, than for you.
23 And thou, Ca-per′na-um, which art exalted unto heaven, shalt be brought down to hell: for if the mighty works, which have been done in thee, had been done in Sodom, it would have remained until this day.
24 But I say unto you, That it shall be more tolerable for the land of Sodom in the day of judgment, than for thee.
25 At that time Jesus answered and said, I thank thee, O Father, Lord of heaven and earth, because thou hast hid these things from the wise and prudent, and hast revealed them unto babes.
26 Even so, Father: for so it seemed good in thy sight.
27 All things are delivered unto me of my Father: and no man knoweth the Son, but the Father; neither knoweth any man the Father, save the Son, and *he* to whomsoever the Son will reveal *him*.
28 Come unto me, all *ye* that labour and are heavy laden, and I will give you rest.
29 Take my yoke upon you, and learn of me; for I am meek and lowly in heart: and ye shall find rest unto your souls.
30 For my yoke *is* easy, and my burden is light.

CHAPTER 12

At that time Jesus went on the sabbath day through the corn; and his disciples were an hungred, and began to pluck the ears of corn, and to eat.
2 But when the Pharisees saw *it*, they said unto him, Behold, thy disciples do that which is not lawful to do upon the sabbath day.
3 But he said unto them, Have ye not read what David did, when he was an hungred, and they that were with him;
4 How he entered into the house of God, and did eat the shewbread, which was not lawful for him to eat, neither for them which were with him, but only for the priests?
5 Or have ye not read in the law, how that on the sabbath days the priests in

templo profanan el día de reposo, y son sin culpa?

6 Pues os digo que uno mayor que el templo está aquí.

7 Y si supieseis qué significa: Misericordia quiero, y no sacrificio, no condenaríais a los inocentes;

8 porque el Hijo del Hombre es Señor del día de reposo.

9 Pasando de allí, vino a la sinagoga de ellos.

10 Y he aquí había allí uno que tenía seca una mano; y preguntaron a Jesús, para poder acusarle: ¿Es lícito sanar en el día de reposo?

11 El les dijo: ¿Qué hombre habrá de vosotros, que tenga una oveja, y si ésta cayere en un hoyo en día de reposo, no le eche mano, y la levante?

12 Pues ¿cuánto más vale un hombre que una oveja? Por consiguiente, es lícito hacer el bien en los días de reposo.

13 Entonces dijo a aquel hombre: Extiende tu mano. Y él la extendió, y le fue restaurada sana como la otra.

14 Y salidos los fariseos, tuvieron consejo contra Jesús para destruirle.

15 Sabiendo esto Jesús, se apartó de allí; y le siguió mucha gente, y sanaba a todos,

16 y les encargaba rigurosamente que no le descubriesen;

17 para que se cumpliese lo dicho por el profeta Isaías, cuando dijo:

18 He aquí mi siervo, a quien he escogido; mi Amado, en quien se agrada mi alma; pondré mi Espíritu sobre él, y a los gentiles anunciará juicio.

19 No contenderá, ni voceará, ni nadie oirá en las calles su voz.

20 La caña cascada no quebrará, y el pábilo que humea no apagará, hasta que saque a victoria el juicio.

21 Y en su nombre esperarán los gentiles.

22 Entonces fue traído a él un endemoniado, ciego y mudo; y le sanó, de tal manera que el ciego y mudo veía y hablaba.

23 Y toda la gente estaba atónita, y decía: ¿Será éste aquel Hijo de David?

24 Mas los fariseos, al oirlo, decían: Este no echa fuera los demonios sino por Beelzebú, príncipe de los demonios.

the temple profane the sabbath, and are blameless?

6 But I say unto you, That in this place is *one* greater than the temple.

7 But if ye had known what *this* meaneth, I will have mercy, and not sacrifice, ye would not have condemned the guiltless.

8 For the Son of man is Lord even of the sabbath day.

9 And when he was departed thence, he went into their synagogue:

10 And, behold, there was a man which had *his* hand withered. And they asked him, saying, Is it lawful to heal on the sabbath days? that they might accuse him.

11 And he said unto them, What man shall there be among you, that shall have one sheep, and if it fall into a pit on the sabbath day, will he not lay hold on it, and lift *it* out?

12 How much then is a man better than a sheep? Wherefore it is lawful to do well on the sabbath days.

13 Then saith he to the man, Stretch forth thine hand. And he stretched *it* forth; and it was restored whole, like as the other.

14 Then the Pharisees went out, and held a council against him, how they might destroy him.

15 But when Jesus knew *it*, he withdrew himself from thence: and great multitudes followed him, and he healed them all;

16 And charged them that they should not make him known:

17 That it might be fulfilled which was spoken by E-sai'as the prophet, saying,

18 Behold my servant, whom I have chosen; my beloved, in whom my soul is well pleased: I will put my spirit upon him, and he shall shew judgment to the Gentiles.

19 He shall not strive, nor cry; neither shall any man hear his voice in the streets.

20 A bruised reed shall he not break, and smoking flax shall he not quench, till he send forth judgment unto victory.

21 And in his name shall the Gentiles trust.

22 Then was brought unto him one possessed with a devil, blind, and dumb: and he healed him, insomuch that the blind and dumb both spake and saw.

23 And all the people were amazed, and said, Is not this the son of David?

24 But when the Pharisees heard *it*, they said, This *fellow* doth not cast out devils, but by Be-el'ze-bub the prince of the devils.

25 Sabiendo Jesús los pensamientos de ellos, les dijo: Todo reino dividido contra sí mismo, es asolado, y toda ciudad o casa dividida contra sí misma, no permanecerá.

26 Y si Satanás echa fuera a Satanás, contra sí mismo está dividido; ¿cómo, pues, permanecerá su reino?

27 Y si yo echo fuera los demonios por Beelzebú, ¿por quién los echan vuestros hijos? Por tanto, ellos serán vuestros jueces.

28 Pero si yo por el Espíritu de Dios echo fuera los demonios, ciertamente ha llegado a vosotros el reino de Dios.

29 Porque ¿cómo puede alguno entrar en la casa del hombre fuerte, y saquear sus bienes, si primero no le ata? Y entonces podrá saquear su casa.

30 El que no es conmigo, contra mí es; y el que conmigo no recoge, desparrama.

31 Por tanto os digo: Todo pecado y blasfemia será perdonado a los hombres; mas la blasfemia contra el Espíritu no les será perdonada.

32 A cualquiera que dijere alguna palabra contra el Hijo del Hombre, le será perdonado; pero al que hable contra el Espíritu Santo, no le será perdonado, ni en este siglo ni en el venidero.

33 O haced el árbol bueno, y su fruto bueno, o haced el árbol malo, y su fruto malo; porque por el fruto se conoce el árbol.

34 ¡Generación de víboras! ¿Cómo podéis hablar lo bueno, siendo malos? Porque de la abundancia del corazón habla la boca.

35 El hombre bueno, del buen tesoro del corazón saca buenas cosas; y el hombre malo, del mal tesoro saca malas cosas.

36 Mas yo os digo que de toda palabra ociosa que hablen los hombres, de ella darán cuenta en el día del juicio.

37 Porque por tus palabras serás justificado, y por tus palabras serás condenado.

38 Entonces respondieron algunos de los escribas y de los fariseos, diciendo: Maestro, deseamos ver de ti señal.

39 El respondió y les dijo: La generación mala y adúltera demanda señal; pero señal no le será dada, sino la señal del profeta Jonás.

40 Porque como estuvo Jonás en el vientre del gran pez tres días y tres noches, así estará el Hijo del Hombre en el corazón de la tierra tres días y tres noches.

25 And Jesus knew their thoughts, and said unto them, Every kingdom divided against itself is brought to desolation; and every city or house divided against itself shall not stand:

26 And if Satan cast out Satan, he is divided against himself; how shall then his kingdom stand?

27 And if I by Be-el′ze-bub cast out devils, by whom do your children cast *them* out? therefore they shall be your judges.

28 But if I cast out devils by the Spirit of God, then the kingdom of God is come unto you.

29 Or else how can one enter into a strong man's house, and spoil his goods, except he first bind the strong man? and then he will spoil his house.

30 He that is not with me is against me; and he that gathereth not with me scattereth abroad.

31 Wherefore I say unto you, All manner of sin and blasphemy shall be forgiven unto men: but the blasphemy *against* the *Holy* Ghost shall not be forgiven unto men.

32 And whosoever speaketh a word against the Son of man, it shall be forgiven him: but whosoever speaketh against the Holy Ghost, it shall not be forgiven him, neither in this world, neither in the *world* to come.

33 Either make the tree good, and his fruit good; or else make the tree corrupt, and his fruit corrupt: for the tree is known by *his* fruit.

34 O generation of vipers, how can ye, being evil, speak good things? for out of the abundance of the heart the mouth speaketh.

35 A good man out of the good treasure of the heart bringeth forth good things: and an evil man out of the evil treasure bringeth forth evil things.

36 But I say unto you, That every idle word that men shall speak, they shall give account thereof in the day of judgment.

37 For by thy words thou shalt be justified, and by thy words thou shalt be condemned.

38 Then certain of the scribes and of the Pharisees answered, saying, Master, we would see a sign from thee.

39 But he answered and said unto them, An evil and adulterous generation seeketh after a sign; and there shall no sign be given to it, but the sign of the prophet Jonas:

40 For as Jonas was three days and three nights in the whale's belly; so shall the Son of man be three days and three nights in the heart of the earth.

41 Los hombres de Nínive se levantarán en el juicio con esta generación, y la condenarán; porque ellos se arrepintieron a la predicación de Jonás, y he aquí más que Jonás en este lugar.

42 La reina del Sur se levantará en el juicio con esta generación, y la condenará; porque ella vino de los fines de la tierra para oir la sabiduría de Salomón, y he aquí más que Salomón en este lugar.

43 Cuando el espíritu inmundo sale del hombre, anda por lugares secos, buscando reposo, y no lo halla.

44 Entonces dice: Volveré a mi casa de donde salí; y cuando llega, la halla desocupada, barrida y adornada.

45 Entonces va, y toma consigo otros siete espíritus peores que él, y entrados, moran allí; y el postrer estado de aquel hombre viene a ser peor que el primero. Así también acontecerá a esta mala generación.

46 Mientras él aún hablaba a la gente, he aquí su madre y sus hermanos estaban afuera, y le querían hablar.

47 Y le dijo uno: He aquí tu madre y tus hermanos están afuera, y te quieren hablar.

48 Respondiendo él al que le decía esto, dijo: ¿Quién es mi madre, y quiénes son mis hermanos?

49 Y extendiendo su mano hacia sus discípulos, dijo: He aquí mi madre y mis hermanos.

50 Porque todo aquel que hace la voluntad de mi Padre que está en los cielos, ése es mi hermano, y hermana, y madre.

CAPÍTULO 13

AQUEL día salió Jesús de la casa y se sentó junto al mar.

2 Y se le juntó mucha gente; y entrando él en la barca, se sentó, y toda la gente estaba en la playa.

3 Y les habló muchas cosas por parábolas, diciendo: He aquí, el sembrador salió a sembrar.

4 Y mientras sembraba, parte de la semilla cayó junto al camino; y vinieron las aves y la comieron.

5 Parte cayó en pedregales, donde no había mucha tierra; y brotó pronto, porque no tenía profundidad de tierra;

6 pero salido el sol, se quemó; y porque no tenía raíz, se secó.

7 Y parte cayó entre espinos; y los espinos crecieron, y la ahogaron.

41 The men of Nin'e-veh shall rise in judgment with this generation, and shall condemn it: because they repented at the preaching of Jonas; and, behold, a greater than Jonas *is* here.

42 The queen of the south shall rise up in the judgment with this generation, and shall condemn it: for she came from the uttermost parts of the earth to hear the wisdom of Solomon; and, behold, a greater than Solomon *is* here.

43 When the unclean spirit is gone out of a man, he walketh through dry places, seeking rest, and findeth none.

44 Then he saith, I will return into my house from whence I came out; and when he is come, he findeth *it* empty, swept, and garnished.

45 Then goeth he, and taketh with himself seven other spirits more wicked than himself, and they enter in and dwell there: and the last *state* of that man is worse than the first. Even so shall it be also unto this wicked generation.

46 While he yet talked to the people, behold, *his* mother and his brethren stood without, desiring to speak with him.

47 Then one said unto him, Behold, thy mother and thy brethren stand without, desiring to speak with thee.

48 But he answered and said unto him that told him, Who is my mother? and who are my brethren?

49 And he stretched forth his hand toward his disciples, and said, Behold my mother and my brethren!

50 For whosoever shall do the will of my Father which is in heaven, the same is my brother, and sister, and mother.

CHAPTER 13

THE same day went Jesus out of the house, and sat by the sea side.

2 And great multitudes were gathered together unto him, so that he went into a ship, and sat; and the whole multitude stood on the shore.

3 And he spake many things unto them in parables, saying, Behold, a sower went forth to sow;

4 And when he sowed, some *seeds* fell by the way side, and the fowls came and devoured them up:

5 Some fell upon stony places, where they had not much earth: and forthwith they sprung up, because they had no deepness of earth:

6 And when the sun was up, they were scorched; and because they had no root, they withered away.

7 And some fell among thorns; and the thorns sprung up, and choked them:

8 Pero parte cayó en buena tierra, y dio fruto, cuál a ciento, cuál a sesenta, y cuál a treinta por uno.

9 El que tiene oídos para oir, oiga.

10 Entonces, acercándose los discípulos, le dijeron: ¿Por qué les hablas por parábolas?

11 El respondiendo, les dijo: Porque a vosotros os es dado saber los misterios del reino de los cielos; mas a ellos no les es dado.

12 Porque a cualquiera que tiene, se le dará, y tendrá más; pero al que no tiene, aun lo que tiene le será quitado.

13 Por eso les hablo por parábolas: porque viendo no ven, y oyendo no oyen, ni entienden.

14 De manera que se cumple en ellos la profecía de Isaías, que dijo: De oído oiréis, y no entenderéis; y viendo veréis, y no percibiréis.

15 Porque el corazón de este pueblo se ha engrosado, y con los oídos oyen pesadamente, y han cerrado sus ojos; para que no vean con los ojos, y oigan con los oídos, y con el corazón entiendan, y se conviertan, y yo los sane.

16 Pero bienaventurados vuestros ojos, porque ven; y vuestros oídos, porque oyen.

17 Porque de cierto os digo, que muchos profetas y justos desearon ver lo que veis, y no lo vieron; y oir lo que oís, y no lo oyeron.

18 Oíd, pues, vosotros la parábola del sembrador:

19 Cuando alguno oye la palabra del reino y no la entiende, viene el malo, y arrebata lo que fue sembrado en su corazón. Este es el que fue sembrado junto al camino.

20 Y el que fue sembrado en pedregales, éste es el que oye la palabra, y al momento la recibe con gozo;

21 pero no tiene raíz en sí, sino que es de corta duración, pues al venir la aflicción o la persecución por causa de la palabra, luego tropieza.

22 El que fue sembrado entre espinos, éste es el que oye la palabra, pero el afán de este siglo y el engaño de las riquezas ahogan la palabra, y se hace infructuosa.

23 Mas el que fue sembrado en buena tierra, éste es el que oye y entiende la palabra, y da fruto; y produce a ciento, a sesenta, y a treinta por uno.

8 But other fell into good ground, and brought forth fruit, some an hundredfold, some sixtyfold, some thirtyfold.

9 Who hath ears to hear, let him hear.

10 And the disciples came, and said unto him, Why speakest thou unto them in parables?

11 He answered and said unto them, Because it is given unto you to know the mysteries of the kingdom of heaven, but to them it is not given.

12 For whosoever hath, to him shall be given, and he shall have more abundance: but whosoever hath not, from him shall be taken away even that he hath.

13 Therefore speak I to them in parables: because they seeing see not; and hearing they hear not, neither do they understand.

14 And in them is fulfilled the prophecy of E-sai'as, which saith, By hearing ye shall hear, and shall not understand; and seeing ye shall see, and shall not perceive:

15 For this people's heart is waxed gross, and *their* ears are dull of hearing, and their eyes they have closed; lest at any time they should see with *their* eyes, and hear with *their* ears, and should understand with *their* heart, and should be converted, and I should heal them.

16 But blessed *are* your eyes, for they see: and your ears, for they hear.

17 For verily I say unto you, That many prophets and righteous *men* have desired to see *those things* which ye see, and have not seen *them;* and to hear *those things* which ye hear, and have not heard *them.*

18 Hear ye therefore the parable of the sower.

19 When any one heareth the word of the kingdom, and understandeth *it* not, then cometh the wicked *one*, and catcheth away that which was sown in his heart. This is he which received seed by the way side.

20 But he that received the seed into stony places, the same is he that heareth the word, and anon with joy receiveth it;

21 Yet hath he not root in himself, but dureth for a while: for when tribulation or persecution ariseth because of the word, by and by he is offended.

22 He also that received seed among the thorns is he that heareth the word; and the care of this world, and the deceitfulness of riches, choke the word, and he becometh unfruitful.

23 But he that received seed into the good ground is he that heareth the word, and understandeth *it;* which also beareth fruit, and bringeth forth, some an hundredfold, some sixty, some thirty.

24 Les refirió otra parábola, diciendo: El reino de los cielos es semejante a un hombre que sembró buena semilla en su campo;

25 pero mientras dormían los hombres, vino su enemigo y sembró cizaña entre el trigo, y se fue.

26 Y cuando salió la hierba y dio fruto, entonces apareció también la cizaña.

27 Vinieron entonces los siervos del padre de familia y le dijeron: Señor, ¿no sembraste buena semilla en tu campo? ¿De dónde, pues, tiene cizaña?

28 El les dijo: Un enemigo ha hecho esto. Y los siervos le dijeron: ¿Quieres, pues, que vayamos y la arranquemos?

29 El les dijo: No, no sea que al arrancar la cizaña, arranquéis también con ella el trigo.

30 Dejad crecer juntamente lo uno y lo otro hasta la siega; y al tiempo de la siega yo diré a los segadores: Recoged primero la cizaña, y atadla en manojos para quemarla; pero recoged el trigo en mi granero.

31 Otra parábola les refirió, diciendo: El reino de los cielos es semejante al grano de mostaza, que un hombre tomó y sembró en su campo;

32 el cual a la verdad es la más pequeña de todas las semillas; pero cuando ha crecido, es la mayor de las hortalizas, y se hace árbol, de tal manera que vienen las aves del cielo y hacen nidos en sus ramas.

33 Otra parábola les dijo: El reino de los cielos es semejante a la levadura que tomó una mujer, y escondió en tres medidas de harina, hasta que todo fue leudado.

34 Todo esto habló Jesús por parábolas a la gente, y sin parábolas no les hablaba;

35 para que se cumpliese lo dicho por el profeta, cuando dijo: Abriré en parábolas mi boca; declararé cosas escondidas desde la fundación del mundo.

36 Entonces, despedida la gente, entró Jesús en la casa; y acercándose a él sus discípulos, le dijeron: Explícanos la parábola de la cizaña del campo.

37 Respondiendo él, les dijo: El que siembra la buena semilla es el Hijo del Hombre.

38 El campo es el mundo; la buena semilla son los hijos del reino, y la cizaña son los hijos del malo.

39 El enemigo que la sembró es el diablo; la siega es el fin del siglo; y los segadores son los ángeles.

24 Another parable put he forth unto them, saying, The kingdom of heaven is likened unto a man which sowed good seed in his field:

25 But while men slept, his enemy came and sowed tares among the wheat, and went his way.

26 But when the blade was sprung up, and brought forth fruit, then appeared the tares also.

27 So the servants of the householder came and said unto him, Sir, didst not thou sow good seed in thy field? from whence then hath it tares?

28 He said unto them, An enemy hath done this. The servants said unto him, Wilt thou then that we go and gather them up?

29 But he said, Nay; lest while ye gather up the tares, ye root up also the wheat with them.

30 Let both grow together until the harvest: and in the time of harvest I will say to the reapers, Gather ye together first the tares, and bind them in bundles to burn them: but gather the wheat into my barn.

31 Another parable put he forth unto them, saying, The kingdom of heaven is like to a grain of mustard seed, which a man took, and sowed in his field:

32 Which indeed is the least of all seeds: but when it is grown, it is the greatest among herbs, and becometh a tree, so that the birds of the air come and lodge in the branches thereof.

33 Another parable spake he unto them; The kingdom of heaven is like unto leaven, which a woman took, and hid in three measures of meal, till the whole was leavened.

34 All these things spake Jesus unto the multitude in parables; and without a parable spake he not unto them:

35 That it might be fulfilled which was spoken by the prophet, saying, I will open my mouth in parables; I will utter things which have been kept secret from the foundation of the world.

36 Then Jesus sent the multitude away, and went into the house: and his disciples came unto him, saying, Declare unto us the parable of the tares of the field.

37 He answered and said unto them, He that soweth the good seed is the Son of man;

38 The field is the world; the good seed are the children of the kingdom; but the tares are the children of the wicked *one;*

39 The enemy that sowed them is the devil; the harvest is the end of the world; and the reapers are the angels.

40 De manera que como se arranca la cizaña, y se quema en el fuego, así será en el fin de este siglo.
41 Enviará el Hijo del Hombre a sus ángeles, y recogerán de su reino a todos los que sirven de tropiezo, y a los que hacen iniquidad,
42 y los echarán en el horno de fuego; allí será el lloro y el crujir de dientes.
43 Entonces los justos resplandecerán como el sol en el reino de su Padre. El que tiene oídos para oir, oiga.
44 Además, el reino de los cielos es semejante a un tesoro escondido en un campo, el cual un hombre halla, y lo esconde de nuevo; y gozoso por ello va y vende todo lo que tiene, y compra aquel campo.
45 También el reino de los cielos es semejante a un mercader que busca buenas perlas,
46 que habiendo hallado una perla preciosa, fue y vendió todo lo que tenía, y la compró.
47 Asimismo el reino de los cielos es semejante a una red, que echada en el mar, recoge de toda clase de peces;
48 y una vez llena, la sacan a la orilla; y sentados, recogen lo bueno en cestas, y lo malo echan fuera.
49 Así será al fin del siglo: saldrán los ángeles, y apartarán a los malos de entre los justos,
50 y los echarán en el horno de fuego; allí será el lloro y el crujir de dientes.
51 Jesús les dijo: ¿Habéis entendido todas estas cosas? Ellos respondieron: Sí, Señor.
52 El les dijo: Por eso todo escriba docto en el reino de los cielos es semejante a un padre de familia, que saca de su tesoro cosas nuevas y cosas viejas.
53 Aconteció que cuando terminó Jesús estas parábolas, se fue de allí.
54 Y venido a su tierra, les enseñaba en la sinagoga de ellos, de tal manera que se maravillaban, y decían: ¿De dónde tiene éste esta sabiduría y estos milagros?
55 ¿No es éste el hijo del carpintero? ¿No se llama su madre María, y sus hermanos, Jacobo, José, Simón y Judas?
56 ¿No están todas sus hermanas con nosotros? ¿De dónde, pues, tiene éste todas estas cosas?
57 Y se escandalizaban de él. Pero Jesús les dijo: No hay profeta sin honra, sino en su propia tierra y en su casa.

40 As therefore the tares are gathered and burned in the fire; so shall it be in the end of this world.
41 The Son of man shall send forth his angels, and they shall gather out of his kingdom all things that offend, and them which do iniquity;
42 And shall cast them into a furnace of fire: there shall be wailing and gnashing of teeth.
43 Then shall the righteous shine forth as the sun in the kingdom of their Father. Who hath ears to hear, let him hear.
44 Again, the kingdom of heaven is like unto treasure hid in a field; the which when a man hath found, he hideth, and for joy thereof goeth and selleth all that he hath, and buyeth that field.
45 Again, the kingdom of heaven is like unto a merchant man, seeking goodly pearls:
46 Who, when he had found one pearl of great price, went and sold all that he had, and bought it.
47 Again, the kingdom of heaven is like unto a net, that was cast into the sea, and gathered of every kind:
48 Which, when it was full, they drew to shore, and sat down, and gathered the good into vessels, but cast the bad away.
49 So shall it be at the end of the world: the angels shall come forth, and sever the wicked from among the just,
50 And shall cast them into the furnace of fire: there shall be wailing and gnashing of teeth.
51 Jesus saith unto them, Have ye understood all these things? They say unto him, Yea, Lord.
52 Then said he unto them, Therefore every scribe *which is* instructed unto the kingdom of heaven is like unto a man *that is* an householder, which bringeth forth out of his treasure *things* new and old.
53 And it came to pass, *that* when Jesus had finished these parables, he departed thence.
54 And when he was come into his own country, he taught them in their synagogue, insomuch that they were astonished, and said, Whence hath this *man* this wisdom, and *these* mighty works?
55 Is not this the carpenter's son? is not his mother called Mary? and his brethren, James, and Joses, and Simon, and Judas?
56 And his sisters, are they not all with us? Whence then hath this *man* all these things?
57 And they were offended in him. But Jesus said unto them, A prophet is not without honour, save in his own country, and in his own house.

58 Y no hizo allí muchos milagros, a causa de la incredulidad de ellos.

CAPÍTULO 14

EN aquel tiempo Herodes el tetrarca oyó la fama de Jesús,

2 y dijo a sus criados: Este es Juan el Bautista; ha resucitado de los muertos, y por eso actúan en él estos poderes.

3 Porque Herodes había prendido a Juan, y le había encadenado y metido en la cárcel, por causa de Herodías, mujer de Felipe su hermano;

4 porque Juan le decía: No te es lícito tenerla.

5 Y Herodes quería matarle, pero temía al pueblo; porque tenían a Juan por profeta.

6 Pero cuando se celebraba el cumpleaños de Herodes, la hija de Herodías danzó en medio, y agradó a Herodes,

7 por lo cual éste le prometió con juramento darle todo lo que pidiese.

8 Ella, instruída primero por su madre, dijo: Dame aquí en un plato la cabeza de Juan el Bautista.

9 Entonces el rey se entristeció; pero a causa del juramento, y de los que estaban con él a la mesa, mandó que se la diesen,

10 y ordenó decapitar a Juan en la cárcel.

11 Y fue traída su cabeza en un plato, y dada a la muchacha; y ella la presentó a su madre.

12 Entonces llegaron sus discípulos, y tomaron el cuerpo y lo enterraron; y fueron y dieron las nuevas a Jesús.

13 Oyéndolo Jesús, se apartó de allí en una barca a un lugar desierto y apartado; y cuando la gente lo oyó, le siguió a pie desde las ciudades.

14 Y saliendo Jesús, vio una gran multitud, y tuvo compasión de ellos, y sanó a los que de ellos estaban enfermos.

15 Cuando anochecía, se acercaron a él sus discípulos, diciendo: El lugar es desierto, y la hora ya pasada; despide a la multitud, para que vayan por las aldeas y compren de comer.

16 Jesús les dijo: No tienen necesidad de irse; dadles vosotros de comer.

17 Y ellos dijeron: No tenemos aquí sino cinco panes y dos peces.

18 El les dijo: Traédmelos acá.

19 Entonces mandó a la gente recostarse sobre la hierba; y tomando los cinco panes y los dos peces, y levantando los ojos al cielo, bendijo, y partió y dio los panes a los discípulos, y los discípulos a la multitud.

58 And he did not many mighty works there because of their unbelief.

CHAPTER 14

AT that time Herod the tetrarch heard of the fame of Jesus,

2 And said unto his servants, This is John the Baptist; he is risen from the dead; and therefore mighty works do shew forth themselves in him.

3 For Herod had laid hold on John, and bound him, and put *him* in prison for He-ro'di-as' sake, his brother Philip's wife.

4 For John said unto him, It is not lawful for thee to have her.

5 And when he would have put him to death, he feared the multitude, because they counted him as a prophet.

6 But when Herod's birthday was kept, the daughter of He-ro'di-as danced before them, and pleased Herod.

7 Whereupon he promised with an oath to give her whatsoever she would ask.

8 And she, being before instructed of her mother, said, Give me here John Baptist's head in a charger.

9 And the king was sorry: nevertheless for the oath's sake, and them which sat with him at meat, he commanded *it* to be given *her*.

10 And he sent, and beheaded John in the prison.

11 And his head was brought in a charger, and given to the damsel: and she brought *it* to her mother.

12 And his disciples came, and took up the body, and buried it, and went and told Jesus.

13 When Jesus heard *of it*, he departed thence by ship into a desert place apart: and when the people had heard *thereof*, they followed him on foot out of the cities.

14 And Jesus went forth, and saw a great multitude, and was moved with compassion toward them, and he healed their sick.

15 And when it was evening, his disciples came to him, saying, This is a desert place, and the time is now past; send the multitude away, that they may go into the villages, and buy themselves victuals.

16 But Jesus said unto them, They need not depart; give ye them to eat.

17 And they say unto him, We have here but five loaves, and two fishes.

18 He said, Bring them hither to me.

19 And he commanded the multitude to sit down on the grass, and took the five loaves, and the two fishes, and looking up to heaven, he blessed, and brake, and gave the loaves to *his* disciples, and the disciples to the multitude.

20 Y comieron todos, y se saciaron; y recogieron lo que sobró de los pedazos, doce cestas llenas.

21 Y los que comieron fueron como cinco mil hombres, sin contar las mujeres y los niños.

22 En seguida Jesús hizo a sus discípulos entrar en la barca e ir delante de él a la otra ribera, entre tanto que él despedía a la multitud.

23 Despedida la multitud, subió al monte a orar aparte; y cuando llegó la noche, estaba allí solo.

24 Y ya la barca estaba en medio del mar, azotada por las olas; porque el viento era contrario.

25 Mas a la cuarta vigilia de la noche, Jesús vino a ellos andando sobre el mar.

26 Y los discípulos, viéndole andar sobre el mar, se turbaron, diciendo: ¡Un fantasma! Y dieron voces de miedo.

27 Pero en seguida Jesús les habló, diciendo: ¡Tened ánimo; yo soy, no temáis!

28 Entonces le respondió Pedro, y dijo: Señor, si eres tú, manda que yo vaya a ti sobre las aguas.

29 Y él dijo: Ven. Y descendiendo Pedro de la barca, andaba sobre las aguas para ir a Jesús.

30 Pero al ver el fuerte viento, tuvo miedo; y comenzando a hundirse, dio voces, diciendo: ¡Señor, sálvame!

31 Al momento Jesús, extendiendo la mano, asió de él, y le dijo: ¡Hombre de poca fe! ¿Por qué dudaste?

32 Y cuando ellos subieron en la barca, se calmó el viento.

33 Entonces los que estaban en la barca vinieron y le adoraron, diciendo: Verdaderamente eres Hijo de Dios.

34 Y terminada la travesía, vinieron a tierra de Genesaret.

35 Cuando le conocieron los hombres de aquel lugar, enviaron noticia por toda aquella tierra alrededor, y trajeron a él todos los enfermos;

36 y le rogaban que les dejase tocar solamente el borde de su manto; y todos los que lo tocaron, quedaron sanos.

CAPÍTULO 15

ENTONCES se acercaron a Jesús ciertos escribas y fariseos de Jerusalén, diciendo:

2 ¿Por qué tus discípulos quebrantan la tradición de los ancianos? Porque no se lavan las manos cuando comen pan.

20 And they did all eat, and were filled: and they took up of the fragments that remained twelve baskets full.

21 And they that had eaten were about five thousand men, beside women and children.

22 And straightway Jesus constrained his disciples to get into a ship, and to go before him unto the other side, while he sent the multitudes away.

23 And when he had sent the multitudes away, he went up into a mountain apart to pray: and when the evening was come, he was there alone.

24 But the ship was now in the midst of the sea, tossed with waves: for the wind was contrary.

25 And in the fourth watch of the night Jesus went unto them, walking on the sea.

26 And when the disciples saw him walking on the sea, they were troubled, saying, It is a spirit; and they cried out for fear.

27 But straightway Jesus spake unto them, saying, Be of good cheer; it is I; be not afraid.

28 And Peter answered him and said, Lord, if it be thou, bid me come unto thee on the water.

29 And he said, Come. And when Peter was come down out of the ship, he walked on the water, to go to Jesus.

30 But when he saw the wind boisterous, he was afraid; and beginning to sink, he cried, saying, Lord, save me.

31 And immediately Jesus stretched forth *his* hand, and caught him, and said unto him, O thou of little faith, wherefore didst thou doubt?

32 And when they were come into the ship, the wind ceased.

33 Then they that were in the ship came and worshipped him saying, Of a truth thou art the Son of God.

34 And when they were gone over, they came into the land of Gen-nes′a-ret.

35 And when the men of that place had knowledge of him, they sent out into all that country round about, and brought unto him all that were diseased;

36 And besought him that they might only touch the hem of his garment: and as many as touched were made perfectly whole.

CHAPTER 15

THEN came to Jesus scribes and Pharisees, which were of Jerusalem, saying,

2 Why do thy disciples transgress the tradition of the elders? for they wash not their hands when they eat bread.

3 Respondiendo él, les dijo: ¿Por qué también vosotros quebrantáis el mandamiento de Dios por vuestra tradición?

4 Porque Dios mandó diciendo: Honra a tu padre y a tu madre; y: El que maldiga al padre o a la madre, muera irremisiblemente.

5 Pero vosotros decís: Cualquiera que diga a su padre o a su madre: Es mi ofrenda a Dios todo aquello con que pudiera ayudarte,

6 ya no ha de honrar a su padre o a su madre. Así habéis invalidado el mandamiento de Dios por vuestra tradición.

7 Hipócritas, bien profetizó de vosotros Isaías, cuando dijo:

8 Este pueblo de labios me honra; mas su corazón está lejos de mí.

9 Pues en vano me honran, enseñando como doctrinas, mandamientos de hombres.

10 Y llamando a sí a la multitud, les dijo: Oíd, y entended:

11 No lo que entra en la boca contamina al hombre; mas lo que sale de la boca, esto contamina al hombre.

12 Entonces acercándose sus discípulos, le dijeron: ¿Sabes que los fariseos se ofendieron cuando oyeron esta palabra?

13 Pero respondiendo él, dijo: Toda planta que no plantó mi Padre celestial, será desarraigada.

14 Dejadlos; son ciegos guías de ciegos; y si el ciego guiare al ciego, ambos caerán en el hoyo.

15 Respondiendo Pedro, le dijo: Explícanos esta parábola.

16 Jesús dijo: ¿También vosotros sois aún sin entendimiento?

17 ¿No entendéis que todo lo que entra en la boca va al vientre, y es echado en la letrina?

18 Pero lo que sale de la boca, del corazón sale; y esto contamina al hombre.

19 Porque del corazón salen los malos pensamientos, los homicidios, los adulterios, las fornicaciones, los hurtos, los falsos testimonios, las blasfemias.

20 Estas cosas son las que contaminan al hombre; pero el comer con las manos sin lavar no contamina al hombre.

21 Saliendo Jesús de allí, se fue a la región de Tiro y de Sidón.

22 Y he aquí una mujer cananea que había salido de aquella región clamaba, diciéndole: ¡Señor, Hijo de David, ten misericordia de mí! Mi hija es gravemente atormentada por un demonio.

23 Pero Jesús no le respondió palabra. Entonces acercándose sus discípulos, le rogaron, diciendo: Despídela, pues da voces tras nosotros.

3 But he answered and said unto them, Why do ye also transgress the commandment of God by your tradition?

4 For God commanded, saying, Honour thy father and mother: and, He that curseth father or mother, let him die the death.

5 But ye say, Whosoever shall say to *his* father or *his* mother, *It is* a gift, by whatsoever thou mightest be profited by me;

6 And honour not his father or his mother, *he shall be free*. Thus have ye made the commandment of God of none effect by your tradition.

7 *Ye* hypocrites, well did E-sai'as prophesy of you, saying,

8 This people draweth nigh unto me with their mouth, and honoureth me with *their* lips; but their heart is far from me.

9 But in vain they do worship me, teaching *for* doctrines the commandments of men.

10 And he called the multitude, and said unto them, Hear, and understand:

11 Not that which goeth into the mouth defileth a man; but that which cometh out of the mouth, this defileth a man.

12 Then came his disciples, and said unto him, Knowest thou that the Pharisees were offended, after they heard this saying?

13 But he answered and said, Every plant, which my heavenly Father hath not planted, shall be rooted up.

14 Let them alone: they be blind leaders of the blind. And if the blind lead the blind, both shall fall into the ditch.

15 Then answered Peter and said unto him, Declare unto us this parable.

16 And Jesus said, Are ye also yet without understanding?

17 Do not ye yet understand, that whatsoever entereth in at the mouth goeth into the belly, and is cast out into the draught?

18 But those things which proceed out of the mouth come forth from the heart; and they defile the man.

19 For out of the heart proceed evil thoughts, murders, adulteries, fornications, thefts, false witness, blasphemies:

20 These are *the things* which defile a man: but to eat with unwashen hands defileth not a man.

21 Then Jesus went thence, and departed into the coasts of Tyre and Si'don.

22 And, behold, a woman of Canaan came out of the same coasts, and cried unto him, saying, Have mercy on me, O Lord, *thou* Son of David; my daughter is grievously vexed with a devil.

23 But he answered her not a word. And his disciples came and besought him, saying, Send her away; for she crieth after us.

24 El respondiendo, dijo: No soy enviado sino a las ovejas perdidas de la casa de Israel.
25 Entonces ella vino y se postró ante él, diciendo: ¡Señor, socórreme!
26 Respondiendo él, dijo: No está bien tomar el pan de los hijos, y echarlo a los perrillos.
27 Y ella dijo: Sí, Señor; pero aun los perrillos comen de las migajas que caen de la mesa de sus amos.
28 Entonces respondiendo Jesús, dijo: Oh mujer, grande es tu fe; hágase contigo como quieres. Y su hija fue sanada desde aquella hora.
29 Pasó Jesús de allí y vino junto al mar de Galilea; y subiendo al monte, se sentó allí.
30 Y se le acercó mucha gente que traía consigo a cojos, ciegos, mudos, mancos, y otros muchos enfermos; y los pusieron a los pies de Jesús, y los sanó;
31 de manera que la multitud se maravillaba, viendo a los mudos hablar, a los mancos sanados, a los cojos andar, y a los ciegos ver; y glorificaban al Dios de Israel.
32 Y Jesús, llamando a sus discípulos, dijo: Tengo compasión de la gente, porque ya hace tres días que están conmigo, y no tienen qué comer; y enviarlos en ayunas no quiero, no sea que desmayen en el camino.
33 Entonces sus discípulos le dijeron: ¿De dónde tenemos nosotros tantos panes en el desierto, para saciar a una multitud tan grande?
34 Jesús les dijo: ¿Cuántos panes tenéis? Y ellos dijeron: Siete, y unos pocos pececillos.
35 Y mandó a la multitud que se recostase en tierra.
36 Y tomando los siete panes y los peces, dio gracias, los partió y dio a sus discípulos, y los discípulos a la multitud.
37 Y comieron todos, y se saciaron; y recogieron lo que sobró de los pedazos, siete canastas llenas.
38 Y eran los que habían comido, cuatro mil hombres, sin contar las mujeres y los niños.
39 Entonces, despedida la gente, entró en la barca, y vino a la región de Magdala.

CAPÍTULO 16

VINIERON los fariseos y los saduceos para tentarle, y le pidieron que les mostrase señal del cielo.
2 Mas él respondiendo, les dijo: Cuando

24 But he answered and said, I am not sent but unto the lost sheep of the house of Israel.
25 Then came she and worshipped him, saying, Lord, help me.
26 But he answered and said, It is not meet to take the children's bread, and to cast *it* to dogs.
27 And she said, Truth, Lord: yet the dogs eat of the crumbs which fall from their masters' table.
28 Then Jesus answered and said unto her, O woman, great *is* thy faith: be it unto thee even as thou wilt. And her daughter was made whole from that very hour.
29 And Jesus departed from thence, and came nigh unto the sea of Galilee; and went up into a mountain, and sat down there.
30 And great multitudes came unto him, having with them *those that were* lame, blind, dumb, maimed, and many others, and cast them down at Jesus' feet; and he healed them:
31 Insomuch that the multitude wondered, when they saw the dumb to speak, the maimed to be whole, the lame to walk, and the blind to see: and they glorified the God of Israel.
32 Then Jesus called his disciples *unto him*, and said, I have compassion on the multitude, because they continue with me now three days, and have nothing to eat: and I will not send them away fasting, lest they faint in the way.
33 And his disciples say unto him, Whence should we have so much bread in the wilderness, as to fill so great a multitude?
34 And Jesus saith unto them, How many loaves have ye? And they said, Seven, and a few little fishes.
35 And he commanded the multitude to sit down on the ground.
36 And he took the seven loaves and the fishes, and gave thanks, and brake *them*, and gave to his disciples, and the disciples to the multitude.
37 And they did all eat, and were filled: and they took up of the broken *meat* that was left seven baskets full.
38 And they that did eat were four thousand men, beside women and children.
39 And he sent away the multitude, and took ship, and came into the coasts of Mag'da-la.

CHAPTER 16

THE Pharisees also with the Sad'du-cees came, and tempting desired him that he would shew them a sign from heaven.
2 He answered and said unto them,

anochece, decís: Buen tiempo; porque el cielo tiene arreboles.

3 Y por la mañana: Hoy habrá tempestad; porque tiene arreboles el cielo nublado. ¡Hipócritas! que sabéis distinguir el aspecto del cielo, ¡mas las señales de los tiempos no podéis!

4 La generación mala y adúltera demanda señal; pero señal no le será dada, sino la señal del profeta Jonás. Y dejándolos, se fue.

5 Llegando sus discípulos al otro lado, se habían olvidado de traer pan.

6 Y Jesús les dijo: Mirad, guardaos de la levadura de los fariseos y de los saduceos.

7 Ellos pensaban dentro de sí, diciendo: Esto dice porque no trajimos pan.

8 Y entendiéndolo Jesús, les dijo: ¿Por qué pensáis dentro de vosotros, hombres de poca fe, que no tenéis pan?

9 ¿No entendéis aún, ni os acordáis de los cinco panes entre cinco mil hombres, y cuántas cestas recogisteis?

10 ¿Ni de los siete panes entre cuatro mil, y cuántas canastas recogisteis?

11 ¿Cómo es que no entendéis que no fue por el pan que os dije que os guardaseis de la levadura de los fariseos y de los saduceos?

12 Entonces entendieron que no les había dicho que se guardasen de la levadura del pan, sino de la doctrina de los fariseos y de los saduceos.

13 Viniendo Jesús a la región de Cesarea de Filipo, preguntó a sus discípulos, diciendo: ¿Quién dicen los hombres que es el Hijo del Hombre?

14 Ellos dijeron: Unos, Juan el Bautista; otros, Elías; y otros, Jeremías, o alguno de los profetas.

15 El les dijo: Y vosotros, ¿quién decís que soy yo?

16 Respondiendo Simón Pedro, dijo: Tú eres el Cristo, el Hijo del Dios viviente.

17 Entonces le respondió Jesús: Bienaventurado eres, Simón, hijo de Jonás, porque no te lo reveló carne ni sangre, sino mi Padre que está en los cielos.

18 Y yo también te digo, que tú eres Pedro, y sobre esta roca edificaré mi iglesia; y las puertas del Hades no prevalecerán contra ella.

19 Y a ti te daré las llaves del reino de los cielos; y todo lo que atares en la tierra

When it is evening, ye say, *It will be* fair weather: for the sky is red.

3 And in the morning, *It will be* foul weather to day: for the sky is red and lowring. O *ye* hypocrites, ye can discern the face of the sky; but can ye not *discern* the signs of the times?

4 A wicked and adulterous generation seeketh after a sign; and there shall no sign be given unto it, but the sign of the prophet Jonas. And he left them, and departed.

5 And when his disciples were come to the other side, they had forgotten to take bread.

6 Then Jesus said unto them, Take heed and beware of the leaven of the Pharisees and of the Sad′du-cees.

7 And they reasoned among themselves, saying, *It is* because we have taken no bread.

8 *Which* when Jesus perceived, he said unto them, O ye of little faith, why reason ye among yourselves, because ye have brought no bread?

9 Do ye not yet understand, neither remember the five loaves of the five thousand, and how many baskets ye took up?

10 Neither the seven loaves of the four thousand, and how many baskets ye took up?

11 How is it that ye do not understand that I spake *it* not to you concerning bread, that ye should beware of the leaven of the Pharisees and of the Sad′du-cees?

12 Then understood they how that he bade *them* not beware of the leaven of bread, but of the doctrine of the Pharisees and of the Sad′du-cees.

13 When Jesus came into the coasts of Cæs-a-re′a Phi-lip′pi, he asked his disciples, saying, Whom do men say that I the Son of man am?

14 And they said, Some *say that thou art* John the Baptist: some, E-li′as; and others, Jeremias, or one of the prophets.

15 He saith unto them, But whom say ye that I am?

16 And Simon Peter answered and said, Thou art the Christ, the Son of the living God.

17 And Jesus answered and said unto him, Blessed art thou, Simon Bar-jo′na: for flesh and blood hath not revealed *it* unto thee, but my Father which is in heaven.

18 And I say also unto thee, That thou art Peter, and upon this rock I will build my church; and the gates of hell shall not prevail against it.

19 And I will give unto thee the keys of the kingdom of heaven: and whatsoever

será atado en los cielos; y todo lo que desatares en la tierra será desatado en los cielos.
20 Entonces mandó a sus discípulos que a nadie dijesen que él era Jesús el Cristo.
21 Desde entonces comenzó Jesús a declarar a sus discípulos que le era necesario ir a Jerusalén y padecer mucho de los ancianos, de los principales sacerdotes y de los escribas; y ser muerto, y resucitar al tercer día.
22 Entonces Pedro, tomándolo aparte, comenzó a reconvenirle, diciendo: Señor, ten compasión de ti; en ninguna manera esto te acontezca.
23 Pero él, volviéndose, dijo a Pedro: ¡Quítate de delante de mí, Satanás!; me eres tropiezo, porque no pones la mira en las cosas de Dios, sino en las de los hombres.
24 Entonces Jesús dijo a sus discípulos: Si alguno quiere venir en pos de mí, niéguese a sí mismo, y tome su cruz, y sígame.
25 Porque todo el que quiera salvar su vida, la perderá; y todo el que pierda su vida por causa de mí, la hallará.
26 Porque ¿qué aprovechará al hombre, si ganare todo el mundo, y perdiere su alma? ¿O qué recompensa dará el hombre por su alma?
27 Porque el Hijo del Hombre vendrá en la gloria de su Padre con sus ángeles, y entonces pagará a cada uno conforme a sus obras.
28 De cierto os digo que hay algunos de los que están aquí, que no gustarán la muerte, hasta que hayan visto al Hijo del Hombre viniendo en su reino.

CAPÍTULO 17

SEIS días después, Jesús tomó a Pedro, a Jacobo y a Juan su hermano, y los llevó aparte a un monte alto;
2 y se transfiguró delante de ellos, y resplandeció su rostro como el sol, y sus vestidos se hicieron blancos como la luz.
3 Y he aquí les aparecieron Moisés y Elías, hablando con él.
4 Entonces Pedro dijo a Jesús: Señor, bueno es para nosotros que estemos aquí; si quieres, hagamos aquí tres enramadas: una para ti, otra para Moisés, y otra para Elías.
5 Mientras él aún hablaba, una nube de luz los cubrió; y he aquí una voz desde la nube, que decía: Este es mi Hijo amado, en quien tengo complacencia; a él oíd.
6 Al oir esto los discípulos, se postraron sobre sus rostros, y tuvieron gran temor.

thou shalt bind on earth shall be bound in heaven: and whatsoever thou shalt loose on earth shall be loosed in heaven.
20 Then charged he his disciples that they should tell no man that he was Jesus the Christ.
21 From that time forth began Jesus to shew unto his disciples, how that he must go unto Jerusalem, and suffer many things of the elders and chief priests and scribes, and be killed, and be raised again the third day.
22 Then Peter took him, and began to rebuke him, saying, Be it far from thee, Lord: this shall not be unto thee.
23 But he turned, and said unto Peter, Get thee behind me, Satan: thou art an offence unto me: for thou savourest not the things that be of God, but those that be of men.
24 Then said Jesus unto his disciples, If any *man* will come after me, let him deny himself, and take up his cross, and follow me.
25 For whosoever will save his life shall lose it: and whosoever will lose his life for my sake shall find it.
26 For what is a man profited, if he shall gain the whole world, and lose his own soul? or what shall a man give in exchange for his soul?
27 For the Son of man shall come in the glory of his Father with his angels; and then he shall reward every man according to his works.
28 Verily I say unto you, There be some standing here, which shall not taste of death, till they see the Son of man coming in his kingdom.

CHAPTER 17

AND after six days Jesus taketh Peter, James, and John his brother, and bringeth them up into an high mountain apart,
2 And was transfigured before them: and his face did shine as the sun, and his raiment was white as the light.
3 And, behold, there appeared unto them Moses and E-li'as talking with him.
4 Then answered Peter, and said unto Jesus, Lord, it is good for us to be here: if thou wilt, let us make here three tabernacles; one for thee, and one for Moses, and one for E-li'as.
5 While he yet spake, behold, a bright cloud overshadowed them: and behold a voice out of the cloud, which said, This is my beloved Son, in whom I am well pleased; hear ye him.
6 And when the disciples heard *it*, they fell on their face, and were sore afraid.

7 Entonces Jesús se acercó y los tocó, y dijo: Levantaos, y no temáis.

8 Y alzando ellos los ojos, a nadie vieron sino a Jesús solo.

9 Cuando descendieron del monte, Jesús les mandó, diciendo: No digáis a nadie la visión, hasta que el Hijo del Hombre resucite de los muertos.

10 Entonces sus discípulos le preguntaron, diciendo: ¿Por qué, pues, dicen los escribas que es necesario que Elías venga primero?

11 Respondiendo Jesús, les dijo: A la verdad, Elías viene primero, y restaurará todas las cosas.

12 Mas os digo que Elías ya vino, y no le conocieron, sino que hicieron con él todo lo que quisieron; así también el Hijo del Hombre padecerá de ellos.

13 Entonces los discípulos comprendieron que les había hablado de Juan el Bautista.

14 Cuando llegaron al gentío, vino a él un hombre que se arrodilló delante de él, diciendo:

15 Señor, ten misericordia de mi hijo, que es lunático, y padece muchísimo; porque muchas veces cae en el fuego, y muchas en el agua.

16 Y lo he traído a tus discípulos, pero no le han podido sanar.

17 Respondiendo Jesús, dijo: ¡Oh generación incrédula y perversa! ¿Hasta cuándo he de estar con vosotros? ¿Hasta cuándo os he de soportar? Traédmelo acá.

18 Y reprendió Jesús al demonio, el cual salió del muchacho, y éste quedó sano desde aquella hora.

19 Viniendo entonces los discípulos a Jesús, aparte, dijeron: ¿Por qué nosotros no pudimos echarlo fuera?

20 Jesús les dijo: Por vuestra poca fe; porque de cierto os digo, que si tuviereis fe como un grano de mostaza, diréis a este monte: Pásate de aquí allá, y se pasará; y nada os será imposible.

21 Pero este género no sale sino con oración y ayuno.

22 Estando ellos en Galilea, Jesús les dijo: El Hijo del Hombre será entregado en manos de hombres,

23 y le matarán; mas al tercer día resucitará. Y ellos se entristecieron en gran manera.

24 Cuando llegaron a Capernaum, vinieron a Pedro los que cobraban las dos dracmas, y le dijeron: ¿Vuestro Maestro no paga las dos dracmas?

25 El dijo: Sí. Y al entrar él en casa, Jesús le habló primero, diciendo: ¿Qué te parece, Simón? Los reyes de la tierra, ¿de

7 And Jesus came and touched them, and said, Arise, and be not afraid.

8 And when they had lifted up their eyes, they saw no man, save Jesus only.

9 And as they came down from the mountain, Jesus charged them, saying, Tell the vision to no man, until the Son of man be risen again from the dead.

10 And his disciples asked him, saying, Why then say the scribes that E-li'as must first come?

11 And Jesus answered and said unto them, E-li'as truly shall first come, and restore all things.

12 But I say unto you, That E-li'as is come already, and they knew him not, but have done unto him whatsoever they listed. Likewise shall also the Son of man suffer of them.

13 Then the disciples understood that he spake unto them of John the Baptist.

14 And when they were come to the multitude, there came to him a *certain* man, kneeling down to him, and saying,

15 Lord, have mercy on my son: for he is lunatick, and sore vexed: for ofttimes he falleth into the fire, and oft into the water.

16 And I brought him to thy disciples, and they could not cure him.

17 Then Jesus answered and said, O faithless and perverse generation, how long shall I be with you? how long shall I suffer you? bring him hither to me.

18 And Jesus rebuked the devil; and he departed out of him: and the child was cured from that very hour.

19 Then came the disciples to Jesus apart, and said, Why could not we cast him out?

20 And Jesus said unto them, Because of your unbelief: for verily I say unto you, If ye have faith as a grain of mustard seed, ye shall say unto this mountain, Remove hence to yonder place; and it shall remove; and nothing shall be impossible unto you.

21 Howbeit this kind goeth not out but by prayer and fasting.

22 And while they abode in Galilee, Jesus said unto them, The Son of man shall be betrayed into the hands of men:

23 And they shall kill him, and the third day he shall be raised again. And they were exceeding sorry.

24 And when they were come to Ca-per'na-um, they that received tribute *money* came to Peter, and said, Doth not your master pay tribute?

25 He saith, Yes. And when he was come into the house, Jesus prevented him, saying, What thinkest thou, Simon? of whom do the kings of the earth take

quiénes cobran los tributos o los impuestos? ¿De sus hijos, o de los extraños?

26 Pedro le respondió: De los extraños. Jesús le dijo: Luego los hijos están exentos.

27 Sin embargo, para no ofenderles, vé al mar, y echa el anzuelo, y el primer pez que saques, tómalo, y al abrirle la boca, hallarás un estatero; tómalo, y dáselo por mí y por ti.

CAPÍTULO 18

EN aquel tiempo los discípulos vinieron a Jesús, diciendo: ¿Quién es el mayor en el reino de los cielos?

2 Y llamando Jesús a un niño, lo puso en medio de ellos,

3 y dijo: De cierto os digo, que si no os volvéis y os hacéis como niños, no entraréis en el reino de los cielos.

4 Así que, cualquiera que se humille como este niño, ése es el mayor en el reino de los cielos.

5 Y cualquiera que reciba en mi nombre a un niño como este, a mí me recibe.

6 Y cualquiera que haga tropezar a alguno de estos pequeños que creen en mí, mejor le fuera que se le colgase al cuello una piedra de molino de asno, y que se le hundiese en lo profundo del mar.

7 ¡Ay del mundo por los tropiezos! porque es necesario que vengan tropiezos, pero ¡ay de aquel hombre por quien viene el tropiezo!

8 Por tanto, si tu mano o tu pie te es ocasión de caer, córtalo y échalo de ti; mejor te es entrar en la vida cojo o manco, que teniendo dos manos o dos pies ser echado en el fuego eterno.

9 Y si tu ojo te es ocasión de caer, sácalo y échalo de ti; mejor te es entrar con un solo ojo en la vida, que teniendo dos ojos ser echado en el infierno de fuego.

10 Mirad que no menospreciéis a uno de estos pequeños; porque os digo que sus ángeles en los cielos ven siempre el rostro de mi Padre que está en los cielos.

11 Porque el Hijo del Hombre ha venido para salvar lo que se había perdido.

12 ¿Qué os parece? Si un hombre tiene cien ovejas, y se descarría una de ellas, ¿no deja las noventa y nueve y va por los montes a buscar la que se había descarriado?

13 Y si acontece que la encuentra, de cierto os digo que se regocija más por aquélla, que por las noventa y nueve que no se descarriaron.

custom or tribute? of their own children, or of strangers?

26 Peter saith unto him, Of strangers. Jesus saith unto him, Then are the children free.

27 Notwithstanding, lest we should offend them, go thou to the sea, and cast an hook, and take up the fish that first cometh up; and when thou hast opened his mouth, thou shalt find a piece of money: that take, and give unto them for me and thee.

CHAPTER 18

AT the same time came the disciples unto Jesus, saying, Who is the greatest in the kingdom of heaven?

2 And Jesus called a little child unto him, and set him in the midst of them,

3 And said, Verily I say unto you, Except ye be converted, and become as little children, ye shall not enter into the kingdom of heaven.

4 Whosoever therefore shall humble himself as this little child, the same is greatest in the kingdom of heaven.

5 And whoso shall receive one such little child in my name receiveth me.

6 But whoso shall offend one of these little ones which believe in me, it were better for him that a millstone were hanged about his neck, and *that* he were drowned in the depth of the sea.

7 Woe unto the world because of offences! for it must needs be that offences come; but woe to that man by whom the offence cometh!

8 Wherefore if thy hand or thy foot offend thee, cut them off, and cast *them* from thee: it is better for thee to enter into life halt or maimed, rather than having two hands or two feet to be cast into everlasting fire.

9 And if thine eye offend thee, pluck it out, and cast *it* from thee: it is better for thee to enter into life with one eye, rather than having two eyes to be cast into hell fire.

10 Take heed that ye despise not one of these little ones; for I say unto you, That in heaven their angels do always behold the face of my Father which is in heaven.

11 For the Son of man is come to save that which was lost.

12 How think ye? if a man have an hundred sheep, and one of them be gone astray, doth he not leave the ninety and nine, and goeth into the mountains, and seeketh that which is gone astray?

13 And if so be that he find it, verily I say unto you, he rejoiceth more of that *sheep*, than of the ninety and nine which went not astray.

14 Así, no es la voluntad de vuestro Padre que está en los cielos, que se pierda uno de estos pequeños.

15 Por tanto, si tu hermano peca contra ti, vé y repréndele estando tú y él solos; si te oyere, has ganado a tu hermano.

16 Mas si no te oyere, toma aún contigo a uno o dos, para que en boca de dos o tres testigos conste toda palabra.

17 Si no los oyere a ellos, dilo a la iglesia; y si no oyere a la iglesia, tenle por gentil y publicano.

18 De cierto os digo que todo lo que atéis en la tierra, será atado en el cielo; y todo lo que desatéis en la tierra, será desatado en el cielo.

19 Otra vez os digo, que si dos de vosotros se pusieren de acuerdo en la tierra acerca de cualquiera cosa que pidieren, les será hecho por mi Padre que está en los cielos.

20 Porque donde están dos o tres congregados en mi nombre, allí estoy yo en medio de ellos.

21 Entonces se le acercó Pedro y le dijo: Señor, ¿cuántas veces perdonaré a mi hermano que peque contra mí? ¿Hasta siete?

22 Jesús le dijo: No te digo hasta siete, sino aun hasta setenta veces siete.

23 Por lo cual el reino de los cielos es semejante a un rey que quiso hacer cuentas con sus siervos.

24 Y comenzando a hacer cuentas, le fue presentado uno que le debía diez mil talentos.

25 A éste, como no pudo pagar, ordenó su señor venderle, y a su mujer e hijos, y todo lo que tenía, para que se le pagase la deuda.

26 Entonces aquel siervo, postrado, le suplicaba, diciendo: Señor, ten paciencia conmigo, y yo te lo pagaré todo.

27 El señor de aquel siervo, movido a misericordia, le soltó y le perdonó la deuda.

28 Pero saliendo aquel siervo, halló a uno de sus consiervos, que le debía cien denarios; y asiendo de él, le ahogaba, diciendo: Págame lo que me debes.

29 Entonces su consiervo, postrándose a sus pies, le rogaba diciendo: Ten paciencia conmigo, y yo te lo pagaré todo.

30 Mas él no quiso, sino fue y le echó en la cárcel, hasta que pagase la deuda.

31 Viendo sus consiervos lo que pasaba, se entristecieron mucho, y fueron y refirieron a su señor todo lo que había pasado.

14 Even so it is not the will of your Father which is in heaven, that one of these little ones should perish.

15 Moreover if thy brother shall trespass against thee, go and tell him his fault between thee and him alone: if he shall hear thee, thou hast gained thy brother.

16 But if he will not hear *thee, then* take with thee one or two more, that in the mouth of two or three witnesses every word may be established.

17 And if he shall neglect to hear them, tell *it* unto the church: but if he neglect to hear the church, let him be unto thee as an heathen man and a publican.

18 Verily I say unto you, Whatsoever ye shall bind on earth shall be bound in heaven: and whatsoever ye shall loose on earth shall be loosed in heaven.

19 Again I say unto you, That if two of you shall agree on earth as touching any thing that they shall ask, it shall be done for them of my Father which is in heaven.

20 For where two or three are gathered together in my name, there am I in the midst of them.

21 Then came Peter to him, and said, Lord, how oft shall my brother sin against me, and I forgive him? till seven times?

22 Jesus saith unto him, I say not unto thee, Until seven times: but, Until seventy times seven.

23 Therefore is the kingdom of heaven likened unto a certain king, which would take account of his servants.

24 And when he had begun to reckon, one was brought unto him, which owed him ten thousand talents.

25 But forasmuch as he had not to pay, his lord commanded him to be sold, and his wife, and children, and all that he had, and payment to be made.

26 The servant therefore fell down, and worshipped him, saying, Lord, have patience with me, and I will pay thee all.

27 Then the lord of that servant was moved with compassion, and loosed him, and forgave him the debt.

28 But the same servant went out, and found one of his fellowservants, which owed him an hundred pence: and he laid hands on him, and took *him* by the throat, saying, Pay me that thou owest.

29 And his fellowservant fell down at his feet, and besought him, saying, Have patience with me, and I will pay thee all.

30 And he would not: but went and cast him into prison, till he should pay the debt.

31 So when his fellowservants saw what was done, they were very sorry, and came and told unto their lord all that was done.

32 Entonces, llamándole su señor, le dijo: Siervo malvado, toda aquella deuda te perdoné, porque me rogaste.
33 ¿No debías tú también tener misericordia de tu consiervo, como yo tuve misericordia de ti?
34 Entonces su señor, enojado, le entregó a los verdugos, hasta que pagase todo lo que le debía.
35 Así también mi Padre celestial hará con vosotros si no perdonáis de todo corazón cada uno a su hermano sus ofensas.

CAPÍTULO 19

ACONTECIÓ que cuando Jesús terminó estas palabras, se alejó de Galilea, y fue a las regiones de Judea al otro lado del Jordán.
2 Y le siguieron grandes multitudes, y los sanó allí.
3 Entonces vinieron a él los fariseos, tentándole y diciéndole: ¿Es lícito al hombre repudiar a su mujer por cualquier causa?
4 El, respondiendo, les dijo: ¿No habéis leído que el que los hizo al principio, varón y hembra los hizo,
5 y dijo: Por esto el hombre dejará padre y madre, y se unirá a su mujer, y los dos serán una sola carne?
6 Así que no son ya más dos, sino una sola carne; por tanto, lo que Dios juntó, no lo separe el hombre.
7 Le dijeron: ¿Por qué, pues, mandó Moisés dar carta de divorcio, y repudiarla?
8 El les dijo: Por la dureza de vuestro corazón Moisés os permitió repudiar a vuestras mujeres; mas al principio no fue así.
9 Y yo os digo que cualquiera que repudia a su mujer, salvo por causa de fornicación, y se casa con otra, adultera; y el que se casa con la repudiada, adultera.
10 Le dijeron sus discípulos: Si así es la condición del hombre con su mujer, no conviene casarse.
11 Entonces él les dijo: No todos son capaces de recibir esto, sino aquellos a quienes es dado.
12 Pues hay eunucos que nacieron así del vientre de su madre, y hay eunucos que son hechos eunucos por los hombres, y hay eunucos que a sí mismos se hicieron eunucos por causa del reino de los cielos. El que sea capaz de recibir esto, que lo reciba.

32 Then his lord, after that he had called him, said unto him, O thou wicked servant, I forgave thee all that debt, because thou desiredst me:
33 Shouldest not thou also have had compassion on thy fellowservant, even as I had pity on thee?
34 And his lord was wroth, and delivered him to the tormentors, till he should pay all that was due unto him.
35 So likewise shall my heavenly Father do also unto you, if ye from your hearts forgive not every one his brother their trespasses.

CHAPTER 19

AND it came to pass, *that* when Jesus had finished these sayings, he departed from Galilee, and came into the coasts of Judæa beyond Jordan;
2 And great multitudes followed him; and he healed them there.
3 The Pharisees also came unto him, tempting him, and saying unto him, Is it lawful for a man to put away his wife for every cause?
4 And he answered and said unto them, Have ye not read, that he which made *them* at the beginning made them male and female,
5 And said, For this cause shall a man leave father and mother, and shall cleave to his wife: and they twain shall be one flesh?
6 Wherefore they are no more twain, but one flesh. What therefore God hath joined together, let not man put asunder.
7 They say unto him, Why did Moses then command to give a writing of divorcement, and to put her away?
8 He saith unto them, Moses because of the hardness of your hearts suffered you to put away your wives: but from the beginning it was not so.
9 And I say unto you, Whosoever shall put away his wife, except *it be* for fornication, and shall marry another, committeth adultery: and whoso marrieth her which is put away doth commit adultery.
10 His disciples say unto him, If the case of the man be so with *his* wife, it is not good to marry.
11 But he said unto them, All *men* cannot receive this saying, save *they* to whom it is given.
12 For there are some eunuchs, which were so born from *their* mother's womb: and there are some eunuchs, which were made eunuchs of men: and there be eunuchs, which have made themselves eunuchs for the kingdom of heaven's sake. He that is able to receive *it*, let him receive *it*.

13 Entonces le fueron presentados unos niños, para que pusiese las manos sobre ellos, y orase; y los discípulos les reprendieron.

14 Pero Jesús dijo: Dejad a los niños venir a mí, y no se lo impidáis; porque de los tales es el reino de los cielos.

15 Y habiendo puesto sobre ellos las manos, se fue de allí.

16 Entonces vino uno y le dijo: Maestro bueno, ¿qué bien haré para tener la vida eterna?

17 El le dijo: ¿Por qué me llamas bueno? Ninguno hay bueno sino uno: Dios. Mas si quieres entrar en la vida, guarda los mandamientos.

18 Le dijo: ¿Cuáles? Y Jesús dijo: No matarás. No adulterarás. No hurtarás. No dirás falso testimonio.

19 Honra a tu padre y a tu madre; y, Amarás a tu prójimo como a ti mismo.

20 El joven le dijo: Todo esto lo he guardado desde mi juventud. ¿Qué más me falta?

21 Jesús le dijo: Si quieres ser perfecto, anda, vende lo que tienes, y dalo a los pobres, y tendrás tesoro en el cielo; y ven y sígueme.

22 Oyendo el joven esta palabra, se fue triste, porque tenía muchas posesiones.

23 Entonces Jesús dijo a sus discípulos: De cierto os digo, que difícilmente entrará un rico en el reino de los cielos.

24 Otra vez os digo, que es más fácil pasar un camello por el ojo de una aguja, que entrar un rico en el reino de Dios.

25 Sus discípulos, oyendo esto, se asombraron en gran manera, diciendo: ¿Quién, pues, podrá ser salvo?

26 Y mirándolos Jesús, les dijo: Para los hombres esto es imposible; mas para Dios todo es posible.

27 Entonces respondiendo Pedro, le dijo: He aquí, nosotros lo hemos dejado todo, y te hemos seguido; ¿qué, pues, tendremos?

28 Y Jesús les dijo: De cierto os digo que en la regeneración, cuando el Hijo del Hombre se siente en el trono de su gloria, vosotros que me habéis seguido también os sentaréis sobre doce tronos, para juzgar a las doce tribus de Israel.

29 Y cualquiera que haya dejado casas, o hermanos, o hermanas, o padre, o madre, o mujer, o hijos, o tierras, por mi

13 Then were there brought unto him little children, that he should put *his* hands on them, and pray: and the disciples rebuked them.

14 But Jesus said, Suffer little children, and forbid them not, to come unto me: for of such is the kingdom of heaven.

15 And he laid *his* hands on them, and departed thence.

16 And, behold, one came and said unto him, Good Master, what good thing shall I do, that I may have eternal life?

17 And he said unto him, Why callest thou me good? *there is* none good but one, *that is*, God: but if thou wilt enter into life, keep the commandments.

18 He saith unto him, Which? Jesus said, Thou shalt do no murder, Thou shalt not commit adultery, Thou shalt not steal, Thou shalt not bear false witness,

19 Honour thy father and *thy* mother: and, Thou shalt love thy neighbour as thyself.

20 The young man saith unto him, All these things have I kept from my youth up: what lack I yet?

21 Jesus said unto him, If thou wilt be perfect, go *and* sell that thou hast, and give to the poor, and thou shalt have treasure in heaven: and come *and* follow me.

22 But when the young man heard that saying, he went away sorrowful: for he had great possessions.

23 Then said Jesus unto his disciples, Verily I say unto you, That a rich man shall hardly enter into the kingdom of heaven.

24 And again I say unto you, It is easier for a camel to go through the eye of a needle, than for a rich man to enter into the kingdom of God.

25 When his disciples heard *it*, they were exceedingly amazed, saying, Who then can be saved?

26 But Jesus beheld *them*, and said unto them, With men this is impossible; but with God all things are possible.

27 Then answered Peter and said unto him, Behold, we have forsaken all, and followed thee; what shall we have therefore?

28 And Jesus said unto them, Verily I say unto you, That ye which have followed me, in the regeneration when the Son of man shall sit in the throne of his glory, ye also shall sit upon twelve thrones, judging the twelve tribes of Israel.

29 And every one that hath forsaken houses, or brethren, or sisters, or father, or mother, or wife, or children, or lands,

nombre, recibirá cien veces más, y heredará la vida eterna.

30 Pero muchos primeros serán postreros, y postreros, primeros.

CAPÍTULO 20

PORQUE el reino de los cielos es semejante a un hombre, padre de familia, que salió por la mañana a contratar obreros para su viña.

2 Y habiendo convenido con los obreros en un denario al día, los envió a su viña.

3 Saliendo cerca de la hora tercera del día, vio a otros que estaban en la plaza desocupados;

4 y les dijo: Id también vosotros a mi viña, y os daré lo que sea justo. Y ellos fueron.

5 Salió otra vez cerca de las horas sexta y novena, e hizo lo mismo.

6 Y saliendo cerca de la hora undécima, halló a otros que estaban desocupados; y les dijo: ¿Por qué estáis aquí todo el día desocupados?

7 Le dijeron: Porque nadie nos ha contratado. El les dijo: Id también vosotros a la viña, y recibiréis lo que sea justo.

8 Cuando llegó la noche, el señor de la viña dijo a su mayordomo: Llama a los obreros y págales el jornal, comenzando desde los postreros hasta los primeros.

9 Y al venir los que habían ido cerca de la hora undécima, recibieron cada uno un denario.

10 Al venir también los primeros, pensaron que habían de recibir más; pero también ellos recibieron cada uno un denario.

11 Y al recibirlo, murmuraban contra el padre de familia,

12 diciendo: Estos postreros han trabajado una sola hora, y los has hecho iguales a nosotros, que hemos soportado la carga y el calor del día.

13 El, respondiendo, dijo a uno de ellos: Amigo, no te hago agravio; ¿no conviniste conmigo en un denario?

14 Toma lo que es tuyo, y vete; pero quiero dar a este postrero, como a ti.

15 ¿No me es lícito hacer lo que quiero con lo mío? ¿O tienes tú envidia, porque yo soy bueno?

16 Así, los primeros serán postreros, y los postreros, primeros; porque muchos son llamados, mas pocos escogidos.

17 Subiendo Jesús a Jerusalén, tomó a sus doce discípulos aparte en el camino, y les dijo:

18 He aquí subimos a Jerusalén, y el Hijo del Hombre será entregado a los

for my name's sake, shall receive an hundredfold, and shall inherit everlasting life.

30 But many *that are* first shall be last; and the last *shall be* first.

CHAPTER 20

FOR the kingdom of heaven is like unto a man *that is* an householder, which went out early in the morning to hire labourers into his vineyard.

2 And when he had agreed with the labourers for a penny a day, he sent them into his vineyard.

3 And he went out about the third hour, and saw others standing idle in the marketplace,

4 And said unto them; Go ye also into the vineyard, and whatsoever is right I will give you. And they went their way.

5 Again he went out about the sixth and ninth hour, and did likewise.

6 And about the eleventh hour he went out, and found others standing idle, and saith unto them, Why stand ye here all the day idle?

7 They say unto him, Because no man hath hired us. He saith unto them, Go ye also into the vineyard; and whatsoever is right, *that* shall ye receive.

8 So when even was come, the lord of the vineyard saith unto his steward, Call the labourers, and give them *their* hire, beginning from the last unto the first.

9 And when they came that *were hired* about the eleventh hour, they received every man a penny.

10 But when the first came, they supposed that they should have received more; and they likewise received every man a penny.

11 And when they had received *it*, they murmured against the goodman of the house,

12 Saying, These last have wrought *but* one hour, and thou hast made them equal unto us, which have borne the burden and heat of the day.

13 But he answered one of them, and said, Friend, I do thee no wrong: didst not thou agree with me for a penny?

14 Take *that* thine *is*, and go thy way: I will give unto this last, even as unto thee.

15 Is it not lawful for me to do what I will with mine own? Is thine eye evil, because I am good?

16 So the last shall be first, and the first last: for many be called, but few chosen.

17 And Jesus going up to Jerusalem took the twelve disciples apart in the way, and said unto them,

18 Behold, we go up to Jerusalem: and the Son of man shall be betrayed unto

principales sacerdotes y a los escribas, y le condenarán a muerte;

19 y le entregarán a los gentiles para que le escarnezcan, le azoten, y le crucifiquen; mas al tercer día resucitará.

20 Entonces se le acercó la madre de los hijos de Zebedeo con sus hijos, postrándose ante él y pidiéndole algo.

21 Él le dijo: ¿Qué quieres? Ella le dijo: Ordena que en tu reino se sienten estos dos hijos míos, el uno a tu derecha, y el otro a tu izquierda.

22 Entonces Jesús respondiendo, dijo: No sabéis lo que pedís. ¿Podéis beber del vaso que yo he de beber, y ser bautizados con el bautismo con que yo soy bautizado? Y ellos le dijeron: Podemos.

23 Él les dijo: A la verdad, de mi vaso beberéis, y con el bautismo con que yo soy bautizado, seréis bautizados; pero el sentaros a mi derecha y a mi izquierda, no es mío darlo, sino a aquellos para quienes está preparado por mi Padre.

24 Cuando los diez oyeron esto, se enojaron contra los dos hermanos.

25 Entonces Jesús, llamándolos, dijo: Sabéis que los gobernantes de las naciones se enseñorean de ellas, y los que son grandes ejercen sobre ellas potestad.

26 Mas entre vosotros no será así, sino que el que quiera hacerse grande entre vosotros será vuestro servidor,

27 y el que quiera ser el primero entre vosotros será vuestro siervo;

28 como el Hijo del Hombre no vino para ser servido, sino para servir, y para dar su vida en rescate por muchos.

29 Al salir ellos de Jericó, le seguía una gran multitud.

30 Y dos ciegos que estaban sentados junto al camino, cuando oyeron que Jesús pasaba, clamaron, diciendo: ¡Señor, Hijo de David, ten misericordia de nosotros!

31 Y la gente les reprendió para que callasen; pero ellos clamaban más, diciendo: ¡Señor, Hijo de David, ten misericordia de nosotros!

32 Y deteniéndose Jesús, los llamó, y les dijo: ¿Qué queréis que os haga?

33 Ellos le dijeron: Señor, que sean abiertos nuestros ojos.

34 Entonces Jesús, compadecido, les tocó los ojos, y en seguida recibieron la vista; y le siguieron.

the chief priests and unto the scribes, and they shall condemn him to death,

19 And shall deliver him to the Gentiles to mock, and to scourge, and to crucify *him:* and the third day he shall rise again.

20 Then came to him the mother of Zeb′e-dee's children with her sons, worshipping *him*, and desiring a certain thing of him.

21 And he said unto her, What wilt thou? She saith unto him, Grant that these my two sons may sit, the one on thy right hand, and the other on the left, in thy kingdom.

22 But Jesus answered and said, Ye know not what ye ask. Are ye able to drink of the cup that I shall drink of, and to be baptized with the baptism that I am baptized with? They say unto him, We are able.

23 And he saith unto them, Ye shall drink indeed of my cup, and be baptized with the baptism that I am baptized with: but to sit on my right hand, and on my left, is not mine to give, but *it shall be given to them* for whom it is prepared of my Father.

24 And when the ten heard *it*, they were moved with indignation against the two brethren.

25 But Jesus called them *unto him*, and said, Ye know that the princes of the Gentiles exercise dominion over them, and they that are great exercise authority upon them.

26 But it shall not be so among you: but whosoever will be great among you, let him be your minister;

27 And whosoever will be chief among you, let him be your servant:

28 Even as the Son of man came not to be ministered unto, but to minister, and to give his life a ransom for many.

29 And as they departed from Jericho, a great multitude followed him.

30 And, behold, two blind men sitting by the way side, when they heard that Jesus passed by, cried out, saying, Have mercy on us, O Lord, *thou* Son of David.

31 And the multitude rebuked them, because they should hold their peace: but they cried the more, saying, Have mercy on us, O Lord, *thou* Son of David.

32 And Jesus stood still, and called them, and said, What will ye that I shall do unto you?

33 They say unto him, Lord, that our eyes may be opened.

34 So Jesus had compassion *on them*, and touched their eyes: and immediately their eyes received sight, and they followed him.

CAPÍTULO 21

CUANDO se acercaron a Jerusalén, y vinieron a Betfagé, al monte de los Olivos, Jesús envió dos discípulos,
2 diciéndoles: Id a la aldea que está enfrente de vosotros, y luego hallaréis una asna atada, y un pollino con ella; desatadla, y traédmelos.
3 Y si alguien os dijere algo, decid: El Señor los necesita; y luego los enviará.
4 Todo esto aconteció para que se cumpliese lo dicho por el profeta, cuando dijo:
5 Decid a la hija de Sion: He aquí, tu Rey viene a ti, manso, y sentado sobre una asna, sobre un pollino, hijo de animal de carga.
6 Y los discípulos fueron, e hicieron como Jesús les mandó;
7 y trajeron el asna y el pollino, y pusieron sobre ellos sus mantos; y él se sentó encima.
8 Y la multitud, que era muy numerosa, tendía sus mantos en el camino; y otros cortaban ramas de los árboles, y las tendían en el camino.
9 Y la gente que iba delante y la que iba detrás aclamaba, diciendo: ¡Hosanna al Hijo de David! ¡Bendito el que viene en el nombre del Señor! ¡Hosanna en las alturas!
10 Cuando entró él en Jerusalén, toda la ciudad se conmovió, diciendo: ¿Quién es éste?
11 Y la gente decía: Este es Jesús el profeta, de Nazaret de Galilea.
12 Y entró Jesús en el templo de Dios, y echó fuera a todos los que vendían y compraban en el templo, y volcó las mesas de los cambistas, y las sillas de los que vendían palomas;
13 y les dijo: Escrito está: Mi casa, casa de oración será llamada; mas vosotros la habéis hecho cueva de ladrones.
14 Y vinieron a él en el templo ciegos y cojos, y los sanó.
15 Pero los principales sacerdotes y los escribas, viendo las maravillas que hacía, y a los muchachos aclamando en el templo y diciendo: ¡Hosanna al Hijo de David! se indignaron,
16 y le dijeron: ¿Oyes lo que éstos dicen? Y Jesús les dijo: Sí; ¿nunca leísteis: De la boca de los niños y de los que maman perfeccionaste la alabanza?
17 Y dejándolos, salió fuera de la ciudad, a Betania, y posó allí.
18 Por la mañana, volviendo a la ciudad, tuvo hambre.

CHAPTER 21

AND when they drew nigh unto Jerusalem, and were come to Beth'pha-ge, unto the mount of Olives, then sent Jesus two disciples,
2 Saying unto them, Go into the village over against you, and straightway ye shall find an ass tied, and a colt with her: loose *them*, and bring *them* unto me.
3 And if any *man* say ought unto you, ye shall say, The Lord hath need of them; and straightway he will send them.
4 All this was done, that it might be fulfilled which was spoken by the prophet, saying,
5 Tell ye the daughter of Sion, Behold, thy King cometh unto thee, meek, and sitting upon an ass, and a colt the foal of an ass.
6 And the disciples went, and did as Jesus commanded them,
7 And brought the ass, and the colt, and put on them their clothes, and they set *him* thereon.
8 And a very great multitude spread their garments in the way; others cut down branches from the trees, and strawed *them* in the way.
9 And the multitudes that went before, and that followed, cried, saying, Hosanna to the Son of David: Blessed *is* he that cometh in the name of the Lord; Hosanna in the highest.
10 And when he was come into Jerusalem, all the city was moved, saying, Who is this?
11 And the multitude said, This is Jesus the prophet of Nazareth of Galilee.
12 And Jesus went into the temple of God, and cast out all them that sold and bought in the temple, and overthrew the tables of the moneychangers, and the seats of them that sold doves,
13 And said unto them, It is written, My house shall be called the house of prayer; but ye have made it a den of thieves.
14 And the blind and the lame came to him in the temple; and he healed them.
15 And when the chief priests and scribes saw the wonderful things that he did, and the children crying in the temple, and saying, Hosanna to the Son of David; they were sore displeased,
16 And said unto him, Hearest thou what these say? And Jesus saith unto them, Yea; have ye never read, Out of the mouth of babes and sucklings thou hast perfected praise?
17 And he left them, and went out of the city into Bethany; and he lodged there.
18 Now in the morning as he returned into the city, he hungered.

19 Y viendo una higuera cerca del camino, vino a ella, y no halló nada en ella, sino hojas solamente; y le dijo: Nunca jamás nazca de ti fruto. Y luego se secó la higuera.

20 Viendo esto los discípulos, decían maravillados: ¿Cómo es que se secó en seguida la higuera?

21 Respondiendo Jesús, les dijo: De cierto os digo, que si tuviereis fe, y no dudareis, no sólo haréis esto de la higuera, sino que si a este monte dijereis: Quítate y échate en el mar, será hecho.

22 Y todo lo que pidiereis en oración, creyendo, lo recibiréis.

23 Cuando vino al templo, los principales sacerdotes y los ancianos del pueblo se acercaron a él mientras enseñaba, y le dijeron: ¿Con qué autoridad haces estas cosas? ¿y quién te dio esta autoridad?

24 Respondiendo Jesús, les dijo: Yo también os haré una pregunta, y si me la contestáis, también yo os diré con qué autoridad hago estas cosas.

25 El bautismo de Juan, ¿de dónde era? ¿Del cielo, o de los hombres? Ellos entonces discutían entre sí, diciendo: Si decimos, del cielo, nos dirá: ¿Por qué, pues, no le creísteis?

26 Y si decimos, de los hombres, tememos al pueblo; porque todos tienen a Juan por profeta.

27 Y respondiendo a Jesús, dijeron: No sabemos. Y él también les dijo: Tampoco yo os digo con qué autoridad hago estas cosas.

28 Pero ¿qué os parece? Un hombre tenía dos hijos, y acercándose al primero, le dijo: Hijo, vé hoy a trabajar en mi viña.

29 Respondiendo él, dijo: No quiero; pero después, arrepentido, fue.

30 Y acercándose al otro, le dijo de la misma manera; y respondiendo él, dijo: Sí, señor, voy. Y no fue.

31 ¿Cuál de los dos hizo la voluntad de su padre? Dijeron ellos: El primero. Jesús les dijo: De cierto os digo, que los publicanos y las rameras van delante de vosotros al reino de Dios.

32 Porque vino a vosotros Juan en camino de justicia, y no le creísteis; pero los publicanos y las rameras le creyeron; y vosotros, viendo esto, no os arrepentisteis después para creerle.

33 Oíd otra parábola: Hubo un hombre, padre de familia, el cual plantó una viña, la cercó de vallado, cavó en ella un lagar,

19 And when he saw a fig tree in the way, he came to it, and found nothing thereon, but leaves only, and said unto it, Let no fruit grow on thee henceforward for ever. And presently the fig tree withered away.

20 And when the disciples saw *it*, they marvelled, saying, How soon is the fig tree withered away!

21 Jesus answered and said unto them, Verily I say unto you, If ye have faith, and doubt not, ye shall not only do this *which is done* to the fig tree, but also if ye shall say unto this mountain, Be thou removed, and be thou cast into the sea; it shall be done.

22 And all things, whatsoever ye shall ask in prayer, believing, ye shall receive.

23 And when he was come into the temple, the chief priests and the elders of the people came unto him as he was teaching, and said, By what authority doest thou these things? and who gave thee this authority?

24 And Jesus answered and said unto them, I also will ask you one thing, which if ye tell me, I in like wise will tell you by what authority I do these things.

25 The baptism of John, whence was it? from heaven, or of men? And they reasoned with themselves, saying, If we shall say, From heaven; he will say unto us, Why did ye not then believe him?

26 But if we shall say, Of men; we fear the people; for all hold John as a prophet.

27 And they answered Jesus, and said, We cannot tell. And he said unto them, Neither tell I you by what authority I do these things.

28 But what think ye? A *certain* man had two sons; and he came to the first, and said, Son, go work to day in my vineyard.

29 He answered and said, I will not: but afterward he repented, and went.

30 And he came to the second, and said likewise. And he answered and said, I go, sir: and went not.

31 Whether of them twain did the will of *his* father? They say unto him, The first. Jesus saith unto them, Verily I say unto you, That the publicans and the harlots go into the kingdom of God before you.

32 For John came unto you in the way of righteousness, and ye believed him not; but the publicans and the harlots believed him: and ye, when ye had seen *it*, repented not afterward, that ye might believe him.

33 Hear another parable: There was a certain householder, which planted a vineyard, and hedged it round about, and digged a winepress in it, and built a

edificó una torre, y la arrendó a unos labradores, y se fue lejos.

34 Y cuando se acercó el tiempo de los frutos, envió sus siervos a los labradores, para que recibiesen sus frutos.

35 Mas los labradores, tomando a los siervos, a uno golpearon, a otro mataron, y a otro apedrearon.

36 Envió de nuevo otros siervos, más que los primeros; e hicieron con ellos de la misma manera.

37 Finalmente les envió su hijo, diciendo: Tendrán respeto a mi hijo.

38 Mas los labradores, cuando vieron al hijo, dijeron entre sí: Este es el heredero; venid, matémosle, y apoderémonos de su heredad.

39 Y tomándole, le echaron fuera de la viña, y le mataron.

40 Cuando venga, pues, el señor de la viña, ¿qué hará a aquellos labradores?

41 Le dijeron: A los malos destruirá sin misericordia, y arrendará su viña a otros labradores, que le paguen el fruto a su tiempo.

42 Jesús les dijo: ¿Nunca leísteis en las Escrituras: La piedra que desecharon los edificadores, ha venido a ser cabeza del ángulo. El Señor ha hecho esto, y es cosa maravillosa a nuestros ojos?

43 Por tanto os digo, que el reino de Dios será quitado de vosotros, y será dado a gente que produzca los frutos de él.

44 Y el que cayere sobre esta piedra será quebrantado; y sobre quien ella cayere, le desmenuzará.

45 Y oyendo sus parábolas los principales sacerdotes y los fariseos, entendieron que hablaba de ellos.

46 Pero al buscar cómo echarle mano, temían al pueblo, porque éste le tenía por profeta.

CAPÍTULO 22

RESPONDIENDO Jesús, les volvió a hablar en parábolas, diciendo:

2 El reino de los cielos es semejante a un rey que hizo fiesta de bodas a su hijo;

3 y envió a sus siervos a llamar a los convidados a las bodas; mas éstos no quisieron venir.

4 Volvió a enviar otros siervos, diciendo: Decid a los convidados: He aquí, he preparado mi comida; mis toros y animales engordados han sido muertos, y todo está dispuesto; venid a las bodas.

tower, and let it out to husbandmen, and went into a far country:

34 And when the time of the fruit drew near, he sent his servants to the husbandmen, that they might receive the fruits of it.

35 And the husbandmen took his servants, and beat one, and killed another, and stoned another.

36 Again, he sent other servants more than the first: and they did unto them likewise.

37 But last of all he sent unto them his son, saying, They will reverence my son.

38 But when the husbandmen saw the son, they said among themselves, This is the heir; come, let us kill him, and let us seize on his inheritance.

39 And they caught him, and cast *him* out of the vineyard, and slew *him*.

40 When the lord therefore of the vineyard cometh, what will he do unto those husbandmen?

41 They say unto him, He will miserably destroy those wicked men, and will let out *his* vineyard unto other husbandmen, which shall render him the fruits in their seasons.

42 Jesus saith unto them, Did ye never read in the scriptures, The stone which the builders rejected, the same is become the head of the corner: this is the Lord's doing, and it is marvellous in our eyes?

43 Therefore say I unto you, The kingdom of God shall be taken from you, and given to a nation bringing forth the fruits thereof.

44 And whosoever shall fall on this stone shall be broken: but on whomsoever it shall fall, it will grind him to powder.

45 And when the chief priests and Pharisees had heard his parables, they perceived that he spake of them.

46 But when they sought to lay hands on him, they feared the multitude, because they took him for a prophet.

CHAPTER 22

AND Jesus answered and spake unto them again by parables, and said,

2 The kingdom of heaven is like unto a certain king, which made a marriage for his son,

3 And sent forth his servants to call them that were bidden to the wedding: and they would not come.

4 Again, he sent forth other servants, saying, Tell them which are bidden, Behold, I have prepared my dinner: my oxen and *my* fatlings *are* killed, and all things *are* ready: come unto the marriage.

5 Mas ellos, sin hacer caso, se fueron, uno a su labranza, y otro a sus negocios;

6 y otros, tomando a los siervos, los afrentaron y los mataron.

7 Al oirlo el rey, se enojó; y enviando sus ejércitos, destruyó a aquellos homicidas, y quemó su ciudad.

8 Entonces dijo a sus siervos: Las bodas a la verdad están preparadas; mas los que fueron convidados no eran dignos.

9 Id, pues, a las salidas de los caminos, y llamad a las bodas a cuantos halléis.

10 Y saliendo los siervos por los caminos, juntaron a todos los que hallaron, juntamente malos y buenos; y las bodas fueron llenas de convidados.

11 Y entró el rey para ver a los convidados, y vio allí a un hombre que no estaba vestido de boda.

12 Y le dijo: Amigo, ¿cómo entraste aquí, sin estar vestido de boda? Mas él enmudeció.

13 Entonces el rey dijo a los que servian: Atadle de pies y manos, y echadle en las tinieblas de afuera; allí será el lloro y el crujir de dientes.

14 Porque muchos son llamados, y pocos escogidos.

15 Entonces se fueron los fariseos y consultaron cómo sorprenderle en alguna palabra.

16 Y le enviaron los discípulos de ellos con los herodianos, diciendo: Maestro, sabemos que eres amante de la verdad, y que enseñas con verdad el camino de Dios, y que no te cuidas de nadie, porque no miras la apariencia de los hombres.

17 Dinos, pues, qué te parece: ¿Es lícito dar tributo a César, o no?

18 Pero Jesús, conociendo la malicia de ellos, les dijo: ¿Por qué me tentáis, hipócritas?

19 Mostradme la moneda del tributo. Y ellos le presentaron un denario.

20 Entonces les dijo: ¿De quién es esta imagen, y la inscripción?

21 Le dijeron: De César. Y les dijo: Dad, pues, a César lo que es de César, y a Dios lo que es de Dios.

22 Oyendo esto, se maravillaron, y dejándole, se fueron.

23 Aquel día vinieron a él los saduceos, que dicen que no hay resurrección, y le preguntaron,

5 But they made light of *it*, and went their ways, one to his farm, another to his merchandise:

6 And the remnant took his servants, and entreated *them* spitefully, and slew *them*.

7 But when the king heard *thereof*, he was wroth: and he sent forth his armies, and destroyed those murderers, and burned up their city.

8 Then saith he to his servants, The wedding is ready, but they which were bidden were not worthy.

9 Go ye therefore into the highways, and as many as ye shall find, bid to the marriage.

10 So those servants went out into the highways, and gathered together all as many as they found, both bad and good: and the wedding was furnished with guests.

11 And when the king came in to see the guests, he saw there a man which had not on a wedding garment:

12 And he saith unto him, Friend, how camest thou in hither not having a wedding garment? And he was speechless.

13 Then said the king to the servants, Bind him hand and foot, and take him away, and cast *him* into outer darkness; there shall be weeping and gnashing of teeth.

14 For many are called, but few *are* chosen.

15 Then went the Pharisees, and took counsel how they might entangle him in *his* talk.

16 And they sent out unto him their disciples with the He-ro′di-ans, saying, Master, we know that thou art true, and teachest the way of God in truth, neither carest thou for any *man:* for thou regardest not the person of men.

17 Tell us therefore, What thinkest thou? Is it lawful to give tribute unto Cæsar, or not?

18 But Jesus perceived their wickedness, and said, Why tempt ye me, *ye* hypocrites?

19 Shew me the tribute money. And they brought unto him a penny.

20 And he saith unto them, Whose *is* this image and superscription?

21 They say unto him, Cæsar's. Then saith he unto them, Render therefore unto Cæsar the things which are Cæsar's; and unto God the things that are God's.

22 When they had heard *these words*, they marvelled, and left him, and went their way.

23 The same day came to him the Sad′du-cees, which say that there is no resurrection, and asked him,

24 diciendo: Maestro, Moisés dijo: Si
alguno muriere sin hijos, su hermano se
casará con su mujer, y levantará descen-
dencia a su hermano.
25 Hubo, pues, entre nosotros siete her-
manos; el primero se casó, y murió; y no
teniendo descendencia, dejó su mujer a
su hermano.
26 De la misma manera también el se-
gundo, y el tercero, hasta el séptimo.
27 Y después de todos murió también
la mujer.
28 En la resurrección, pues, ¿de cuál de
los siete será ella mujer, ya que todos la
tuvieron?
29 Entonces respondiendo Jesús, les
dijo: Erráis, ignorando las Escrituras y el
poder de Dios.
30 Porque en la resurrección ni se casa-
rán ni se darán en casamiento, sino serán
como los ángeles de Dios en el cielo.
31 Pero respecto a la resurrección de
los muertos, ¿no habéis leído que os fue
dicho por Dios, cuando dijo:
32 Yo soy el Dios de Abraham, el Dios
de Isaac y el Dios de Jacob? Dios no es
Dios de muertos, sino de vivos.
33 Oyendo esto la gente, se admiraba
de su doctrina.
34 Entonces los fariseos, oyendo que
había hecho callar a los saduceos, se jun-
taron a una.
35 Y uno de ellos, intérprete de la ley,
preguntó por tentarle, diciendo:
36 Maestro, ¿cuál es el gran manda-
miento en la ley?
37 Jesús le dijo: Amarás al Señor tu
Dios con todo tu corazón, y con toda tu
alma, y con toda tu mente.
38 Este es el primero y grande manda-
miento.
39 Y el segundo es semejante: Amarás
a tu prójimo como a ti mismo.
40 De estos dos mandamientos de-
pende toda la ley y los profetas.
41 Y estando juntos los fariseos, Jesús
les preguntó,
42 diciendo: ¿Qué pensáis del Cristo?
¿De quién es hijo? Le dijeron: De David.
43 El les dijo: ¿Pues cómo David en el
Espíritu le llama Señor, diciendo:
44 Dijo el Señor a mi Señor: Siéntate a
mi derecha, hasta que ponga a tus enemi-
gos por estrado de tus pies?
45 Pues si David le llama Señor, ¿cómo
es su hijo?
46 Y nadie le podía responder palabra;
ni osó alguno desde aquel día preguntarle
más.

24 Saying, Master, Moses said, If a man
die, having no children, his brother shall
marry his wife, and raise up seed unto his
brother.
25 Now there were with us seven breth-
ren: and the first, when he had married a
wife, deceased, and, having no issue, left
his wife unto his brother:
26 Likewise the second also, and the
third, unto the seventh.
27 And last of all the woman died also.
28 Therefore in the resurrection whose
wife shall she be of the seven? for they all
had her.
29 Jesus answered and said unto them,
Ye do err, not knowing the scriptures,
nor the power of God.
30 For in the resurrection they neither
marry, nor are given in marriage, but are
as the angels of God in heaven.
31 But as touching the resurrection of
the dead, have ye not read that which
was spoken unto you by God, saying,
32 I am the God of Abraham, and the
God of Isaac, and the God of Jacob? God
is not the God of the dead, but of the liv-
ing.
33 And when the multitude heard *this*,
they were astonished at his doctrine.
34 But when the Pharisees had heard
that he had put the Sad'du-cees to si-
lence, they were gathered together.
35 Then one of them, *which was* a law-
yer, asked *him a question*, tempting him,
and saying,
36 Master, which *is* the great com-
mandment in the law?
37 Jesus said unto him, Thou shalt love
the Lord thy God with all thy heart, and
with all thy soul, and with all thy mind.
38 This is the first and great command-
ment.
39 And the second *is* like unto it, Thou
shalt love thy neighbour as thyself.
40 On these two commandments hang
all the law and the prophets.
41 While the Pharisees were gathered
together, Jesus asked them,
42 Saying, What think ye of Christ?
whose son is he? They say unto him, *The*
Son of David.
43 He saith unto them, How then doth
David in spirit call him Lord, saying,
44 The LORD said unto my Lord, Sit
thou on my right hand, till I make thine
enemies thy footstool?
45 If David then call him Lord, how is
he his son?
46 And no man was able to answer him
a word, neither durst any *man* from that
day forth ask him any more *questions*.

CAPÍTULO 23

ENTONCES habló Jesús a la gente y a sus discípulos, diciendo:
2 En la cátedra de Moisés se sientan los escribas y los fariseos.
3 Así que, todo lo que os digan que guardéis, guardadlo y hacedlo; mas no hagáis conforme a sus obras, porque dicen, y no hacen.
4 Porque atan cargas pesadas y difíciles de llevar, y las ponen sobre los hombros de los hombres; pero ellos ni con un dedo quieren moverlas.
5 Antes, hacen todas sus obras para ser vistos por los hombres. Pues ensanchan sus filacterias, y extienden los flecos de sus mantos;
6 y aman los primeros asientos en las cenas, y las primeras sillas en las sinagogas,
7 y las salutaciones en las plazas, y que los hombres los llamen: Rabí, Rabí.
8 Pero vosotros no queráis que os llamen Rabí; porque uno es vuestro Maestro, el Cristo, y todos vosotros sois hermanos.
9 Y no llaméis padre vuestro a nadie en la tierra; porque uno es vuestro Padre, el que está en los cielos.
10 Ni seáis llamados maestros; porque uno es vuestro Maestro, el Cristo.
11 El que es el mayor de vosotros, sea vuestro siervo.
12 Porque el que se enaltece será humillado, y el que se humilla será enaltecido.
13 Mas ¡ay de vosotros, escribas y fariseos, hipócritas! porque cerráis el reino de los cielos delante de los hombres; pues ni entráis vosotros, ni dejáis entrar a los que están entrando.
14 ¡Ay de vosotros, escribas y fariseos, hipócritas! porque devoráis las casas de las viudas, y como pretexto hacéis largas oraciones; por esto recibiréis mayor condenación.
15 ¡Ay de vosotros, escribas y fariseos, hipócritas! porque recorréis mar y tierra para hacer un prosélito, y una vez hecho, le hacéis dos veces más hijo del infierno que vosotros.
16 ¡Ay de vosotros, guías ciegos! que decís: Si alguno jura por el templo, no es nada; pero si alguno jura por el oro del templo, es deudor.
17 ¡Insensatos y ciegos! porque ¿cuál es mayor, el oro, o el templo que santifica al oro?
18 También decís: Si alguno jura por el altar, no es nada; pero si alguno jura por la ofrenda que está sobre él, es deudor.

CHAPTER 23

THEN spake Jesus to the multitude, and to his disciples,
2 Saying, The scribes and the Pharisees sit in Moses' seat:
3 All therefore whatsoever they bid you observe, *that* observe and do; but do not ye after their works: for they say, and do not.
4 For they bind heavy burdens and grievous to be borne, and lay *them* on men's shoulders; but they *themselves* will not move them with one of their fingers.
5 But all their works they do for to be seen of men: they make broad their phylacteries, and enlarge the borders of their garments,
6 And love the uppermost rooms at feasts, and the chief seats in the synagogues,
7 And greetings in the markets, and to be called of men, Rabbi, Rabbi.
8 But be not ye called Rabbi: for one is your Master, *even* Christ; and all ye are brethren.
9 And call no *man* your father upon the earth: for one is your Father, which is in heaven.
10 Neither be ye called masters: for one is your Master, *even* Christ.
11 But he that is greatest among you shall be your servant.
12 And whosoever shall exalt himself shall be abased; and he that shall humble himself shall be exalted.
13 But woe unto you, scribes and Pharisees, hypocrites! for ye shut up the kingdom of heaven against men: for ye neither go in *yourselves*, neither suffer ye them that are entering to go in.
14 Woe unto you, scribes and Pharisees, hypocrites! for ye devour widows' houses, and for a pretence make long prayer: therefore ye shall receive the greater damnation.
15 Woe unto you, scribes and Pharisees, hypocrites! for ye compass sea and land to make one proselyte, and when he is made, ye make him twofold more the child of hell than yourselves.
16 Woe unto you, *ye* blind guides, which say, Whosoever shall swear by the temple, it is nothing; but whosoever shall swear by the gold of the temple, he is a debtor!
17 *Ye* fools and blind: for whether is greater, the gold, or the temple that sanctifieth the gold?
18 And, Whosoever shall swear by the altar, it is nothing; but whosoever sweareth by the gift that is upon it, he is guilty.

19 ¡Necios y ciegos! porque ¿cuál es mayor, la ofrenda, o el altar que santifica la ofrenda?

20 Pues el que jura por el altar, jura por él, y por todo lo que está sobre él;

21 y el que jura por el templo, jura por él, y por el que lo habita;

22 y el que jura por el cielo, jura por el trono de Dios, y por aquel que está sentado en él.

23 ¡Ay de vosotros, escribas y fariseos, hipócritas! porque diezmáis la menta y el eneldo y el comino, y dejáis lo más importante de la ley: la justicia, la misericordia y la fe. Esto era necesario hacer, sin dejar de hacer aquello.

24 ¡Guías ciegos, que coláis el mosquito, y tragáis el camello!

25 ¡Ay de vosotros, escribas y fariseos, hipócritas! porque limpiáis lo de fuera del vaso y del plato, pero por dentro estáis llenos de robo y de injusticia.

26 ¡Fariseo ciego! Limpia primero lo de dentro del vaso y del plato, para que también lo de fuera sea limpio.

27 ¡Ay de vosotros, escribas y fariseos, hipócritas! porque sois semejantes a sepulcros blanqueados, que por fuera, a la verdad, se muestran hermosos, mas por dentro están llenos de huesos de muertos y de toda inmundicia.

28 Así también vosotros por fuera, a la verdad, os mostráis justos a los hombres, pero por dentro estáis llenos de hipocresía e iniquidad.

29 ¡Ay de vosotros, escribas y fariseos, hipócritas! porque edificáis los sepulcros de los profetas, y adornáis los monumentos de los justos,

30 y decís: Si hubiésemos vivido en los días de nuestros padres, no hubiéramos sido sus cómplices en la sangre de los profetas.

31 Así que dais testimonio contra vosotros mismos, de que sois hijos de aquellos que mataron a los profetas.

32 ¡Vosotros también llenad la medida de vuestros padres!

33 ¡Serpientes, generación de víboras! ¿Cómo escaparéis de la condenación del infierno?

34 Por tanto, he aquí yo os envío profetas y sabios y escribas; y de ellos, a unos mataréis y crucificaréis, y a otros azotaréis en vuestras sinagogas, y perseguiréis de ciudad en ciudad;

35 para que venga sobre vosotros toda la sangre justa que se ha derramado sobre la tierra, desde la sangre de Abel el justo hasta la sangre de Zacarías hijo de Berequías, a quien matasteis entre el templo y el altar.

19 *Ye* fools and blind: for whether *is* greater, the gift, or the altar that sanctifieth the gift?

20 Whoso therefore shall swear by the altar, sweareth by it, and by all things thereon.

21 And whoso shall swear by the temple, sweareth by it, and by him that dwelleth therein.

22 And he that shall swear by heaven, sweareth by the throne of God, and by him that sitteth thereon.

23 Woe unto you, scribes and Pharisees, hypocrites! for ye pay tithe of mint and anise and cummin, and have omitted the weightier *matters* of the law, judgment, mercy, and faith: these ought ye to have done, and not to leave the other undone.

24 *Ye* blind guides, which strain at a gnat, and swallow a camel.

25 Woe unto you, scribes and Pharisees, hypocrites! for ye make clean the outside of the cup and of the platter, but within they are full of extortion and excess.

26 *Thou* blind Pharisee, cleanse first that *which is* within the cup and platter, that the outside of them may be clean also.

27 Woe unto you, scribes and Pharisees, hypocrites! for ye are like unto whited sepulchres, which indeed appear beautiful outward, but are within full of dead *men's* bones, and of all uncleanness.

28 Even so ye also outwardly appear righteous unto men, but within ye are full of hypocrisy and iniquity.

29 Woe unto you, scribes and Pharisees, hypocrites! because ye build the tombs of the prophets, and garnish the sepulchres of the righteous,

30 And say, If we had been in the days of our fathers, we would not have been partakers with them in the blood of the prophets.

31 Wherefore ye be witnesses unto yourselves, that ye are the children of them which killed the prophets.

32 Fill ye up then the measure of your fathers.

33 *Ye* serpents, *ye* generation of vipers, how can ye escape the damnation of hell?

34 Wherefore, behold, I send unto you prophets, and wise men, and scribes: and *some* of them ye shall kill and crucify; and *some* of them shall ye scourge in your synagogues, and persecute *them* from city to city:

35 That upon you may come all the righteous blood shed upon the earth, from the blood of righteous Abel unto the blood of Zach-a-ri'as son of Bar-a-chi'as, whom ye slew between the temple and the altar.

36 De cierto os digo que todo esto vendrá sobre esta generación.

37 ¡Jerusalén, Jerusalén, que matas a los profetas, y apedreas a los que te son enviados! ¡Cuántas veces quise juntar a tus hijos, como la gallina junta sus polluelos debajo de las alas, y no quisiste!

38 He aquí vuestra casa os es dejada desierta.

39 Porque os digo que desde ahora no me veréis, hasta que digáis: Bendito el que viene en el nombre del Señor.

CAPÍTULO 24

CUANDO Jesús salió del templo y se iba, se acercaron sus discípulos para mostrarle los edificios del templo.

2 Respondiendo él, les dijo: ¿Veis todo esto? De cierto os digo, que no quedará aquí piedra sobre piedra, que no sea derribada.

3 Y estando él sentado en el monte de los Olivos, los discípulos se le acercaron aparte, diciendo: Dinos, ¿cuándo serán estas cosas, y qué señal habrá de tu venida, y del fin del siglo?

4 Respondiendo Jesús, les dijo: Mirad que nadie os engañe.

5 Porque vendrán muchos en mi nombre, diciendo: Yo soy el Cristo; y a muchos engañarán.

6 Y oiréis de guerras y rumores de guerras; mirad que no os turbéis, porque es necesario que todo esto acontezca; pero aún no es el fin.

7 Porque se levantará nación contra nación, y reino contra reino; y habrá pestes, y hambres, y terremotos en diferentes lugares.

8 Y todo esto será principio de dolores.

9 Entonces os entregarán a tribulación, y os matarán, y seréis aborrecidos de todas las gentes por causa de mi nombre.

10 Muchos tropezarán entonces, y se entregarán unos a otros, y unos a otros se aborrecerán.

11 Y muchos falsos profetas se levantarán, y engañarán a muchos;

12 y por haberse multiplicado la maldad, el amor de muchos se enfriará.

13 Mas el que persevere hasta el fin, éste será salvo.

14 Y será predicado este evangelio del reino en todo el mundo, para testimonio a todas las naciones; y entonces vendrá el fin.

15 Por tanto, cuando veáis en el lugar santo la abominación desoladora de que habló el profeta Daniel (el que lee, entienda),

36 Verily I say unto you, All these things shall come upon this generation.

37 O Jerusalem, Jerusalem, *thou* that killest the prophets, and stonest them which are sent unto thee, how often would I have gathered thy children together, even as a hen gathereth her chickens under *her* wings, and ye would not!

38 Behold, your house is left unto you desolate.

39 For I say unto you, Ye shall not see me henceforth, till ye shall say, Blessed *is* he that cometh in the name of the Lord.

CHAPTER 24

AND Jesus went out, and departed from the temple: and his disciples came to *him* for to shew him the buildings of the temple.

2 And Jesus said unto them, See ye not all these things? verily I say unto you, There shall not be left here one stone upon another, that shall not be thrown down.

3 And as he sat upon the mount of Olives, the disciples came unto him privately, saying, Tell us, when shall these things be? and what *shall be* the sign of thy coming, and of the end of the world?

4 And Jesus answered and said unto them, Take heed that no man deceive you.

5 For many shall come in my name, saying, I am Christ; and shall deceive many.

6 And ye shall hear of wars and rumours of wars: see that ye be not troubled: for all *these things* must come to pass, but the end is not yet.

7 For nation shall rise against nation, and kingdom against kingdom: and there shall be famines, and pestilences, and earthquakes, in divers places.

8 All these *are* the beginning of sorrows.

9 Then shall they deliver you up to be afflicted, and shall kill you: and ye shall be hated of all nations for my name's sake.

10 And then shall many be offended, and shall betray one another, and shall hate one another.

11 And many false prophets shall rise, and shall deceive many.

12 And because iniquity shall abound, the love of many shall wax cold.

13 But he that shall endure unto the end, the same shall be saved.

14 And this gospel of the kingdom shall be preached in all the world for a witness unto all nations; and then shall the end come.

15 When ye therefore shall see the abomination of desolation, spoken of by Daniel the prophet, stand in the holy place, (whoso readeth, let him understand:)

16 entonces los que estén en Judea, huyan a los montes.
17 El que esté en la azotea, no descienda para tomar algo de su casa;
18 y el que esté en el campo, no vuelva atrás para tomar su capa.
19 Mas ¡ay de las que estén encintas, y de las que críen en aquellos días!
20 Orad, pues, que vuestra huida no sea en invierno ni en día de reposo;
21 porque habrá entonces gran tribulación, cual no la ha habido desde el principio del mundo hasta ahora, ni la habrá.
22 Y si aquellos días no fuesen acortados, nadie sería salvo; mas por causa de los escogidos, aquellos días serán acortados.
23 Entonces, si alguno os dijere: Mirad, aquí está el Cristo, o mirad, allí está, no lo creáis.
24 Porque se levantarán falsos Cristos, y falsos profetas, y harán grandes señales y prodigios, de tal manera que engañarán, si fuere posible, aun a los escogidos.
25 Ya os lo he dicho antes.
26 Así que, si os dijeren: Mirad, está en el desierto, no salgáis; o mirad, está en los aposentos, no lo creáis.
27 Porque como el relámpago que sale del oriente y se muestra hasta el occidente, así será también la venida del Hijo del Hombre.
28 Porque dondequiera que estuviere el cuerpo muerto, allí se juntarán las águilas.
29 E inmediatamente después de la tribulación de aquellos días, el sol se oscurecerá, y la luna no dará su resplandor, y las estrellas caerán del cielo, y las potencias de los cielos serán conmovidas.
30 Entonces aparecerá la señal del Hijo del Hombre en el cielo; y entonces lamentarán todas las tribus de la tierra, y verán al Hijo del Hombre viniendo sobre las nubes del cielo, con poder y gran gloria.
31 Y enviará sus ángeles con gran voz de trompeta, y juntarán a sus escogidos, de los cuatro vientos, desde un extremo del cielo hasta el otro.
32 De la higuera aprended la parábola: Cuando ya su rama está tierna, y brotan las hojas, sabéis que el verano está cerca.
33 Así también vosotros, cuando veáis todas estas cosas, conoced que está cerca, a las puertas.
34 De cierto os digo, que no pasará esta generación hasta que todo esto acontezca.

16 Then let them which be in Judæa flee into the mountains:
17 Let him which is on the housetop not come down to take any thing out of his house:
18 Neither let him which is in the field return back to take his clothes.
19 And woe unto them that are with child, and to them that give suck in those days!
20 But pray ye that your flight be not in the winter, neither on the sabbath day:
21 For then shall be great tribulation, such as was not since the beginning of the world to this time, no, nor ever shall be.
22 And except those days should be shortened, there should no flesh be saved: but for the elect's sake those days shall be shortened.
23 Then if any man shall say unto you, Lo, here *is* Christ, or there; believe *it* not.
24 For there shall arise false Christs, and false prophets, and shall shew great signs and wonders; insomuch that, if *it were* possible, they shall deceive the very elect.
25 Behold, I have told you before.
26 Wherefore if they shall say unto you, Behold, he is in the desert; go not forth: behold, *he is* in the secret chambers; believe *it* not.
27 For as the lightning cometh out of the east, and shineth even unto the west; so shall also the coming of the Son of man be.
28 For wheresoever the carcase is, there will the eagles be gathered together.
29 Immediately after the tribulation of those days shall the sun be darkened, and the moon shall not give her light, and the stars shall fall from heaven, and the powers of the heavens shall be shaken:
30 And then shall appear the sign of the Son of man in heaven: and then shall all the tribes of the earth mourn, and they shall see the Son of man coming in the clouds of heaven with power and great glory.
31 And he shall send his angels with a great sound of a trumpet, and they shall gather together his elect from the four winds, from one end of heaven to the other.
32 Now learn a parable of the fig tree; When his branch is yet tender, and putteth forth leaves, ye know that summer *is* nigh:
33 So likewise ye, when ye shall see all these things, know that it is near, *even* at the doors.
34 Verily I say unto you, This generation shall not pass, till all these things be fulfilled.

35 El cielo y la tierra pasarán, pero mis palabras no pasarán.

36 Pero del día y la hora nadie sabe, ni aun los ángeles de los cielos, sino sólo mi Padre.

37 Mas como en los días de Noé, así será la venida del Hijo del Hombre.

38 Porque como en los días antes del diluvio estaban comiendo y bebiendo, casándose y dando en casamiento, hasta el día en que Noé entró en el arca,

39 y no entendieron hasta que vino el diluvio y se los llevó a todos, así será también la venida del Hijo del Hombre.

40 Entonces estarán dos en el campo; el uno será tomado, y el otro será dejado.

41 Dos mujeres estarán moliendo en un molino; la una será tomada, y la otra será dejada.

42 Velad, pues, porque no sabéis a qué hora ha de venir vuestro Señor.

43 Pero sabed esto, que si el padre de familia supiese a qué hora el ladrón habría de venir, velaría, y no dejaría minar su casa.

44 Por tanto, también vosotros estad preparados; porque el Hijo del Hombre vendrá a la hora que no pensáis.

45 ¿Quién es, pues, el siervo fiel y prudente, al cual puso su señor sobre su casa para que les dé el alimento a tiempo?

46 Bienaventurado aquel siervo al cual, cuando su señor venga, le halle haciendo así.

47 De cierto os digo que sobre todos sus bienes le pondrá.

48 Pero si aquel siervo malo dijere en su corazón: Mi señor tarda en venir;

49 y comenzare a golpear a sus consiervos, y aun a comer y a beber con los borrachos,

50 vendrá el señor de aquel siervo en día que éste no espera, y a la hora que no sabe,

51 y lo castigará duramente, y pondrá su parte con los hipócritas; allí será el lloro y el crujir de dientes.

CAPÍTULO 25

ENTONCES el reino de los cielos será semejante a diez vírgenes que tomando sus lámparas, salieron a recibir al esposo.

2 Cinco de ellas eran prudentes y cinco insensatas.

3 Las insensatas, tomando sus lámparas, no tomaron consigo aceite;

4 mas las prudentes tomaron aceite en sus vasijas, juntamente con sus lámparas.

5 Y tardándose el esposo, cabecearon todas y se durmieron.

35 Heaven and earth shall pass away, but my words shall not pass away.

36 But of that day and hour knoweth no *man*, no, not the angels of heaven, but my Father only.

37 But as the days of No'e *were*, so shall also the coming of the Son of man be.

38 For as in the days that were before the flood they were eating and drinking, marrying and giving in marriage, until the day that No'e entered into the ark,

39 And knew not until the flood came, and took them all away; so shall also the coming of the Son of man be.

40 Then shall two be in the field; the one shall be taken, and the other left.

41 Two *women shall be* grinding at the mill; the one shall be taken, and the other left.

42 Watch therefore: for ye know not what hour your Lord doth come.

43 But know this, that if the goodman of the house had known in what watch the thief would come, he would have watched, and would not have suffered his house to be broken up.

44 Therefore be ye also ready: for in such an hour as ye think not the Son of man cometh.

45 Who then is a faithful and wise servant, whom his lord hath made ruler over his household, to give them meat in due season?

46 Blessed *is* that servant, whom his lord when he cometh shall find so doing.

47 Verily I say unto you, That he shall make him ruler over all his goods.

48 But and if that evil servant shall say in his heart, My lord delayeth his coming;

49 And shall begin to smite *his* fellowservants, and to eat and drink with the drunken;

50 The lord of that servant shall come in a day when he looketh not for *him*, and in an hour that he is not aware of,

51 And shall cut him asunder, and appoint *him* his portion with the hypocrites: there shall be weeping and gnashing of teeth.

CHAPTER 25

THEN shall the kingdom of heaven be likened unto ten virgins, which took their lamps, and went forth to meet the bridegroom.

2 And five of them were wise, and five *were* foolish.

3 They that *were* foolish took their lamps, and took no oil with them:

4 But the wise took oil in their vessels with their lamps.

5 While the bridegroom tarried, they all slumbered and slept.

6 Y a la medianoche se oyó un clamor: ¡Aquí viene el esposo; salid a recibirle!

7 Entonces todas aquellas vírgenes se levantaron, y arreglaron sus lámparas.

8 Y las insensatas dijeron a las prudentes: Dadnos de vuestro aceite; porque nuestras lámparas se apagan.

9 Mas las prudentes respondieron diciendo: Para que no nos falte a nosotras y a vosotras, id más bien a los que venden, y comprad para vosotras mismas.

10 Pero mientras ellas iban a comprar, vino el esposo; y las que estaban preparadas entraron con él a las bodas; y se cerró la puerta.

11 Después vinieron también las otras vírgenes, diciendo: ¡Señor, señor, ábrenos!

12 Mas él, respondiendo, dijo: De cierto os digo, que no os conozco.

13 Velad, pues, porque no sabéis el día ni la hora en que el Hijo del Hombre ha de venir.

14 Porque el reino de los cielos es como un hombre que yéndose lejos, llamó a sus siervos y les entregó sus bienes.

15 A uno dio cinco talentos, y a otro dos, y a otro uno, a cada uno conforme a su capacidad; y luego se fue lejos.

16 Y el que había recibido cinco talentos fue y negoció con ellos, y ganó otros cinco talentos.

17 Asimismo el que había recibido dos, ganó también otros dos.

18 Pero el que había recibido uno fue y cavó en la tierra, y escondió el dinero de su señor.

19 Después de mucho tiempo vino el señor de aquellos siervos, y arregló cuentas con ellos.

20 Y llegando el que había recibido cinco talentos, trajo otros cinco talentos, diciendo: Señor, cinco talentos me entregaste; aquí tienes, he ganado otros cinco talentos sobre ellos.

21 Y su señor le dijo: Bien, buen siervo y fiel; sobre poco has sido fiel, sobre mucho te pondré; entra en el gozo de tu señor.

22 Llegando también el que había recibido dos talentos, dijo: Señor, dos talentos me entregaste; aquí tienes, he ganado otros dos talentos sobre ellos.

23 Su señor le dijo: Bien, buen siervo y fiel; sobre poco has sido fiel, sobre mucho te pondré; entra en el gozo de tu señor.

24 Pero llegando también el que había recibido un talento, dijo: Señor, te cono-

6 And at midnight there was a cry made, Behold, the bridegroom cometh; go ye out to meet him.

7 Then all those virgins arose, and trimmed their lamps.

8 And the foolish said unto the wise, Give us of your oil; for our lamps are gone out.

9 But the wise answered, saying, *Not so;* lest there be not enough for us and you: but go ye rather to them that sell, and buy for yourselves.

10 And while they went to buy, the bridegroom came; and they that were ready went in with him to the marriage: and the door was shut.

11 Afterward came also the other virgins, saying, Lord, Lord, open to us.

12 But he answered and said, Verily I say unto you, I know you not.

13 Watch therefore, for ye know neither the day nor the hour wherein the Son of man cometh.

14 For *the kingdom of heaven is* as a man travelling into a far country, *who* called his own servants, and delivered unto them his goods.

15 And unto one he gave five talents, to another two, and to another one; to every man according to his several ability; and straightway took his journey.

16 Then he that had received the five talents went and traded with the same, and made *them* other five talents.

17 And likewise he that *had received* two, he also gained other two.

18 But he that had received one went and digged in the earth, and hid his lord's money.

19 After a long time the lord of those servants cometh, and reckoneth with them.

20 And so he that had received five talents came and brought other five talents, saying, Lord, thou deliveredst unto me five talents: behold, I have gained beside them five talents more.

21 His lord said unto him, Well done, *thou* good and faithful servant: thou hast been faithful over a few things, I will make thee ruler over many things: enter thou into the joy of thy lord.

22 He also that had received two talents came and said, Lord, thou deliveredst unto me two talents: behold, I have gained two other talents beside them.

23 His lord said unto him, Well done, good and faithful servant; thou hast been faithful over a few things, I will make thee ruler over many things: enter thou into the joy of thy lord.

24 Then he which had received the one talent came and said, Lord, I knew thee

cía que eres hombre duro, que siegas donde no sembraste y recoges donde no esparciste;

25 por lo cual tuve miedo, y fui y escondí tu talento en la tierra; aquí tienes lo que es tuyo.

26 Respondiendo su señor, le dijo: Siervo malo y negligente, sabías que siego donde no sembré, y que recojo donde no esparcí.

27 Por tanto, debías haber dado mi dinero a los banqueros, y al venir yo, hubiera recibido lo que es mío con los intereses.

28 Quitadle, pues, el talento, y dadlo al que tiene diez talentos.

29 Porque al que tiene, le será dado, y tendrá más; y al que no tiene, aun lo que tiene le será quitado.

30 Y al siervo inútil echadle en las tinieblas de afuera; allí será el lloro y el crujir de dientes.

31 Cuando el Hijo del Hombre venga en su gloria, y todos los santos ángeles con él, entonces se sentará en su trono de gloria,

32 y serán reunidas delante de él todas las naciones; y apartará los unos de los otros, como aparta el pastor las ovejas de los cabritos.

33 Y pondrá las ovejas a su derecha, y los cabritos a su izquierda.

34 Entonces el Rey dirá a los de su derecha: Venid, benditos de mi Padre, heredad el reino preparado para vosotros desde la fundación del mundo.

35 Porque tuve hambre, y me disteis de comer; tuve sed, y me disteis de beber; fui forastero, y me recogisteis;

36 estuve desnudo, y me cubristeis; enfermo, y me visitasteis; en la cárcel, y vinisteis a mí.

37 Entonces los justos le responderán diciendo: Señor, ¿cuándo te vimos hambriento, y te sustentamos, o sediento, y te dimos de beber?

38 ¿Y cuándo te vimos forastero, y te recogimos, o desnudo, y te cubrimos?

39 ¿O cuándo te vimos enfermo, o en la cárcel, y vinimos a ti?

40 Y respondiendo el Rey, les dirá: De cierto os digo que en cuanto lo hicisteis a uno de estos mis hermanos más pequeños, a mí lo hicisteis.

41 Entonces dirá también a los de la izquierda: Apartaos de mí, malditos, al fuego eterno preparado para el diablo y sus ángeles.

42 Porque tuve hambre, y no me disteis

that thou art an hard man, reaping where thou hast not sown, and gathering where thou hast not strawed:

25 And I was afraid, and went and hid thy talent in the earth: lo, *there* thou hast *that is* thine.

26 His lord answered and said unto him, *Thou* wicked and slothful servant, thou knewest that I reap where I sowed not, and gather where I have not strawed:

27 Thou oughtest therefore to have put my money to the exchangers, and *then* at my coming I should have received mine own with usury.

28 Take therefore the talent from him, and give *it* unto him which hath ten talents.

29 For unto every one that hath shall be given, and he shall have abundance: but from him that hath not shall be taken away even that which he hath.

30 And cast ye the unprofitable servant into outer darkness: there shall be weeping and gnashing of teeth.

31 When the Son of man shall come in his glory, and all the holy angels with him, then shall he sit upon the throne of his glory:

32 And before him shall be gathered all nations: and he shall separate them one from another, as a shepherd divideth *his* sheep from the goats:

33 And he shall set the sheep on his right hand, but the goats on the left.

34 Then shall the King say unto them on his right hand, Come, ye blessed of my Father, inherit the kingdom prepared for you from the foundation of the world:

35 For I was an hungred, and ye gave me meat: I was thirsty, and ye gave me drink: I was a stranger, and ye took me in:

36 Naked, and ye clothed me: I was sick, and ye visited me: I was in prison, and ye came unto me.

37 Then shall the righteous answer him, saying, Lord, when saw we thee an hungred, and fed *thee?* or thirsty, and gave *thee* drink?

38 When saw we thee a stranger, and took *thee* in? or naked, and clothed *thee?*

39 Or when saw we thee sick, or in prison, and came unto thee?

40 And the King shall answer and say unto them, Verily I say unto you, Inasmuch as ye have done *it* unto one of the least of these my brethren, ye have done *it* unto me.

41 Then shall he say also unto them on the left hand, Depart from me, ye cursed, into everlasting fire, prepared for the devil and his angels:

42 For I was an hungred, and ye gave

de comer; tuve sed, y no me disteis de beber;
43 fui forastero, y no me recogisteis; estuve desnudo, y no me cubristeis; enfermo, y en la cárcel, y no me visitasteis.
44 Entonces también ellos le responderán diciendo: Señor, ¿cuándo te vimos hambriento, sediento, forastero, desnudo, enfermo, o en la cárcel, y no te servimos?
45 Entonces les responderá diciendo: De cierto os digo que en cuanto no lo hicisteis a uno de estos más pequeños, tampoco a mí lo hicisteis.
46 E irán éstos al castigo eterno, y los justos a la vida eterna.

CAPÍTULO 26

CUANDO hubo acabado Jesús todas estas palabras, dijo a sus discípulos:
2 Sabéis que dentro de dos días se celebra la pascua, y el Hijo del Hombre será entregado para ser crucificado.
3 Entonces los principales sacerdotes, los escribas, y los ancianos del pueblo se reunieron en el patio del sumo sacerdote llamado Caifás,
4 y tuvieron consejo para prender con engaño a Jesús, y matarle.
5 Pero decían: No durante la fiesta, para que no se haga alboroto en el pueblo.
6 Y estando Jesús en Betania, en casa de Simón el leproso,
7 vino a él una mujer, con un vaso de alabastro de perfume de gran precio, y lo derramó sobre la cabeza de él, estando sentado a la mesa.
8 Al ver esto, los discípulos se enojaron, diciendo: ¿Para qué este desperdicio?
9 Porque esto podía haberse vendido a gran precio, y haberse dado a los pobres.
10 Y entendiéndolo Jesús, les dijo: ¿Por qué molestáis a esta mujer? pues ha hecho conmigo una buena obra.
11 Porque siempre tendréis pobres con vosotros, pero a mí no siempre me tendréis.
12 Porque al derramar este perfume sobre mi cuerpo, lo ha hecho a fin de prepararme para la sepultura.
13 De cierto os digo que dondequiera que se predique este evangelio, en todo el mundo, también se contará lo que ésta ha hecho, para memoria de ella.
14 Entonces uno de los doce, que se llamaba Judas Iscariote, fue a los principales sacerdotes,
15 y les dijo: ¿Qué me queréis dar, y yo os lo entregaré? Y ellos le asignaron treinta piezas de plata.

me no meat: I was thirsty, and ye gave me no drink:
43 I was a stranger, and ye took me not in: naked, and ye clothed me not: sick, and in prison, and ye visited me not.
44 Then shall they also answer him, saying, Lord, when saw we thee an hungred, or athirst, or a stranger, or naked, or sick, or in prison, and did not minister unto thee?
45 Then shall he answer them, saying, Verily I say unto you, Inasmuch as ye did *it* not to one of the least of these, ye did *it* not to me.
46 And these shall go away into everlasting punishment: but the righteous into life eternal.

CHAPTER 26

AND it came to pass, when Jesus had finished all these sayings, he said unto his disciples,
2 Ye know that after two days is *the feast of* the passover, and the Son of man is betrayed to be crucified.
3 Then assembled together the chief priests, and the scribes, and the elders of the people, unto the palace of the high priest, who was called Cai'a-phas,
4 And consulted that they might take Jesus by subtilty, and kill *him*.
5 But they said, Not on the feast *day*, lest there be an uproar among the people.
6 Now when Jesus was in Bethany, in the house of Simon the leper,
7 There came unto him a woman having an alabaster box of very precious ointment, and poured it on his head, as he sat *at meat*.
8 But when his disciples saw *it*, they had indignation, saying, To what purpose *is* this waste?
9 For this ointment might have been sold for much, and given to the poor.
10 When Jesus understood *it*, he said unto them, Why trouble ye the woman? for she hath wrought a good work upon me.
11 For ye have the poor always with you; but me ye have not always.
12 For in that she hath poured this ointment on my body, she did *it* for my burial.
13 Verily I say unto you, Wheresoever this gospel shall be preached in the whole world, *there* shall also this, that this woman hath done, be told for a memorial of her.
14 Then one of the twelve, called Judas Iscariot, went unto the chief priests,
15 And said *unto them*, What will ye give me, and I will deliver him unto you? And they covenanted with him for thirty pieces of silver.

16 Y desde entonces buscaba oportunidad para entregarle.

17 El primer día de la fiesta de los panes sin levadura, vinieron los discípulos a Jesús, diciéndole: ¿Dónde quieres que preparemos para que comas la pascua?

18 Y él dijo: Id a la ciudad a cierto hombre, y decidle: El Maestro dice: Mi tiempo está cerca; en tu casa celebraré la pascua con mis discípulos.

19 Y los discípulos hicieron como Jesús les mandó, y prepararon la pascua.

20 Cuando llegó la noche, se sentó a la mesa con los doce.

21 Y mientras comían, dijo: De cierto os digo, que uno de vosotros me va a entregar.

22 Y entristecidos en gran manera, comenzó cada uno de ellos a decirle: ¿Soy yo, Señor?

23 Entonces él respondiendo, dijo: El que mete la mano conmigo en el plato, ése me va a entregar.

24 A la verdad el Hijo del Hombre va, según está escrito de él, mas ¡ay de aquel hombre por quien el Hijo del Hombre es entregado! Bueno le fuera a ese hombre no haber nacido.

25 Entonces respondiendo Judas, el que le entregaba, dijo: ¿Soy yo, Maestro? Le dijo: Tú lo has dicho.

26 Y mientras comían, tomó Jesús el pan, y bendijo, y lo partió, y dio a sus discípulos, y dijo: Tomad, comed; esto es mi cuerpo.

27 Y tomando la copa, y habiendo dado gracias, les dio, diciendo: Bebed de ella todos;

28 porque esto es mi sangre del nuevo pacto, que por muchos es derramada para remisión de los pecados.

29 Y os digo que desde ahora no beberé más de este fruto de la vid, hasta aquel día en que lo beba nuevo con vosotros en el reino de mi Padre.

30 Y cuando hubieron cantado el himno, salieron al monte de los Olivos.

31 Entonces Jesús les dijo: Todos vosotros os escandalizaréis de mí esta noche; porque escrito está: Heriré al pastor, y las ovejas del rebaño serán dispersadas.

32 Pero después que haya resucitado, iré delante de vosotros a Galilea.

33 Respondiendo Pedro, le dijo: Aunque todos se escandalicen de ti, yo nunca me escandalizaré.

34 Jesús le dijo: De cierto te digo que esta noche, antes que el gallo cante, me negarás tres veces.

35 Pedro le dijo: Aunque me sea nece-

16 And from that time he sought opportunity to betray him.

17 Now the first *day* of the *feast of* unleavened bread the disciples came to Jesus, saying unto him, Where wilt thou that we prepare for thee to eat the passover?

18 And he said, Go into the city to such a man, and say unto him, The Master saith, My time is at hand; I will keep the passover at thy house with my disciples.

19 And the disciples did as Jesus had appointed them; and they made ready the passover.

20 Now when the even was come, he sat down with the twelve.

21 And as they did eat, he said, Verily I say unto you, that one of you shall betray me.

22 And they were exceeding sorrowful, and began every one of them to say unto him, Lord, is it I?

23 And he answered and said, He that dippeth *his* hand with me in the dish, the same shall betray me.

24 The Son of man goeth as it is written of him: but woe unto that man by whom the Son of man is betrayed! it had been good for that man if he had not been born.

25 Then Judas, which betrayed him, answered and said, Master, is it I? He said unto him, Thou hast said.

26 And as they were eating, Jesus took bread, and blessed *it*, and brake *it*, and gave *it* to the disciples, and said, Take, eat; this is my body.

27 And he took the cup, and gave thanks, and gave *it* to them, saying, Drink ye all of it;

28 For this is my blood of the new testament, which is shed for many for the remission of sins.

29 But I say unto you, I will not drink henceforth of this fruit of the vine, until that day when I drink it new with you in my Father's kingdom.

30 And when they had sung an hymn, they went out into the mount of Olives.

31 Then saith Jesus unto them, All ye shall be offended because of me this night: for it is written, I will smite the shepherd, and the sheep of the flock shall be scattered abroad.

32 But after I am risen again, I will go before you into Galilee.

33 Peter answered and said unto him, Though all *men* shall be offended because of thee, *yet* will I never be offended.

34 Jesus said unto him, Verily I say unto thee, That this night, before the cock crow, thou shalt deny me thrice.

35 Peter said unto him, Though I should

sario morir contigo, no te negaré. Y todos los discípulos dijeron lo mismo.

36 Entonces llegó Jesús con ellos a un lugar que se llama Getsemaní, y dijo a sus discípulos: Sentaos aquí, entre tanto que voy allí y oro.

37 Y tomando a Pedro, y a los dos hijos de Zebedeo, comenzó a entristecerse y a angustiarse en gran manera.

38 Entonces Jesús les dijo: Mi alma está muy triste, hasta la muerte; quedaos aquí, y velad conmigo.

39 Yendo un poco adelante, se postró sobre su rostro, orando y diciendo: Padre mío, si es posible, pase de mí esta copa; pero no sea como yo quiero, sino como tú.

40 Vino luego a sus discípulos, y los halló durmiendo, y dijo a Pedro: ¿Así que no habéis podido velar conmigo una hora?

41 Velad y orad, para que no entréis en tentación; el espíritu a la verdad está dispuesto, pero la carne es débil.

42 Otra vez fue, y oró por segunda vez, diciendo: Padre mío, si no puede pasar de mí esta copa sin que yo la beba, hágase tu voluntad.

43 Vino otra vez y los halló durmiendo, porque los ojos de ellos estaban cargados de sueño.

44 Y dejándolos, se fue de nuevo, y oró por tercera vez, diciendo las mismas palabras.

45 Entonces vino a sus discípulos y les dijo: Dormid ya, y descansad. He aquí ha llegado la hora, y el Hijo del Hombre es entregado en manos de pecadores.

46 Levantaos, vamos; ved, se acerca el que me entrega.

47 Mientras todavía hablaba, vino Judas, uno de los doce, y con él mucha gente con espadas y palos, de parte de los principales sacerdotes y de los ancianos del pueblo.

48 Y el que le entregaba les había dado señal, diciendo: Al que yo besare, ése es; prendedle.

49 Y en seguida se acercó a Jesús y dijo: ¡Salve, Maestro! Y le besó.

50 Y Jesús le dijo: Amigo, ¿a qué vienes? Entonces se acercaron y echaron mano a Jesús, y le prendieron.

51 Pero uno de los que estaban con Jesús, extendiendo la mano, sacó su espada, e hiriendo a un siervo del sumo sacerdote, le quitó la oreja.

52 Entonces Jesús le dijo: Vuelve tu espada a su lugar; porque todos los que tomen espada, a espada perecerán.

die with thee, yet will I not deny thee. Likewise also said all the disciples.

36 Then cometh Jesus with them unto a place called Geth-sem′a-ne, and saith unto the disciples, Sit ye here, while I go and pray yonder.

37 And he took with him Peter and the two sons of Zeb′e-dee, and began to be sorrowful and very heavy.

38 Then saith he unto them, My soul is exceeding sorrowful, even unto death: tarry ye here, and watch with me.

39 And he went a little further, and fell on his face, and prayed, saying, O my Father, if it be possible, let this cup pass from me: nevertheless not as I will, but as thou *wilt*.

40 And he cometh unto the disciples, and findeth them asleep, and saith unto Peter, What, could ye not watch with me one hour?

41 Watch and pray, that ye enter not into temptation: the spirit indeed *is* willing, but the flesh *is* weak.

42 He went away again the second time, and prayed, saying, O my Father, if this cup may not pass away from me, except I drink it, thy will be done.

43 And he came and found them asleep again: for their eyes were heavy.

44 And he left them, and went away again, and prayed the third time, saying the same words.

45 Then cometh he to his disciples, and saith unto them, Sleep on now, and take *your* rest: behold, the hour is at hand, and the Son of man is betrayed into the hands of sinners.

46 Rise, let us be going: behold, he is at hand that doth betray me.

47 And while he yet spake, lo, Judas, one of the twelve, came, and with him a great multitude with swords and staves, from the chief priests and elders of the people.

48 Now he that betrayed him gave them a sign, saying, Whomsoever I shall kiss, that same is he: hold him fast.

49 And forthwith he came to Jesus, and said, Hail, master; and kissed him.

50 And Jesus said unto him, Friend, wherefore art thou come? Then came they, and laid hands on Jesus, and took him.

51 And, behold, one of them which were with Jesus stretched out *his* hand, and drew his sword, and struck a servant of the high priest's, and smote off his ear.

52 Then said Jesus unto him, Put up again thy sword into his place: for all they that take the sword shall perish with the sword.

53 ¿Acaso piensas que no puedo ahora
orar a mi Padre, y que él no me daría más
de doce legiones de ángeles?
54 ¿Pero cómo entonces se cumplirían
las Escrituras, de que es necesario que
así se haga?
55 En aquella hora dijo Jesús a la gente:
¿Como contra un ladrón habéis salido
con espadas y con palos para prenderme?
Cada día me sentaba con vosotros ense-
ñando en el templo, y no me prendisteis.
56 Mas todo esto sucede, para que se
cumplan las Escrituras de los profetas.
Entonces todos los discípulos, dejándole,
huyeron.
57 Los que prendieron a Jesús le lleva-
ron al sumo sacerdote Caifás, adonde es-
taban reunidos los escribas y los ancia-
nos.
58 Mas Pedro le seguía de lejos hasta el
patio del sumo sacerdote; y entrando, se
sentó con los alguaciles, para ver el fin.
59 Y los principales sacerdotes y los an-
cianos y todo el concilio, buscaban falso
testimonio contra Jesús, para entregarle
a la muerte,
60 y no lo hallaron, aunque muchos tes-
tigos falsos se presentaban. Pero al fin vi-
nieron dos testigos falsos,
61 que dijeron: Este dijo: Puedo derri-
bar el templo de Dios, y en tres días re-
edificarlo.
62 Y levantándose el sumo sacerdote,
le dijo: ¿No respondes nada? ¿Qué testifi-
can éstos contra ti?
63 Mas Jesús callaba. Entonces el sumo
sacerdote le dijo: Te conjuro por
el Dios viviente, que nos digas si eres tú
el Cristo, el Hijo de Dios.
64 Jesús le dijo: Tú lo has dicho; y ade-
más os digo, que desde ahora veréis al
Hijo del Hombre sentado a la diestra del
poder de Dios, y viniendo en las nubes
del cielo.
65 Entonces el sumo sacerdote rasgó
sus vestiduras, diciendo: ¡Ha blasfemado!
¿Qué más necesidad tenemos de testi-
gos? He aquí, ahora mismo habéis oído
su blasfemia.
66 ¿Qué os parece? Y respondiendo e-
llos, dijeron: ¡Es reo de muerte!
67 Entonces le escupieron en el rostro,
y le dieron de puñetazos, y otros le abofe-
teaban,
68 diciendo: Profetízanos, Cristo, quién
es el que te golpeó.
69 Pedro estaba sentado fuera en el pa-
tio; y se le acercó una criada, diciendo:
Tú también estabas con Jesús el galileo.
70 Mas él negó delante de todos, dicien-
do: No sé lo que dices.
71 Saliendo él a la puerta, le vio otra, y

53 Thinkest thou that I cannot now
pray to my Father, and he shall presently
give me more than twelve legions of an-
gels?
54 But how then shall the scriptures be
fulfilled, that thus it must be?
55 In that same hour said Jesus to the
multitudes, Are ye come out as against a
thief with swords and staves for to take
me? I sat daily with you teaching in the
temple, and ye laid no hold on me.
56 But all this was done, that the scrip-
tures of the prophets might be fulfilled.
Then all the disciples forsook him, and
fled.
57 And they that had laid hold on Jesus
led *him* away to Cai'a-phas the high
priest, where the scribes and the elders
were assembled.
58 But Peter followed him afar off unto
the high priest's palace, and went in, and
sat with the servants, to see the end.
59 Now the chief priests, and elders,
and all the council, sought false witness
against Jesus, to put him to death;
60 But found none: yea, though many
false witnesses came, *yet* found they
none. At the last came two false wit-
nesses,
61 And said, This *fellow* said, I am able
to destroy the temple of God, and to
build it in three days.
62 And the high priest arose, and said
unto him, Answerest thou nothing? what
is it which these witness against thee?
63 But Jesus held his peace. And the
high priest answered and said unto him, I
adjure thee by the living God, that thou
tell us whether thou be the Christ, the
Son of God.
64 Jesus saith unto him, Thou hast said:
nevertheless I say unto you, Hereafter
shall ye see the Son of man sitting on the
right hand of power, and coming in the
clouds of heaven.
65 Then the high priest rent his clothes,
saying, He hath spoken blasphemy; what
further need have we of witnesses? be-
hold, now ye have heard his blasphemy.
66 What think ye? They answered and
said, He is guilty of death.
67 Then did they spit in his face, and
buffeted him; and others smote *him* with
the palms of their hands,
68 Saying, Prophesy unto us, thou
Christ, Who is he that smote thee?
69 Now Peter sat without in the palace:
and a damsel came unto him, saying,
Thou also wast with Jesus of Galilee.
70 But he denied before *them* all, say-
ing, I know not what thou sayest.
71 And when he was gone out into the
porch, another *maid* saw him, and said

dijo a los que estaban allí: También éste estaba con Jesús el nazareno.

72 Pero él negó otra vez con juramento: No conozco al hombre.

73 Un poco después, acercándose los que por allí estaban, dijeron a Pedro: Verdaderamente también tú eres de ellos, porque aun tu manera de hablar te descubre.

74 Entonces él comenzó a maldecir, y a jurar: No conozco al hombre. Y en seguida cantó el gallo.

75 Entonces Pedro se acordó de las palabras de Jesús, que le había dicho: Antes que cante el gallo, me negarás tres veces. Y saliendo fuera, lloró amargamente.

CAPÍTULO 27

VENIDA la mañana, todos los principales sacerdotes y los ancianos del pueblo entraron en consejo contra Jesús, para entregarle a muerte.

2 Y le llevaron atado, y le entregaron a Poncio Pilato, el gobernador.

3 Entonces Judas, el que le había entregado, viendo que era condenado, devolvió arrepentido las treinta piezas de plata a los principales sacerdotes y a los ancianos,

4 diciendo: Yo he pecado entregando sangre inocente. Mas ellos dijeron: ¿Qué nos importa a nosotros? ¡Allá tú!

5 Y arrojando las piezas de plata en el templo, salió, y fue y se ahorcó.

6 Los principales sacerdotes, tomando las piezas de plata, dijeron: No es lícito echarlas en el tesoro de las ofrendas, porque es precio de sangre.

7 Y después de consultar, compraron con ellas el campo del alfarero, para sepultura de los extranjeros.

8 Por lo cual aquel campo se llama hasta el día de hoy: Campo de sangre.

9 Así se cumplió lo dicho por el profeta Jeremías, cuando dijo: Y tomaron las treinta piezas de plata, precio del apreciado, según precio puesto por los hijos de Israel;

10 y las dieron para el campo del alfarero, como me ordenó el Señor.

11 Jesús, pues, estaba en pie delante del gobernador; y éste le preguntó, diciendo: ¿Eres tú el Rey de los judíos? Y Jesús le dijo: Tú lo dices.

12 Y siendo acusado por los principales sacerdotes y por los ancianos, nada respondió.

13 Pilato entonces le dijo: ¿No oyes cuántas cosas testifican contra ti?

unto them that were there, This *fellow* was also with Jesus of Nazareth.

72 And again he denied with an oath, I do not know the man.

73 And after a while came unto *him* they that stood by, and said to Peter, Surely thou also art *one* of them; for thy speech bewrayeth thee.

74 Then began he to curse and to swear, *saying*, I know not the man. And immediately the cock crew.

75 And Peter remembered the word of Jesus, which said unto him, Before the cock crow, thou shalt deny me thrice. And he went out, and wept bitterly.

CHAPTER 27

WHEN the morning was come, all the chief priests and elders of the people took counsel against Jesus to put him to death:

2 And when they had bound him, they led *him* away, and delivered him to Pontius Pilate the governor.

3 Then Judas, which had betrayed him, when he saw that he was condemned, repented himself, and brought again the thirty pieces of silver to the chief priests and elders,

4 Saying, I have sinned in that I have betrayed the innocent blood. And they said, What *is that* to us? see thou *to that*.

5 And he cast down the pieces of silver in the temple, and departed, and went and hanged himself.

6 And the chief priests took the silver pieces, and said, It is not lawful for to put them into the treasury, because it is the price of blood.

7 And they took counsel, and bought with them the potter's field, to bury strangers in.

8 Wherefore that field was called, The field of blood, unto this day.

9 Then was fulfilled that which was spoken by Jeremy the prophet, saying, And they took the thirty pieces of silver, the price of him that was valued, whom they of the children of Israel did value;

10 And gave them for the potter's field, as the Lord appointed me.

11 And Jesus stood before the governor: and the governor asked him, saying, Art thou the King of the Jews? And Jesus said unto him, Thou sayest.

12 And when he was accused of the chief priests and elders, he answered nothing.

13 Then said Pilate unto him, Hearest thou not how many things they witness against thee?

14 Pero Jesús no le respondió ni una palabra; de tal manera que el gobernador se maravillaba mucho.

15 Ahora bien, en el día de la fiesta acostumbraba el gobernador soltar al pueblo un preso, el que quisiesen.

16 Y tenían entonces un preso famoso llamado Barrabás.

17 Reunidos, pues, ellos, les dijo Pilato: ¿A quién queréis que os suelte: a Barrabás, o a Jesús, llamado el Cristo?

18 Porque sabía que por envidia le habían entregado.

19 Y estando él sentado en el tribunal, su mujer le mandó decir: No tengas nada que ver con ese justo; porque hoy he padecido mucho en sueños por causa de él.

20 Pero los principales sacerdotes y los ancianos persuadieron a la multitud que pidiese a Barrabás, y que Jesús fuese muerto.

21 Y respondiendo el gobernador, les dijo: ¿A cuál de los dos queréis que os suelte? Y ellos dijeron: A Barrabás.

22 Pilato les dijo: ¿Qué, pues, haré de Jesús, llamado el Cristo? Todos le dijeron: ¡Sea crucificado!

23 Y el gobernador les dijo: Pues ¿qué mal ha hecho? Pero ellos gritaban aún más, diciendo: ¡Sea crucificado!

24 Viendo Pilato que nada adelantaba, sino que se hacía más alboroto, tomó agua y se lavó las manos delante del pueblo, diciendo: Inocente soy yo de la sangre de este justo; allá vosotros.

25 Y respondiendo todo el pueblo, dijo: Su sangre sea sobre nosotros, y sobre nuestros hijos.

26 Entonces les soltó a Barrabás; y habiendo azotado a Jesús, le entregó para ser crucificado.

27 Entonces los soldados del gobernador llevaron a Jesús al pretorio, y reunieron alrededor de él a toda la compañía;

28 y desnudándole, le echaron encima un manto de escarlata,

29 y pusieron sobre su cabeza una corona tejida de espinas, y una caña en su mano derecha; e hincando la rodilla delante de él, le escarnecían, diciendo: ¡Salve, Rey de los judíos!

30 Y escupiéndole, tomaban la caña y le golpeaban en la cabeza.

31 Después de haberle escarnecido, le quitaron el manto, le pusieron sus vestidos, y le llevaron para crucificarle.

14 And he answered him to never a word; insomuch that the governor marvelled greatly.

15 Now at *that* feast the governor was wont to release unto the people a prisoner, whom they would.

16 And they had then a notable prisoner, called Ba-rab′bas.

17 Therefore when they were gathered together, Pilate said unto them, Whom will ye that I release unto you? Ba-rab′bas, or Jesus which is called Christ?

18 For he knew that for envy they had delivered him.

19 When he was set down on the judgment seat, his wife sent unto him, saying, Have thou nothing to do with that just man: for I have suffered many things this day in a dream because of him.

20 But the chief priests and elders persuaded the multitude that they should ask Ba-rab′bas, and destroy Jesus.

21 The governor answered and said unto them, Whether of the twain will ye that I release unto you? They said, Ba-rab′bas.

22 Pilate saith unto them, What shall I do then with Jesus which is called Christ? *They* all say unto him, Let him be crucified.

23 And the governor said, Why, what evil hath he done? But they cried out the more, saying, Let him be crucified.

24 When Pilate saw that he could prevail nothing, but *that* rather a tumult was made, he took water, and washed *his* hands before the multitude, saying, I am innocent of the blood of this just person: see ye *to it*.

25 Then answered all the people, and said, His blood *be* on us, and on our children.

26 Then released he Ba-rab′bas unto them: and when he had scourged Jesus, he delivered *him* to be crucified.

27 Then the soldiers of the governor took Jesus into the common hall, and gathered unto him the whole band *of soldiers*.

28 And they stripped him, and put on him a scarlet robe.

29 And when they had platted a crown of thorns, they put *it* upon his head, and a reed in his right hand: and they bowed the knee before him, and mocked him, saying, Hail, King of the Jews!

30 And they spit upon him, and took the reed, and smote him on the head.

31 And after that they had mocked him, they took the robe off from him, and put his own raiment on him, and led him away to crucify *him*.

32 Cuando salían, hallaron a un hombre de Cirene que se llamaba Simón; a éste obligaron a que llevase la cruz.

33 Y cuando llegaron a un lugar llamado Gólgota, que significa: Lugar de la Calavera,

34 le dieron a beber vinagre mezclado con hiel; pero después de haberlo probado, no quiso beberlo.

35 Cuando le hubieron crucificado, repartieron entre sí sus vestidos, echando suertes, para que se cumpliese lo dicho por el profeta: Partieron entre sí mis vestidos, y sobre mi ropa echaron suertes.

36 Y sentados le guardaban allí.

37 Y pusieron sobre su cabeza su causa escrita: ESTE ES JESÚS, EL REY DE LOS JUDÍOS.

38 Entonces crucificaron con él a dos ladrones, uno a la derecha, y otro a la izquierda.

39 Y los que pasaban le injuriaban, meneando la cabeza,

40 y diciendo: Tú que derribas el templo, y en tres días lo reedificas, sálvate a ti mismo; si eres Hijo de Dios, desciende de la cruz.

41 De esta manera también los principales sacerdotes, escarneciéndole con los escribas y los fariseos y los ancianos, decían:

42 A otros salvó, a sí mismo no se puede salvar; si es el Rey de Israel, descienda ahora de la cruz, y creeremos en él.

43 Confió en Dios; líbrele ahora si le quiere; porque ha dicho: Soy Hijo de Dios.

44 Lo mismo le injuriaban también los ladrones que estaban crucificados con él.

45 Y desde la hora sexta hubo tinieblas sobre toda la tierra hasta la hora novena.

46 Cerca de la hora novena, Jesús clamó a gran voz, diciendo: Elí, Elí, ¿lama sabactani? Esto es: Dios mío, Dios mío, ¿por qué me has desamparado?

47 Algunos de los que estaban allí decían, al oírlo: A Elías llama éste.

48 Y al instante, corriendo uno de ellos, tomó una esponja, y la empapó de vinagre, y poniéndola en una caña, le dio a beber.

49 Pero los otros decían: Deja, veamos si viene Elías a librarle.

50 Mas Jesús, habiendo otra vez clamado a gran voz, entregó el espíritu.

51 Y he aquí, el velo del templo se rasgó en dos, de arriba abajo; y la tierra tembló, y las rocas se partieron;

32 And as they came out, they found a man of Cy-re′ne, Simon by name: him they compelled to bear his cross.

33 And when they were come unto a place called Gol′go-tha, that is to say, a place of a skull,

34 They gave him vinegar to drink mingled with gall: and when he had tasted *thereof*, he would not drink.

35 And they crucified him, and parted his garments, casting lots: that it might be fulfilled which was spoken by the prophet, They parted my garments among them, and upon my vesture did they cast lots.

36 And sitting down they watched him there;

37 And set up over his head his accusation written, THIS IS JESUS THE KING OF THE JEWS.

38 Then were there two thieves crucified with him, one on the right hand, and another on the left.

39 And they that passed by reviled him, wagging their heads,

40 And saying, Thou that destroyest the temple, and buildest *it* in three days, save thyself. If thou be the Son of God, come down from the cross.

41 Likewise also the chief priests mocking *him*, with the scribes and elders, said,

42 He saved others himself he cannot save. If he be the King of Israel, let him now come down from the cross, and we will believe him.

43 He trusted in God; let him deliver him now, if he will have him: for he said, I am the Son of God.

44 The thieves also which were crucified with him, cast the same in his teeth.

45 Now from the sixth hour there was darkness over all the land unto the ninth hour.

46 And about the ninth hour Jesus cried with a loud voice, saying, E′li, E′li, la′ma sa-bach′tha-ni? that is to say, My God, my God, why hast thou forsaken me?

47 Some of them that stood there, when they heard that, said, This *man* calleth for E-li′as.

48 And straightway one of them ran, and took a spunge, and filled *it* with vinegar, and put *it* on a reed, and gave him to drink.

49 The rest said, Let be, let us see whether E-li′as will come to save him.

50 Jesus, when he had cried again with a loud voice, yielded up the ghost.

51 And, behold, the veil of the temple was rent in twain from the top to the bottom; and the earth did quake, and the rocks rent;

52 y se abrieron los sepulcros, y muchos cuerpos de santos que habían dormido, se levantaron;
53 y saliendo de los sepulcros, después de la resurrección de él, vinieron a la santa ciudad, y aparecieron a muchos.
54 El centurión, y los que estaban con él guardando a Jesús, visto el terremoto, y las cosas que habían sido hechas, temieron en gran manera, y dijeron: Verdaderamente éste era Hijo de Dios.
55 Estaban allí muchas mujeres mirando de lejos, las cuales habían seguido a Jesús desde Galilea, sirviéndole,
56 entre las cuales estaban María Magdalena, María la madre de Jacobo y de José, y la madre de los hijos de Zebedeo.
57 Cuando llegó la noche, vino un hombre rico de Arimatea, llamado José, que también había sido discípulo de Jesús.
58 Este fue a Pilato y pidió el cuerpo de Jesús. Entonces Pilato mandó que se le diese el cuerpo.
59 Y tomando José el cuerpo, lo envolvió en una sábana limpia,
60 y lo puso en su sepulcro nuevo, que había labrado en la peña; y después de hacer rodar una gran piedra a la entrada del sepulcro, se fue.
61 Y estaban allí María Magdalena, y la otra María, sentadas delante del sepulcro.
62 Al día siguiente, que es después de la preparación, se reunieron los principales sacerdotes y los fariseos ante Pilato,
63 diciendo: Señor, nos acordamos que aquel engañador dijo, viviendo aún: Después de tres días resucitaré.
64 Manda, pues, que se asegure el sepulcro hasta el tercer día, no sea que vengan sus discípulos de noche, y lo hurten, y digan al pueblo: Resucitó de entre los muertos. Y será el postrer error peor que el primero.
65 Y Pilato les dijo: Ahí tenéis una guardia; id, aseguradlo como sabéis.
66 Entonces ellos fueron y aseguraron el sepulcro, sellando la piedra y poniendo la guardia.

CAPÍTULO 28

PASADO el día de reposo, al amanecer del primer día de la semana, vinieron María Magdalena y la otra María, a ver el sepulcro.
2 Y hubo un gran terremoto; porque un ángel del Señor, descendiendo del cielo y llegando, removió la piedra, y se sentó sobre ella.

52 And the graves were opened; and many bodies of the saints which slept arose,
53 And came out of the graves after his resurrection, and went into the holy city, and appeared unto many.
54 Now when the centurion, and they that were with him, watching Jesus, saw the earthquake, and those things that were done, they feared greatly, saying, Truly this was the Son of God.
55 And many women were there beholding afar off, which followed Jesus from Galilee, ministering unto him:
56 Among which was Mary Magdalene, and Mary the mother of James and Joses, and the mother of Zeb′e-dee's children.
57 When the even was come, there came a rich man of Ar-i-ma-thæ′a, named Joseph, who also himself was Jesus' disciple:
58 He went to Pilate, and begged the body of Jesus. Then Pilate commanded the body to be delivered.
59 And when Joseph had taken the body, he wrapped it in a clean linen cloth,
60 And laid it in his own new tomb, which he had hewn out in the rock: and he rolled a great stone to the door of the sepulchre, and departed.
61 And there was Mary Magdalene, and the other Mary, sitting over against the sepulchre.
62 Now the next day, that followed the day of the preparation, the chief priests and Pharisees came together unto Pilate,
63 Saying, Sir, we remember that that deceiver said, while he was yet alive, After three days I will rise again.
64 Command therefore that the sepulchre be made sure until the third day, lest his disciples come by night, and steal him away, and say unto the people, He is risen from the dead: so the last error shall be worse than the first.
65 Pilate said unto them, Ye have a watch: go your way, make *it* as sure as ye can.
66 So they went, and made the sepulchre sure, sealing the stone, and setting a watch.

CHAPTER 28

IN the end of the sabbath, as it began to dawn toward the first *day* of the week, came Mary Magdalene and the other Mary to see the sepulchre.
2 And, behold, there was a great earthquake: for the angel of the Lord descended from heaven, and came and rolled back the stone from the door, and sat upon it.

3 Su aspecto era como un relámpago, y
su vestido blanco como la nieve.
4 Y de miedo de él los guardas tembla-
ron y se quedaron como muertos.
5 Mas el ángel, respondiendo, dijo a las
mujeres: No temáis vosotras; porque yo
sé que buscáis a Jesús, el que fue crucifi-
cado.
6 No está aquí, pues ha resucitado,
como dijo. Venid, ved el lugar donde fue
puesto el Señor.
7 E id pronto y decid a sus discípulos
que ha resucitado de los muertos, y he
aquí va delante de vosotros a Galilea; allí
le veréis. He aquí, os lo he dicho.
8 Entonces ellas, saliendo del sepulcro
con temor y gran gozo, fueron corriendo
a dar las nuevas a sus discípulos. Y mien-
tras iban a dar las nuevas a los discípu-
los,
9 he aquí, Jesús les salió al encuentro,
diciendo: ¡Salve! Y ellas, acercándose,
abrazaron, sus pies, y le adoraron.
10 Entonces Jesús les dijo: No temáis;
id, dad las nuevas a mis hermanos, para
que vayan a Galilea, y allí me verán.
11 Mientras ellas iban, he aquí unos de
la guardia fueron a la ciudad, y dieron
aviso a los principales sacerdotes de to-
das las cosas que habían acontecido.
12 Y reunidos con los ancianos, y habi-
do consejo, dieron mucho dinero a los
soldados,
13 diciendo: Decid vosotros: Sus dis-
cípulos vinieron de noche, y lo hurtaron,
estando nosotros dormidos.
14 Y si esto lo oyere el gobernador, no-
sotros le persuadiremos, y os pondremos
a salvo.
15 Y ellos, tomando el dinero, hicieron
como se les había instruido. Este dicho se
ha divulgado entre los judíos hasta el día
de hoy.
16 Pero los once discípulos se fueron a
Galilea, al monte donde Jesús les había
ordenado.
17 Y cuando le vieron, le adoraron;
pero algunos dudaban.
18 Y Jesús se acercó y les habló dicien-
do: Toda potestad me es dada en el cielo
y en la tierra.
19 Por tanto, id, y haced discípulos a to-
das las naciones, bautizándolos en el
nombre del Padre, y del Hijo, y del Espí-
ritu Santo;
20 enseñándoles que guarden todas las
cosas que os he mandado; y he aquí yo
estoy con vosotros todos los días, hasta
el fin del mundo. Amén.

3 His countenance was like lightning,
and his raiment white as snow:
4 And for fear of him the keepers did
shake, and became as dead *men*.
5 And the angel answered and said
unto the women, Fear not ye: for I know
that ye seek Jesus, which was crucified.
6 He is not here: for he is risen, as he
said. Come, see the place where the Lord
lay.
7 And go quickly, and tell his disciples
that he is risen from the dead; and, be-
hold, he goeth before you into Galilee;
there shall ye see him: lo, I have told you.
8 And they departed quickly from the
sepulchre with fear and great joy; and
did run to bring his disciples word.
9 And as they went to tell his disciples,
behold, Jesus met them, saying, All hail.
And they came and held him by the feet,
and worshipped him.
10 Then said Jesus unto them, Be not
afraid: go tell my brethren that they go
into Galilee, and there shall they see me.
11 Now when they were going, behold,
some of the watch came into the city,
and shewed unto the chief priests all the
things that were done.
12 And when they were assembled
with the elders, and had taken counsel,
they gave large money unto the soldiers,
13 Saying, Say ye, His disciples came
by night, and stole him *away* while we
slept.
14 And if this come to the governor's
ears, we will persuade him, and secure
you.
15 So they took the money, and did as
they were taught: and this saying is com-
monly reported among the Jews until
this day.
16 Then the eleven disciples went away
into Galilee, into a mountain where Jesus
had appointed them.
17 And when they saw him, they wor-
shipped him: but some doubted.
18 And Jesus came and spake unto
them, saying, All power is given unto me
in heaven and in earth.
19 Go ye therefore, and teach all na-
tions, baptizing them in the name of the
Father, and of the Son, and of the Holy
Ghost:
20 Teaching them to observe all things
whatsoever I have commanded you: and,
lo, I am with you alway, *even* unto the
end of the world. Amen.

EL SANTO EVANGELIO SEGÚN

SAN MARCOS

CAPÍTULO 1

PRINCIPIO del evangelio de Jesucristo, Hijo de Dios.

2 Como está escrito en Isaías el profeta: He aquí yo envío mi mensajero delante de tu faz, el cual preparará tu camino delante de ti.

3 Voz del que clama en el desierto: Preparad el camino del Señor; enderezad sus sendas.

4 Bautizaba Juan en el desierto, y predicaba el bautismo de arrepentimiento para perdón de pecados.

5 Y salían a él toda la provincia de Judea, y todos los de Jerusalén; y eran bautizados por él en el río Jordán, confesando sus pecados.

6 Y Juan estaba vestido de pelo de camello, y tenía un cinto de cuero alrededor de sus lomos; y comía langostas y miel silvestre.

7 Y predicaba, diciendo: Viene tras mí el que es más poderoso que yo, a quien no soy digno de desatar encorvado la correa de su calzado.

8 Yo a la verdad os he bautizado con agua; pero él os bautizará con Espíritu Santo.

9 Aconteció en aquellos días, que Jesús vino de Nazaret de Galilea, y fue bautizado por Juan en el Jordán.

10 Y luego, cuando subía del agua, vio abrirse los cielos, y al Espíritu como paloma que descendía sobre él.

11 Y vino una voz de los cielos que decía: Tú eres mi Hijo amado; en ti tengo complacencia.

12 Y luego el Espíritu le impulsó al desierto.

13 Y estuvo allí en el desierto cuarenta días, y era tentado por Satanás, y estaba con las fieras; y los ángeles le servían.

14 Después que Juan fue encarcelado, Jesús vino a Galilea predicando el evangelio del reino de Dios,

15 diciendo: El tiempo se ha cumplido, y el reino de Dios se ha acercado; arrepentíos, y creed en el evangelio.

16 Andando junto al mar de Galilea, vio a Simón y a Andrés su hermano, que echaban la red en el mar; porque eran pescadores.

17 Y les dijo Jesús: Venid en pos de mí, y haré que seáis pescadores de hombres.

THE GOSPEL ACCORDING TO

SAINT MARK

CHAPTER 1

THE beginning of the gospel of Jesus Christ, the Son of God;

2 As it is written in the prophets, Behold, I send my messenger before thy face, which shall prepare thy way before thee.

3 The voice of one crying in the wilderness, Prepare ye the way of the Lord, make his paths straight.

4 John did baptize in the wilderness, and preach the baptism of repentance for the remission of sins.

5 And there went out unto him all the land of Judæa, and they of Jerusalem, and were all baptized of him in the river of Jordan, confessing their sins.

6 And John was clothed with camel's hair, and with a girdle of a skin about his loins; and he did eat locusts and wild honey;

7 And preached, saying, There cometh one mightier than I after me, the latchet of whose shoes I am not worthy to stoop down and unloose.

8 I indeed have baptized you with water: but he shall baptize you with the Holy Ghost.

9 And it came to pass in those days, that Jesus came from Nazareth of Galilee, and was baptized of John in Jordan.

10 And straightway coming up out of the water, he saw the heavens opened, and the Spirit like a dove descending upon him:

11 And there came a voice from heaven, *saying*, Thou art my beloved Son, in whom I am well pleased.

12 And immediately the spirit driveth him into the wilderness.

13 And he was there in the wilderness forty days, tempted of Satan; and was with the wild beasts; and the angels ministered unto him.

14 Now after that John was put in prison, Jesus came into Galilee, preaching the gospel of the kingdom of God,

15 And saying, The time is fulfilled, and the kingdom of God is at hand: repent ye, and believe the gospel.

16 Now as he walked by the sea of Galilee, he saw Simon and Andrew his brother casting a net into the sea: for they were fishers.

17 And Jesus said unto them, Come ye after me, and I will make you to become fishers of men.

18 Y dejando luego sus redes, le siguieron.

19 Pasando de allí un poco más adelante, vio a Jacobo hijo de Zebedeo, y a Juan su hermano, también ellos en la barca, que remendaban las redes.

20 Y luego los llamó; y dejando a su padre Zebedeo en la barca con los jornaleros, le siguieron.

21 Y entraron en Capernaum; y los días de reposo, entrando en la sinagoga, enseñaba.

22 Y se admiraban de su doctrina; porque les enseñaba como quien tiene autoridad, y no como los escribas.

23 Pero había en la sinagoga de ellos un hombre con espíritu inmundo, que dio voces,

24 diciendo: ¡Ah! ¿qué tienes con nosotros, Jesús nazareno? ¿Has venido para destruirnos? Sé quién eres, el Santo de Dios.

25 Pero Jesús le reprendió, diciendo: ¡Cállate, y sal de él!

26 Y el espíritu inmundo, sacudiéndole con violencia, y clamando a gran voz, salió de él.

27 Y todos se asombraron, de tal manera que discutían entre sí, diciendo: ¿Qué es esto? ¿Qué nueva doctrina es esta, que con autoridad manda aun a los espíritus inmundos, y le obedecen?

28 Y muy pronto se difundió su fama por toda la provincia alrededor de Galilea.

29 Al salir de la sinagoga, vinieron a casa de Simón y Andrés, con Jacobo y Juan.

30 Y la suegra de Simón estaba acostada con fiebre; y en seguida le hablaron de ella.

31 Entonces él se acercó, y la tomó de la mano y la levantó; e inmediatamente le dejó la fiebre, y ella les servía.

32 Cuando llegó la noche, luego que el sol se puso, le trajeron todos los que tenían enfermedades, y a los endemoniados;

33 y toda la ciudad se agolpó a la puerta.

34 Y sanó a muchos que estaban enfermos de diversas enfermedades, y echó fuera muchos demonios; y no dejaba hablar a los demonios, porque le conocían.

35 Levantándose muy de mañana, siendo aún muy oscuro, salió y se fue a un lugar desierto, y allí oraba.

36 Y le buscó Simón, y los que con él estaban;

18 And straightway they forsook their nets, and followed him.

19 And when he had gone a little further thence, he saw James the *son* of Zeb'e-dee, and John his brother, who also were in the ship mending their nets.

20 And straightway he called them: and they left their father Zeb'e-dee in the ship with the hired servants, and went after him.

21 And they went into Ca-per'na-um; and straightway on the sabbath day he entered into the synagogue, and taught.

22 And they were astonished at his doctrine: for he taught them as one that had authority, and not as the scribes.

23 And there was in their synagogue a man with an unclean spirit; and he cried out,

24 Saying, Let *us* alone; what have we to do with thee, thou Jesus of Nazareth? art thou come to destroy us? I know thee who thou art, the Holy One of God.

25 And Jesus rebuked him, saying, Hold thy peace, and come out of him.

26 And when the unclean spirit had torn him, and cried with a loud voice, he came out of him.

27 And they were all amazed, insomuch that they questioned among themselves, saying, What thing is this? what new doctrine *is* this? for with authority commandeth he even the unclean spirits, and they do obey him.

28 And immediately his fame spread abroad throughout all the region round about Galilee.

29 And forthwith, when they were come out of the synagogue, they entered into the house of Simon and Andrew, with James and John.

30 But Simon's wife's mother lay sick of a fever, and anon they tell him of her.

31 And he came and took her by the hand, and lifted her up; and immediately the fever left her, and she ministered unto them.

32 And at even, when the sun did set, they brought unto him all that were diseased, and them that were possessed with devils.

33 And all the city was gathered together at the door.

34 And he healed many that were sick of divers diseases, and cast out many devils; and suffered not the devils to speak, because they knew him.

35 And in the morning, rising up a great while before day, he went out, and departed into a solitary place, and there prayed.

36 And Simon and they that were with him followed after him.

37 y hallándole, le dijeron: Todos te buscan.

38 El les dijo: Vamos a los lugares vecinos, para que predique también allí; porque para esto he venido.

39 Y predicaba en las sinagogas de ellos en toda Galilea, y echaba fuera los demonios.

40 Vino a él un leproso, rogándole; e hincada la rodilla, le dijo: Si quieres, puedes limpiarme.

41 Y Jesús, teniendo misericordia de él, extendió la mano y le tocó, y le dijo: Quiero, sé limpio.

42 Y así que él hubo hablado, al instante la lepra se fue de aquél, y quedó limpio.

43 Entonces le encargó rigurosamente, y le despidió luego,

44 y le dijo: Mira, no digas a nadie nada, sino vé, muéstrate al sacerdote, y ofrece por tu purificación lo que Moisés mandó, para testimonio a ellos.

45 Pero ido él, comenzó a publicarlo mucho y a divulgar el hecho, de manera que ya Jesús no podía entrar abiertamente en la ciudad, sino que se quedaba fuera en los lugares desiertos; y venían a él de todas partes.

CAPÍTULO 2

ENTRÓ Jesús otra vez en Capernaum después de algunos días; y se oyó que estaba en casa.

2 E inmediatamente se juntaron muchos, de manera que ya no cabían ni aun a la puerta; y les predicaba la palabra.

3 Entonces vinieron a él unos trayendo un paralítico, que era cargado por cuatro.

4 Y como no podían acercarse a él a causa de la multitud, descubrieron el techo de donde estaba, y haciendo una abertura, bajaron el lecho en que yacía el paralítico.

5 Al ver Jesús la fe de ellos, dijo al paralítico: Hijo, tus pecados te son perdonados.

6 Estaban allí sentados algunos de los escribas, los cuales cavilaban en sus corazones:

7 ¿Por qué habla éste así? Blasfemias dice. ¿Quién puede perdonar pecados, sino sólo Dios?

8 Y conociendo luego Jesús en su espíritu que cavilaban de esta manera dentro de sí mismos, les dijo: ¿Por qué caviláis así en vuestros corazones?

9 ¿Qué es más fácil, decir al paralítico:

37 And when they had found him, they said unto him, All *men* seek for thee.

38 And he said unto them, Let us go into the next towns, that I may preach there also: for therefore came I forth.

39 And he preached in their synagogues throughout all Galilee, and cast out devils.

40 And there came a leper to him, beseeching him, and kneeling down to him, and saying unto him, If thou wilt, thou canst make me clean.

41 And Jesus, moved with compassion, put forth *his* hand, and touched him, and saith unto him, I will; be thou clean.

42 And as soon as he had spoken, immediately the leprosy departed from him, and he was cleansed.

43 And he straitly charged him, and forthwith sent him away;

44 And saith unto him, See thou say nothing to any man: but go thy way, shew thyself to the priest, and offer for thy cleansing those things which Moses commanded, for a testimony unto them.

45 But he went out, and began to publish *it* much, and to blaze abroad the matter, insomuch that Jesus could no more openly enter into the city, but was without in desert places: and they came to him from every quarter.

CHAPTER 2

AND again he entered into Ca-per'na-um, after *some* days; and it was noised that he was in the house.

2 And straightway many were gathered together, insomuch that there was no room to receive *them*, no, not so much as about the door: and he preached the word unto them.

3 And they come unto him, bringing one sick of the palsy, which was borne of four.

4 And when they could not come nigh unto him for the press, they uncovered the roof where he was: and when they had broken *it* up, they let down the bed wherein the sick of the palsy lay.

5 When Jesus saw their faith, he said unto the sick of the palsy, Son, thy sins be forgiven thee.

6 But there were certain of the scribes sitting there, and reasoning in their hearts,

7 Why doth this *man* thus speak blasphemies? who can forgive sins but God only?

8 And immediately when Jesus perceived in his spirit that they so reasoned within themselves, he said unto them, Why reason ye these things in your hearts?

9 Whether is it easier to say to the sick

Tus pecados te son perdonados, o decirle: Levántate, toma tu lecho y anda?

10 Pues para que sepáis que el Hijo del Hombre tiene potestad en la tierra para perdonar pecados (dijo al paralítico):

11 A ti te digo: Levántate, toma tu lecho, y vete a tu casa.

12 Entonces él se levantó en seguida, y tomando su lecho, salió delante de todos, de manera que todos se asombraron, y glorificaron a Dios, diciendo: Nunca hemos visto tal cosa.

13 Después volvió a salir al mar; y toda la gente venía a él, y les enseñaba.

14 Y al pasar, vio a Leví hijo de Alfeo, sentado al banco de los tributos públicos, y le dijo: Sígueme. Y levantándose, le siguió.

15 Aconteció que estando Jesús a la mesa en casa de él, muchos publicanos y pecadores estaban también a la mesa juntamente con Jesús y sus discípulos; porque había muchos que le habían seguido.

16 Y los escribas y los fariseos, viéndole comer con los publicanos y con los pecadores, dijeron a los discípulos: ¿Qué es esto, que él come y bebe con los publicanos y pecadores?

17 Al oir esto Jesús, les dijo: Los sanos no tienen necesidad de médico, sino los enfermos. No he venido a llamar a justos, sino a pecadores.

18 Y los discípulos de Juan y los de los fariseos ayunaban; y vinieron, y le dijeron: ¿Por qué los discípulos de Juan y los de los fariseos ayunan, y tus discípulos no ayunan?

19 Jesús les dijo: ¿Acaso pueden los que están de bodas ayunar mientras está con ellos el esposo? Entre tanto que tienen consigo al esposo, no pueden ayunar.

20 Pero vendrán días cuando el esposo les será quitado, y entonces en aquellos días ayunarán.

21 Nadie pone remiendo de paño nuevo en vestido viejo; de otra manera, el mismo remiendo nuevo tira de lo viejo, y se hace peor la rotura.

22 Y nadie echa vino nuevo en odres viejos; de otra manera, el vino nuevo rompe los odres, y el vino se derrama, y los odres se pierden; pero el vino nuevo en odres nuevos se ha de echar.

23 Aconteció que al pasar él por los sembrados un día de reposo, sus discípulos, andando, comenzaron a arrancar espigas.

of the palsy, *Thy* sins be forgiven thee; or to say, Arise, and take up thy bed, and walk?

10 But that ye may know that the Son of man hath power on earth to forgive sins, (he saith to the sick of the palsy,)

11 I say unto thee, Arise, and take up thy bed, and go thy way into thine house.

12 And immediately he arose, took up the bed, and went forth before them all; insomuch that they were all amazed, and glorified God, saying, We never saw it on this fashion.

13 And he went forth again by the sea side; and all the multitude resorted unto him, and he taught them.

14 And as he passed by, he saw Levi the *son* of Al-phæ'us sitting at the receipt of custom, and said unto him, Follow me. And he arose and followed him.

15 And it came to pass, that, as Jesus sat at meat in his house, many publicans and sinners sat also together with Jesus and his disciples: for there were many, and they followed him.

16 And when the scribes and Pharisees saw him eat with publicans and sinners, they said unto his disciples, How is it that he eateth and drinketh with publicans and sinners?

17 When Jesus heard *it*, he saith unto them, They that are whole have no need of the physician, but they that are sick: I came not to call the righteous, but sinners to repentance.

18 And the disciples of John and of the Pharisees used to fast: and they come and say unto him, Why do the disciples of John and of the Pharisees fast, but thy disciples fast not?

19 And Jesus said unto them, Can the children of the bridechamber fast, while the bridegroom is with them? as long as they have the bridegroom with them, they cannot fast.

20 But the days will come, when the bridegroom shall be taken away from them, and then shall they fast in those days.

21 No man also seweth a piece of new cloth on an old garment: else the new piece that filled it up taketh away from the old, and the rent is made worse.

22 And no man putteth new wine into old bottles: else the new wine doth burst the bottles, and the wine is spilled, and the bottles will be marred: but new wine must be put into new bottles.

23 And it came to pass, that he went through the corn fields on the sabbath day; and his disciples began, as they went, to pluck the ears of corn.

24 Entonces los fariseos le dijeron: Mira, ¿por qué hacen en el día de reposo lo que no es lícito?

25 Pero él les dijo: ¿Nunca leísteis lo que hizo David cuando tuvo necesidad, y sintió hambre, él y los que con él estaban;

26 cómo entró en la casa de Dios, siendo Abiatar sumo sacerdote, y comió los panes de la proposición, de los cuales no es lícito comer sino a los sacerdotes, y aun dio a los que con él estaban?

27 También les dijo: El día de reposo fue hecho por causa del hombre, y no el hombre por causa del día de reposo.

28 Por tanto, el Hijo del Hombre es Señor aun del día de reposo.

CAPÍTULO 3

OTRA vez entró Jesús en la sinagoga; y había allí un hombre que tenía seca una mano.

2 Y le acechaban para ver si en el día de reposo le sanaría, a fin de poder acusarle.

3 Entonces dijo al hombre que tenía la mano seca: Levántate y ponte en medio.

4 Y les dijo: ¿Es lícito en los días de reposo hacer bien, o hacer mal; salvar la vida, o quitarla? Pero ellos callaban.

5 Entonces, mirándolos alrededor con enojo, entristecido por la dureza de sus corazones, dijo al hombre: Extiende tu mano. Y él la extendió, y la mano le fue restaurada sana.

6 Y salidos los fariseos, tomaron consejo con los herodianos contra él para destruirle.

7 Mas Jesús se retiró al mar con sus discípulos, y le siguió gran multitud de Galilea. Y de Judea,

8 de Jerusalén, de Idumea, del otro lado del Jordán, y de los alrededores de Tiro y de Sidón, oyendo cuán grandes cosas hacía, grandes multitudes vinieron a él.

9 Y dijo a sus discípulos que le tuviesen siempre lista la barca, a causa del gentío, para que no le oprimiesen.

10 Porque había sanado a muchos; de manera que por tocarle, cuantos tenían plagas caían sobre él.

11 Y los espíritus inmundos, al verle, se postraban delante de él, y daban voces, diciendo: Tú eres el Hijo de Dios.

12 Mas él les reprendía mucho para que no le descubriesen.

24 And the Pharisees said unto him, Behold, why do they on the sabbath day that which is not lawful?

25 And he said unto them, Have ye never read what David did, when he had need, and was an hungred, he, and they that were with him?

26 How he went into the house of God in the days of A-bi'a-thar the high priest, and did eat the shewbread, which is not lawful to eat but for the priests, and gave also to them which were with him?

27 And he said unto them, The sabbath was made for man, and not man for the sabbath:

28 Therefore the Son of man is Lord also of the sabbath.

CHAPTER 3

AND he entered again into the synagogue; and there was a man there which had a withered hand.

2 And they watched him, whether he would heal him on the sabbath day; that they might accuse him.

3 And he saith unto the man which had the withered hand, Stand forth.

4 And he saith unto them, Is it lawful to do good on the sabbath days, or to do evil? to save life, or to kill? But they held their peace.

5 And when he had looked round about on them with anger, being grieved for the hardness of their hearts, he saith unto the man, Stretch forth thine hand. And he stretched *it* out: and his hand was restored whole as the other.

6 And the Pharisees went forth, and straightway took counsel with the He-ro'di-ans against him, how they might destroy him.

7 But Jesus withdrew himself with his disciples to the sea: and a great multitude from Galilee followed him, and from Judæa,

8 And from Jerusalem, and from I-du-mæ'a, and *from* beyond Jordan; and they about Tyre and Si'don, a great multitude, when they had heard what great things he did, came unto him.

9 And he spake to his disciples, that a small ship should wait on him because of the multitude, lest they should throng him.

10 For he had healed many; insomuch that they pressed upon him for to touch him, as many as had plagues.

11 And unclean spirits, when they saw him, fell down before him, and cried, saying, Thou art the Son of God.

12 And he straitly charged them that they should not make him known.

13 Después subió al monte, y llamó a sí a los que él quiso; y vinieron a él.

14 Y estableció a doce, para que estuviesen con él, y para enviarlos a predicar,

15 y que tuviesen autoridad para sanar enfermedades y para echar fuera demonios:

16 a Simón, a quien puso por sobrenombre Pedro;

17 a Jacobo hijo de Zebedeo, y a Juan hermano de Jacobo, a quienes apellidó Boanerges, esto es, Hijos del trueno;

18 a Andrés, Felipe, Bartolomé, Mateo, Tomás, Jacobo hijo de Alfeo, Tadeo, Simón el cananista,

19 y Judas Iscariote, el que le entregó. Y vinieron a casa.

20 Y se agolpó de nuevo la gente, de modo que ellos ni aun podían comer pan.

21 Cuando lo oyeron los suyos, vinieron para prenderle; porque decían: Está fuera de sí.

22 Pero los escribas que habían venido de Jerusalén decían que tenía a Beelzebú, y que por el príncipe de los demonios echaba fuera los demonios.

23 Y habiéndolos llamado, les decía en parábolas: ¿Cómo puede Satanás echar fuera a Satanás?

24 Si un reino está dividido contra sí mismo, tal reino no puede permanecer.

25 Y si una casa está dividida contra sí misma, tal casa no puede permanecer.

26 Y si Satanás se levanta contra sí mismo, y se divide, no puede permanecer, sino que ha llegado su fin.

27 Ninguno puede entrar en la casa de un hombre fuerte y saquear sus bienes, si antes no le ata, y entonces podrá saquear su casa.

28 De cierto os digo que todos los pecados serán perdonados a los hijos de los hombres, y las blasfemias cualesquiera que sean;

29 pero cualquiera que blasfeme contra el Espíritu Santo, no tiene jamás perdón, sino que es reo de juicio eterno.

30 Porque ellos habían dicho: Tiene espíritu inmundo.

31 Vienen después sus hermanos y su madre, y quedándose afuera, enviaron a llamarle.

32 Y la gente que estaba sentada alrededor de él le dijo: Tu madre y tus hermanos están afuera, y te buscan.

33 El les respondió diciendo: ¿Quién es mi madre y mis hermanos?

34 Y mirando a los que estaban sentados alrededor de él, dijo: He aquí mi madre y mis hermanos.

13 And he goeth up into a mountain, and calleth *unto him* whom he would: and they came unto him.

14 And he ordained twelve, that they should be with him, and that he might send them forth to preach,

15 And to have power to heal sicknesses, and to cast out devils:

16 And Simon he surnamed Peter;

17 And James the *son* of Zeb'e-dee, and John the brother of James; and he surnamed them Bo-a-ner'ges, which is, The sons of thunder:

18 And Andrew, and Philip, and Bartholomew, and Matthew, and Thomas, and James the *son* of Al-phæ'us, and Thad-dæ'us, and Simon the Canaanite,

19 And Judas Iscariot, which also betrayed him: and they went into an house.

20 And the multitude cometh together again, so that they could not so much as eat bread.

21 And when his friends heard *of it*, they went out to lay hold on him: for they said, He is beside himself.

22 And the scribes which came down from Jerusalem said He hath Be-el'ze-bub, and by the prince of the devils casteth he out devils.

23 And he called them *unto him*, and said unto them in parables, How can Satan cast out Satan?

24 And if a kingdom be divided against itself, that kingdom cannot stand.

25 And if a house be divided against itself, that house cannot stand.

26 And if Satan rise up against himself, and be divided, he cannot stand, but hath an end.

27 No man can enter into a strong man's house, and spoil his goods, except he will first bind the strong man; and then he will spoil his house.

28 Verily I say unto you, All sins shall be forgiven unto the sons of men, and blasphemies wherewith soever they shall blaspheme:

29 But he that shall blaspheme against the Holy Ghost hath never forgiveness, but is in danger of eternal damnation:

30 Because they said, He hath an unclean spirit.

31 There came then his brethren and his mother, and, standing without, sent unto him, calling him.

32 And the multitude sat about him, and they said unto him, Behold, thy mother and thy brethren without seek for thee.

33 And he answered them, saying, Who is my mother, or my brethren?

34 And he looked round about on them which sat about him, and said, Behold my mother and my brethren!

35 Porque todo aquel que hace la voluntad de Dios, ése es mi hermano, y mi hermana, y mi madre.

CAPÍTULO 4

OTRA vez comenzó Jesús a enseñar junto al mar, y se reunió alrededor de él mucha gente, tanto que entrando en una barca, se sentó en ella en el mar; y toda la gente estaba en tierra junto al mar.

2 Y les enseñaba por parábolas muchas cosas, y les decía en su doctrina:

3 Oíd: He aquí, el sembrador salió a sembrar;

4 y al sembrar, aconteció que una parte cayó junto al camino, y vinieron las aves del cielo y la comieron.

5 Otra parte cayó en pedregales, donde no tenía mucha tierra; y brotó pronto, porque no tenía profundidad de tierra.

6 Pero salido el sol, se quemó; y porque no tenía raíz, se secó.

7 Otra parte cayó entre espinos; y los espinos crecieron y la ahogaron, y no dio fruto.

8 Pero otra parte cayó en buena tierra, y dio fruto, pues brotó y creció, y produjo a treinta, a sesenta, y a ciento por uno.

9 Entonces les dijo: El que tiene oídos para oir, oiga.

10 Cuando estuvo solo, los que estaban cerca de él con los doce le preguntaron sobre la parábola.

11 Y les dijo: A vosotros os es dado saber el misterio del reino de Dios; mas a los que están fuera, por parábolas todas las cosas;

12 para que viendo, vean y no perciban; y oyendo, oigan y no entiendan; para que no se conviertan, y les sean perdonados los pecados.

13 Y les dijo: ¿No sabéis esta parábola? ¿Cómo, pues, entenderéis todas las parábolas?

14 El sembrador es el que siembra la palabra.

15 Y éstos son los de junto al camino: en quienes se siembra la palabra, pero después que la oyen, en seguida viene Satanás, y quita la palabra que se sembró en sus corazones.

16 Estos son asimismo los que fueron sembrados en pedregales: los que cuando han oído la palabra, al momento la reciben con gozo;

17 pero no tienen raíz en sí, sino que son de corta duración, porque cuando viene

35 For whosoever shall do the will of God, the same is my brother, and my sister, and mother.

CHAPTER 4

AND he began again to teach by the sea side: and there was gathered unto him a great multitude, so that he entered into a ship, and sat in the sea; and the whole multitude was by the sea on the land.

2 And he taught them many things by parables, and said unto them in his doctrine,

3 Hearken; Behold, there went out a sower to sow:

4 And it came to pass, as he sowed, some fell by the way side, and the fowls of the air came and devoured it up.

5 And some fell on stony ground, where it had not much earth; and immediately it sprang up, because it had no depth of earth:

6 But when the sun was up, it was scorched; and because it had no root, it withered away.

7 And some fell among thorns, and the thorns grew up, and choked it, and it yielded no fruit.

8 And other fell on good ground, and did yield fruit that sprang up and increased; and brought forth, some thirty, and some sixty, and some an hundred.

9 And he said unto them, He that hath ears to hear, let him hear.

10 And when he was alone, they that were about him with the twelve asked of him the parable.

11 And he said unto them, Unto you it is given to know the mystery of the kingdom of God: but unto them that are without, all *these* things are done in parables:

12 That seeing they may see, and not perceive; and hearing they may hear, and not understand; lest at any time they should be converted, and *their* sins should be forgiven them.

13 And he said unto them, Know ye not this parable? and how then will ye know all parables?

14 The sower soweth the word.

15 And these are they by the way side, where the word is sown; but when they have heard, Satan cometh immediately, and taketh away the word that was sown in their hearts.

16 And these are they likewise which are sown on stony ground; who, when they have heard the word, immediately receive it with gladness;

17 And have no root in themselves, and so endure but for a time: afterward,

la tribulación o la persecución por causa de la palabra, luego tropiezan.

18 Estos son los que fueron sembrados entre espinos: los que oyen la palabra,

19 pero los afanes de este siglo, y el engaño de las riquezas, y las codicias de otras cosas, entran y ahogan la palabra, y se hace infructuosa.

20 Y éstos son los que fueron sembrados en buena tierra: los que oyen la palabra y la reciben, y dan fruto a treinta, a sesenta, y a ciento por uno.

21 También les dijo: ¿Acaso se trae la luz para ponerla debajo del almud, o debajo de la cama? ¿No es para ponerla en el candelero?

22 Porque no hay nada oculto que no haya de ser manifestado; ni escondido, que no haya de salir a luz.

23 Si alguno tiene oídos para oir, oiga.

24 Les dijo también: Mirad lo que oís; porque con la medida con que medís, os será medido, y aun se os añadirá a vosotros los que oís.

25 Porque al que tiene, se le dará; y al que no tiene, aun lo que tiene se le quitará.

26 Decía además: Así es el reino de Dios, como cuando un hombre echa semilla en la tierra;

27 y duerme y se levanta, de noche y de día, y la semilla brota y crece sin que él sepa cómo.

28 Porque de suyo lleva fruto la tierra, primero hierba, luego espiga, después grano lleno en la espiga;

29 y cuando el fruto está maduro, en seguida se mete la hoz, porque la siega ha llegado.

30 Decía también: ¿A qué haremos semejante el reino de Dios, o con qué parábola lo compararemos?

31 Es como el grano de mostaza, que cuando se siembra en tierra, es la más pequeña de todas las semillas que hay en la tierra;

32 pero después de sembrado, crece, y se hace la mayor de todas las hortalizas, y echa grandes ramas, de tal manera que las aves del cielo pueden morar bajo su sombra.

33 Con muchas parábolas como estas les hablaba la palabra, conforme a lo que podían oir.

34 Y sin parábolas no les hablaba; aunque a sus discípulos en particular les declaraba todo.

35 Aquel día, cuando llegó la noche, les dijo: Pasemos al otro lado.

when affliction or persecution ariseth for the word's sake, immediately they are offended.

18 And these are they which are sown among thorns; such as hear the word,

19 And the cares of this world, and the deceitfulness of riches, and the lusts of other things entering in, choke the word, and it becometh unfruitful.

20 And these are they which are sown on good ground; such as hear the word, and receive *it*, and bring forth fruit, some thirtyfold, some sixty, and some an hundred.

21 And he said unto them, Is a candle brought to be put under a bushel, or under a bed? and not to be set on a candlestick?

22 For there is nothing hid, which shall not be manifested; neither was any thing kept secret, but that it should come abroad.

23 If any man have ears to hear, let him hear.

24 And he said unto them, Take heed what ye hear: with what measure ye mete, it shall be measured to you: and unto you that hear shall more be given.

25 For he that hath, to him shall be given: and he that hath not, from him shall be taken even that which he hath.

26 And he said, So is the kingdom of God, as if a man should cast seed into the ground;

27 And should sleep, and rise night and day, and the seed should spring and grow up, he knoweth not how.

28 For the earth bringeth forth fruit of herself; first the blade, then the ear, after that the full corn in the ear.

29 But when the fruit is brought forth, immediately he putteth in the sickle, because the harvest is come.

30 And he said, Whereunto shall we liken the kingdom of God? or with what comparison shall we compare it?

31 *It is* like a grain of mustard seed, which, when it is sown in the earth, is less than all the seeds that be in the earth:

32 But when it is sown, it groweth up, and becometh greater than all herbs, and shooteth out great branches; so that the fowls of the air may lodge under the shadow of it.

33 And with many such parables spake he the word unto them, as they were able to hear *it*.

34 But without a parable spake he not unto them: and when they were alone, he expounded all things to his disciples.

35 And the same day, when the even was come, he saith unto them, Let us pass over unto the other side.

36 Y despidiendo a la multitud, le tomaron como estaba, en la barca; y había también con él otras barcas.

37 Pero se levantó una gran tempestad de viento, y echaba las olas en la barca, de tal manera que ya se anegaba.

38 Y él estaba en la popa, durmiendo sobre un cabezal; y le despertaron, y le dijeron: Maestro, ¿no tienes cuidado que perecemos?

39 Y levantándose, reprendió al viento, y dijo al mar: Calla, enmudece. Y cesó el viento, y se hizo grande bonanza.

40 Y les dijo: ¿Por qué estáis así amedrentados? ¿Cómo no tenéis fe?

41 Entonces temieron con gran temor, y se decían el uno al otro: ¿Quién es éste, que aun el viento y el mar le obedecen?

CAPÍTULO 5

VINIERON al otro lado del mar, a la región de los gadarenos.

2 Y cuando salió él de la barca, en seguida vino a su encuentro, de los sepulcros, un hombre con un espíritu inmundo,

3 que tenía su morada en los sepulcros, y nadie podía atarle, ni aun con cadenas.

4 Porque muchas veces había sido atado con grillos y cadenas, mas las cadenas habían sido hechas pedazos por él, y desmenuzados los grillos; y nadie le podía dominar.

5 Y siempre, de día y de noche, andaba dando voces en los montes y en los sepulcros, e hiriéndose con piedras.

6 Cuando vio, pues, a Jesús de lejos, corrió, y se arrodilló ante él.

7 Y clamando a gran voz, dijo: ¿Qué tienes conmigo, Jesús, Hijo del Dios Altísimo? Te conjuro por Dios que no me atormentes.

8 Porque le decía: Sal de este hombre, espíritu inmundo.

9 Y le preguntó: ¿Cómo te llamas? Y respondió diciendo: Legión me llamo; porque somos muchos.

10 Y le rogaba mucho que no los enviase fuera de aquella región.

11 Estaba allí cerca del monte un gran hato de cerdos paciendo.

12 Y le rogaron todos los demonios, diciendo: Envíanos a los cerdos para que entremos en ellos.

13 Y luego Jesús les dio permiso. Y saliendo aquellos espíritus immundos, entraron en los cerdos, los cuales eran como dos mil; y el hato se precipitó en el

36 And when they had sent away the multitude, they took him even as he was in the ship. And there were also with him other little ships.

37 And there arose a great storm of wind, and the waves beat into the ship, so that it was now full.

38 And he was in the hinder part of the ship, asleep on a pillow: and they awake him, and say unto him, Master, carest thou not that we perish?

39 And he arose, and rebuked the wind, and said unto the sea, Peace, be still. And the wind ceased, and there was a great calm.

40 And he said unto them, Why are ye so fearful? how is it that ye have no faith?

41 And they feared exceedingly, and said one to another, What manner of man is this, that even the wind and the sea obey him?

CHAPTER 5

AND they came over unto the other side of the sea, into the country of the Gad′a-renes.

2 And when he was come out of the ship, immediately there met him out of the tombs a man with an unclean spirit,

3 Who had *his* dwelling among the tombs; and no man could bind him, no, not with chains:

4 Because that he had been often bound with fetters and chains, and the chains had been plucked asunder by him, and the fetters broken in pieces: neither could any *man* tame him.

5 And always, night and day, he was in the mountains, and in the tombs, crying, and cutting himself with stones.

6 But when he saw Jesus afar off, he ran and worshipped him,

7 And cried with a loud voice, and said, What have I to do with thee, Jesus, *thou* Son of the most high God? I adjure thee by God, that thou torment me not.

8 For he said unto him, Come out of the man, *thou* unclean spirit.

9 And he asked him, What *is* thy name? And he answered, saying, My name *is* Legion: for we are many.

10 And he besought him much that he would not send them away out of the country.

11 Now there was there nigh unto the mountains a great herd of swine feeding.

12 And all the devils besought him, saying, Send us into the swine, that we may enter into them.

13 And forthwith Jesus gave them leave. And the unclean spirits went out, and entered into the swine: and the herd ran violently down a steep place into the

mar por un despeñadero, y en el mar se
ahogaron.
14 Y los que apacentaban los cerdos
huyeron, y dieron aviso en la ciudad y en
los campos. Y salieron a ver qué era a-
quello que había sucedido.
15 Vienen a Jesús, y ven al que había
sido atormentado del demonio, y que ha-
bía tenido la legión, sentado, vestido y en
su juicio cabal; y tuvieron miedo.
16 Y les contaron los que lo habían vis-
to, cómo le había acontecido al que había
tenido el demonio, y lo de los cerdos.
17 Y comenzaron a rogarle que se fuera
de sus contornos.
18 Al entrar él en la barca, el que había
estado endemoniado le rogaba que le de-
jase estar con él.
19 Mas Jesús no se lo permitió, sino
que le dijo: Vete a tu casa, a los tuyos, y
cuéntales cuán grandes cosas el Señor ha
hecho contigo, y cómo ha tenido miseri-
cordia de ti.
20 Y se fue, y comenzó a publicar en
Decápolis cuán grandes cosas había he-
cho Jesús con él; y todos se maravillaban.
21 Pasando otra vez Jesús en una barca
a la otra orilla, se reunió alrededor de él
una gran multitud; y él estaba junto al
mar.
22 Y vino uno de los principales de la
sinagoga, llamado Jairo; y luego que le
vio, se postró a sus pies,
23 y le rogaba mucho, diciendo: Mi hija
está agonizando; ven y pon las manos
sobre ella para que sea salva, y vivirá.
24 Fue, pues, con él; y le seguía una
gran multitud, y le apretaban.
25 Pero una mujer que desde hacía
doce años padecía de flujo de sangre,
26 y había sufrido mucho de muchos
médicos, y gastado todo lo que tenía, y
nada había aprovechado, antes le iba
peor,
27 cuando oyó hablar de Jesús, vino
por detrás entre la multitud, y tocó su
manto.
28 Porque decía: Si tocare tan sola-
mente su manto, seré salva.
29 Y en seguida la fuente de su sangre
se secó; y sintió en el cuerpo que estaba
sana de aquel azote.
30 Luego Jesús, conociendo en sí mis-
mo el poder que había salido de él, volvi-
éndose a la multitud, dijo: ¿Quién ha to-
cado mis vestidos?
31 Sus discípulos le dijeron: Ves que la
multitud te aprieta, y dices: ¿Quién me ha
tocado?
32 Pero él miraba alrededor para ver
quién había hecho esto.

sea, (they were about two thousand;) and
were choked in the sea.
14 And they that fed the swine fled, and
told *it* in the city, and in the country. And
they went out to see what it was that was
done.
15 And they come to Jesus, and see him
that was possessed with the devil, and
had the legion, sitting, and clothed, and in
his right mind: and they were afraid.
16 And they that saw *it* told them how it
befell to him that was possessed with the
devil, and *also* concerning the swine.
17 And they began to pray him to depart
out of their coasts.
18 And when he was come into the ship,
he that had been possessed with the devil
prayed him that he might be with him.
19 Howbeit Jesus suffered him not, but
saith unto him, Go home to thy friends,
and tell them how great things the Lord
hath done for thee, and hath had compas-
sion on thee.
20 And he departed, and began to pub-
lish in De-cap'o-lis how great things Jesus
had done for him: and all *men* did marvel.
21 And when Jesus was passed over
again by ship unto the other side, much
people gathered unto him: and he was
nigh unto the sea.
22 And, behold, there cometh one of the
rulers of the synagogue, Ja-i'rus by name;
and when he saw him, he fell at his feet,
23 And besought him greatly, saying,
My little daughter lieth at the point of
death: *I pray thee,* come and lay thy hands
on her, that she may be healed; and she
shall live.
24 And *Jesus* went with him; and much
people followed him, and thronged him.
25 And a certain woman, which had an
issue of blood twelve years,
26 And had suffered many things of
many physicians, and had spent all that
she had, and was nothing bettered, but
rather grew worse,
27 When she had heard of Jesus, came
in the press behind, and touched his gar-
ment.
28 For she said, If I may touch but his
clothes, I shall be whole.
29 And straightway the fountain of her
blood was dried up; and she felt in *her*
body that she was healed of that plague.
30 And Jesus, immediately knowing in
himself that virtue had gone out of him,
turned him about in the press, and said,
Who touched my clothes?
31 And his disciples said unto him, Thou
seest the multitude thronging thee, and
sayest thou, Who touched me?
32 And he looked round about to see her
that had done this thing.

33 Entonces la mujer, temiendo y temblando, sabiendo lo que en ella había sido hecho, vino y se postró delante de él, y le dijo toda la verdad.

34 Y él le dijo: Hija, tu fe te ha hecho salva; vé en paz, y queda sana de tu azote.

35 Mientras él aún hablaba, vinieron de casa del principal de la sinagoga, diciendo: Tu hija ha muerto; ¿para qué molestas más al Maestro?

36 Pero Jesús, luego que oyó lo que se decía, dijo al principal de la sinagoga: No temas, cree solamente.

37 Y no permitió que le siguiese nadie sino Pedro, Jacobo, y Juan hermano de Jacobo.

38 Y vino a casa del principal de la sinagoga, y vio el alboroto y a los que lloraban y lamentaban mucho.

39 Y entrando, les dijo: ¿Por qué alborotáis y lloráis? La niña no está muerta, sino duerme.

40 Y se burlaban de él. Mas él, echando fuera a todos, tomó al padre y a la madre de la niña, y a los que estaban con él, y entró donde estaba la niña.

41 Y tomando la mano de la niña, le dijo: Talita cumi; que traducido es: Niña, a ti te digo, levántate.

42 Y luego la niña se levantó y andaba, pues tenía doce años. Y se espantaron grandemente.

43 Pero él les mandó mucho que nadie lo supiese, y dijo que se le diese de comer.

CAPÍTULO 6

SALIÓ Jesús de allí y vino a su tierra, y le seguían sus discípulos.

2 Y llegado el día de reposo, comenzó a enseñar en la sinagoga; y muchos, oyéndole, se admiraban, y decían: ¿De dónde tiene éste estas cosas? ¿Y qué sabiduría es esta que le es dada, y estos milagros que por sus manos son hechos?

3 ¿No es éste el carpintero, hijo de María, hermano de Jacobo, de José, de Judas y de Simón? ¿No están también aquí con nosotros sus hermanas? Y se escandalizaban de él.

4 Mas Jesús les decía: No hay profeta sin honra sino en su propia tierra, y entre sus parientes, y en su casa.

33 But the woman fearing and trembling, knowing what was done in her, came and fell down before him, and told him all the truth.

34 And he said unto her, Daughter, thy faith hath made thee whole; go in peace, and be whole of thy plague.

35 While he yet spake, there came from the ruler of the synagogue's *house certain* which said, Thy daughter is dead: why troublest thou the Master any further?

36 As soon as Jesus heard the word that was spoken, he saith unto the ruler of the synagogue, Be not afraid, only believe.

37 And he suffered no man to follow him, save Peter, and James, and John the brother of James.

38 And he cometh to the house of the ruler of the synagogue, and seeth the tumult, and them that wept and wailed greatly.

39 And when he was come in, he saith unto them, Why make ye this ado, and weep? the damsel is not dead, but sleepeth.

40 And they laughed him to scorn. But when he had put them all out, he taketh the father and the mother of the damsel, and them that were with him, and entereth in where the damsel was lying.

41 And he took the damsel by the hand, and said unto her, Tal'i-tha cu'mi; which is, being interpreted, Damsel, I say unto thee, arise.

42 And straightway the damsel arose, and walked; for she was *of the age* of twelve years. And they were astonished with a great astonishment.

43 And he charged them straitly that no man should know it; and commanded that something should be given her to eat.

CHAPTER 6

AND he went out from thence, and came into his own country; and his disciples follow him.

2 And when the sabbath day was come, he began to teach in the synagogue: and many hearing *him* were astonished, saying, From whence hath this *man* these things? and what wisdom *is* this which is given unto him, that even such mighty works are wrought by his hands?

3 Is not this the carpenter, the son of Mary, the brother of James, and Joses, and of Juda, and Simon? and are not his sisters here with us? And they were offended at him.

4 But Jesus said unto them, A prophet is not without honour, but in his own country, and among his own kin, and in his own house.

5 Y no pudo hacer allí ningún milagro, salvo que sanó a unos pocos enfermos, poniendo sobre ellos las manos.

6 Y estaba asombrado de la incredulidad de ellos. Y recorría las aldeas de alrededor, enseñando.

7 Después llamó a los doce, y comenzó a enviarlos de dos en dos; y les dio autoridad sobre los espíritus inmundos.

8 Y les mandó que no llevasen nada para el camino, sino solamente bordón; ni alforja, ni pan, ni dinero en el cinto,

9 sino que calzasen sandalias, y no vistiesen dos túnicas.

10 Y les dijo: Dondequiera que entréis en una casa, posad en ella hasta que salgáis de aquel lugar.

11 Y si en algún lugar no os recibieren ni os oyeren, salid de allí, y sacudid el polvo que está debajo de vuestros pies, para testimonio a ellos. De cierto os digo que en el día del juicio, será más tolerable el castigo para los de Sodoma y Gomorra, que para aquella ciudad.

12 Y saliendo, predicaban que los hombres se arrepintiesen.

13 Y echaban fuera muchos demonios, y ungían con aceite a muchos enfermos, y los sanaban.

14 Oyó el rey Herodes la fama de Jesús, porque su nombre se había hecho notorio; y dijo: Juan el Bautista ha resucitado de los muertos, y por eso actúan en él estos poderes.

15 Otros decían: Es Elías. Y otros decían: Es un profeta, o alguno de los profetas.

16 Al oir esto Herodes, dijo: Este es Juan, el que yo decapité, que ha resucitado de los muertos.

17 Porque el mismo Herodes había enviado y prendido a Juan, y le había encadenado en la cárcel por causa de Herodías, mujer de Felipe su hermano; pues la había tomado por mujer.

18 Porque Juan decía a Herodes: No te es lícito tener la mujer de tu hermano.

19 Pero Herodías le acechaba, y deseaba matarle, y no podía;

20 porque Herodes temía a Juan, sabiendo que era varón justo y santo, y le guardaba a salvo; y oyéndole, se quedaba muy perplejo, pero le escuchaba de buena gana.

21 Pero venido un día oportuno, en que Herodes, en la fiesta de su cumpleaños, daba una cena a sus príncipes y tribunos y a los principales de Galilea,

22 entrando la hija de Herodías, danzó, y agradó a Herodes y a los que estaban

5 And he could there do no mighty work, save that he laid his hands upon a few sick folk, and healed *them*.

6 And he marvelled because of their unbelief. And he went round about the villages, teaching.

7 And he called *unto him* the twelve, and began to send them forth by two and two; and gave them power over unclean spirits;

8 And commanded them that they should take nothing for *their* journey, save a staff only; no scrip, no bread, no money in *their* purse:

9 But *be* shod with sandals; and not put on two coats.

10 And he said unto them, In what place soever ye enter into an house, there abide till ye depart from that place.

11 And whosoever shall not receive you, nor hear you, when ye depart thence, shake off the dust under your feet for a testimony against them. Verily I say unto you, It shall be more tolerable for Sodom and Go-mor'rha in the day of judgment, than for that city.

12 And they went out, and preached that men should repent.

13 And they cast out many devils, and anointed with oil many that were sick, and healed *them*.

14 And king Herod heard *of him;* (for his name was spread abroad:) and he said, That John the Baptist was risen from the dead, and therefore mighty works do shew forth themselves in him.

15 Others said, That it is E-li'as. And others said, That it is a prophet, or as one of the prophets.

16 But when Herod heard *thereof,* he said, It is John, whom I beheaded: he is risen from the dead.

17 For Herod himself had sent forth and laid hold upon John, and bound him in prison for He-ro'di-as' sake, his brother Philip's wife: for he had married her.

18 For John had said unto Herod, It is not lawful for thee to have thy brother's wife.

19 Therefore He-ro'di-as had a quarrel against him, and would have killed him; but she could not:

20 For Herod feared John, knowing that he was a just man and an holy, and observed him; and when he heard him, he did many things, and heard him gladly.

21 And when a convenient day was come, that Herod on his birthday made a supper to his lords, high captains, and chief *estates* of Galilee;

22 And when the daughter of the said He-ro'di-as came in, and danced, and pleased Herod and them that sat with

con él a la mesa; y el rey dijo a la muchacha: Pídeme lo que quieras, y yo te lo daré.

23 Y le juró: Todo lo que me pidas te daré, hasta la mitad de mi reino.

24 Saliendo ella, dijo a su madre: ¿Qué pediré? Y ella le dijo: La cabeza de Juan el Bautista.

25 Entonces ella entró prontamente al rey, y pidió diciendo: Quiero que ahora mismo me des en un plato la cabeza de Juan el Bautista.

26 Y el rey se entristeció mucho; pero a causa del juramento, y de los que estaban con él a la mesa, no quiso desecharla.

27 Y en seguida el rey, enviando a uno de la guardia, mandó que fuese traída la cabeza de Juan.

28 El guarda fue, le decapitó en la cárcel, y trajo su cabeza en un plato y la dio a la muchacha, y la muchacha la dio a su madre.

29 Cuando oyeron esto sus discípulos, vinieron y tomaron su cuerpo, y lo pusieron en un sepulcro.

30 Entonces los apóstoles se juntaron con Jesús, y le contaron todo lo que habían hecho, y lo que habían enseñado.

31 El les dijo: Venid vosotros aparte a un lugar desierto, y descansad un poco. Porque eran muchos los que iban y venían, de manera que ni aun tenían tiempo para comer.

32 Y se fueron solos en una barca a un lugar desierto.

33 Pero muchos los vieron ir, y le reconocieron; y muchos fueron allá a pie desde las ciudades, y llegaron antes que ellos, y se juntaron a él.

34 Y salió Jesús y vio una gran multitud, y tuvo compasión de ellos, porque eran como ovejas que no tenían pastor; y comenzó a enseñarles muchas cosas.

35 Cuando ya era muy avanzada la hora, sus discípulos se acercaron a él, diciendo: El lugar es desierto, y la hora ya muy avanzada.

36 Despídelos para que vayan a los campos y aldeas de alrededor, y compren pan, pues no tienen qué comer.

37 Respondiendo él, les dijo: Dadles vosotros de comer. Ellos le dijeron: ¿Que vayamos y compremos pan por doscientos denarios, y les demos de comer?

38 El les dijo: ¿Cuántos panes tenéis? Id y vedlo. Y al saberlo, dijeron: Cinco, y dos peces.

him, the king said unto the damsel, Ask of me whatsoever thou wilt, and I will give *it* thee.

23 And he sware unto her, Whatsoever thou shalt ask of me, I will give *it* thee, unto the half of my kingdom.

24 And she went forth, and said unto her mother, What shall I ask? And she said, The head of John the Baptist.

25 And she came in straightway with haste unto the king, and asked, saying, I will that thou give me by and by in a charger the head of John the Baptist.

26 And the king was exceeding sorry; *yet* for his oath's sake, and for their sakes which sat with him, he would not reject her.

27 And immediately the king sent an executioner, and commanded his head to be brought: and he went and beheaded him in the prison.

28 And brought his head in a charger, and gave it to the damsel: and the damsel gave it to her mother.

29 And when his disciples heard *of it*, they came and took up his corpse, and laid it in a tomb.

30 And the apostles gathered themselves together unto Jesus, and told him all things, both what they had done, and what they had taught.

31 And he said unto them, Come ye yourselves apart into a desert place, and rest a while: for there were many coming and going, and they had no leisure so much as to eat.

32 And they departed into a desert place by ship privately.

33 And the people saw them departing, and many knew him, and ran afoot thither out of all cities, and outwent them, and came together unto him.

34 And Jesus, when he came out, saw much people, and was moved with compassion toward them, because they were as sheep not having a shepherd: and he began to teach them many things.

35 And when the day was now far spent, his disciples came unto him, and said, This is a desert place, and now the time *is* far passed:

36 Send them away, that they may go into the country round about, and into the villages, and buy themselves bread: for they have nothing to eat.

37 He answered and said unto them, Giv ye them to eat. And they say unto him, Shall we go and buy two hundred pennyworth of bread, and give them to eat?

38 He saith unto them, How many loaves have ye? go and see. And when they knew, they say, Five, and two fishes.

39 Y les mandó que hiciesen recostar a todos por grupos sobre la hierba verde.

40 Y se recostaron por grupos, de ciento en ciento, y de cincuenta en cincuenta.

41 Entonces tomó los cinco panes y los dos peces, y levantando los ojos al cielo, bendijo, y partió los panes, y dio a sus discípulos para que los pusiesen delante; y repartió los dos peces entre todos.

42 Y comieron todos, y se saciaron.

43 Y recogieron de los pedazos doce cestas llenas, y de lo que sobró de los peces.

44 Y los que comieron eran cinco mil hombres.

45 En seguida hizo a sus discípulos entrar en la barca e ir delante de él a Betsaida, en la otra ribera, entre tanto que él despedía a la multitud.

46 Y después que los hubo despedido, se fue al monte a orar;

47 y al venir la noche, la barca estaba en medio del mar, y él solo en tierra.

48 Y viéndoles remar con gran fatiga, porque el viento les era contrario, cerca de la cuarta vigilia de la noche vino a ellos andando sobre el mar, y quería adelantárseles.

49 Viéndole ellos andar sobre el mar, pensaron que era un fantasma, y gritaron;

50 porque todos le veían, y se turbaron. Pero enseguida habló con ellos, y les dijo; ¡Tened ánimo; yo soy, no temáis!

51 Y subió a ellos en la barca, y se calmó el viento; y ellos se asombraron en gran manera, y se maravillaban.

52 Porque aún no habían entendido lo de los panes, por cuanto estaban endurecidos sus corazones.

53 Terminada la travesía, vinieron a tierra de Genesaret, y arribaron a la orilla.

54 Y saliendo ellos de la barca, en seguida la gente le conoció.

55 Y recorriendo toda la tierra de alrededor, comenzaron a traer de todas partes enfermos en lechos, a donde oían que estaba.

56 Y dondequiera que entraba, en aldeas, ciudades o campos, ponían en las calles a los que estaban enfermos, y le rogaban que les dejase tocar siquiera el borde de su manto; y todos los que le tocaban quedaban sanos.

39 And he commanded them to make all sit down by companies upon the green grass.

40 And they sat down in ranks, by hundreds, and by fifties.

41 And when he had taken the five loaves and the two fishes, he looked up to heaven, and blessed, and brake the loaves, and gave *them* to his disciples to set before them; and the two fishes divided he among them all.

42 And they did all eat, and were filled.

43 And they took up twelve baskets full of the fragments, and of the fishes.

44 And they that did eat of the loaves were about five thousand men.

45 And straightway he constrained his disciples to get into the ship, and to go to the other side before unto Beth-sa'i-da, while he sent away the people.

46 And when he had sent them away, he departed into a mountain to pray.

47 And when even was come, the ship was in the midst of the sea, and he alone on the land.

48 And he saw them toiling in rowing; for the wind was contrary unto them: and about the fourth watch of the night he cometh unto them, walking upon the sea, and would have passed by them.

49 But when they saw him walking upon the sea, they supposed it had been a spirit, and cried out:

50 For they all saw him, and were troubled. And immediately he talked with them, and saith unto them, Be of good cheer: it is I; be not afraid.

51 And he went up unto them into the ship; and the wind ceased: and they were sore amazed in themselves beyond measure, and wondered.

52 For they considered not *the miracle* of the loaves: for their heart was hardened.

53 And when they had passed over, they came into the land of Gen-nes'a-ret, and drew to the shore.

54 And when they were come out of the ship, straightway they knew him,

55 And ran through that whole region round about, and began to carry about in beds those that were sick, where they heard he was.

56 And whithersoever he entered, into villages, or cities, or country, they laid the sick in the streets, and besought him that they might touch if it were but the border of his garment: and as many as touched him were made whole.

CAPÍTULO 7

SE juntaron a Jesús los fariseos, y algunos de los escribas, que habían venido de Jerusalén;

2 los cuales, viendo a algunos de los discípulos de Jesús comer pan con manos inmundas, esto es, no lavadas, los condenaban.

3 Porque los fariseos y todos los judíos, aferrándose a la tradición de los ancianos, si muchas veces no se lavan las manos, no comen.

4 Y volviendo de la plaza, si no se lavan, no comen. Y otras muchas cosas hay que tomaron para guardar, como los lavamientos de los vasos de beber, y de los jarros, y de los utensilios de metal, y de los lechos.

5 Le preguntaron, pues, los fariseos y los escribas: ¿Por qué tus discípulos no andan conforme a la tradición de los ancianos, sino que comen pan con manos inmundas?

6 Respondiendo él, les dijo: Hipócritas, bien profetizó de vosotros Isaías, como está escrito: Este pueblo de labios me honra, mas su corazón está lejos de mí.

7 Pues en vano me honran, enseñando como doctrinas mandamientos de hombres.

8 Porque dejando el mandamiento de Dios, os aferráis a la tradición de los hombres: los lavamientos de los jarros y de los vasos de beber; y hacéis otras muchas cosas semejantes.

9 Les decía también: Bien invalidáis el mandamiento de Dios para guardar vuestra tradición.

10 Porque Moisés dijo: Honra a tu padre y a tu madre; y: El que maldiga al padre o a la madre, muera irremisiblemente.

11 Pero vosotros decís: Basta que diga un hombre al padre o a la madre: Es Corbán (que quiere decir, mi ofrenda a Dios) todo aquello con que pudiera ayudarte,

12 y no le dejáis hacer más por su padre o por su madre,

13 invalidando la palabra de Dios con vuestra tradición que habéis transmitido. Y muchas cosas hacéis semejantes a estas.

14 Y llamando a sí a toda la multitud, les dijo: Oídme todos, y entended:

15 Nada hay fuera del hombre que entre en él, que le pueda contaminar; pero lo que sale de él, eso es lo que contamina al hombre.

16 Si alguno tiene oídos para oir, oiga.

17 Cuando se alejó de la multitud y entró en casa, le preguntaron sus discípulos sobre la parábola.

CHAPTER 7

THEN came together unto him the Pharisees, and certain of the scribes, which came from Jerusalem.

2 And when they saw some of his disciples eat bread with defiled, that is to say, with unwashen, hands, they found fault.

3 For the Pharisees, and all the Jews, except they wash *their* hands oft, eat not, holding the tradition of the elders.

4 And *when they come* from the market, except they wash, they eat not. And many other things there be, which they have received to hold, *as* the washing of cups, and pots, brasen vessels, and of tables.

5 Then the Pharisees and scribes asked him, Why walk not thy disciples according to the tradition of the elders, but eat bread with unwashen hands?

6 He answered and said unto them, Well hath E-sai'as prophesied of you hypocrites, as it is written, This people honoureth me with *their* lips, but their heart is far from me.

7 Howbeit in vain do they worship me, teaching *for* doctrines the commandments of men.

8 For laying aside the commandment of God, ye hold the tradition of men, *as* the washing of pots and cups: and many other such like things ye do.

9 And he said unto them, Full well ye reject the commandment of God, that ye may keep your own tradition.

10 For Moses said, Honour thy father and thy mother; and, Whoso curseth father or mother, let him die the death:

11 But ye say, If a man shall say to his father or mother, *It is* Corban, that is to say, a gift, by whatsoever thou mightest be profited by me; *he shall be free.*

12 And ye suffer him no more to do ought for his father or his mother;

13 Making the word of God of none effect through your tradition, which ye have delivered: and many such like things do ye.

14 And when he had called all the people *unto him,* he said unto them, Hearken unto me every one *of you,* and understand:

15 There is nothing from without a man, that entering into him can defile him: but the things which come out of him, those are they that defile the man.

16 If any man have ears to hear, let him hear.

17 And when he was entered into the house from the people, his disciples asked him concerning the parable.

18 El les dijo: ¿También vosotros estáis así sin entendimiento? ¿No entendéis que todo lo de fuera que entra en el hombre, no le puede contaminar,

19 porque no entra en su corazón, sino en el vientre, y sale a la letrina? Esto decía, haciendo limpios todos los alimentos.

20 Pero decía, que lo que del hombre sale, eso contamina al hombre.

21 Porque de dentro, del corazón de los hombres, salen los malos pensamientos, los adulterios, las fornicaciones, los homicidios,

22 los hurtos, las avaricias, las maldades, el engaño, la lascivia, la envidia, la maledicencia, la soberbia, la insensatez.

23 Todas estas maldades de dentro salen, y contaminan al hombre.

24 Levantándose de allí, se fue a la región de Tiro y de Sidón; y entrando en una casa, no quiso que nadie lo supiese; pero no pudo esconderse.

25 Porque una mujer, cuya hija tenía un espíritu inmundo, luego que oyó de él, vino y se postró a sus pies.

26 La mujer era griega, y sirofenicia de nación; y le rogaba que echase fuera de su hija al demonio.

27 Pero Jesús le dijo: Deja primero que se sacien los hijos, porque no está bien tomar el pan de los hijos y echarlo a los perrillos.

28 Respondió ella y le dijo: Sí, Señor; pero aun los perrillos, debajo de la mesa, comen de las migajas de los hijos.

29 Entonces le dijo: Por esta palabra, vé; el demonio ha salido de tu hija.

30 Y cuando llegó ella a su casa, halló que el demonio había salido, y a la hija acostada en la cama.

31 Volviendo a salir de la región de Tiro, vino por Sidón al mar de Galilea, pasando por la región de Decápolis.

32 Y le trajeron un sordo y tartamudo, y le rogaron que le pusiera la mano encima.

33 Y tomándole aparte de la gente, metió los dedos en las orejas de él, y escupiendo, tocó su lengua;

34 y levantando los ojos al cielo, gimió, y le dijo: Efata, es decir: Sé abierto.

35 Al momento fueron abiertos sus oídos, y se desató la ligadura de su lengua, y hablaba bien.

36 Y les mandó que no lo dijesen a na-

18 And he saith unto them, Are ye so without understanding also? Do ye not perceive, that whatsoever thing from without entereth into the man, *it* cannot defile him;

19 Because it entereth not into his heart, but into the belly, and goeth out into the draught, purging all meats?

20 And he said, That which cometh out of the man, that defileth the man.

21 For from within, out of the heart of men, proceed evil thoughts, adulteries, fornications, murders,

22 Thefts, covetousness, wickedness, deceit, lasciviousness, an evil eye, blasphemy, pride, foolishness:

23 All these evil things come from within, and defile the man.

24 And from thence he arose, and went into the borders of Tyre and Si′don, and entered into an house, and would have no man know *it:* but he could not be hid.

25 For a *certain* woman, whose young daughter had an unclean spirit, heard of him, and came and fell at his feet:

26 The woman was a Greek, a Sy-ro-phe-ni′cian by nation; and she besought him that he would cast forth the devil out of her daughter.

27 But Jesus said unto her, Let the children first be filled: for it is not meet to take the children's bread, and to cast *it* unto the dogs.

28 And she answered and said unto him, Yes, Lord: yet the dogs under the table eat of the children's crumbs.

29 And he said unto her, For this saying go thy way; the devil is gone out of thy daughter.

30 And when she was come to her house, she found the devil gone out, and her daughter laid upon the bed.

31 And again, departing from the coasts of Tyre and Si′don, he came unto the sea of Galilee, through the midst of the coasts of De-cap′o-lis.

32 And they bring unto him one that was deaf, and had an impediment in his speech; and they beseech him to put his hand upon him.

33 And he took him aside from the multitude, and put his fingers into his ears, and he spit, and touched his tongue;

34 And looking up to heaven, he sighed, and saith unto him, Eph′pha-tha, that is, Be opened.

35 And straightway his ears were opened, and the string of his tongue was loosed, and he spake plain.

36 And he charged them that they

die; pero cuanto más les mandaba, tanto más y más lo divulgaban.

37 Y en gran manera se maravillaban, diciendo: Bien lo ha hecho todo; hace a los sordos oir, y a los mudos hablar.

CAPÍTULO 8

EN aquellos días, como había una gran multitud, y no tenían qué comer, Jesús llamó a sus discípulos, y les dijo:

2 Tengo compasión de la gente, porque ya hace tres días que están conmigo, y no tienen qué comer;

3 y si los enviare en ayunas a sus casas, se desmayarán en el camino, pues algunos de ellos han venido de lejos.

4 Sus discípulos le respondieron: ¿De dónde podrá alguien saciar de pan a éstos aquí en el desierto?

5 El les preguntó: ¿Cuántos panes tenéis? Ellos dijeron: Siete.

6 Entonces mandó a la multitud que se recostase en tierra; y tomando los siete panes, habiendo dado gracias, los partió, y dio a sus discípulos para que los pusiesen delante; y los pusieron delante de la multitud.

7 Tenían también unos pocos pececillos; y los bendijo, y mandó que también los pusiesen delante.

8 Y comieron, y se saciaron; y recogieron de los pedazos que habían sobrado, siete canastas.

9 Eran los que comieron, como cuatro mil; y los despidió.

10 Y luego entrando en la barca con sus discípulos, vino a la región de Dalmanuta.

11 Vinieron entonces los fariseos y comenzaron a discutir con él, pidiéndole señal del cielo, para tentarle.

12 Y gimiendo en su espíritu, dijo: ¿Por qué pide señal esta generación? De cierto os digo que no se dará señal a esta generación.

13 Y dejándolos, volvió a entrar en la barca, y se fue a la otra ribera.

14 Habían olvidado de traer pan, y no tenían sino un pan consigo en la barca.

15 Y él les mandó, diciendo: Mirad, guardaos de la levadura de los fariseos, y de la levadura de Herodes.

16 Y discutían entre sí, diciendo: Es porque no trajimos pan.

17 Y entendiéndolo Jesús, les dijo: ¿Qué discutís, porque no tenéis pan? ¿No

should tell no man: but the more he charged them, so much the more a great deal they published *it;*

37 And were beyond measure astonished, saying, He hath done all things well: he maketh both the deaf to hear, and the dumb to speak.

CHAPTER 8

IN those days the multitude being very great, and having nothing to eat, Jesus called his disciples *unto him,* and saith unto them,

2 I have compassion on the multitude, because they have now been with me three days, and have nothing to eat:

3 And if I send them away fasting to their own houses, they will faint by the way: for divers of them came from far.

4 And his disciples answered him, From whence can a man satisfy these *men* with bread here in the wilderness?

5 And he asked them, How many loaves have ye? And they said, Seven.

6 And he commanded the people to sit down on the ground: and he took the seven loaves, and gave thanks, and brake, and gave to his disciples to set before *them;* and they did set *them* before the people.

7 And they had a few small fishes: and he blessed, and commanded to set them also before *them.*

8 So they did eat, and were filled: and they took up of the broken *meat* that was left seven baskets.

9 And they that had eaten were about four thousand: and he sent them away.

10 And straightway he entered into a ship with his disciples, and came into the parts of Dal-ma-nu'tha.

11 And the Pharisees came forth, and began to question with him, seeking of him a sign from heaven, tempting him.

12 And he sighed deeply in his spirit, and saith, Why doth this generation seek after a sign? verily I say unto you, There shall no sign be given unto this generation.

13 And he left them, and entering into the ship again departed to the other side.

14 Now *the disciples* had forgotten to take bread, neither had they in the ship with them more than one loaf.

15 And he charged them, saying, Take heed, beware of the leaven of the Pharisees, and *of* the leaven of Herod.

16 And they reasoned among themselves, saying, *It is* because we have no bread.

17 And when Jesus knew *it,* he saith unto them, Why reason ye, because ye have no bread? perceive ye not yet, nei-

entendéis ni comprendéis? ¿Aún tenéis
endurecido vuestro corazón?
18 ¿Teniendo ojos no veis, y teniendo
oídos no oís? ¿Y no recordáis?
19 Cuando partí los cinco panes entre
cinco mil, ¿cuántas cestas llenas de
los pedazos recogisteis? Y ellos dijeron:
Doce.
20 Y cuando los siete panes entre cua-
tro mil, ¿cuántas canastas llenas de los
pedazos recogisteis? Y ellos dijeron:
Siete.
21 Y les dijo: ¿Cómo aún no entendéis?
22 Vino luego a Betsaida; y le trajeron
un ciego, y le rogaron que le tocase.
23 Entonces, tomando la mano del cie-
go, le sacó fuera de la aldea; y escupien-
do en sus ojos, le puso las manos encima,
y le preguntó si veía algo.
24 El, mirando, dijo: Veo los hombres
como árboles, pero los veo que andan.
25 Luego le puso otra vez las manos
sobre los ojos, y le hizo que mirase; y fue
restablecido, y vio de lejos y claramente
a todos.
26 Y lo envió a su casa, diciendo: No
entres en la aldea, ni lo digas a nadie en
la aldea.
27 Salieron Jesús y sus discípulos por
las aldeas de Cesarea de Filipo. Y en el
camino preguntó a sus discípulos, dicién-
doles: ¿Quién dicen los hombres que soy
yo?
28 Ellos respondieron: Unos, Juan el
Bautista; otros, Elías; y otros, alguno de
los profetas.
29 Entonces él les dijo: Y vosotros,
¿quién decís que soy? Respondiendo Pe-
dro, le dijo: Tú eres el Cristo.
30 Pero él les mandó que no dijesen
esto de él a ninguno.
31 Y comenzó a enseñarles que le era
necesario al Hijo del Hombre padecer
mucho, y ser desechado por los ancianos,
por los principales sacerdotes y por los
escribas, y ser muerto, y resucitar despu-
és de tres días.
32 Esto les decía claramente. Entonces
Pedro le tomó aparte y comenzó a recon-
venirle.
33 Pero él, volviéndose y mirando a los
discípulos, reprendió a Pedro, diciendo:
¡Quítate de delante de mí, Satanás!
porque no pones la mira en las cosas de
Dios, sino en las de los hombres.
34 Y llamando a la gente y a sus dis-
cípulos, les dijo: Si alguno quiere venir en
pos de mí, niéguese a sí mismo, y tome su
cruz, y sígame.

ther understand? have ye your heart yet
hardened?
18 Having eyes, see ye not? and having
ears, hear ye not? and do ye not remem-
ber?
19 When I brake the five loaves among
five thousand, how many baskets full of
fragments took ye up? They say unto
him, Twelve.
20 And when the seven among four
thousand, how many baskets full of frag-
ments took ye up? And they said, Seven.
21 And he said unto them, How is it
that ye do not understand?
22 And he cometh to Beth-sa'i-da; and
they bring a blind man unto him, and be-
sought him to touch him.
23 And he took the blind man by the
hand, and led him out of the town; and
when he had spit on his eyes, and put his
hands upon him, he asked him if he saw
ought.
24 And he looked up, and said, I see
men as trees, walking.
25 After that he put *his* hands again
upon his eyes, and made him look up:
and he was restored, and saw every man
clearly.
26 And he sent him away to his house,
saying, Neither go into the town, nor tell
it to any in the town.
27 And Jesus went out, and his disci-
ples, into the towns of Cæs-a-re'a Phi-
lip'pi: and by the way he asked his disci-
ples, saying unto them, Whom do men
say that I am?
28 And they answered, John the Bap-
tist: but some *say,* E-li'as; and others,
One of the prophets.
29 And he saith unto them, But whom
say ye that I am? And Peter answereth
and saith unto him, Thou art the Christ.
30 And he charged them that they
should tell no man of him.
31 And he began to teach them, that
the Son of man must suffer many things,
and be rejected of the elders, and *of* the
chief priests, and scribes, and be killed,
and after three days rise again.
32 And he spake that saying openly.
And Peter took him, and began to rebuke
him.
33 But when he had turned about and
looked on his disciples, he rebuked Peter,
saying, Get thee behind me, Satan: for
thou savourest not the things that be of
God, but the things that be of men.
34 And when he had called the people
unto him with his disciples also, he said
unto *them,* Whosoever will come after
me, let him deny himself, and take up his
cross, and follow me.

35 Porque todo el que quiera salvar su vida, la perderá; y todo el que pierda su vida por causa de mí y del evangelio, la salvará.
36 Porque ¿qué aprovechará al hombre si ganare todo el mundo, y perdiere su alma?
37 ¿O qué recompensa dará el hombre por su alma?
38 Porque el que se avergonzare de mí y de mis palabras en esta generación adúltera y pecadora, el Hijo del Hombre se avergonzará también de él, cuando venga en la gloria de su Padre con los santos ángeles.

CAPÍTULO 9

TAMBIÉN les dijo: De cierto os digo que hay algunos de los que están aquí, que no gustarán la muerte hasta que hayan visto el reino de Dios venido con poder.
2 Seis días después, Jesús tomó a Pedro, a Jacobo y a Juan, y los llevó aparte solos a un monte alto; y se transfiguró delante de ellos.
3 Y sus vestidos se volvieron resplandecientes, muy blancos, como la nieve, tanto que ningún lavador en la tierra los puede hacer tan blancos.
4 Y les apareció Elías con Moisés, que hablaban con Jesús.
5 Entonces Pedro dijo a Jesús: Maestro, bueno es para nosotros que estemos aquí; y hagamos tres enramadas, una para ti, otra para Moisés, y otra para Elías.
6 Porque no sabía lo que hablaba, pues estaban espantados.
7 Entonces vino una nube que les hizo sombra, y desde la nube una voz que decía: Este es mi Hijo amado; a él oíd.
8 Y luego, cuando miraron, no vieron más a nadie consigo, sino a Jesús solo.
9 Y descendiendo ellos del monte, les mandó que a nadie dijesen lo que habían visto, sino cuando el Hijo del Hombre hubiese resucitado de los muertos.
10 Y guardaron la palabra entre sí, discutiendo qué sería aquello de resucitar de los muertos.
11 Y le preguntaron, diciendo: ¿Por qué dicen los escribas que es necesario que Elías venga primero?
12 Respondiendo él, les dijo: Elías a la verdad vendrá primero, y restaurará todas las cosas; ¿y cómo está escrito del Hijo del Hombre, que padezca mucho y sea tenido en nada?

35 For whosoever will save his life shall lose it; but whosoever shall lose his life for my sake and the gospel's, the same shall save it.
36 For what shall it profit a man, if he shall gain the whole world, and lose his own soul?
37 Or what shall a man give in exchange for his soul?
38 Whosoever therefore shall be ashamed of me and of my words in this adulterous and sinful generation; of him also shall the Son of man be ashamed, when he cometh in the glory of his Father with the holy angels.

CHAPTER 9

AND he said unto them, Verily I say unto you, That there be some of them that stand here, which shall not taste of death, till they have seen the kingdom of God come with power.
2 And after six days Jesus taketh *with him* Peter, and James, and John, and leadeth them up into an high mountain apart by themselves: and he was transfigured before them.
3 And his raiment became shining, exceeding white as snow; so as no fuller on earth can white them.
4 And there appeared unto them E-li'as with Moses: and they were talking with Jesus.
5 And Peter answered and said to Jesus, Master, it is good for us to be here: and let us make three tabernacles; one for thee, and one for Moses, and one for E-li'as.
6 For he wist not what to say; for they were sore afraid.
7 And there was a cloud that overshadowed them: and a voice came out of the cloud, saying, This is my beloved Son: hear him.
8 And suddenly, when they had looked round about, they saw no man any more, save Jesus only with themselves.
9 And as they came down from the mountain, he charged them that they should tell no man what things they had seen, till the Son of man were risen from the dead.
10 And they kept that saying with themselves, questioning one with another what the rising from the dead should mean.
11 And they asked him, saying, Why say the scribes that E-li'as must first come?
12 And he answered and told them, E-li'as verily cometh first, and restoreth all things; and how it is written of the Son of man, that he must suffer many things, and be set at nought.

13 Pero os digo que Elías ya vino, y le hicieron todo lo que quisieron, como está escrito de él.

14 Cuando llegó a donde estaban los discípulos, vio una gran multitud alrededor de ellos, y escribas que disputaban con ellos.

15 Y en seguida toda la gente, viéndole, se asombró, y corriendo a él, le saludaron.

16 El les preguntó: ¿Qué disputáis con ellos?

17 Y respondiendo uno de la multitud, dijo: Maestro, traje a ti mi hijo, que tiene un espíritu mudo,

18 el cual, dondequiera que le toma, le sacude; y echa espumarajos, y cruje los dientes, y se va secando; y dije a tus discípulos que lo echasen fuera, y no pudieron.

19 Y respondiendo él, les dijo: ¡Oh generación incrédula! ¿Hasta cuándo he de estar con vosotros? ¿Hasta cuándo os he de soportar? Traédmelo.

20 Y se lo trajeron; y cuando el espíritu vio a Jesús, sacudió con violencia al muchacho, quien cayendo en tierra se revolcaba, echando espumarajos.

21 Jesús preguntó al padre: ¿Cuánto tiempo hace que le sucede esto? Y él dijo: Desde niño.

22 Y muchas veces le echa en el fuego y en el agua, para matarle; pero si puedes hacer algo, ten misericordia de nosotros, y ayúdanos.

23 Jesús le dijo: Si puedes creer, al que cree todo le es posible.

24 E inmediatamente el padre del muchacho clamó y dijo: Creo; ayuda mi incredulidad.

25 Y cuando Jesús vio que la multitud se agolpaba, reprendió al espíritu inmundo, diciéndole: Espíritu mudo y sordo, yo te mando, sal de él, y no entres más en él.

26 Entonces el espíritu, clamando y sacudiéndole con violencia, salió; y él quedó como muerto, de modo que muchos decían: Está muerto.

27 Pero Jesús, tomándole de la mano, le enderezó; y se levantó.

28 Cuando él entró en casa, sus discípulos le preguntaron aparte: ¿Por qué nosotros no pudimos echarle fuera?

29 Y les dijo: Este género con nada puede salir, sino con oración y ayuno.

30 Habiendo salido de allí, caminaron por Galilea; y no quería que nadie lo supiese.

31 Porque enseñaba a sus discípulos, y les decía: El Hijo del Hombre será entre-

13 But I say unto you, That E-li'as is indeed come, and they have done unto him whatsoever they listed, as it is written of him.

14 And when he came to *his* disciples, he saw a great multitude about them, and the scribes questioning with them.

15 And straightway all the people, when they beheld him, were greatly amazed, and running to *him* saluted him.

16 And he asked the scribes, What question ye with them?

17 And one of the multitude answered and said, Master, I have brought unto thee my son, which hath a dumb spirit;

18 And wheresoever he taketh him, he teareth him: and he foameth, and gnasheth with his teeth, and pineth away: and I spake to thy disciples that they should cast him out; and they could not.

19 He answereth him, and saith, O faithless generation, how long shall I be with you? how long shall I suffer you? bring him unto me.

20 And they brought him unto him: and when he saw him, straightway the spirit tare him; and he fell on the ground, and wallowed foaming.

21 And he asked his father, How long is it ago since this came unto him? And he said, Of a child.

22 And ofttimes it hath cast him into the fire, and into the waters, to destroy him: but if thou canst do any thing, have compassion on us, and help us.

23 Jesus said unto him, If thou canst believe, all things *are* possible to him that believeth.

24 And straightway the father of the child cried out, and said with tears, Lord, I believe; help thou mine unbelief.

25 When Jesus saw that the people came running together, he rebuked the foul spirit, saying unto him, *Thou* dumb and deaf spirit, I charge thee, come out of him, and enter no more into him.

26 And *the spirit* cried, and rent him sore, and came out of him: and he was as one dead; insomuch that many said, He is dead.

27 But Jesus took him by the hand, and lifted him up; and he arose.

28 And when he was come into the house, his disciples asked him privately, Why could not we cast him out?

29 And he said unto them, This kind can come forth by nothing, but by prayer and fasting.

30 And they departed thence, and passed through Galilee; and he would not that any man should know *it*.

31 For he taught his disciples, and said unto them, The Son of man is delivered

gado en manos de hombres, y le matarán; pero después de muerto, resucitará al tercer día.

32 Pero ellos no entendían esta palabra, y tenían miedo de preguntarle.

33 Y llegó a Capernaum; y cuando estuvo en casa, les preguntó: ¿Qué disputabais entre vosotros en el camino?

34 Mas ellos callaron; porque en el camino habían disputado entre sí, quién había de ser el mayor.

35 Entonces él se sentó y llamó a los doce, y les dijo: Si alguno quiere ser el primero, será el postrero de todos, y el servidor de todos.

36 Y tomó a un niño, y lo puso en medio de ellos; y tomándole en sus brazos, les dijo:

37 El que reciba en mi nombre a un niño como este, me recibe a mí; y el que a mí me recibe, no me recibe a mí sino al que me envió.

38 Juan le respondió diciendo: Maestro, hemos visto a uno que en tu nombre echaba fuera demonios, pero él no nos sigue; y se lo prohibimos, porque no nos seguía.

39 Pero Jesús dijo: No se lo prohibáis; porque ninguno hay que haga milagro en mi nombre, que luego pueda decir mal de mí.

40 Porque el que no es contra nosotros, por nosotros es.

41 Y cualquiera que os diere un vaso de agua en mi nombre, porque sois de Cristo, de cierto os digo que no perderá su recompensa.

42 Cualquiera que haga tropezar a uno de estos pequeñitos que creen en mí, mejor le fuera si se le atase una piedra de molino al cuello, y se le arrojase en el mar.

43 Si tu mano te fuere ocasión de caer, córtala; mejor te es entrar en la vida manco, que teniendo dos manos ir al infierno, al fuego que no puede ser apagado,

44 donde el gusano de ellos no muere, y el fuego nunca se apaga.

45 Y si tu pie te fuere ocasión de caer, córtalo; mejor te es entrar a la vida cojo, que teniendo dos pies ser echado en el infierno, al fuego que no puede ser apagado,

46 donde el gusano de ellos no muere, y el fuego nunca se apaga.

47 Y si tu ojo te fuere ocasión de caer, sácalo; mejor te es entrar en el reino de Dios con un ojo, que teniendo dos ojos ser echado al infierno,

48 donde el gusano de ellos no muere, y el fuego nunca se apaga.

into the hands of men, and they shall kill him; and after that he is killed, he shall rise the third day.

32 But they understood not that saying, and were afraid to ask him.

33 And he came to Ca-per'na-um: and being in the house he asked them, What was it that ye disputed among yourselves by the way?

34 But they held their peace: for by the way they had disputed among themselves, who *should be* the greatest.

35 And he sat down, and called the twelve, and saith unto them, If any man desire to be first, *the same* shall be last of all, and servant of all.

36 And he took a child, and set him in the midst of them: and when he had taken him in his arms, he said unto them,

37 Whosoever shall receive one of such children in my name, receiveth me: and whosoever shall receive me, receiveth not me, but him that sent me.

38 And John answered him, saying, Master, we saw one casting out devils in thy name, and he followeth not us: and we forbad him, because he followeth not us.

39 But Jesus said, Forbid him not: for there is no man which shall do a miracle in my name, that can lightly speak evil of me.

40 For he that is not against us is on our part.

41 For whosoever shall give you a cup of water to drink in my name, because ye belong to Christ, verily I say unto you, he shall not lose his reward.

42 And whosoever shall offend one of *these* little ones that believe in me, it is better for him that a millstone were hanged about his neck, and he were cast into the sea.

43 And if thy hand offend thee, cut if off: it is better for thee to enter into life maimed, than having two hands to go into hell, into the fire that never shall be quenched:

44 Where their worm dieth not, and the fire is not quenched.

45 And if thy foot offend thee, cut it off: it is better for thee to enter halt into life, than having two feet to be cast into hell, into the fire that never shall be quenched:

46 Where their worm dieth not, and the fire is not quenched.

47 And if thine eye offend thee, pluck it out: it is better for thee to enter into the kingdom of God with one eye, than having two eyes to be cast into hell fire:

48 Where their worm dieth not, and the fire is not quenched.

49 Porque todos serán salados con fuego, y todo sacrificio será salado con sal.
50 Buena es la sal; mas si la sal se hace insípida, ¿con qué la sazonaréis? Tened sal en vosotros mismos; y tened paz los unos con los otros.

CAPÍTULO 10

LEVANTÁNDOSE de allí, vino a la región de Judea y al otro lado del Jordán; y volvió el pueblo a juntarse a él, y de nuevo les enseñaba como solía.
2 Y se acercaron los fariseos y le preguntaron, para tentarle, si era lícito al marido repudiar a su mujer.
3 El, respondiendo, les dijo: ¿Qué os mandó Moisés?
4 Ellos dijeron: Moisés permitió dar carta de divorcio, y repudiarla.
5 Y respondiendo Jesús, les dijo: Por la dureza de vuestro corazón os escribió este mandamiento;
6 pero al principio de la creación, varón y hembra los hizo Dios.
7 Por esto dejará el hombre a su padre y a su madre, y se unirá a su mujer,
8 y los dos serán una sola carne; así que no son ya más dos, sino uno.
9 Por tanto, lo que Dios juntó, no lo separe el hombre.
10 En casa volvieron los discípulos a preguntarle de lo mismo,
11 y les dijo: Cualquiera que repudia a su mujer y se casa con otra, comete adulterio contra ella;
12 y si la mujer repudia a su marido y se casa con otro, comete adulterio.
13 Y le presentaban niños para que los tocase; y los discípulos reprendían a los que los presentaban.
14 Viéndolo Jesús, se indignó, y les dijo: Dejad a los niños venir a mí, y no se lo impidáis; porque de los tales es el reino de Dios.
15 De cierto os digo, que el que no reciba el reino de Dios como un niño, no entrará en él.
16 Y tomándolos en los brazos, poniendo las manos sobre ellos, los bendecía.
17 Al salir él para seguir su camino, vino uno corriendo, e hincando la rodilla delante de él, le preguntó: Maestro bueno, ¿qué haré para heredar la vida eterna?
18 Jesús le dijo: ¿Por qué me llamas bueno? Ninguno hay bueno, sino sólo uno, Dios.

49 For every one shall be salted with fire, and every sacrifice shall be salted with salt.
50 Salt *is* good: but if the salt have lost his saltness, wherewith will ye season it? Have salt in yourselves, and have peace one with another.

CHAPTER 10

AND he arose from thence, and cometh into the coasts of Judæa by the farther side of Jordan: and the people resort unto him again; and, as he was wont, he taught them again.
2 And the Pharisees came to him, and asked him, Is it lawful for a man to put away *his* wife? tempting him.
3 And he answered and said unto them, What did Moses command you?
4 And they said, Moses suffered to write a bill of divorcement, and to put *her* away.
5 And Jesus answered and said unto them, For the hardness of your heart he wrote you this precept.
6 But from the beginning of the creation God made them male and female.
7 For this cause shall a man leave his father and mother, and cleave to his wife;
8 And they twain shall be one flesh: so then they are no more twain, but one flesh.
9 What therefore God hath joined together, let not man put asunder.
10 And in the house his disciples asked him again of the same *matter*.
11 And he saith unto them, Whosoever shall put away his wife, and marry another, committeth adultery against her.
12 And if a woman shall put away her husband, and be married to another, she committeth adultery.
13 And they brought young children to him, that he should touch them: and *his* disciples rebuked those that brought *them*.
14 But when Jesus saw *it*, he was much displeased, and said unto them, Suffer the little children to come unto me, and forbid them not: for of such is the kingdom of God.
15 Verily I say unto you, Whosoever shall not receive the kingdom of God as a little child, he shall not enter therein.
16 And he took them up in his arms, put *his* hands upon them, and blessed them.
17 And when he was gone forth into the way, there came one running, and kneeled to him, and asked him, Good Master, what shall I do that I may inherit eternal life?
18 And Jesus said unto him, Why callest thou me good? *there is* none good but one, *that is*, God.

19 Los mandamientos sabes: No adulteres. No mates. No hurtes. No digas falso testimonio. No defraudes. Honra a tu padre y a tu madre.

20 El entonces, respondiendo, le dijo: Maestro, todo esto lo he guardado desde mi juventud.

21 Entonces Jesús, mirándole, le amó, y le dijo: Una cosa te falta: anda, vende todo lo que tienes, y dalo a los pobres, y tendrás tesoro en el cielo; y ven, sígueme, tomando tu cruz.

22 Pero él, afligido por esta palabra, se fue triste, porque tenía muchas posesiones.

23 Entonces Jesús, mirando alrededor, dijo a sus discípulos: ¡Cuán difícilmente entrarán en el reino de Dios los que tienen riquezas!

24 Los discípulos se asombraron de sus palabras; pero Jesús, respondiendo, volvió, a decirles: Hijos, ¡cuán difícil les es entrar en el reino de Dios, a los que confían en las riquezas!

25 Más fácil es pasar un camello por el ojo de una aguja, que entrar un rico en el reino de Dios.

26 Ellos se asombraban aun más, diciendo entre sí: ¿Quién, pues, podrá ser salvo?

27 Entonces Jesús, mirándolos, dijo: Para los hombres es imposible, mas para Dios, no; porque todas las cosas son posibles para Dios.

28 Entonces Pedro comenzó a decirle: He aquí, nosotros lo hemos dejado todo, y te hemos seguido.

29 Respondió Jesús y dijo: De cierto os digo que no hay ninguno que haya dejado casa, o hermanos, o hermanas, o padre, o madre, o mujer, o hijos, o tierras, por causa de mí y del evangelio,

30 que no reciba cien veces más ahora en este tiempo; casas, hermanos, hermanas, madres, hijos, y tierras, con persecuciones; y en el siglo venidero la vida eterna.

31 Pero muchos primeros serán postreros, y los postreros, primeros.

32 Iban por el camino subiendo a Jerusalén; y Jesús iba delante, y ellos se asombraron, y le seguían con miedo. Entonces volviendo a tomar a los doce aparte, les comenzó a decir las cosas que le habían de acontecer:

33 He aquí subimos a Jerusalén, y el Hijo del Hombre será entregado a los principales sacerdotes y a los escribas, y le condenarán a muerte, y le entregarán a los gentiles;

19 Thou knowest the commandments, Do not commit adultery, Do not kill, Do not steal, Do not bear false witness, Defraud not, Honour thy father and mother.

20 And he answered and said unto him, Master, all these have I observed from my youth.

21 Then Jesus beholding him loved him, and said unto him, One thing thou lackest: go thy way, sell whatsoever thou hast, and give to the poor, and thou shalt have treasure in heaven: and come, take up the cross, and follow me.

22 And he was sad at that saying, and went away grieved: for he had great possessions.

23 And Jesus looked round about, and saith unto his disciples, How hardly shall they that have riches enter into the kingdom of God!

24 And the disciples were astonished at his words. But Jesus answereth again, and saith unto them, Children, how hard is it for them that trust in riches to enter into the kingdom of God!

25 It is easier for a camel to go through the eye of a needle, than for a rich man to enter into the kingdom of God.

26 And they were astonished out of measure, saying among themselves, Who then can be saved?

27 And Jesus looking upon them saith, With men *it is* impossible, but not with God: for with God all things are possible.

28 Then Peter began to say unto him, Lo, we have left all, and have followed thee.

29 And Jesus answered and said, Verily I say unto you, There is no man that hath left house, or brethren, or sisters, or father, or mother, or wife, or children, or lands, for my sake, and the gospel's,

30 But he shall receive an hundredfold now in this time, houses, and brethren, and sisters, and mothers, and children, and lands, with persecutions; and in the world to come eternal life.

31 But many *that are* first shall be last; and the last first.

32 And they were in the way going up to Jerusalem; and Jesus went before them: and they were amazed; and as they followed, they were afraid. And he took again the twelve, and began to tell them what things should happen unto him,

33 *Saying,* Behold, we go up to Jerusalem; and the Son of man shall be delivered unto the chief priests, and unto the scribes; and they shall condemn him to death, and shall deliver him to the Gentiles:

34 y le escarnecerán, le azotarán, y escupirán en él, y le matarán; mas al tercer día resucitará.

35 Entonces Jacobo y Juan, hijos de Zebedeo, se le acercaron, diciendo: Maestro, querríamos que nos hagas lo que pidiéremos.

36 El les dijo: ¿Qué queréis que os haga?

37 Ellos le dijeron: Concédenos que en tu gloria nos sentemos el uno a tu derecha, y el otro a tu izquierda.

38 Entonces Jesús les dijo: No sabéis lo que pedís. ¿Podéis beber del vaso que yo bebo, o ser bautizados con el bautismo con que yo soy bautizado?

39 Ellos dijeron: Podemos. Jesús les dijo: A la verdad, del vaso que yo bebo, beberéis, y con el bautismo con que yo soy bautizado, seréis bautizados;

40 pero el sentaros a mi derecha y a mi izquierda, no es mío darlo, sino a aquellos para quienes está preparado.

41 Cuando lo oyeron los diez, comenzaron a enojarse contra Jacobo y contra Juan.

42 Mas Jesús, llamándolos, les dijo: Sabéis que los que son tenidos por gobernantes de las naciones se enseñorean de ellas, y sus grandes ejercen sobre ellas potestad.

43 Pero no será así entre vosotros, sino que el que quiera hacerse grande entre vosotros será vuestro servidor,

44 y el que de vosotros quiera ser el primero, será siervo de todos.

45 Porque el Hijo del Hombre no vino para ser servido, sino para servir, y para dar su vida en rescate por muchos.

46 Entonces vinieron a Jericó; y al salir de Jericó él y sus discípulos y una gran multitud, Bartimeo el ciego, hijo de Timeo, estaba sentado junto al camino mendigando.

47 Y oyendo que era Jesús nazareno, comenzó a dar voces y a decir: ¡Jesús, Hijo de David, ten misericordia de mí!

48 Y muchos le reprendían para que callase, pero él clamaba mucho más: ¡Hijo de David, ten misericordia de mí!

49 Entonces Jesús, deteniéndose, mandó llamarle; y llamaron al ciego, diciéndole: Ten confianza; levántate, te llama.

50 El entonces, arrojando su capa, se levantó y vino a Jesús.

51 Respondiendo Jesús, le dijo: ¿Qué

34 And they shall mock him, and shall scourge him, and shall spit upon him, and shall kill him: and the third day he shall rise again.

35 And James and John, the sons of Zeb'e-dee, come unto him, saying, Master, we would that thou shouldest do for us whatsoever we shall desire.

36 And he said unto them, What would ye that I should do for you?

37 They said unto him, Grant unto us that we may sit, one on thy right hand, and the other on thy left hand, in thy glory.

38 But Jesus said unto them, Ye know not what ye ask: can ye drink of the cup that I drink of? and be baptized with the baptism that I am baptized with?

39 And they said unto him, We can. And Jesus said unto them, Ye shall indeed drink of the cup that I drink of; and with the baptism that I am baptized withal shall ye be baptized:

40 But to sit on my right hand and on my left hand is not mine to give; but *it shall be given to them* for whom it is prepared.

41 And when the ten heard *it*, they began to be much displeased with James and John.

42 But Jesus called them *to him*, and saith unto them, Ye know that they which are accounted to rule over the Gentiles exercise lordship over them; and their great ones exercise authority upon them.

43 But so shall it not be among you: but whosoever will be great among you, shall be your minister:

44 And whosoever of you will be the chiefest, shall be servant of all.

45 For even the Son of man came not to be ministered unto, but to minister, and to give his life a ransom for many.

46 And they came to Jericho: and as he went out of Jericho with his disciples and a great number of people, blind Bar-ti-mæ'us, the son of Ti-mæ'us, sat by the highway side begging.

47 And when he heard that it was Jesus of Nazareth, he began to cry out, and say, Jesus, *thou* Son of David, have mercy on me.

48 And many charged him that he should hold his peace: but he cried the more a great deal, *Thou* Son of David, have mercy on me.

49 And Jesus stood still, and commanded him to be called. And they call the blind man, saying unto him, Be of good comfort, rise; he calleth thee.

50 And he, casting away his garment, rose, and came to Jesus.

51 And Jesus answered and said unto

quieres que te haga? Y el ciego le dijo: Maestro, que recobre la vista.
52 Y Jesús le dijo: Vete, tu fe te ha salvado. Y en seguida recobró la vista, y seguía a Jesús en el camino.

CAPÍTULO 11

CUANDO se acercaban a Jerusalén, junto a Betfagé y a Betania, frente al monte de los Olivos, Jesús envió dos de sus discípulos,
2 y les dijo: Id a la aldea que está enfrente de vosotros, y luego que entréis en ella, hallaréis un pollino atado, en el cual ningún hombre ha montado; desatadlo y traedlo.
3 Y si alguien os dijere: ¿Por qué hacéis eso? decid que el Señor lo necesita, y que luego lo devolverá.
4 Fueron, y hallaron el pollino atado afuera a la puerta, en el recodo del camino, y lo desataron.
5 Y unos de los que estaban allí les dijeron: ¿Qué hacéis desatando el pollino?
6 Ellos entonces les dijeron como Jesús había mandado; y los dejaron.
7 Y trajeron el pollino a Jesús, y echaron sobre él sus mantos, y se sentó sobre él.
8 También muchos tendían sus mantos por el camino, y otros cortaban ramas de los árboles, y las tendían por el camino.
9 Y los que iban delante y los que venían detrás daban voces, diciendo: ¡Hosanna! ¡Bendito el que viene en el nombre del Señor!
10 ¡Bendito el reino de nuestro padre David que viene! ¡Hosanna en las alturas!
11 Y entró Jesús en Jerusalén, y en el templo; y habiendo mirado alrededor todas las cosas, como ya anochecía, se fue a Betania con los doce.
12 Al día siguiente, cuando salieron de Betania, tuvo hambre.
13 Y viendo de lejos una higuera que tenía hojas, fue a ver si tal vez hallaba en ella algo; pero cuando llegó a ella, nada halló sino hojas, pues no era tiempo de higos.
14 Entonces Jesús dijo a la higuera: Nunca jamás coma nadie fruto de ti. Y lo oyeron sus discípulos.
15 Vinieron, pues, a Jerusalén; y entrando Jesús en el templo, comenzó a echar fuera a los que vendían y compraban en el templo; y volcó las mesas de los

him, What wilt thou that I should do unto thee? The blind man said unto him, Lord, that I might receive my sight.
52 And Jesus said unto him, Go thy way; thy faith hath made thee whole. And immediately he received his sight, and followed Jesus in the way.

CHAPTER 11

AND when they came nigh to Jerusalem, unto Beth′pha-ge and Bethany, at the mount of Olives, he sendeth forth two of his disciples,
2 And saith unto them, Go your way into the village over against you: and as soon as ye be entered into it, ye shall find a colt tied, whereon never man sat; loose him, and bring *him*.
3 And if any man say unto you, Why do ye this? say ye that the Lord hath need of him; and straightway he will send him hither.
4 And they went their way, and found the colt tied by the door without in a place where two ways met; and they loose him.
5 And certain of them that stood there said unto them, What do ye, loosing the colt?
6 And they said unto them even as Jesus had commanded: and they let them go.
7 And they brought the colt to Jesus, and cast their garments on him; and he sat upon him.
8 And many spread their garments in the way: and others cut down branches off the trees, and strawed *them* in the way.
9 And they that went before, and they that followed, cried, saying, Hosanna; Blessed *is* he that cometh in the name of the Lord:
10 Blessed *be* the kingdom of our father David, that cometh in the name of the Lord: Hosanna in the highest.
11 And Jesus entered into Jerusalem, and into the temple: and when he had looked round about upon all things, and now the eventide was come, he went out unto Bethany with the twelve.
12 And on the morrow, when they were come from Bethany, he was hungry:
13 And seeing a fig tree afar off having leaves, he came, if haply he might find anything thereon: and when he came to it, he found nothing but leaves; for the time of figs was not *yet*.
14 And Jesus answered and said unto it, No man eat fruit of thee hereafter for ever. And his disciples heard *it*.
15 And they come to Jerusalem: and Jesus went into the temple, and began to cast out them that sold and bought in the temple, and overthrew the tables of the

cambistas, y las sillas de los que vendían palomas;

16 y no consentía que nadie atravesase el templo llevando utensilio alguno.

17 Y les enseñaba, diciendo: ¿No está escrito: Mi casa será llamada casa de oración para todas las naciones? Mas vosotros la habéis hecho cueva de ladrones.

18 Y lo oyeron los escribas y los principales sacerdotes, y buscaban cómo matarle; porque le tenían miedo, por cuanto todo el pueblo estaba admirado de su doctrina.

19 Pero al llegar la noche, Jesús salió de la ciudad.

20 Y pasando por la mañana, vieron que la higuera se había secado desde las raíces.

21 Entonces Pedro, acordándose, le dijo: Maestro, mira, la higuera que maldijiste se ha secado.

22 Respondiendo Jesús, les dijo: Tened fe en Dios.

23 Porque de cierto os digo que cualquiera que dijere a este monte: Quítate y échate en el mar, y no dudare en su corazón, sino creyere que será hecho lo que dice, lo que diga le será hecho.

24 Por tanto, os digo que todo lo que pidiereis orando, creed que lo recibiréis, y os vendrá.

25 Y cuando estéis orando, perdonad, si tenéis algo contra alguno, para que también vuestro Padre que está en los cielos os perdone a vosotros vuestras ofensas.

26 Porque si vosotros no perdonáis, tampoco vuestro Padre que está en los cielos os perdonará vuestras ofensas.

27 Volvieron entonces a Jerusalén; y andando él por el templo, vinieron a él los principales sacerdotes, los escribas y los ancianos,

28 y le dijeron: ¿Con qué autoridad haces estas cosas, y quién te dio autoridad para hacer estas cosas?

29 Jesús, respondiendo, les dijo: Os haré yo también una pregunta; respondedme, y os diré con qué autoridad hago estas cosas.

30 El bautismo de Juan, ¿era del cielo, o de los hombres? Respondedme.

31 Entonces ellos discutían entre sí, diciendo: Si decimos, del cielo, dirá: ¿Por qué, pues, no le creísteis?

32 ¿Y si decimos, de los hombres . . . ? Pero temían al pueblo, pues todos tenían a Juan como un verdadero profeta.

33 Así que, respondiendo, dijeron a Jesús: No sabemos. Entonces respon-

moneychangers, and the seats of them that sold doves;

16 And would not suffer that any man should carry *any* vessel through the temple.

17 And he taught, saying unto them, Is it not written, My house shall be called of all nations the house of prayer? but ye have made it a den of thieves.

18 And the scribes and chief priests heard *it*, and sought how they might destroy him: for they feared him, because all the people was astonished at his doctrine.

19 And when even was come, he went out of the city.

20 And in the morning, as they passed by, they saw the fig tree dried up from the roots.

21 And Peter calling to remembrance saith unto him, Master, behold, the fig tree which thou cursedst is withered away.

22 And Jesus answering saith unto them, Have faith in God.

23 For verily I say unto you, That whosoever shall say unto this mountain, Be thou removed, and be thou cast into the sea; and shall not doubt in his heart, but shall believe that those things which he saith shall come to pass; he shall have whatsoever he saith.

24 Therefore I say unto you, What things soever ye desire, when ye pray, believe that ye receive *them*, and ye shall have *them*.

25 And when ye stand praying, forgive, if ye have ought against any: that your Father also which is in heaven may forgive you your trespasses.

26 But if ye do not forgive, neither will your Father which is in heaven forgive your trespasses.

27 And they come again to Jerusalem: and as he was walking in the temple, there come to him the chief priests, and the scribes, and the elders,

28 And say unto him, By what authority doest thou these things? and who gave thee this authority to do these things?

29 And Jesus answered and said unto them, I will also ask of you one question, and answer me, and I will tell you by what authority I do these things.

30 The baptism of John, was *it* from heaven, or of men? answer me.

31 And they reasoned with themselves, saying, If we shall say, From heaven; he will say, Why then did ye not believe him?

32 But if we shall say, Of men; they feared the people: for all *men* counted John, that he was a prophet indeed.

33 And they answered and said unto Jesus, We cannot tell And Jesus answer-

diendo Jesús, les dijo: Tampoco yo os digo con qué autoridad hago estas cosas.

CAPÍTULO 12

ENTONCES comenzó Jesús a decirles por parábolas: Un hombre plantó una viña, la cercó de vallado, cavó un lagar, edificó una torre, y la arrendó a unos labradores, y se fue lejos.

2 Y a su tiempo envió un siervo a los labradores, para que recibiese de éstos del fruto de la viña.

3 Mas ellos, tomándole, le golpearon, y le enviaron con los manos vacías.

4 Volvió a enviarles otro siervo; pero apedreándole, le hirieron en la cabeza, y también le enviaron afrentado.

5 Volvió a enviar otro, y a éste mataron; y a otros muchos, golpeando a unos y matando a otros.

6 Por último, teniendo aún un hijo suyo, amado, lo envió también a ellos, diciendo: Tendrán respeto a mi hijo.

7 Mas aquellos labradores dijeron entre sí: Este es el heredero; venid, matémosle, y la heredad será nuestra.

8 Y tomándole, le mataron, y le echaron fuera de la viña.

9 ¿Qué, pues, hará el señor de la viña? Vendrá, y destruirá a los labradores, y dará su viña a otros.

10 ¿Ni aun esta escritura habéis leído: La piedra que descharon los edificadores ha venido a ser cabeza del ángulo;

11 el Señor ha hecho esto, y es cosa maravillosa a nuestros ojos?

12 Y procuraban prenderle, porque entendían que decía contra ellos aquella parábola; pero temían a la multitud, y dejándole, se fueron.

13 Y le enviaron algunos de los fariseos y de los herodianos, para que le sorprendiesen en alguna palabra.

14 Viniendo ellos, le dijeron: Maestro, sabemos que eres hombre veraz, y que no te cuidas de nadie; porque no miras la apariencia de los hombres, sino que con verdad enseñas el camino de Dios. ¿Es lícito dar tributo a César, o no? ¿Daremos, o no daremos?

15 Mas él, percibiendo la hipocresía de ellos, les dijo: ¿Por qué me tentáis? Traedme la moneda para que la vea.

16 Ellos se la trajeron; y les dijo: ¿De quién es esta imagen y la inscripción? Ellos le dijeron: De César.

17 Respondiendo Jesús, les dijo: Dad a

ing saith unto them, Neither do I tell you by what authority I do these things.

CHAPTER 12

AND he began to speak unto them by parables. A *certain* man planted a vineyard, and set an hedge about *it*, and digged *a place for* the winefat, and built a tower, and let it out to husbandmen, and went into a far country.

2 And at the season he sent to the husbandmen a servant, that he might receive from the husbandmen of the fruit of the vineyard.

3 And they caught *him*, and beat him, and sent *him* away empty.

4 And again he sent unto them another servant; and at him they cast stones, and wounded *him* in the head, and sent *him* away shamefully handled.

5 And again he sent another; and him they killed, and many others; beating some, and killing some.

6 Having yet therefore one son, his wellbeloved, he sent him also last unto them, saying, They will reverence my son.

7 But those husbandmen said among themselves, This is the heir; come, let us kill him, and the inheritance shall be ours.

8 And they took him, and killed *him*, and cast *him* out of the vineyard.

9 What shall therefore the lord of the vineyard do? he will come and destroy the husbandmen, and will give the vineyard unto others.

10 *And have ye not read this scripture*; The stone which the builders rejected is become the head of the corner:

11 This was the Lord's doing, and it is marvellous in our eyes?

12 And they sought to lay hold on him, but feared the people: for they knew that he had spoken the parable against them: and they left him, and went their way.

13 And they send unto him certain of the Pharisees and of the He-ro'di-ans, to catch him in *his* words.

14 And when they were come, they say unto him, Master, we know that thou art true, and carest for no man: for thou regardest not the person of men, but teachest the way of God in truth: Is it lawful to give tribute to Cæsar, or not?

15 Shall we give, or shall we not give? But he, knowing their hypocrisy, said unto them, Why tempt ye me? bring me a penny, that I may see *it*.

16 And they brought *it*. And he saith unto them, Whose *is* this image and superscription? And they said unto him, Cæsar's.

17 And Jesus answering said unto

César lo que es de César, y a Dios lo que
es de Dios. Y se maravillaron de él.
18 Entonces vinieron a él los saduceos,
que dicen que no hay resurrección, y le
preguntaron, diciendo:
19 Maestro, Moisés nos escribió que si
el hermano de alguno muriere y dejare
esposa, pero no dejare hijos, que su her-
mano se case con ella, y levante descen-
dencia a su hermano.
20 Hubo siete hermanos; el primero
tomó esposa, y murió sin dejar descen-
dencia.
21 Y el segundo se casó con ella, y mu-
rió, y tampoco dejó descendencia; y el
tercero, de la misma manera.
22 Y así los siete, y no dejaron descen-
dencia; y después de todos murió tam-
bién la mujer.
23 En la resurrección, pues, cuando re-
suciten, ¿de cuál de ellos será ella mujer,
ya que los siete la tuvieron por mujer?
24 Entonces respondiendo Jesús, les
dijo: ¿No erráis por esto, porque ignoráis
las Escrituras, y el poder de Dios?
25 Porque cuando resuciten de los
muertos, ni se casarán ni se darán en ca-
samiento, sino serán como los ángeles
que están en los cielos.
26 Pero respecto a que los muertos re-
sucitan, ¿no habéis leído en el libro de
Moisés cómo le habló Dios en la zarza,
diciendo: Yo soy el Dios de Abraham, el
Dios de Isaac y el Dios de Jacob?
27 Dios no es Dios de muertos, sino
Dios de vivos; así que vosotros mucho e-
rráis.
28 Acercándose uno de los escribas,
que los había oído disputar, y sabía que
les había respondido bien, le preguntó:
¿Cuál es el primer mandamiento de to-
dos?
29 Jesús le respondió: El primer man-
damiento de todos es: Oye, Israel; el Se-
ñor nuestro Dios, el Señor uno es.
30 Y amarás al Señor tu Dios con todo
tu corazón, y con toda tu alma, y con
toda tu mente y con todas tus fuerzas.
Este es el principal mandamiento.
31 Y el segundo es semejante: Amarás
a tu prójimo como a ti mismo. No hay
otro mandamiento mayor que éstos.
32 Entonces el escriba le dijo: Bien,
Maestro, verdad has dicho, que uno es
Dios, y no hay otro fuera de él;
33 y el amarle con todo el corazón, con
todo el entendimiento, con toda el alma,
y con todas las fuerzas, y amar al próji-

them, Render to Caesar the things that
are Caesar's, and to God the things that
are God's. And they marvelled at him.
18 Then come unto him the Sad'du-
cees, which say there is no resurrection;
and they asked him, saying,
19 Master, Moses wrote unto us, If a
man's brother die, and leave *his* wife *be-
hind him*, and leave no children, that his
brother should take his wife, and raise up
seed unto his brother.
20 Now there were seven brethren: and
the first took a wife, and dying left no
seed.
21 And the second took her, and died,
neither left he any seed: and the third
likewise.
22 And the seven had her, and left no
seed: last of all the woman died also.
23 In the resurrection therefore, when
they shall rise, whose wife shall she be of
them? for the seven had her to wife.
24 And Jesus answering said unto
them, Do ye not therefore err, because ye
know not the scriptures, neither the
power of God?
25 For when they shall rise from the
dead, they neither marry, nor are given in
marriage; but are as the angels which are
in heaven.
26 And as touching the dead, that they
rise: have ye not read in the book of
Moses, how in the bush God spake unto
him, saying, I *am* the God of Abraham,
and the God of Isaac, and the God of Ja-
cob?
27 He is not the God of the dead, but
the God of the living: ye therefore do
greatly err.
28 And one of the scribes came, and
having heard them reasoning together,
and perceiving that he had answered
them well, asked him, Which is the first
commandment of all?
29 And Jesus answered him, The first
of all the commandments *is*, Hear, O Is-
rael; The Lord our God is one Lord:
30 And thou shalt love the Lord thy
God with all thy heart, and with all thy
soul, and with all thy mind, and with all
thy strength: this *is* the first command-
ment.
31 And the second *is* like, *namely* this,
Thou shalt love thy neighbour as thyself.
There is none other commandment
greater than these.
32 And the scribe said unto him, Well,
Master, thou hast said the truth: for there
is one God; and there is none other but
he:
33 And to love him with all the heart
and with all the understanding, and with
all the soul, and with all the strength, and

mo como a uno mismo, es más que todos los holocaustos y sacrificios.

34 Jesús entonces, viendo que había respondido sabiamente, le dijo: No estás lejos del reino de Dios. Y ya ninguno osaba preguntarle.

35 Enseñando Jesús en el templo, decía: ¿Cómo dicen los escribas que el Cristo es hijo de David?

36 Porque el mismo David dijo por el Espíritu Santo: Dijo el Señor a mi Señor: Siéntate a mi diestra, hasta que ponga tus enemigos por estrado de tus pies.

37 David mismo le llama Señor; ¿cómo, pues, es su hijo? Y gran multitud del pueblo le oía de buena gana.

38 Y les decía en su doctrina: Guardaos de los escribas, que gustan de andar con largas ropas, y aman las salutaciones en las plazas,

39 y las primeras sillas en las sinagogas, y los primeros asientos en las cenas;

40 que devoran las casas de las viudas, y por pretexto hacen largas oraciones. Estos recibirán mayor condenación.

41 Estando Jesús sentado delante del arca de la ofrenda, miraba cómo el pueblo echaba dinero en el arca; y muchos ricos echaban mucho.

42 Y vino una viuda pobre, y echó dos blancas, o sea un cuadrante.

43 Entonces llamando a sus discípulos, les dijo: De cierto os digo que esta viuda pobre echó más que todos los que han echado en el arca;

44 porque todos han echado de lo que les sobra; pero ésta, de su pobreza echó todo lo que tenía, todo su sustento.

CAPÍTULO 13

SALIENDO Jesús del templo, le dijo uno de sus discípulos: Maestro, mira qué piedras, y qué edificios.

2 Jesús, respondiendo, le dijo: ¿Ves estos grandes edificios? No quedará piedra sobre piedra, que no sea derribada.

3 Y se sentó en el monte de los Olivos, frente al templo. Y Pedro, Jacobo, Juan y Andrés le preguntaron aparte:

4 Dinos, ¿cuándo serán estas cosas? ¿Y qué señal habrá cuando todas estas cosas hayan de cumplirse?

5 Jesús, respondiéndoles, comenzó a decir: Mirad que nadie os engañe;

to love *his* neighbour as himself, is more than all whole burnt offerings and sacrifices.

34 And when Jesus saw that he answered discreetly, he said unto him, Thou art not far from the kingdom of God. And no man after that durst ask him *any question*.

35 And Jesus answered and said, while he taught in the temple, How say the scribes that Christ is the Son of David?

36 For David himself said by the Holy Ghost, The LORD said to my Lord, Sit thou on my right hand, till I make thine enemies thy footstool.

37 David therefore himself calleth him Lord; and whence is he *then* his son? And the common people heard him gladly.

38 And he said unto them in his doctrine, Beware of the scribes, which love to go in long clothing, and *love* salutations in the marketplaces,

39 And the chief seats in the synagogues, and the uppermost rooms at feasts:

40 Which devour widows' houses, and for a pretence make long prayers: these shall receive greater damnation.

41 And Jesus sat over against the treasury, and beheld how the people cast money into the treasury: and many that were rich cast in much.

42 And there came a certain poor widow, and she threw in two mites, which make a farthing.

43 And he called *unto him* his disciples, and saith unto them, Verily I say unto you, That this poor widow hath cast more in, than all they which have cast into the treasury:

44 For all *they* did cast in of their abundance; but she of her want did cast in all that she had, *even* all her living.

CHAPTER 13

AND as he went out of the temple, one of his disciples saith unto him, Master, see what manner of stones and what buildings *are here!*

2 And Jesus answering said unto him, Seest thou these great buildings? there shall not be left one stone upon another, that shall not be thrown down.

3 And as he sat upon the mount of Olives over against the temple, Peter and James and John and Andrew asked him privately,

4 Tell us, when shall these things be? and what *shall be* the sign when all these things shall be fulfilled?

5 And Jesus answering them began to say, Take heed lest any *man* deceive you:

6 porque vendrán muchos en mi nombre, diciendo: Yo soy el Cristo; y engañarán a muchos.

7 Mas cuando oigáis de guerras y de rumores de guerras, no os turbéis, porque es necesario que suceda así; pero aún no es el fin.

8 Porque se levantará nación contra nación, y reino contra reino; y habrá terremotos en muchos lugares, y habrá hambres y alborotos; principios de dolores son estos.

9 Pero mirad por vosotros mismos; porque os entregarán a los concilios, y en las sinagogas os azotarán; y delante de gobernadores y de reyes os llevarán por causa de mí, para testimonio a ellos.

10 Y es necesario que el evangelio sea predicado antes a todas las naciones.

11 Pero cuando os trajeren para entregaros, no os preocupéis por lo que habéis de decir, ni lo penséis, sino lo que os fuere dado en aquella hora, eso hablad; porque no sois vosotros los que habláis, sino el Espíritu Santo.

12 Y el hermano entregará a la muerte al hermano, y el padre al hijo; y se levantarán los hijos contra los padres, y los matarán.

13 Y seréis aborrecidos de todos por causa de mi nombre; mas el que persevere hasta el fin, éste será salvo.

14 Pero cuando veáis la abominación desoladora de que habló el profeta Daniel, puesta donde no debe estar (el que lee, entienda), entonces los que estén en Judea huyan a los montes.

15 El que esté en la azotea, no descienda a la casa, ni entre para tomar algo de su casa;

16 y el que esté en el campo, no vuelva atrás a tomar su capa.

17 Mas ¡ay de las que estén encintas, y de las que críen en aquellos días!

18 Orad, pues, que vuestra huida no sea en invierno;

19 porque aquellos días serán de tribulación cual nunca ha habido desde el principio de la creación que Dios creó, hasta este tiempo, ni la habrá.

20 Y si el Señor no hubiese acortado aquellos días, nadie sería salvo; mas por causa de los escogidos que él escogió, acortó aquellos días.

21 Entonces si alguno os dijere: Mirad, aquí está el Cristo; o, mirad, allí está, no le creáis.

22 Porque se levantarán falsos Cristos y falsos profetas, y harán señales y prodi-

6 For many shall come in my name, saying, I am *Christ;* and shall deceive many.

7 And when ye shall hear of wars and rumours of wars, be ye not troubled: for *such things* must needs be; but the end *shall* not *be* yet.

8 For nation shall rise against nation, and kingdom against kingdom: and there shall be earthquakes in divers places, and there shall be famines and troubles: these *are* the beginnings of sorrows.

9 But take heed to yourselves: for they shall deliver you up to councils; and in the synagogues ye shall be beaten: and ye shall be brought before rulers and kings for my sake, for a testimony against them.

10 And the gospel must first be published among all nations.

11 But when they shall lead *you,* and deliver you up, take no thought beforehand what ye shall speak, neither do ye premeditate: but whatsoever shall be given you in that hour, that speak ye: for it is not ye that speak, but the Holy Ghost.

12 Now the brother shall betray the brother to death, and the father the son; and children shall rise up against *their* parents, and shall cause them to be put to death.

13 And ye shall be hated of all *men* for my name's sake: but he that shall endure unto the end, the same shall be saved.

14 But when ye shall see the abomination of desolation, spoken of by Daniel the prophet, standing where it ought not, (let him that readeth understand,) then let them that be in Judæa flee to the mountains:

15 And let him that is on the housetop not go down into the house, neither enter *therein,* to take any thing out of his house:

16 And let him that is in the field not turn back again for to take up his garment.

17 But woe to them that are with child, and to them that give suck in those days!

18 And pray ye that your flight be not in the winter.

19 For *in* those days shall be affliction, such as was not from the beginning of the creation which God created unto this time, neither shall be.

20 And except that the Lord had shortened those days, no flesh should be saved: but for the elect's sake, whom he hath chosen, he hath shortened the days.

21 And then if any man shall say to you, Lo, here *is* Christ; or, lo, *he is* there; believe *him* not:

22 For false Christs and false prophets shall rise, and shall shew signs and won-

gios, para engañar, si fuese posible, aun a los escogidos.

23 Mas vosotros mirad; os lo he dicho todo antes.

24 Pero en aquellos días, después de aquella tribulación, el sol se oscurecerá, y la luna no dará su resplandor,

25 y las estrellas caerán del cielo, y las potencias que están en los cielos serán conmovidas.

26 Entonces verán al Hijo del Hombre, que vendrá en las nubes con gran poder y gloria.

27 Y entonces enviará sus ángeles, y juntará a sus escogidos de los cuatro vientos, desde el extremo de la tierra hasta el extremo del cielo.

28 De la higuera aprended la parábola: Cuando ya su rama está tierna, y brotan las hojas, sabéis que el verano está cerca.

29 Así también vosotros, cuando veáis que suceden estas cosas, conoced que está cerca, a las puertas.

30 De cierto os digo, que no pasará esta generación hasta que todo esto acontezca.

31 El cielo y la tierra pasarán, pero mis palabras no pasarán.

32 Pero de aquel día y de la hora nadie sabe, ni aun los ángeles que están en el cielo, ni el Hijo, sino el Padre.

33 Mirad, velad y orad; porque no sabéis cuándo será el tiempo.

34 Es como el hombre que yéndose lejos, dejó su casa, y dio autoridad a sus siervos, y a cada uno su obra, y al portero mandó que velase.

35 Velad, pues, porque no sabéis cuándo vendrá el señor de la casa; si al anochecer, o a la medianoche, o al canto del gallo, o a la mañana;

36 para que cuando venga de repente, no os halle durmiendo.

37 Y lo que a vosotros digo, a todos lo digo: Velad.

CAPÍTULO 14

DOS días después era la pascua, y la fiesta de los panes sin levadura; y buscaban los principales sacerdotes y los escribas cómo prenderle por engaño y matarle.

2 Y decían: No durante la fiesta, para que no se haga alboroto del pueblo.

3 Pero estando él en Betania, en casa de Simón el leproso, y sentado a la mesa, vino una mujer con un vaso de alabastro de perfume de nardo puro de mucho precio; y quebrando el vaso de alabastro, se lo derramó sobre su cabeza.

ders, to seduce, if *it were* possible, even the elect.

23 But take ye heed: behold, I have foretold you all things.

24 But in those days, after that tribulation, the sun shall be darkened, and the moon shall not give her light,

25 And the stars of heaven shall fall, and the powers that are in heaven shall be shaken.

26 And then shall they see the Son of man coming in the clouds with great power and glory.

27 And then shall he send his angels, and shall gather together his elect from the four winds, from the uttermost part of the earth to the uttermost part of heaven.

28 Now learn a parable of the fig tree; When her branch is yet tender, and putteth forth leaves, ye know that summer is near:

29 So ye in like manner, when ye shall see these things come to pass, know that it is nigh, *even* at the doors.

30 Verily I say unto you, that this generation shall not pass, till all these things be done.

31 Heaven and earth shall pass away: but my words shall not pass away.

32 But of that day and *that* hour knoweth no man, no, not the angels which are in heaven, neither the Son, but the Father.

33 Take ye heed, watch and pray: for ye know not when the time is.

34 *For the Son of man is* as a man taking a far journey, who left his house, and gave authority to his servants, and to every man his work, and commanded the porter to watch.

35 Watch ye therefore: for ye know not when the master of the house cometh, at even, or at midnight, or at the cockcrowing, or in the morning:

36 Lest coming suddenly he find you sleeping.

37 And what I say unto you I say unto all, Watch.

CHAPTER 14

AFTER two days was *the feast of* the passover, and of unleavened bread: and the chief priests and the scribes sought how they might take him by craft, and put *him* to death.

2 But they said, Not on the feast *day*, lest there be an uproar of the people.

3 And being in Bethany in the house of Simon the leper, as he sat at meat, there came a woman having an alabaster box of ointment of spikenard very precious; and she brake the box, and poured *it* on his head.

4 Y hubo algunos que se enojaron den-
tro de sí, y dijeron: ¿Para qué se ha hecho
este desperdicio de perfume?
5 Porque podía haberse vendido por
más de trescientos denarios, y haberse
dado a los pobres. Y murmuraban contra
ella.
6 Pero Jesús dijo: Dejadla; ¿por qué la
molestáis? Buena obra me ha hecho.
7 Siempre tendréis a los pobres con
vosotros, y cuando queráis les podréis
hacer bien; pero a mí no siempre me ten-
dréis.
8 Esta ha hecho lo que podía; porque se
ha anticipado a ungir mi cuerpo para la
sepultura.
9 De cierto os digo que dondequiera
que se predique este evangelio, en todo el
mundo, también se contará lo que ésta ha
hecho, para memoria de ella.
10 Entonces Judas Iscariote, uno de los
doce, fue a los principales sacerdotes
para entregárselo.
11 Ellos, al oirlo, se alegraron, y prome-
tieron darle dinero. Y Judas buscaba
oportunidad para entregarle.
12 El primer día de la fiesta de los
panes sin levadura, cuando sacrificaban
el cordero de la pascua, sus discípulos le
dijeron: ¿Dónde quieres que vayamos a
preparar para que comas la pascua?
13 Y envió dos de sus discípulos, y les
dijo: Id a la ciudad, y os saldrá al encuen-
tro un hombre que lleva un cántaro de
agua; seguidle,
14 y donde entrare, decid al señor de la
casa: El Maestro dice: ¿Dónde está el
aposento donde he de comer la pascua
con mis discípulos?
15 Y él os mostrará un gran aposento
alto ya dispuesto; preparad para nosotros
allí.
16 Fueron sus discípulos y entraron en
la ciudad, y hallaron como les había di-
cho; y prepararon la pascua.
17 Y cuando llegó la noche, vino él con
los doce.
18 Y cuando se sentaron a la mesa,
mientras comían, dijo Jesús: De cierto os
digo que uno de vosotros, que come con-
migo, me va a entregar.
19 Entonces ellos comenzaron a entris-
tecerse, y a decirle uno por uno: ¿Seré
yo? Y el otro: ¿Seré yo?
20 El, respondiendo, les dijo: Es uno de
los doce, el que moja conmigo en el plato.
21 A la verdad el Hijo del Hombre va,
según está escrito de él, mas ¡ay de aquel
hombre por quien el Hijo del Hombre es

4 And there were some that had indig-
nation within themselves, and said, Why
was this waste of the ointment made?
5 For it might have been sold for more
than three hundred pence, and have been
given to the poor. And they murmured
against her.
6 And Jesus said, Let her alone; why
trouble ye her? she hath wrought a good
work on me.
7 For ye have the poor with you al-
ways, and whensoever ye will ye may do
them good: but me ye have not always.
8 She hath done what she could: she is
come aforehand to anoint my body to the
burying.
9 Verily I say unto you, Wheresoever
this gospel shall be preached throughout
the whole world, *this* also that she hath
done shall be spoken of for a memorial of
her.
10 And Judas Iscariot, one of the
twelve, went unto the chief priests, to be-
tray him unto them.
11 And when they heard *it*, they were
glad, and promised to give him money.
And he sought how he might conve-
niently betray him.
12 And the first day of unleavened
bread, when they killed the passover, his
disciples said unto him, Where wilt thou
that we go and prepare that thou mayest
eat the passover?
13 And he sendeth forth two of his dis-
ciples, and saith unto them, Go ye into
the city, and there shall meet you a man
bearing a pitcher of water: follow him.
14 And wheresoever he shall go in, say
ye to the goodman of the house, The
Master saith, Where is the guestcham-
ber, where I shall eat the passover with
my disciples?
15 And he will shew you a large upper
room furnished *and* prepared: there
make ready for us.
16 And his disciples went forth, and
came into the city, and found as he had
said unto them: and they made ready the
passover.
17 And in the evening he cometh with
the twelve.
18 And as they sat and did eat, Jesus
said, Verily I say unto you, One of you
which eateth with me shall betray me.
19 And they began to be sorrowful, and
to say unto him one by one, *Is* it I? and
another *said*, *Is* it I?
20 And he answered and said unto
them, *It is* one of the twelve, that dippeth
with me in the dish.
21 The Son of man indeed goeth, as it is
written of him: but woe to that man by
whom the Son of man is betrayed! good

entregado! Bueno le fuera a ese hombre no haber nacido.

22 Y mientras comían, Jesús tomó pan y bendijo, y lo partió y les dio, diciendo: Tomad, esto es mi cuerpo.

23 Y tomando la copa, y habiendo dado gracias, les dio; y bebieron de ella todos.

24 Y les dijo: Esto es mi sangre del nuevo pacto, que por muchos es derramada.

25 De cierto os digo que no beberé más del fruto de la vid, hasta aquel día en que lo beba nuevo en el reino de Dios.

26 Cuando hubieron cantado el himno, salieron al monte de los Olivos.

27 Entonces Jesús les dijo: Todos os escandalizaréis de mí esta noche; porque escrito está: Heriré al pastor, y las ovejas serán dispersadas.

28 Pero después que haya resucitado, iré delante de vosotros a Galilea.

29 Entonces Pedro le dijo: Aunque todos se escandalicen, yo no.

30 Y le dijo Jesús: De cierto te digo que tú, hoy, en esta noche, antes que el gallo haya cantado dos veces, me negarás tres veces.

31 Mas él con mayor insistencia decía: Si me fuere necesario morir contigo, no te negaré. También todos decían lo mismo.

32 Vinieron, pues, a un lugar que se llama Getsemaní, y dijo a sus discípulos: Sentaos aquí, entre tanto que yo oro.

33 Y tomó consigo a Pedro, a Jacobo y a Juan, y comenzó a entristecerse y a angustiarse.

34 Y les dijo: Mi alma está muy triste, hasta la muerte; quedaos aquí y velad.

35 Yéndose un poco adelante, se postró en tierra, y oró que si fuese posible, pasase de él aquella hora.

36 Y decía: Abba, Padre, todas las cosas son posibles para ti; aparta de mí esta copa; mas no lo que yo quiero, sino lo que tú.

37 Vino luego y los halló durmiendo; y dijo a Pedro: Simón, ¿duermes? ¿No has podido velar una hora?

38 Velad y orad, para que no entréis en tentación; el espíritu a la verdad está dispuesto, pero la carne es débil.

39 Otra vez fue y oró, diciendo las mismas palabras.

40 Al volver, otra vez los halló durmiendo, porque los ojos de ellos estaban cargados de sueño; y no sabían qué responderle.

were it for that man if he had never been born.

22 And as they did eat, Jesus took bread, and blessed, and brake *it*, and gave to them, and said, Take, eat: this is my body.

23 And he took the cup, and when he had given thanks, he gave *it* to them: and they all drank of it.

24 And he said unto them, This is my blood of the new testament, which is shed for many.

25 Verily I say unto you, I will drink no more of the fruit of the vine, until that day that I drink it new in the kingdom of God.

26 And when they had sung an hymn, they went out into the mount of Olives.

27 And Jesus saith unto them, All ye shall be offended because of me this night: for it is written, I will smite the shepherd, and the sheep shall be scattered.

28 But after that I am risen, I will go before you into Galilee.

29 But Peter said unto him, Although all shall be offended, yet *will* not I.

30 And Jesus saith unto him, Verily I say unto thee, That this day, *even* in this night, before the cock crow twice, thou shalt deny me thrice.

31 But he spake the more vehemently, If I should die with thee, I will not deny thee in any wise. Likewise also said they all.

32 And they came to a place which was named Geth-sem'a-ne: and he saith to his disciples, Sit ye here, while I shall pray.

33 And he taketh with him Peter and James and John, and began to be sore amazed, and to be very heavy;

34 And saith unto them, My soul is exceeding sorrowful unto death: tarry ye here, and watch.

35 And he went forward a little, and fell on the ground, and prayed that, if it were possible, the hour might pass from him.

36 And he said, Abba, Father, all things *are* possible unto thee; take away this cup from me: nevertheless not what I will, but what thou wilt.

37 And he cometh, and findeth them sleeping, and saith unto Peter, Simon, sleepest thou? couldest not thou watch one hour?

38 Watch ye and pray, lest ye enter into temptation. The spirit truly *is* ready, but the flesh *is* weak.

39 And again he went away, and prayed, and spake the same words.

40 And when he returned, he found them asleep again, (for their eyes were heavy,) neither wist they what to answer him.

41 Vino la tercera vez, y les dijo: Dormid ya, y descansad. Basta, la hora ha venido; he aquí, el Hijo del Hombre es entregado en manos de los pecadores.

42 Levantaos, vamos; he aquí, se acerca el que me entrega.

43 Luego, hablando él aún, vino Judas, que era uno de los doce, y con él mucha gente con espadas y palos, de parte de los principales sacerdotes y de los escribas y de los ancianos.

44 Y el que le entregaba les había dado señal, diciendo: Al que yo besare, ése es; prendedle, y llevadle con seguridad.

45 Y cuando vino, se acercó luego a él, y le dijo: Maestro, Maestro. Y le besó.

46 Entonces ellos le echaron mano, y le prendieron.

47 Pero uno de los que estaban allí, sacando la espada, hirió al siervo del sumo sacerdote, cortándole la oreja.

48 Y respondiendo Jesús, les dijo: ¿Como contra un ladrón habéis salido con espadas y con palos para prenderme?

49 Cada día estaba con vosotros enseñando en el templo, y no me prendisteis; pero es así, para que se cumplan las Escrituras.

50 Entonces todos los discípulos, dejándole, huyeron.

51 Pero cierto joven le seguía, cubierto el cuerpo con una sábana; y le prendieron;

52 mas él, dejando la sábana, huyó desnudo.

53 Trajeron, pues, a Jesús al sumo sacerdote; y se reunieron todos los principales sacerdotes y los ancianos y los escribas.

54 Y Pedro le siguió de lejos hasta dentro del patio del sumo sacerdote; y estaba sentado con los alguaciles, calentándose al fuego.

55 Y los principales sacerdotes y todo el concilio buscaban testimonio contra Jesús, para entregarle a la muerte; pero no lo hallaban.

56 Porque muchos decían falso testimonio contra él, mas sus testimonios no concordaban.

57 Entonces levantándose unos, dieron falso testimonio contra él, diciendo:

58 Nosotros le hemos oído decir: Yo derribaré este templo hecho a mano, y en tres días edificaré otro hecho sin mano.

59 Pero ni aun así concordaban en el testimonio.

60 Entonces el sumo sacerdote, levantándose en medio, preguntó a Jesús, diciendo: ¿No respondes nada? ¿Qué testifican éstos contra ti?

41 And he cometh the third time, and saith unto them, Sleep on now, and take *your* rest: it is enough, the hour is come; behold, the Son of man is betrayed into the hands of sinners.

42 Rise up, let us go; lo, he that betrayeth me is at hand.

43 And immediately, while he yet spake, cometh Judas, one of the twelve, and with him a great multitude with swords and staves, from the chief priests and the scribes and the elders.

44 And he that betrayed him had given them a token, saying, Whomsoever I shall kiss, that same is he; take him, and lead *him* away safely.

45 And as soon as he was come, he goeth straightway to him, and saith, Master, master; and kissed him.

46 And they laid their hands on him, and took him.

47 And one of them that stood by drew a sword, and smote a servant of the high priest, and cut off his ear.

48 And Jesus answered and said unto them, Are ye come out, as against a thief, with swords and *with* staves to take me?

49 I was daily with you in the temple teaching, and ye took me not: but the scriptures must be fulfilled.

50 And they all forsook him, and fled.

51 And there followed him a certain young man, having a linen cloth cast about *his* naked *body;* and the young men laid hold on him:

52 And he left the linen cloth, and fled from them naked.

53 And they led Jesus away to the high priest: and with him were assembled all the chief priests and the elders and the scribes.

54 And Peter followed him afar off, even into the palace of the high priest: and he sat with the servants, and warmed himself at the fire.

55 And the chief priests and all the council sought for witness against Jesus to put him to death; and found none.

56 For many bare false witness against him, but their witness agreed not together.

57 And there arose certain, and bare false witness against him, saying,

58 We heard him say, I will destroy this temple that is made with hands, and within three days I will build another made without hands.

59 But neither so did their witness agree together.

60 And the high priest stood up in the midst, and asked Jesus, saying, Answerest thou nothing? what *is it which* these witness against thee?

61 Mas él callaba, y nada respondía. El sumo sacerdote le volvió a preguntar, y le dijo: ¿Eres tú el Cristo, el Hijo del Bendito?
62 Y Jesús le dijo: Yo soy; y veréis al Hijo del Hombre sentado a la diestra del poder de Dios, y viniendo en las nubes del cielo.
63 Entonces el sumo sacerdote, rasgando su vestidura, dijo: ¿Qué más necesidad tenemos de testigos?
64 Habéis oído la blasfemia; ¿qué os parece? Y todos ellos le condenaron, declarándole ser digno de muerte.
65 Y algunos comenzaron a escupirle, y a cubrirle el rostro y a darle de puñetazos, y a decirle: Profetiza. Y los alguaciles le daban de bofetadas.
66 Estando Pedro abajo, en el patio, vino una de las criadas del sumo sacerdote;
67 y cuando vio a Pedro que se calentaba, mirándole, dijo: Tú también estabas con Jesús el nazareno.
68 Mas él negó, diciendo: No le conozco, ni sé lo que dices. Y salió a la entrada; y cantó el gallo.
69 Y la criada, viéndole otra vez, comenzó a decir a los que estaban allí: Este es de ellos.
70 Pero él negó otra vez. Y poco después, los que estaban allí dijeron otra vez a Pedro: Verdaderamente tú eres de ellos; porque eres galileo, y tu manera de hablar es semejante a la de ellos.
71 Entonces él comenzó a maldecir, y a jurar: No conozco a este hombre de quien habláis.
72 Y el gallo cantó la segunda vez. Entonces Pedro se acordó de las palabras que Jesús le había dicho: Antes que el gallo cante dos veces, me negarás tres veces. Y pensando en esto, lloraba.

CAPÍTULO 15

MUY de mañana, habiendo tenido consejo los principales sacerdotes con los ancianos, con los escribas y con todo el concilio, llevaron a Jesús atado, y le entregaron a Pilato.
2 Pilato le preguntó: ¿Eres tú el Rey de los judíos? Respondiendo él, le dijo: Tú lo dices.
3 Y los principales sacerdotes le acusaban mucho.
4 Otra vez le preguntó Pilato, diciendo: ¿Nada respondes? Mira de cuántas cosas te acusan.
5 Mas Jesús ni aun con eso respondió; de modo que Pilato se maravillaba.

61 But he held his peace, and answered nothing. Again the high priest asked him, and said unto him, Art thou the Christ, the Son of the Blessed?
62 And Jesus said, I am: and ye shall see the Son of man sitting on the right hand of power, and coming in the clouds of heaven.
63 Then the high priest rent his clothes, and saith, What need we any further witnesses?
64 Ye have heard the blasphemy: what think ye? And they all condemned him to be guilty of death.
65 And some began to spit on him, and to cover his face, and to buffet him, and to say unto him, Prophesy: and the servants did strike him with the palms of their hands.
66 And as Peter was beneath in the palace, there cometh one of the maids of the high priest:
67 And when she saw Peter warming himself, she looked upon him, and said, And thou also wast with Jesus of Nazareth.
68 But he denied, saying, I know not, neither understand I what thou sayest. And he went out into the porch; and the cock crew.
69 And a maid saw him again, and began to say to them that stood by, This is *one* of them.
70 And he denied it again. And a little after, they that stood by said again to Peter, Surely thou art *one* of them: for thou art a Galilæan, and thy speech agreeth *thereto*.
71 But he began to curse and to swear, *saying*, I know not this man of whom ye speak.
72 And the second time the cock crew. And Peter called to mind the word that Jesus said unto him, Before the cock crow twice, thou shalt deny me thrice. And when he thought thereon, he wept.

CHAPTER 15

AND straightway in the morning the chief priests held a consultation with the elders and scribes and the whole council, and bound Jesus, and carried *him* away, and delivered *him* to Pilate.
2 And Pilate asked him, Art thou the King of the Jews? And he answering said unto him, Thou sayest *it*.
3 And the chief priests accused him of many things: but he answered nothing.
4 And Pilate asked him again, saying, Answerest thou nothing? behold how many things they witness against thee.
5 But Jesus yet answered nothing; so that Pilate marvelled.

6 Ahora bien, en el día de la fiesta les soltaba un preso, cualquiera que pidiesen.

7 Y había uno que se llamaba Barrabás, preso con sus compañeros de motín que habían cometido homicidio en una revuelta.

8 Y viniendo la multitud, comenzó a pedir que hiciese como siempre les había hecho.

9 Y Pilato les respondió diciendo: ¿Queréis que os suelte al Rey de los judíos?

10 Porque conocía que por envidia le habían entregado los principales sacerdotes.

11 Mas los principales sacerdotes incitaron a la multitud para que les soltase más bien a Barrabás.

12 Respondiendo Pilato, les dijo otra vez: ¿Qué, pues, queréis que haga del que llamáis Rey de los judíos?

13 Y ellos volvieron a dar voces: ¡Crucifícale!

14 Pilato les decía: ¿Pues qué mal ha hecho? Pero ellos gritaban aun más: ¡Crucifícale!

15 Y Pilato, queriendo satisfacer al pueblo, les soltó a Barrabás, y entregó a Jesús, después de azotarle, para que fuese crucificado.

16 Entonces los soldados le llevaron dentro del atrio, esto es, al pretorio, y convocaron a toda la compañía.

17 Y le vistieron de púrpura, y poniéndole una corona tejida de espinas,

18 comenzaron luego a saludarle: ¡Salve, Rey de los judíos!

19 Y le golpeaban en la cabeza con una caña, y le escupían, y puestos de rodillas le hacían reverencias.

20 Después de haberle escarnecido, le desnudaron la púrpura, y le pusieron sus propios vestidos, y le sacaron para crucificarle.

21 Y obligaron a uno que pasaba, Simón de Cirene, padre de Alejandro y de Rufo, que venía del campo, a que le llevase la cruz.

22 Y le llevaron a un lugar llamado Gólgota, que traducido es: Lugar de la Calavera.

23 Y le dieron a beber vino mezclado con mirra; mas él no lo tomó.

24 Cuando le hubieron crucificado, repartieron entre sí sus vestidos, echando suertes sobre ellos para ver qué se llevaría cada uno.

25 Era la hora tercera cuando le crucificaron.

6 Now at *that* feast he released unto them one prisoner, whomsoever they desired.

7 And there was *one* named Ba-rab′bas, *which lay* bound with them that had made insurrection with him, who had committed murder in the insurrection.

8 And the multitude crying aloud began to desire *him to do* as he had ever done unto them.

9 But Pilate answered them, saying, Will ye that I release unto you the King of the Jews?

10 For he knew that the chief priests had delivered him for envy.

11 But the chief priests moved the people, that he should rather release Ba-rab′bas unto them.

12 And Pilate answered and said again unto them, What will ye then that I shall do *unto him* whom ye call the King of the Jews?

13 And they cried out again, Crucify him.

14 Then Pilate said unto them, Why, what evil hath he done? And they cried out the more exceedingly, Crucify him.

15 And *so* Pilate, willing to content the people, released Ba-rab′bas unto them, and delivered Jesus, when he had scourged *him*, to be crucified.

16 And the soldiers led him away into the hall, called Prae-to′ri-um; and they call together the whole band.

17 And they clothed him with purple, and platted a crown of thorns, and put it about his *head*,

18 And began to salute him, Hail, King of the Jews!

19 And they smote him on the head with a reed, and did spit upon him, and bowing *their* knees worshipped him.

20 And when they had mocked him, they took off the purple from him, and put his own clothes on him, and led him out to crucify him.

21 And they compel one Simon a Cy-re′ni-an, who passed by, coming out of the country, the father of Alexander and Rufus, to bear his cross.

22 And they bring him unto the place Gol′go-tha, which is, being interpreted, The place of a skull.

23 And they gave him to drink wine mingled with myrrh: but he received *it* not.

24 And when they had crucified him, they parted his garments, casting lots upon them, what every man should take.

25 And it was the third hour, and they crucified him.

26 Y el título escrito de su causa era: EL REY DE LOS JUDÍOS.

27 Crucificaron también con él a dos ladrones, uno a su derecha, y el otro a su izquierda.

28 Y se cumplió la Escritura que dice: Y fue contado con los inicuos.

29 Y los que pasaban le injuriaban, meneando la cabeza y diciendo: ¡Bah! tú que derribas el templo de Dios, y en tres días lo reedificas,

30 sálvate a ti mismo, y desciende de la cruz.

31 De esta manera también los principales sacerdotes, escarneciendo, se decían unos a otros, con los escribas: A otros salvó, a sí mismo no se puede salvar.

32 El Cristo, Rey de Israel, descienda ahora de la cruz, para que veamos y creamos. También los que estaban crucificados con él le injuriaban.

33 Cuando vino la hora sexta, hubo tinieblas sobre toda la tierra hasta la hora novena.

34 Y a la hora novena Jesús clamó a gran voz, diciendo: Eloi, Eloi, ¿lama sabactani? que traducido es: Dios mío, Dios mío, ¿por qué me has desamparado?

35 Y algunos de los que estaban allí decían, al oirlo: Mirad, llama a Elías.

36 Y corrió uno, y empapando una esponja en vinagre, y poniéndola en una caña, le dio a beber, diciendo: Dejad, veamos si viene Elías a bajarle.

37 Mas Jesús, dando una gran voz, expiró.

38 Entonces el velo del templo se rasgó en dos, de arriba abajo.

39 Y el centurión que estaba frente a él, viendo que después de clamar había expirado así, dijo: Verdaderamente este hombre era Hijo de Dios.

40 También había algunas mujeres mirando de lejos, entre las cuales estaban María Magdalena, María la madre de Jacobo el menor y de José, y Salomé,

41 quienes, cuando él estaba en Galilea, le seguían y le servían; y otras muchas que habían subido con él a Jerusalén.

42 Cuando llegó la noche, porque era la preparación, es decir, la víspera del día de reposo,

43 José de Arimatea, miembro noble del concilio, que también esperaba el reino de Dios, vino y entró osadamente a Pilato, y pidió el cuerpo de Jesús.

26 And the superscription of his accusation was written over, THE KING OF THE JEWS.

27 And with him they crucify two thieves; the one on his right hand, and the other on his left.

28 And the scripture was fulfilled, which saith, And he was numbered with the transgressors.

29 And they that passed by railed on him, wagging their heads, and saying, Ah, thou that destroyest the temple, and buildest *it* in three days,

30 Save thyself, and come down from the cross.

31 Likewise also the chief priests mocking said among themselves with the scribes, He saved others; himself he cannot save.

32 Let Christ the King of Israel descend now from the cross, that we may see and believe. And they that were crucified with him reviled him.

33 And when the sixth hour was come, there was darkness over the whole land until the ninth hour.

34 And at the ninth hour Jesus cried with a loud voice, saying, E-lo′i, E-lo′i, la′ma sa-bach′tha-ni? which is, being interpreted, My God, my God, why hast thou forsaken me?

35 And some of them that stood by, when they heard *it*, said, Behold, he calleth E-li′as.

36 And one ran and filled a spunge full of vinegar, and put *it* on a reed, and gave him to drink, saying, Let alone; let us see whether E-li′as will come to take him down.

37 And Jesus cried with a loud voice, and gave up the ghost.

38 And the veil of the temple was rent in twain from the top to the bottom.

39 And when the centurion, which stood over against him, saw that he so cried out, and gave up the ghost, he said, Truly this man was the Son of God.

40 There were also women looking on afar off: among whom was Mary Magdalene, and Mary the mother of James the less and of Joses, and Sa-lo′me;

41 (Who also, when he was in Galilee, followed him, and ministered unto him;) and many other women which came up with him unto Jerusalem.

42 And now when the even was come, because it was the preparation, that is, the day before the sabbath,

43 Joseph of Ar-i-ma-thæ′a, an honourable counsellor, which also waited for the kingdom of God, came, and went in boldly unto Pilate, and craved the body of Jesus.

44 Pilato se sorprendió de que ya hubiese muerto; y haciendo venir al centurión, le preguntó si ya estaba muerto.

45 E informado por el centurión, dio el cuerpo a José,

46 el cual compró una sábana, y quitándolo, lo envolvió en la sábana, y lo puso en un sepulcro que estaba cavado en una peña, e hizo rodar una piedra a la entrada del sepulcro.

47 Y María Magdalena y María madre de José miraban dónde lo ponían.

CAPÍTULO 16

CUANDO pasó el día de reposo, María Magdalena, María la madre de Jacobo, y Salomé, compraron especias aromáticas para ir a ungirle.

2 Y muy de mañana, el primer día de la semana, vinieron al sepulcro, ya salido el sol.

3 Pero decían entre sí: ¿Quién nos removerá la piedra de la entrada del sepulcro?

4 Pero cuando miraron, vieron removida la piedra, que era muy grande.

5 Y cuando entraron en el sepulcro, vieron a un joven sentado al lado derecho, cubierto de una larga ropa blanca; y se espantaron.

6 Mas él les dijo: No os asustéis; buscáis a Jesús nazareno, el que fue crucificado; ha resucitado, no está aquí; mirad el lugar en donde le pusieron.

7 Pero id, decid a sus discípulos, y a Pedro, que él va delante de vosotros a Galilea; allí le veréis, como os dijo.

8 Y ellas se fueron huyendo del sepulcro, porque les había tomado temblor y espanto; ni decían nada a nadie, porque tenían miedo.

9 Habiendo, pues, resucitado Jesús por la mañana, el primer día de la semana, apareció primeramente a María Magdalena, de quien había echado siete demonios.

10 Yendo ella, lo hizo saber a los que habían estado con él, que estaban tristes y llorando.

11 Ellos, cuando oyeron que vivía, y que había sido visto por ella, no lo creyeron.

12 Pero después apareció en otra forma a dos de ellos que iban de camino, yendo al campo.

13 Ellos fueron y lo hicieron saber a los otros; y ni aun a ellos creyeron.

44 And Pilate marvelled if he were already dead: and calling *unto him* the centurion, he asked him whether he had been any while dead.

45 And when he knew *it* of the centurion, he gave the body to Joseph.

46 And he bought fine linen, and took him down, and wrapped him in the linen, and laid him in a sepulchre which was hewn out of a rock, and rolled a stone unto the door of the sepulchre.

47 And Mary Magdalene and Mary *the mother* of Joses beheld where he was laid.

CHAPTER 16

AND when the sabbath was past, Mary Magdalene, and Mary the *mother* of James, and Sa-lo'me, had bought sweet spices, that they might come and anoint him.

2 And very early in the morning the first *day* of the week, they came unto the sepulchre at the rising of the sun.

3 And they said among themselves, Who shall roll us away the stone from the door of the sepulchre?

4 And when they looked, they saw that the stone was rolled away: for it was very great.

5 And entering into the sepulchre, they saw a young man sitting on the right side, clothed in a long white garment; and they were affrighted.

6 And he saith unto them, Be not affrighted: Ye seek Jesus of Nazareth, which was crucified: he is risen; he is not here: behold the place where they laid him.

7 But go your way, tell his disciples and Peter that he goeth before you into Galilee: there shall ye see him, as he said unto you.

8 And they went out quickly, and fled from the sepulchre; for they trembled and were amazed: neither said they any thing to any *man;* for they were afraid.

9 Now when *Jesus* was risen early the first *day* of the week, he appeared first to Mary Magdalene, out of whom he had cast seven devils.

10 *And* she went and told them that had been with him, as they mourned and wept.

11 And they, when they had heard that he was alive, and had been seen of her, believed not.

12 After that he appeared in another form unto two of them, as they walked, and went into the country.

13 And they went and told *it* unto the residue: neither believed they them.

14 Finalmente se apareció a los once mismos, estando ellos sentados a la mesa, y les reprochó su incredulidad y dureza de corazón, porque no habían creído a los que le habían visto resucitado.

15 Y les dijo: Id por todo el mundo y predicad el evangelio a toda criatura.

16 El que creyere y fuere bautizado, será salvo; mas el que no creyere, será condenado.

17 Y estas señales seguirán a los que creen: En mi nombre echarán fuera demonios; hablarán nuevas lenguas;

18 tomarán en las manos serpientes, y si bebieren cosa mortífera, no les hará daño; sobre los enfermos pondrán sus manos, y sanarán.

19 Y el Señor, después que les habló, fue recibido arriba en el cielo, y se sentó a la diestra de Dios.

20 Y ellos, saliendo, predicaron en todas partes, ayudándoles el Señor y confirmando la palabra con las señales que la seguían. Amén.

14 Afterward he appeared unto the eleven as they sat at meat, and upbraided them with their unbelief and hardness of heart, because they believed not them which had seen him after he was risen.

15 And he said unto them, Go ye into all the world, and preach the gospel to every creature.

16 He that believeth and is baptized shall be saved; but he that believeth not shall be damned.

17 And these signs shall follow them that believe; In my name shall they cast out devils; they shall speak with new tongues;

18 They shall take up serpents; and if they drink any deadly thing, it shall not hurt them; they shall lay hands on the sick, and they shall recover.

19 So then after the Lord had spoken unto them, he was received up into heaven, and sat on the right hand of God.

20 And they went forth, and preached every where, the Lord working with *them*, and confirming the word with signs following. Amen.

EL SANTO EVANGELIO SEGÚN

SAN LUCAS

CAPÍTULO 1

PUESTO que ya muchos han tratado de poner en orden la historia de las cosas que entre nosotros han sido ciertísimas,

2 tal como nos lo enseñaron los que desde el principio lo vieron con sus ojos, y fueron ministros de la palabra,

3 me ha parecido también a mí, después de haber investigado con diligencia todas las cosas desde su origen, escribírtelas por orden, oh excelentísimo Teófilo,

4 para que conozcas bien la verdad de las cosas en las cuales has sido instruido.

5 Hubo en los días de Herodes, rey de Judea, un sacerdote llamado Zacarías, de la clase de Abías; su mujer era de las hijas de Aarón, y se llamaba Elisabet.

6 Ambos eran justos delante de Dios, y andaban irreprensibles en todos los mandamientos y ordenanzas del Señor.

7 Pero no tenían hijo, porque Elisabet era estéril, y ambos eran ya de edad avanzada.

8 Aconteció que ejerciendo Zacarías el sacerdocio delante de Dios según el orden de su clase,

9 conforme a la costumbre del sacerdocio, le tocó en suerte ofrecer el incienso, entrando en el santuario del Señor.

10 Y toda la multitud del pueblo estaba fuera orando a la hora del incienso.

11 Y se le apareció un ángel del Señor puesto en pie a la derecha del altar del incienso.

12 Y se turbó Zacarías al verle, y le sobrecogió temor.

13 Pero el ángel le dijo: Zacarías, no temas; porque tu oración ha sido oída, y tu mujer Elisabet te dará a luz un hijo, y llamarás su nombre Juan.

14 Y tendrás gozo y alegría, y muchos se regocijarán de su nacimiento;

15 porque será grande delante de Dios. No beberá vino ni sidra, y será lleno del Espíritu Santo, aun desde el vientre de su madre.

16 Y hará que muchos de los hijos de Israel se conviertan al Señor Dios de ellos.

17 E irá delante de él con el espíritu y el poder de Elías, para hacer volver los corazones de los padres a los hijos, y de los rebeldes a la prudencia de los justos,

THE GOSPEL ACCORDING TO

SAINT LUKE

CHAPTER 1

FORASMUCH as many have taken in hand to set forth in order a declaration of those things which are most surely believed among us,

2 Even as they delivered them unto us, which from the beginning were eyewitnesses, and ministers of the word;

3 It seemed good to me also, having had perfect understanding of all things from the very first, to write unto thee in order, most excellent The-oph'i-lus,

4 That thou mightest know the certainty of those things, wherein thou hast been instructed.

5 THERE was in the days of Herod, the king of Judæa, a certain priest named Zach-a-ri'as, of the course of A-bi'a: and his wife *was* of the daughters of Aaron, and her name *was* Elisabeth.

6 And they were both righteous before God, walking in all the commandments and ordinances of the Lord blameless.

7 And they had no child, because that Elisabeth was barren, and they both were *now* well stricken in years.

8 And it came to pass, that while he executed the priest's office before God in the order of his course,

9 According to the custom of the priest's office, his lot was to burn incense when he went into the temple of the Lord.

10 And the whole multitude of the people were praying without at the time of incense.

11 And there appeared unto him an angel of the Lord standing on the right side of the altar of incense.

12 And when Zach-a-ri'as saw *him,* he was troubled, and fear fell upon him.

13 But the angel said unto him, Fear not, Zach-a-ri'as: for thy prayer is heard; and thy wife Elisabeth shall bear thee a son, and thou shalt call his name John.

14 And thou shalt have joy and gladness; and many shall rejoice at his birth.

15 For he shall be great in the sight of the Lord, and shall drink neither wine nor strong drink; and he shall be filled with the Holy Ghost, even from his mother's womb.

16 And many of the children of Israel shall he turn to the Lord their God.

17 And he shall go before him in the spirit and power of E-li'as, to turn the hearts of the fathers to the children, and the disobedient to the wisdom of the just;

para preparar al Señor un pueblo bien dispuesto.
18 Dijo Zacarías al ángel: ¿En qué conoceré esto? Porque yo soy viejo, y mi mujer es de edad avanzada.
19 Respondiendo el ángel, le dijo: Yo soy Gabriel, que estoy delante de Dios; y he sido enviado a hablarte, y darte estas buenas nuevas.
20 Y ahora quedarás mudo y no podrás hablar, hasta el día en que esto se haga, por cuanto no creíste mis palabras, las cuales se cumplirán a su tiempo.
21 Y el pueblo estaba esperando a Zacarías, y se extrañaba de que él se demorase en el santuario.
22 Pero cuando salió, no les podía hablar; y comprendieron que había visto visión en el santuario. El les hablaba por señas, y permaneció mudo.
23 Y cumplidos los días de su ministerio, se fue a su casa.
24 Después de aquellos días concibió su mujer Elisabet, y se recluyó en casa por cinco meses, diciendo:
25 Así ha hecho conmigo el Señor en los días en que se dignó quitar mi afrenta entre los hombres.
26 Al sexto mes el ángel Gabriel fue enviado por Dios a una ciudad de Galilea, llamada Nazaret,
27 a una virgen desposada con un varón que se llamaba José, de la casa de David; y el nombre de la virgen era María.
28 Y entrando el ángel en donde ella estaba, dijo: ¡Salve, muy favorecida! El Señor es contigo; bendita tú entre las mujeres.
29 Mas ella, cuando le vio, se turbó por sus palabras, y pensaba qué salutación sería esta.
30 Entonces el ángel le dijo: María, no temas, porque has hallado gracia delante de Dios.
31 Y ahora, concebirás en tu vientre, y darás a luz un hijo, y llamarás su nombre JESÚS.
32 Este será grande, y será llamado Hijo del Altísimo; y el Señor Dios le dará el trono de David su padre;
33 y reinará sobre la casa de Jacob para siempre, y su reino no tendrá fin.
34 Entonces María dijo al ángel: ¿Cómo será esto? pues no conozco varón.
35 Respondiendo el ángel, le dijo: El Espíritu Santo vendrá sobre ti, y el poder del Altísimo te cubrirá con su sombra;

to make ready a people prepared for the Lord.
18 And Zach-a-ri'as said unto the angel, Whereby shall I know this? for I am an old man, and my wife well stricken in years.
19 And the angel answering said unto him, I am Gabriel, that stand in the presence of God; and am sent to speak unto thee, and to shew thee these glad tidings.
20 And, behold, thou shalt be dumb, and not able to speak, until the day that these things shall be performed, because thou believest not my words, which shall be fulfilled in their season.
21 And the people waited for Zach-a-ri'as, and marvelled that he tarried so long in the temple.
22 And when he came out, he could not speak unto them: and they perceived that he had seen a vision in the temple: for he beckoned unto them, and remained speechless.
23 And it came to pass, that, as soon as the days of his ministration were accomplished, he departed to his own house.
24 And after those days his wife Elisabeth conceived, and hid herself five months, saying,
25 Thus hath the Lord dealt with me in the days wherein he looked on *me*, to take away my reproach among men.
26 And in the sixth month the angel Gabriel was sent from God unto a city of Galilee, named Nazareth,
27 To a virgin espoused to a man whose name was Joseph, of the house of David; and the virgin's name *was* Mary.
28 And the angel came in unto her, and said, Hail, *thou that art* highly favoured, the Lord *is* with thee: blessed *art* thou among women.
29 And when she saw *him*, she was troubled at his saying, and cast in her mind what manner of salutation this should be.
30 And the angel said unto her, Fear not, Mary: for thou hast found favour with God.
31 And, behold, thou shalt conceive in thy womb, and bring forth a son, and shalt call his name JESUS.
32 He shall be great, and shall be called the Son of the Highest: and the Lord God shall give unto him the throne of his father David:
33 And he shall reign over the house of Jacob for ever; and of his kingdom there shall be no end.
34 Then said Mary unto the angel, How shall this be, seeing I know not a man?
35 And the angel answered and said unto her, The Holy Ghost shall come upon thee, and the power of the Highest

por lo cual también el Santo Ser que na-
cerá, será llamado Hijo de Dios.
36 Y he aquí tu parienta Elisabet, ella
también ha concebido hijo en su vejez; y
este es el sexto mes para ella, la que lla-
maban estéril;
37 porque nada hay imposible para
Dios.
38 Entonces María dijo: He aquí la sier-
va del Señor; hágase conmigo conforme
a tu palabra. Y el ángel se fue de su pre-
sencia.
39 En aquellos días, levantándose Ma-
ría, fue de prisa a la montaña, a una ciu-
dad de Judá;
40 y entró en casa de Zacarías, y saludó
a Elisabet.
41 Y aconteció que cuando oyó Elisabet
la salutación de María, la criatura saltó
en su vientre; y Elisabet fue llena del Es-
píritu Santo,
42 y exclamó a gran voz, y dijo: Bendi-
ta tú entre las mujeres, y bendito el fruto
de tu vientre.
43 ¿Por qué se me concede esto a mí,
que la madre de mi Señor venga a mí?
44 Porque tan pronto como llegó la voz
de tu salutación a mis oídos, la criatura
saltó de alegría en mi vientre.
45 Y bienaventurada la que creyó,
porque se cumplirá lo que le fue dicho de
parte del Señor.
46 Entonces María dijo: Engrandece mi
alma al Señor;
47 y mi espíritu se regocija en Dios mi
Salvador.
48 Porque ha mirado la bajeza de su
sierva; pues he aquí, desde ahora me di-
rán bienaventurada todas las generacio-
nes.
49 Porque me ha hecho grandes cosas
el Poderoso; santo es su nombre,
50 y su misericordia es de generación
en generación a los que le temen.
51 Hizo proezas con su brazo; esparció
a los soberbios en el pensamiento de sus
corazones.
52 Quitó de los tronos a los poderosos,
y exaltó a los humildes.
53 A los hambrientos colmó de bienes,
y a los ricos envió vacíos.
54 Socorrió a Israel su siervo, acordán-
dose de la misericordia
55 de la cual habló a nuestros padres,
para con Abraham y su descendencia
para siempre.
56 Y se quedó María con ella como tres
meses; después se volvió a su casa.
57 Cuando a Elisabet se le cumplió el
tiempo de su alumbramiento, dio a luz un
hijo.

overshadow thee: therefore also that holy
thing which shall be born of thee shall be
called the Son of God.
36 And, behold, thy cousin Elisabeth,
she hath also conceived a son in her old
age: and this is the sixth month with her,
who was called barren.
37 For with God nothing shall be impos-
sible.
38 And Mary said, Behold the handmaid
of the Lord; be it unto me according to thy
word. And the angel departed from her.
39 And Mary arose in those days, and
went into the hill country with haste, into
a city of Juda;
40 And entered into the house of Zach-
a-ri'as, and saluted Elisabeth.
41 And it came to pass, that, when
Elisabeth heard the salutation of Mary,
the babe leaped in her womb; and Elisa-
beth was filled with the Holy Ghost:
42 And she spake out with a loud voice,
and said, Blessed *art* thou among women,
and blessed *is* the fruit of thy womb.
43 And whence *is* this to me, that the
mother of my Lord should come to me?
44 For, lo, as soon as the voice of thy
salutation sounded in mine ears, the babe
leaped in my womb for joy.
45 And blessed *is* she that believed: for
there shall be a performance of those
things which were told her from the Lord.
46 And Mary said, My soul doth mag-
nify the Lord,
47 And my spirit hath rejoiced in God
my Saviour.
48 For he hath regarded the low estate
of his handmaiden: for, behold, from
henceforth all generations shall call me
blessed.
49 For he that is mighty hath done to me
great things; and holy *is* his name.
50 And his mercy *is* on them that fear
him from generation to generation.
51 He hath shewed strength with his
arm; he hath scattered the proud in the
imagination of their hearts.
52 He hath put down the mighty from
their seats, and exalted them of low de-
gree.
53 He hath filled the hungry with good
things; and the rich he hath sent empty
away.
54 He hath holpen his servant Israel, in
remembrance of *his* mercy;
55 As he spake to our fathers, to Abra-
ham, and to his seed for ever.
56 And Mary abode with her about
three months, and returned to her own
house.
57 Now Elisabeth's full time came that
she should be delivered; and she brought
forth a son.

58 Y cuando oyeron los vecinos y los parientes que Dios había engrandecido para con ella su misericordia, se regocijaron con ella.

59 Aconteció que al octavo día vinieron para circuncidar al niño; y le llamaban con el nombre de su padre, Zacarías;

60 pero respondiendo su madre, dijo: No; se llamará Juan.

61 Le dijeron: ¿Por qué? No hay nadie en tu parentela que se llame con ese nombre.

62 Entonces preguntaron por señas a su padre, cómo le quería llamar.

63 Y pidiendo una tablilla, escribió, diciendo: Juan es su nombre. Y todos se maravillaron.

64 Al momento fue abierta su boca y suelta su lengua, y habló bendiciendo a Dios.

65 Y se llenaron de temor todos sus vecinos; y en todas las montañas de Judea se divulgaron todas estas cosas.

66 Y todos los que las oían las guardaban en su corazón, diciendo: ¿Quién, pues, será este niño? Y la mano del Señor estaba con él.

67 Y Zacarías su padre fue lleno del Espíritu Santo, y profetizó, diciendo:

68 Bendito el Señor Dios de Israel, que ha visitado y redimido a su pueblo,

69 y nos levantó un poderoso Salvador en la casa de David su siervo,

70 como habló por boca de sus santos profetas que fueron desde el principio;

71 salvación de nuestros enemigos, y de la mano de todos los que nos aborrecieron;

72 para hacer misericordia con nuestros padres, y acordarse de su santo pacto;

73 del juramento que hizo a Abraham nuestro padre, que nos había de conceder

74 que, librados de nuestros enemigos, sin temor le serviríamos

75 en santidad y en justicia delante de él, todos nuestros días.

76 Y tú, niño, profeta del Altísimo serás llamado; porque irás delante de la presencia del Señor, para preparar sus caminos;

77 para dar conocimiento de salvación a su pueblo, para perdón de sus pecados,

78 por la entrañable misericordia de nuestro Dios, con que nos visitó desde lo alto la aurora,

79 para dar luz a los que habitan en ti-

58 And her neighbours and her cousins heard how the Lord had shewed great mercy upon her; and they rejoiced with her.

59 And it came to pass, that on the eighth day they came to circumcise the child; and they called him Zach-a-ri'as, after the name of his father.

60 And his mother answered and said, Not *so;* but he shall be called John.

61 And they said unto her, There is none of thy kindred that is called by this name.

62 And they made signs to his father, how he would have him called.

63 And he asked for a writing table, and wrote, saying, His name is John. And they marvelled all.

64 And his mouth was opened immediately, and his tongue *loosed,* and he spake, and praised God.

65 And fear came on all that dwelt round about them: and all these sayings were noised abroad throughout all the hill country of Judæa.

66 And all they that heard *them* laid *them* up in their hearts, saying, What manner of child shall this be! And the hand of the Lord was with him.

67 And his father Zach-a-ri'as was filled with the Holy Ghost, and prophesied, saying,

68 Blessed *be* the Lord God of Israel; for he hath visited and redeemed his people,

69 And hath raised up an horn of salvation for us in the house of his servant David;

70 As he spake by the mouth of his holy prophets, which have been since the world began:

71 That we should be saved from our enemies, and from the hand of all that hate us;

72 To perform the mercy *promised* to our fathers, and to remember his holy covenant;

73 The oath which he sware to our father Abraham,

74 That he would grant unto us, that we being delivered out of the hand of our enemies might serve him without fear,

75 In holiness and righteousness before him, all the days of our life.

76 And thou, child, shalt be called the prophet of the Highest: for thou shalt go before the face of the Lord to prepare his ways;

77 To give knowledge of salvation unto his people by the remission of their sins,

78 Through the tender mercy of our God; whereby the dayspring from on high hath visited us,

79 To give light to them that sit in dark-

nieblas y en sombra de muerte; para encaminar nuestros pies por camino de paz.

80 Y el niño crecía, y se fortalecía en espíritu; y estuvo en lugares desiertos hasta el día de su manifestación a Israel.

CAPÍTULO 2

ACONTECIÓ en aquellos días, que se promulgó un edicto de parte de Augusto César, que todo el mundo fuese empadronado.

2 Este primer censo se hizo siendo Cirenio gobernador de Siria.

3 E iban todos para ser empadronados, cada uno a su ciudad.

4 Y José subió de Galilea, de la ciudad de Nazaret, a Judea, a la ciudad de David, que se llama Belén, por cuanto era de la casa y familia de David;

5 para ser empadronado con María su mujer, desposada con él, la cual estaba encinta.

6 Y aconteció que estando ellos allí, se cumplieron los días de su alumbramiento.

7 Y dio a luz a su hijo primogénito, y lo envolvió en pañales, y lo acostó en un pesebre, porque no había lugar para ellos en el mesón.

8 Había pastores en la misma región, que velaban y guardaban las vigilias de la noche sobre su rebaño.

9 Y he aquí, se les presentó un ángel del Señor, y la gloria del Señor los rodeó de resplandor; y tuvieron gran temor.

10 Pero el ángel les dijo: No temáis; porque he aquí os doy nuevas de gran gozo, que será para todo el pueblo:

11 que os ha nacido hoy, en la ciudad de David, un Salvador, que es CRISTO el Señor.

12 Esto os servirá de señal: Hallaréis al niño envuelto en pañales, acostado en un pesebre.

13 Y repentinamente apareció con el ángel una multitud de las huestes celestiales, que alababan a Dios, y decían:

14 ¡Gloria a Dios en las alturas, y en la tierra paz, buena voluntad para con los hombres!

15 Sucedió que cuando los ángeles se fueron de ellos al cielo, los pastores se dijeron unos a otros: Pasemos, pues, hasta Belén, y veamos esto que ha sucedido, y que el Señor nos ha manifestado.

16 Vinieron, pues, apresuradamente, y hallaron a María y a José, y al niño acostado en el pesebre.

17 Y al verlo, dieron a conocer lo que se les había dicho acerca del niño.

ness and *in* the shadow of death, to guide our feet into the way of peace.

80 And the child grew, and waxed strong in spirit, and was in the deserts till the day of his shewing unto Israel.

CHAPTER 2

AND it came to pass in those days, that there went out a decree from Cæsar Augustus, that all the world should be taxed.

2 (*And* this taxing was first made when Cy-re′ni-us was governor of Syria.)

3 And all went to be taxed, every one into his own city.

4 And Joseph also went up from Galilee, out of the city of Nazareth, into Judæa, unto the city of David, which is called Bethlehem; (because he was of the house and lineage of David:)

5 To be taxed with Mary his espoused wife, being great with child.

6 And so it was, that, while they were there, the days were accomplished that she should be delivered.

7 And she brought forth her firstborn son, and wrapped him in swaddling clothes, and laid him in a manger; because there was no room for them in the inn.

8 And there were in the same country shepherds abiding in the field, keeping watch over their flock by night.

9 And, lo, the angel of the Lord came upon them, and the glory of the Lord shone round about them: and they were sore afraid.

10 And the angel said unto them, Fear not: for, behold, I bring you good tidings of great joy, which shall be to all people.

11 For unto you is born this day in the city of David a Saviour, which is Christ the Lord.

12 And this *shall be* a sign unto you; Ye shall find the babe wrapped in swaddling clothes, lying in a manger.

13 And suddenly there was with the angel a multitude of the heavenly host praising God, and saying,

14 Glory to God in the highest, and on earth peace, good will toward men.

15 And it came to pass, as the angels were gone away from them into heaven, the shepherds said one to another, Let us now go even unto Bethlehem, and see this thing which is come to pass, which the Lord hath made known unto us.

16 And they came with haste, and found Mary, and Joseph, and the babe lying in a manger.

17 And when they had seen *it*, they made known abroad the saying which was told them concerning this child.

18 Y todos los que oyeron, se maravillaron de lo que los pastores les decían.

19 Pero María guardaba todas estas cosas, meditándolas en su corazón.

20 Y volvieron los pastores glorificando y alabando a Dios por todas las cosas que habían oído y visto, como se les había dicho.

21 Cumplidos los ocho días para circuncidar al niño, le pusieron por nombre JESÚS, el cual le había sido puesto por el ángel antes que fuese concebido.

22 Y cuando se cumplieron los días de la purificación de ellos, conforme a la ley de Moisés, le trajeron a Jerusalén para presentarle al Señor

23 (como está escrito en la ley del Señor: Todo varón que abriere la matriz será llamado santo al Señor),

24 y para ofrecer conforme a lo que se dice en la ley del Señor: Un par de tórtolas, o dos palominos.

25 Y he aquí había en Jerusalén un hombre llamado Simeón, y este hombre, justo y piadoso, esperaba la consolación de Israel; y el Espíritu Santo estaba sobre él.

26 Y le había sido revelado por el Espíritu Santo, que no vería la muerte antes que viese al Ungido del Señor.

27 Y movido por el Espíritu, vino al templo. Y cuando los padres del niño Jesús lo trajeron al templo, para hacer por él conforme al rito de la ley,

28 él le tomó en sus brazos, y bendijo a Dios, diciendo:

29 Ahora, Señor, despides a tu siervo en paz, conforme a tu palabra;

30 porque han visto mis ojos tu salvación,

31 la cual has preparado en presencia de todos los pueblos;

32 luz para revelación a los gentiles, y gloria de tu pueblo Israel.

33 Y José y su madre estaban maravillados de todo lo que se decía de él.

34 Y los bendijo Simeón, y dijo a su madre María: He aquí, éste está puesto para caída y para levantamiento de muchos en Israel, y para señal que será contradicha

35 (y una espada traspasará tu misma alma), para que sean revelados los pensamientos de muchos corazones.

36 Estaba también allí Ana, profetisa, hija de Fanuel, de la tribu de Aser, de edad muy avanzada, pues había vivido con su marido siete años desde su virginidad,

18 And all they that heard *it* wondered at those things which were told them by the shepherds.

19 But Mary kept all these things, and pondered *them* in her heart.

20 And the shepherds returned, glorifying and praising God for all the things that they had heard and seen, as it was told unto them.

21 And when eight days were accomplished for the circumcising of the child, his name was called JESUS, which was so named of the angel before he was conceived in the womb.

22 And when the days of her purification according to the law of Moses were accomplished, they brought him to Jerusalem, to present *him* to the Lord;

23 (As it is written in the law of the Lord, Every male that openeth the womb shall be called holy to the Lord;)

24 And to offer a sacrifice according to that which is said in the law of the Lord, A pair of turtledoves, or two young pigeons.

25 And, behold, there was a man in Jerusalem, whose name *was* Simeon; and the same man *was* just and devout, waiting for the consolation of Israel: and the Holy Ghost was upon him.

26 And it was revealed unto him by the Holy Ghost, that he should not see death, before he had seen the Lord's Christ.

27 And he came by the Spirit into the temple: and when the parents brought in the child Jesus, to do for him after the custom of the law,

28 Then took he him up in his arms, and blessed God, and said,

29 Lord, now lettest thou thy servant depart in peace, according to thy word:

30 For mine eyes have seen thy salvation,

31 Which thou hast prepared before the face of all people;

32 A light to lighten the Gentiles, and the glory of thy people Israel.

33 And Joseph and his mother marvelled at those things which were spoken of him.

34 And Simeon blessed them, and said unto Mary his mother, Behold, this *child* is set for the fall and rising again of many in Israel; and for a sign which shall be spoken against;

35 (Yea, a sword shall pierce through thy own soul also,) that the thoughts of many hearts may be revealed.

36 And there was one Anna, a prophetess, the daughter of Pha-nu'el, of the tribe of A'ser: she was of a great age, and had lived with an husband seven years from her virginity;

37 y era viuda hacía ochenta y cuatro años; y no se apartaba del templo, sirviendo de noche y de día con ayunos y oraciones.
38 Esta, presentándose en la misma hora, daba gracias a Dios, y hablaba del niño a todos los que esperaban la redención en Jerusalén.
39 Después de haber cumplido con todo lo prescrito en la ley del Señor, volvieron a Galilea, a su ciudad de Nazaret.
40 Y el niño crecía y se fortalecía, y se llenaba de sabiduría; y la gracia de Dios era sobre él.
41 Iban sus padres todos los años a Jerusalén en la fiesta de la pascua;
42 y cuando tuvo doce años, subieron a Jerusalén conforme a la costumbre de la fiesta.
43 Al regresar ellos, acabada la fiesta, se quedó el niño Jesús en Jerusalén, sin que lo supiesen José y su madre.
44 Y pensando que estaba entre la compañía, anduvieron camino de un día; y le buscaban entre los parientes y los conocidos;
45 pero como no le hallaron, volvieron a Jerusalén buscándole.
46 Y aconteció que tres días después le hallaron en el templo, sentado en medio de los doctores de la ley, oyéndoles y preguntándoles.
47 Y todos los que le oían, se maravillaban de su inteligencia y de sus respuestas.
48 Cuando le vieron, se sorprendieron; y le dijo su madre: Hijo, ¿por qué nos has hecho así? He aquí, tu padre y yo te hemos buscado con angustia.
49 Entonces él les dijo: ¿Por qué me buscabais? ¿No sabíais que en los negocios de mi Padre me es necesario estar?
50 Mas ellos no entendieron las palabras que les habló.
51 Y descendió con ellos, y volvió a Nazaret, y estaba sujeto a ellos. Y su madre guardaba todas estas cosas en su corazón.
52 Y Jesús crecía en sabiduría y en estatura, y en gracia para con Dios y los hombres.

CAPÍTULO 3

EN el año decimoquinto del imperio de Tiberio César, siendo gobernador de Judea Poncio Pilato, y Herodes tetrarca de Galilea, y su hermano Felipe tetrarca de Iturea y de la provincia de Traconite, y Lisanias tetrarca de Abilinia,

37 And she *was* a widow of about fourscore and four years, which departed not from the temple, but served *God* with fastings and prayers night and day.
38 And she coming in that instant gave thanks likewise unto the Lord, and spake of him to all them that looked for redemption in Jerusalem.
39 And when they had performed all things according to the law of the Lord, they returned into Galilee, to their own city Nazareth.
40 And the child grew, and waxed strong in spirit, filled with wisdom: and the grace of God was upon him.
41 Now his parents went to Jerusalem every year at the feast of the passover.
42 And when he was twelve years old, they went up to Jerusalem after the custom of the feast.
43 And when they had fulfilled the days, as they returned, the child Jesus tarried behind in Jerusalem; and Joseph and his mother knew not *of it*.
44 But they, supposing him to have been in the company, went a day's journey; and they sought him among *their* kinsfolk and acquaintance.
45 And when they found him not, they turned back again to Jerusalem, seeking him.
46 And it came to pass, that after three days they found him in the temple, sitting in the midst of the doctors, both hearing them, and asking them questions.
47 And all that heard him were astonished at his understanding and answers.
48 And when they saw him, they were amazed: and his mother said unto him, Son, why hast thou thus dealt with us? behold, thy father and I have sought thee sorrowing.
49 And he said unto them, How is it that ye sought me? wist ye not that I must be about my Father's business?
50 And they understood not the saying which he spake unto them.
51 And he went down with them, and came to Nazareth, and was subject unto them: but his mother kept all these sayings in her heart.
52 And Jesus increased in wisdom and stature, and in favour with God and man.

CHAPTER 3

NOW in the fifteenth year of the reign of Ti-be'ri-us Cæsar, Pontius Pilate being governor of Judæa, and Herod being tetrarch of Galilee, and his brother Philip tetrarch of I-tu-ræ'a and of the region of Trach-o-ni'tis, and Ly-sa'ni-as the tetrarch of Ab-i-le'ne,

2 y siendo sumos sacerdotes Anás y
Caifás, vino palabra de Dios a Juan, hijo
de Zacarías, en el desierto.
3 Y él fue por toda la región contigua al
Jordán, predicando el bautismo del arre-
pentimiento para perdón de pecados,
4 como está escrito en el libro de las
palabras del profeta Isaías, que dice: Voz
del que clama en el desierto: Preparad el
camino del Señor; enderezad sus sendas.
5 Todo valle se rellenará, y se bajará
todo monte y collado; los caminos torci-
dos serán enderezados, y los caminos ás-
peros allanados;
6 y verá toda carne la salvación de
Dios.
7 Y decía a las multitudes que salían
para ser bautizadas por él: ¡Oh genera-
ción de víboras! ¿Quién os enseñó a huir
de la ira venidera?
8 Haced, pues, frutos dignos de arre-
pentimiento, y no comencéis a decir den-
tro de vosotros mismos: Tenemos a
Abraham por padre; porque os digo que
Dios puede levantar hijos a Abraham aun
de estas piedras.
9 Y ya también el hacha está puesta a
la raíz de los árboles; por tanto, todo ár-
bol que no da buen fruto se corta y se
echa en el fuego.
10 Y la gente le preguntaba, diciendo:
Entonces, ¿qué haremos?
11 Y respondiendo, les dijo: El que
tiene dos túnicas, dé al que no tiene; y el
que tiene qué comer, haga lo mismo.
12 Vinieron también unos publicanos
para ser bautizados, y le dijeron: Maes-
tro, ¿qué haremos?
13 El les dijo: No exijáis más de lo que
os está ordenado.
14 También le preguntaron unos solda-
dos, diciendo: Y nosotros, ¿qué haremos?
Y les dijo: No hagáis extorsión a nadie, ni
calumniéis; y contentaos con vuestro sa-
lario.
15 Como el pueblo estaba en expectati-
va, preguntándose todos en sus corazo-
nes si acaso Juan sería el Cristo,
16 respondió Juan, diciendo a todos: Yo
a la verdad os bautizo en agua; pero
viene uno más poderoso que yo, de quien
no soy digno de desatar la correa de su
calzado; él os bautizará en Espíritu Santo
y fuego.
17 Su aventador está en su mano, y lim-
piará su era, y recogerá el trigo en su gra-
nero, y quemará la paja en fuego que
nunca se apagará.
18 Con estas y otras muchas exhorta-
ciones anunciaba las buenas nuevas al
pueblo.

2 An'nas and Cai'a-phas being the high
priests, the word of God came unto John
the son of Zach-a-ri'as in the wilderness.
3 And he came into all the country
about Jordan, preaching the baptism of
repentance for the remission of sins;
4 As it is written in the book of the
words of E-sai'as the prophet, saying,
The voice of one crying in the wilderness,
Prepare ye the way of the Lord, make his
paths straight.
5 Every valley shall be filled, and every
mountain and hill shall be brought low;
and the crooked shall be made straight,
and the rough ways *shall be* made
smooth;
6 And all flesh shall see the salvation of
God.
7 Then said he to the multitude that
came forth to be baptized of him, O gen-
eration of vipers, who hath warned you
to flee from the wrath to come?
8 Bring forth therefore fruits worthy of
repentance, and begin not to say within
yourselves, We have Abraham to *our* fa-
ther: for I say unto you, That God is able
of these stones to raise up children unto
Abraham.
9 And now also the axe is laid unto the
root of the trees: every tree therefore
which bringeth not forth good fruit is
hewn down, and cast into the fire.
10 And the people asked him, saying,
What shall we do then?
11 He answereth and saith unto them,
He that hath two coats, let him impart to
him that hath none; and he that hath
meat, let him do likewise.
12 Then came also publicans to be bap-
tized, and said unto him, Master, what
shall we do?
13 And he said unto them, Exact no
more than that which is appointed you.
14 And the soldiers likewise demanded
of him, saying, And what shall we do?
And he said unto them, Do violence to no
man, neither accuse *any* falsely; and be
content with your wages.
15 And as the people were in expecta-
tion, and all men mused in their hearts of
John, whether he were the Christ, or not;
16 John answered, saying unto *them*
all, I indeed baptize you with water; but
one mightier than I cometh, the latchet of
whose shoes I am not worthy to unloose:
he shall baptize you with the Holy Ghost
and with fire:
17 Whose fan *is* in his hand, and he will
throughly purge his floor, and will gather
the wheat into his garner; but the chaff
he will burn with fire unquenchable.
18 And many other things in his exhor-
tation preached he unto the people.

19 Entonces Herodes el tetrarca, siendo reprendido por Juan a causa de Herodías, mujer de Felipe su hermano, y de todas las maldades que Herodes había hecho,

20 sobre todas ellas, añadió además esta: encerró a Juan en la cárcel.

21 Aconteció que cuando todo el pueblo se bautizaba, también Jesús fue bautizado; y orando, el cielo se abrió,

22 y descendió el Espíritu Santo sobre él en forma corporal, como paloma, y vino una voz del cielo que decía: Tú eres mi Hijo amado; en ti tengo complacencia.

23 Jesús mismo al comenzar su ministerio era como de treinta años, hijo, según se creía, de José, hijo de Elí,

24 hijo de Matat, hijo de Leví, hijo de Melqui, hijo de Jana, hijo de José,

25 hijo de Matatías, hijo de Amós, hijo de Nahum, hijo de Esli, hijo de Nagai,

26 hijo de Maat, hijo de Matatías, hijo de Semei, hijo de José, hijo de Judá,

27 hijo de Joana, hijo de Resa, hijo de Zorobabel, hijo de Salatiel, hijo de Neri,

28 hijo de Melqui, hijo de Adi, hijo de Cosam, hijo de Elmodam, hijo de Er,

29 hijo de Josué, hijo de Eliezer, hijo de Jorim, hijo de Matat,

30 hijo de Leví, hijo de Simeón, hijo de Judá, hijo de José, hijo de Jonán, hijo de Eliaquim,

31 hijo de Melea, hijo de Máinán, hijo de Matata, hijo de Natán,

32 hijo de David, hijo de Isaí, hijo de Obed, hijo de Booz, hijo de Salmón, hijo de Naasón,

33 hijo de Aminadab, hijo de Aram, hijo de Esrom, hijo de Fares, hijo de Judá,

34 hijo de Jacob, hijo de Isaac, hijo de Abraham, hijo de Taré, hijo de Nacor,

19 But Herod the tetrarch, being reproved by him for He-ro′di-as his brother Philip's wife, and for all the evils which Herod had done,

20 Added yet this above all, that he shut up John in prison.

21 Now when all the people were baptized, it came to pass, that Jesus also being baptized, and praying, the heaven was opened,

22 And the Holy Ghost descended in a bodily shape like a dove upon him, and a voice came from heaven, which said, Thou art my beloved Son; in thee I am well pleased.

23 And Jesus himself began to be about thirty years of age, being (as was supposed) the son of Joseph, which was *the son* of He′li,

24 Which was *the son* of Mat′that, which was *the son* of Levi, which was *the son* of Mel′chi, which was *the son* of Jan′na, which was *the son* of Joseph,

25 Which was *the son* of Mat-ta-thi′as, which was *the son* of Amos, which was *the son* of Na′um, which was *the son* of Es′li, which was *the son* of Nag′ge,

26 Which was *the son* of Ma′ath, which was *the son* of Mat-ta-thi′as, which was *the son* of Sem′e-i, which was *the son* of Joseph, which was *the son* of Juda,

27 Which was *the son* of Jo-an′na, which was *the son* of Rhe′sa, which was *the son* of Zo-rob′a-bel, which was *the son* of Sa-la′thi-el, which was *the son* of Ne′ri,

28 Which was *the son* of Mel′chi, which was *the son* of Ad′di, which was *the son* of Co′sam, which was *the son* of El-mo′dam, which was *the son* of Er,

29 Which was *the son* of Jo′se, which was *the son* of E-li-e′zer, which was *the son* of Jo′rim, which was *the son* of Mat′that, which was *the son* of Levi,

30 Which was *the son* of Simeon, which was *the son* of Juda, which was *the son* of Joseph, which was *the son* of Jo′nan, which was *the son* of E-li′a-kim,

31 Which was *the son* of Me′le-a, which was *the son* of Me′nan, which was *the son* of Mat′ta-tha, which was *the son* of Nathan, which was *the son* of David,

32 Which was *the son* of Jesse, which was *the son* of O′bed, which was *the son* of Bo′oz, which was *the son* of Sal′mon, which was *the son* of Na-as′son,

33 Which was *the son* of A-min′a-dab, which was *the son* of A′ram, which was *the son* of Es′rom, which was *the son* of Pha′res, which was *the son* of Juda,

34 Which was *the son* of Jacob, which was *the son* of Isaac, which was *the son* of Abraham, which was *the son* of Tha′ra, which was *the son* of Na′chor,

35 hijo de Serug, hijo de Ragau, hijo de Peleg, hijo de Heber, hijo de Sala,

36 hijo de Cainán, hijo de Arfaxad, hijo de Sem, hijo de Noé, hijo de Lamec,

37 hijo de Matusalén, hijo de Enoc, hijo de Jared, hijo de Mahalaleel, hijo de Cainán,

38 hijo de Enós, hijo de Set, hijo de Adán, hijo de Dios.

CAPÍTULO 4

JESÚS, lleno del Espíritu Santo, volvió del Jordán, y fue llevado por el Espíritu al desierto

2 por cuarenta días, y era tentado por el diablo. Y no comió nada en aquellos días, pasados los cuales, tuvo hambre.

3 Entonces el diablo le dijo: Si eres Hijo de Dios, dí a esta piedra que se convierta en pan.

4 Jesús, respondiéndole, dijo: Escrito está: No sólo de pan vivirá el hombre, sino de toda palabra de Dios.

5 Y le llevó el diablo a un alto monte, y le mostró en un momento todos los reinos de la tierra.

6 Y le dijo el diablo: A ti te daré toda esta potestad, y la gloria de ellos; porque a mí me ha sido entregada, y a quien quiero la doy.

7 Si tú postrado me adorares, todos serán tuyos.

8 Respondiendo Jesús, le dijo: Vete de mí, Satanás, porque escrito está: Al Señor tu Dios adorarás, y a él solo servirás.

9 Y le llevó a Jerusalén, y le puso sobre el pináculo del templo, y le dijo: Si eres Hijo de Dios, échate de aquí abajo;

10 porque escrito está: A sus ángeles mandará acerca de ti, que te guarden;

11 y, en las manos te sostendrán, para que no tropieces con tu pie en piedra.

12 Respondiendo Jesús, le dijo: Dicho está: No tentarás al Señor tu Dios.

13 Y cuando el diablo hubo acabado toda tentación, se apartó de él por un tiempo.

14 Y Jesús volvió en el poder del Espíritu a Galilea, y se difundió su fama por toda la tierra de alrededor.

35 Which was *the son* of Sa'ruch, which was *the son* of Ra'gau, which was *the son* of Pha'lec, which was *the son* of He'ber, which was *the son* of Sa'la,

36 Which was *the son* of Ca-i'nan, which was *the son* of Ar-phax'ad, which was *the son* of Sem, which was *the son* of No'e, which was *the son* of La'mech,

37 Which was *the son* of Ma-thu'sa-la, which was *the son* of E'noch, which was *the son* of Ja'red, which was *the son* of Ma-le'le-el, which was *the son* of Ca-i'nan,

38 Which was *the son* of Enos, which was *the son* of Seth, which was *the son* of Adam, which was *the son* of God.

CHAPTER 4

AND Jesus being full of the Holy Ghost returned from Jordan, and was led by the Spirit into the wilderness,

2 Being forty days tempted of the devil. And in those days he did eat nothing: and when they were ended, he afterward hungered.

3 And the devil said unto him, If thou be the Son of God, command this stone that it be made bread.

4 And Jesus answered him, saying, It is written, That man shall not live by bread alone, but by every word of God.

5 And the devil, taking him up into an high mountain, shewed unto him all the kingdoms of the world in a moment of time.

6 And the devil said unto him, All this power will I give thee, and the glory of them: for that is delivered unto me; and to whomsoever I will I give it.

7 If thou therefore wilt worship me, all shall be thine.

8 And Jesus answered and said unto him, Get thee behind me, Satan: for it is written, Thou shalt worship the Lord thy God, and him only shalt thou serve.

9 And he brought him to Jerusalem, and set him on a pinnacle of the temple, and said unto him, If thou be the Son of God, cast thyself down from hence:

10 For it is written, He shall give his angels charge over thee, to keep thee:

11 And in *their* hands they shall bear thee up, lest at any time thou dash thy foot against a stone.

12 And Jesus answering said unto him, It is said, Thou shalt not tempt the Lord thy God.

13 And when the devil had ended all the temptation, he departed from him for a season.

14 And Jesus returned in the power of the Spirit into Galilee: and there went out a fame of him through all the region round about.

15 Y enseñaba en las sinagogas de ellos, y era glorificado por todos.

16 Vino a Nazaret, donde se había criado; y en el día de reposo entró en la sinagoga, conforme a su costumbre, y se levantó a leer.

17 Y se le dio el libro del profeta Isaías; y habiendo abierto el libro, halló el lugar donde estaba escrito:

18 El Espíritu del Señor está sobre mí, por cuanto me ha ungido para dar buenas nuevas a los pobres; me ha enviado a sanar a los quebrantados de corazón; a pregonar libertad a los cautivos, y vista a los ciegos; a poner en libertad a los oprimidos;

19 a predicar el año agradable del Señor.

20 Y enrollando el libro, lo dio al ministro, y se sentó; y los ojos de todos en la sinagoga estaban fijos en él.

21 Y comenzó a decirles: Hoy se ha cumplido esta Escritura delante de vosotros.

22 Y todos daban buen testimonio de él, y estaban maravillados de las palabras de gracia que salían de su boca, y decían: ¿No es éste el hijo de José?

23 El les dijo: Sin duda me diréis este refrán: Médico, cúrate a ti mismo; de tantas cosas que hemos oído que se han hecho en Capernaum, haz también aquí en tu tierra.

24 Y añadió: De cierto os digo, que ningún profeta es acepto en su propia tierra.

25 Y en verdad os digo que muchas viudas había en Israel en los días de Elías, cuando el cielo fue cerrado por tres años y seis meses, y hubo una gran hambre en toda la tierra;

26 pero a ninguna de ellas fue enviado Elías, sino a una mujer viuda en Sarepta de Sidón.

27 Y muchos leprosos había en Israel en tiempo del profeta Eliseo; pero ninguno de ellos fue limpiado, sino Naamán el sirio.

28 Al oir estas cosas, todos en la sinagoga se llenaron de ira;

29 y levantándose, le echaron fuera de la ciudad, y le llevaron hasta la cumbre del monte sobre el cual estaba edificada la ciudad de ellos, para despeñarle.

30 Mas él pasó por en medio de ellos, y se fue.

31 Descendió Jesús a Capernaum, ciudad de Galilea; y les enseñaba en los días de reposo.

32 Y se admiraban de su doctrina, porque su palabra era con autoridad.

15 And he taught in their synagogues, being glorified of all.

16 And he came to Nazareth, where he had been brought up: and, as his custom was, he went into the synagogue on the sabbath day, and stood up for to read.

17 And there was delivered unto him the book of the prophet E-sai′as. And when he had opened the book, he found the place where it was written,

18 The Spirit of the Lord *is* upon me, because he hath anointed me to preach the gospel to the poor; he hath sent me to heal the brokenhearted, to preach deliverance to the captives, and recovering of sight to the blind, to set at liberty them that are bruised,

19 To preach the acceptable year of the Lord.

20 And he closed the book, and he gave *it* again to the minister, and sat down. And the eyes of all them that were in the synagogue were fastened on him.

21 And he began to say unto them, This day is this scripture fulfilled in your ears.

22 And all bare him witness, and wondered at the gracious words which proceeded out of his mouth. And they said, Is not this Joseph's son?

23 And he said unto them, Ye will surely say unto me this proverb, Physician, heal thyself: whatsoever we have heard done in Ca-per′na-um, do also here in thy country.

24 And he said, Verily I say unto you, No prophet is accepted in his own country.

25 But I tell you of a truth, many widows were in Israel in the days of E-li′as, when the heaven was shut up three years and six months, when great famine was throughout all the land;

26 But unto none of them was E-li′as sent, save unto Sar-ep′ta, *a city* of Si′don, unto a woman *that was* a widow.

27 And many lepers were in Israel in the time of El-i-se′us the prophet; and none of them was cleansed, saving Na′a-man the Syrian.

28 And all they in the synagogue, when they heard these things, were filled with wrath,

29 And rose up, and thrust him out of the city, and led him unto the brow of the hill whereon their city was built, that they might cast him down headlong.

30 But he passing through the midst of them went his way,

31 And came down to Ca-per′na-um, a city of Galilee, and taught them on the sabbath days.

32 And they were astonished at his doctrine: for his word was with power.

33 Estaba en la sinagoga un hombre que tenía un espíritu de demonio inmundo, el cual exclamó a gran voz,

34 diciendo: Déjanos; ¿qué tienes con nosotros, Jesús nazareno? ¿Has venido para destruirnos? Yo te conozco quién eres, el Santo de Dios.

35 Y Jesús le reprendió, diciendo: Cállate, y sal de él. Entonces el demonio, derribándole en medio de ellos, salió de él, y no le hizo daño alguno.

36 Y estaban todos maravillados, y hablaban unos a otros, diciendo; ¿Qué palabra es esta, que con autoridad y poder manda a los espíritus inmundos, y salen?

37 Y su fama se difundía por todos los lugares de los contornos.

38 Entonces Jesús se levantó y salió de la sinagoga, y entró en casa de Simón. La suegra de Simón tenía una gran fiebre; y le rogaron por ella.

39 E inclinándose hacia ella, reprendió a la fiebre; y la fiebre la dejó, y levantándose ella al instante, les servía.

40 Al ponerse el sol, todos los que tenían enfermos de diversas enfermedades los traían a él; y él, poniendo las manos sobre cada uno de ellos, los sanaba.

41 También salían demonios de muchos, dando voces y diciendo: Tú eres el Hijo de Dios. Pero él los reprendía y no les dejaba hablar, porque sabían que él era el Cristo.

42 Cuando ya era de día, salió y se fue a un lugar desierto; y la gente le buscaba, y llegando a donde estaba, le detenían para que no se fuera de ellos.

43 Pero él les dijo: Es necesario que también a otras ciudades anuncie el evangelio del reino de Dios; porque para esto he sido enviado.

44 Y predicaba en las sinagogas de Galilea.

CAPÍTULO 5

ACONTECIÓ que estando Jesús junto al lago de Genesaret, el gentío se agolpaba sobre él para oir la palabra de Dios.

2 Y vio dos barcas que estaban cerca de la orilla del lago; y los pescadores, habiendo descendido de ellas, lavaban sus redes.

3 Y entrando en una de aquellas barcas, la cual era de Simón, le rogó que la apartase de tierra un poco; y sentándose, enseñaba desde la barca a la multitud.

4 Cuando terminó de hablar, dijo a Si-

33 And in the synagogue there was a man, which had a spirit of an unclean devil, and cried out with a loud voice,

34 Saying, Let *us* alone; what have we to do with thee, *thou* Jesus of Nazareth? art thou come to destroy us? I know thee who thou art; the Holy One of God.

35 And Jesus rebuked him, saying, Hold thy peace, and come out of him. And when the devil had thrown him in the midst, he came out of him, and hurt him not.

36 And they were all amazed, and spake among themselves, saying, What a word *is* this! for with authority and power he commandeth the unclean spirits, and they come out.

37 And the fame of him went out into every place of the country round about.

38 And he arose out of the synagogue, and entered into Simon's house. And Simon's wife's mother was taken with a great fever; and they besought him for her.

39 And he stood over her, and rebuked the fever; and it left her: and immediately she arose and ministered unto them.

40 Now when the sun was setting, all they that had any sick with divers diseases brought them unto him; and he laid his hands on every one of them, and healed them.

41 And devils also came out of many, crying out, and saying, Thou art Christ the Son of God. And he rebuking *them* suffered them not to speak: for they knew that he was Christ.

42 And when it was day, he departed and went into a desert place: and the people sought him, and came unto him, and stayed him, that he should not depart from them.

43 And he said unto them, I must preach the kingdom of God to other cities also: for therefore am I sent.

44 And he preached in the synagogues of Galilee.

CHAPTER 5

AND it came to pass, that, as the people pressed upon him to hear the word of God, he stood by the lake of Gen-nes'a-ret,

2 And saw two ships standing by the lake: but the fishermen were gone out of them, and were washing *their* nets.

3 And he entered into one of the ships, which was Simon's, and prayed him that he would thrust out a little from the land. And he sat down, and taught the people out of the ship.

4 Now when he had left speaking, he

món: Boga mar adentro, y echad vuestras redes para pescar.

5 Respondiendo Simón, le dijo: Maestro, toda la noche hemos estado trabajando, y nada hemos pescado; mas en tu palabra echaré la red.

6 Y habiéndolo hecho, encerraron gran cantidad de peces, y su red se rompía.

7 Entonces hicieron señas a los compañeros que estaban en la otra barca, para que viniesen a ayudarles; y vinieron, y llenaron ambas barcas, de tal manera que se hundían.

8 Viendo esto Simón Pedro, cayó de rodillas ante Jesús, diciendo: Apártate de mí, Señor, porque soy hombre pecador.

9 Porque por la pesca que habían hecho, el temor se había apoderado de él, y de todos los que estaban con él,

10 y asimismo de Jacobo y Juan, hijos de Zebedeo, que eran compañeros de Simón. Pero Jesús dijo a Simón: No temas; desde ahora serás pescador de hombres.

11 Y cuando trajeron a tierra las barcas, dejándolo todo, le siguieron.

12 Sucedió que estando él en una de las ciudades, se presentó un hombre lleno de lepra, el cual, viendo a Jesús, se postró con el rostro en tierra y le rogó, diciendo: Señor, si quieres, puedes limpiarme.

13 Entonces, extendiendo él la mano, le tocó, diciendo: Quiero; sé limpio. Y al instante la lepra se fue de él.

14 Y él le mandó que no lo dijese a nadie; sino vé, le dijo, muéstrate al sacerdote, y ofrece por tu purificación, según mandó Moisés, para testimonio a ellos.

15 Pero su fama se extendía más y más; y se reunía mucha gente para oirle, y para que les sanase de sus enfermedades.

16 Mas él se apartaba a lugares desiertos, y oraba.

17 Aconteció un día, que él estaba enseñando, y estaban sentados los fariseos y doctores de la ley, los cuales habían venido de todas las aldeas de Galilea, y de Judea y Jerusalén; y el poder del Señor estaba con él para sanar.

18 Y sucedió que unos hombres que traían en un lecho a un hombre que estaba paralítico, procuraban llevarle adentro y ponerle delante de él.

19 Pero no hallando cómo hacerlo a causa de la multitud, subieron encima de

said unto Simon, Launch out into the deep, and let down your nets for a draught.

5 And Simon answering said unto him, Master, we have toiled all the night, and have taken nothing: nevertheless at thy word I will let down the net.

6 And when they had this done, they inclosed a great multitude of fishes: and their net brake.

7 And they beckoned unto *their* partners, which were in the other ship, that they should come and help them. And they came, and filled both the ships, so that they began to sink.

8 When Simon Peter saw *it*, he fell down at Jesus' knees, saying, Depart from me; for I am a sinful man, O Lord.

9 For he was astonished, and all that were with him, at the draught of the fishes which they had taken:

10 And so *was* also James, and John, the sons of Zeb'e-dee, which were partners with Simon. And Jesus said unto Simon, Fear not; from henceforth thou shalt catch men.

11 And when they had brought their ships to land, they forsook all, and followed him.

12 And it came to pass, when he was in a certain city, behold a man full of leprosy: who seeing Jesus fell on *his* face, and besought him, saying, Lord, if thou wilt, thou canst make me clean.

13 And he put forth *his* hand, and touched him, saying, I will: be thou clean. And immediately the leprosy departed from him.

14 And he charged him to tell no man: but go, and shew thyself to the priest, and offer for thy cleansing, according as Moses commanded, for a testimony unto them.

15 But so much the more went there a fame abroad of him: and great multitudes came together to hear, and to be healed by him of their infirmities.

16 And he withdrew himself into the wilderness, and prayed.

17 And it came to pass on a certain day, as he was teaching, that there were Pharisees and doctors of the law sitting by, which were come out of every town of Galilee, and Judæa, and Jerusalem: and the power of the Lord was *present* to heal them.

18 And, behold, men brought in a bed a man which was taken with a palsy: and they sought *means* to bring him in, and to lay *him* before him.

19 And when they could not find by what *way* they might bring him in because of the multitude, they went upon

la casa, y por el tejado le bajaron con el lecho, poniéndole en medio, delante de Jesús.

20 Al ver él la fe de ellos, le dijo: Hombre, tus pecados te son perdonados.

21 Entonces los escribas y los fariseos comenzaron a cavilar, diciendo: ¿Quién es éste que habla blasfemias? ¿Quién puede perdonar pecados sino sólo Dios?

22 Jesús entonces, conociendo los pensamientos de ellos, respondiendo les dijo: ¿Qué caviláis en vuestros corazones?

23 ¿Qué es más fácil, decir: Tus pecados te son perdonados, o decir: Levántate y anda?

24 Pues para que sepáis que el Hijo del Hombre tiene potestad en la tierra para perdonar pecados (dijo al paralítico): A ti te digo: Levántate, toma tu lecho, y vete a tu casa.

25 Al instante, levantándose en presencia de ellos, y tomando el lecho en que estaba acostado, se fue a su casa, glorificando a Dios.

26 Y todos, sobrecogidos de asombro, glorificaban a Dios; y llenos de temor, decían: Hoy hemos visto maravillas.

27 Después de estas cosas salió, y vio a un publicano llamado Leví, sentado al banco de los tributos públicos, y le dijo: Sígueme.

28 Y dejándolo todo, se levantó y le siguió.

29 Y Leví le hizo gran banquete en su casa; y había mucha compañía de publicanos y de otros que estaban a la mesa con ellos.

30 Y los escribas y los fariseos murmuraban contra los discípulos, diciendo: ¿Por qué coméis y bebéis con publicanos y pecadores?

31 Respondiendo Jesús, les dijo: Los que están sanos no tienen necesidad de médico, sino los enfermos.

32 No he venido a llamar a justos, sino a pecadores al arrepentimiento.

33 Entonces ellos le dijeron: ¿Por qué los discípulos de Juan ayunan muchas veces y hacen oraciones, y asimismo los de los fariseos, pero los tuyos comen y beben?

34 El les dijo: ¿Podéis acaso hacer que los que están de bodas ayunen, entre tanto que el esposo está con ellos?

35 Mas vendrán días cuando el esposo les será quitado; entonces, en aquellos días ayunarán.

36 Les dijo también una parábola: Nadie corta un pedazo de un vestido nuevo y lo pone en un vestido viejo; pues si lo hace, no solamente rompe el nuevo, sino que el remiendo sacado de él no armoniza con el viejo.

the housetop, and let him down through the tiling with *his* couch into the midst before Jesus.

20 And when he saw their faith, he said unto him, Man, thy sins are forgiven thee.

21 And the scribes and the Pharisees began to reason, saying, Who is this which speaketh blasphemies? Who can forgive sins, but God alone?

22 But when Jesus perceived their thoughts, he answering said unto them, What reason ye in your hearts?

23 Whether is easier, to say, Thy sins be forgiven thee; or to say, Rise up and walk?

24 But that ye may know that the Son of man hath power upon earth to forgive sins, (he said unto the sick of the palsy,) I say unto thee, Arise, and take up thy couch, and go into thine house.

25 And immediately he rose up before them, and took up that whereon he lay, and departed to his own house, glorifying God.

26 And they were all amazed, and they glorified God, and were filled with fear, saying, We have seen strange things to day.

27 And after these things he went forth, and saw a publican, named Levi, sitting at the receipt of custom: and he said unto him, Follow me.

28 And he left all, rose up, and followed him.

29 And Levi made him a great feast in his own house: and there was a great company of publicans and of others that sat down with them.

30 But their scribes and Pharisees murmured against his disciples, saying, Why do ye eat and drink with publicans and sinners?

31 And Jesus answering said unto them, They that are whole need not a physician: but they that are sick.

32 I came not to call the righteous, but sinners to repentance.

33 And they said unto him, Why do the disciples of John fast often, and make prayers, and likewise *the disciples* of the Pharisees; but thine eat and drink?

34 And he said unto them, Can ye make the children of the bridechamber fast, while the bridegroom is with them?

35 But the days will come, when the bridegroom shall be taken away from them, and then shall they fast in those days.

36 And he spake also a parable unto them; No man putteth a piece of a new garment upon an old; if otherwise, then both the new maketh a rent, and the piece that was *taken* out of the new agreeth not with the old.

37 Y nadie echa vino nuevo en odres viejos; de otra manera, el vino nuevo romperá los odres y se derramará, y los odres se perderán.

38 Mas el vino nuevo en odres nuevos se ha de echar; y lo uno y lo otro se conservan.

39 Y ninguno que beba del añejo, quiere luego el nuevo; porque dice: El añejo es mejor.

CAPÍTULO 6

ACONTECIÓ en un día de reposo, que pasando Jesús por los sembrados, sus discípulos arrancaban espigas y comían, restregándolas con las manos.

2 Y algunos de los fariseos les dijeron: ¿Por qué hacéis lo que no es lícito hacer en los días de reposo?

3 Respondiendo Jesús, les dijo: ¿Ni aun esto habéis leído, lo que hizo David cuando tuvo hambre él, y los que con él estaban;

4 cómo entró en la casa de Dios, y tomó los panes de la proposición, de los cuales no es lícito comer sino sólo a los sacerdotes, y comió, y dio también a los que estaban con él?

5 Y les decía: El Hijo del Hombre es Señor aun del día de reposo.

6 Aconteció también en otro día de reposo, que él entró en la sinagoga y enseñaba; y estaba allí un hombre que tenía seca la mano derecha.

7 Y le acechaban los escribas y los fariseos, para ver si en el día de reposo lo sanaría, a fin de hallar de qué acusarle.

8 Mas él conocía los pensamientos de ellos; y dijo al hombre que tenía la mano seca: Levántate, y ponte en medio. Y él, levantándose, se puso en pie.

9 Entonces Jesús les dijo: Os preguntaré una cosa: ¿Es lícito en día de reposo hacer bien, o hacer mal? ¿salvar la vida, o quitarla?

10 Y mirándolos a todos alrededor, dijo al hombre: Extiende tu mano. Y él lo hizo así, y su mano fue restaurada.

11 Y ellos se llenaron de furor, y hablaban entre sí qué podrían hacer contra Jesús.

12 En aquellos días él fue al monte a orar, y pasó la noche orando a Dios.

13 Y cuando era de día, llamó a sus discípulos, y escogió a doce de ellos, a los cuales también llamó apóstoles:

14 a Simón, a quien también llamó Pedro, a Andrés su hermano, Jacobo y Juan, Felipe y Bartolomé,

37 And no man putteth new wine into old bottles; else the new wine will burst the bottles, and be spilled, and the bottles shall perish.

38 But new wine must be put into new bottles; and both are preserved.

39 No man also having drunk old *wine* straightway desireth new: for he saith, The old is better.

CHAPTER 6

AND it came to pass on the second sabbath after the first, that he went through the corn fields; and his disciples plucked the ears of corn, and did eat, rubbing *them* in *their* hands.

2 And certain of the Pharisees said unto them, Why do ye that which is not lawful to do on the sabbath days?

3 And Jesus answering them said, Have ye not read so much as this, what David did, when himself was an hungred, and they which were with him;

4 How he went into the house of God, and did take and eat the shewbread, and gave also to them that were with him; which it is not lawful to eat but for the priests alone?

5 And he said unto them, That the Son of man is Lord also of the sabbath.

6 And it came to pass also on another sabbath, that he entered into the synagogue and taught: and there was a man whose right hand was withered.

7 And the scribes and Pharisees watched him, whether he would heal on the sabbath day; that they might find an accusation against him.

8 But he knew their thoughts, and said to the man which had the withered hand, Rise up, and stand forth in the midst. And he arose and stood forth.

9 Then said Jesus unto them, I will ask you one thing; Is it lawful on the sabbath days to do good, or to do evil? to save life, or to destroy *it*?

10 And looking round about upon them all, he said unto the man, Stretch forth thy hand. And he did so: and his hand was restored whole as the other.

11 And they were filled with madness; and communed one with another what they might do to Jesus.

12 And it came to pass in those days, that he went out into a mountain to pray, and continued all night in prayer to God.

13 And when it was day, he called *unto him* his disciples: and of them he chose twelve, whom also he named apostles;

14 Simon, (whom he also named Peter,) and Andrew his brother, James and John, Philip and Bartholomew,

15 Mateo, Tomás, Jacobo hijo de Alfeo, Simón llamado Zelote,

16 Judas hermano de Jacobo, y Judas Iscariote, que llegó a ser el traidor.

17 Y descendió con ellos, y se detuvo en un lugar llano, en compañía de sus discípulos y de una gran multitud de gente de toda Judea, de Jerusalén y de la costa de Tiro y de Sidón, que había venido para oirle, y para ser sanados de sus enfermedades;

18 y los que habían sido atormentados de espíritus inmundos eran sanados.

19 Y toda la gente procuraba tocarle, porque poder salía de él y sanaba a todos.

20 Y alzando los ojos hacia sus discípulos, decía: Bienaventurados vosotros los pobres, porque vuestro es el reino de Dios.

21 Bienaventurados los que ahora tenéis hambre, porque seréis saciados. Bienaventurados los que ahora lloráis, porque reiréis.

22 Bienaventurados seréis cuando los hombres os aborrezcan, y cuando os aparten de sí, y os vituperen, y desechen vuestro nombre como malo, por causa del Hijo del Hombre.

23 Gozaos en aquel día, y alegraos, porque he aquí vuestro galardón es grande en los cielos; porque así hacían sus padres con los profetas.

24 Mas ¡ay de vosotros, ricos! porque ya tenéis vuestro consuelo.

25 ¡Ay de vosotros, los que ahora estáis saciados! porque tendréis hambre. ¡Ay de vosotros, los que ahora reís! porque lamentaréis y lloraréis.

26 ¡Ay de vosotros, cuando todos los hombres hablen bien de vosotros! porque así hacían sus padres con los falsos profetas.

27 Pero a vosotros los que oís, os digo: Amad a vuestros enemigos, haced bien a los que os aborrecen;

28 bendecid a los que os maldicen, y orad por los que os calumnian.

29 Al que te hiera en una mejilla, preséntale también la otra; y al que te quite la capa, ni aun la túnica le niegues.

30 A cualquiera que te pida, dale; y al que tome lo que es tuyo, no pidas que te lo devuelva.

31 Y como queréis que hagan los hombres con vosotros, así también haced vosotros con ellos.

32 Porque si amáis a los que os aman, ¿qué mérito tenéis? Porque también los pecadores aman a los que los aman.

33 Y si hacéis bien a los que os hacen bien, ¿qué mérito tenéis? Porque también los pecadores hacen lo mismo.

15 Matthew and Thomas, James the *son* of Al-phæ'us, and Simon called Ze-lo'tes,

16 And Judas *the brother* of James, and Judas Iscariot, which also was the traitor.

17 And he came down with them, and stood in the plain, and the company of his disciples, and a great multitude of people out of all Judæa and Jerusalem, and from the sea coast of Tyre and Si'-don, which came to hear him, and to be healed of their diseases;

18 And they that were vexed with unclean spirits: and they were healed.

19 And the whole multitude sought to touch him: for there went virtue out of him, and healed *them* all.

20 And he lifted up his eyes on his disciples, and said, Blessed *be ye* poor: for yours is the kingdom of God.

21 Blessed *are ye* that hunger now: for ye shall be filled. Blessed *are ye* that weep now: for ye shall laugh.

22 Blessed are ye, when men shall hate you, and when they shall separate you *from their company*, and shall reproach *you*, and cast out your name as evil, for the Son of man's sake.

23 Rejoice ye in that day, and leap for joy: for, behold, your reward *is* great in heaven: for in the like manner did their fathers unto the prophets.

24 But woe unto you that are rich! for ye have received your consolation.

25 Woe unto you that are full! for ye shall hunger. Woe unto you that laugh now! for ye shall mourn and weep.

26 Woe unto you, when all men shall speak well of you! for so did their fathers to the false prophets.

27 But I say unto you which hear, Love your enemies, do good to them which hate you,

28 Bless them that curse you, and pray for them which despitefully use you.

29 And unto him that smiteth thee on the *one* cheek offer also the other; and him that taketh away thy cloak forbid not *to take thy* coat also.

30 Give to every man that asketh of thee; and of him that taketh away thy goods ask *them* not again.

31 And as ye would that men should do to you, do ye also to them likewise.

32 For if ye love them which love you, what thank have ye? for sinners also love those that love them.

33 And if ye do good to them which do good to you, what thank have ye? for sinners also do even the same.

34 Y si prestáis a aquellos de quienes esperáis recibir, ¿qué mérito tenéis? Porque también los pecadores prestan a los pecadores, para recibir otro tanto.
35 Amad, pues, a vuestros enemigos, y haced bien, y prestad, no esperando de ello nada; y será vuestro galardón grande, y seréis hijos del Altísimo; porque él es benigno para con los ingratos y malos.
36 Sed, pues, misericordiosos, como también vuestro Padre es misericordioso.
37 No juzguéis, y no seréis juzgados; no condenéis, y no seréis condenados; perdonad, y seréis perdonados.
38 Dad, y se os dará; medida buena, apretada, remecida y rebosando darán en vuestro regazo; porque con la misma medida con que medís, os volverán a medir.
39 Y les decía una parábola: ¿Acaso puede un ciego guiar a otro ciego? ¿No caerán ambos en el hoyo?
40 El discípulo no es superior a su maestro; mas todo el que fuere perfeccionado, será como su maestro.
41 ¿Por qué miras la paja que está en el ojo de tu hermano, y no echas de ver la viga que está en tu propio ojo?
42 ¿O cómo puedes decir a tu hermano: Hermano, déjame sacar la paja que está en tu ojo, no mirando tú la viga que está en el ojo tuyo? Hipócrita, saca primero la viga de tu propio ojo, y entonces verás bien para sacar la paja que está en el ojo de tu hermano.
43 No es buen árbol el que da malos frutos, ni árbol malo el que da buen fruto.
44 Porque cada árbol se conoce por su fruto; pues no se cosechan higos de los espinos, ni de las zarzas se vendimian uvas.
45 El hombre bueno, del buen tesoro de su corazón saca lo bueno; y el hombre malo, del mal tesoro de su corazón saca lo malo; porque de la abundancia del corazón habla la boca.
46 ¿Por qué me llamáis, Señor, Señor, y no hacéis lo que yo digo?
47 Todo aquel que viene a mí, y oye mis palabras y las hace, os indicaré a quién es semejante.
48 Semejante es al hombre que al edificar una casa, cavó y ahondó y puso el fundamento sobre la roca; y cuando vino una inundación, el río dio con ímpetu contra aquella casa, pero no la pudo mover, porque estaba fundada sobre la roca.
49 Mas el que oyó y no hizo, semejante es al hombre que edificó su casa sobre

34 And if ye lend *to them* of whom ye hope to receive, what thank have ye? for sinners also lend to sinners, to receive as much again.
35 But love ye your enemies, and do good, and lend, hoping for nothing again; and your reward shall be great, and ye shall be the children of the Highest: for he is kind unto the unthankful and *to* the evil.
36 Be ye therefore merciful, as your Father also is merciful.
37 Judge not, and ye shall not be judged: condemn not, and ye shall not be condemned: forgive, and ye shall be forgiven:
38 Give, and it shall be given unto you; good measure, pressed down, and shaken together, and running over, shall men give into your bosom. For with the same measure that ye mete withal it shall be measured to you again.
39 And he spake a parable unto them, Can the blind lead the blind? shall they not both fall into the ditch?
40 The disciple is not above his master: but every one that is perfect shall be as his master.
41 And why beholdest thou the mote that is in thy brother's eye, but perceivest not the beam that is in thine own eye?
42 Either how canst thou say to thy brother, Brother, let me pull out the mote that is in thine eye, when thou thyself beholdest not the beam that is in thine own eye? Thou hypocrite, cast out first the beam out of thine own eye, and then shalt thou see clearly to pull out the mote that is in thy brother's eye.
43 For a good tree bringeth not forth corrupt fruit; neither doth a corrupt tree bring forth good fruit.
44 For every tree is known by his own fruit. For of thorns men do not gather figs, nor of a bramble bush gather they grapes.
45 A good man out of the good treasure of his heart bringeth forth that which is good; and an evil man out of the evil treasure of his heart bringeth forth that which is evil: for of the abundance of the heart his mouth speaketh.
46 And why call ye me, Lord, Lord, and do not the things which I say?
47 Whosoever cometh to me, and heareth my sayings, and doeth them, I will shew you to whom he is like:
48 He is like a man which built an house, and digged deep, and laid the foundation on a rock: and when the flood arose, the stream beat vehemently upon that house, and could not shake it: for it was founded upon a rock.
49 But he that heareth, and doeth not, is like a man that without a foundation built

tierra, sin fundamento; contra la cual el río dio con ímpetu, y luego cayó, y fue grande la ruina de aquella casa.

CAPÍTULO 7

DESPUÉS que hubo terminado todas sus palabras al pueblo que le oía, entró en Capernaum.

2 Y el siervo de un centurión, a quien éste quería mucho, estaba enfermo y a punto de morir.

3 Cuando el centurión oyó hablar de Jesús, le envió unos ancianos de los judíos, rogándole que viniese y sanase a su siervo.

4 Y ellos vinieron a Jesús y le rogaron con solicitud, diciéndole: Es digno de que le concedas esto;

5 porque ama a nuestra nación, y nos edificó una sinagoga.

6 Y Jesús fue con ellos. Pero cuando ya no estaban lejos de la casa, el centurión envió a él unos amigos, diciéndole: Señor, no te molestes, pues no soy digno de que entres bajo mi techo;

7 por lo que ni aun me tuve por digno de venir a ti; pero dí la palabra, y mi siervo será sano.

8 Porque también yo soy hombre puesto bajo autoridad, y tengo soldados bajo mis órdenes; y digo a éste: Vé, y va; y al otro: Ven, y viene; y a mi siervo: Haz esto, y lo hace.

9 Al oir esto, Jesús se maravilló de él, y volviéndose, dijo a la gente que le seguía: Os digo que ni aun en Israel he hallado tanta fe.

10 Y al regresar a casa los que habían sido enviados, hallaron sano al siervo que había estado enfermo.

11 Aconteció después, que él iba a la ciudad que se llama Naín, e iban con él muchos de sus discípulos, y una gran multitud.

12 Cuando llegó cerca de la puerta de la ciudad, he aquí que llevaban a enterrar a un difunto, hijo único de su madre, la cual era viuda; y había con ella mucha gente de la ciudad.

13 Y cuando el Señor la vio, se compadeció de ella, y le dijo: No llores.

14 Y acercándose, tocó el féretro; y los que lo llevaban se detuvieron. Y dijo: Joven, a ti te digo, levántate.

15 Entonces se incorporó el que había muerto, y comenzó a hablar. Y lo dio a su madre.

16 Y todos tuvieron miedo, y glorificaban a Dios, diciendo: Un gran profeta se

an house upon the earth; against which the stream did beat vehemently, and immediately it fell; and the ruin of that house was great.

CHAPTER 7

NOW when he had ended all his sayings in the audience of the people, he entered into Ca-per′na-um.

2 And a certain centurion's servant, who was dear unto him, was sick, and ready to die.

3 And when he heard of Jesus, he sent unto him the elders of the Jews, beseeching him that he would come and heal his servant.

4 And when they came to Jesus, they besought him instantly, saying, That he was worthy for whom he should do this:

5 For he loveth our nation, and he hath built us a synagogue.

6 Then Jesus went with them. And when he was now not far from the house, the centurion sent friends to him, saying unto him, Lord, trouble not thyself: for I am not worthy that thou shouldest enter under my roof:

7 Wherefore neither thought I myself worthy to come unto thee: but say in a word, and my servant shall be healed.

8 For I also am a man set under authority, having under me soldiers, and I say unto one, Go, and he goeth; and to another, Come, and he cometh; and to my servant, Do this, and he doeth *it*.

9 When Jesus heard these things, he marvelled at him, and turned him about, and said unto the people that followed him, I say unto you, I have not found so great faith, no, not in Israel.

10 And they that were sent, returning to the house, found the servant whole that had been sick.

11 And it came to pass the day after, that he went into a city called Nain; and many of his disciples went with him, and much people.

12 Now when he came nigh to the gate of the city, behold, there was a dead man carried out, the only son of his mother, and she was a widow: and much people of the city was with her.

13 And when the Lord saw her, he had compassion on her, and said unto her, Weep not.

14 And he came and touched the bier: and they that bare *him* stood still. And he said, Young man, I say unto thee, Arise.

15 And he that was dead sat up, and began to speak. And he delivered him to his mother.

16 And there came a fear on all: and they glorified God, saying, That a great

ha levantado entre nosotros; y: Dios ha visitado a su pueblo.

17 Y se extendió la fama de él por toda Judea, y por toda la región de alrededor.

18 Los discípulos de Juan le dieron las nuevas de todas estas cosas. Y llamó Juan a dos de sus discípulos,

19 y los envió a Jesús, para preguntarle: ¿Eres tú el que había de venir, o esperaremos a otro?

20 Cuando, pues, los hombres vinieron a él, dijeron: Juan el Bautista nos ha enviado a ti, para preguntarte: ¿Eres tú el que había de venir, o esperaremos a otro?

21 En esa misma hora sanó a muchos de enfermedades y plagas, y de espíritus malos, y a muchos ciegos les dio la vista.

22 Y respondiendo Jesús, les dijo: Id, haced saber a Juan lo que habéis visto y oído: los ciegos ven, los cojos andan, los leprosos son limpiados, los sordos oyen, los muertos son resucitados, y a los pobres es anunciado el evangelio;

23 y bienaventurado es aquel que no halle tropiezo en mí.

24 Cuando se fueron los mensajeros de Juan, comenzó a decir de Juan a la gente: ¿Qué salisteis a ver al desierto? ¿Una caña sacudida por el viento?

25 Mas ¿qué salisteis a ver? ¿A un hombre cubierto de vestiduras delicadas? He aquí, los que tienen vestidura preciosa y viven en deleites, en los palacios de los reyes están.

26 Mas ¿qué salisteis a ver? ¿A un profeta? Sí, os digo, y más que profeta.

27 Este es de quien está escrito: He aquí, envío mi mensajero delante de tu faz, el cual preparará tu camino delante de ti.

28 Os digo que entre los nacidos de mujeres, no hay mayor profeta que Juan el Bautista; pero el más pequeño en el reino de Dios es mayor que él.

29 Y todo el pueblo y los publicanos, cuando lo oyeron, justificaron a Dios, bautizándose con el bautismo de Juan.

30 Mas los fariseos y los intérpretes de la ley desecharon los designios de Dios respecto de sí mismos, no siendo bautizados por Juan.

31 Y dijo el Señor: ¿A qué, pues, compararé los hombres de esta generación, y a qué son semejantes?

32 Semejantes son a los muchachos sentados en la plaza, que dan voces unos a otros y dicen: Os tocamos flauta, y no bailasteis; os endechamos, y no llorasteis.

33 Porque vino Juan el Bautista, que ni

prophet is risen up among us; and, That God hath visited his people.

17 And this rumour of him went forth throughout all Judaea, and throughout all the region round about.

18 And the disciples of John shewed him of all these things.

19 And John calling *unto him* two of his disciples sent *them* to Jesus, saying, Art thou he that should come? or look we for another?

20 When the men were come unto him, they said, John Baptist hath sent us unto thee, saying, Art thou he that should come? or look we for another?

21 And in that same hour he cured many of *their* infirmities and plagues, and of evil spirits; and unto many *that were* blind he gave sight.

22 Then Jesus answering said unto them, Go your way, and tell John what things ye have seen and heard; how that the blind see, the lame walk, the lepers are cleansed, the deaf hear, the dead are raised, to the poor the gospel is preached.

23 And blessed is *he,* whosoever shall not be offended in me.

24 And when the messengers of John were departed, he began to speak unto the people concerning John, What went ye out into the wilderness for to see? A reed shaken with the wind?

25 But what went ye out for to see? A man clothed in soft raiment? Behold, they which are gorgeously apparelled, and live delicately, are in kings' courts.

26 But what went ye out for to see? A prophet? Yea, I say unto you, and much more than a prophet.

27 This is *he,* of whom it is written, Behold, I send my messenger before thy face, which shall prepare thy way before thee.

28 For I say unto you, Among those that are born of women there is not a greater prophet than John the Baptist: but he that is least in the kingdom of God is greater than he.

29 And all the people that heard *him,* and the publicans, justified God, being baptized with the baptism of John.

30 But the Pharisees and lawyers rejected the counsel of God against themselves, being not baptized of him.

31 And the Lord said, Whereunto then shall I liken the men of this generation? and to what are they like?

32 They are like unto children sitting in the marketplace, and calling one to another, and saying, We have piped unto you, and ye have not danced; we have mourned to you, and ye have not wept.

33 For John the Baptist came neither

comía pan ni bebía vino, y decís: Demonio tiene.
34 Vino el Hijo del Hombre, que come y bebe, y decís: Este es un hombre comilón y bebedor de vino, amigo de publicanos y de pecadores.
35 Mas la sabiduría es justificada por todos sus hijos.
36 Uno de los fariseos rogó a Jesús que comiese con él. Y habiendo entrado en casa del fariseo, se sentó a la mesa.
37 Entonces una mujer de la ciudad, que era pecadora, al saber que Jesús estaba a la mesa en casa del fariseo, trajo un frasco de alabastro con perfume;
38 y estando detrás de él a sus pies, llorando, comenzó a regar con lágrimas sus pies, y los enjugaba con sus cabellos; y besaba sus pies, y los ungía con el perfume.
39 Cuando vio esto el fariseo que le había convidado, dijo para sí: Este, si fuera profeta, conocería quién y qué clase de mujer es la que le toca, que es pecadora.
40 Entonces respondiendo Jesús, le dijo: Simón, una cosa tengo que decirte. Y él le dijo: Dí, Maestro.
41 Un acreedor tenía dos deudores: el uno le debía quinientos denarios, y el otro cincuenta;
42 y no teniendo ellos con qué pagar, perdonó a ambos. Dí, pues, ¿cuál de ellos le amará más?
43 Respondiendo Simón, dijo: Pienso que aquel a quien perdonó más. Y él le dijo: Rectamente has juzgado.
44 Y vuelto a la mujer, dijo a Simón: ¿Ves esta mujer? Entré en tu casa, y no me diste agua para mis pies; mas ésta ha regado mis pies con lágrimas, y los ha enjugado con sus cabellos.
45 No me diste beso; mas ésta, desde que entré, no ha cesado de besar mis pies.
46 No ungiste mi cabeza con aceite; mas ésta ha ungido con perfume mis pies.
47 Por lo cual te digo que sus muchos pecados le son perdonados, porque amó mucho; mas aquel a quien se le perdona poco, poco ama.
48 Y a ella le dijo: Tus pecados te son perdonados.
49 Y los que estaban juntamente sentados a la mesa, comenzaron a decir entre sí: ¿Quién es éste, que también perdona pecados?
50 Pero él dijo a la mujer: Tu fe te ha salvado, vé en paz.

eating bread nor drinking wine; and ye say, He hath a devil.
34 The Son of man is come eating and drinking; and ye say, Behold a gluttonous man, and a winebibber, a friend of publicans and sinners!
35 But wisdom is justified of all her children.
36 And one of the Pharisees desired him that he would eat with him. And he went into the Pharisee's house, and sat down to meat.
37 And, behold, a woman in the city, which was a sinner, when she knew that *Jesus* sat at meat in the Pharisee's house, brought an alabaster box of ointment,
38 And stood at his feet behind *him* weeping, and began to wash his feet with tears, and did wipe *them* with the hairs of her head, and kissed his feet, and anointed *them* with the ointment.
39 Now when the Pharisee which had bidden him saw *it*, he spake within himself, saying, This man, if he were a prophet, would have known who and what manner of woman *this is* that toucheth him: for she is a sinner.
40 And Jesus answering said unto him, Simon, I have somewhat to say unto thee. And he saith, Master, say on.
41 There was a certain creditor which had two debtors: the one owed five hundred pence, and the other fifty.
42 And when they had nothing to pay, he frankly forgave them both. Tell me therefore, which of them will love him most?
43 Simon answered and said, I suppose that *he*, to whom he forgave most. And he said unto him, Thou hast rightly judged.
44 And he turned to the woman, and said unto Simon, Seest thou this woman? I entered into thine house, thou gavest me no water for my feet: but she hath washed my feet with tears, and wiped *them* with the hairs of her head.
45 Thou gavest me no kiss: but this woman since the time I came in hath not ceased to kiss my feet.
46 My head with oil thou didst not anoint: but this woman hath anointed my feet with ointment.
47 Wherefore I say unto thee, Her sins, which are many, are forgiven; for she loved much: but to whom little is forgiven, *the same* loveth little.
48 And he said unto her, Thy sins are forgiven.
49 And they that sat at meat with him began to say within themselves, Who is this that forgiveth sins also?
50 And he said to the woman, Thy faith hath saved thee; go in peace.

CAPÍTULO 8

ACONTECIÓ después, que Jesús iba por todas las ciudades y aldeas, predicando y anunciando el evangelio del reino de Dios, y los doce con él,

2 y algunas mujeres que habían sido sanadas de espíritus malos y de enfermedades: María, que se llamaba Magdalena, de la que habían salido siete demonios,

3 Juana, mujer de Chuza intendente de Herodes, y Susana, y otras muchas que le servían de sus bienes.

4 Juntándose una gran multitud, y los que de cada ciudad venían a él, les dijo por parábola:

5 El sembrador salió a sembrar su semilla; y mientras sembraba, una parte cayó junto al camino, y fue hollada, y las aves del cielo la comieron.

6 Otra parte cayó sobre la piedra; y nacida, se secó, porque no tenía humedad.

7 Otra parte cayó entre espinos, y los espinos que nacieron juntamente con ella, la ahogaron.

8 Y otra parte cayó en buena tierra, y nació y llevó fruto a ciento por uno. Hablando estas cosas, decía a gran voz: El que tiene oídos para oir, oiga.

9 Y sus discípulos le preguntaron, diciendo: ¿Qué significa esta parábola?

10 Y él dijo: A vosotros os es dado conocer los misterios del reino de Dios; pero a los otros por parábolas, para que viendo no vean, y oyendo no entiendan.

11 Esta es, pues, la parábola: La semilla es la palabra de Dios.

12 Y los de junto al camino son los que oyen, y luego viene el diablo y quita de su corazón la palabra, para que no crean y se salven.

13 Los de sobre la piedra son los que habiendo oído, reciben la palabra con gozo; pero éstos no tienen raíces; creen por algún tiempo, y en el tiempo de la prueba se apartan.

14 La que cayó entre espinos, éstos son los que oyen, pero yéndose, son ahogados por los afanes y las riquezas y los placeres de la vida, y no llevan fruto.

15 Mas la que cayó en buena tierra, éstos son los que con corazón bueno y recto retienen la palabra oída, y dan fruto con perseverancia.

16 Nadie que enciende una luz la cubre con una vasija, ni la pone debajo de la

CHAPTER 8

AND it came to pass afterward, that he went throughout every city and village, preaching and shewing the glad tidings of the kingdom of God: and the twelve *were* with him,

2 And certain women, which had been healed of evil spirits and infirmities, Mary called Magdalene, out of whom went seven devils,

3 And Jo-an'na the wife of Chu'za Herod's steward, and Susanna, and many others, which ministered unto him of their substance.

4 And when much people were gathered together, and were come to him out of every city, he spake by a parable:

5 A sower went out to sow his seed: and as he sowed, some fell by the way side; and it was trodden down, and the fowls of the air devoured it.

6 And some fell upon a rock; and as soon as it was sprung up, it withered away, because it lacked moisture.

7 And some fell among thorns; and the thorns sprang up with it, and choked it.

8 And other fell on good ground, and sprang up, and bare fruit an hundredfold. And when he had said these things, he cried, He that hath ears to hear, let him hear.

9 And his disciples asked him, saying, What might this parable be?

10 And he said, Unto you it is given to know the mysteries of the kingdom of God: but to others in parables; that seeing they might not see, and hearing they might not understand.

11 Now the parable is this: The seed is the word of God.

12 Those by the way side are they that hear; then cometh the devil, and taketh away the word out of their hearts, lest they should believe and be saved.

13 They on the rock *are they*, which, when they hear, receive the word with joy; and these have no root, which for a while believe, and in time of temptation fall away.

14 And that which fell among thorns are they, which, when they have heard, go forth, and are choked with cares and riches and pleasures of *this* life, and bring no fruit to perfection.

15 But that on the good ground are they, which in an honest and good heart, having heard the word, keep *it*, and bring forth fruit with patience.

16 No man, when he hath lighted a candle, covereth it with a vessel, or putteth *it* under a bed; but setteth *it* on a candle-

cama, sino que la pone en un candelero
para que los que entran vean la luz.
17 Porque nada hay oculto, que no haya
de ser manifestado; ni escondido, que no
haya de ser conocido, y de salir a luz.
18 Mirad, pues, cómo oís; porque a
todo el que tiene, se le dará; y a todo el
que no tiene, aun lo que piensa tener se le
quitará.
19 Entonces su madre y sus hermanos
vinieron a él; pero no podían llegar hasta
él por causa de la multitud.
20 Y se le avisó, diciendo: Tu madre y
tus hermanos están fuera y quieren verte.
21 El entonces respondiendo, les dijo:
Mi madre y mis hermanos son los que
oyen la palabra de Dios, y la hacen.
22 Aconteció un día, que entró en una
barca con sus discípulos, y les dijo: Pase-
mos al otro lado del lago. Y partieron.
23 Pero mientras navegaban, él se dur-
mió. Y se desencadenó una tempestad de
viento en el lago; y se anegaban y peligra-
ban.
24 Y vinieron a él y le despertaron, dici-
endo: ¡Maestro, Maestro, que perecemos!
Despertando él, reprendió al viento y a
las olas; y cesaron, y se hizo bonanza.
25 Y les dijo: ¿Dónde está vuestra fe? Y
atemorizados, se maravillaban, y se decí-
an unos a otros: ¿Quién es éste, que aun a
los vientos y a las aguas manda, y le obe-
decen?
26 Y arribaron a la tierra de los gadare-
nos, que está en la ribera opuesta a Gali-
lea.
27 Al llegar él a tierra, vino a su en-
cuentro un hombre de la ciudad, endemo-
niado desde hacía mucho tiempo; y no
vestía ropa, ni moraba en casa, sino en
los sepulcros.
28 Este, al ver a Jesús, lanzó un gran
grito, y postrándose a sus pies exclamó a
gran voz: ¿Qué tienes conmigo, Jesús,
Hijo del Dios Altísimo? Te ruego que no
me atormentes.
29 (Porque mandaba al espíritu inmundo
que saliese del hombre, pues hacía mucho
tiempo que se había apoderado de él; y le
ataban con cadenas y grillos, pero
rompiendo las cadenas, era impelido por
el demonio a los desiertos.)
30 Y le preguntó Jesús, diciendo:
¿Cómo te llamas? Y él dijo: Legión.
Porque muchos demonios habían entrado
en él.

stick, that they which enter in may see
the light.
17 For nothing is secret, that shall not
be made manifest; neither *any thing* hid,
that shall not be known and come
abroad.
18 Take heed therefore how ye hear:
for whosoever hath, to him shall be giv-
en; and whosoever hath not, from him
shall be taken even that which he seem-
eth to have.
19 Then came to him *his* mother and
his brethren, and could not come at him
for the press.
20 And it was told him *by certain*
which said, Thy mother and thy brethren
stand without, desiring to see thee.
21 And he answered and said unto
them, My mother and my brethren are
these which hear the word of God, and
do it.
22 Now it came to pass on a certain
day, that he went into a ship with his dis-
ciples: and he said unto them, Let us go
over unto the other side of the lake. And
they launched forth.
23 But as they sailed he fell asleep: and
there came down a storm of wind on the
lake; and they were filled *with water*, and
were in jeopardy.
24 And they came to him, and awoke
him, saying, Master, master, we perish.
Then he arose, and rebuked the wind and
the raging of the water: and they ceased,
and there was a calm.
25 And he said unto them, Where is
your faith? And they being afraid won-
dered, saying one to another, What man-
ner of man is this! for he commandeth
even the winds and water, and they obey
him.
26 And they arrived at the country of
the Gad'a-renes, which is over against
Galilee.
27 And when he went forth to land,
there met him out of the city a certain
man, which had devils long time, and
ware no clothes, neither abode in *any*
house, but in the tombs.
28 When he saw Jesus, he cried out,
and fell down before him, and with a loud
voice said, What have I to do with thee,
Jesus, *thou* Son of God most high? I be-
seech thee, torment me not.
29 (For he had commanded the unclean
spirit to come out of the man. For often-
times it had caught him: and he was kept
bound with chains and in fetters; and he
brake the bands, and was driven of the
devil into the wilderness.)
30 And Jesus asked him, saying, What
is thy name? And he said, Legion: be-
cause many devils were entered into him.

31 Y le rogaban que no los mandase ir al abismo.

32 Había allí un hato de muchos cerdos que pacían en el monte; y le rogaron que los dejase entrar en ellos; y les dio permiso.

33 Y los demonios, salidos del hombre, entraron en los cerdos; y el hato se precipitó por un despeñadero al lago, y se ahogó.

34 Y los que apacentaban los cerdos, cuando vieron lo que había acontecido, huyeron, y yendo dieron aviso en la ciudad y por los campos.

35 Y salieron a ver lo que había sucedido; y vinieron a Jesús, y hallaron al hombre de quien habían salido los demonios, sentado a los pies de Jesús, vestido, y en su cabal juicio; y tuvieron miedo.

36 Y los que lo habían visto, les contaron cómo había sido salvado el endemoniado.

37 Entonces toda la multitud de la región alrededor de los gadarenos le rogó que se marchase de ellos, pues tenían gran temor. Y Jesús, entrando en la barca, se volvió.

38 Y el hombre de quien habían salido los demonios le rogaba que le dejase estar con él; pero Jesús le despidió, diciendo:

39 Vuélvete a tu casa, y cuenta cuán grandes cosas ha hecho Dios contigo. Y él se fue, publicando por toda la ciudad cuán grandes cosas había hecho Jesús con él.

40 Cuando volvió Jesús, le recibió la multitud con gozo; porque todos le esperaban.

41 Entonces vino un varón llamado Jairo, que era principal de la sinagoga, y postrándose a los pies de Jesús, le rogaba que entrase en su casa;

42 porque tenía una hija única, como de doce años, que se estaba muriendo. Y mientras iba, la multitud le oprimía.

43 Pero una mujer que padecía de flujo de sangre desde hacía doce años, y que había gastado en médicos todo cuanto tenía, y por ninguno había podido ser curada,

44 se le acercó por detrás y tocó el borde de su manto; y al instante se detuvo el flujo de su sangre.

45 Entonces Jesús dijo: ¿Quién es el que me ha tocado? Y negando todos, dijo Pedro y los que con él estaban: Maestro, la multitud te aprieta y oprime, y dices: ¿Quién es el que me ha tocado?

46 Pero Jesús dijo: Alguien me ha toca-

31 And they besought him that he would not command them to go out into the deep.

32 And there was there an herd of many swine feeding on the mountain: and they besought him that he would suffer them to enter into them. And he suffered them.

33 Then went the devils out of the man, and entered into the swine: and the herd ran violently down a steep place into the lake, and were choked.

34 When they that fed *them* saw what was done, they fled, and went and told *it* in the city and in the country.

35 Then they went out to see what was done; and came to Jesus, and found the man, out of whom the devils were departed, sitting at the feet of Jesus, clothed, and in his right mind: and they were afraid.

36 They also which saw *it* told them by what means he that was possessed of the devils was healed.

37 Then the whole multitude of the country of the Gad'a-renes round about besought him to depart from them; for they were taken with great fear: and he went up into the ship, and returned back again.

38 Now the man out of whom the devils were departed besought him that he might be with him: but Jesus sent him away, saying,

39 Return to thine own house, and shew how great things God hath done unto thee. And he went his way and published throughout the whole city how great things Jesus had done unto him.

40 And it came to pass, that, when Jesus was returned, the people *gladly* received him: for they were all waiting for him.

41 And, behold, there came a man named Ja-i'rus, and he was a ruler of the synagogue: and he fell down at Jesus' feet, and besought him that he would come into his house:

42 For he had one only daughter, about twelve years of age, and she lay a dying. But as he went the people thronged him.

43 And a woman having an issue of blood twelve years, which had spent all her living upon physicians, neither could be healed of any,

44 Came behind *him*, and touched the border of his garment: and immediately her issue of blood stanched.

45 And Jesus said, Who touched me? When all denied, Peter and they that were with him said, Master, the multitude throng thee and press *thee*, and sayest thou, Who touched me?

46 And Jesus said, Somebody hath

do; porque yo he conocido que ha salido poder de mí.

47 Entonces, cuando la mujer vio que no había quedado oculta, vino temblando, y postrándose a sus pies, le declaró delante de todo el pueblo por qué causa le había tocado, y cómo al instante había sido sanada.

48 Y él le dijo: Hija, tu fe te ha salvado; vé en paz.

49 Estaba hablando aún, cuando vino uno de casa del principal de la sinagoga a decirle: Tu hija ha muerto; no molestes más al Maestro.

50 Oyéndolo Jesús, le respondió: No temas; cree solamente, y será salva.

51 Entrando en la casa, no dejó entrar a nadie consigo, sino a Pedro, a Jacobo, a Juan, y al padre y a la madre de la niña.

52 Y lloraban todos y hacían lamentación por ella. Pero él dijo: No lloréis; no está muerta, sino que duerme.

53 Y se burlaban de él, sabiendo que estaba muerta.

54 Mas él, tomándola de la mano, clamó diciendo: Muchacha, levántate.

55 Entonces su espíritu volvió, e inmediatamente se levantó; y él mandó que se le diese de comer.

56 Y sus padres estaban atónitos; pero Jesús les mandó que a nadie dijesen lo que había sucedido.

CAPÍTULO 9

HABIENDO reunido a sus doce discípulos, les dio poder y autoridad sobre todos los demonios, y para sanar enfermedades.

2 Y los envió a predicar el reino de Dios, y a sanar a los enfermos.

3 Y les dijo: No toméis nada para el camino, ni bordón, ni alforja, ni pan, ni dinero; ni llevéis dos túnicas.

4 Y en cualquier casa donde entréis, quedad allí, y de allí salid.

5 Y dondequiera que no os recibieren, salid de aquella ciudad, y sacudid el polvo de vuestros pies en testimonio contra ellos.

6 Y saliendo, pasaban por todas las aldeas, anunciando el evangelio y sanando por todas partes.

7 Herodes el tetrarca oyó de todas las cosas que hacía Jesús; y estaba perplejo, porque decían algunos: Juan ha resucitado de los muertos;

touched me: for I perceive that virtue is gone out of me.

47 And when the woman saw that she was not hid, she came trembling, and falling down before him, she declared unto him before all the people for what cause she had touched him, and how she was healed immediately.

48 And he said unto her, Daughter, be of good comfort: thy faith hath made thee whole; go in peace.

49 While he yet spake, there cometh one from the ruler of the synagogue's *house*, saying to him, Thy daughter is dead; trouble not the Master.

50 But when Jesus heard *it*, he answered him, saying, Fear not: believe only, and she shall be made whole.

51 And when he came into the house, he suffered no man to go in, save Peter, and James, and John, and the father and the mother of the maiden.

52 And all wept, and bewailed her: but he said, Weep not; she is not dead, but sleepeth.

53 And they laughed him to scorn, knowing that she was dead.

54 And he put them all out, and took her by the hand, and called, saying, Maid, arise.

55 And her spirit came again, and she arose straightway: and he commanded to give her meat.

56 And her parents were astonished: but he charged them that they should tell no man what was done.

CHAPTER 9

THEN he called his twelve disciples together, and gave them power and authority over all devils, and to cure diseases.

2 And he sent them to preach the kingdom of God, and to heal the sick.

3 And he said unto them, Take nothing for *your* journey, neither staves, nor scrip, neither bread, neither money; neither have two coats apiece.

4 And whatsoever house ye enter into, there abide, and thence depart.

5 And whosoever will not receive you, when ye go out of that city, shake off the very dust from your feet for a testimony against them.

6 And they departed, and went through the towns, preaching the gospel, and healing every where.

7 Now Herod the tetrarch heard of all that was done by him: and he was perplexed, because that it was said of some, that John was risen from the dead;

8 otros: Elías ha aparecido; y otros: Algún profeta de los antiguos ha resucitado.

9 Y dijo Herodes: A Juan yo le hice decapitar; ¿quién, pues, es éste, de quien oigo tales cosas? Y procuraba verle.

10 Vueltos los apóstoles, le contaron todo lo que habían hecho. Y tomándolos, se retiró aparte, a un lugar desierto de la ciudad llamada Betsaida.

11 Y cuando la gente lo supo, le siguió; y él les recibió, y les hablaba del reino de Dios, y sanaba a los que necesitaban ser curados.

12 Pero el día comenzaba a declinar; y acercándose los doce, le dijeron: Despide a la gente, para que vayan a las aldeas y campos de alrededor, y se alojen y encuentren alimentos; porque aquí estamos en lugar desierto.

13 Él les dijo: Dadles vosotros de comer. Y dijeron ellos: No tenemos más que cinco panes y dos pescados a no ser que vayamos nosotros a comprar alimentos para toda esta multitud.

14 Y eran como cinco mil hombres. Entonces dijo a sus discípulos: Hacedlos sentar en grupos, de cincuenta en cincuenta.

15 Así lo hicieron, haciéndolos sentar a todos.

16 Y tomando los cinco panes y los dos pescados, levantando los ojos al cielo, los bendijo, y los partió, y dio a sus discípulos para que los pusiesen delante de la gente.

17 Y comieron todos, y se saciaron; y recogieron lo que les sobró, doce cestas de pedazos.

18 Aconteció que mientras Jesús oraba aparte, estaban con él los discípulos; y les preguntó, diciendo: ¿Quién dice la gente que soy yo?

19 Ellos respondieron: Unos, Juan el Bautista; otros, Elías; y otros, que algún profeta de los antiguos ha resucitado.

20 El les dijo: ¿Y vosotros, quién decís que soy? Entonces respondiendo Pedro, dijo: El Cristo de Dios.

21 Pero él les mandó que a nadie dijesen esto, encargándoselo rigurosamente,

22 y diciendo: Es necesario que el Hijo del Hombre padezca muchas cosas, y sea desechado por los ancianos, por los principales sacerdotes y por los escribas, y que sea muerto, y resucite al tercer día.

23 Y decía a todos: Si alguno quiere venir en pos de mí, niéguese a sí mismo, tome su cruz cada día, y sígame.

24 Porque todo el que quiera salvar su vida, la perderá; y todo el que pierda su vida por causa de mí, éste la salvará.

8 And of some, that E-li'as had appeared; and of others, that one of the old prophets was risen again.

9 And Herod said, John have I beheaded: but who is this, of whom I hear such things? And he desired to see him.

10 And the apostles, when they were returned, told him all that they had done. And he took them, and went aside privately into a desert place belonging to the city called Beth-sa'i-da.

11 And the people, when they knew *it*, followed him: and he received them, and spake unto them of the kingdom of God, and healed them that had need of healing.

12 And when the day began to wear away, then came the twelve, and said unto him, Send the multitude away, that they may go into the towns and country round about, and lodge, and get victuals: for we are here in a desert place.

13 But he said unto them, Give ye them to eat. And they said, We have no more but five loaves and two fishes; except we should go and buy meat for all this people.

14 For they were about five thousand men. And he said to his disciples, Make them sit down by fifties in a company.

15 And they did so, and made them all sit down.

16 Then he took the five loaves and the two fishes, and looking up to heaven, he blessed them, and brake, and gave to the disciples to set before the multitude.

17 And they did eat, and were all filled: and there was taken up of fragments that remained to them twelve baskets.

18 And it came to pass, as he was alone praying, his disciples were with him: and he asked them, saying, Whom say the people that I am?

19 They answering said, John the Baptist; but some *say*, E-li'as; and others *say*, that one of the old prophets is risen again.

20 He said unto them, But whom say ye that I am? Peter answering said, The Christ of God.

21 And he straitly charged them, and commanded *them* to tell no man that thing;

22 Saying, The Son of man must suffer many things, and be rejected of the elders and chief priests and scribes, and be slain, and be raised the third day.

23 And he said to *them* all, If any *man* will come after me, let him deny himself, and take up his cross daily, and follow me.

24 For whosoever will save his life shall lose it: but whosoever will lose his life for my sake, the same shall save it.

25 Pues ¿qué aprovecha al hombre, si
gana todo el mundo, y se destruye o se
pierde a sí mismo?
26 Porque el que se avergonzare de mí
y de mis palabras, de éste se avergonzará
el Hijo del Hombre cuando venga en su
gloria, y en la del Padre, y de los santos
ángeles.
27 Pero os digo en verdad, que hay algunos de los que están aquí, que no gustarán la muerte hasta que vean el reino
de Dios.
28 Aconteció como ocho días después
de estas palabras, que tomó a Pedro, a
Juan y a Jacobo, y subió al monte a orar.
29 Y entre tanto que oraba, la apariencia de su rostro se hizo otra, y su vestido
blanco y resplandeciente.
30 Y he aquí dos varones que hablaban
con él, los cuales eran Moisés y Elías;
31 quienes aparecieron rodeados de
gloria, y hablaban de su partida, que iba
Jesús a cumplir en Jerusalén.
32 Y Pedro y los que estaban con él estaban rendidos de sueño; mas permaneciendo despiertos, vieron la gloria de
Jesús, y a los dos varones que estaban
con él.
33 Y sucedió que apartándose ellos de
él, Pedro dijo a Jesús: Maestro, bueno es
para nosotros que estemos aquí; y hagamos tres enramadas, una para ti, una
para Moisés, y una para Elías; no sabiendo lo que decía.
34 Mientras él decía esto, vino una
nube que los cubrió; y tuvieron temor al
entrar en la nube.
35 Y vino una voz desde la nube, que
decía: Este es mi Hijo amado; a él oíd.
36 Y cuando cesó la voz, Jesús fue hallado solo; y ellos callaron, y por aquellos
días no dijeron nada a nadie de lo que
habían visto.
37 Al día siguiente, cuando descendieron del monte, una gran multitud les
salió al encuentro.
38 Y he aquí, un hombre de la multitud
clamó diciendo: Maestro, te ruego que
veas a mi hijo, pues es el único que tengo;
39 y sucede que un espíritu le toma, y
de repente da voces, y le sacude con violencia, y le hace echar espuma, y estropeándole, a duras penas se aparta de él.
40 Y rogué a tus discípulos que le echasen fuera, y no pudieron.
41 Respondiendo Jesús, dijo: ¡Oh generación incrédula y perversa! ¿Hasta cuándo he de estar con vosotros, y os he de
soportar? Trae acá a tu hijo.
42 Y mientras se acercaba el muchacho, el demonio le derribó y le sacudió
con violencia; pero Jesús reprendió al es-

25 For what is a man advantaged, if he
gain the whole world, and lose himself,
or be cast away?
26 For whosoever shall be ashamed of
me and of my words, of him shall the Son
of man be ashamed, when he shall come
in his own glory, and *in his* Father's, and
of the holy angels.
27 But I tell you of a truth, there be
some standing here, which shall not taste
of death, till they see the kingdom of
God.
28 And it came to pass about an eight
days after these sayings, he took Peter
and John and James, and went up into a
mountain to pray.
29 And as he prayed, the fashion of his
countenance was altered, and his raiment *was* white *and* glistering.
30 And, behold, there talked with him
two men, which were Moses and E-li'as:
31 Who appeared in glory, and spake of
his decease which he should accomplish
at Jerusalem.
32 But Peter and they that were with
him were heavy with sleep: and when
they were awake, they saw his glory, and
the two men that stood with him.
33 And it came to pass, as they departed from him, Peter said unto Jesus,
Master, it is good for us to be here: and
let us make three tabernacles; one for
thee, and one for Moses, and one for E-li'as: not knowing what he said.
34 While he thus spake, there came a
cloud, and overshadowed them: and they
feared as they entered into the cloud.
35 And there came a voice out of the
cloud, saying, This is my beloved Son:
hear him.
36 And when the voice was past, Jesus
was found alone. And they kept *it* close,
and told no man in those days any of
those things which they had seen.
37 And it came to pass, that on the next
day, when they were come down from
the hill, much people met him.
38 And, behold, a man of the company
cried out, saying, Master, I beseech thee,
look upon my son: for he is mine only
child.
39 And, lo, a spirit taketh him, and he
suddenly crieth out; and it teareth him
that he foameth again, and bruising him
hardly departeth from him.
40 And I besought thy disciples to cast
him out; and they could not.
41 And Jesus answering said, O faithless and perverse generation, how long
shall I be with you, and suffer you? Bring
thy son hither.
42 And as he was yet a coming, the
devil threw him down, and tare *him*. And
Jesus rebuked the unclean spirit, and

píritu inmundo, y sanó al muchacho, y se lo devolvió a su padre.

43 Y todos se admiraban de la grandeza de Dios. Y maravillándose todos de todas las cosas que hacía, dijo a sus discípulos:

44 Haced que os penetren bien en los oídos estas palabras; porque acontecerá que el Hijo del Hombre será entregado en manos de hombres.

45 Mas ellos no entendían estas palabras, pues les estaban veladas para que no las entendiesen; y temían preguntarle sobre esas palabras.

46 Entonces entraron en discusión sobre quién de ellos sería el mayor.

47 Y Jesús, percibiendo los pensamientos de sus corazones, tomó a un niño y lo puso junto a sí,

48 y les dijo: Cualquiera que reciba a este niño en mi nombre, a mí me recibe; y cualquiera que me recibe a mí, recibe al que me envió; porque el que es más pequeño entre todos vosotros, ése es el más grande.

49 Entonces respondiendo Juan, dijo: Maestro, hemos visto a uno que echaba fuera demonios en tu nombre; y se lo prohibimos, porque no sigue con nosotros.

50 Jesús le dijo: No se lo prohibáis; porque el que no es contra nosotros, por nosotros es.

51 Cuando se cumplió el tiempo en que él había de ser recibido arriba, afirmó su rostro para ir a Jerusalén.

52 Y envió mensajeros delante de él, los cuales fueron y entraron en una aldea de los samaritanos para hacerle preparativos.

53 Mas no le recibieron, porque su aspecto era como de ir a Jerusalén.

54 Viendo esto sus discípulos Jacobo y Juan, dijeron: Señor, ¿quieres que mandemos que descienda fuego del cielo, como hizo Elías, y los consuma?

55 Entonces volviéndose él, los reprendió, diciendo: Vosotros no sabéis de qué espíritu sois;

56 porque el Hijo del Hombre no ha venido para perder las almas de los hombres, sino para salvarlas. Y se fueron a otra aldea.

57 Yendo ellos, uno le dijo en el camino: Señor, te seguiré adondequiera que vayas.

58 Y le dijo Jesús: Las zorras tienen guaridas, y las aves de los cielos nidos; mas el Hijo del Hombre no tiene dónde recostar la cabeza.

59 Y dijo a otro: Sígueme. El le dijo: Señor, déjame que primero vaya y entierre a mi padre.

healed the child, and delivered him again to his father.

43 And they were all amazed at the mighty power of God. But while they wondered every one at all things which Jesus did, he said unto his disciples,

44 Let these sayings sink down into your ears: for the Son of man shall be delivered into the hands of men.

45 But they understood not this saying, and it was hid from them, that they perceived it not: and they feared to ask him of that saying.

46 Then there arose a reasoning among them, which of them should be greatest.

47 And Jesus, perceiving the thought of their heart, took a child, and set him by him,

48 And said unto them, Whosoever shall receive this child in my name receiveth me: and whosoever shall receive me receiveth him that sent me: for he that is least among you all, the same shall be great.

49 And John answered and said, Master, we saw one casting out devils in thy name; and we forbad him, because he followeth not with us.

50 And Jesus said unto him, Forbid *him* not: for he that is not against us is for us.

51 And it came to pass, when the time was come that he should be received up, he stedfastly set his face to go to Jerusalem,

52 And sent messengers before his face: and they went, and entered into a village of the Sa-mar′i-tans, to make ready for him.

53 And they did not receive him, because his face was as though he would go to Jerusalem.

54 And when his disciples James and John saw *this*, they said, Lord, wilt thou that we command fire to come down from heaven, and consume them, even as E-li′as did?

55 But he turned, and rebuked them, and said, Ye know not what manner of spirit ye are of.

56 For the Son of man is not come to destroy men's lives, but to save *them*. And they went to another village.

57 And it came to pass, that, as they went in the way, a certain *man* said unto him, Lord, I will follow thee whithersoever thou goest.

58 And Jesus said unto him, Foxes have holes, and birds of the air *have* nests; but the Son of man hath not where to lay *his* head.

59 And he said unto another, Follow me. But he said, Lord, suffer me first to go and bury my father.

60 Jesús le dijo: Deja que los muertos entierren a sus muertos; y tú vé, y anuncia el reino de Dios.

61 Entonces también dijo otro: Te seguiré, Señor; pero déjame que me despida primero de los que están en mi casa.

62 Y Jesús le dijo: Ninguno que poniendo su mano en el arado mira hacia atrás, es apto para el reino de Dios.

CAPÍTULO 10

DESPUÉS de estas cosas, designó el Señor también a otros setenta, a quienes envió de dos en dos delante de él a toda ciudad y lugar adonde él había de ir.

2 Y les decía: La mies a la verdad es mucha, mas los obreros pocos; por tanto, rogad al Señor de la mies que envíe obreros a su mies.

3 Id; he aquí yo os envío como corderos en medio de lobos.

4 No llevéis bolsa, ni alforja, ni calzado; y a nadie saludéis por el camino.

5 En cualquier casa donde entréis, primeramente decid: Paz sea a esta casa.

6 Y si hubiere allí algún hijo de paz, vuestra paz reposará sobre él; y si no, se volverá a vosotros.

7 Y posad en aquella misma casa, comiendo y bebiendo lo que os den; porque el obrero es digno de su salario. No os paséis de casa en casa.

8 En cualquier ciudad donde entréis, y os reciban, comed lo que os pongan delante;

9 y sanad a los enfermos que en ella haya, y decidles: Se ha acercado a vosotros el reino de Dios.

10 Mas en cualquier ciudad donde entréis, y no os reciban, saliendo por sus calles, decid:

11 Aun el polvo de vuestra ciudad, que se ha pegado a nuestros pies, lo sacudimos contra vosotros. Pero esto sabed, que el reino de Dios se ha acercado a vosotros.

12 Y os digo que en aquel día será más tolerable el castigo para Sodoma, que para aquella ciudad.

13 ¡Ay de ti, Corazin! ¡Ay de ti, Betsaida! que si en Tiro y en Sidón se hubieran hecho los milagros que se han hecho en vosotras, tiempo ha que sentadas en cilicio y ceniza, se habrían arrepentido.

14 Por tanto, en el juicio será más tolerable el castigo para Tiro y Sidón, que para vosotras.

15 Y tú, Capernaum, que hasta los cielos eres levantada, hasta el Hades serás abatida.

60 Jesus said unto him, Let the dead bury their dead: but go thou and preach the kingdom of God.

61 And another also said, Lord, I will follow thee; but let me first go bid them farewell, which are at home at my house.

62 And Jesus said unto him, No man, having put his hand to the plough, and looking back, is fit for the kingdom of God.

CHAPTER 10

AFTER these things the Lord appointed other seventy also, and sent them two and two before his face into every city and place, whither he himself would come.

2 Therefore said he unto them, The harvest truly *is* great, but the labourers *are* few: pray ye therefore the Lord of the harvest, that he would send forth labourers into his harvest.

3 Go your ways: behold, I send you forth as lambs among wolves.

4 Carry neither purse, nor scrip, nor shoes: and salute no man by the way.

5 And into whatsoever house ye enter, first say, Peace *be* to this house.

6 And if the son of peace be there, your peace shall rest upon it: if not, it shall turn to you again.

7 And in the same house remain, eating and drinking such things as they give: for the labourer is worthy of his hire. Go not from house to house.

8 And into whatsoever city ye enter, and they receive you, eat such things as are set before you:

9 And heal the sick that are therein, and say unto them, The kingdom of God is come nigh unto you.

10 But into whatsoever city ye enter, and they receive you not, go your ways out into the streets of the same, and say,

11 Even the very dust of your city, which cleaveth on us, we do wipe off against you: notwithstanding be ye sure of this, that the kingdom of God is come nigh unto you.

12 But I say unto you, that it shall be more tolerable in that day for Sodom, than for that city.

13 Woe unto thee, Cho-ra′zin! woe unto thee, Beth-sa′i-da! for if the mighty works had been done in Tyre and Si′don, which have been done in you, they had a great while ago repented, sitting in sackcloth and ashes.

14 But it shall be more tolerable for Tyre and Si′don at the judgment, than for you.

15 And thou, Ca-per′na-um, which art exalted to heaven, shalt be thrust down to hell.

16 El que a vosotros oye, a mí me oye; y el que a vosotros desecha, a mí me desecha; y el que me desecha a mí, desecha al que me envió.

17 Volvieron los setenta con gozo, diciendo: Señor, aun los demonios se nos sujetan en tu nombre.

18 Y les dijo: Yo veía a Satanás caer del cielo como un rayo.

19 He aquí os doy potestad de hollar serpientes y escorpiones, y sobre toda fuerza del enemigo, y nada os dañará.

20 Pero no os regocijéis de que los espíritus se os sujetan, sino regocijaos de que vuestros nombres están escritos en los cielos.

21 En aquella misma hora Jesús se regocijó en el Espíritu, y dijo: Yo te alabo, oh Padre, Señor del cielo y de la tierra, porque escondiste estas cosas de los sabios y entendidos, y las has revelado a los niños. Sí, Padre, porque así te agradó.

22 Todas las cosas me fueron entregadas por mi Padre; y nadie conoce quién es el Hijo sino el Padre; ni quién es el Padre, sino el Hijo, y aquel a quien el Hijo lo quiera revelar.

23 Y volviéndose a los discípulos, les dijo aparte: Bienaventurados los ojos que ven lo que vosotros veis;

24 porque os digo que muchos profetas y reyes desearon ver lo que vosotros veis, y no lo vieron; y oir lo que oís, y no lo oyeron.

25 Y he aquí un intérprete de la ley se levantó y dijo, para probarle: Maestro, ¿haciendo qué cosa heredaré la vida eterna?

26 El le dijo: ¿Qué está escrito en la ley? ¿Cómo lees?

27 Aquél, respondiendo, dijo: Amarás al Señor tu Dios con todo tu corazón, y con toda tu alma, y con todas tus fuerzas, y con toda tu mente; y a tu prójimo como a ti mismo.

28 Y le dijo: Bien has respondido; haz esto, y vivirás.

29 Pero él, queriendo justificarse a sí mismo, dijo a Jesús: ¿Y quién es mi prójimo?

30 Respondiendo Jesús, dijo: Un hombre descendía de Jerusalén a Jericó, y cayó en manos de ladrones, los cuales le despojaron; e hiriéndole, se fueron, dejándole medio muerto.

31 Aconteció que descendió un sacerdote por aquel camino, y viéndole, pasó de largo.

32 Asimismo un levita, llegando cerca de aquel lugar, y viéndole, pasó de largo.

16 He that heareth you heareth me; and he that despiseth you despiseth me; and he that despiseth me despiseth him that sent me.

17 And the seventy returned again with joy, saying, Lord, even the devils are subject unto us through thy name.

18 And he said unto them, I beheld Satan as lightning fall from heaven.

19 Behold, I give unto you power to tread on serpents and scorpions, and over all the power of the enemy: and nothing shall by any means hurt you.

20 Notwithstanding in this rejoice not, that the spirits are subject unto you; but rather rejoice, because your names are written in heaven.

21 In that hour Jesus rejoiced in spirit, and said, I thank thee, O Father, Lord of heaven and earth, that thou hast hid these things from the wise and prudent, and hast revealed them unto babes: even so, Father; for so it seemed good in thy sight.

22 All things are delivered to me of my Father: and no man knoweth who the Son is, but the Father; and who the Father is, but the Son, and *he* to whom the Son will reveal *him*.

23 And he turned him unto *his* disciples, and said privately, Blessed *are* the eyes which see the things that ye see:

24 For I tell you, that many prophets and kings have desired to see those things which ye see, and have not seen *them;* and to hear those things which ye hear, and have not heard *them.*

25 And, behold, a certain lawyer stood up, and tempted him, saying, Master, what shall I do to inherit eternal life?

26 He said unto him, What is written in the law? how readest thou?

27 And he answering said, Thou shalt love the Lord thy God with all thy heart, and with all thy soul, and with all thy strength, and with all thy mind; and thy neighbour as thyself.

28 And he said unto him, Thou hast answered right: this do, and thou shalt live.

29 But he, willing to justify himself, said unto Jesus, And who is my neighbour?

30 And Jesus answering said, A certain *man* went down from Jerusalem to Jericho, and fell among thieves, which stripped him of his raiment, and wounded *him*, and departed, leaving *him* half dead.

31 And by chance there came down a certain priest that way: and when he saw him, he passed by on the other side.

32 And likewise a Levite, when he was at the place, came and looked *on him*, and passed by on the other side.

33 Pero un samaritano, que iba de camino, vino cerca de él, y viéndole, fue movido a misericordia;

34 y acercándose, vendó sus heridas, echándoles aceite y vino; y poniéndole en su cabalgadura, lo llevó al mesón, y cuidó de él.

35 Otro día al partir, sacó dos denarios, y los dio al mesonero, y le dijo: Cuídamele; y todo lo que gastes de más, yo te lo pagaré cuando regrese.

36 ¿Quién, pues, de estos tres te parece que fue el prójimo del que cayó en manos de los ladrones?

37 El dijo: El que usó de misericordia con él. Entonces Jesús le dijo: Vé, y haz tú lo mismo.

38 Aconteció que yendo de camino, entró en una aldea; y una mujer llamada Marta le recibió en su casa.

39 Esta tenía una hermana que se llamaba María, la cual, sentándose a los pies de Jesús, oía su palabra.

40 Pero Marta se preocupaba con muchos quehaceres, y acercándose, dijo: Señor, ¿no te da cuidado que mi hermana me deje servir sola? Dile, pues, que me ayude.

41 Respondiendo Jesús, le dijo: Marta, Marta, afanada y turbada estás con muchas cosas.

42 Pero sólo una cosa es necesaria; y María ha escogido la buena parte, la cual no le será quitada.

CAPÍTULO 11

ACONTECIÓ que estaba Jesús orando en un lugar, y cuando terminó, uno de sus discípulos le dijo: Señor, enséñanos a orar, como también Juan enseñó a sus discípulos.

2 Y les dijo: Cuando oréis, decid: Padre nuestro que estás en los cielos, santificado sea tu nombre. Venga tu reino. Hágase tu voluntad, como en el cielo, así también en la tierra.

3 El pan nuestro de cada día, dánoslo hoy.

4 Y perdónanos nuestros pecados, porque también nosotros perdonamos a todos los que nos deben. Y no nos metas en tentación, mas líbranos del mal.

5 Les dijo también: ¿Quién de vosotros que tenga un amigo, va a él a medianoche y le dice: Amigo, préstame tres panes,

6 porque un amigo mío ha venido a mí de viaje, y no tengo qué ponerle delante;

7 y aquél, respondiendo desde adentro, le dice: No me molestes; la puerta ya está

33 But a certain Sa-mar'i-tan, as he journeyed, came where he was: and when he saw him, he had compassion *on him*,

34 And went to *him*, and bound up his wounds, pouring in oil and wine, and set him on his own beast, and brought him to an inn, and took care of him.

35 And on the morrow when he departed, he took out two pence, and gave *them* to the host, and said unto him, Take care of him; and whatsoever thou spendest more, when I come again, I will repay thee.

36 Which now of these three, thinkest thou, was neighbour unto him that fell among the thieves?

37 And he said, He that shewed mercy on him. Then said Jesus unto him, Go, and do thou likewise.

38 Now it came *to* pass, as they went, that he entered into a certain village: and a certain woman named Martha received him into her house.

39 And she had a sister called Mary, which also sat at Jesus' feet, and heard his word.

40 But Martha was cumbered about much serving, and came to him, and said, Lord, dost thou not care that my sister hath left me to serve alone? bid her therefore that she help me.

41 And Jesus answered and said unto her, Martha, Martha, thou art careful and troubled about many things:

42 But one thing is needful: and Mary hath chosen that good part, which shall not be taken away from her.

CHAPTER 11

AND it came to pass, that, as he was praying in a certain place, when he ceased, one of his disciples said unto him, Lord, teach us to pray, as John also taught his disciples.

2 And he said unto them, When ye pray, say, Our Father which art in heaven, Hallowed be thy name. Thy kingdom come. Thy will be done, as in heaven, so in earth.

3 Give us day by day our daily bread.

4 And forgive us our sins; for we also forgive every one that is indebted to us. And lead us not into temptation; but deliver us from evil.

5 And he said unto them, Which of you shall have a friend, and shall go unto him at midnight, and say unto him, Friend, lend me three loaves;

6 For a friend of mine in his journey is come to me, and I have nothing to set before him?

7 And he from within shall answer and say, Trouble me not: the door is now shut,

cerrada, y mis niños están conmigo en cama; no puedo levantarme, y dártelos?
8 Os digo, que aunque no se levante a dárselos por ser su amigo, sin embargo por su importunidad se levantará y le dará todo lo que necesite.
9 Y yo os digo: Pedid, y se os dará; buscad, y hallaréis; llamad, y se os abrirá.
10 Porque todo aquel que pide, recibe; y el que busca, halla; y al que llama, se le abrirá.
11 ¿Qué padre de vosotros, si su hijo le pide pan, le dará una piedra? ¿o si pescado, en lugar de pescado, le dará una serpiente?
12 ¿O si le pide un huevo, le dará un escorpión?
13 Pues si vosotros, siendo malos, sabéis dar buenas dádivas a vuestros hijos, ¿cuánto más vuestro Padre celestial dará el Espíritu Santo a los que se lo pidan?
14 Estaba Jesús echando fuera un demonio, que era mudo; y aconteció que salido el demonio, el mudo habló; y la gente se maravilló.
15 Pero algunos de ellos decían: Por Beelzebú, príncipe de los demonios, echa fuera los demonios.
16 Otros, para tentarle, le pedían señal del cielo.
17 Mas él, conociendo los pensamientos de ellos, les dijo: Todo reino dividido contra sí mismo, es asolado; y una casa dividida contra sí misma, cae.
18 Y si también Satanás está dividido contra sí mismo, ¿cómo permanecerá su reino? ya que decís que por Beelzebú echo yo fuera los demonios.
19 Pues si yo echo fuera los demonios por Beelzebú, ¿vuestros hijos por quién los echan? Por tanto, ellos serán vuestros jueces.
20 Mas si por el dedo de Dios echo yo fuera los demonios, ciertamente el reino de Dios ha llegado a vosotros.
21 Cuando el hombre fuerte armado guarda su palacio, en paz está lo que posee.
22 Pero cuando viene otro más fuerte que él y le vence, le quita todas sus armas en que confiaba, y reparte el botín.
23 El que no es conmigo, contra mí es; y el que conmigo no recoge, desparrama.
24 Cuando el espíritu inmundo sale del hombre, anda por lugares secos, buscando reposo; y no hallándolo, dice: Volveré a mi casa de donde salí.
25 Y cuando llega, la halla barrida y adornada.
26 Entonces va, y toma otros siete espí-

and my children are with me in bed; I cannot rise and give thee.
8 I say unto you, Though he will not rise and give him, because he is his friend, yet because of his importunity he will rise and give him as many as he needeth.
9 And I say unto you, Ask, and it shall be given you; seek, and ye shall find; knock, and it shall be opened unto you.
10 For every one that asketh receiveth; and he that seeketh findeth; and to him that knocketh it shall be opened.
11 If a son shall ask bread of any of you that is a father, will he give him a stone? or if *he ask* a fish, will he for a fish give him a serpent?
12 Or if he shall ask an egg, will he offer him a scorpion?
13 If ye then, being evil, know how to give good gifts unto your children: how much more shall *your* heavenly Father give the Holy Spirit to them that ask him?
14 And he was casting out a devil, and it was dumb. And it came to pass, when the devil was gone out, the dumb spake; and the people wondered.
15 But some of them said, He casteth out devils through Be-el'ze-bub the chief of the devils.
16 And others, tempting *him*, sought of him a sign from heaven.
17 But he, knowing their thoughts, said unto them, Every kingdom divided against itself is brought to desolation; and a house *divided* against a house falleth.
18 If Satan also be divided against himself, how shall his kingdom stand? because ye say that I cast out devils through Be-el'ze-bub.
19 And if I by Be-el'ze-bub cast out devils, by whom do your sons cast *them* out? therefore shall they be your judges.
20 But if I with the finger of God cast out devils, no doubt the kingdom of God is come upon you.
21 When a strong man armed keepeth his palace, his goods are in peace:
22 But when a stronger than he shall come upon him, and overcome him, he taketh from him all his armour wherein he trusted, and divideth his spoils.
23 He that is not with me is against me: and he that gathereth not with me scattereth.
24 When the unclean spirit is gone out of a man, he walketh through dry places, seeking rest; and finding none, he saith, I will return unto my house whence I came out.
25 And when he cometh, he findeth *it* swept and garnished.
26 Then goeth he, and taketh *to him* seven other spirits more wicked than him-

ritus peores que él; y entrados, moran allí; y el postrer estado de aquel hombre viene a ser peor que el primero.

27 Mientras él decía estas cosas, una mujer de entre la multitud levantó la voz y le dijo: Bienaventurado el vientre que te trajo, y los senos que mamaste.

28 Y él dijo: Antes bienaventurados los que oyen la palabra de Dios, y la guardan.

29 Y apiñándose las multitudes, comenzó a decir: Esta generación es mala; demanda señal, pero señal no le será dada, sino la señal de Jonás.

30 Porque así como Jonás fue señal a los ninivitas, también lo será el Hijo del Hombre a esta generación.

31 La reina del Sur se levantará en el juicio con los hombres de esta generación, y los condenará; porque ella vino de los fines de la tierra para oir la sabiduría de Salomón, y he aquí más que Salomón en este lugar.

32 Los hombres de Nínive se levantarán en el juicio con esta generación, y la condenarán; porque a la predicación de Jonás se arrepintieron, y he aquí más que Jonás en este lugar.

33 Nadie pone en oculto la luz encendida, ni debajo del almud, sino en el candelero, para que los que entran vean la luz.

34 La lámpara del cuerpo es el ojo; cuando tu ojo es bueno, también todo tu cuerpo está lleno de luz; pero cuando tu ojo es maligno, también tu cuerpo está en tinieblas.

35 Mira pues, no suceda que la luz que en ti hay, sea tinieblas.

36 Así que, si todo tu cuerpo está lleno de luz, no teniendo parte alguna de tinieblas, será todo luminoso, como cuando una lámpara te alumbra con su resplandor.

37 Luego que hubo hablado, le rogó un fariseo que comiese con él; y entrando Jesús en la casa, se sentó a la mesa.

38 El fariseo, cuando lo vio, se extrañó de que no se hubiese lavado antes de comer.

39 Pero el Señor le dijo: Ahora bien, vosotros los fariseos limpiáis lo de fuera del vaso y del plato, pero por dentro estáis llenos de rapacidad y de maldad.

40 Necios, ¿el que hizo lo de fuera, no hizo también lo de adentro?

41 Pero dad limosna de lo que tenéis, y entonces todo os será limpio.

42 Mas ¡ay de vosotros, fariseos! que diezmáis la menta, y la ruda, y toda hor-

self; and they enter in, and dwell there: and the last *state* of that man is worse than the first.

27 And it came to pass, as he spake these things, a certain woman of the company lifted up her voice, and said unto him, Blessed *is* the womb that bare thee, and the paps which thou hast sucked.

28 But he said, Yea rather, blessed *are* they that hear the word of God, and keep it.

29 And when the people were gathered thick together, he began to say, This is an evil generation: they seek a sign; and there shall no sign be given it, but the sign of Jonas the prophet.

30 For as Jonas was a sign unto the Nin′e-vites, so shall also the Son of man be to this generation.

31 The queen of the south shall rise up in the judgment with the men of this generation, and condemn them: for she came from the utmost parts of the earth to hear the wisdom of Solomon; and, behold, a greater than Solomon *is* here.

32 The men of Nin′e-ve shall rise up in the judgment with this generation, and shall condemn it: for they repented at the preaching of Jonas; and, behold, a greater than Jonas *is* here.

33 No man, when he hath lighted a candle, putteth *it* in a secret place, neither under a bushel, but on a candlestick, that they which come in may see the light.

34 The light of the body is the eye: therefore when thine eye is single, thy whole body also is full of light; but when *thine eye* is evil, thy body also *is* full of darkness.

35 Take heed therefore that the light which is in thee be not darkness.

36 If thy whole body therefore *be* full of light, having no part dark, the whole shall be full of light, as when the bright shining of a candle doth give thee light.

37 And as he spake, a certain Pharisee besought him to dine with him: and he went in, and sat down to meat.

38 And when the Pharisee saw *it*, he marvelled that he had not first washed before dinner.

39 And the Lord said unto him, Now do ye Pharisees make clean the outside of the cup and the platter; but your inward part is full of ravening and wickedness.

40 *Ye* fools, did not he that made that which is without make that which is within also?

41 But rather give alms of such things as ye have; and, behold, all things are clean unto you.

42 But woe unto you, Pharisees! for ye tithe mint and rue and all manner of

taliza, y pasáis por alto la justicia y el
amor de Dios. Esto os era necesario ha-
cer, sin dejar aquello.
43 ¡Ay de vosotros, fariseos! que amáis
las primeras sillas en las sinagogas, y las
salutaciones en las plazas.
44 ¡Ay de vosotros, escribas y fariseos,
hipócritas! que sois como sepulcros que
no se ven, y los hombres que andan enci-
ma no lo saben.
45 Respondiendo uno de los intérpretes
de la ley, le dijo: Maestro, cuando dices
esto, también nos afrentas a nosotros.
46 Y él dijo: ¡Ay de vosotros también,
intérpretes de la ley! porque cargáis a los
hombres con cargas que no pueden lle-
var, pero vosotros ni aun con un dedo las
tocáis.
47 ¡Ay de vosotros, que edificáis los se-
pulcros de los profetas a quienes mata-
ron vuestros padres!
48 De modo que sois testigos y consen-
tidores de los hechos de vuestros padres;
porque a la verdad ellos los mataron, y
vosotros edificáis sus sepulcros.
49 Por eso la sabiduría de Dios también
dijo: Les enviaré profetas y apóstoles; y
de ellos, a unos matarán y a otros perse-
guirán,
50 para que se demande de esta genera-
ción la sangre de todos los profetas que
se ha derramado desde la fundación del
mundo,
51 desde la sangre de Abel hasta la
sangre de Zacarías, que murió entre el al-
tar y el templo; sí, os digo que será de-
mandada de esta generación.
52 ¡Ay de vosotros, intérpretes de la
ley! porque habéis quitado la llave de la
ciencia; vosotros mismos no entrasteis, y
a los que entraban se lo impedisteis.
53 Diciéndoles él estas cosas, los escri-
bas y los fariseos comenzaron a estre-
charle en gran manera, y a provocarle a
que hablase de muchas cosas;
54 acechándole, y procurando cazar al-
guna palabra de su boca para acusarle.

CAPÍTULO 12

EN esto, juntándose por millares la
multitud, tanto que unos a otros se
atropellaban, comenzó a decir a sus
discípulos, primeramente: Guardaos de la
levadura de los fariseos, que es la
hipocresía.
2 Porque nada hay encubierto, que no
haya de descubrirse; ni oculto, que no
haya de saberse.
3 Por tanto, todo lo que habéis dicho en
tinieblas, a la luz se oirá; y lo que habéis

herbs, and pass over judgment and the
love of God: these ought ye to have done,
and not to leave the other undone.
43 Woe unto you, Pharisees! for ye love
the uppermost seats in the synagogues,
and greetings in the markets.
44 Woe unto you, scribes and Phari-
sees, hypocrites! for ye are as graves
which appear not, and the men that walk
over *them* are not aware *of them*.
45 Then answered one of the lawyers,
and said unto him, Master, thus saying
thou reproachest us also.
46 And he said, Woe unto you also, *ye*
lawyers! for ye lade men with burdens
grievous to be borne, and ye yourselves
touch not the burdens with one of your
fingers.
47 Woe unto you! for ye build the sep-
ulchres of the prophets, and your fathers
killed them.
48 Truly ye bear witness that ye allow
the deeds of your fathers: for they indeed
killed them, and ye build their sepul-
chres.
49 Therefore also said the wisdom of
God, I will send them prophets and apos-
tles, and *some* of them they shall slay and
persecute:
50 That the blood of all the prophets,
which was shed from the foundation of
the world, may be required of this gen-
eration;
51 From the blood of Abel unto the
blood of Zach-a-ri'as, which perished be-
tween the altar and the temple: verily I
say unto you, It shall be required of this
generation.
52 Woe unto you, lawyers! for ye have
taken away the key of knowledge: ye en-
tered not in yourselves, and them that
were entering in ye hindered.
53 And as he said these things unto
them, the scribes and the Pharisees be-
gan to urge *him* vehemently, and to pro-
voke him to speak of many things:
54 Laying wait for him, and seeking to
catch something out of his mouth, that
they might accuse him.

CHAPTER 12

IN the mean time, when there were
gathered together an innumerable
multitude of people, insomuch that they
trode one upon another, he began to say
unto his disciples first of all, Beware ye
of the leaven of the Pharisees, which is
hypocrisy.
2 For there is nothing covered, that
shall not be revealed; neither hid, that
shall not be known.
3 Therefore whatsoever ye have spoken
in darkness shall be heard in the light;

hablado al oído en los aposentos, se pro-
clamará en las azoteas.
4 Mas os digo, amigos míos: No temáis
a los que matan el cuerpo, y después
nada más pueden hacer.
5 Pero os enseñaré a quién debéis te-
mer: Temed a aquel que después de ha-
ber quitado la vida, tiene poder de echar
en el infierno; sí, os digo, a éste temed.
6 ¿No se venden cinco pajarillos por
dos cuartos? Con todo, ni uno de ellos
está olvidado delante de Dios.
7 Pues aun los cabellos de vuestra ca-
beza están todos contados. No temáis,
pues; más valéis vosotros que muchos
pajarillos.
8 Os digo que todo aquel que me confe-
sare delante de los hombres, también el
Hijo del Hombre le confesará delante de
los ángeles de Dios;
9 mas el que me negare delante de los
hombres, será negado delante de los án-
geles de Dios.
10 A todo aquel que dijere alguna pala-
bra contra el Hijo del Hombre, le será
perdonado; pero al que blasfemare con-
tra el Espíritu Santo, no le será perdona-
do.
11 Cuando os trajeren a las sinagogas,
y ante los magistrados y las autoridades,
no os preocupéis por cómo o qué habréis
de responder, o qué habréis de decir;
12 porque el Espíritu Santo os enseñará
en la misma hora lo que debáis decir.
13 Le dijo uno de la multitud: Maestro,
dí a mi hermano que parta conmigo la
herencia.
14 Mas él le dijo: Hombre, ¿quién me
ha puesto sobre vosotros como juez o
partidor?
15 Y les dijo: Mirad, y guardaos de toda
avaricia; porque la vida del hombre no
consiste en la abundancia de los bienes
que posee.
16 También les refirió una parábola, di-
ciendo: La heredad de un hombre rico ha-
bía producido mucho.
17 Y él pensaba dentro de sí, diciendo:
¿Qué haré, porque no tengo dónde guar-
dar mis frutos?
18 Y dijo: Esto haré: derribaré mis gra-
neros, y los edificaré mayores, y allí guar-
daré todos mis frutos y mis bienes;
19 y diré a mi alma: Alma, muchos
bienes tienes guardados para muchos
años; repósate, come, bebe, regocíjate.
20 Pero Dios le dijo: Necio, esta noche
vienen a pedirte tu alma; y lo que has
provisto, ¿de quién será?
21 Así es el que hace para sí tesoro, y
no es rico para con Dios.
22 Dijo luego a sus discípulos: Por tan-

and that which ye have spoken in the ear
in closets shall be proclaimed upon the
housetops.
4 And I say unto you my friends, Be not
afraid of them that kill the body, and af-
ter that have no more that they can do.
5 But I will forewarn you whom ye
shall fear: Fear him, which after he hath
killed hath power to cast into hell; yea, I
say unto you, Fear him.
6 Are not five sparrows sold for two
farthings, and not one of them is forgot-
ten before God?
7 But even the very hairs of your head
are all numbered. Fear not therefore: ye
are of more value than many sparrows.
8 Also I say unto you, Whosoever shall
confess me before men, him shall the Son
of man also confess before the angels of
God:
9 But he that denieth me before men
shall be denied before the angels of God.
10 And whosoever shall speak a word
against the Son of man, it shall be for-
given him: but unto him that blasphem-
eth against the Holy Ghost it shall not be
forgiven.
11 And when they bring you unto the
synagogues, and *unto* magistrates, and
powers, take ye no thought how or what
thing ye shall answer, or what ye shall
say:
12 For the Holy Ghost shall teach you
in the same hour what ye ought to say.
13 And one of the company said unto
him, Master, speak to my brother, that he
divide the inheritance with me.
14 And he said unto him, Man, who
made me a judge or a divider over you?
15 And he said unto them, Take heed,
and beware of covetousness: for a man's
life consisteth not in the abundance of
the things which he possesseth.
16 And he spake a parable unto them,
saying, The ground of a certain rich man
brought forth plentifully:
17 And he thought within himself, say-
ing, What shall I do, because I have no
room where to bestow my fruits?
18 And he said, This will I do: I will pull
down my barns, and build greater; and
there will I bestow all my fruits and my
goods.
19 And I will say to my soul, Soul, thou
hast much goods laid up for many years;
take thine ease, eat, drink, *and* be merry.
20 But God said unto him, *Thou* fool,
this night thy soul shall be required of
thee: then whose shall those things be,
which thou hast provided?
21 So *is* he that layeth up treasure for
himself, and is not rich toward God.
22 And he said unto his disciples,

to os digo: No os afanéis por vuestra vida, qué comeréis; ni por el cuerpo, qué vestiréis.

23 La vida es más que la comida, y el cuerpo que el vestido.

24 Considerad los cuervos, que ni siembran, ni siegan; que ni tienen despensa, ni granero, y Dios los alimenta. ¿No valéis vosotros mucho más que las aves?

25 ¿Y quién de vosotros podrá con afanarse añadir a su estatura un codo?

26 Pues si no podéis ni aun lo que es menos, ¿por qué os afanáis por lo demás?

27 Considerad los lirios, cómo crecen; no trabajan, ni hilan; mas os digo, que ni aun Salomón con toda su gloria se vistió como uno de ellos.

28 Y si así viste Dios la hierba que hoy está en el campo, y mañana es echada al horno, ¿cuánto más a vosotros, hombres de poca fe?

29 Vosotros, pues, no os preocupéis por lo que habéis de comer, ni por lo que habéis de beber, ni estéis en ansiosa inquietud.

30 Porque todas estas cosas buscan las gentes del mundo; pero vuestro Padre sabe que tenéis necesidad de estas cosas.

31 Mas buscad el reino de Dios, y todas estas cosas os serán añadidas.

32 No temáis, manada pequeña, porque a vuestro Padre le ha placido daros el reino.

33 Vended lo que poseéis, y dad limosna; haceos bolsas que no se envejezcan, tesoro en los cielos que no se agote, donde ladrón no llega, ni polilla destruye.

34 Porque donde está vuestro tesoro, allí estará también vuestro corazón.

35 Estén ceñidos vuestros lomos, y vuestras lámparas encendidas;

36 y vosotros sed semejantes a hombres que aguardan a que su señor regrese de las bodas, para que cuando llegue y llame, le abran en seguida.

37 Bienaventurados aquellos siervos a los cuales su señor, cuando venga, halle velando; de cierto os digo que se ceñirá, y hará que se sienten a la mesa, y vendrá a servirles.

38 Y aunque venga a la segunda vigilia, y aunque venga a la tercera vigilia, si los hallare así, bienaventurados son aquellos siervos.

39 Pero sabed esto, que si supiese el padre de familia a qué hora el ladrón había

Therefore I say unto you, Take no thought for your life, what ye shall eat; neither for the body, what ye shall put on.

23 The life is more than meat, and the body *is more* than raiment.

24 Consider the ravens: for they neither sow nor reap; which neither have storehouse nor barn; and God feedeth them: how much more are ye better than the fowls?

25 And which of you with taking thought can add to his stature one cubit?

26 If ye then be not able to do that thing which is least, why take ye thought for the rest?

27 Consider the lilies how they grow: they toil not, they spin not; and yet I say unto you, that Solomon in all his glory was not arrayed like one of these.

28 If then God so clothe the grass, which is to day in the field, and to morrow is cast into the oven; how much more *will he clothe* you, O ye of little faith?

29 And seek not ye what ye shall eat, or what ye shall drink, neither be ye of doubtful mind.

30 For all these things do the nations of the world seek after: and your Father knoweth that ye have need of these things.

31 But rather seek ye the kingdom of God; and all these things shall be added unto you.

32 Fear not, little flock; for it is your Father's good pleasure to give you the kingdom.

33 Sell that ye have, and give alms; provide yourselves bags which wax not old, a treasure in the heavens that faileth not, where no thief approacheth, neither moth corrupteth.

34 For where your treasure is, there will your heart be also.

35 Let your loins be girded about, and *your* lights burning;

36 And ye yourselves like unto men that wait for their lord, when he will return from the wedding; that when he cometh and knocketh, they may open unto him immediately.

37 Blessed *are* those servants, whom the lord when he cometh shall find watching: verily I say unto you, that he shall gird himself, and make them to sit down to meat, and will come forth and serve them.

38 And if he shall come in the second watch, or come in the third watch, and find *them* so, blessed are those servants.

39 And this know, that if the goodman of the house had known what hour the thief would come, he would have

de venir, velaría ciertamente, y no dejaría minar su casa.

40 Vosotros, pues, también, estad preparados, porque a la hora que no penséis, el Hijo del Hombre vendrá.

41 Entonces Pedro le dijo: Señor, ¿dices esta parábola a nosotros, o también a todos?

42 Y dijo el Señor: ¿Quién es el mayordomo fiel y prudente al cual su señor pondrá sobre su casa, para que a tiempo les dé su ración?

43 Bienaventurado aquel siervo al cual, cuando su señor venga, le halle haciendo así.

44 En verdad os digo que le pondrá sobre todos sus bienes.

45 Mas si aquel siervo dijere en su corazón: Mi señor tarda en venir; y comenzare a golpear a los criados y a las criadas, y a comer y beber y embriagarse,

46 vendrá el señor de aquel siervo en día que éste no espera, y a la hora que no sabe, y le castigará duramente, y le pondrá con los infieles.

47 Aquel siervo que conociendo la voluntad de su señor, no se preparó, ni hizo conforme a su voluntad, recibirá muchos azotes.

48 Mas el que sin conocerla hizo cosas dignas de azotes, será azotado poco; porque a todo aquel a quien se haya dado mucho, mucho se le demandará; y al que mucho se le haya confiado, más se le pedirá.

49 Fuego vine a echar en la tierra; ¿y qué quiero, si ya se ha encendido?

50 De un bautismo tengo que ser bautizado; y ¡cómo me angustio hasta que se cumpla!

51 ¿Pensáis que he venido para dar paz en la tierra? Os digo: No, sino disensión.

52 Porque de aquí en adelante, cinco en una familia estarán divididos, tres contra dos, y dos contra tres.

53 Estará dividido el padre contra el hijo, y el hijo contra el padre; la madre contra la hija, y la hija contra la madre; la suegra contra su nuera, y la nuera contra su suegra.

54 Decía también a la multitud: Cuando veis la nube que sale del poniente, luego decís: Agua viene; y así sucede.

55 Y cuando sopla el viento del sur, decís: Hará calor; y lo hace.

watched, and not have suffered his house to be broken through.

40 Be ye therefore ready also: for the Son of man cometh at an hour when ye think not.

41 Then Peter said unto him, Lord, speakest thou this parable unto us, or even to all?

42 And the Lord said, Who then is that faithful and wise steward, whom *his* lord shall make ruler over his household, to give *them their* portion of meat in due season?

43 Blessed *is* that servant, whom his lord when he cometh shall find so doing.

44 Of a truth I say unto you, that he will make him ruler over all that he hath.

45 But and if that servant say in his heart, My lord delayeth his coming; and shall begin to beat the menservants and maidens, and to eat and drink, and to be drunken;

46 The lord of that servant will come in a day when he looketh not for *him*, and at an hour when he is not aware, and will cut him in sunder, and will appoint him his portion with the unbelievers.

47 And that servant, which knew his lord's will, and prepared not *himself*, neither did according to his will, shall be beaten with many *stripes*.

48 But he that knew not, and did commit things worthy of stripes, shall be beaten with few *stripes*. For unto whomsoever much is given, of him shall be much required: and to whom men have committed much, of him they will ask the more.

49 I am come to send fire on the earth; and what will I, if it be already kindled?

50 But I have a baptism to be baptized with; and how am I straitened till it be accomplished!

51 Suppose ye that I am come to give peace on earth? I tell you, Nay; but rather division:

52 For from henceforth there shall be five in one house divided, three against two, and two against three.

53 The father shall be divided against the son, and the son against the father; the mother against the daughter, and the daughter against the mother; the mother in law against her daughter in law, and the daughter in law against her mother in law.

54 And he said also to the people, When ye see a cloud rise out of the west, straightway ye say, There cometh a shower; and so it is.

55 And when *ye see* the south wind blow, ye say, There will be heat; and it cometh to pass.

56 ¡Hipócritas! Sabéis distinguir el aspecto del cielo y de la tierra; ¿y cómo no distinguís este tiempo?

57 ¿Y por qué no juzgáis por vosotros mismos lo que es justo?

58 Cuando vayas al magistrado con tu adversario, procura en el camino arreglarte con él, no sea que te arrastre al juez, y el juez te entregue al alguacil, y el alguacil te meta en la cárcel.

59 Te digo que no saldrás de allí, hasta que hayas pagado aun la última blanca.

CAPÍTULO 13

EN este mismo tiempo estaban allí algunos que le contaban acerca de los galileos cuya sangre Pilato había mezclado con los sacrificios de ellos.

2 Respondiendo Jesús, les dijo: ¿Pensáis que estos galileos, porque padecieron tales cosas, eran más pecadores que todos los galileos?

3 Os digo: No; antes si no os arrepentís, todos pereceréis igualmente.

4 O aquellos dieciocho sobre los cuales cayó la torre en Siloé, y los mató, ¿pensáis que eran más culpables que todos los hombres que habitan en Jerusalén?

5 Os digo: No; antes si no os arrepentís, todos pereceréis igualmente.

6 Dijo también esta parábola: Tenía un hombre una higuera plantada en su viña, y vino a buscar fruto en ella, y no lo halló.

7 Y dijo al viñador: He aquí, hace tres años que vengo a buscar fruto en esta higuera, y no lo hallo; córtala; ¿para qué inutiliza también la tierra?

8 El entonces, respondiendo, le dijo: Señor, déjala todavía este año, hasta que yo cave alrededor de ella, y la abone.

9 Y si diere fruto, bien; y si no, la cortarás después.

10 Enseñaba Jesús en una sinagoga en el día de reposo;

11 y había allí una mujer que desde hacía dieciocho años tenía espíritu de enfermedad, y andaba encorvada, y en ninguna manera se podía enderezar.

12 Cuando Jesús la vio, la llamó y le dijo: Mujer, eres libre de tu enfermedad.

13 Y puso las manos sobre ella; y ella se enderezó luego, y glorificaba a Dios.

14 Pero el principal de la sinagoga, enojado de que Jesús hubiese sanado en el día de reposo, dijo a la gente: Seis días

56 *Ye* hypocrites, ye can discern the face of the sky and of the earth; but how is it that ye do not discern this time?

57 Yea, and why even of yourselves judge ye not what is right?

58 When thou goest with thine adversary to the magistrate, *as thou art* in the way, give diligence that thou mayest be delivered from him; lest he hale thee to the judge, and the judge deliver thee to the officer, and the officer cast thee into prison.

59 I tell thee, thou shalt not depart thence, till thou hast paid the very last mite.

CHAPTER 13

THERE were present at that season some that told him of the Galilæans, whose blood Pilate had mingled with their sacrifices.

2 And Jesus answering said unto them, Suppose ye that these Galilæans were sinners above all the Galilæans, because they suffered such things?

3 I tell you, Nay: but, except ye repent, ye shall all likewise perish.

4 Or those eighteen, upon whom the tower in Si-lo'am fell, and slew them, think ye that they were sinners above all men that dwelt in Jerusalem?

5 I tell you, Nay: but, except ye repent, ye shall all likewise perish.

6 He spake also this parable; A certain *man* had a fig tree planted in his vineyard; and he came and sought fruit thereon, and found none.

7 Then said he unto the dresser of his vineyard, Behold, these three years I come seeking fruit on this fig tree, and find none: cut it down; why cumbereth it the ground?

8 And he answering said unto him, Lord, let it alone this year also, till I shall dig about it, and dung *it:*

9 And if it bear fruit, *well:* and if not, *then* after that thou shalt cut it down.

10 And he was teaching in one of the synagogues on the sabbath.

11 And, behold, there was a woman which had a spirit of infirmity eighteen years, and was bowed together, and could in no wise lift up *herself.*

12 And when Jesus saw her, he called *her to him,* and said unto her, Woman, thou art loosed from thine infirmity.

13 And he laid *his* hands on her: and immediately she was made straight, and glorified God.

14 And the ruler of the synagogue answered with indignation, because that Jesus had healed on the sabbath day, and said unto the people, There are six days

hay en que se debe trabajar; en éstos, pues, venid y sed sanados, y no en día de reposo.

15 Entonces el Señor le respondió y dijo: Hipócrita, cada uno de vosotros ¿no desata en el día de reposo su buey o su asno del pesebre y lo lleva a beber?

16 Y a esta hija de Abraham, que Satanás había atado dieciocho años, ¿no se le debía desatar de esta ligadura en el día de reposo?

17 Al decir él estas cosas, se avergonzaban todos sus adversarios; pero todo el pueblo se regocijaba por todas las cosas gloriosas hechas por él.

18 Y dijo: ¿A qué es semejante el reino de Dios, y con qué lo compararé?

19 Es semejante al grano de mostaza, que un hombre tomó y sembró en su huerto; y creció, y se hizo árbol grande, y las aves del cielo anidaron en sus ramas.

20 Y volvió a decir: ¿A qué compararé el reino de Dios?

21 Es semejante a la levadura, que una mujer tomó y escondió en tres medidas de harina, hasta que todo hubo fermentado.

22 Pasaba Jesús por ciudades y aldeas, enseñando, y encaminándose a Jerusalén.

23 Y alguien le dijo: Señor, ¿son pocos los que se salvan? Y él les dijo:

24 Esforzaos a entrar por la puerta angosta; porque os digo que muchos procurarán entrar, y no podrán.

25 Después que el padre de familia se haya levantado y cerrado la puerta, y estando fuera empecéis a llamar a la puerta, diciendo: Señor, Señor, ábrenos, él respondiendo os dirá: No sé de dónde sois.

26 Entonces comenzaréis a decir: Delante de ti hemos comido y bebido, y en nuestras plazas enseñaste.

27 Pero os dirá: Os digo que no sé de dónde sois; apartaos de mí todos vosotros, hacedores de maldad.

28 Allí será el llanto y el crujir de dientes, cuando veáis a Abraham, a Isaac, a Jacob y a todos los profetas en el reino de Dios, y vosotros estéis excluidos.

29 Porque vendrán del oriente y del occidente, del norte y del sur, y se sentarán a la mesa en el reino de Dios.

30 Y he aquí, hay postreros que serán primeros, y primeros que serán postreros.

31 Aquel mismo día llegaron unos fari-

in which men ought to work: in them therefore come and be healed, and not on the sabbath day.

15 The Lord then answered him, and said, *Thou* hypocrite, doth not each one of you on the sabbath loose his ox or *his* ass from the stall, and lead *him* away to watering?

16 And ought not this woman, being a daughter of Abraham, whom Satan hath bound, lo, these eighteen years, be loosed from this bond on the sabbath day?

17 And when he had said these things, all his adversaries were ashamed: and all the people rejoiced for all the glorious things that were done by him.

18 Then said he, Unto what is the kingdom of God like? and whereunto shall I resemble it?

19 It is like a grain of mustard seed, which a man took, and cast into his garden; and it grew, and waxed a great tree; and the fowls of the air lodged in the branches of it.

20 And again he said, Whereunto shall I liken the kingdom of God?

21 It is like leaven, which a woman took and hid in three measures of meal, till the whole was leavened.

22 And he went through the cities and villages, teaching, and journeying toward Jerusalem.

23 Then said one unto him, Lord, are there few that be saved? And he said unto them,

24 Strive to enter in at the strait gate: for many, I say unto you, will seek to enter in, and shall not be able.

25 When once the master of the house is risen up, and hath shut to the door, and ye begin to stand without, and to knock at the door, saying, Lord, Lord, open unto us; and he shall answer and say unto you, I know you not whence ye are:

26 Then shall ye begin to say, We have eaten and drunk in thy presence, and thou hast taught in our streets.

27 But he shall say, I tell you, I know you not whence ye are; depart from me, all *ye* workers of iniquity.

28 There shall be weeping and gnashing of teeth, when ye shall see Abraham, and Isaac, and Jacob, and all the prophets, in the kingdom of God, and you *yourselves* thrust out.

29 And they shall come from the east, and *from* the west, and from the north, and *from* the south, and shall sit down in the kingdom of God.

30 And, behold, there are last which shall be first, and there are first which shall be last.

31 The same day there came certain of

seos, diciéndole: Sal, y vete de aquí, porque Herodes te quiere matar.

32 Y les dijo: Id, y decid a aquella zorra: He aquí, echo fuera demonios y hago curaciones hoy y mañana, y al tercer día termino mi obra.

33 Sin embargo, es necesario que hoy y mañana y pasado mañana siga mi camino; porque no es posible que un profeta muera fuera de Jerusalén.

34 ¡Jerusalén, Jerusalén, que matas a los profetas, y apedreas a los que te son enviados! ¡Cuántas veces quise juntar a tus hijos, como la gallina a sus polluelos debajo de sus alas, y no quisiste!

35 He aquí, vuestra casa os es dejada desierta; y os digo que no me veréis, hasta que llegue el tiempo en que digáis: Bendito el que viene en nombre del Señor.

CAPÍTULO 14

ACONTECIÓ un día de reposo, que habiendo entrado para comer en casa de un gobernante, que era fariseo, éstos le acechaban.

2 Y he aquí estaba delante de él un hombre hidrópico.

3 Entonces Jesús habló a los intérpretes de la ley y a los fariseos, diciendo: ¿Es lícito sanar en el día de reposo?

4 Mas ellos callaron. Y él, tomándole, le sanó y le despidió.

5 Y dirigiéndose a ellos, dijo: ¿Quién de vosotros, si su asno o su buey cae en algún pozo, no lo sacará inmediatamente, aunque sea en día de reposo?

6 Y no le podían replicar a estas cosas.

7 Observando cómo escogían los primeros asientos a la mesa, refirió a los convidados una parábola, diciéndoles:

8 Cuando fueres convidado por alguno a bodas, no te sientes en el primer lugar, no sea que otro más distinguido que tú esté convidado por él,

9 y viniendo el que te convidó a ti y a él te diga: Da lugar a éste; y entonces comiences con vergüenza a ocupar el último lugar.

10 Mas cuando fueres convidado, vé y siéntate en el último lugar, para que cuando venga el que te convidó, te diga: Amigo, sube más arriba; entonces tendrás gloria delante de los que se sientan contigo a la mesa.

11 Porque cualquiera que se enaltece, será humillado; y el que se humilla, será enaltecido.

12 Dijo también al que le había convi-

the Pharisees, saying unto him, Get thee out, and depart hence: for Herod will kill thee.

32 And he said unto them, Go ye, and tell that fox, Behold, I cast out devils, and I do cures to day and to morrow, and the third *day* I shall be perfected.

33 Nevertheless I must walk to day, and to morrow, and the *day* following: for it cannot be that a prophet perish out of Jerusalem.

34 O Jerusalem, Jerusalem, which killest the prophets, and stonest them that are sent unto thee; how often would I have gathered thy children together, as a hen *doth gather* her brood under *her* wings, and ye would not!

35 Behold, your house is left unto you desolate: and verily I say unto you, Ye shall not see me, until *the time* come when ye shall say, Blessed *is* he that cometh in the name of the Lord.

CHAPTER 14

AND it came to pass, as he went into the house of one of the chief Pharisees to eat bread on the sabbath day, that they watched him.

2 And, behold, there was a certain man before him which had the dropsy.

3 And Jesus answering spake unto the lawyers and Pharisees, saying, Is it lawful to heal on the sabbath day?

4 And they held their peace. And he took *him*, and healed him, and let him go;

5 And answered them, saying, Which of you shall have an ass or an ox fallen into a pit, and will not straightway pull him out on the sabbath day?

6 And they could not answer him again to these things.

7 And he put forth a parable to those which were bidden, when he marked how they chose out the chief rooms; saying unto them,

8 When thou art bidden of any *man* to a wedding, sit not down in the highest room; lest a more honourable man than thou be bidden of him;

9 And he that bade thee and him come and say to thee, Give this man place; and thou begin with shame to take the lowest room.

10 But when thou art bidden, go and sit down in the lowest room; that when he that bade thee cometh, he may say unto thee, Friend, go up higher: then shalt thou have worship in the presence of them that sit at meat with thee.

11 For whosoever exalteth himself shall be abased; and he that humbleth himself shall be exalted.

12 Then said he also to him that bade

dado: Cuando hagas comida o cena, no llames a tus amigos, ni a tus hermanos, ni a tus parientes, ni a vecinos ricos; no sea que ellos a su vez te vuelvan a convidar, y seas recompensado.

13 Mas cuando hagas banquete, llama a los pobres, los mancos, los cojos y los ciegos;

14 y serás bienaventurado; porque ellos no te pueden recompensar, pero te será recompensado en la resurrección de los justos.

15 Oyendo esto uno de los que estaban sentados con él a la mesa, le dijo: Bienaventurado el que coma pan en el reino de Dios.

16 Entonces Jesús le dijo: Un hombre hizo una gran cena, y convidó a muchos.

17 Y a la hora de la cena envió a su siervo a decir a los convidados: Venid, que ya todo está preparado.

18 Y todos a una comenzaron a excusarse. El primero dijo: He comprado una hacienda, y necesito ir a verla; te ruego que me excuses.

19 Otro dijo: He comprado cinco yuntas de bueyes, y voy a probarlos; te ruego que me excuses.

20 Y otro dijo: Acabo de casarme, y por tanto no puedo ir.

21 Vuelto el siervo, hizo saber estas cosas a su señor. Entonces enojado el padre de familia, dijo a su siervo: Vé pronto por las plazas y las calles de la ciudad, y trae acá a los pobres, los mancos, los cojos y los ciegos.

22 Y dijo el siervo: Señor, se ha hecho como mandaste, y aún hay lugar.

23 Dijo el señor al siervo: Vé por los caminos y por los vallados, y fuérzalos a entrar, para que se llene mi casa.

24 Porque os digo que ninguno de aquellos hombres que fueron convidados, gustará mi cena.

25 Grandes multitudes iban con él; y volviéndose, les dijo:

26 Si alguno viene a mí, y no aborrece a su padre, y madre, y mujer, e hijos, y hermanos, y hermanas, y aun también su propia vida, no puede ser mi discípulo.

27 Y el que no lleva su cruz y viene en pos de mí, no puede ser mi discípulo.

28 Porque ¿quién de vosotros, queriendo edificar una torre, no se sienta primero y calcula los gastos, a ver si tiene lo que necesita para acabarla?

him, When thou makest a dinner or a supper, call not thy friends, nor thy brethren, neither thy kinsmen, nor *thy* rich neighbours; lest they also bid thee again, and a recompence be made thee.

13 But when thou makest a feast, call the poor, the maimed, the lame, the blind:

14 And thou shalt be blessed; for they cannot recompense thee: for thou shalt be recompensed at the resurrection of the just.

15 And when one of them that sat at meat with him heard these things, he said unto him, Blessed *is* he that shall eat bread in the kingdom of God.

16 Then said he unto him, A certain *man* made a great supper, and bade many:

17 And sent his servant at supper time to say to them that were bidden, Come; for all things are now ready.

18 And they all with one *consent* began to make excuse. The first said unto him, I have bought a piece of ground, and I must needs go and see it: I pray thee have me excused.

19 And another said, I have bought five yoke of oxen, and I go to prove them: I pray thee have me excused.

20 And another said, I have married a wife, and therefore I cannot come.

21 So that servant came, and shewed his lord these things. Then the master of the house being angry said to his servant, Go out quickly into the streets and lanes of the city, and bring in hither the poor, and the maimed, and the halt, and the blind.

22 And the servant said, Lord, it is done as thou hast commanded, and yet there is room.

23 And the lord said unto the servant, Go out into the highways and hedges, and compel *them* to come in, that my house may be filled.

24 For I say unto you, That none of those men which were bidden shall taste of my supper.

25 And there went great multitudes with him: and he turned, and said unto them,

26 If any *man* come to me, and hate not his father, and mother, and wife, and children, and brethren, and sisters, yea, and his own life also, he cannot be my disciple.

27 And whosoever doth not bear his cross, and come after me, cannot be my disciple.

28 For which of you, intending to build a tower, sitteth not down first, and counteth the cost, whether he have *sufficient* to finish *it?*

29 No sea que después que haya puesto el cimiento, y no pueda acabarla, todos los que lo vean comiencen a hacer burla de él,

30 diciendo: Este hombre comenzó a edificar, y no pudo acabar.

31 ¿O qué rey, al marchar a la guerra contra otro rey, no se sienta primero y considera si puede hacer frente con diez mil al que viene contra él con veinte mil?

32 Y si no puede, cuando el otro está todavía lejos, le envía una embajada y le pide condiciones de paz.

33 Así, pues, cualquiera de vosotros que no renuncia a todo lo que posee, no puede ser mi discípulo.

34 Buena es la sal; mas si la sal se hiciere insípida, ¿con qué se sazonará?

35 Ni para la tierra ni para el muladar es útil; la arrojan fuera. El que tiene oídos para oir, oiga.

CAPÍTULO 15

SE acercaban a Jesús todos los publicanos y pecadores para oirle,

2 y los fariseos y los escribas murmuraban, diciendo: Este a los pecadores recibe, y con ellos come.

3 Entonces él les refirió esta parábola, diciendo:

4 ¿Qué hombre de vosotros, teniendo cien ovejas, si pierde una de ellas, no deja las noventa y nueve en el desierto, y va tras la que se perdió, hasta encontrarla?

5 Y cuando la encuentra, la pone sobre sus hombros gozoso;

6 y al llegar a casa, reúne a sus amigos y vecinos, diciéndoles: Gozaos conmigo, porque he encontrado mi oveja que se había perdido.

7 Os digo que así habrá más gozo en el cielo por un pecador que se arrepiente, que por noventa y nueve justos que no necesitan de arrepentimiento.

8 ¿O qué mujer que tiene diez dracmas, si pierde una dracma, no enciende la lámpara, y barre la casa, y busca con diligencia hasta encontrarla?

9 Y cuando la encuentra, reúne a sus amigas y vecinas, diciendo: Gozaos conmigo, porque he encontrado la dracma que había perdido.

10 Así os digo que hay gozo delante de los ángeles de Dios por un pecador que se arrepiente.

11 También dijo: Un hombre tenía dos hijos;

12 y el menor de ellos dijo a su padre: Padre, dame la parte de los bienes que me corresponde; y les repartió los bienes.

29 Lest haply, after he hath laid the foundation, and is not able to finish *it*, all that behold *it* begin to mock him,

30 Saying, This man began to build, and was not able to finish.

31 Or what king, going to make war against another king, sitteth not down first, and consulteth whether he be able with ten thousand to meet him that cometh against him with twenty thousand?

32 Or else, while the other is yet a great way off, he sendeth an ambassage, and desireth conditions of peace.

33 So likewise, whosoever he be of you that forsaketh not all that he hath, he cannot be my disciple.

34 Salt *is* good: but if the salt have lost his savour, wherewith shall it be seasoned?

35 It is neither fit for the land, nor yet for the dunghill; *but* men cast it out. He that hath ears to hear, let him hear.

CHAPTER 15

THEN drew near unto him all the publicans and sinners for to hear him.

2 And the Pharisees and scribes murmured, saying, This man receiveth sinners, and eateth with them.

3 And he spake this parable unto them, saying,

4 What man of you, having an hundred sheep, if he lose one of them, doth not leave the ninety and nine in the wilderness, and go after that which is lost, until he find it?

5 And when he hath found *it*, he layeth *it* on his shoulders, rejoicing.

6 And when he cometh home, he calleth together *his* friends and neighbours, saying unto them, Rejoice with me; for I have found my sheep which was lost.

7 I say unto you, that likewise joy shall be in heaven over one sinner that repenteth, more than over ninety and nine just persons, which need no repentance.

8 Either what woman having ten pieces of silver, if she lose one piece, doth not light a candle, and sweep the house, and seek diligently till she find *it?*

9 And when she hath found *it*, she calleth *her* friends and *her* neighbours together, saying, Rejoice with me; for I have found the piece which I had lost.

10 Likewise, I say unto you, there is joy in the presence of the angels of God over one sinner that repenteth.

11 And he said, A certain man had two sons:

12 And the younger of them said to *his* father, Father, give me the portion of goods that falleth *to me*. And he divided unto them *his* living.

13 No muchos días después, juntándolo todo el hijo menor, se fue lejos a una provincia apartada; y allí desperdició sus bienes viviendo perdidamente.

14 Y cuando todo lo hubo malgastado, vino una gran hambre en aquella provincia, y comenzó a faltarle.

15 Y fue y se arrimó a uno de los ciudadanos de aquella tierra, el cual le envió a su hacienda para que apacentase cerdos.

16 Y deseaba llenar su vientre de las algarrobas que comían los cerdos, pero nadie le daba.

17 Y volviendo en sí, dijo: ¡Cuántos jornaleros en casa de mi padre tienen abundancia de pan, y yo aquí perezco de hambre!

18 Me levantaré e iré a mi padre, y le diré: Padre, he pecado contra el cielo y contra ti.

19 Ya no soy digno de ser llamado tu hijo; hazme como a uno de tus jornaleros.

20 Y levantándose, vino a su padre. Y cuando aún estaba lejos, lo vio su padre, y fue movido a misericordia, y corrió, y se echó sobre su cuello, y le besó.

21 Y el hijo le dijo: Padre, he pecado contra el cielo y contra ti, y ya no soy digno de ser llamado tu hijo.

22 Pero el padre dijo a sus siervos: Sacad el mejor vestido, y vestidle; y poned un anillo en su mano, y calzado en sus pies.

23 Y traed el becerro gordo y matadlo, y comamos y hagamos fiesta;

24 porque este mi hijo muerto era, y ha revivido; se había perdido, y es hallado. Y comenzaron a regocijarse.

25 Y su hijo mayor estaba en el campo; y cuando vino, y llegó cerca de la casa, oyó la música y las danzas;

26 y llamando a uno de los criados, le preguntó qué era aquello.

27 El le dijo: Tu hermano ha venido; y tu padre ha hecho matar el becerro gordo, por haberle recibido bueno y sano.

28 Entonces se enojó, y no quería entrar. Salió por tanto su padre, y le rogaba que entrase.

29 Mas él, respondiendo, dijo al padre: He aquí, tantos años te sirvo, no habiéndote desobedecido jamás, y nunca me has dado ni un cabrito para gozarme con mis amigos.

30 Pero cuando vino este tu hijo, que ha consumido tus bienes con rameras, has hecho matar para él el becerro gordo.

13 And not many days after the younger son gathered all together, and took his journey into a far country, and there wasted his substance with riotous living.

14 And when he had spent all, there arose a mighty famine in that land; and he began to be in want.

15 And he went and joined himself to a citizen of that country; and he sent him into his fields to feed swine.

16 And he would fain have filled his belly with the husks that the swine did eat: and no man gave unto him.

17 And when he came to himself, he said, How many hired servants of my father's have bread enough and to spare, and I perish with hunger!

18 I will arise and go to my father, and will say unto him, Father, I have sinned against heaven, and before thee,

19 And am no more worthy to be called thy son: make me as one of thy hired servants.

20 And he arose, and came to his father. But when he was yet a great way off, his father saw him, and had compassion, and ran, and fell on his neck, and kissed him.

21 And the son said unto him, Father, I have sinned against heaven, and in thy sight, and am no more worthy to be called thy son.

22 But the father said to his servants, Bring forth the best robe, and put *it* on him; and put a ring on his hand, and shoes on *his* feet:

23 And bring hither the fatted calf, and kill *it;* and let us eat, and be merry:

24 For this my son was dead, and is alive again; he was lost, and is found. And they began to be merry.

25 Now his elder son was in the field: and as he came and drew nigh to the house, he heard musick and dancing.

26 And he called one of the servants, and asked what these things meant.

27 And he said unto him, Thy brother is come; and thy father hath killed the fatted calf, because he hath received him safe and sound.

28 And he was angry, and would not go in: therefore came his father out, and intreated him.

29 And he answering said to *his* father, Lo, these many years do I serve thee, neither transgressed I at any time thy commandment: and yet thou never gavest me a kid, that I might make merry with my friends:

30 But as soon as this thy son was come, which hath devoured thy living with harlots, thou hast killed for him the fatted calf.

31 El entonces le dijo: Hijo, tú siempre estás conmigo, y todas mis cosas son tuyas.

32 Mas era necesario hacer fiesta y regocijarnos, porque este tu hermano era muerto, y ha revivido; se había perdido, y es hallado.

CAPÍTULO 16

DIJO también a sus discípulos: Había un hombre rico que tenía un mayordomo, y éste fue acusado ante él como disipador de sus bienes.

2 Entonces le llamó, y le dijo: ¿Qué es esto que oigo acerca de ti? Da cuenta de tu mayordomía, porque ya no podrás más ser mayordomo.

3 Entonces el mayordomo dijo para sí: ¿Qué haré? Porque mi amo me quita la mayordomía. Cavar, no puedo; mendigar, me da vergüenza.

4 Ya sé lo que haré para que cuando se me quite de la mayordomía, me reciban en sus casas.

5 Y llamando a cada uno de los deudores de su amo, dijo al primero: ¿Cuánto debes a mi amo?

6 El dijo: Cien barriles de aceite. Y le dijo: Toma tu cuenta, siéntate pronto, y escribe cincuenta.

7 Después dijo a otro: Y tú, ¿cuánto debes? Y él dijo: Cien medidas de trigo. El le dijo: Toma tu cuenta, y escribe ochenta.

8 Y alabó el amo al mayordomo malo por haber hecho sagazmente; porque los hijos de este siglo son más sagaces en el trato con sus semejantes que los hijos de luz.

9 Y yo os digo: Ganad amigos por medio de las riquezas injustas, para que cuando éstas falten, os reciban en las moradas eternas.

10 El que es fiel en lo muy poco, también en lo más es fiel; y el que en lo muy poco es injusto, también en lo más es injusto.

11 Pues si en las riquezas injustas no fuisteis fieles, ¿quién os confiará lo verdadero?

12 Y si en lo ajeno no fuisteis fieles, ¿quién os dará lo que es vuestro?

13 Ningún siervo puede servir a dos señores; porque o aborrecerá al uno y amará al otro, o estimará al uno y menospreciará al otro. No podéis servir a Dios y a las riquezas.

14 Y oían también todas estas cosas los fariseos, que eran avaros, y se burlaban de él.

15 Entonces les dijo: Vosotros sois los que os justificáis a vosotros mismos delante de los hombres; mas Dios conoce

31 And he said unto him, Son, thou art ever with me, and all that I have is thine.

32 It was meet that we should make merry, and be glad: for this thy brother was dead, and is alive again; and was lost, and is found.

CHAPTER 16

AND he said also unto his disciples, There was a certain rich man, which had a steward; and the same was accused unto him that he had wasted his goods.

2 And he called him, and said unto him, How is it that I hear this of thee? give an account of thy stewardship; for thou mayest be no longer steward.

3 Then the steward said within himself, What shall I do? for my lord taketh away from me the stewardship: I cannot dig; to beg I am ashamed.

4 I am resolved what to do, that, when I am put out of the stewardship, they may receive me into their houses.

5 So he called every one of his lord's debtors *unto him*, and said unto the first, How much owest thou unto my lord?

6 And he said, An hundred measures of oil. And he said unto him, Take thy bill, and sit down quickly, and write fifty.

7 Then said he to another, And how much owest thou? And he said, An hundred measures of wheat. And he said unto him, Take thy bill, and write fourscore.

8 And the lord commended the unjust steward, because he had done wisely: for the children of this world are in their generation wiser than the children of light.

9 And I say unto you, Make to yourselves friends of the mammon of unrighteousness; that, when ye fail, they may receive you into everlasting habitations.

10 He that is faithful in that which is least is faithful also in much: and he that is unjust in the least is unjust also in much.

11 If therefore ye have not been faithful in the unrighteous mammon, who will commit to your trust the true *riches?*

12 And if ye have not been faithful in that which is another man's, who shall give you that which is your own?

13 No servant can serve two masters: for either he will hate the one, and love the other; or else he will hold to the one, and despise the other. Ye cannot serve God and mammon.

14 And the Pharisees also, who were covetous, heard all these things: and they derided him.

15 And he said unto them, Ye are they which justify yourselves before men; but God knoweth your hearts: for that which

vuestros corazones; porque lo que los
hombres tienen por sublime, delante de
Dios es abominación.
16 La ley y los profetas eran hasta
Juan; desde entonces el reino de Dios es
anunciado, y todos se esfuerzan por en-
trar en él.
17 Pero más fácil es que pasen el cielo y
la tierra, que se frustre una tilde de la ley.
18 Todo el que repudia a su mujer, y se
casa con otra, adultera; y el que se casa
con la repudiada del marido, adultera.
19 Había un hombre rico, que se vestía
de púrpura y de lino fino, y hacía cada día
banquete con esplendidez.
20 Había también un mendigo llamado
Lázaro, que estaba echado a la puerta de
aquél, lleno de llagas,
21 y ansiaba saciarse de las migajas
que caían de la mesa del rico; y aun los
perros venían y le lamían las llagas.
22 Aconteció que murió el mendigo, y
fue llevado por los ángeles al seno de
Abraham; y murió también el rico, y fue
sepultado.
23 Y en el Hades alzó sus ojos, estando
en tormentos, y vio de lejos a Abraham, y
a Lázaro en su seno.
24 Entonces él, dando voces, dijo: Pa-
dre Abraham, ten misericordia de mí, y
envía a Lázaro para que moje la punta de
su dedo en agua, y refresque mi lengua;
porque estoy atormentado en esta llama.
25 Pero Abraham le dijo: Hijo, acuérda-
te que recibiste tus bienes en tu vida, y
Lázaro también males; pero ahora éste es
consolado aquí, y tú atormentado.
26 Además de todo esto, una gran sima
está puesta entre nosotros y vosotros, de
manera que los que quisieren pasar de
aquí a vosotros, no pueden, ni de allá
pasar acá.
27 Entonces le dijo: Te ruego, pues, pa-
dre, que le envíes a la casa de mi padre,
28 porque tengo cinco hermanos, para
que les testifique, a fin de que no vengan
ellos también a este lugar de tormento.
29 Y Abraham le dijo: A Moisés y a los
profetas tienen; óiganlos.
30 El entonces dijo: No, padre Abra-
ham; pero si alguno fuere a ellos de entre
los muertos, se arrepentirán.
31 Mas Abraham le dijo: Si no oyen a
Moisés y a los profetas, tampoco se per-
suadirán aunque alguno se levantare de
los muertos.

is highly esteemed among men is abomi-
nation in the sight of God.
16 The law and the prophets *were* until
John: since that time the kingdom of God
is preached, and every man presseth into
it.
17 And it is easier for heaven and earth
to pass, than one tittle of the law to fail.
18 Whosoever putteth away his wife,
and marrieth another, committeth adul-
tery: and whosoever marrieth her that is
put away from *her* husband committeth
adultery.
19 There was a certain rich man, which
was clothed in purple and fine linen, and
fared sumptuously every day:
20 And there was a certain beggar
named Lazarus, which was laid at his
gate, full of sores,
21 And desiring to be fed with the
crumbs which fell from the rich man's ta-
ble: moreover the dogs came and licked
his sores.
22 And it came to pass, that the beggar
died, and was carried by the angels into
Abraham's bosom: the rich man also
died, and was buried;
23 And in hell he lift up his eyes, being
in torments, and seeth Abraham afar off,
and Lazarus in his bosom.
24 And he cried and said, Father Abra-
ham, have mercy on me, and send Lazar-
us, that he may dip the tip of his finger in
water, and cool my tongue; for I am tor-
mented in this flame.
25 But Abraham said, Son, remember
that thou in thy lifetime receivedst thy
good things, and likewise Lazarus evil
things: but now he is comforted, and
thou art tormented.
26 And beside all this, between us and
you there is a great gulf fixed: so that
they which would pass from hence to you
cannot; neither can they pass to us, that
would come from thence.
27 Then he said, I pray thee therefore,
father, that thou wouldest send him to
my father's house:
28 For I have five brethren; that he may
testify unto them, lest they also come
into this place of torment.
29 Abraham saith unto him, They have
Moses and the prophets; let them hear
them.
30 And he said, Nay, father Abraham:
but if one went unto them from the dead,
they will repent.
31 And he said unto him, If they hear
not Moses and the prophets, neither will
they be persuaded, though one rose from
the dead.

CAPÍTULO 17

DIJO Jesús a sus discípulos: Imposible es que no vengan tropiezos; mas ¡ay de aquel por quien vienen!

2 Mejor le fuera que se le atase al cuello una piedra de molino y se le arrojase al mar, que hacer tropezar a uno de estos pequeñitos.

3 Mirad por vosotros mismos. Si tu hermano pecare contra ti, repréndele; y si se arrepintiere, perdónale.

4 Y si siete veces al día pecare contra ti, y siete veces al día volviere a ti, diciendo: Me arrepiento; perdónale.

5 Dijeron los apóstoles al Señor: Auméntanos la fe.

6 Entonces el Señor dijo: Si tuvierais fe como un grano de mostaza, podríais decir a este sicómoro: Desarráigate, y plántate en el mar; y os obedecería.

7 ¿Quién de vosotros, teniendo un siervo que ara o apacienta ganado, al volver él del campo, luego le dice: Pasa, siéntate a la mesa?

8 ¿No le dice más bien: Prepárame la cena, cíñete, y sírveme hasta que haya comido y bebido; y después de esto, come y bebe tú?

9 ¿Acaso da gracias al siervo porque hizo lo que se le había mandado? Pienso que no.

10 Así también vosotros, cuando hayáis hecho todo lo que os ha sido ordenado, decid: Siervos inútiles somos, pues lo que debíamos hacer, hicimos.

11 Yendo Jesús a Jerusalén, pasaba entre Samaria y Galilea.

12 Y al entrar en una aldea, le salieron al encuentro diez hombres leprosos, los cuales se pararon de lejos

13 y alzaron la voz, diciendo: ¡Jesús, Maestro, ten misericordia de nosotros!

14 Cuando él los vio, les dijo: Id, mostraos a los sacerdotes. Y aconteció que mientras iban, fueron limpiados.

15 Entonces uno de ellos, viendo que había sido sanado, volvió, glorificando a Dios a gran voz,

16 y se postró rostro en tierra a sus pies, dándole gracias; y éste era samaritano.

17 Respondiendo Jesús: ¿No son diez los que fueron limpiados? Y los nueve, ¿dónde están?

CHAPTER 17

THEN said he unto the disciples, It is impossible but that offences will come: but woe *unto* him, through whom they come!

2 It were better for him that a millstone were hanged about his neck, and he cast into the sea, than that he should offend one of these little ones.

3 Take heed to yourselves: If thy brother trespass against thee, rebuke him; and if he repent, forgive him.

4 And if he trespass against thee seven times in a day, and seven times in a day turn again to thee, saying, I repent: thou shalt forgive him.

5 And the apostles said unto the Lord, Increase our faith.

6 And the Lord said, If ye had faith as a grain of mustard seed, ye might say unto this sycamine tree, Be thou plucked up by the root, and be thou planted in the sea; and it should obey you.

7 But which of you, having a servant plowing or feeding cattle, will say unto him by and by, when he is come from the field, Go and sit down to meat?

8 And will not rather say unto him, Make ready wherewith I may sup, and gird thyself, and serve me, till I have eaten and drunken; and afterward thou shalt eat and drink?

9 Doth he thank that servant because he did the things that were commanded him? I trow not.

10 So likewise ye, when ye shall have done all those things which are commanded you, say, We are unprofitable servants: we have done that which was our duty to do.

11 And it came to pass, as he went to Jerusalem, that he passed through the midst of Sa-ma′ri-a and Galilee.

12 And as he entered into a certain village, there met him ten men that were lepers, which stood afar off:

13 And they lifted up *their* voices, and said, Jesus, Master, have mercy on us.

14 And when he saw *them,* he said unto them, Go shew yourselves unto the priests. And it came to pass, that, as they went, they were cleansed.

15 And one of them, when he saw that he was healed, turned back, and with a loud voice glorified God,

16 And fell down on *his* face at his feet, giving him thanks: and he was a Sa-mar′i-tan.

17 And Jesus answering said, Were there not ten cleansed? but where *are* the nine?

18 ¿No hubo quien volviese y diese gloria a Dios sino este extranjero?
19 Y le dijo: Levántate, vete; tu fe te ha salvado.
20 Preguntado por los fariseos, cuándo había de venir el reino de Dios, les respondió y dijo: El reino de Dios no vendrá con advertencia,
21 ni dirán: Helo aquí, o helo allí; porque he aquí el reino de Dios está entre vosotros.
22 Y dijo a sus discípulos: Tiempo vendrá cuando desearéis ver uno de los días del Hijo del Hombre, y no lo veréis.
23 Y os dirán: Helo aquí, o helo allí. No vayáis, ni los sigáis.
24 Porque como el relámpago que al fulgurar resplandece desde un extremo del cielo hasta el otro, así también será el Hijo del Hombre en su día.
25 Pero primero es necesario que padezca mucho, y sea desechado por esta generación.
26 Como fue en los días de Noé, así también será en los días del Hijo del Hombre.
27 Comían, bebían, se casaban y se daban en casamiento, hasta el día en que entró Noé en el arca, y vino el diluvio y los destruyó a todos.
28 Asimismo como sucedió en los días de Lot; comían, bebían, compraban, vendían, plantaban, edificaban;
29 mas el día en que Lot salió de Sodoma, llovió del cielo fuego y azufre, y los destruyó a todos.
30 Así será el día en que el Hijo del Hombre se manifieste.
31 En aquel día, el que esté en la azotea, y sus bienes en casa, no descienda a tomarlos; y el que en el campo, asimismo no vuelva atrás.
32 Acordaos de la mujer de Lot.
33 Todo el que procure salvar su vida, la perderá; y todo el que la pierda, la salvará.
34 Os digo que en aquella noche estarán dos en una cama; el uno será tomado, y el otro será dejado.
35 Dos mujeres estarán moliendo juntas; la una será tomada, y la otra dejada.
36 Dos estarán en el campo; el uno será tomado, y el otro dejado.
37 Y respondiendo, le dijeron: ¿Dónde, Señor? El les dijo: Donde estuviere el cuerpo, allí se juntarán también las águilas.

18 There are not found that returned to give glory to God, save this stranger.
19 And he said unto him, Arise, go thy way: thy faith hath made thee whole.
20 And when he was demanded of the Pharisees, when the kingdom of God should come, he answered them and said, The kingdom of God cometh not with observation:
21 Neither shall they say, Lo here! or, lo there! for, behold, the kingdom of God is within you.
22 And he said unto the disciples, The days will come, when ye shall desire to see one of the days of the Son of man, and ye shall not see *it*.
23 And they shall say to you, See here; or, see there: go not after *them*, nor follow *them*.
24 For as the lightning, that lighteneth out of the one *part* under heaven, shineth unto the other *part* under heaven; so shall also the Son of man be in his day.
25 But first must he suffer many things, and be rejected of this generation.
26 And as it was in the days of No'e, so shall it be also in the days of the Son of man.
27 They did eat, they drank, they married wives, they were given in marriage, until the day that No'e entered into the ark, and the flood came, and destroyed them all.
28 Likewise also as it was in the days of Lot; they did eat, they drank, they bought, they sold, they planted, they builded;
29 But the same day that Lot went out of Sodom it rained fire and brimstone from heaven, and destroyed *them* all.
30 Even thus shall it be in the day when the Son of man is revealed.
31 In that day, he which shall be upon the housetop, and his stuff in the house, let him not come down to take it away: and he that is in the field, let him likewise not return back.
32 Remember Lot's wife.
33 Whosoever shall seek to save his life shall lose it; and whosoever shall lose his life shall preserve it.
34 I tell you, in that night there shall be two *men* in one bed; the one shall be taken, and the other shall be left.
35 Two *women* shall be grinding together; the one shall be taken, and the other left.
36 Two *men* shall be in the field; the one shall be taken, and the other left.
37 And they answered and said unto him, Where, Lord? And he said unto them, Wheresoever the body *is*, thither will the eagles be gathered together.

CAPÍTULO 18

TAMBIÉN les refirió Jesús una parábola sobre la necesidad de orar siempre, y no desmayar,

2 diciendo: Había en una ciudad un juez, que ni temía a Dios, ni respetaba a hombre.

3 Había también en aquella ciudad una viuda, la cual venía a él, diciendo: Hazme justicia de mi adversario.

4 Y él no quiso por algún tiempo; pero después de esto dijo dentro de sí: Aunque ni temo a Dios, ni tengo respeto a hombre,

5 sin embargo, porque esta viuda me es molesta, le haré justicia, no sea que viniendo de continuo, me agote la paciencia.

6 Y dijo el Señor: Oíd lo que dijo el juez injusto.

7 ¿Y acaso Dios no hará justicia a sus escogidos, que claman a él día y noche? ¿Se tardará en responderles?

8 Os digo que pronto les hará justicia. Pero cuando venga el Hijo del Hombre, ¿hallará fe en la tierra?

9 A unos que confiaban en sí mismos como justos, y menospreciaban a los otros, dijo también esta parábola:

10 Dos hombres subieron al templo a orar: uno era fariseo, y el otro publicano.

11 El fariseo, puesto en pie, oraba consigo mismo de esta manera: Dios, te doy gracias porque no soy como los otros hombres, ladrones, injustos, adúlteros, ni aun como este publicano;

12 ayuno dos veces a la semana, doy diezmos de todo lo que gano.

13 Mas el publicano, estando lejos, no quería ni aun alzar los ojos al cielo, sino que se golpeaba el pecho, diciendo: Dios, sé propicio a mí, pecador.

14 Os digo que éste descendió a su casa justificado antes que el otro; porque cualquiera que se enaltece, será humillado; y el que se humilla será enaltecido.

15 Traían a él los niños para que los tocase; lo cual viendo los discípulos, les reprendieron.

16 Mas Jesús, llamándolos, dijo: Dejad a los niños venir a mí, y no se lo impidáis; porque de los tales es el reino de Dios.

17 De cierto os digo, que el que no recibe el reino de Dios como un niño, no entrará en él.

18 Un hombre principal le preguntó diciendo: Maestro bueno, ¿qué haré para heredar la vida eterna?

CHAPTER 18

AND he spake a parable unto them *to this end,* that men ought always to pray, and not to faint;

2 Saying, There was in a city a judge, which feared not God, neither regarded man:

3 And there was a widow in that city; and she came unto him, saying, Avenge me of mine adversary.

4 And he would not for a while: but afterward he said within himself, Though I fear not God, nor regard man;

5 Yet because this widow troubleth me, I will avenge her, lest by her continual coming she weary me.

6 And the Lord said, Hear what the unjust judge saith.

7 And shall not God avenge his own elect, which cry day and night unto him, though he bear long with them?

8 I tell you that he will avenge them speedily. Nevertheless when the Son of man cometh, shall he find faith on the earth?

9 And he spake this parable unto certain which trusted in themselves that they were righteous, and despised others:

10 Two men went up into the temple to pray; the one a Pharisee, and the other a publican.

11 The Pharisee stood and prayed thus with himself, God, I thank thee, that I am not as other men *are,* extortioners, unjust, adulterers, or even as this publican.

12 I fast twice in the week, I give tithes of all that I possess.

13 And the publican, standing afar off, would not lift up so much as *his* eyes unto heaven, but smote upon his breast, saying, God be merciful to me a sinner.

14 I tell you, this man went down to his house justified *rather* than the other: for every one that exalteth himself shall be abased; and he that humbleth himself shall be exalted.

15 And they brought unto him also infants, that he would touch them: but when *his* disciples saw *it,* they rebuked them.

16 But Jesus called them *unto him,* and said, Suffer little children to come unto me, and forbid them not: for of such is the kingdom of God.

17 Verily I say unto you, Whosoever shall not receive the kingdom of God as a little child shall in no wise enter therein.

18 And a certain ruler asked him, saying, Good Master, what shall I do to inherit eternal life?

19 Jesús le dijo: ¿Por qué me llamas bueno? Ninguno hay bueno, sino sólo Dios.

20 Los mandamientos sabes: No adulterarás; no matarás; no hurtarás; no dirás falso testimonio; honra a tu padre y a tu madre.

21 El dijo: Todo esto lo he guardado desde mi juventud.

22 Jesús, oyendo esto, le dijo: Aún te falta una cosa: vende todo lo que tienes, y dalo a los pobres, y tendrás tesoro en el cielo; y ven, sígueme.

23 Entonces él, oyendo esto, se puso muy triste, porque era muy rico.

24 Al ver Jesús que se había entristecido mucho, dijo: ¡Cuán difícilmente entrarán en el reino de Dios los que tienen riquezas!

25 Porque es más fácil pasar un camello por el ojo de una aguja, que entrar un rico en el reino de Dios.

26 Y los que oyeron esto dijeron: ¿Quién, pues, podrá ser salvo?

27 El les dijo: Lo que es imposible para los hombres, es posible para Dios.

28 Entonces Pedro dijo: He aquí, nosotros hemos dejado nuestras posesiones y te hemos seguido.

29 Y él les dijo: De cierto os digo, que no hay nadie que haya dejado casa, o padres, o hermanos, o mujer, o hijos, por el reino de Dios,

30 que no haya de recibir mucho más en este tiempo, y en el siglo venidero la vida eterna.

31 Tomando Jesús a los doce, les dijo: He aquí subimos a Jerusalén, y se cumplirán todas las cosas escritas por los profetas acerca del Hijo del Hombre.

32 Pues será entregado a los gentiles, y será escarnecido, y afrentado, y escupido.

33 Y después que le hayan azotado, le matarán; mas al tercer día resucitará.

34 Pero ellos nada comprendieron de estas cosas, y esta palabra les era encubierta, y no entendían lo que se les decía.

35 Aconteció que acercándose Jesús a Jericó, un ciego estaba sentado junto al camino mendigando;

36 y al oir a la multitud que pasaba, preguntó qué era aquello.

37 Y le dijeron que pasaba Jesús nazareno.

38 Entonces dio voces, diciendo: ¡Jesús, Hijo de David, ten misericordia de mí!

39 Y los que iban delante le reprendían

19 And Jesus said unto him, Why callest thou me good? none *is* good, save one, *that is*, God.

20 Thou knowest the commandments, Do not commit adultery, Do not kill, Do not steal, Do not bear false witness, Honour thy father and thy mother.

21 And he said, All these have I kept from my youth up.

22 Now when Jesus heard these things, he said unto him, Yet lackest thou one thing: sell all that thou hast, and distribute unto the poor, and thou shalt have treasure in heaven: and come, follow me.

23 And when he heard this, he was very sorrowful: for he was very rich.

24 And when Jesus saw that he was very sorrowful, he said, How hardly shall they that have riches enter into the kingdom of God!

25 For it is easier for a camel to go through a needle's eye, than for a rich man to enter into the kingdom of God.

26 And they that heard *it* said, Who then can be saved?

27 And he said, The things which are impossible with men are possible with God.

28 Then Peter said, Lo, we have left all, and followed thee.

29 And he said unto them, Verily I say unto you, There is no man that hath left house, or parents, or brethren, or wife, or children, for the kingdom of God's sake,

30 Who shall not receive manifold more in this present time, and in the world to come life everlasting.

31 Then he took *unto him* the twelve, and said unto them, Behold, we go up to Jerusalem, and all things that are written by the prophets concerning the Son of man shall be accomplished.

32 For he shall be delivered unto the Gentiles, and shall be mocked, and spitefully entreated, and spitted on:

33 And they shall scourge *him*, and put him to death: and the third day he shall rise again.

34 And they understood none of these things: and this saying was hid from them, neither knew they the things which were spoken.

35 And it came to pass, that as he was come nigh unto Jericho, a certain blind man sat by the way side begging:

36 And hearing the multitude pass by, he asked what it meant.

37 And they told him, that Jesus of Nazareth passeth by.

38 And he cried, saying, Jesus, *thou* Son of David, have mercy on me.

39 And they which went before re-

para que callase; pero él clamaba mucho más: ¡Hijo de David, ten misericordia de mí!
40 Jesús entonces, deteniéndose, mandó traerle a su presencia; y cuando llegó, le preguntó,
41 diciendo: ¿Qué quieres que te haga? Y él dijo: Señor, que reciba la vista.
42 Jesús le dijo: Recíbela, tu fe te ha salvado.
43 Y luego vio, y le seguía, glorificando a Dios; y todo el pueblo, cuando vio aquello, dio alabanza a Dios.

CAPÍTULO 19

HABIENDO entrado Jesús en Jericó, iba pasando por la ciudad.
2 Y sucedió que un varón llamado Zaqueo, que era jefe de los publicanos, y rico,
3 procuraba ver quién era Jesús; pero no podía a causa de la multitud, pues era pequeño de estatura.
4 Y corriendo delante, subió a un árbol sicómoro para verle; porque había de pasar por allí.
5 Cuando Jesús llegó a aquel lugar, mirando hacia arriba, le vio, y le dijo: Zaqueo, date prisa, desciende, porque hoy es necesario que pose yo en tu casa.
6 Entonces él descendió aprisa, y le recibió gozoso.
7 Al ver esto, todos murmuraban, diciendo que había entrado a posar con un hombre pecador.
8 Entonces Zaqueo, puesto en pie, dijo al Señor: He aquí, Señor, la mitad de mis bienes doy a los pobres; y si en algo he defraudado a alguno, se lo devuelvo cuadruplicado.
9 Jesús le dijo: Hoy ha venido la salvación a esta casa; por cuanto él también es hijo de Abraham.
10 Porque el Hijo del Hombre vino a buscar y a salvar lo que se había perdido.
11 Oyendo ellos estas cosas, prosiguió Jesús y dijo una parábola, por cuanto estaba cerca de Jerusalén, y ellos pensaban que el reino de Dios se manifestaría inmediatamente.
12 Dijo, pues: Un hombre noble se fue a un país lejano, para recibir un reino y volver.
13 Y llamando a diez siervos suyos, les dio diez minas, y les dijo: Negociad entre tanto que vengo.
14 Pero sus conciudadanos le aborrecían, y enviaron tras él una embajada, diciendo: No queremos que éste reine sobre nosotros.

buked him, that he should hold his peace: but he cried so much the more, *Thou* Son of David, have mercy on me.
40 And Jesus stood, and commanded him to be brought unto him: and when he was come near, he asked him,
41 Saying, What wilt thou that I shall do unto thee? And he said, Lord, that I may receive my sight.
42 And Jesus said unto him, Receive thy sight: thy faith hath saved thee.
43 And immediately he received his sight, and followed him, glorifying God: and all the people, when they saw *it*, gave praise unto God.

CHAPTER 19

AND *Jesus* entered and passed through Jericho.
2 And, behold, *there was* a man named Zac-chæ'us, which was the chief among the publicans, and he was rich.
3 And he sought to see Jesus who he was; and could not for the press, because he was little of stature.
4 And he ran before, and climbed up into a sycomore tree to see him: for he was to pass that *way*.
5 And when Jesus came to the place, he looked up, and saw him, and said unto him, Zac-chæ'us, make haste, and come down; for to day I must abide at thy house.
6 And he made haste, and came down, and received him joyfully.
7 And when they saw *it*, they all murmured, saying, That he was gone to be guest with a man that is a sinner.
8 And Zac-chæ'us stood, and said unto the Lord; Behold, Lord, the half of my goods I give to the poor; and if I have taken any thing from any man by false accusation, I restore *him* fourfold.
9 And Jesus said unto him, This day is salvation come to this house, forsomuch as he also is a son of Abraham.
10 For the Son of man is come to seek and to save that which was lost.
11 And as they heard these things, he added and spake a parable, because he was nigh to Jerusalem, and because they thought that the kingdom of God should immediately appear.
12 He said therefore, A certain nobleman went into a far country to receive for himself a kingdom, and to return.
13 And he called his ten servants, and delivered them ten pounds, and said unto them, Occupy till I come.
14 But his citizens hated him, and sent a message after him, saying, We will not have this *man* to reign over us.

15 Aconteció que vuelto él, después de recibir el reino, mandó llamar ante él a aquellos siervos a los cuales había dado el dinero, para saber lo que había negociado cada uno.
16 Vino el primero, diciendo: Señor, tu mina ha ganado diez minas.
17 El le dijo: Está bien, buen siervo; por cuanto en lo poco has sido fiel, tendrás autoridad sobre diez ciudades.
18 Vino otro, diciendo: Señor, tu mina ha producido cinco minas.
19 Y también a éste dijo: Tú también sé sobre cinco ciudades.
20 Vino otro, diciendo: Señor, aquí está tu mina, la cual he tenido guardada en un pañuelo;
21 porque tuve miedo de ti, por cuanto eres hombre severo, que tomas lo que no pusiste, y siegas lo que no sembraste.
22 Entonces él le dijo: Mal siervo, por tu propia boca te juzgo. Sabías que yo era hombre severo, que tomo lo que no puse, y que siego lo que no sembré;
23 ¿por qué, pues, no pusiste mi dinero en el banco, para que al volver yo, lo hubiera recibido con los intereses?
24 Y dijo a los que estaban presentes: Quitadle la mina, y dadla al que tiene las diez minas.
25 Ellos le dijeron: Señor, tiene diez minas.
26 Pues yo os digo que a todo el que tiene, se le dará; mas al que no tiene, aun lo que tiene se le quitará.
27 Y también a aquellos mis enemigos que no querían que yo reinase sobre ellos, traedlos acá, y decapitadlos delante de mí.
28 Dicho esto, iba delante subiendo a Jerusalén.
29 Y aconteció que llegando cerca de Betfagé y de Betania, al monte que se llama de los Olivos, envió dos de sus discípulos,
30 diciendo: Id a la aldea de enfrente, y al entrar en ella hallaréis un pollino atado, en el cual ningún hombre ha montado jamás; desatadlo, y traedlo.
31 Y si alguien os preguntare: ¿Por qué lo desatáis? le responderéis así: Porque el Señor lo necesita.
32 Fueron los que habían sido enviados, y hallaron como les dijo.
33 Y cuando desataban el pollino, sus dueños les dijeron: ¿Por qué desatáis el pollino?

15 And it came to pass, that when he was returned, having received the kingdom, then he commanded these servants to be called unto him, to whom he had given the money, that he might know how much every man had gained by trading.
16 Then came the first, saying, Lord, thy pound hath gained ten pounds.
17 And he said unto him, Well, thou good servant: because thou hast been faithful in a very little, have thou authority over ten cities.
18 And the second came, saying, Lord, thy pound hath gained five pounds.
19 And he said likewise to him, Be thou also over five cities.
20 And another came, saying, Lord, behold, *here is* thy pound, which I have kept laid up in a napkin:
21 For I feared thee, because thou art an austere man: thou takest up that thou layedst not down, and reapest that thou didst not sow.
22 And he saith unto him, Out of thine own mouth will I judge thee, *thou* wicked servant. Thou knewest that I was an austere man, taking up that I laid not down, and reaping that I did not sow:
23 Wherefore then gavest not thou my money into the bank, that at my coming I might have required mine own with usury?
24 And he said unto them that stood by, Take from him the pound, and give *it* to him that hath ten pounds.
25 (And they said unto him, Lord, he hath ten pounds.)
26 For I say unto you, That unto every one which hath shall be given; and from him that hath not, even that he hath shall be taken away from him.
27 But those mine enemies, which would not that I should reign over them, bring hither, and slay *them* before me.
28 And when he had thus spoken he went before, ascending up to Jerusalem.
29 And it came to pass, when he was come nigh to Beth'pha-ge and Bethany, at the mount called *the mount* of Olives, he sent two of his disciples,
30 Saying, Go ye into the village over against *you;* in the which at your entering ye shall find a colt tied, whereon yet never man sat: loose him, and bring *him hither.*
31 And if any man ask you, Why do ye loose *him?* thus shall ye say unto him, Because the Lord hath need of him.
32 And they that were sent went their way, and found even as he had said unto them.
33 And as they were loosing the colt, the owners thereof said unto them, Why loose ye the colt?

34 Ellos dijeron: Porque el Señor lo necesita.

35 Y lo trajeron a Jesús; y habiendo echado sus mantos sobre el pollino, subieron a Jesús encima.

36 Y a su paso tendían sus mantos por el camino.

37 Cuando llegaban ya cerca de la bajada del monte de los Olivos, toda la multitud de los discípulos, gozándose, comenzó a alabar a Dios a grandes voces por todas las maravillas que habían visto,

38 diciendo: ¡Bendito el rey que viene en el nombre del Señor; paz en el cielo, y gloria en las alturas!

39 Entonces algunos de los fariseos de entre la multitud le dijeron: Maestro, reprende a tus discípulos.

40 El, respondiendo, les dijo: Os digo que si éstos callaran, las piedras clamarían.

41 Y cuando llegó cerca de la ciudad, al verla, lloró sobre ella,

42 diciendo: ¡Oh, si también tú conocieses, a lo menos en este tu día, lo que es para tu paz! Mas ahora está encubierto de tus ojos.

43 Porque vendrán días sobre ti, cuando tus enemigos te rodearán con vallado, y te sitiarán, y por todas partes te estrecharán,

44 y te derribarán a tierra, y a tus hijos dentro de ti, y no dejarán en ti piedra sobre piedra, por cuanto no conociste el tiempo de tu visitación.

45 Y entrando en el templo, comenzó a echar fuera a todos los que vendían y compraban en él,

46 diciéndoles: Escrito está: Mi casa es casa de oración; mas vosotros la habéis hecho cueva de ladrones.

47 Y enseñaba cada día en el templo; pero los principales sacerdotes, los escribas y los principales del pueblo procuraban matarle.

48 Y no hallaban nada que pudieran hacerle, porque todo el pueblo estaba suspenso oyéndole.

CAPÍTULO 20

SUCEDIÓ un día, que enseñando Jesús al pueblo en el templo, y anunciando el evangelio, llegaron los principales sacerdotes y los escribas, con los ancianos,

2 y le hablaron diciendo: Dinos: ¿con qué autoridad haces estas cosas? ¿o quién es el que te ha dado esta autoridad?

34 And they said, The Lord hath need of him.

35 And they brought him to Jesus: and they cast their garments upon the colt, and they set Jesus thereon.

36 And as he went, they spread their clothes in the way.

37 And when he was come nigh, even now at the descent of the mount of Olives, the whole multitude of the disciples began to rejoice and praise God with a loud voice for all the mighty works that they had seen;

38 Saying, Blessed *be* the King that cometh in the name of the Lord: peace in heaven, and glory in the highest.

39 And some of the Pharisees from among the multitude said unto him, Master, rebuke thy disciples.

40 And he answered and said unto them, I tell you that, if these should hold their peace, the stones would immediately cry out.

41 And when he was come near, he beheld the city, and wept over it,

42 Saying, If thou hadst known, even thou, at least in this thy day, the things *which belong* unto thy peace! but now they are hid from thine eyes.

43 For the days shall come upon thee, that thine enemies shall cast a trench about thee, and compass thee round, and keep thee in on every side,

44 And shall lay thee even with the ground, and thy children within thee; and they shall not leave in thee one stone upon another; because thou knewest not the time of thy visitation.

45 And he went into the temple, and began to cast out them that sold therein, and them that bought;

46 Saying unto them, It is written, My house is the house of prayer: but ye have made it a den of thieves.

47 And he taught daily in the temple. But the chief priests and the scribes and the chief of the people sought to destroy him,

48 And could not find what they might do: for all the people were very attentive to hear him.

CHAPTER 20

AND it came to pass, *that* on one of those days, as he taught the people in the temple, and preached the gospel, the chief priests and the scribes came upon *him* with the elders,

2 And spake unto him, saying, Tell us, by what authority doest thou these things? or who is he that gave thee this authority?

3 Respondiendo Jesús, les dijo: Os haré yo también una pregunta; respondedme:
4 El bautismo de Juan, ¿era del cielo, o de los hombres?
5 Entonces ellos discutían entre sí, diciendo: Si decimos, del cielo, dirá: ¿Por qué, pues, no le creísteis?
6 Y si decimos, de los hombres, todo el pueblo nos apedreará; porque están persuadidos de que Juan era profeta.
7 Y respondieron que no sabían de dónde fuese.
8 Entonces Jesús les dijo: Yo tampoco os diré con qué autoridad hago estas cosas.
9 Comenzó luego a decir al pueblo esta parábola: Un hombre plantó una viña, la arrendó a labradores, y se ausentó por mucho tiempo.
10 Y a su tiempo envió un siervo a los labradores, para que le diesen del fruto de la viña; pero los labradores le golpearon, y le enviaron con las manos vacías.
11 Volvió a enviar otro siervo; mas ellos a éste también, golpeado y afrentado, le enviaron con las manos vacías.
12 Volvió a enviar un tercer siervo; mas ellos también a éste echaron fuera, herido.
13 Entonces el señor de la viña dijo: ¿Qué haré? Enviaré a mi hijo amado; quizás cuando le vean a él, le tendrán respeto.
14 Mas los labradores, al verle, discutían entre sí, diciendo: Este es el heredero; venid, matémosle, para que la heredad sea nuestra.
15 Y le echaron fuera de la viña, y le mataron. ¿Qué, pues, les hará el señor de la viña?
16 Vendrá y destruirá a estos labradores, y dará su viña a otros. Cuando ellos oyeron esto, dijeron: ¡Dios nos libre!
17 Pero él, mirándolos, dijo: ¿Qué, pues, es lo que está escrito: La piedra que desecharon los edificadores ha venido a ser cabeza del ángulo?
18 Todo el que cayere sobre aquella piedra, será quebrantado; mas sobre quien ella cayere, le desmenuzará.
19 Procuraban los principales sacerdotes y los escribas echarle mano en aquella hora, porque comprendieron que contra ellos había dicho esta parábola; pero temieron al pueblo.
20 Y acechándole enviaron espías que se simulasen justos, a fin de sorprenderle en alguna palabra, para entregarle al poder y autoridad del gobernador.

3 And he answered and said unto them, I will also ask you one thing; and answer me:
4 The baptism of John, was it from heaven, or of men?
5 And they reasoned with themselves, saying, If we shall say, From heaven; he will say, Why then believed ye him not?
6 But and if we say, Of men; all the people will stone us: for they be persuaded that John was a prophet.
7 And they answered, that they could not tell whence *it was*.
8 And Jesus said unto them, Neither tell I you by what authority I do these things.
9 Then began he to speak to the people this parable; A certain man planted a vineyard, and let it forth to husbandmen, and went into a far country for a long time.
10 And at the season he sent a servant to the husbandmen, that they should give him of the fruit of the vineyard: but the husbandmen beat him, and sent *him* away empty.
11 And again he sent another servant: and they beat him also, and entreated *him* shamefully, and sent *him* away empty.
12 And again he sent a third: and they wounded him also, and cast *him* out.
13 Then said the lord of the vineyard, What shall I do? I will send my beloved son: it may be they will reverence *him* when they see him.
14 But when the husbandmen saw him, they reasoned among themselves, saying, This is the heir: come, let us kill him, that the inheritance may be ours.
15 So they cast him out of the vineyard, and killed *him*. What therefore shall the lord of the vineyard do unto them?
16 He shall come and destroy these husbandmen, and shall give the vineyard to others. And when they heard *it*, they said, God forbid.
17 And he beheld them, and said, What is this then that is written, The stone which the builders rejected, the same is become the head of the corner?
18 Whosoever shall fall upon that stone shall be broken; but on whomsoever it shall fall, it will grind him to powder.
19 And the chief priests and the scribes the same hour sought to lay hands on him; and they feared the people: for they perceived that he had spoken this parable against them.
20 And they watched *him*, and sent forth spies, which should feign themselves just men, that they might take hold of his words, that so they might deliver him unto the power and authority of the governor.

21 Y le preguntaron, diciendo: Maestro, sabemos que dices y enseñas rectamente, y que no haces acepción de persona, sino que enseñas el camino de Dios con verdad.

22 ¿Nos es lícito dar tributo a César, o no?

23 Mas él, comprendiendo la astucia de ellos, les dijo: ¿Por qué me tentáis?

24 Mostradme la moneda. ¿De quién tiene la imagen y la inscripción? Y respondiendo dijeron: De César.

25 Entonces les dijo: Pues dad a César lo que es de César, y a Dios lo que es de Dios.

26 Y no pudieron sorprenderle en palabra alguna delante del pueblo, sino que maravillados de su respuesta, callaron.

27 Llegando entonces algunos de los saduceos, los cuales niegan haber resurrección, le preguntaron,

28 diciendo: Maestro, Moisés nos escribió: Si el hermano de alguno muriere teniendo mujer, y no dejare hijos, que su hermano se case con ella, y levante descendencia a su hermano.

29 Hubo, pues, siete hermanos; y el primero tomó esposa, y murió sin hijos.

30 Y la tomó el segundo, el cual también murió sin hijos.

31 La tomó el tercero, y así todos los siete, y murieron sin dejar descendencia.

32 Finalmente murió también la mujer.

33 En la resurrección, pues, ¿de cuál de ellos será mujer, ya que los siete la tuvieron por mujer?

34 Entonces respondiendo Jesús, les dijo: Los hijos de este siglo se casan, y se dan en casamiento;

35 mas los que fueren tenidos por dignos de alcanzar aquel siglo y la resurrección de entre los muertos, ni se casan, ni se dan en casamiento.

36 Porque no pueden ya más morir, pues son iguales a los ángeles, y son hijos de Dios, al ser hijos de la resurrección.

37 Pero en cuanto a que los muertos han de resucitar, aun Moisés lo enseñó en el pasaje de la zarza, cuando llama al Señor, Dios de Abraham, Dios de Isaac y Dios de Jacob.

38 Porque Dios no es Dios de muertos, sino de vivos, pues para él todos viven.

39 Respondiéndole algunos de los escribas, dijeron: Maestro, bien has dicho.

40 Y no osaron preguntarle nada más.

41 Entonces él les dijo: ¿Cómo dicen que el Cristo es hijo de David?

21 And they asked him, saying, Master, we know that thou sayest and teachest rightly, neither acceptest thou the person *of any*, but teachest the way of God truly:

22 Is it lawful for us to give tribute unto Cæsar, or no?

23 But he perceived their craftiness, and said unto them, Why tempt ye me?

24 Shew me a penny. Whose image and superscription hath it? They answered and said, Cæsar's.

25 And he said unto them, Render therefore unto Cæsar the things which be Cæsar's, and unto God the things which be God's.

26 And they could not take hold of his words before the people: and they marvelled at his answer, and held their peace.

27 Then came to *him* certain of the Sad′du-cees, which deny that there is any resurrection; and they asked him,

28 Saying, Master, Moses wrote unto us, If any man's brother die, having a wife, and he die without children, that his brother should take his wife, and raise up seed unto his brother.

29 There were therefore seven brethren: and the first took a wife, and died without children.

30 And the second took her to wife, and he died childless.

31 And the third took her; and in like manner the seven also: and they left no children, and died.

32 Last of all the woman died also.

33 Therefore in the resurrection whose wife of them is she? for seven had her to wife.

34 And Jesus answering said unto them, The children of this world marry, and are given in marriage:

35 But they which shall be accounted worthy to obtain that world, and the resurrection from the dead, neither marry, nor are given in marriage:

36 Neither can they die any more: for they are equal unto the angels; and are the children of God, being the children of the resurrection.

37 Now that the dead are raised, even Moses shewed at the bush, when he calleth the Lord the God of Abraham, and the God of Isaac, and the God of Jacob.

38 For he is not a God of the dead, but of the living: for all live unto him.

39 Then certain of the scribes answering said, Master, thou hast well said.

40 And after that they durst not ask him any *question at all*.

41 And he said unto them, How say they that Christ is David's son?

42 Pues el mismo David dice en el libro de los Salmos: Dijo el Señor a mi Señor: Siéntate a mi diestra,
43 Hasta que ponga a tus enemigos por estrado de tus pies.
44 David, pues, le llama Señor: ¿cómo entonces es su hijo?
45 Y oyéndole todo el pueblo, dijo a sus discípulos:
46 Guardaos de los escribas, que gustan de andar con ropas largas, y aman las salutaciones en las plazas, y las primeras sillas en las sinagogas, y los primeros asientos en las cenas;
47 que devoran las casas de las viudas, y por pretexto hacen largas oraciones; éstos recibirán mayor condenación.

CAPÍTULO 21

LEVANTANDO los ojos, vio a los ricos que echaban sus ofrendas en el arca de las ofrendas.
2 Vio también a una viuda muy pobre, que echaba allí dos blancas.
3 Y dijo: En verdad os digo, que esta viuda pobre echó más que todos.
4 Porque todos aquéllos echaron para las ofrendas de Dios de lo que les sobra; mas ésta, de su pobreza echó todo el sustento que tenía.
5 Y a unos que hablaban de que el templo estaba adornado de hermosas piedras y ofrendas votivas, dijo:
6 En cuanto a estas cosas que veis, días vendrán en que no quedará piedra sobre piedra, que no sea destruida.
7 Y le preguntaron, diciendo: Maestro, ¿cuándo será esto? ¿y qué señal habrá cuando estas cosas estén para suceder?
8 El entonces dijo: Mirad que no seáis engañados; porque vendrán muchos en mi nombre, diciendo: Yo soy el Cristo, y: El tiempo está cerca. Mas no vayáis en pos de ellos.
9 Y cuando oigáis de guerras y de sediciones, no os alarméis; porque es necesario que estas cosas acontezcan primero; pero el fin no será inmediatamente.
10 Entonces les dijo: Se levantará nación contra nación, y reino contra reino;
11 y habrá grandes terremotos, y en diferentes lugares hambres y pestilencias; y habrá terror y grandes señales del cielo.
12 Pero antes de todas estas cosas os echarán mano, y os perseguirán, y os entregarán a las sinagogas y a las cárceles, y seréis llevados ante reyes y ante gobernadores por causa de mi nombre.

42 And David himself saith in the book of Psalms, The LORD said unto my Lord, Sit thou on my right hand,
43 Till I make thine enemies thy footstool.
44 David therefore calleth him Lord, how is he then his son?
45 Then in the audience of all the people he said unto his disciples,
46 Beware of the scribes, which desire to walk in long robes, and love greetings in the markets, and the highest seats in the synagogues, and the chief rooms at feasts;
47 Which devour widows' houses, and for a shew make long prayers: the same shall receive greater damnation.

CHAPTER 21

AND he looked up, and saw the rich men casting their gifts into the treasury.
2 And he saw also a certain poor widow casting in thither two mites.
3 And he said, Of a truth I say unto you, that this poor widow hath cast in more than they all:
4 For all these have of their abundance cast in unto the offerings of God: but she of her penury hath cast in all the living that she had.
5 And as some spake of the temple, how it was adorned with goodly stones and gifts, he said,
6 *As for* these things which ye behold, the days will come, in the which there shall not be left one stone upon another, that shall not be thrown down.
7 And they asked him, saying, Master, but when shall these things be? and what sign *will there be* when these things shall come to pass?
8 And he said, Take heed that ye be not deceived: for many shall come in my name, saying, I am *Christ;* and the time draweth near: go ye not therefore after them.
9 But when ye shall hear of wars and commotions, be not terrified: for these things must first come to pass; but the end *is* not by and by.
10 Then said he unto them, Nation shall rise against nation, and kingdom against kingdom:
11 And great earthquakes shall be in divers places, and famines, and pestilences; and fearful sights and great signs shall there be from heaven.
12 But before all these, they shall lay their hands on you, and persecute *you*, delivering *you* up to the synagogues, and into prisons, being brought before kings and rulers for my name's sake.

13 Y esto os será ocasión para dar testimonio.
14 Proponed en vuestros corazones no pensar antes cómo habéis de responder en vuestra defensa;
15 porque yo os daré palabra y sabiduría, la cual no podrán resistir ni contradecir todos los que se opongan.
16 Mas seréis entregados aun por vuestros padres, y hermanos, y parientes, y amigos; y matarán a algunos de vosotros;
17 y seréis aborrecidos de todos por causa de mi nombre.
18 Pero ni un cabello de vuestra cabeza perecerá.
19 Con vuestra paciencia ganaréis vuestras almas.
20 Pero cuando viereis a Jerusalén rodeada de ejércitos, sabed entonces que su destrucción ha llegado.
21 Entonces los que estén en Judea, huyan a los montes; y los que en medio de ella, váyanse; y los que estén en los campos, no entren en ella.
22 Porque estos son días de retribución, para que se cumplan todas las cosas que están escritas.
23 Mas ¡ay de las que estén encintas, y de las que críen en aquellos días! porque habrá gran calamidad en la tierra, e ira sobre este pueblo.
24 Y caerán a filo de espada, y serán llevados cautivos a todas las naciones; y Jerusalén será hollada por los gentiles, hasta que los tiempos de los gentiles se cumplan.
25 Entonces habrá señales en el sol, en la luna y en las estrellas, y en la tierra angustia de las gentes, confundidas a causa del bramido del mar y de las olas;
26 desfalleciendo los hombres por el temor y la expectación de las cosas que sobrevendrán en la tierra; porque las potencias de los cielos serán conmovidas.
27 Entonces verán al Hijo del Hombre, que vendrá en una nube con poder y gran gloria.
28 Cuando estas cosas comiencen a suceder, erguíos y levantad vuestra cabeza, porque vuestra redención está cerca.
29 También les dijo una parábola: Mirad la higuera y todos los árboles.
30 Cuando ya brotan, viéndolo, sabéis por vosotros mismos que el verano está ya cerca.
31 Así también vosotros, cuando veáis que suceden estas cosas, sabed que está cerca el reino de Dios.
32 De cierto os digo, que no pasará esta generación hasta que todo esto acontezca.

13 And it shall turn to you for a testimony.
14 Settle *it* therefore in your hearts, not to meditate before what ye shall answer:
15 For I will give you a mouth and wisdom, which all your adversaries shall not be able to gainsay nor resist.
16 And ye shall be betrayed both by parents, and brethren, and kinsfolks, and friends; and *some* of you shall they cause to be put to death.
17 And ye shall be hated of all *men* for my name's sake.
18 But there shall not an hair of your head perish.
19 In your patience possess ye your souls.
20 And when ye shall see Jerusalem compassed with armies, then know that the desolation thereof is nigh.
21 Then let them which are in Judæa flee to the mountains; and let them which are in the midst of it depart out; and let not them that are in the countries enter thereinto.
22 For these be the days of vengeance, that all things which are written may be fulfilled.
23 But woe unto them that are with child, and to them that give suck, in those days! for there shall be great distress in the land, and wrath upon this people.
24 And they shall fall by the edge of the sword, and shall be led away captive into all nations: and Jerusalem shall be trodden down of the Gentiles, until the times of the Gentiles be fulfilled.
25 And there shall be signs in the sun, and in the moon, and in the stars; and upon the earth distress of nations, with perplexity; the sea and the waves roaring;
26 Men's hearts failing them for fear, and for looking after those things which are coming on the earth: for the powers of heaven shall be shaken.
27 And then shall they see the Son of man coming in a cloud with power and great glory.
28 And when these things begin to come to pass, then look up, and lift up your heads; for your redemption draweth nigh.
29 And he spake to them a parable; Behold the fig tree, and all the trees;
30 When they now shoot forth, ye see and know of your own selves that summer is now nigh at hand.
31 So likewise ye, when ye see these things come to pass, know ye that the kingdom of God is nigh at hand.
32 Verily I say unto you, This generation shall not pass away, till all be fulfilled.

33 El cielo y la tierra pasarán, pero mis palabras no pasarán.
34 Mirad también por vosotros mismos, que vuestros corazones no se carguen de glotonería y embriaguez y de los afanes de esta vida, y venga de repente sobre vosotros aquel día.
35 Porque como un lazo vendrá sobre todos los que habitan sobre la faz de toda la tierra.
36 Velad, pues, en todo tiempo orando que seáis tenidos por dignos de escapar de todas estas cosas que vendrán, y de estar en pie delante del Hijo del Hombre.
37 Y enseñaba de día en el templo; y de noche, saliendo, se estaba en el monte que se llama de los Olivos.
38 Y todo el pueblo venía a él por la mañana, para oirle en el templo.

CAPÍTULO 22

ESTABA cerca la fiesta de los panes sin levadura, que se llama la pascua.
2 Y los principales sacerdotes y los escribas buscaban cómo matarle; porque temían al pueblo.
3 Y entró Satanás en Judas, por sobrenombre Iscariote, el cual era uno del número de los doce;
4 y éste fue y habló con los principales sacerdotes, y con los jefes de la guardia, de cómo se lo entregaría.
5 Ellos se alegraron, y convinieron en darle dinero.
6 Y él se comprometió, y buscaba una oportunidad para entregárselo a espaldas del pueblo.
7 Llegó el día de los panes sin levadura, en el cual era necesario sacrificar el cordero de la pascua.
8 Y Jesús envió a Pedro y a Juan, diciendo: Id, preparadnos la pascua para que la comamos.
9 Ellos le dijeron: ¿Dónde quieres que la preparemos?
10 El les dijo: He aquí, al entrar en la ciudad os saldrá al encuentro un hombre que lleva un cántaro de agua; seguidle hasta la casa donde entrare,
11 y decid al padre de familia de esa casa: El Maestro te dice: ¿Dónde está el aposento donde he de comer la pascua con mis discípulos?
12 Entonces él os mostrará un gran aposento alto ya dispuesto; preparad allí.
13 Fueron, pues, y hallaron como les había dicho; y prepararon la pascua.

33 Heaven and earth shall pass away: but my words shall not pass away.
34 And take heed to yourselves, lest at any time your hearts be overcharged with surfeiting, and drunkenness, and cares of this life, and so that day come upon you unawares.
35 For as a snare shall it come on all them that dwell on the face of the whole earth.
36 Watch ye therefore, and pray always, that ye may be accounted worthy to escape all these things that shall come to pass, and to stand before the Son of man.
37 And in the day time he was teaching in the temple; and at night he went out, and abode in the mount that is called *the mount* of Olives.
38 And all the people came early in the morning to him in the temple, for to hear him.

CHAPTER 22

NOW the feast of unleavened bread drew nigh, which is called the Passover.
2 And the chief priests and scribes sought how they might kill him; for they feared the people.
3 Then entered Satan into Judas surnamed Iscariot, being of the number of the twelve.
4 And he went his way, and communed with the chief priests and captains, how he might betray him unto them.
5 And they were glad, and covenanted to give him money.
6 And he promised, and sought opportunity to betray him unto them in the absence of the multitude.
7 Then came the day of unleavened bread, when the passover must be killed.
8 And he sent Peter and John, saying, Go and prepare us the passover, that we may eat.
9 And they said unto him, Where wilt thou that we prepare?
10 And he said unto them, Behold, when ye are entered into the city, there shall a man meet you, bearing a pitcher of water; follow him into the house where he entereth in.
11 And ye shall say unto the goodman of the house, The Master saith unto thee, Where is the guestchamber, where I shall eat the passover with my disciples?
12 And he shall shew you a large upper room furnished: there make ready.
13 And they went, and found as he had said unto them: and they made ready the passover.

14 Cuando era la hora, se sentó a la
mesa, y con él los apóstoles.
15 Y les dijo: ¡Cuánto he deseado
comer con vosotros esta pascua antes
que padezca!
16 Porque os digo que no la comeré
más, hasta que se cumpla en el reino de
Dios.
17 Y habiendo tomado la copa, dio gra-
cias, y dijo: Tomad esto, y repartidlo
entre vosotros;
18 porque os digo que no beberé más
del fruto de la vid, hasta que el reino de
Dios venga.
19 Y tomó el pan y dio gracias, y lo par-
tió y les dio, diciendo: Esto es mi cuerpo,
que por vosotros es dado; haced esto en
memoria de mí.
20 De igual manera, después que hubo
cenado, tomó la copa, diciendo: Esta
copa es el nuevo pacto en mi sangre, que
por vosotros se derrama.
21 Mas he aquí, la mano del que me en-
trega está conmigo en la mesa.
22 A la verdad el Hijo del Hombre va,
según lo que está determinado; pero ¡ay
de aquel hombre por quien es entregado!
23 Entonces ellos comenzaron a discu-
tir entre sí, quién de ellos sería el que ha-
bía de hacer esto.
24 Hubo también entre ellos una dispu-
ta sobre quién de ellos sería el mayor.
25 Pero él les dijo: Los reyes de las na-
ciones se enseñorean de ellas, y los que
sobre ellas tienen autoridad son llamados
bienhechores;
26 mas no así vosotros, sino sea el ma-
yor entre vosotros como el más joven, y
el que dirige, como el que sirve.
27 Porque, ¿cuál es mayor, el que se
sienta a la mesa, o el que sirve? ¿No es el
que se sienta a la mesa? Mas yo estoy
entre vosotros como el que sirve.
28 Pero vosotros sois los que habéis
permanecido conmigo en mis pruebas.
29 Yo, pues, os asigno un reino, como
mi Padre me lo asignó a mí,
30 para que comáis y bebáis a mi mesa
en mi reino, y os sentéis en tronos juz-
gando a las doce tribus de Israel.
31 Dijo también el Señor: Simón, Si-
món, he aquí Satanás os ha pedido para
zarandearos como a trigo;
32 pero yo he rogado por ti, que tu fe no
falte; y tú, una vez vuelto, confirma a tus
hermanos.
33 El le dijo: Señor, dispuesto estoy a ir
contigo no sólo a la cárcel, sino también
a la muerte.

14 And when the hour was come, he sat
down, and the twelve apostles with him.
15 And he said unto them, With desire I
have desired to eat this passover with
you before I suffer:
16 For I say unto you, I will not any
more eat thereof, until it be fulfilled in
the kingdom of God.
17 And he took the cup, and gave
thanks, and said, Take this, and divide *it*
among yourselves:
18 For I say unto you, I will not drink of
the fruit of the vine, until the kingdom of
God shall come.
19 And he took bread, and gave thanks,
and brake *it*, and gave unto them, saying,
This is my body which is given for you:
this do in remembrance of me.
20 Likewise also the cup after supper,
saying, This cup *is* the new testament in
my blood, which is shed for you.
21 But, behold, the hand of him that be-
trayeth me *is* with me on the table.
22 And truly the Son of man goeth, as it
was determined: but woe unto that man
by whom he is betrayed!
23 And they began to inquire among
themselves, which of them it was that
should do this thing.
24 And there was also a strife among
them, which of them should be ac-
counted the greatest.
25 And he said unto them, The kings of
the Gentiles exercise lordship over them;
and they that exercise authority upon
them are called benefactors.
26 But ye *shall* not *be* so: but he that is
greatest among you, let him be as the
younger; and he that is chief, as he that
doth serve.
27 For whether *is* greater, he that sit-
teth at meat, or he that serveth? *is* not he
that sitteth at meat? but I am among you
as he that serveth.
28 Ye are they which have continued
with me in my temptations.
29 And I appoint unto you a kingdom,
as my Father hath appointed unto me;
30 That ye may eat and drink at my ta-
ble in my kingdom, and sit on thrones
judging the twelve tribes of Israel.
31 And the Lord said, Simon, Simon,
behold, Satan hath desired *to have* you,
that he may sift *you* as wheat:
32 But I have prayed for thee, that thy
faith fail not: and when thou art con-
verted, strengthen thy brethren.
33 And he said unto him, Lord, I am
ready to go with thee, both into prison,
and to death.

34 Y él le dijo: Pedro, te digo que el gallo no cantará hoy antes que tú niegues tres veces que me conoces.

35 Y a ellos dijo: Cuando os envié sin bolsa, sin alforja, y sin calzado, ¿os faltó algo? Ellos dijeron: Nada.

36 Y les dijo: Pues ahora, el que tiene bolsa, tómela, y también la alforja; y el que no tiene espada, venda su capa y compre una.

37 Porque os digo que es necesario que se cumpla todavía en mí aquello que está escrito: Y fue contado con los inicuos; porque lo que está escrito de mí, tiene cumplimiento.

38 Entonces ellos dijeron: Señor, aquí hay dos espadas. Y él les dijo: Basta.

39 Y saliendo, se fue, como solía, al monte de los Olivos; y sus discípulos también le siguieron.

40 Cuando llegó a aquel lugar, les dijo: Orad que no entréis en tentación.

41 Y él se apartó de ellos a distancia como de un tiro de piedra; y puesto de rodillas oró,

42 diciendo: Padre, si quieres, pasa de mí esta copa; pero no se haga mi voluntad, sino la tuya.

43 Y se le apareció un ángel del cielo para fortalecerle.

44 Y estando en agonía, oraba más intensamente; y era su sudor como grandes gotas de sangre que caían hasta la tierra.

45 Cuando se levantó de la oración, y vino a sus discípulos, los halló durmiendo a causa de la tristeza;

46 y les dijo: ¿Por qué dormís? Levantaos, y orad para que no entréis en tentacion.

47 Mientras él aún hablaba, se presentó una turba; y el que se llamaba Judas, uno de los doce, iba al frente de ellos; y se acercó hasta Jesús para besarle.

48 Entonces Jesús le dijo: Judas, ¿con un beso entregas al Hijo del Hombre?

49 Viendo los que estaban con él lo que había de acontecer, le dijeron: Señor, ¿heriremos a espada?

50 Y uno de ellos hirió a un siervo del sumo sacerdote, y le cortó la oreja derecha.

51 Entonces respondiendo Jesús, dijo: Basta ya; dejad. Y tocando su oreja, le sanó.

52 Y Jesús dijo a los principales sacerdotes, a los jefes de la guardia del templo y a los ancianos, que habían venido con-

34 And he said, I tell thee, Peter, the cock shall not crow this day, before that thou shalt thrice deny that thou knowest me.

35 And he said unto them, When I sent you without purse, and scrip, and shoes, lacked ye any thing? And they said, Nothing.

36 Then said he unto them, But now, he that hath a purse, let him take *it*, and likewise *his* scrip: and he that hath no sword, let him sell his garment, and buy one.

37 For I say unto you, that this that is written must yet be accomplished in me, And he was reckoned among the transgressors: for the *things concerning* me have an end.

38 And they said, Lord, behold, here *are* two swords. And he said unto them, It is enough.

39 And he came out, and went, as he was wont, to the mount of Olives; and his disciples also followed him.

40 And when he was at the place, he said unto them, Pray that ye enter not into temptation.

41 And he was withdrawn from them about a stone's cast, and kneeled down, and prayed,

42 Saying, Father, if thou be willing, remove this cup from me: nevertheless not my will, but thine, be done.

43 And there appeared an angel unto him from heaven, strengthening him.

44 And being in an agony he prayed more earnestly: and his sweat was as it were great drops of blood falling down to the ground.

45 And when he rose up from prayer, and was come to his disciples, he found them sleeping for sorrow,

46 And said unto them, Why sleep ye? rise and pray, lest ye enter into temptation.

47 And while he yet spake, behold a multitude, and he that was called Judas, one of the twelve, went before them, and drew near unto Jesus to kiss him.

48 But Jesus said unto him, Judas, betrayest thou the Son of man with a kiss?

49 When they which were about him saw what would follow, they said unto him, Lord, shall we smite with the sword?

50 And one of them smote the servant of the high priest, and cut off his right ear.

51 And Jesus answered and said, Suffer ye thus far. And he touched his ear, and healed him.

52 Then Jesus said unto the chief priests, and captains of the temple, and the elders, which were come to him, Be

tra él: ¿Como contra un ladrón habéis salido con espadas y palos?

53 Habiendo estado con vosotros cada día en el templo, no extendisteis las manos contra mí; mas esta es vuestra hora, y la potestad de las tinieblas.

54 Y prendiéndole, le llevaron, y le condujeron a casa del sumo sacerdote. Y Pedro le seguía de lejos.

55 Y habiendo ellos encendido fuego en medio del patio, se sentaron alrededor; y Pedro se sentó también entre ellos.

56 Pero una criada, al verle sentado al fuego, se fijó en él, y dijo: También éste estaba con él.

57 Pero él lo negó, diciendo: Mujer, no lo conozco.

58 Un poco después, viéndole otro, dijo: Tú también eres de ellos. Y Pedro dijo: Hombre, no lo soy.

59 Como una hora después, otro afirmaba, diciendo: Verdaderamente también éste estaba con él, porque es galileo.

60 Y Pedro dijo: Hombre, no sé lo que dices. Y en seguida, mientras él todavía hablaba, el gallo cantó.

61 Entonces, vuelto el Señor, miró a Pedro; y Pedro se acordó de la palabra del Señor, que le había dicho: Antes que el gallo cante, me negarás tres veces.

62 Y Pedro, saliendo fuera, lloró amargamente.

63 Y los hombres que custodiaban a Jesús se burlaban de él y le golpeaban;

64 y vendándole los ojos, le golpeaban el rostro, y le preguntaban, diciendo: Profetiza, ¿quién es el que te golpeó?

65 Y decían otras muchas cosas injuriándole.

66 Cuando era de día, se juntaron los ancianos del pueblo, los principales sacerdotes y los escribas, y le trajeron al concilio, diciendo:

67 ¿Eres tú el Cristo? Dínoslo. Y les dijo: Si os lo dijere, no creeréis;

68 y también si os preguntare, no me responderéis, ni me soltaréis.

69 Pero desde ahora el Hijo del Hombre se sentará a la diestra del poder de Dios.

70 Dijeron todos: ¿Luego eres tú el Hijo de Dios? Y él les dijo: Vosotros decís que lo soy.

71 Entonces ellos dijeron: ¿Qué más testimonio necesitamos? porque nosotros mismos lo hemos oído de su boca.

ye come out, as against a thief, with swords and staves?

53 When I was daily with you in the temple, ye stretched forth no hands against me: but this is your hour, and the power of darkness.

54 Then took they him, and led *him*, and brought him into the high priest's house. And Peter followed afar off.

55 And when they had kindled a fire in the midst of the hall, and were set down together, Peter sat down among them.

56 But a certain maid beheld him as he sat by the fire, and earnestly looked upon him, and said, This man was also with him.

57 And he denied him, saying, Woman, I know him not.

58 And after a little while another saw him, and said, Thou art also of them. And Peter said, Man, I am not.

59 And about the space of one hour after another confidently affirmed, saying, Of a truth this *fellow* also was with him: for he is a Galilæan.

60 And Peter said, Man, I know not what thou sayest. And immediately, while he yet spake, the cock crew.

61 And the Lord turned, and looked upon Peter. And Peter remembered the word of the Lord, how he had said unto him, Before the cock crow, thou shalt deny me thrice.

62 And Peter went out, and wept bitterly.

63 And the men that held Jesus mocked him, and smote *him*.

64 And when they had blindfolded him, they struck him on the face, and asked him, saying, Prophesy, who is it that smote thee?

65 And many other things blasphemously spake they against him.

66 And as soon as it was day, the elders of the people and the chief priests and the scribes came together, and led him into their council, saying,

67 Art thou the Christ? tell us. And he said unto them, If I tell you, ye will not believe:

68 And if I also ask *you*, ye will not answer me, nor let *me* go.

69 Hereafter shall the Son of man sit on the right hand of the power of God.

70 Then said they all, Art thou then the Son of God? And he said unto them, Ye say that I am.

71 And they said, What need we any further witness? for we ourselves have heard of his own mouth.

CAPÍTULO 23

LEVANTÁNDOSE entonces toda la muchedumbre de ellos, llevaron a Jesús a Pilato.

2 Y comenzaron a acusarle, diciendo: A éste hemos hallado que pervierte a la nación, y que prohibe dar tributo a César, diciendo que él mismo es el Cristo, un rey.

3 Entonces Pilato le preguntó, diciendo: ¿Eres tú el Rey de los judíos? Y respondiéndole él, dijo: Tú lo dices.

4 Y Pilato dijo a los principales sacerdotes, y a la gente: Ningún delito hallo en este hombre.

5 Pero ellos porfiaban, diciendo: Alborota al pueblo, enseñando por toda Judea, comenzando desde Galilea hasta aquí.

6 Entonces Pilato, oyendo decir, Galilea, preguntó si el hombre era galileo.

7 Y al saber que era de la jurisdicción de Herodes, le remitió a Herodes, que en aquellos días también estaba en Jerusalén.

8 Herodes, viendo a Jesús, se alegró mucho, porque hacía tiempo que deseaba verle; porque había oído muchas cosas acerca de él, y esperaba verle hacer alguna señal.

9 Y le hacía muchas preguntas, pero él nada le respondió.

10 Y estaban los principales sacerdotes y los escribas acusándole con gran vehemencia.

11 Entonces Herodes con sus soldados le menospreció y escarneció, vistiéndole de una ropa espléndida; y volvió a enviarle a Pilato.

12 Y se hicieron amigos Pilato y Herodes aquel día; porque antes estaban enemistados entre sí.

13 Entonces Pilato, convocando a los principales sacerdotes, a los gobernantes, y al pueblo,

14 les dijo: Me habéis presentado a éste como un hombre que perturba al pueblo; pero habiéndole interrogado yo delante de vosotros, no he hallado en este hombre delito alguno de aquellos de que le acusáis.

15 Y ni aun Herodes, porque os remití a él; y he aquí, nada digno de muerte ha hecho este hombre.

16 Le soltaré, pues, después de castigarle.

17 Y tenía necesidad de soltarles uno en cada fiesta.

18 Mas toda la multitud dio voces a una, diciendo: ¡Fuera con éste, y suéltanos a Barrabás!

CHAPTER 23

AND the whole multitude of them arose, and led him unto Pilate.

2 And they began to accuse him, saying, We found this *fellow* perverting the nation, and forbidding to give tribute to Cæsar, saying that he himself is Christ a King.

3 And Pilate asked him, saying, Art thou the King of the Jews? And he answered him and said, Thou sayest *it*.

4 Then said Pilate to the chief priests and *to* the people, I find no fault in this man.

5 And they were the more fierce, saying, He stirreth up the people, teaching throughout all Jewry, beginning from Galilee to this place.

6 When Pilate heard of Galilee, he asked whether the man were a Galilæan.

7 And as soon as he knew that he belonged unto Herod's jurisdiction, he sent him to Herod, who himself also was at Jerusalem at that time.

8 And when Herod saw Jesus, he was exceeding glad: for he was desirous to see him of a long *season*, because he had heard many things of him; and he hoped to have seen some miracle done by him.

9 Then he questioned with him in many words; but he answered him nothing.

10 And the chief priests and scribes stood and vehemently accused him.

11 And Herod with his men of war set him at nought, and mocked *him*, and arrayed him in a gorgeous robe, and sent him again to Pilate.

12 And the same day Pilate and Herod were made friends together: for before they were at enmity between themselves.

13 And Pilate, when he had called together the chief priests and the rulers and the people,

14 Said unto them, Ye have brought this man unto me, as one that perverteth the people: and, behold, I, having examined *him* before you, have found no fault in this man touching those things whereof ye accuse him:

15 No, nor yet Herod: for I sent you to him; and, lo, nothing worthy of death is done unto him.

16 I will therefore chastise him, and release *him*.

17 (For of necessity he must release one unto them at the feast.)

18 And they cried out all at once, saying, Away with this *man*, and release unto us Ba-rab'bas:

19 Este había sido echado en la cárcel por sedición en la ciudad, y por un homicidio.
20 Les habló otra vez Pilato, queriendo soltar a Jesús;
21 pero ellos volvieron a dar voces, diciendo: ¡Crucifícale, cruficícale!
22 El les dijo por tercera vez: ¿Pues qué mal ha hecho éste? Ningún delito digno de muerte he hallado en él; le castigaré, pues, y le soltaré.
23 Mas ellos instaban a grandes voces, pidiendo que fuese crucificado. Y las voces de ellos y de los principales sacerdotes prevalecieron.
24 Entonces Pilato sentenció que se hiciese lo que ellos pedían;
25 y les soltó a aquel que había sido echado en la cárcel por sedición y homicidio, a quien habían pedido; y entregó a Jesús a la voluntad de ellos.
26 Y llevándole, tomaron a cierto Simón de Cirene, que venía del campo, y le pusieron encima la cruz para que la llevase tras Jesús.
27 Y le seguía gran multitud del pueblo, y de mujeres que lloraban y hacían lamentación por él.
28 Pero Jesús, vuelto hacia ellas, les dijo: Hijas de Jerusalén, no lloréis por mí, sino llorad por vosotras mismas y por vuestros hijos.
29 Porque he aquí vendrán días en que dirán: Bienaventuradas las estériles, y los vientres que no concibieron, y los pechos que no criaron.
30 Entonces comenzarán a decir a los montes: Caed sobre nosotros; y a los collados: Cubridnos.
31 Porque si en el árbol verde hacen estas cosas, ¿en el seco, qué no se hará?
32 Llevaban también con él a otros dos, que eran malhechores, para ser muertos.
33 Y cuando llegaron al lugar llamado de la Calavera, le crucificaron allí, y a los malhechores, uno a la derecha y otro a la izquierda.
34 Y Jesús decía: Padre, perdónalos, porque no saben lo que hacen. Y repartieron entre sí sus vestidos, echando suertes.
35 Y el pueblo estaba mirando; y aun los gobernantes se burlaban de él, diciendo: A otros salvó; sálvese a sí mismo, si éste es el Cristo, el escogido de Dios.
36 Los soldados también le escarnecían, acercándose y presentándole vinagre,
37 y diciendo: Si tú eres el Rey de los judíos, sálvate a ti mismo.
38 Había también sobre él un título es-

19 (Who for a certain sedition made in the city, and for murder, was cast into prison.)
20 Pilate therefore, willing to release Jesus, spake again to them.
21 But they cried, saying, Crucify *him*, crucify him.
22 And he said unto them the third time, Why, what evil hath he done? I have found no cause of death in him: I will therefore chastise him, and let *him* go.
23 And they were instant with loud voices, requiring that he might be crucified. And the voices of them and of the chief priests prevailed.
24 And Pilate gave sentence that it should be as they required.
25 And he released unto them him that for sedition and murder was cast into prison, whom they had desired; but he delivered Jesus to their will.
26 And as they led him away, they laid hold upon one Simon, a Cy-re'ni-an, coming out of the country, and on him they laid the cross, that he might bear *it* after Jesus.
27 And there followed him a great company of people, and of women, which also bewailed and lamented him.
28 But Jesus turning unto them said, Daughters of Jerusalem, weep not for me, but weep for yourselves, and for your children.
29 For, behold, the days are coming, in the which they shall say, Blessed *are* the barren, and the wombs that never bare, and the paps which never gave suck.
30 Then shall they begin to say to the mountains, Fall on us; and to the hills, Cover us.
31 For if they do these things in a green tree, what shall be done in the dry?
32 And there were also two other, malefactors, led with him to be put to death.
33 And when they were come to the place, which is called Calvary, there they crucified him, and the malefactors, one on the right hand, and the other on the left.
34 Then said Jesus, Father, forgive them; for they know not what they do. And they parted his raiment, and cast lots.
35 And the people stood beholding. And the rulers also with them derided *him*, saying, He saved others; let him save himself, if he be Christ, the chosen of God.
36 And the soldiers also mocked him, coming to him, and offering him vinegar,
37 And saying, If thou be the king of the Jews, save thyself.
38 And a superscription also was writ-

crito con letras griegas, latinas y hebreas: ESTE ES EL REY DE LOS JUDÍOS.

39 Y uno de los malhechores que estaban colgados le injuriaba, diciendo: Si tú eres el Cristo, sálvate a ti mismo y a nosotros.

40 Respondiendo el otro, le reprendió, diciendo: ¿Ni aun temes tú a Dios, estando en la misma condenación?

41 Nosotros, a la verdad, justamente padecemos, porque recibimos lo que merecieron nuestros hechos; mas éste ningún mal hizo.

42 Y dijo a Jesús: Acuérdate de mí cuando vengas en tu reino.

43 Entonces Jesús le dijo: De cierto te digo que hoy estarás conmigo en el paraíso.

44 Cuando era como la hora sexta, hubo tinieblas sobre toda la tierra hasta la hora novena.

45 Y el sol se oscureció, y el velo del templo se rasgó por la mitad.

46 Entonces Jesús, clamando a gran voz, dijo: Padre, en tus manos encomiendo mi espíritu. Y habiendo dicho esto, expiró.

47 Cuando el centurión vio lo que había acontecido, dio gloria a Dios, diciendo: Verdaderamente este hombre era justo.

48 Y toda la multitud de los que estaban presentes en este espectáculo, viendo lo que había acontecido, se volvían golpeándose el pecho.

49 Pero todos sus conocidos, y las mujeres que le habían seguido desde Galilea, estaban lejos mirando estas cosas.

50 Había un varón llamado José, de Arimatea, ciudad de Judea, el cual era miembro del concilio, varón bueno y justo.

51 Este, que también esperaba el reino de Dios, y no había consentido en el acuerdo ni en los hechos de ellos,

52 fue a Pilato, y pidió el cuerpo de Jesús.

53 Y quitándolo, lo envolvió en una sábana, y lo puso en un sepulcro abierto en una peña, en el cual aún no se había puesto a nadie.

54 Era día de la preparación, y estaba para comenzar el día de reposo.

55 Y las mujeres que habían venido con él desde Galilea, siguieron también, y vieron el sepulcro, y cómo fue puesto su cuerpo.

56 Y vueltas, prepararon especias aromáticas y ungüentos; y descansaron el día de reposo, conforme al mandamiento.

CAPÍTULO 24

EL primer día de la semana, muy de mañana, vinieron al sepulcro, trayen-

ten over him in letters of Greek, and Latin, and Hebrew, THIS IS THE KING OF THE JEWS.

39 And one of the malefactors which were hanged railed on him, saying, If thou be Christ, save thyself and us.

40 But the other answering rebuked him, saying, Dost not thou fear God, seeing thou art in the same condemnation?

41 And we indeed justly; for we receive the due reward of our deeds: but this man hath done nothing amiss.

42 And he said unto Jesus, Lord, remember me when thou comest into thy kingdom.

43 And Jesus said unto him, Verily I say unto thee, To day shalt thou be with me in paradise.

44 And it was about the sixth hour, and there was a darkness over all the earth until the ninth hour.

45 And the sun was darkened, and the veil of the temple was rent in the midst.

46 And when Jesus had cried with a loud voice, he said, Father, into thy hands I commend my spirit: and having said thus, he gave up the ghost.

47 Now when the centurion saw what was done, he glorified God, saying, Certainly this was a righteous man.

48 And all the people that came together to that sight, beholding the things which were done, smote their breasts, and returned.

49 And all his acquaintance, and the women that followed him from Galilee, stood afar off, beholding these things.

50 And, behold, *there was* a man named Joseph, a counsellor; *and he was* a good man, and a just:

51 (The same had not consented to the counsel and deed of them;) *he was* of Ari-ma-thæ'a, a city of the Jews: who also himself waited for the kingdom of God.

52 This *man* went unto Pilate, and begged the body of Jesus.

53 And he took it down, and wrapped it in linen, and laid it in a sepulchre that was hewn in stone, wherein never man before was laid.

54 And that day was the preparation, and the sabbath drew on.

55 And the women also, which came with him from Galilee, followed after, and beheld the sepulchre, and how his body was laid.

56 And they returned, and prepared spices and ointments; and rested the sabbath day according to the commandment.

CHAPTER 24

NOW upon the first *day* of the week, very early in the morning, they came

do las especias aromáticas que habían preparado, y algunas otras mujeres con ellas.

2 Y hallaron removida la piedra del sepulcro;

3 y entrando, no hallaron el cuerpo del Señor Jesús.

4 Aconteció que estando ellas perplejas por esto, he aquí se pararon junto a ellas dos varones con vestiduras resplandecientes;

5 y como tuvieron temor, y bajaron el rostro a tierra, les dijeron: ¿Por qué buscáis entre los muertos al que vive?

6 No está aquí, sino que ha resucitado. Acordaos de lo que os habló, cuando aún estaba en Galilea,

7 diciendo: Es necesario que el Hijo del Hombre sea entregado en manos de hombres pecadores, y que sea crucificado, y resucite al tercer día.

8 Entonces ellas se acordaron de sus palabras,

9 y volviendo del sepulcro, dieron nuevas de todas estas cosas a los once, y a todos los demás.

10 Eran María Magdalena, y Juana, y María madre de Jacobo, y las demás con ellas, quienes dijeron estas cosas a los apóstoles.

11 Mas a ellos les parecían locura las palabras de ellas, y no las creían.

12 Pero levantándose Pedro, corrió al sepulcro; y cuando miró dentro, vio los lienzos solos, y se fue a casa maravillándose de lo que había sucedido.

13 Y he aquí, dos de ellos iban el mismo día a una aldea llamada Emaús, que estaba a sesenta estadios de Jerusalén.

14 E iban hablando entre sí de todas aquellas cosas que habían acontecido.

15 Sucedió que mientras hablaban y discutían entre sí, Jesús mismo se acercó, y caminaba con ellos.

16 Mas los ojos de ellos estaban velados, para que no le conociesen.

17 Y les dijo: ¿Qué pláticas son estas que tenéis entre vosotros mientras camináis, y por qué estáis tristes?

18 Respondiendo uno de ellos, que se llamaba Cleofas, le dijo: ¿Eres tú el único forastero en Jerusalén que no has sabido las cosas que en ella han acontecido en estos días?

19 Entonces él les dijo: ¿Qué cosas? Y ellos le dijeron: De Jesús nazareno, que fue varón profeta, poderoso en obra y en palabra delante de Dios y de todo el pueblo;

20 y cómo le entregaron los principales sacerdotes y nuestros gobernantes a sentencia de muerte, y le crucificaron.

unto the sepulchre, bringing the spices which they had prepared, and certain *others* with them.

2 And they found the stone rolled away from the sepulchre.

3 And they entered in, and found not the body of the Lord Jesus.

4 And it came to pass, as they were much perplexed thereabout, behold, two men stood by them in shining garments:

5 And as they were afraid, and bowed down *their* faces to the earth, they said unto them, Why seek ye the living among the dead?

6 He is not here, but is risen: remember how he spake unto you when he was yet in Galilee,

7 Saying, The Son of man must be delivered into the hands of sinful men, and be crucified, and the third day rise again.

8 And they remembered his words,

9 And returned from the sepulchre, and told all these things unto the eleven, and to all the rest.

10 It was Mary Magdalene, and Jo-an'na, and Mary *the mother* of James, and other *women that were* with them, which told these things unto the apostles.

11 And their words seemed to them as idle tales, and they believed them not.

12 Then arose Peter, and ran unto the sepulchre; and stooping down, he beheld the linen clothes laid by themselves, and departed, wondering in himself at that which was come to pass.

13 And, behold, two of them went that same day to a village called Em-ma'us, which was from Jerusalem *about* threescore furlongs.

14 And they talked together of all these things which had happened.

15 And it came to pass, that, while they communed *together* and reasoned, Jesus himself drew near, and went with them.

16 But their eyes were holden that they should not know him.

17 And he said unto them, What manner of communications *are* these that ye have one to another, as ye walk, and are sad?

18 And the one of them, whose name was Cle'o-pas, answering said unto him, Art thou only a stranger in Jerusalem, and hast not known the things which are come to pass there in these days?

19 And he said unto them, What things? And they said unto him, Concerning Jesus of Nazareth, which was a prophet mighty in deed and word before God and all the people:

20 And how the chief priests and our rulers delivered him to be condemned to death, and have crucified him.

21 Pero nosotros esperábamos que él era el que había de redimir a Israel; y ahora, además de todo esto, hoy es ya el tercer día que esto ha acontecido.

22 Aunque también nos han asombrado unas mujeres de entre nosotros, las que antes del día fueron al sepulcro;

23 y como no hallaron su cuerpo, vinieron diciendo que también habían visto visión de ángeles, quienes dijeron que él vive.

24 Y fueron algunos de los nuestros al sepulcro, y hallaron así como las mujeres habían dicho, pero a él no le vieron.

25 Entonces él les dijo: ¡Oh insensatos, y tardos de corazón para creer todo lo que los profetas han dicho!

26 ¿No era necesario que el Cristo padeciera estas cosas, y que entrara en su gloria?

27 Y comenzando desde Moisés, y siguiendo por todos los profetas, les declaraba en todas las Escrituras lo que de él decían.

28 Llegaron a la aldea adonde iban, y él hizo como que iba más lejos.

29 Mas ellos le obligaron a quedarse, diciendo: Quédate con nosotros, porque se hace tarde, y el día ya ha declinado. Entró, pues, a quedarse con ellos.

30 Y aconteció que estando sentado con ellos a la mesa, tomó el pan y lo bendijo, lo partió, y les dio.

31 Entonces les fueron abiertos los ojos, y le reconocieron; mas él se desapareció de su vista.

32 Y se decían el uno al otro: ¿No ardía nuestro corazón en nosotros, mientras nos hablaba en el camino, y cuando nos abría las Escrituras?

33 Y levantándose en la misma hora, volvieron a Jerusalén, y hallaron a los once reunidos, y a los que estaban con ellos,

34 que decían: Ha resucitado el Señor verdaderamente, y ha aparecido a Simón.

35 Entonces ellos contaban las cosas que les habían acontecido en el camino, y cómo le habían reconocido al partir el pan.

36 Mientras ellos aún hablaban de estas cosas, Jesús se puso en medio de ellos, y les dijo: Paz a vosotros.

37 Entonces, espantados y atemorizados, pensaban que veían espíritu.

38 Pero él les dijo: ¿Por qué estáis turbados, y vienen a vuestro corazón estos pensamientos?

39 Mirad mis manos y mis pies, que yo mismo soy; palpad, y ved; porque un espíritu no tiene carne ni huesos, como veis que yo tengo.

21 But we trusted that it had been he which should have redeemed Israel: and beside all this, to day is the third day since these things were done.

22 Yea, and certain women also of our company made us astonished, which were early at the sepulchre;

23 And when they found not his body, they came, saying, that they had also seen a vision of angels, which said that he was alive.

24 And certain of them which were with us went to the sepulchre, and found *it* even so as the women had said: but him they saw not.

25 Then he said unto them, O fools, and slow of heart to believe all that the prophets have spoken:

26 Ought not Christ to have suffered these things, and to enter into his glory?

27 And beginning at Moses and all the prophets, he expounded unto them in all the scriptures the things concerning himself.

28 And they drew nigh unto the village, whither they went: and he made as though he would have gone further.

29 But they constrained him, saying, Abide with us: for it is toward evening, and the day is far spent. And he went in to tarry with them.

30 And it came to pass, as he sat at meat with them, he took bread, and blessed *it*, and brake, and gave to them.

31 And their eyes were opened, and they knew him; and he vanished out of their sight.

32 And they said one to another, Did not our heart burn within us, while he talked with us by the way, and while he opened to us the scriptures?

33 And they rose up the same hour, and returned to Jerusalem, and found the eleven gathered together, and them that were with them,

34 Saying, The Lord is risen indeed, and hath appeared to Simon.

35 And they told what things *were done* in the way, and how he was known of them in breaking of bread.

36 And as they thus spake, Jesus himself stood in the midst of them, and saith unto them, Peace *be* unto you.

37 But they were terrified and affrighted, and supposed that they had seen a spirit.

38 And he said unto them, Why are ye troubled? and why do thoughts arise in your hearts?

39 Behold my hands and my feet, that it is I myself: handle me, and see; for a spirit hath not flesh and bones, as ye see me have.

40 Y diciendo esto, les mostró las ma-
nos y los pies.
41 Y como todavía ellos, de gozo, no lo
creían, y estaban maravillados, les dijo:
¿Tenéis aquí algo de comer?
42 Entonces le dieron parte de un pez
asado, y un panal de miel.
43 Y él lo tomó, y comió delante de e-
llos.
44 Y les dijo: Estas son las palabras que
os hablé, estando aún con vosotros: que
era necesario que se cumpliese todo lo
que está escrito de mí en la ley de
Moisés, en los profetas y en los salmos.
45 Entonces les abrió el entendimiento,
para que comprendiesen las Escrituras;
46 y les dijo: Así está escrito, y así fue
necesario que el Cristo padeciese, y resu-
citase de los muertos al tercer día;
47 y que se predicase en su nombre el
arrepentimiento y el perdón de pecados
en todas las naciones, comenzando desde
Jerusalén.
48 Y vosotros sois testigos de estas co-
sas.
49 He aquí, yo enviaré la promesa de
mi Padre sobre vosotros; pero quedaos
vosotros en la ciudad de Jerusalén, hasta
que seáis investidos de poder desde lo
alto.
50 Y los sacó fuera hasta Betania, y al-
zando sus manos, los bendijo.
51 Y aconteció que bendiciéndolos, se
separó de ellos, y fue llevado arriba al
cielo.
52 Ellos, después de haberle adorado,
volvieron a Jerusalén con gran gozo;
53 y estaban siempre en el templo, ala-
bando y bendiciendo a Dios. Amén.

40 And when he had thus spoken, he
shewed them *his* hands and *his* feet.
41 And while they yet believed not for
joy, and wondered, he said unto them,
Have ye here any meat?
42 And they gave him a piece of a
broiled fish, and of an honeycomb.
43 And he took it, and did eat before
them.
44 And he said unto them, These *are*
the words which I spake unto you, while
I was yet with you, that all things must
be fulfilled, which were written in the
law of Moses, and *in* the prophets, and *in*
the psalms, concerning me.
45 Then opened he their understanding,
that they might understand the scrip-
tures,
46 And said unto them, Thus it is writ-
ten, and thus it behoved Christ to suffer,
and to rise from the dead the third day:
47 And that repentance and remission
of sins should be preached in his name
among all nations, beginning at Jerusa-
lem.
48 And ye are witnesses of these
things.
49 And, behold, I send the promise of
my Father upon you: but tarry ye in the
city of Jerusalem, until ye be endued
with power from on high.
50 And he led them out as far as to
Bethany, and he lifted up his hands, and
blessed them.
51 And it came to pass, while he
blessed them, he was parted from them,
and carried up into heaven.
52 And they worshipped him, and re-
turned to Jerusalem with great joy:
53 And were continually in the temple,
praising and blessing God. Amen.

EL SANTO EVANGELIO SEGÚN

SAN JUAN

CAPÍTULO 1

EN el principio era el Verbo, y el Verbo era con Dios, y el Verbo era Dios.

2 Este era en el principio con Dios.

3 Todas las cosas por él fueron hechas, y sin él nada de lo que ha sido hecho, fue hecho.

4 En él estaba la vida, y la vida era la luz de los hombres.

5 La luz en las tinieblas resplandece, y las tinieblas no prevalecieron contra ella.

6 Hubo un hombre enviado de Dios, el cual se llamaba Juan.

7 Este vino por testimonio, para que diese testimonio de la luz, a *fin de* que todos creyesen por él.

8 No era él la luz, sino para que diese testimonio de la luz.

9 Aquella luz verdadera, que alumbra a todo hombre, venía a este mundo.

10 En el mundo estaba, y el mundo por él fue hecho; pero el mundo no le conoció.

11 A lo suyo vino, y los suyos no le recibieron.

12 Mas a todos los que le recibieron, a los que creen en su nombre, les dio potestad de ser hechos hijos de Dios;

13 los cuales no son engendrados de sangre, ni de voluntad de carne, ni de voluntad de varón, sino de Dios.

14 Y aquel Verbo fue hecho carne, y habitó entre nosotros (y vimos su gloria, gloria como del unigénito del Padre), lleno de gracia y de verdad.

15 Juan dio testimonio de él, y clamó diciendo: Este es de quien yo decía: El que viene después de mí, es antes de mí; porque era primero que yo.

16 Porque de su plenitud tomamos todos, y gracia sobre gracia.

17 Pues la ley por medio de Moisés fue dada, pero la gracia y la verdad vinieron por medio de Jesucristo.

18 A Dios nadie le vio jamás; el unigénito Hijo, que está en el seno del Padre, él le ha dado a conocer.

19 Este es el testimonio de Juan, cuando los judíos enviaron de Jerusalén sacerdotes y levitas para que le preguntasen: ¿Tú, quién eres?

20 Confesó, y no negó, sino confesó: Yo no soy el Cristo.

21 Y le preguntaron: ¿Qué pues? ¿Eres tú Elías? Dijo: No soy. ¿Eres tú el profeta? Y respondió: No.

THE GOSPEL ACCORDING TO

SAINT JOHN

CHAPTER 1

IN the beginning was the Word, and the Word was with God, and the Word was God.

2 The same was in the beginning with God.

3 All things were made by him; and without him was not any thing made that was made.

4 In him was life; and the life was the light of men.

5 And the light shineth in darkness; and the darkness comprehended it not.

6 There was a man sent from God, whose name *was* John.

7 The same came for a witness, to bear witness of the Light, that all *men* through him might believe.

8 He was not that Light, but *was sent* to bear witness of that Light.

9 *That* was the true Light, which lighteth every man that cometh into the world.

10 He was in the world, and the world was made by him, and the world knew him not.

11 He came unto his own, and his own received him not.

12 But as many as received him, to them gave he power to become the sons of God, *even* to them that believe on his name:

13 Which were born, not of blood, nor of the will of the flesh, nor of the will of man, but of God.

14 And the Word was made flesh, and dwelt among us, (and we beheld his glory, the glory as of the only begotten of the Father,) full of grace and truth.

15 John bare witness of him, and cried, saying, This was he of whom I spake, He that cometh after me is preferred before me: for he was before me.

16 And of his fulness have all we received, and grace for grace.

17 For the law was given by Moses, *but* grace and truth came by Jesus Christ.

18 No man hath seen God at any time; the only begotten Son, which is in the bosom of the Father, he hath declared *him*.

19 And this is the record of John, when the Jews sent priests and Levites from Jerusalem to ask him, Who art thou?

20 And he confessed, and denied not; but confessed, I am not the Christ.

21 And they asked him, What then? Art thou E-li′as? And he saith, I am not. Art thou that prophet? And he answered, No.

22 Le dijeron: ¿Pues quién eres? para
que demos respuesta a los que nos envia-
ron. ¿Qué dices de ti mismo?
23 Dijo: Yo soy la voz de uno que clama
en el desierto: Enderezad el camino del
Señor, como dijo el profeta Isaías.
24 Y los que habían sido enviados eran
de los fariseos.
25 Y le preguntaron, y le dijeron: ¿Por
qué, pues, bautizas, si tú no eres el Cristo,
ni Elías, ni el profeta?
26 Juan les respondió diciendo: Yo bau-
tizo con agua; mas en medio de vosotros
está uno a quien vosotros no conocéis.
27 Este es el que viene después de mí,
el que es antes de mí, del cual yo no soy
digno de desatar la correa del calzado.
28 Estas cosas sucedieron en Betábara,
al otro lado del Jordán, donde Juan esta-
ba bautizando.
29 El siguiente día vio Juan a Jesús que
venía a él, y dijo: He aquí el Cordero de
Dios, que quita el pecado del mundo.
30 Este es aquel de quien yo dije: Des-
pués de mí viene un varón, el cual es
antes de mí; porque era primero que yo.
31 Y yo no le conocía; mas para que
fuese manifestado a Israel, por esto vine
yo bautizando con agua.
32 También dio Juan testimonio, dici-
endo: Vi al Espíritu que descendía del
cielo como paloma, y permaneció sobre
él.
33 Y yo no le conocía; pero el que me
envió a bautizar con agua, aquél me dijo:
Sobre quien veas descender el Espíritu y
que permanece sobre él, ése es el que
bautiza con el Espíritu Santo.
34 Y yo le vi, y he dado testimonio de
que éste es el Hijo de Dios.
35 El siguiente día otra vez estaba
Juan, y dos de sus discípulos.
36 Y mirando a Jesús que andaba por
allí, dijo: He aquí el Cordero de Dios.
37 Le oyeron hablar los dos discípulos,
y siguieron a Jesús.
38 Y *volviéndose* Jesús, y viendo que le
seguían, les dijo: ¿Qué buscáis? Ellos le
dijeron: Rabí (que traducido es, Maes-
tro), ¿dónde moras?
39 Les dijo: Venid y ved. Fueron, y vie-
ron donde moraba, y se quedaron con él
aquel día; porque era como la hora déci-
ma.
40 Andrés, hermano de Simón Pedro,
era uno de los dos que habían oído a
Juan, y habían seguido a Jesús.
41 Este halló primero a su hermano Si-

22 Then said they unto him, Who art
thou? that we may give an answer to
them that sent us. What sayest thou of
thyself?
23 He said, I *am* the voice of one crying
in the wilderness, Make straight the way
of the Lord, as said the prophet E-sai'as.
24 And they which were sent were of
the Pharisees.
25 And they asked him, and said unto
him, Why baptizest thou then, if thou be
not that Christ, nor E-li'as, neither that
prophet?
26 John answered them, saying, I bap-
tize with water: but there standeth one
among you, whom ye know not;
27 He it is, who coming after me is pre-
ferred before me, whose shoe's latchet I
am not worthy to unloose.
28 These things were done in Beth-
ab'a-ra beyond Jordan, where John was
baptizing.
29 The next day John seeth Jesus com-
ing unto him, and saith, Behold the Lamb
of God, which taketh away the sin of the
world.
30 This is he of whom I said, After me
cometh a man which is preferred before
me: for he was before me.
31 And I knew him not: but that he
should be made manifest to Israel, there-
fore am I come baptizing with water.
32 And John bare record, saying, I saw
the Spirit descending from heaven like a
dove, and it abode upon him.
33 And I knew him not: but he that sent
me to baptize with water, the same said
unto me, Upon whom thou shalt see the
Spirit descending, and remaining on him,
the same is he which baptizeth with the
Holy Ghost.
34 And I saw, and bare record that this
is the Son of God.
35 Again the next day after John stood,
and two of his disciples;
36 And looking upon Jesus as he
walked, he saith, Behold the Lamb of
God!
37 And the two disciples heard him
speak, and they followed Jesus.
38 Then Jesus turned, and saw them
following, and saith unto them, What
seek ye? They said unto him, Rabbi,
(which is to say, being interpreted, Mas-
ter,) where dwellest thou?
39 He saith unto them, Come and see.
They came and saw where he dwelt, and
abode with him that day: for it was about
the tenth hour.
40 One of the two which heard John
speak, and followed him, was Andrew,
Simon Peter's brother.
41 He first findeth his own brother Si-

món, y le dijo: Hemos hallado al Mesías (que traducido es, el Cristo).

42 Y le trajo a Jesús. Y mirándole Jesús, dijo: Tú eres Simón, hijo de Jonás; tú serás llamado Cefas (que quiere decir, Pedro).

43 El siguiente día quiso Jesús ir a Galilea, y halló a Felipe, y le dijo: Sígueme.

44 Y Felipe era de Betsaida, la ciudad de Andrés y Pedro.

45 Felipe halló a Natanael, y le dijo: Hemos hallado a aquel de quien escribió Moisés en la ley, así como los profetas: a Jesús, el hijo de José, de Nazaret.

46 Natanael le dijo: ¿De Nazaret puede salir algo de bueno? Le dijo Felipe: Ven y ve.

47 Cuando Jesús vio a Natanael que se le acercaba, dijo de él: He aquí un verdadero israelita, en quien no hay engaño.

48 Le dijo Natanael: ¿De dónde me conoces? Respondió Jesús y le dijo: Antes que Felipe te llamara, cuando estabas debajo de la higuera, te vi.

49 Respondió Natanael y le dijo: Rabí, tú eres el Hijo de Dios; tú eres el Rey de Israel.

50 Respondió Jesús y le dijo: ¿Porque te dije: Te vi debajo de la higuera, crees? Cosas mayores que estas verás.

51 Y le dijo: De cierto, de cierto os digo: De aquí adelante veréis el cielo abierto, y a los ángeles de Dios que suben y descienden sobre el Hijo del Hombre.

CAPÍTULO 2

AL tercer día se hicieron unas bodas en Caná de Galilea; y estaba allí la madre de Jesús.

2 Y fueron también invitados a las bodas Jesús y sus discípulos.

3 Y faltando el vino, la madre de Jesús le dijo: No tienen vino.

4 Jesús le dijo: ¿Qué tienes conmigo, mujer? Aún no ha venido mi hora.

5 Su madre dijo a los que servían: Haced todo lo que os dijere.

6 Y estaban allí seis tinajas de piedra para agua, conforme al rito de la purificación de los judíos, en cada una de las cuales cabían dos o tres cántaros.

7 Jesús les dijo: Llenad estas tinajas de agua. Y las llenaron hasta arriba.

mon, and saith unto him, We have found the Mes-si'as, which is, being interpreted, the Christ.

42 And he brought him to Jesus. And when Jesus beheld him, he said, Thou art Simon the son of Jona: thou shalt be called Ce'phas, which is by interpretation, A stone.

43 The day following Jesus would go forth into Galilee, and findeth Philip, and saith unto him, Follow me.

44 Now Philip was of Beth-sa'i-da, the city of Andrew and Peter.

45 Philip findeth Nathanael, and saith unto him, We have found him, of whom Moses in the law, and the prophets, did write, Jesus of Nazareth, the son of Joseph.

46 And Nathanael said unto him, Can there any good thing come out of Nazareth? Philip saith unto him, Come and see.

47 Jesus saw Nathanael coming to him, and saith of him, Behold an Israelite indeed, in whom is no guile!

48 Nathanael saith unto him, Whence knowest thou me? Jesus answered and said unto him, Before that Philip called thee, when thou wast under the fig tree, I saw thee.

49 Nathanael answered and saith unto him, Rabbi, thou art the Son of God; thou art the King of Israel.

50 Jesus answered and said unto him, Because I said unto thee, I saw thee under the fig tree, believest thou? thou shalt see greater things than these.

51 And he saith unto him, Verily, verily, I say unto you, Hereafter ye shall see heaven open, and the angels of God ascending and descending upon the Son of man.

CHAPTER 2

AND the third day there was a marriage in Cana of Galilee; and the mother of Jesus was there:

2 And both Jesus was called, and his disciples, to the marriage.

3 And when they wanted wine, the mother of Jesus saith unto him, They have no wine.

4 Jesus saith unto her, Woman, what have I to do with thee? mine hour is not yet come.

5 His mother saith unto the servants, Whatsoever he saith unto you, do *it*.

6 And there were set there six waterpots of stone, after the manner of the purifying of the Jews, containing two or three firkins apiece.

7 Jesus saith unto them, Fill the waterpots with water. And they filled them up to the brim.

8 Entonces les dijo: Sacad ahora, y llevadlo al maestresala. Y se lo llevaron.

9 Cuando el maestresala probó el agua hecha vino, sin saber él de dónde era, aunque lo sabían los sirvientes que habían sacado el agua, llamó al esposo,

10 y le dijo: Todo hombre sirve primero el buen vino, y cuando ya han bebido mucho, entonces el inferior; mas tú has reservado el buen vino hasta ahora.

11 Este principio de señales hizo Jesús en Caná de Galilea, y manifestó su gloria; y sus discípulos creyeron en él.

12 Después de esto descendieron a Capernaum, él, su madre, sus hermanos y sus discípulos; y estuvieron allí no muchos días.

13 Estaba cerca la pascua de los judíos; y subió Jesús a Jerusalén,

14 y halló en el templo a los que vendían bueyes, ovejas y palomas, y a los cambistas allí sentados.

15 Y haciendo un azote de cuerdas, echó fuera del templo a todos, y las ovejas y los bueyes; y esparció las monedas de los cambistas, y volcó las mesas;

16 y dijo a los que vendían palomas: Quitad de aquí esto, y no hagáis de la casa de mi Padre casa de mercado.

17 Entonces se acordaron sus discípulos que está escrito: El celo de tu casa me consume.

18 Y los judíos respondieron y le dijeron: ¿Qué señal nos muestras, ya que haces esto?

19 Respondió Jesús y les dijo: Destruid este templo, y en tres días lo levantaré.

20 Dijeron luego los judíos: En cuarenta y seis años fue edificado este templo, ¿y tú en tres días lo levantarás?

21 Mas él hablaba del templo de su cuerpo.

22 Por tanto, cuando resucitó de entre los muertos, sus discípulos se acordaron que había dicho esto; y creyeron la Escritura y la palabra que Jesús había dicho.

23 Estando en Jerusalén en la fiesta de la pascua, muchos creyeron en su nombre, viendo las señales que hacía.

24 Pero Jesús mismo no se fiaba de ellos, porque conocía a todos,

25 y no tenía necesidad de que nadie le diese testimonio del hombre, pues él sabía lo que había en el hombre.

8 And he saith unto them, Draw out now, and bear unto the governor of the feast. And they bare *it*.

9 When the ruler of the feast had tasted the water that was made wine, and knew not whence it was: (but the servants which drew the water knew;) the governor of the feast called the bridegroom,

10 And saith unto him, Every man at the beginning doth set forth good wine; and when men have well drunk, then that which is worse; *but* thou hast kept the good wine until now.

11 This beginning of miracles did Jesus in Cana of Galilee, and manifested forth his glory; and his disciples believed on him.

12 After this he went down to Caper′na-um, he, and his mother, and his brethren, and his disciples: and they continued there not many days.

13 And the Jews' passover was at hand, and Jesus went up to Jerusalem,

14 And found in the temple those that sold oxen and sheep and doves, and the changers of money sitting:

15 And when he had made a scourge of small cords, he drove them all out of the temple, and the sheep, and the oxen; and poured out the changers' money, and overthrew the tables;

16 And said unto them that sold doves, Take these things hence; make not my Father's house an house of merchandise.

17 And his disciples remembered that it was written, The zeal of thine house hath eaten me up.

18 Then answered the Jews and said unto him, What sign shewest thou unto us, seeing that thou doest these things?

19 Jesus answered and said unto them, Destroy this temple, and in three days I will raise it up.

20 Then said the Jews, Forty and six years was this temple in building, and wilt thou rear it up in three days?

21 But he spake of the temple of his body.

22 When therefore he was risen from the dead, his disciples remembered that he had said this unto them; and they believed the scripture, and the word which Jesus had said.

23 Now when he was in Jerusalem at the passover, in the feast *day*, many believed in his name, when they saw the miracles which he did.

24 But Jesus did not commit himself unto them, because he knew all *men*,

25 And needed not that any should testify of man: for he knew what was in man.

CAPÍTULO 3

HABÍA un hombre de los fariseos que se llamaba Nicodemo, un principal entre los judíos.

2 Este vino a Jesús de noche, y le dijo: Rabí, sabemos que has venido de Dios como maestro; porque nadie puede hacer estas señales que tú haces, si no está Dios con él.

3 Respondió Jesús y le dijo: De cierto, de cierto te digo, que el que no naciere de nuevo, no puede ver el reino de Dios.

4 Nicodemo le dijo: ¿Cómo puede un hombre nacer siendo viejo? ¿Puede acaso entrar por segunda vez en el vientre de su madre, y nacer?

5 Respondió Jesús: De cierto, de cierto te digo, que el que no naciere de agua y del Espíritu, no puede entrar en el reino de Dios.

6 Lo que es nacido de la carne, carne es; y lo que es nacido del Espíritu, espíritu es.

7 No te maravilles de que te dije: Os es necesario nacer de nuevo.

8 El viento sopla de donde quiere, y oyes su sonido; mas ni sabes de dónde viene, ni a dónde va; así es todo aquel que es nacido del Espíritu.

9 Respondió Nicodemo y le dijo: ¿Cómo puede hacerse esto?

10 Respondió Jesús y le dijo: ¿Eres tú maestro de Israel, y no sabes esto?

11 De cierto, de cierto te digo, que lo que sabemos hablamos, y lo que hemos visto, testificamos; y no recibís nuestro testimonio.

12 Si os he dicho cosas terrenales, y no creéis, ¿cómo creeréis si os dijere las celestiales?

13 Nadie subió al cielo, sino el que descendió del cielo; el Hijo del Hombre, que está en el cielo.

14 Y como Moisés levantó la serpiente en el desierto, así es necesario que el Hijo del Hombre sea levantado,

15 para que todo aquel que en él cree, no se pierda, mas tenga vida eterna.

16 Porque de tal manera amó Dios al mundo, que ha dado a su Hijo unigénito, para que todo aquel que en él cree, no se pierda, mas tenga vida eterna.

17 Porque no envió Dios a su Hijo al mundo para condenar al mundo, sino para que el mundo sea salvo por él.

18 El que en él cree, no es condenado; pero el que no cree, ya ha sido condena-

CHAPTER 3

THERE was a man of the Pharisees, named Nic-o-de′mus, a ruler of the Jews:

2 The same came to Jesus by night, and said unto him, Rabbi, we know that thou art a teacher come from God: for no man can do these miracles that thou doest, except God be with him.

3 Jesus answered and said unto him, Verily, verily, I say unto thee, Except a man be born again, he cannot see the kingdom of God.

4 Nic-o-de′mus saith unto him, How can a man be born when he is old? can he enter the second time into his mother's womb, and be born?

5 Jesus answered, Verily, verily, I say unto thee, Except a man be born of water and *of* the Spirit, he cannot enter into the kingdom of God.

6 That which is born of the flesh is flesh; and that which is born of the Spirit is spirit.

7 Marvel not that I said unto thee, Ye must be born again.

8 The wind bloweth where it listeth, and thou hearest the sound thereof, but canst not tell whence it cometh, and whither it goeth: so is every one that is born of the Spirit.

9 Nic-o-de′mus answered and said unto him, How can these things be?

10 Jesus answered and said unto him, Art thou a master of Israel, and knowest not these things?

11 Verily, verily, I say unto thee, We speak that we do know, and testify that we have seen; and ye receive not our witness.

12 If I have told you earthly things, and ye believe not, how shall ye believe, if I tell you *of* heavenly things?

13 And no man hath ascended up to heaven, but he that came down from heaven, *even* the Son of man which is in heaven.

14 And as Moses lifted up the serpent in the wilderness, even so must the Son of man be lifted up:

15 That whosoever believeth in him should not perish, but have eternal life.

16 For God so loved the world, that he gave his only begotten Son, that whosoever believeth in him should not perish, but have everlasting life.

17 For God sent not his Son into the world to condemn the world; but that the world through him might be saved.

18 He that believeth on him is not condemned: but he that believeth not is con-

do, porque no ha creído en el nombre del unigénito Hijo de Dios.

19 Y esta es la condenación: que la luz vino al mundo, y los hombres amaron más las tinieblas que la luz, porque sus obras eran malas.

20 Porque todo aquel que hace lo malo, aborrece la luz y no viene a la luz, para que sus obras no sean reprendidas.

21 Mas el que practica la verdad viene a la luz, para que sea manifiesto que sus obras son hechas en Dios.

22 Después de esto, vino Jesús con sus discípulos a la tierra de Judea, y estuvo allí con ellos, y bautizaba.

23 Juan bautizaba también en Enón, junto a Salim, porque había allí muchas aguas; y venían, y eran bautizados.

24 Porque Juan no había sido aún encarcelado.

25 Entonces hubo discusión entre los discípulos de Juan y los judíos acerca de la purificación.

26 Y vinieron a Juan y le dijeron: Rabí, mira que el que estaba contigo al otro lado del Jordán, de quien tú diste testimonio, bautiza, y todos vienen a él.

27 Respondió Juan y dijo: No puede el hombre recibir nada, si no le fuere dado del cielo.

28 Vosotros mismos me sois testigos de que dije: Yo no soy el Cristo, sino que soy enviado delante de él.

29 El que tiene la esposa, es el esposo; mas el amigo del esposo, que está a su lado y le oye, se goza grandemente de la voz del esposo; así pues, este mi gozo está cumplido.

30 Es necesario que él crezca, pero que yo mengüe.

31 El que de arriba viene, es sobre todos; el que es de la tierra, es terrenal, y cosas terrenales habla; el que viene del cielo, es sobre todos.

32 Y lo que vio y oyó, esto testifica; y nadie recibe su testimonio.

33 El que recibe su testimonio, éste atestigua que Dios es veraz.

34 Porque el que Dios envió, las palabras de Dios habla; pues Dios no da el Espíritu por medida.

35 El Padre ama al Hijo, y todas las cosas ha entregado en su mano.

36 El que cree en el Hijo tiene vida eterna; pero el que rehúsa creer en el Hijo no verá la vida, sino que la ira de Dios está sobre él.

demned already, because he hath not believed in the name of the only begotten Son of God.

19 And this is the condemnation, that light is come into the world, and men loved darkness rather than light, because their deeds were evil.

20 For every one that doeth evil hateth the light, neither cometh to the light, lest his deeds should be reproved.

21 But he that doeth truth cometh to the light, that his deeds may be made manifest, that they are wrought in God.

22 After these things came Jesus and his disciples into the land of Judæa; and there he tarried with them, and baptized.

23 And John also was baptizing in Æ'non near to Sa'lim, because there was much water there: and they came, and were baptized.

24 For John was not yet cast into prison.

25 Then there arose a question between *some* of John's disciples and the Jews about purifying.

26 And they came unto John, and said unto him, Rabbi, he that was with thee beyond Jordan, to whom thou barest witness, behold, the same baptizeth, and all *men* come to him.

27 John answered and said, A man can receive nothing, except it be given him from heaven.

28 Ye yourselves bear me witness, that I said, I am not the Christ, but that I am sent before him.

29 He that hath the bride is the bridegroom: but the friend of the bridegroom, which standeth and heareth him, rejoiceth greatly because of the bridegroom's voice: this my joy therefore is fulfilled.

30 He must increase, but I *must* decrease.

31 He that cometh from above is above all: he that is of the earth is earthly, and speaketh of the earth: he that cometh from heaven is above all.

32 And what he hath seen and heard, that he testifieth; and no man receiveth his testimony.

33 He that hath received his testimony hath set to his seal that God is true.

34 For he whom God hath sent speaketh the words of God: for God giveth not the Spirit by measure *unto him.*

35 The Father loveth the Son, and hath given all things into his hand.

36 He that believeth on the Son hath everlasting life: and he that believeth not the Son shall not see life; but the wrath of God abideth on him

CAPÍTULO 4

CUANDO, pues, el Señor entendió que los fariseos habían oído decir: Jesús hace y bautiza más discípulos que Juan

2 (aunque Jesús no bautizaba, sino sus discípulos),

3 salió de Judea, y se fue otra vez a Galilea.

4 Y le era necesario pasar por Samaria.

5 Vino, pues, a una ciudad de Samaria llamada Sicar, junto a la heredad que Jacob dio a su hijo José.

6 Y estaba allí el pozo de Jacob. Entonces Jesús, cansado del camino, se sentó así junto al pozo. Era como la hora sexta.

7 Vino una mujer de Samaria a sacar agua; y Jesús le dijo: Dame de beber.

8 Pues sus discípulos habían ido a la ciudad a comprar de comer.

9 La mujer samaritana le dijo: ¿Cómo tú, siendo judío, me pides a mí de beber, que soy mujer samaritana? Porque judíos y samaritanos no se tratan entre sí.

10 Respondió Jesús y le dijo: Si conocieras el don de Dios, y quién es el que te dice: Dame de beber; tú le pedirías, y él te daría agua viva.

11 La mujer le dijo: Señor, no tienes con qué sacarla, y el pozo es hondo. ¿De dónde, pues, tienes el agua viva?

12 ¿Acaso eres tú mayor que nuestro padre Jacob, que nos dio este pozo, del cual bebieron él, sus hijos y sus ganados?

13 Respondió Jesús y le dijo: Cualquiera que bebiere de esta agua, volverá a tener sed;

14 mas el que bebiere del agua que yo le daré, no tendrá sed jamás; sino que el agua que yo le daré será en él una fuente de agua que salte para vida eterna.

15 La mujer le dijo: Señor, dame esa agua, para que no tenga yo sed, ni venga aquí a sacarla.

16 Jesús le dijo: Vé, llama a tu marido, y ven acá.

17 Respondió la mujer y dijo: No tengo marido. Jesús le dijo: Bien has dicho: No tengo marido;

18 porque cinco maridos has tenido, y el que ahora tienes no es tu marido; esto has dicho con verdad.

CHAPTER 4

WHEN therefore the Lord knew how the Pharisees had heard that Jesus made and baptized more disciples than John,

2 (Though Jesus himself baptized not, but his disciples,)

3 He left Judæa, and departed again into Galilee.

4 And he must needs go through Sa-ma′ri-a.

5 Then cometh he to a city of Sa-ma′ri-a, which is called Sy′char, near to the parcel of ground that Jacob gave to his son Joseph.

6 Now Jacob's well was there. Jesus therefore, being wearied with *his* journey, sat thus on the well: *and* it was about the sixth hour.

7 There cometh a woman of Sa-ma′ri-a to draw water: Jesus saith unto her, Give me to drink.

8 (For his disciples were gone away unto the city to buy meat.)

9 Then saith the woman of Sa-ma′ri-a unto him, How is it that thou, being a Jew, askest drink of me, which am a woman of Sa-ma′ri-a? for the Jews have no dealings with the Sa-mar′i-tans.

10 Jesus answered and said unto her, If thou knewest the gift of God, and who it is that saith to thee, Give me to drink; thou wouldest have asked of him, and he would have given thee living water.

11 The woman saith unto him, Sir, thou hast nothing to draw with, and the well is deep: from whence then hast thou that living water?

12 Art thou greater than our father Jacob, which gave us the well, and drank thereof himself, and his children, and his cattle?

13 Jesus answered and said unto her, Whosoever drinketh of this water shall thirst again:

14 But whosoever drinketh of the water that I shall give him shall never thirst; but the water that I shall give him shall be in him a well of water springing up into everlasting life.

15 The woman saith unto him, Sir, give me this water, that I thirst not, neither come hither to draw.

16 Jesus saith unto her, Go, call thy husband, and come hither.

17 The woman answered and said, I have no husband. Jesus said unto her, Thou hast well said, I have no husband:

18 For thou hast had five husbands; and he whom thou now hast is not thy husband: in that saidst thou truly.

19 Le dijo la mujer: Señor, me parece que tú eres profeta.
20 Nuestros padres adoraron en este monte, y vosotros decís que en Jerusalén es el lugar donde se debe adorar.
21 Jesús le dijo: Mujer, créeme, que la hora viene cuando ni en este monte ni en Jerusalén adoraréis al Padre.
22 Vosotros adoráis lo que no sabéis; nosotros adoramos lo que sabemos; porque la salvación viene de los judíos.
23 Mas la hora viene, y ahora es, cuando los verdaderos adoradores adorarán al Padre en espíritu y en verdad; porque también el Padre tales adoradores busca que le adoren.
24 Dios es Espíritu; y los que le adoran, en espíritu y en verdad es necesario que adoren.
25 Le dijo la mujer: Sé que ha de venir el Mesías, llamado el Cristo; cuando él venga nos declarará todas las cosas.
26 Jesús le dijo: Yo soy, el que habla contigo.
27 En esto vinieron sus discípulos, y se maravillaron de que hablaba con una mujer; sin embargo, ninguno dijo: ¿Qué preguntas? o, ¿Qué hablas con ella?
28 Entonces la mujer dejó su cántaro, y fue a la ciudad, y dijo a los hombres:
29 Venid, ved a un hombre que me ha dicho todo cuanto he hecho. ¿No será éste el Cristo?
30 Entonces salieron de la ciudad, y vinieron a él.
31 Entre tanto, los discípulos le rogaban, diciendo: Rabí, come.
32 El les dijo: Yo tengo una comida que comer, que vosotros no sabéis.
33 Entonces los discípulos decían unos a otros: ¿Le habrá traído alguien de comer?
34 Jesús les dijo: Mi comida es que haga la voluntad del que me envió, y que acabe su obra.
35 ¿No decís vosotros: Aún faltan cuatro meses para que llegue la siega? He aquí os digo: Alzad vuestros ojos y mirad los campos, porque ya están blancos para la siega.
36 Y el que siega recibe salario, y recoge fruto para vida eterna, para que el que siembra goce juntamente con el que siega.
37 Porque en esto es verdadero el dicho: Uno es el que siembra, y otro es el que siega.
38 Yo os he enviado a segar lo que vosotros no labrasteis; otros labraron, y vosotros habéis entrado en sus labores.
39 Y muchos de los samaritanos de aquella ciudad creyeron en él por la pala-

19 The woman saith unto him, Sir, I perceive that thou art a prophet.
20 Our fathers worshipped in this mountain; and ye say, that in Jerusalem is the place where men ought to worship.
21 Jesus saith unto her, Woman, believe me, the hour cometh, when ye shall neither in this mountain, nor yet at Jerusalem, worship the Father.
22 Ye worship ye know not what: we know what we worship: for salvation is of the Jews.
23 But the hour cometh, and now is, when the true worshippers shall worship the Father in spirit and in truth: for the Father seeketh such to worship him.
24 God *is* a Spirit: and they that worship him must worship *him* in spirit and in truth.
25 The woman saith unto him, I know that Mes-si'as cometh, which is called Christ: when he is come, he will tell us all things.
26 Jesus saith unto her, I that speak unto thee am *he*.
27 And upon this came his disciples, and marvelled that he talked with the woman: yet no man said, What seekest thou? or, Why talkest thou with her?
28 The woman then left her waterpot, and went her way into the city, and saith to the men,
29 Come, see a man, which told me all things that ever I did: is not this the Christ?
30 Then they went out of the city, and came unto him.
31 In the mean while his disciples prayed him, saying, Master, eat.
32 But he said unto them, I have meat to eat that ye know not of.
33 Therefore said the disciples one to another, Hath any man brought him *ought* to eat?
34 Jesus saith unto them, My meat is to do the will of him that sent me, and to finish his work.
35 Say not ye, There are yet four months, and *then* cometh harvest? behold, I say unto you, Lift up your eyes, and look on the fields; for they are white already to harvest.
36 And he that reapeth receiveth wages, and gathereth fruit unto life eternal: that both he that soweth and he that reapeth may rejoice together.
37 And herein is that saying true, One soweth, and another reapeth.
38 I sent you to reap that whereon ye bestowed no labour: other men laboured, and ye are entered into their labours.
39 And many of the Sa-mar'i-tans of that city believed on him for the saying

bra de la mujer, que daba testimonio diciendo: Me dijo todo lo que he hecho.

40 Entonces vinieron los samaritanos a él y le rogaron que se quedase con ellos; y se quedó allí dos días.

41 Y creyeron muchos más por la palabra de él,

42 y decían a la mujer: Ya no creemos solamente por tu dicho, porque nosotros mismos hemos oído, y sabemos que verdaderamente éste es el Salvador del mundo, el Cristo.

43 Dos días después, salió de allí y fue a Galilea.

44 Porque Jesús mismo dio testimonio de que el profeta no tiene honra en su propia tierra.

45 Cuando vino a Galilea, los galileos le recibieron, habiendo visto todas las cosas que había hecho en Jerusalén, en la fiesta; porque también ellos habían ido a la fiesta.

46 Vino, pues, Jesús otra vez a Caná de Galilea, donde había convertido el agua en vino. Y había en Capernaum un oficial del rey, cuyo hijo estaba enfermo.

47 Este, cuando oyó que Jesús había llegado de Judea a Galilea, vino a él y le rogó que descendiese y sanase a su hijo, que estaba a punto de morir.

48 Entonces Jesús le dijo: Si no viereis señales y prodigios, no creeréis.

49 El oficial del rey le dijo: Señor, desciende antes que mi hijo muera.

50 Jesús le dijo: Vé, tu hijo vive. Y el hombre creyó la palabra que Jesús le dijo, y se fue.

51 Cuando ya él descendía, sus siervos salieron a recibirle, y le dieron nuevas, diciendo: Tu hijo vive.

52 Entonces él les preguntó a qué hora había comenzado a estar mejor. Y le dijeron: Ayer a las siete le dejo la fiebre.

53 El padre entonces entendió que aquella era la hora en que Jesús le había dicho: Tu hijo vive; y creyó él con toda su casa.

54 Esta segunda señal hizo Jesús, cuando fue de Judea a Galilea.

CAPÍTULO 5

DESPUÉS de estas cosas había una fiesta de los judíos, y subió Jesús a Jerusalén.

2 Y hay en Jerusalén, cerca de la puerta de las ovejas, un estanque, llamado en hebreo Betesda, el cual tiene cinco pórticos.

of the woman, which testified, He told me all that ever I did.

40 So when the Sa-mar'i-tans were come unto him, they besought him that he would tarry with them: and he abode there two days.

41 And many more believed because of his own word;

42 And said unto the woman, Now we believe, not because of thy saying: for we have heard *him* ourselves, and know that this is indeed the Christ, the Saviour of the world.

43 Now after two days he departed thence, and went into Galilee.

44 For Jesus himself testified, that a prophet hath no honour in his own country.

45 Then when he was come into Galilee, the Galilæans received him, having seen all the things that he did at Jerusalem at the feast: for they also went unto the feast.

46 So Jesus came again into Cana of Galilee, where he made the water wine. And there was a certain nobleman, whose son was sick at Ca-per'na-um.

47 When he heard that Jesus was come out of Judæa into Galilee, he went unto him, and besought him that he would come down, and heal his son: for he was at the point of death.

48 Then said Jesus unto him, Except ye see signs and wonders, ye will not believe.

49 The nobleman saith unto him, Sir, come down ere my child die.

50 Jesus saith unto him, Go thy way; thy son liveth. And the man believed the word that Jesus had spoken unto him, and he went his way.

51 And as he was now going down, his servants met him, and told *him*, saying, Thy son liveth.

52 Then inquired he of them the hour when he began to amend. And they said unto him, Yesterday at the seventh hour the fever left him.

53 So the father knew that *it was* at the same hour, in the which Jesus said unto him, Thy son liveth: and himself believed, and his whole house.

54 This *is* again the second miracle *that* Jesus did, when he was come out of Judæa into Galilee.

CHAPTER 5

AFTER this there was a feast of the Jews; and Jesus went up to Jerusalem.

2 Now there is at Jerusalem by the sheep *market* a pool, which is called *in* the Hebrew tongue Be-thes'da, having five porches.

3 En éstos yacía una multitud de enfermos, ciegos, cojos y paralíticos, que esperaban el movimiento del agua.

4 Porque un ángel descendía de tiempo en tiempo al estanque, y agitaba el agua; y el que primero descendía al estanque después del movimiento del agua, quedaba sano de cualquier enfermedad que tuviese.

5 Y había allí un hombre que hacía treinta y ocho años que estaba enfermo.

6 Cuando Jesús lo vio acostado, y supo que llevaba ya mucho tiempo así, le dijo: ¿Quieres ser sano?

7 Señor, le respondió el enfermo, no tengo quien me meta en el estanque cuando se agita el agua; y entre tanto que yo voy, otro desciende antes que yo.

8 Jesús le dijo: Levántate, toma tu lecho, y anda.

9 Y al instante aquel hombre fue sanado, y tomó su lecho, y anduvo. Y era día de reposo aquel día.

10 Entonces los judíos dijeron a aquel que había sido sanado: Es día de reposo; no te es lícito llevar tu lecho.

11 El les respondió: El que me sanó, él mismo me dijo: Toma tu lecho y anda.

12 Entonces le preguntaron: ¿Quién es el que te dijo: Toma tu lecho y anda?

13 Y el que había sido sanado no sabía quién fuese, porque Jesús se había apartado de la gente que estaba en aquel lugar.

14 Después le halló Jesús en el templo, y le dijo: Mira, has sido sanado; no peques más, para que no te venga alguna cosa peor.

15 El hombre se fue, y dio aviso a los judíos, que Jesús era el que le había sanado.

16 Y por esta causa los judíos perseguían a Jesús, y procuraban matarle, porque hacía estas cosas en el día de reposo.

17 Y Jesús les respondió: Mi Padre hasta ahora trabaja, y yo trabajo.

18 Por esto los judíos aun más procuraban matarle, porque no sólo quebrantaba el día de reposo, sino que también decía que Dios era su propio Padre, haciéndose igual a Dios.

19 Respondió entonces Jesús, y les dijo: De cierto, de cierto os digo: No puede el Hijo hacer nada por sí mismo, sino lo que ve hacer al Padre; porque todo lo que el Padre hace, también lo hace el Hijo igualmente.

20 Porque el Padre ama al Hijo, y le muestra todas las cosas que él hace; y mayores obras que estas le mostrará, de modo que vosotros os maravilléis.

3 In these lay a great multitude of impotent folk, of blind, halt, withered, waiting for the moving of the water.

4 For an angel went down at a certain season into the pool, and troubled the water: whosoever then first after the troubling of the water stepped in was made whole of whatsoever disease he had.

5 And a certain man was there, which had an infirmity thirty and eight years.

6 When Jesus saw him lie, and knew that he had been now a long time *in that case,* he saith unto him, Wilt thou be made whole?

7 The impotent man answered him, Sir, I have no man, when the water is troubled, to put me into the pool: but while I am coming, another steppeth down before me.

8 Jesus saith unto him, Rise, take up thy bed, and walk.

9 And immediately the man was made whole, and took up his bed, and walked: and on the same day was the sabbath.

10 The Jews therefore said unto him that was cured, It is the sabbath day: it is not lawful for thee to carry *thy* bed.

11 He answered them, He that made me whole, the same said unto me, Take up thy bed, and walk.

12 Then asked they him, What man is that which said unto thee, Take up thy bed, and walk?

13 And he that was healed wist not who it was: for Jesus had conveyed himself away, a multitude being in *that* place.

14 Afterward Jesus findeth him in the temple, and said unto him, Behold, thou art made whole: sin no more, lest a worse thing come unto thee.

15 The man departed, and told the Jews that it was Jesus, which had made him whole.

16 And therefore did the Jews persecute Jesus, and sought to slay him, because he had done these things on the sabbath day.

17 But Jesus answered them, My Father worketh hitherto, and I work.

18 Therefore the Jews sought the more to kill him, because he not only had broken the sabbath, but said also that God was his Father, making himself equal with God.

19 Then answered Jesus and said unto them, Verily, verily, I say unto you, The Son can do nothing of himself, but what he seeth the Father do: for what things soever he doeth, these also doeth the Son likewise.

20 For the Father loveth the Son, and sheweth him all things that himself doeth: and he will shew him greater works than these, that ye may marvel.

21 Porque como el Padre levanta a los muertos, y les da vida, así también el Hijo a los que quiere da vida.

22 Porque el Padre a nadie juzga, sino que todo el juicio dio al Hijo,

23 para que todos honren al Hijo como honran al Padre. El que no honra al Hijo, no honra al Padre que le envió.

24 De cierto, de cierto os digo: El que oye mi palabra, y cree al que me envió, tiene vida eterna; y no vendrá a condenación, mas ha pasado de muerte a vida.

25 De cierto, de cierto os digo: Viene la hora, y ahora es, cuando los muertos oirán la voz del Hijo de Dios; y los que la oyeren vivirán.

26 Porque como el Padre tiene vida en sí mismo, así también ha dado al Hijo el tener vida en sí mismo;

27 y también le dio autoridad de hacer juicio, por cuanto es el Hijo del Hombre.

28 No os maravilléis de esto; porque vendrá hora cuando todos los que están en los sepulcros oirán su voz;

29 y los que hicieron lo bueno, saldrán a resurrección de vida; mas los que hicieron lo malo, a resurrección de condenación.

30 No puedo yo hacer nada por mí mismo; según oigo, así juzgo; y mi juicio es justo, porque no busco mi voluntad, sino la voluntad del que me envió, la del Padre.

31 Si yo doy testimonio acerca de mí mismo, mi testimonio no es verdadero.

32 Otro es el que da testimonio acerca de mí, y sé que el testimonio que da de mí es verdadero.

33 Vosotros enviasteis mensajeros a Juan, y él dio testimonio de la verdad.

34 Pero yo no recibo testimonio de hombre alguno; mas digo esto, para que vosotros seáis salvos.

35 El era antorcha que ardía y alumbraba; y vosotros quisisteis regocijaros por un tiempo en su luz.

36 Mas yo tengo mayor testimonio que el de Juan; porque las obras que el Padre me dio para que cumpliese, las mismas obras que yo hago, dan testimonio de mí, que el Padre me ha enviado.

37 También el Padre que me envió ha dado testimonio de mí. Nunca habéis oído su voz, ni habéis visto su aspecto,

38 ni tenéis su palabra morando en vosotros; porque a quien él envió, vosotros no creéis.

39 Escudriñad las Escrituras; porque a

21 For as the Father raiseth up the dead, and quickeneth *them;* even so the Son quickeneth whom he will.

22 For the Father judgeth no man, but hath committed all judgment unto the Son:

23 That all *men* should honour the Son, even as they honour the Father. He that honoureth not the Son honoureth not the Father which hath sent him.

24 Verily, verily, I say unto you, He that heareth my word, and believeth on him that sent me, hath everlasting life, and shall not come into condemnation; but is passed from death unto life.

25 Verily, verily, I say unto you, The hour is coming, and now is, when the dead shall hear the voice of the Son of God: and they that hear shall live.

26 For as the Father hath life in himself; so hath he given to the Son to have life in himself;

27 And hath given him authority to execute judgment also, because he is the Son of man.

28 Marvel not at this: for the hour is coming, in the which all that are in the graves shall hear his voice,

29 And shall come forth; they that have done good, unto the resurrection of life; and they that have done evil, unto the resurrection of damnation.

30 I can of mine own self do nothing: as I hear, I judge: and my judgment is just; because I seek not mine own will, but the will of the Father which hath sent me.

31 If I bear witness of myself, my witness is not true.

32 There is another that beareth witness of me; and I know that the witness which he witnesseth of me is true.

33 Ye sent unto John, and he bare witness unto the truth.

34 But I receive not testimony from man: but these things I say, that ye might be saved.

35 He was a burning and a shining light: and ye were willing for a season to rejoice in his light.

36 But I have greater witness than *that* of John: for the works which the Father hath given me to finish, the same works that I do, bear witness of me, that the Father hath sent me.

37 And the Father himself, which hath sent me, hath borne witness of me. Ye have neither heard his voice at any time, nor seen his shape.

38 And ye have not his word abiding in you: for whom he hath sent, him ye believe not.

39 Search the scriptures; for in them ye

vosotros os parece que en ellas tenéis la vida eterna; y ellas son las que dan testimonio de mí;

40 y no queréis venir a mí para que tengáis vida.

41 Gloria de los hombres no recibo.

42 Mas yo os conozco, que no tenéis amor de Dios en vosotros.

43 Yo he venido en nombre de mi Padre, y no me recibís; si otro viniere en su propio nombre, a ése recibiréis.

44 ¿Cómo podéis vosotros creer, pues recibís gloria los unos de los otros, y no buscáis la gloria que viene del Dios único?

45 No penséis que yo voy a acusaros delante del Padre; hay quien os acusa, Moisés, en quien tenéis vuestra esperanza.

46 Porque si creyeseis a Moisés, me creeríais a mí, porque de mí escribió él.

47 Pero si no creéis a sus escritos, ¿cómo creeréis a mis palabras?

CAPÍTULO 6

DESPUÉS de esto, Jesús fue al otro lado del mar de Galilea, el de Tiberias.

2 Y le seguía gran multitud, porque veían las señales que hacía en los enfermos.

3 Entonces subió Jesús a un monte, y se sentó allí con sus discípulos.

4 Y estaba cerca la pascua, la fiesta de los judíos.

5 Cuando alzó Jesús los ojos, y vio que había venido a él gran multitud, dijo a Felipe: ¿De dónde compraremos pan para que coman éstos?

6 Pero esto decía para probarle; porque él sabía lo que había de hacer.

7 Felipe le respondió: Doscientos denarios de pan no bastarían para que cada uno de ellos tomase un poco.

8 Uno de sus discípulos, Andrés, hermano de Simón Pedro, le dijo:

9 Aquí está un muchacho, que tiene cinco panes de cebada y dos pececillos; mas ¿qué es esto para tantos?

10 Entonces Jesús dijo: Haced recostar la gente. Y había mucha hierba en aquel lugar; y se recostaron como en número de cinco mil varones.

11 Y tomó Jesús aquellos panes, y habiendo dado gracias, los repartió entre los discípulos, y los discípulos entre los que estaban recostados; asimismo de los peces, cuanto querían.

12 Y cuando se hubieron saciado, dijo a sus discípulos: Recoged los pedazos que sobraron, para que no se pierda nada.

13 Recogieron, pues, y llenaron doce cestas de pedazos, que de los cinco panes

think ye have eternal life: and they are they which testify of me.

40 And ye will not come to me, that ye might have life.

41 I receive not honour from men.

42 But I know you, that ye have not the love of God in you.

43 I am come in my Father's name, and ye receive me not: if another shall come in his own name, him ye will receive.

44 How can ye believe, which receive honour one of another, and seek not the honour that *cometh* from God only?

45 Do not think that I will accuse you to the Father: there is *one* that accuseth you, *even* Moses, in whom ye trust.

46 For had ye believed Moses, ye would have believed me: for he wrote of me.

47 But if ye believe not his writings, how shall ye believe my words?

CHAPTER 6

AFTER these things Jesus went over the sea of Galilee, which is *the sea* of Ti-be′ri-as.

2 And a great multitude followed him, because they saw his miracles which he did on them that were diseased.

3 And Jesus went up into a mountain, and there he sat with his disciples.

4 And the passover, a feast of the Jews, was nigh.

5 When Jesus then lifted up *his* eyes, and saw a great company come unto him, he saith unto Philip, Whence shall we buy bread, that these may eat?

6 And this he said to prove him: for he himself knew what he would do.

7 Philip answered him, Two hundred pennyworth of bread is not sufficient for them, that every one of them may take a little.

8 One of his disciples, Andrew, Simon Peter's brother, saith unto him,

9 There is a lad here, which hath five barley loaves, and two small fishes: but what are they among so many?

10 And Jesus said, Make the men sit down. Now there was much grass in the place. So the men sat down, in number about five thousand.

11 And Jesus took the loaves; and when he had given thanks, he distributed to the disciples, and the disciples to them that were set down; and likewise of the fishes as much as they would.

12 When they were filled, he said unto his disciples, Gather up the fragments that remain, that nothing be lost.

13 Therefore they gathered *them* together, and filled twelve baskets with the fragments of the five barley loaves,

de cebada sobraron a los que habían comido.

14 Aquellos hombres entonces, viendo la señal que Jesús había hecho, dijeron: Este verdaderamente es el profeta que había de venir al mundo.

15 Pero entendiendo Jesús que iban a venir para apoderarse de él y hacerle rey, volvió a retirarse al monte él solo.

16 Al anochecer, descendieron sus discípulos al mar,

17 y entrando en una barca, iban cruzando el mar hacia Capernaum. Estaba ya oscuro, y Jesús no había venido a ellos.

18 Y se levantaba el mar con un gran viento que soplaba.

19 Cuando habían remado como veinticinco o treinta estadios, vieron a Jesús que andaba sobre el mar y se acercaba a la barca; y tuvieron miedo.

20 Mas él les dijo: Yo soy; no temáis.

21 Ellos entonces con gusto le recibieron en la barca, la cual llegó en seguida a la tierra adonde iban.

22 El día siguiente, la gente que estaba al otro lado del mar vio que no había habido allí más que una sola barca, y que Jesús no había entrado en ella con sus discípulos, sino que éstos se habían ido solos.

23 Pero otras barcas habían arribado de Tiberias junto al lugar donde habían comido el pan después de haber dado gracias el Señor.

24 Cuando vio, pues, la gente que Jesús no estaba allí, ni sus discípulos, entraron en las barcas y fueron a Capernaum, buscando a Jesús.

25 Y hallándole al otro lado del mar, le dijeron: Rabí, ¿cuándo llegaste acá?

26 Respondió Jesús y les dijo: De cierto, de cierto os digo que me buscáis, no porque habéis visto las señales, sino porque comisteis el pan y os saciasteis.

27 Trabajad, no por la comida que perece, sino por la comida que a vida eterna permanece, la cual el Hijo del Hombre os dará; porque a éste señaló Dios el Padre.

28 Entonces le dijeron: ¿Qué debemos hacer para poner en práctica las obras de Dios?

29 Respondió Jesús y les dijo: Esta es la obra de Dios, que creáis en el que él ha enviado.

30 Le dijeron entonces: ¿Qué señal, pues, haces tú, para que veamos, y te creamos? ¿Qué obra haces?

which remained over and above unto them that had eaten.

14 Then those men, when they had seen the miracle that Jesus did, said, This is of a truth that prophet that should come into the world.

15 When Jesus therefore perceived that they would come and take him by force, to make him a king, he departed again into a mountain himself alone.

16 And when even was *now* come, his disciples went down unto the sea,

17 And entered into a ship, and went over the sea toward Ca-per'na-um. And it was now dark, and Jesus was not come to them.

18 And the sea arose by reason of a great wind that blew.

19 So when they had rowed about five and twenty or thirty furlongs, they see Jesus walking on the sea, and drawing nigh unto the ship: and they were afraid.

20 But he saith unto them, It is I; be not afraid.

21 Then they willingly received him into the ship: and immediately the ship was at the land whither they went.

22 The day following, when the people which stood on the other side of the sea saw that there was none other boat there, save that one whereinto his disciples were entered, and that Jesus went not with his disciples into the boat, but *that* his disciples were gone away alone;

23 (Howbeit there came other boats from Ti-be'ri-as nigh unto the place where they did eat bread, after that the Lord had given thanks:)

24 When the people therefore saw that Jesus was not there, neither his disciples, they also took shipping, and came to Ca-per'na-um, seeking for Jesus.

25 And when they had found him on the other side of the sea, they said unto him, Rabbi, when camest thou hither?

26 Jesus answered them and said, Verily, verily, I say unto you, Ye seek me, not because ye saw the miracles, but because ye did eat of the loaves, and were filled.

27 Labour not for the meat which perisheth, but for that meat which endureth unto everlasting life, which the Son of man shall give unto you: for him hath God the Father sealed.

28 Then said they unto him, What shall we do, that we might work the works of God?

29 Jesus answered and said unto them, This is the work of God, that ye believe on him whom he hath sent.

30 They said therefore unto him, What sign shewest thou then, that we may see, and believe thee? what dost thou work?

31 Nuestros padres comieron el maná en el desierto, como está escrito: Pan del cielo les dio a comer.

32 Y Jesús les dijo: De cierto, de cierto os digo: No os dio Moisés el pan del cielo, mas mi Padre os da el verdadero pan del cielo.

33 Porque el pan de Dios es aquel que descendió del cielo y da vida al mundo.

34 Le dijeron: Señor, danos siempre este pan.

35 Jesús les dijo: Yo soy el pan de vida; el que a mí viene, nunca tendrá hambre; y el que en mí cree, no tendrá sed jamás.

36 Mas os he dicho, que aunque me habéis visto, no creéis.

37 Todo lo que el Padre me da, vendrá a mí; y al que a mí viene, no le echo fuera.

38 Porque he descendido del cielo, no para hacer mi voluntad, sino la voluntad del que me envió.

39 Y esta es la voluntad del Padre, el que me envió: Que de todo lo que me diere, no pierda yo nada, sino que lo resucite en el día postrero.

40 Y esta es la voluntad del que me ha enviado: Que todo aquel que ve al Hijo, y cree en él, tenga vida eterna; y yo le resucitaré en el día postrero.

41 Murmuraban entonces de él los judíos, porque había dicho: Yo soy el pan que descendió del cielo.

42 Y decían: ¿No es éste Jesús, el hijo de José, cuyo padre y madre nosotros conocemos? ¿Cómo, pues, dice éste: Del cielo he descendido?

43 Jesús respondió y les dijo: No murmuréis entre vosotros.

44 Ninguno puede venir a mí, si el Padre que me envió no le trajere; y yo le resucitaré en el día postrero.

45 Escrito está en los profetas: Y serán todos enseñados por Dios. Así que, todo aquel que oyó al Padre, y aprendió de él, viene a mí.

46 No que alguno haya visto al Padre, sino aquel que vino de Dios; éste ha visto al Padre.

47 De cierto, de cierto os digo: El que cree en mí, tiene vida eterna.

48 Yo soy el pan de vida.

49 Vuestros padres comieron el maná en el desierto, y murieron.

50 Este es el pan que desciende del cielo, para que el que de él come, no muera.

51 Yo soy el pan vivo que descendió del cielo; si alguno comiere de este pan, vivi-

31 Our fathers did eat manna in the desert; as it is written, He gave them bread from heaven to eat.

32 Then Jesus said unto them, Verily, verily, I say unto you, Moses gave you not that bread from heaven; but my Father giveth you the true bread from heaven.

33 For the bread of God is he which cometh down from heaven, and giveth life unto the world.

34 Then said they unto him, Lord, evermore give us this bread.

35 And Jesus said unto them, I am the bread of life: he that cometh to me shall never hunger; and he that believeth on me shall never thirst.

36 But I said unto you, That ye also have seen me, and believe not.

37 All that the Father giveth me shall come to me; and him that cometh to me I will in no wise cast out.

38 For I came down from heaven, not to do mine own will, but the will of him that sent me.

39 And this is the Father's will which hath sent me, that of all which he hath given me I should lose nothing, but should raise it up again at the last day.

40 And this is the will of him that sent me, that every one which seeth the Son, and believeth on him, may have everlasting life: and I will raise him up at the last day.

41 The Jews then murmured at him, because he said, I am the bread which came down from heaven.

42 And they said, Is not this Jesus, the son of Joseph, whose father and mother we know? how is it then that he saith, I came down from heaven?

43 Jesus therefore answered and said unto them, Murmur not among yourselves.

44 No man can come to me, except the Father which hath sent me draw him: and I will raise him up at the last day.

45 It is written in the prophets, And they shall be all taught of God. Every man therefore that hath heard, and hath learned of the Father, cometh unto me.

46 Not that any man hath seen the Father, save he which is of God, he hath seen the Father.

47 Verily, verily, I say unto you, He that believeth on me hath everlasting life.

48 I am that bread of life.

49 Your fathers did eat manna in the wilderness, and are dead.

50 This is the bread which cometh down from heaven, that a man may eat thereof, and not die.

51 I am the living bread which came down from heaven: if any man eat of this

rá para siempre; y el pan que yo daré es mi carne, la cual yo daré por la vida del mundo.

52 Entonces los judíos contendían entre sí, diciendo: ¿Cómo puede éste darnos a comer su carne?

53 Jesús les dijo: De cierto, de cierto os digo: Si no coméis la carne del Hijo del Hombre, y bebéis su sangre, no tenéis vida en vosotros.

54 El que come mi carne y bebe mi sangre, tiene vida eterna; y yo le resucitaré en el día postrero.

55 Porque mi carne es verdadera comida, y mi sangre es verdadera bebida.

56 El que come mi carne y bebe mi sangre, en mí permanece, y yo en él.

57 Como me envió el Padre viviente, y yo vivo por el Padre, asimismo el que me come, él también vivirá por mí.

58 Este es el pan que descendió del cielo; no como vuestros padres comieron el maná, y murieron; el que come de este pan, vivirá eternamente.

59 Estas cosas dijo en la sinagoga, enseñando en Capernaum.

60 Al oirlas, muchos de sus discípulos dijeron: Dura es esta palabra; ¿quién la puede oir?

61 Sabiendo Jesús en sí mismo que sus discípulos murmuraban de esto, les dijo: ¿Esto os ofende?

62 ¿Pues qué, si viereis al Hijo del Hombre subir adonde estaba primero?

63 El espíritu es el que da vida; la carne para nada aprovecha; las palabras que yo os he hablado son espíritu y son vida.

64 Pero hay algunos de vosotros que no creen. Porque Jesús sabía desde el principio quiénes eran los que no creían, y quién le había de entregar.

65 Y dijo: Por eso os he dicho que ninguno puede venir a mí, si no le fuere dado del Padre.

66 Desde entonces muchos de sus discípulos volvieron atrás, y ya no andaban con él.

67 Dijo entonces Jesús a los doce: ¿Queréis acaso iros también vosotros?

68 Le respondió Simón Pedro: Señor, ¿a quién iremos? Tú tienes palabras de vida eterna.

69 Y nosotros hemos creído y conocemos que tú eres el Cristo, el Hijo del Dios viviente.

70 Jesús les respondió: ¿No os he escogido yo a vosotros los doce, y uno de vosotros es diablo?

71 Hablaba de Judas Iscariote, hijo de Simón; porque éste era el que le iba a entregar, y era uno de los doce.

bread, he shall live for ever: and the bread that I will give is my flesh, which I will give for the life of the world.

52 The Jews therefore strove among themselves, saying, How can this man give us *his* flesh to eat?

53 Then Jesus said unto them, Verily, verily, I say unto you, Except ye eat the flesh of the Son of man, and drink his blood, ye have no life in you.

54 Whoso eateth my flesh, and drinketh my blood, hath eternal life; and I will raise him up at the last day.

55 For my flesh is meat indeed, and my blood is drink indeed.

56 He that eateth my flesh, and drinketh my blood, dwelleth in me, and I in him.

57 As the living Father hath sent me, and I live by the Father: so he that eateth me, even he shall live by me.

58 This is that bread which came down from heaven: not as your fathers did eat manna, and are dead: he that eateth of this bread shall live for ever.

59 These things said he in the synagogue, as he taught in Ca-per'na-um.

60 Many therefore of his disciples, when they had heard *this*, said, This is an hard saying; who can hear it?

61 When Jesus knew in himself that his disciples murmured at it, he said unto them, Doth this offend you?

62 *What* and if ye shall see the Son of man ascend up where he was before?

63 It is the spirit that quickeneth; the flesh profiteth nothing: the words that I speak unto you, *they* are spirit, and *they* are life.

64 But there are some of you that believe not. For Jesus knew from the beginning who they were that believed not, and who should betray him.

65 And he said, Therefore said I unto you, that no man can come unto me, except it were given unto him of my Father.

66 From that *time* many of his disciples went back, and walked no more with him.

67 Then said Jesus unto the twelve, Will ye also go away?

68 Then Simon Peter answered him, Lord, to whom shall we go? thou hast the words of eternal life.

69 And we believe and are sure that thou art that Christ, the Son of the living God.

70 Jesus answered them, Have not I chosen you twelve, and one of you is a devil?

71 He spake of Judas Iscariot *the son* of Simon: for he it was that should betray him, being one of the twelve.

CAPÍTULO 7

DESPUÉS de estas cosas, andaba Jesús en Galilea; pues no quería andar en Judea, porque los judíos procuraban matarle.

2 Estaba cerca la fiesta de los judíos, la de los tabernáculos;

3 y le dijeron sus hermanos: Sal de aquí, y vete a Judea, para que también tus discípulos vean las obras que haces.

4 Porque ninguno que procura darse a conocer hace algo en secreto. Si estas cosas haces, manifiéstate al mundo.

5 Porque ni aun sus hermanos creían en él.

6 Entonces Jesús les dijo: Mi tiempo aún no ha llegado, mas vuestro tiempo siempre está presto.

7 No puede el mundo aborreceros a vosotros; mas a mí me aborrece, porque yo testifico de él, que sus obras son malas.

8 Subid vosotros a la fiesta; yo no subo todavía a esa fiesta, porque mi tiempo aún no se ha cumplido.

9 Y habiéndoles dicho esto, se quedó en Galilea.

10 Pero después que sus hermanos habían subido, entonces él también subió a la fiesta, no abiertamente, sino como en secreto.

11 Y le buscaban los judíos en la fiesta, y decían: ¿Dónde está aquél?

12 Y había gran murmullo acerca de él entre la multitud, pues unos decían: Es bueno; pero otros decían: No, sino que engaña al pueblo.

13 Pero ninguno hablaba abiertamente de él, por miedo a los judíos.

14 Mas a la mitad de la fiesta subió Jesús al templo, y enseñaba.

15 Y se maravillaban los judíos, diciendo: ¿Cómo sabe éste letras, sin haber estudiado?

16 Jesús les respondió y dijo: Mi doctrina no es mía, sino de aquel que me envió.

17 El que quiera hacer la voluntad de Dios, conocerá si la doctrina es de Dios, o si yo hablo por mi propia cuenta.

18 El que habla por su propia cuenta, su propia gloria busca; pero el que busca la gloria del que le envió, éste es verdadero, y no hay en él injusticia.

19 ¿No os dio Moisés la ley, y ninguno de vosotros cumple la ley? ¿Por qué procuráis matarme?

20 Respondió la multitud y dijo: Demonio tienes; ¿quién procura matarte?

21 Jesús respondió y les dijo: Una obra hice, y todos os maravilláis.

22 Por cierto, Moisés os dio la circuncisión (no porque sea de Moisés, sino de

CHAPTER 7

AFTER these things Jesus walked in Galilee: for he would not walk in Jewry, because the Jews sought to kill him.

2 Now the Jews' feast of tabernacles was at hand.

3 His brethren therefore said unto him, Depart hence, and go into Judæa, that thy disciples also may see the works that thou doest.

4 For *there is* no man *that* doeth any thing in secret, and he himself seeketh to be known openly. If thou do these things, shew thyself to the world.

5 For neither did his brethren believe in him.

6 Then Jesus said unto them, My time is not yet come: but your time is alway ready.

7 The world cannot hate you; but me it hateth, because I testify of it, that the works thereof are evil.

8 Go ye up unto this feast: I go not up yet unto this feast; for my time is not yet full come.

9 When he had said these words unto them, he abode *still* in Galilee.

10 But when his brethren were gone up, then went he also up unto the feast, not openly, but as it were in secret.

11 Then the Jews sought him at the feast, and said, Where is he?

12 And there was much murmuring among the people concerning him: for some said, He is a good man: others said, Nay; but he deceiveth the people.

13 Howbeit no man spake openly of him for fear of the Jews.

14 Now about the midst of the feast Jesus went up into the temple, and taught.

15 And the Jews marvelled, saying, How knoweth this man letters, having never learned?

16 Jesus answered them, and said, My doctrine is not mine, but his that sent me.

17 If any man will do his will, he shall know of the doctrine, whether it be of God, or *whether* I speak of myself.

18 He that speaketh of himself seeketh his own glory: but he that seeketh his glory that sent him, the same is true, and no unrighteousness is in him.

19 Did not Moses give you the law, and *yet* none of you keepeth the law? Why go ye about to kill me?

20 The people answered and said, Thou hast a devil: who goeth about to kill thee?

21 Jesus answered and said unto them, I have done one work, and ye all marvel.

22 Moses therefore gave unto you circumcision; (not because it is of Moses,

los padres); y en el día de reposo circun-
cidáis al hombre.
23 Si recibe el hombre la circuncisión
en el día de reposo, para que la ley de
Moisés no sea quebrantada, ¿os enojáis
conmigo porque en el día de reposo sané
completamente a un hombre?
24 No juzguéis según las apariencias,
sino juzgad con justo juicio.
25 Decían entonces unos de Jerusalén:
¿No es éste a quien buscan para matarle?
26 Pues mirad, habla públicamente, y
no le dicen nada. ¿Habrán reconocido en
verdad los gobernantes que éste es el
Cristo?
27 Pero éste, sabemos de dónde es; mas
cuando venga el Cristo, nadie sabrá de
dónde sea.
28 Jesús entonces, enseñando en el
templo, alzó la voz y dijo: A mí me cono-
céis, y sabéis de dónde soy; y no he veni-
do de mí mismo, pero el que me envió es
verdadero, a quien vosotros no conocéis.
29 Pero yo le conozco, porque de él pro-
cedo, y él me envió.
30 Entonces procuraban prenderle;
pero ninguno le echó mano, porque aún
no había llegado su hora.
31 Y muchos de la multitud creyeron
en él, y decían: El Cristo, cuando venga,
¿hará más señales que las que éste hace?
32 Los fariseos oyeron a la gente que
murmuraba de él estas cosas; y los prin-
cipales sacerdotes y los fariseos enviaron
alguaciles para que le prendiesen.
33 Entonces Jesús dijo: Todavía un
poco de tiempo estaré con vosotros, e iré
al que me envió.
34 Me buscaréis, y no me hallaréis; y a
donde yo estaré, vosotros no podréis ve-
nir.
35 Entonces los judíos dijeron entre sí:
¿Adónde se irá éste, que no le hallemos?
¿Se irá a los dispersos entre los griegos, y
enseñará a los griegos?
36 ¿Que significa esto que dijo: Me bus-
caréis, y no me hallaréis; y a donde yo
estaré, vosotros no podréis venir?
37 En el último y gran día de la fiesta,
Jesús se puso en pie y alzó la voz, dicien-
do: Si alguno tiene sed, venga a mí y
beba.
38 El que cree en mí, como dice la Es-
critura, de su interior correrán ríos de
agua viva.
39 Esto dijo del Espíritu que habían de
recibir los que creyesen en él; pues aún
no había venido el Espíritu Santo, porque
Jesús no había sido aún glorificado.
40 Entonces algunos de la multitud, o-

but of the fathers;) and ye on the sabbath
day circumcise a man.
23 If a man on the sabbath day receive
circumcision, that the law of Moses
should not be broken; are ye angry at me,
because I have made a man every whit
whole on the sabbath day?
24 Judge not according to the appear-
ance, but judge righteous judgment.
25 Then said some of them of Jerusa-
lem, Is not this he, whom they seek to
kill?
26 But, lo, he speaketh boldly, and they
say nothing unto him. Do the rulers know
indeed that this is the very Christ?
27 Howbeit we know this man whence
he is: but when Christ cometh, no man
knoweth whence he is.
28 Then cried Jesus in the temple as he
taught, saying, Ye both know me, and ye
know whence I am: and I am not come of
myself, but he that sent me is true, whom
ye know not.
29 But I know him: for I am from him,
and he hath sent me.
30 Then they sought to take him: but no
man laid hands on him, because his hour
was not yet come.
31 And many of the people believed on
him, and said, When Christ cometh, will
he do more miracles than these which
this *man* hath done?
32 The Pharisees heard that the people
murmured such things concerning him;
and the Pharisees and the chief priests
sent officers to take him.
33 Then said Jesus unto them, Yet a lit-
tle while am I with you, and *then* I go
unto him that sent me.
34 Ye shall seek me, and shall not find
me: and where I am, *thither* ye cannot
come.
35 Then said the Jews among them-
selves, Whither will he go, that we shall
not find him? will he go unto the dis-
persed among the Gentiles, and teach the
Gentiles?
36 What *manner of* saying is this that
he said, Ye shall seek me, and shall not
find *me:* and where I am, *thither* ye can-
not come?
37 In the last day, that great *day* of the
feast, Jesus stood and cried, saying, If
any man thirst, let him come unto me,
and drink.
38 He that believeth on me, as the
scripture hath said, out of his belly shall
flow rivers of living water.
39 (But this spake he of the Spirit,
which they that believe on him should re-
ceive: for the Holy Ghost was not yet *giv-
en;* because that Jesus was not yet glori-
fied.)
40 Many of the people therefore, when

yendo estas palabras, decían: Verdaderamente éste es el profeta.

41 Otros decían: Este es el Cristo. Pero algunos decían: ¿De Galilea ha de venir el Cristo?

42 ¿No dice la Escritura que del linaje de David, y de la aldea de Belén, de donde era David, ha de venir el Cristo?

43 Hubo entonces disensión entre la gente a causa de él.

44 Y algunos de ellos querían prenderle; pero ninguno le echó mano.

45 Los alguaciles vinieron a los principales sacerdotes y a los fariseos; y éstos les dijeron: ¿Por qué no le habéis traído?

46 Los alguaciles respondieron: ¡Jamás hombre alguno ha hablado como este hombre!

47 Entonces los fariseos les respondieron: ¿También vosotros habéis sido engañados?

48 ¿Acaso ha creído en él alguno de los gobernantes, o de los fariseos?

49 Mas esta gente que no sabe la ley, maldita es.

50 Les dijo Nicodemo, el que vino a él de noche, el cual era uno de ellos:

51 ¿Juzga acaso nuestra ley a un hombre si primero no le oye, y sabe lo que ha hecho?

52 Respondieron y le dijeron: ¿Eres tú también galileo? Escudriña y ve que de Galilea nunca se ha levantado profeta.

53 Cada uno se fue a su casa;

CAPÍTULO 8

Y Jesús se fue al monte de los Olivos.

2 Y por la mañana volvió al templo, y todo el pueblo vino a él; y sentado él, les enseñaba.

3 Entonces los escribas y los fariseos le trajeron una mujer sorprendida en adulterio; y poniéndola en medio,

4 le dijeron: Maestro, esta mujer ha sido sorprendida en el acto mismo de adulterio.

5 Y en la ley nos mandó Moisés apedrear a tales mujeres. Tú, pues, ¿qué dices?

6 Mas esto decían tentándole, para poder acusarle. Pero Jesús, inclinado hacia el suelo, escribía en tierra con el dedo.

7 Y como insistieran en preguntarle, se enderezó y les dijo: El que de vosotros esté sin pecado sea el primero en arrojar la piedra contra ella.

8 E inclinándose de nuevo hacia el suelo, siguió escribiendo en tierra.

they heard this saying, said, Of a truth this is the Prophet

41 Others said, This is the Christ. But some said, Shall Christ come out of Galilee?

42 Hath not the scripture said, That Christ cometh of the seed of David, and out of the town of Bethlehem, where David was?

43 So there was a division among the people because of him.

44 And some of them would have taken him; but no man laid hands on him.

45 Then came the officers to the chief priests and Pharisees; and they said unto them, Why have ye not brought him?

46 The officers answered, Never man spake like this man.

47 Then answered them the Pharisees, Are ye also deceived?

48 Have any of the rulers or of the Pharisees believed on him?

49 But this people who knoweth not the law are cursed.

50 Nic-o-de′mus saith unto them, (he that came to Jesus by night, being one of them,)

51 Doth our law judge *any* man, before it hear him, and know what he doeth?

52 They answered and said unto him, Art thou also of Galilee? Search, and look: for out of Galilee ariseth no prophet.

53 And every man went unto his own house.

CHAPTER 8

JESUS went unto the mount of Olives.

2 And early in the morning he came again into the temple, and all the people came unto him; and he sat down, and taught them.

3 And the scribes and Pharisees brought unto him a woman taken in adultery; and when they had set her in the midst,

4 They say unto him, Master, this woman was taken in adultery, in the very act.

5 Now Moses in the law commanded us, that such should be stoned: but what sayest thou?

6 This they said, tempting him, that they might have to accuse him. But Jesus stooped down, and with *his* finger wrote on the ground, *as though he heard them not.*

7 So when they continued asking him, he lifted up himself, and said unto them, He that is without sin among you, let him first cast a stone at her.

8 And again he stooped down, and wrote on the ground.

9 Pero ellos, al oir esto, acusados por su conciencia, salían uno a uno, comenzando desde los más viejos hasta los postreros; y quedó solo Jesús, y la mujer que estaba en medio.
10 Enderezándose Jesús, y no viendo a nadie sino a la mujer, le dijo: Mujer, ¿dónde están los que te acusaban? ¿Ninguno te condenó?
11 Ella dijo: Ninguno, Señor. Entonces Jesús le dijo: Ni yo te condeno; vete, y no peques más.
12 Otra vez Jesús les habló, diciendo: Yo soy la luz del mundo; el que me sigue, no andará en tinieblas, sino que tendrá la luz de la vida.
13 Entonces, los fariseos le dijeron: Tú das testimonio acerca de ti mismo; tu testimonio no es verdadero.
14 Respondió Jesús y les dijo: Aunque yo doy testimonio acerca de mí mismo, mi testimonio es verdadero, porque sé de dónde he venido y a dónde voy; pero vosotros no sabéis de dónde vengo, ni a dónde voy.
15 Vosotros juzgáis según la carne; yo no juzgo a nadie.
16 Y si yo juzgo, mi juicio es verdadero; porque no soy yo solo, sino yo y el que me envió, el Padre.
17 Y en vuestra ley está escrito que el testimonio de dos hombres es verdadero.
18 Yo soy el que doy testimonio de mí mismo, y el Padre que me envió da testimonio de mí.
19 Ellos le dijeron: ¿Dónde está tu Padre? Respondió Jesús: Ni a mí me conocéis, ni a mi Padre; si a mí me conocieseis, también a mi Padre conoceríais.
20 Estas palabras habló Jesús en el lugar de las ofrendas, enseñando en el templo; y nadie le prendió, porque aún no había llegado su hora.
21 Otra vez les dijo Jesús: Yo me voy, y me buscaréis, pero en vuestro pecado moriréis; a donde yo voy, vosotros no podéis venir.
22 Decían entonces los judíos: ¿Acaso se matará a sí mismo, que dice: A donde yo voy, vosotros no podéis venir?
23 Y les dijo: Vosotros sois de abajo, yo soy de arriba; vosotros sois de este mundo, yo no soy de este mundo.
24 Por eso os dije que moriréis en vuestros pecados; porque si no creéis que yo soy, en vuestros pecados moriréis.
25 Entonces le dijeron: ¿Tú quién eres? Entonces Jesús les dijo: Lo que desde el principio os he dicho.
26 Muchas cosas tengo que decir y juzgar de vosotros; pero el que me envió es

9 And they which heard *it*, being convicted by *their own* conscience, went out one by one, beginning at the eldest, *even* unto the last: and Jesus was left alone, and the woman standing in the midst.
10 When Jesus had lifted up himself, and saw none but the woman, he said unto her, Woman, where are those thine accusers? hath no man condemned thee?
11 She said, No man, Lord. And Jesus said unto her, Neither do I condemn thee: go, and sin no more.
12 Then spake Jesus again unto them, saying, I am the light of the world: he that followeth me shall not walk in darkness, but shall have the light of life.
13 The Pharisees therefore said unto him, Thou bearest record of thyself; thy record is not true.
14 Jesus answered and said unto them, Though I bear record of myself, *yet* my record is true: for I know whence I came, and whither I go; but ye cannot tell whence I come, and whither I go.
15 Ye judge after the flesh; I judge no man.
16 And yet if I judge, my judgment is true: for I am not alone, but I and the Father that sent me.
17 It is also written in your law, that the testimony of two men is true.
18 I am one that bear witness of myself, and the Father that sent me beareth witness of me.
19 Then said they unto him, Where is thy Father? Jesus answered, Ye neither know me, nor my Father: if ye had known me, ye should have known my Father also.
20 These words spake Jesus in the treasury, as he taught in the temple: and no man laid hands on him; for his hour was not yet come.
21 Then said Jesus again unto them, I go my way, and ye shall seek me, and shall die in your sins: whither I go, ye cannot come.
22 Then said the Jews, Will he kill himself? because he saith, Whither I go, ye cannot come.
23 And he said unto them, Ye are from beneath; I am from above: ye are of this world; I am not of this world.
24 I said therefore unto you, that ye shall die in your sins: for if ye believe not that I am *he*, ye shall die in your sins.
25 Then said they unto him, Who art thou? And Jesus saith unto them, Even *the same* that I said unto you from the beginning.
26 I have many things to say and to judge of you: but he that sent me is true;

verdadero; y yo, lo que he oído de él, esto hablo al mundo.

27 Pero no entendieron que les hablaba del Padre.

28 Les dijo, pues, Jesús: Cuando hayáis levantado al Hijo del Hombre, entonces conoceréis que yo soy, y que nada hago por mí mismo, sino que según me enseñó el Padre, así hablo.

29 Porque el que me envió, conmigo está; no me ha dejado solo el Padre, porque yo hago siempre lo que le agrada.

30 Hablando él estas cosas, muchos creyeron en él.

31 Dijo entonces Jesús a los judíos que habían creído en él: Si vosotros permaneciereis en mi palabra, seréis verdaderamente mis discípulos;

32 y conoceréis la verdad, y la verdad os hará libres.

33 Le respondieron: Linaje de Abraham somos, y jamás hemos sido esclavos de nadie. ¿Cómo dices tú: Seréis libres?

34 Jesús les respondió: De cierto, de cierto os digo, que todo aquel que hace pecado, esclavo es del pecado.

35 Y el esclavo no queda en la casa para siempre; el hijo sí queda para siempre.

36 Así que, si el Hijo os libertare, seréis verdaderamente libres.

37 Sé que sois descendientes de Abraham; pero procuráis matarme, porque mi palabra no halla cabida en vosotros.

38 Yo hablo lo que he visto cerca del Padre; y vosotros hacéis lo que habéis oído cerca de vuestro padre.

39 Respondieron y le dijeron: Nuestro padre es Abraham. Jesús les dijo: Si fueseis hijos de Abraham, las obras de Abraham haríais.

40 Pero ahora procuráis matarme a mí, hombre que os he hablado la verdad, la cual he oído de Dios; no hizo esto Abraham.

41 Vosotros hacéis las obras de vuestro padre. Entonces le dijeron: Nosotros no somos nacidos de fornicación; un padre tenemos, que es Dios.

42 Jesús entonces les dijo: Si vuestro padre fuese Dios, ciertamente me amaríais; porque yo de Dios he salido, y he venido; pues no he venido de mí mismo, sino que él me envió.

43 ¿Por qué no entendéis mi lenguaje? Porque no podéis escuchar mi palabra.

44 Vosotros sois de vuestro padre el diablo, y los deseos de vuestro padre queréis hacer. El ha sido homicida desde el principio, y no ha permanecido en la verdad, porque no hay verdad en él. Cuando habla mentira, de suyo habla; porque es mentiroso, y padre de mentira.

and I speak to the world those things which I have heard of him.

27 They understood not that he spake to them of the Father.

28 Then said Jesus unto them, When ye have lifted up the Son of man, then shall ye know that I am *he*, and *that* I do nothing of myself; but as my Father hath taught me, I speak these things.

29 And he that sent me is with me: the Father hath not left me alone; for I do always those things that please him.

30 As he spake these words, many believed on him.

31 Then said Jesus to those Jews which believed on him, If ye continue in my word, *then* are ye my disciples indeed;

32 And ye shall know the truth, and the truth shall make you free.

33 They answered him, We be Abraham's seed, and were never in bondage to any man: how sayest thou, Ye shall be made free?

34 Jesus answered them, Verily, verily, I say unto you, Whosoever committeth sin is the servant of sin.

35 And the servant abideth not in the house for ever: *but* the Son abideth ever.

36 If the Son therefore shall make you free, ye shall be free indeed.

37 I know that ye are Abraham's seed; but ye seek to kill me, because my word hath no place in you.

38 I speak that which I have seen with my Father: and ye do that which ye have seen with your father.

39 They answered and said unto him, Abraham is our father. Jesus saith unto them, If ye were Abraham's children, ye would do the works of Abraham.

40 But now ye seek to kill me, a man that hath told you the truth, which I have heard of God: this did not Abraham.

41 Ye do the deeds of your father. Then said they to him, We be not born of fornication; we have one Father, *even* God.

42 Jesus said unto them, If God were your Father, ye would love me: for I proceeded forth and came from God; neither came I of myself, but he sent me.

43 Why do ye not understand my speech? *even* because ye cannot hear my word.

44 Ye are of *your* father the devil, and the lusts of your father ye will do. He was a murderer from the beginning, and abode not in the truth, because there is no truth in him. When he speaketh a lie, he speaketh of his own: for he is a liar, and the father of it.

45 Y a mí, porque digo la verdad, no me creéis.

46 ¿Quién de vosotros me redarguye de pecado? Pues si digo la verdad, ¿por qué vosotros no me creéis?

47 El que es de Dios, las palabras de Dios oye; por esto no las oís vosotros, porque no sois de Dios.

48 Respondieron entonces los judíos, y le dijeron: ¿No decimos bien nosotros, que tú eres samaritano, y que tienes demonio?

49 Respondió Jesús: Yo no tengo demonio, antes honro a mi Padre; y vosotros me deshonráis.

50 Pero yo no busco mi gloria; hay quien la busca, y juzga.

51 De cierto, de cierto os digo, que el que guarda mi palabra, nunca verá muerte.

52 Entonces los judíos le dijeron: Ahora conocemos que tienes demonio. Abraham murió, y los profetas; y tú dices: El que guarda mi palabra, nunca sufrirá muerte.

53 ¿Eres tú acaso mayor que nuestro padre Abraham, el cual murió? ¡Y los profetas murieron! ¿Quién te haces a ti mismo?

54 Respondió Jesús: Si yo me glorifico a mí mismo, mi gloria nada es; mi Padre es el que me glorifica, el que vosotros decís que es vuestro Dios.

55 Pero vosotros no le conocéis; mas yo le conozco, y si dijere que no le conozco, sería mentiroso como vosotros; pero le conozco, y guardo su palabra.

56 Abraham vuestro padre se gozó de que había de ver mi día; y lo vio, y se gozó.

57 Entonces le dijeron los judíos: Aún no tienes cincuenta años, ¿y has visto a Abraham?

58 Jesús les dijo: De cierto, de cierto os digo: Antes que Abraham fuese, yo soy.

59 Tomaron entonces piedras para arrojárselas; pero Jesús se escondió y salió del templo; y atravesando por en medio de ellos, se fue.

CAPÍTULO 9

AL pasar Jesús, vio a un hombre ciego de nacimiento.

2 Y le preguntaron sus discípulos, diciendo: Rabí, ¿quién pecó, éste o sus padres, para que haya nacido ciego?

3 Respondió Jesús: No es que pecó éste, ni sus padres, sino para que las obras de Dios se manifiesten en él.

4 Me es necesario hacer las obras del que me envió, entre tanto que el día dura; la noche viene, cuando nadie puede trabajar.

45 And because I tell *you* the truth, ye believe me not.

46 Which of you convinceth me of sin? And if I say the truth, why do ye not believe me?

47 He that is of God heareth God's words: ye therefore hear *them* not, because ye are not of God.

48 Then answered the Jews, and said unto him, Say we not well that thou art a Sa-mar'i-tan, and hast a devil?

49 Jesus answered, I have not a devil; but I honour my Father, and ye do dishonour me.

50 And I seek not mine own glory: there is one that seeketh and judgeth.

51 Verily, verily, I say unto you, If a man keep my saying, he shall never see death.

52 Then said the Jews unto him, Now we know that thou hast a devil. Abraham is dead, and the prophets; and thou sayest, If a man keep my saying, he shall never taste of death.

53 Art thou greater than our father Abraham, which is dead? and the prophets are dead: whom makest thou thyself?

54 Jesus answered, If I honour myself, my honour is nothing: it is my Father that honoureth me; of whom ye say, that he is your God:

55 Yet ye have not known him; but I know him: and if I should say, I know him not, I shall be a liar like unto you: but I know him, and keep his saying.

56 Your father Abraham rejoiced to see my day: and he saw *it*, and was glad.

57 Then said the Jews unto him, Thou art not yet fifty years old, and hast thou seen Abraham?

58 Jesus said unto them, Verily, verily, I say unto you, Before Abraham was, I am.

59 Then took they up stones to cast at him: but Jesus hid himself, and went out of the temple, going through the midst of them, and so passed by.

CHAPTER 9

AND as *Jesus* passed by, he saw a man which was blind from *his* birth.

2 And his disciples asked him, saying, Master, who did sin, this man, or his parents, that he was born blind?

3 Jesus answered, Neither hath this man sinned, nor his parents: but that the works of God should be made manifest in him.

4 I must work the works of him that sent me, while it is day: the night cometh, when no man can work.

5 Entre tanto que estoy en el mundo, luz soy del mundo.

6 Dicho esto, escupió en tierra, e hizo lodo con la saliva, y untó con el lodo los ojos del ciego,

7 y le dijo: Vé a lavarte en el estanque de Siloé (que traducido es, Enviado). Fue entonces, y se lavó, y regresó viendo.

8 Entonces los vecinos, y los que antes le habían visto que era ciego, decían: ¿No es éste el que se sentaba y mendigaba?

9 Unos decían: El es; y otros: A él se parece. El decía: Yo soy.

10 Y le dijeron: ¿Cómo te fueron abiertos los ojos?

11 Respondió él y dijo: Aquel hombre que se llama Jesús hizo lodo, me untó los ojos, y me dijo: Vé al Siloé, y lávate; y fui, y me lavé, y recibí la vista.

12 Entonces le dijeron: ¿Dónde está él? El dijo: No sé.

13 Llevaron ante los fariseos al que había sido ciego.

14 Y era día de reposo cuando Jesús había hecho el lodo, y le había abierto los ojos.

15 Volvieron, pues, a preguntarle también los fariseos cómo había recibido la vista. El les dijo: Me puso lodo sobre los ojos, y me lavé, y veo.

16 Entonces algunos de los fariseos decían: Ese hombre no procede de Dios, porque no guarda el día de reposo. Otros decían: ¿Cómo puede un hombre pecador hacer estas señales? Y había disensión entre ellos.

17 Entonces volvieron a decirle al ciego: ¿Qué dices tú del que te abrió los ojos? Y él dijo: Que es profeta.

18 Pero los judíos no creían que él había sido ciego, y que había recibido la vista, hasta que llamaron a los padres del que había recibido la vista,

19 y les preguntaron, diciendo: ¿Es éste vuestro hijo, el que vosotros decís que nació ciego? ¿Cómo, pues, ve ahora?

20 Sus padres respondieron y les dijeron: Sabemos que éste es nuestro hijo, y que nació ciego;

21 pero cómo vea ahora, no lo sabemos; o quién le haya abierto los ojos, nosotros tampoco lo sabemos; edad tiene, preguntadle a él; él hablará por sí mismo.

22 Esto dijeron sus padres, porque tenían miedo de los judíos, por cuanto los judíos ya habían acordado que si alguno confesase que Jesús era el Mesías, fuera expulsado de la sinagoga.

5 As long as I am in the world, I am the light of the world.

6 When he had thus spoken, he spat on the ground, and made clay of the spittle, and he anointed the eyes of the blind man with the clay,

7 And said unto him, Go, wash in the pool of Si-lo'am, (which is by interpretation, Sent.) He went his way therefore, and washed, and came seeing.

8 The neighbours therefore, and they which before had seen him that he was blind, said, Is not this he that sat and begged?

9 Some said, This is he: others *said*, He is like him: *but* he said, I am *he*.

10 Therefore said they unto him, How were thine eyes opened?

11 He answered and said, A man that is called Jesus made clay, and anointed mine eyes, and said unto me, Go to the pool of Si-lo'am, and wash: and I went and washed, and I received sight.

12 Then said they unto him, Where is he? He said, I know not.

13 They brought to the Pharisees him that aforetime was blind.

14 And it was the sabbath day when Jesus made the clay, and opened his eyes.

15 Then again the Pharisees also asked him how he had received his sight. He said unto them, He put clay upon mine eyes, and I washed, and do see.

16 Therefore said some of the Pharisees, This man is not of God, because he keepeth not the sabbath day. Others said, How can a man that is a sinner do such miracles? And there was a division among them.

17 They say unto the blind man again, What sayest thou of him, that he hath opened thine eyes? He said, He is a prophet.

18 But the Jews did not believe concerning him, that he had been blind, and received his sight, until they called the parents of him that had received his sight.

19 And they asked them, saying, Is this your son, who ye say was born blind? how then doth he now see?

20 His parents answered them and said, We know that this is our son, and that he was born blind:

21 But by what means he now seeth, we know not; or who hath opened his eyes, we know not: he is of age; ask him: he shall speak for himself.

22 These *words* spake his parents, because they feared the Jews: for the Jews had agreed already, that if any man did confess that he was Christ, he should be put out of the synagogue.

23 Por eso dijeron sus padres: Edad tiene, preguntadle a él.
24 Entonces volvieron a llamar al hombre que había sido ciego, y le dijeron: Da gloria a Dios; nosotros sabemos que ese hombre es pecador.
25 Entonces él respondió y dijo: Si es pecador, no lo sé; una cosa sé, que habiendo yo sido ciego, ahora veo.
26 Le volvieron a decir: ¿Que te hizo? ¿Cómo te abrió los ojos?
27 El les respondió: Ya os lo he dicho, y no habéis querido oir; ¿por qué lo queréis oir otra vez? ¿Queréis también vosotros haceros sus discípulos?
28 Y le injuriaron, y dijeron: Tú eres su discípulo; pero nosotros, discípulos de Moisés somos.
29 Nosotros sabemos que Dios ha hablado a Moisés; pero respecto a ése, no sabemos de dónde sea.
30 Respondió el hombre, y les dijo: Pues esto es lo maravilloso, que vosotros no sepáis de dónde sea, y a mí me abrió los ojos.
31 Y sabemos que Dios no oye a los pecadores; pero si alguno es temeroso de Dios, y hace su voluntad, a ése oye.
32 Desde el principio no se ha oído decir que alguno abriese los ojos a uno que nació ciego.
33 Si éste no viniera de Dios, nada podría hacer.
34 Respondieron y le dijeron: Tú naciste del todo en pecado, ¿y nos enseñas a nosotros? Y le expulsaron.
35 Oyó Jesús que le habían expulsado; y hallándole, le dijo: ¿Crees tú en el Hijo de Dios?
36 Respondió él y dijo: ¿Quién es, Señor, para que crea en él?
37 Le dijo Jesús: Pues le has visto, y el que habla contigo, él es.
38 Y él dijo: Creo, Señor; y le adoró.
39 Dijo Jesús: Para juicio he venido yo a este mundo; para que los que no ven, vean, y los que ven, sean cegados.
40 Entonces algunos de los fariseos que estaban con él, al oir esto, le dijeron: ¿Acaso nosotros somos también ciegos?
41 Jesús les respondió: Si fuerais ciegos, no tendríais, pecado; mas ahora, porque decís: Vemos, vuestro pecado permanece.

CAPÍTULO 10

DE cierto, de cierto os digo: El que no entra por la puerta en el redil de las

23 Therefore said his parents, He is of age; ask him.
24 Then again called they the man that was blind, and said unto him, Give God the praise: we know that this man is a sinner.
25 He answered and said, Whether he be a sinner *or no*, I know not: one thing I know, that, whereas I was blind, now I see.
26 Then said they to him again, What did he to thee? how opened he thine eyes?
27 He answered them, I have told you already, and ye did not hear: wherefore would ye hear *it* again? will ye also be his disciples?
28 Then they reviled him, and said, Thou art his disciple; but we are Moses' disciples.
29 We know that God spake unto Moses: *as for* this *fellow*, we know not from whence he is.
30 The man answered and said unto them, Why herein is a marvellous thing, that ye know not from whence he is, and *yet* he hath opened mine eyes.
31 Now we know that God heareth not sinners: but if any man be a worshipper of God, and doeth his will, him he heareth.
32 Since the world began was it not heard that any man opened the eyes of one that was born blind.
33 If this man were not of God, he could do nothing.
34 They answered and said unto him, Thou wast altogether born in sins, and dost thou teach us? And they cast him out.
35 Jesus heard that they had cast him out; and when he had found him, he said unto him, Dost thou believe on the Son of God?
36 He answered and said, Who is he, Lord, that I might believe on him?
37 And Jesus said unto him, Thou hast both seen him, and it is he that talketh with thee.
38 And he said, Lord, I believe. And he worshipped him.
39 And Jesus said, For judgment I am come into this world, that they which see not might see; and that they which see might be made blind.
40 And *some* of the Pharisees which were with him heard these words, and said unto him, Are we blind also?
41 Jesus said unto them, If ye were blind, ye should have no sin: but now ye say, We see; therefore your sin remaineth.

CHAPTER 10

VERILY, verily, I say unto you, He that entereth not by the door into the

ovejas, sino que sube por otra parte, ése es ladrón y salteador.

2 Mas el que entra por la puerta, el pastor de las ovejas es.

3 A éste abre el portero, y las ovejas oyen su voz; y a sus ovejas llama por nombre, y las saca.

4 Y cuando ha sacado fuera todas las propias, va delante de ellas; y las ovejas le siguen, porque conocen su voz.

5 Mas al extraño no seguirán, sino huirán de él, porque no conocen la voz de los extraños.

6 Esta alegoría les dijo Jesús; pero ellos no entendieron qué era lo que les decía.

7 Volvió, pues, Jesús a decirles: De cierto, de cierto os digo: Yo soy la puerta de las ovejas.

8 Todos los que antes de mí vinieron, ladrones son y salteadores; pero no los oyeron las ovejas.

9 Yo soy la puerta; el que por mí entrare, será salvo; y entrará, y saldrá, y hallará pastos.

10 El ladrón no viene sino para hurtar y matar y destruir; yo he venido para que tengan vida, y para que la tengan en abundancia.

11 Yo soy el buen pastor; el buen pastor su vida da por las ovejas.

12 Mas el asalariado, y que no es el pastor, de quien no son propias las ovejas, ve venir al lobo y deja las ovejas y huye, y el lobo arrebata las ovejas y las dispersa.

13 Así que el asalariado huye, porque es asalariado, y no le importan las ovejas.

14 Yo soy el buen pastor; y conozco mis ovejas, y las mías me conocen,

15 así como el Padre me conoce, y yo conozco al Padre; y pongo mi vida por las ovejas.

16 También tengo otras ovejas que no son de este redil; aquéllas también debo traer, y oirán mi voz; y habrá un rebaño, y un pastor.

17 Por eso me ama el Padre, porque yo pongo mi vida, para volverla a tomar.

18 Nadie me la quita, sino que yo de mí mismo la pongo. Tengo poder para ponerla, y tengo poder para volverla a tomar. Este mandamiento recibí de mi Padre.

19 Volvió a haber disensión entre los judíos por estas palabras.

20 Muchos de ellos decían: Demonio tiene, y está fuera de sí; ¿por qué le oís?

21 Decían otros: Estas palabras no son de endemoniado. ¿Puede acaso el demonio abrir los ojos de los ciegos?

sheepfold, but climbeth up some other way, the same is a thief and a robber.

2 But he that entereth in by the door is the shepherd of the sheep.

3 To him the porter openeth; and the sheep hear his voice: and he calleth his own sheep by name, and leadeth them out.

4 And when he putteth forth his own sheep, he goeth before them, and the sheep follow him: for they know his voice.

5 And a stranger will they not follow, but will flee from him: for they know not the voice of strangers.

6 This parable spake Jesus unto them: but they understood not what things they were which he spake unto them.

7 Then said Jesus unto them again, Verily, verily, I say unto you, I am the door of the sheep.

8 All that ever came before me are thieves and robbers: but the sheep did not hear them.

9 I am the door: by me if any man enter in, he shall be saved, and shall go in and out, and find pasture.

10 The thief cometh not, but for to steal, and to kill, and to destroy: I am come that they might have life, and that they might have *it* more abundantly.

11 I am the good shepherd: the good shepherd giveth his life for the sheep.

12 But he that is an hireling, and not the shepherd, whose own the sheep are not, seeth the wolf coming, and leaveth the sheep, and fleeth: and the wolf catcheth them, and scattereth the sheep.

13 The hireling fleeth, because he is an hireling, and careth not for the sheep.

14 I am the good shepherd, and know my *sheep*, and am known of mine.

15 As the Father knoweth me, even so know I the Father: and I lay down my life for the sheep.

16 And other sheep I have, which are not of this fold: them also I must bring, and they shall hear my voice; and there shall be one fold, *and* one shepherd.

17 Therefore doth my Father love me, because I lay down my life, that I might take it again.

18 No man taketh it from me, but I lay it down of myself. I have power to lay it down, and I have power to take it again. This commandment have I received of my Father.

19 There was a division therefore again among the Jews for these sayings.

20 And many of them said, He hath a devil, and is mad; why hear ye him?

21 Others said, These are not the words of him that hath a devil. Can a devil open the eyes of the blind?

22 Celebrábase en Jerusalén la fiesta de la dedicación. Era invierno,

23 y Jesús andaba en el templo por el pórtico de Salomón.

24 Y le rodearon los judíos y le dijeron: ¿Hasta cuándo nos turbarás el alma? Si tú eres el Cristo, dínoslo abiertamente.

25 Jesús les respondió: Os lo he dicho, y no creéis; las obras que yo hago en nombre de mi Padre, ellas dan testimonio de mí;

26 pero vosotros no creéis, porque no sois de mis ovejas, como os he dicho.

27 Mis ovejas oyen mi voz, y yo las conozco, y me siguen,

28 y yo les doy vida eterna; y no perecerán jamás, ni nadie las arrebatará de mi mano.

29 Mi Padre que me las dio, es mayor que todos, y nadie las puede arrebatar de la mano de mi Padre.

30 Yo y el Padre uno somos.

31 Entonces los judíos volvieron a tomar piedras para apedrearle.

32 Jesús les respondió: Muchas buenas obras os he mostrado de mi Padre; ¿por cuál de ellas me apedreáis?

33 Le respondieron los judíos, diciendo: Por buena obra no te apedreamos, sino por la blasfemia; porque tú, siendo hombre, te haces Dios.

34 Jesús les respondió: ¿No está escrito en vuestra ley: Yo dije, dioses sois?

35 Si llamó dioses a aquellos a quienes vino la palabra de Dios (y la Escritura no puede ser quebrantada),

36 ¿al que el Padre santificó y envió al mundo, vosotros decís: Tú blasfemas, porque dije: Hijo de Dios soy?

37 Si no hago las obras de mi Padre, no me creáis.

38 Mas si las hago, aunque no me creáis a mí, creed a las obras, para que conozcáis y creáis que el Padre está en mí, y yo en el Padre.

39 Procuraron otra vez prenderle, pero él se escapó de sus manos.

40 Y se fue de nuevo al otro lado del Jordán, al lugar donde primero había estado bautizando Juan; y se quedó allí.

41 Y muchos venían a él, y decían: Juan, a la verdad, ninguna señal hizo; pero todo lo que Juan dijo de éste, era verdad.

42 Y muchos creyeron en él allí.

CAPÍTULO 11

ESTABA entonces enfermo uno llamado Lázaro, de Betania, la aldea de María y de Marta su hermana.

2 (María, cuyo hermano Lázaro estaba enfermo, fue la que ungió al Señor con

22 And it was at Jerusalem the feast of the dedication, and it was winter.

23 And Jesus walked in the temple in Solomon's porch.

24 Then came the Jews round about him, and said unto him, How long dost thou make us to doubt? If thou be the Christ, tell us plainly.

25 Jesus answered them, I told you, and ye believed not: the works that I do in my Father's name, they bear witness of me.

26 But ye believe not, because ye are not of my sheep, as I said unto you.

27 My sheep hear my voice, and I know them, and they follow me:

28 And I give unto them eternal life; and they shall never perish, neither shall any *man* pluck them out of my hand.

29 My Father, which gave *them* me, is greater than all; and no *man* is able to pluck *them* out of my Father's hand.

30 I and *my* Father are one.

31 Then the Jews took up stones again to stone him.

32 Jesus answered them, Many good works have I shewed you from my Father; for which of those works do ye stone me?

33 The Jews answered him, saying, For a good work we stone thee not; but for blasphemy; and because that thou, being a man, makest thyself God.

34 Jesus answered them, Is it not written in your law, I said, Ye are gods?

35 If he called them gods, unto whom the word of God came, and the scripture cannot be broken;

36 Say ye of him, whom the Father hath sanctified, and sent into the world, Thou blasphemest; because I said, I am the Son of God?

37 If I do not the works of my Father, believe me not.

38 But if I do, though ye believe not me, believe the works: that ye may know, and believe, that the Father *is* in me, and I in him.

39 Therefore they sought again to take him: but he escaped out of their hand,

40 And went away again beyond Jordan into the place where John at first baptized; and there he abode.

41 And many resorted unto him, and said, John did no miracle: but all things that John spake of this man were true.

42 And many believed on him there.

CHAPTER 11

NOW a certain *man* was sick, *named* Lazarus, of Bethany, the town of Mary and her sister Martha.

2 (It was *that* Mary which anointed the Lord with ointment, and wiped his feet

perfume, y le enjugó los pies con sus cabellos.)

3 Enviaron, pues, las hermanas para decir a Jesús: Señor, he aquí el que amas está enfermo.

4 Oyéndolo Jesús, dijo: Esta enfermedad no es para muerte, sino para la gloria de Dios, para que el Hijo de Dios sea glorificado por ella.

5 Y amaba Jesús a Marta, a su hermana y a Lázaro.

6 Cuando oyó, pues, que estaba enfermo, se quedó dos días más en el lugar donde estaba.

7 Luego, después de esto, dijo a los discípulos: Vamos a Judea otra vez.

8 Le dijeron los discípulos: Rabí, ahora procuraban los judíos apedrearte, ¿y otra vez vas allá?

9 Respondió Jesús: ¿No tiene el día doce horas? El que anda de día, no tropieza, porque ve la luz de este mundo;

10 pero el que anda de noche, tropieza, porque no hay luz en él.

11 Dicho esto, les dijo después: Nuestro amigo Lázaro duerme; mas voy para despertarle.

12 Dijeron entonces sus discípulos: Señor, si duerme, sanará.

13 Pero Jesús decía esto de la muerte de Lázaro; y ellos pensaron que hablaba del reposar del sueño.

14 Entonces Jesús les dijo claramente: Lázaro ha muerto;

15 y me alegro por vosotros, de no haber estado allí, para que creáis; mas vamos a él.

16 Dijo entonces Tomás, llamado Dídimo, a sus condiscípulos: Vamos también nosotros, para que muramos con él.

17 Vino, pues, Jesús, y halló que hacía ya cuatro días que Lázaro estaba en el sepulcro.

18 Betania estaba cerca de Jerusalén, como a quince estadios;

19 y muchos de los judíos habían venido a Marta y a María, para consolarlas por su hermano.

20 Entonces Marta, cuando oyó que Jesús venía, salió a encontrarle; pero María se quedó en casa.

21 Y Marta dijo a Jesús: Señor, si hubieses estado aquí, mi hermano no habría muerto.

22 Mas también sé ahora que todo lo que pidas a Dios, Dios te lo dará.

23 Jesús le dijo: Tu hermano resucitará.

with her hair, whose brother Lazarus was sick.)

3 Therefore his sisters sent unto him, saying, Lord, behold, he whom thou lovest is sick.

4 When Jesus heard *that*, he said, This sickness is not unto death, but for the glory of God, that the Son of God might be glorified thereby

5 Now Jesus loved Martha, and her sister, and Lazarus.

6 When he had heard therefore that he was sick, he abode two days still in the same place where he was.

7 Then after that saith he to *his* disciples, Let us go into Judæa again.

8 *His* disciples say unto him, Master, the Jews of late sought to stone thee; and goest thou thither again?

9 Jesus answered, Are there not twelve hours in the day? If any man walk in the day, he stumbleth not, because he seeth the light of this world.

10 But if a man walk in the night, he stumbleth, because there is no light in him.

11 These things said he: and after that he saith unto them Our friend Lazarus sleepeth; but I go, that I may awake him out of sleep.

12 Then said his disciples, Lord, if he sleep, he shall do well.

13 Howbeit Jesus spake of his death: but they thought that he had spoken of taking of rest in sleep.

14 Then said Jesus unto them plainly, Lazarus is dead.

15 And I am glad for your sakes that I was not there, to the intent ye may believe; nevertheless let us go unto him.

16 Then said Thomas, which is called Did'y-mus, unto his fellowdisciples, Let us also go, that we may die with him.

17 Then when Jesus came, he found that he had *lain* in the grave four days already.

18 Now Bethany was nigh unto Jerusalem, about fifteen furlongs off:

19 And many of the Jews came to Martha and Mary, to comfort them concerning their brother.

20 Then Martha, as soon as she heard that Jesus was coming, went and met him: but Mary sat still in the house.

21 Then said Martha unto Jesus, Lord, if thou hadst been here, my brother had not died.

22 But I know, that even now, whatsoever thou wilt ask of God, God will give *it* thee.

23 Jesus saith unto her, Thy brother shall rise again.

24 Marta le dijo: Yo sé que resucitará en la resurrección, en el día postrero.
25 Le dijo Jesús: Yo soy la resurrección y la vida; el que cree en mí, aunque esté muerto, vivirá.
26 Y todo aquel que vive y cree en mí, no morirá eternamente. ¿Crees esto?
27 Le dijo: Sí, Señor; yo he creído que tú eres el Cristo, el Hijo de Dios, que has venido al mundo.
28 Habiendo dicho esto, fue y llamó a María su hermana, diciéndole en secreto: El Maestro está aquí y te llama.
29 Ella, cuando lo oyó, se levantó de prisa y vino a él.
30 Jesús todavía no había entrado en la aldea, sino que estaba en el lugar donde Marta le había encontrado.
31 Entonces los judíos que estaban en casa con ella y la consolaban, cuando vieron que María se había levantado de prisa y había salido, la siguieron, diciendo: Va al sepulcro a llorar allí.
32 María, cuando llegó a donde estaba Jesús, al verle, se postró a sus pies, diciéndole: Señor, si hubieses estado aquí, no habría muerto mi hermano.
33 Jesús entonces, al verla llorando, y a los judíos que la acompañaban, también llorando, se estremeció en espíritu y se conmovió,
34 y dijo: ¿Dónde le pusisteis? Le dijeron: Señor, ven y ve.
35 Jesús lloró.
36 Dijeron entonces los judíos: Mirad cómo le amaba.
37 Y algunos de ellos dijeron: ¿No podía éste, que abrió los ojos al ciego, haber hecho también que Lázaro no muriera?
38 Jesús, profundamente conmovido otra vez, vino al sepulcro. Era una cueva, y tenía una piedra puesta encima.
39 Dijo Jesús: Quitad la piedra. Marta, la hermana del que había muerto, le dijo: Señor, hiede ya, porque es de cuatro días.
40 Jesús le dijo: ¿No te he dicho que si crees, verás la gloria de Dios?
41 Entonces quitaron la piedra de donde había sido puesto el muerto. Y Jesús, alzando los ojos a lo alto, dijo: Padre, gracias te doy por haberme oído.
42 Yo sabía que siempre me oyes; pero lo dije por causa de la multitud que está alrededor, para que crean que tú me has enviado.
43 Y habiendo dicho esto, clamó a gran voz: ¡Lázaro, ven fuera!

24 Martha saith unto him, I know that he shall rise again in the resurrection at the last day.
25 Jesus said unto her, I am the resurrection, and the life: he that believeth in me, though he were dead, yet shall he live:
26 And whosoever liveth and believeth in me shall never die. Believest thou this?
27 She saith unto him, Yea, Lord: I believe that thou art the Christ, the Son of God, which should come into the world.
28 And when she had so said, she went her way, and called Mary her sister secretly, saying, The Master is come, and calleth for thee.
29 As soon as she heard *that*, she arose quickly, and came unto him.
30 Now Jesus was not yet come into the town, but was in that place where Martha met him.
31 The Jews then which were with her in the house, and comforted her, when they saw Mary, that she rose up hastily and went out, followed her, saying, She goeth unto the grave to weep there.
32 Then when Mary was come where Jesus was, and saw him, she fell down at his feet, saying unto him, Lord, if thou hadst been here, my brother had not died.
33 When Jesus therefore saw her weeping, and the Jews also weeping which came with her, he groaned in the spirit, and was troubled,
34 And said, Where have ye laid him? They said unto him, Lord, come and see.
35 Jesus wept.
36 Then said the Jews, Behold how he loved him!
37 And some of them said, Could not this man, which opened the eyes of the blind, have caused that even this man should not have died?
38 Jesus therefore again groaning in himself cometh to the grave. It was a cave, and a stone lay upon it.
39 Jesus said, Take ye away the stone. Martha, the sister of him that was dead, saith unto him, Lord, by this time he stinketh: for he hath been *dead* four days.
40 Jesus saith unto her, Said I not unto thee, that, if thou wouldest believe, thou shouldest see the glory of God?
41 Then they took away the stone *from the place* where the dead was laid. And Jesus lifted up *his* eyes, and said, Father, I thank thee that thou hast heard me.
42 And I knew that thou hearest me always: but because of the people which stand by I said *it*, that they may believe that thou hast sent me.
43 And when he thus had spoken, he cried with a loud voice, Lazarus, come forth.

44 Y el que había muerto salió, atadas las manos y los pies con vendas, y el rostro envuelto en un sudario. Jesús les dijo: Desatadle, y dejadle ir.

45 Entonces muchos de los judíos que habían venido para acompañar a María, y vieron lo que hizo Jesús, creyeron en él.

46 Pero algunos de ellos fueron a los fariseos y les dijeron lo que Jesús había hecho.

47 Entonces los principales sacerdotes y los fariseos reunieron el concilio, y dijeron: ¿Qué haremos? Porque este hombre hace muchas señales.

48 Si le dejamos así, todos creerán en él; y vendrán los romanos, y destruirán nuestro lugar santo y nuestra nación.

49 Entonces Caifás, uno de ellos, sumo sacerdote aquel año, les dijo: Vosotros no sabéis nada;

50 ni pensáis que nos conviene que un hombre muera por el pueblo, y no que toda la nación perezca.

51 Esto no lo dijo por sí mismo, sino que como era el sumo sacerdote aquel año, profetizó que Jesús había de morir por la nación;

52 y no solamente por la nación, sino también para congregar en uno a los hijos de Dios que estaban dispersos.

53 Así que, desde aquel día acordaron matarle.

54 Por tanto, Jesús ya no andaba abiertamente entre los judíos, sino que se alejó de allí a la región contigua al desierto, a una ciudad llamada Efraín; y se quedó allí con sus discípulos.

55 Y estaba cerca la pascua de los judíos; y muchos subieron de aquella región a Jerusalén antes de la pascua, para purificarse.

56 Y buscaban a Jesús, y estando ellos en el templo, se preguntaban unos a otros: ¿Qué os parece? ¿No vendrá a la fiesta?

57 Y los principales sacerdotes y los fariseos habían dado orden de que si alguno supiese dónde estaba, lo manifestase, para que le prendiesen.

CAPÍTULO 12

SEIS días antes de la pascua, vino Jesús a Betania, donde estaba Lázaro, el que había estado muerto, y a quien había resucitado de los muertos.

2 Y le hicieron allí una cena; Marta servía, y Lázaro era uno de los que estaban sentados a la mesa con él.

3 Entonces María tomó una libra de perfume de nardo puro, de mucho precio, y ungió los pies de Jesús, y los enjugó

44 And he that was dead came forth, bound hand and foot with graveclothes: and his face was bound about with a napkin. Jesus saith unto them, Loose him, and let him go.

45 Then many of the Jews which came to Mary, and had seen the things which Jesus did, believed on him.

46 But some of them went their ways to the Pharisees, and told them what things Jesus had done.

47 Then gathered the chief priests and the Pharisees a council, and said, What do we? for this man doeth many miracles.

48 If we let him thus alone, all *men* will believe on him: and the Romans shall come and take away both our place and nation.

49 And one of them, *named* Cai'a-phas, being the high priest that same year, said unto them, Ye know nothing at all,

50 Nor consider that it is expedient for us, that one man should die for the people, and that the whole nation perish not.

51 And this spake he not of himself: but being high priest that year, he prophesied that Jesus should die for that nation;

52 And not for that nation only, but that also he should gather together in one the children of God that were scattered abroad.

53 Then from that day forth they took counsel together for to put him to death.

54 Jesus therefore walked no more openly among the Jews; but went thence unto a country near to the wilderness, into a city called E'phra-im, and there continued with his disciples.

55 And the Jews' passover was nigh at hand: and many went out of the country up to Jerusalem before the passover, to purify themselves.

56 Then sought they for Jesus, and spake among themselves, as they stood in the temple, What think ye, that he will not come to the feast?

57 Now both the chief priests and the Pharisees had given a commandment, that, if any man knew where he were, he should shew *it*, that they might take him.

CHAPTER 12

THEN Jesus six days before the passover came to Bethany, where Lazarus was which had been dead, whom he raised from the dead.

2 There they made him a supper; and Martha served: but Lazarus was one of them that sat at the table with him.

3 Then took Mary a pound of ointment of spikenard, very costly, and anointed the feet of Jesus, and wiped his feet with

con sus cabellos; y la casa se llenó del
olor del perfume.
4 Y dijo uno de sus discípulos, Judas Is-
cariote hijo de Simón, el que le había de
entregar:
5 ¿Por qué no fue este perfume vendido
por trescientos denarios, y dado a los
pobres?
6 Pero dijo esto, no porque se cuidara
de los pobres, sino porque era ladrón, y
teniendo la bolsa, sustraía de lo que se
echaba en ella.
7 Entonces Jesús dijo: Déjala; para el
día de mi sepultura ha guardado esto.
8 Porque a los pobres siempre los ten-
dréis con vosotros, mas a mí no siempre
me tendréis.
9 Gran multitud de los judíos supieron
entonces que él estaba allí, y vinieron, no
solamente por causa de Jesús, sino tam-
bién para ver a Lázaro, a quien había re-
sucitado de los muertos.
10 Pero los principales sacerdotes acor-
daron dar muerte también a Lázaro,
11 porque a causa de él muchos de los
judíos se apartaban y creían en Jesús.
12 El siguiente día, grandes multitudes
que habían venido a la fiesta, al oir que
Jesús venía a Jerusalén,
13 tomaron ramas de palmera y salie-
ron a recibirle, y clamaban: ¡Hosanna!
¡Bendito el que viene en el nombre del
Señor, el Rey de Israel!
14 Y halló Jesús un asnillo, y montó
sobre él, como está escrito:
15 No temas, hija de Sion; he aquí tu
Rey viene, montado sobre un pollino de
asna.
16 Estas cosas no las entendieron sus
discípulos al principio; pero cuando Jesús
fue glorificado, entonces se acordaron de
que estas cosas estaban escritas acerca
de él, y de que se las habían hecho.
17 Y daba testimonio la gente que esta-
ba con él cuando llamó a Lázaro del se-
pulcro, y le resucitó de los muertos.
18 Por lo cual también había venido la
gente a recibirle, porque había oído que
él había hecho esta señal.
19 Pero los fariseos dijeron entre sí: Ya
veis que no conseguís nada. Mirad, el
mundo se va tras él.
20 Había ciertos griegos entre los que
habían subido a adorar en la fiesta.
21 Estos, pues, se acercaron a Felipe,
que era de Betsaida de Galilea, y le roga-
ron, diciendo: Señor, quisiéramos ver a
Jesús.
22 Felipe fue y se lo dijo a Andrés; en-
tonces Andrés y Felipe se lo dijeron a
Jesús.
23 Jesús les respondió diciendo: Ha lle-

her hair: and the house was filled with
the odour of the ointment.
4 Then saith one of his disciples, Judas
Iscariot, Simon's *son*, which should be-
tray him,
5 Why was not this ointment sold for
three hundred pence, and given to the
poor?
6 This he said, not that he cared for the
poor; but because he was a thief, and had
the bag, and bare what was put therein.
7 Then said Jesus, Let her alone:
against the day of my burying hath she
kept this.
8 For the poor always ye have with
you; but me ye have not always.
9 Much people of the Jews therefore
knew that he was there: and they came
not for Jesus' sake only, but that they
might see Lazarus also, whom he had
raised from the dead.
10 But the chief priests consulted that
they might put Lazarus also to death;
11 Because that by reason of him many
of the Jews went away, and believed on
Jesus.
12 On the next day much people that
were come to the feast, when they heard
that Jesus was coming to Jerusalem,
13 Took branches of palm trees, and
went forth to meet him, and cried, Ho-
sanna: Blessed *is* the King of Israel that
cometh in the name of the Lord.
14 And Jesus, when he had found a
young ass, sat thereon; as it is written,
15 Fear not, daughter of Sion; behold,
thy King cometh, sitting on an ass's colt.
16 These things understood not his dis-
ciples at the first: but when Jesus was
glorified, then remembered they that
these things were written of him, and
that they had done these things unto him.
17 The people therefore that was with
him when he called Lazarus out of his
grave, and raised him from the dead,
bare record.
18 For this cause the people also met
him, for that they heard that he had done
this miracle.
19 The Pharisees therefore said among
themselves, Perceive ye how ye prevail
nothing? behold, the world is gone after
him.
20 And there were certain Greeks
among them that came up to worship at
the feast:
21 The same came therefore to Philip,
which was of Beth-sa'i-da of Galilee, and
desired him, saying, Sir, we would see
Jesus.
22 Philip cometh and telleth Andrew:
and again Andrew and Philip tell Jesus.
23 And Jesus answered them, saying,

gado la hora para que el Hijo del Hombre sea glorificado.

24 De cierto, de cierto os digo, que si el grano de trigo no cae en la tierra y muere, queda solo; pero si muere, lleva mucho fruto.

25 El que ama su vida, la perderá; y el que aborrece su vida en este mundo, para vida eterna la guardará.

26 Si alguno me sirve, sígame; y donde yo estuviere, allí también estará mi servidor. Si alguno me sirviere, mi Padre le honrará.

27 Ahora está turbada mi alma; ¿y qué diré? ¿Padre, sálvame de esta hora? Mas para esto he llegado a esta hora.

28 Padre, glorifica tu nombre. Entonces vino una voz del cielo: Lo he glorificado, y lo glorificaré otra vez.

29 Y la multitud que estaba allí, y había oído la voz, decía que había sido un trueno. Otros decían: Un ángel le ha hablado.

30 Respondió Jesús y dijo: No ha venido esta voz por causa mía, sino por causa de vosotros.

31 Ahora es el juicio de este mundo; ahora el príncipe de este mundo será echado fuera.

32 Y yo, si fuere levantado de la tierra, a todos atraeré a mí mismo.

33 Y decía esto dando a entender de qué muerte iba a morir.

34 Le respondió la gente: Nosotros hemos oído de la ley, que el Cristo permanece para siempre. ¿Cómo, pues, dices tú que es necesario que el Hijo del Hombre sea levantado? ¿Quién es este Hijo del Hombre?

35 Entonces Jesús les dijo: Aún por un poco está la luz entre vosotros; andad entre tanto que tenéis luz, para que no os sorprendan las tinieblas; porque el que anda en tinieblas, no sabe a dónde va.

36 Entre tanto que tenéis la luz, creed en la luz, para que seáis hijos de luz. Estas cosas habló Jesús, y se fue y se ocultó de ellos.

37 Pero a pesar de que había hecho tantas señales delante de ellos, no creían en él;

38 para que se cumpliese la palabra del profeta Isaías, que dijo: Señor, ¿quién ha creído a nuestro anuncio? ¿Y a quién se ha revelado el brazo del Señor?

39 Por esto no podían creer, porque también dijo Isaías:

40 Cegó los ojos de ellos, y endureció su corazón; para que no vean con los ojos, y entiendan con el corazón, y se conviertan, y yo los sane.

The hour is come, that the Son of man should be glorified.

24 Verily, verily, I say unto you, Except a corn of wheat fall into the ground and die, it abideth alone: but if it die, it bringeth forth much fruit.

25 He that loveth his life shall lose it; and he that hateth his life in this world shall keep it unto life eternal.

26 If any man serve me, let him follow me; and where I am, there shall also my servant be: if any man serve me, him will *my* Father honour.

27 Now is my soul troubled; and what shall I say? Father, save me from this hour: but for this cause came I unto this hour.

28 Father, glorify thy name. Then came there a voice from heaven, *saying*, I have both glorified *it*, and will glorify *it* again.

29 The people therefore, that stood by, and heard *it*, said that it thundered: others said, An angel spake to him.

30 Jesus answered and said, This voice came not because of me, but for your sakes.

31 Now is the judgment of this world: now shall the prince of this world be cast out.

32 And I, if I be lifted up from the earth, will draw all *men* unto me.

33 This he said, signifying what death he should die.

34 The people answered him, We have heard out of the law that Christ abideth for ever: and how sayest thou, The Son of man must be lifted up? who is this Son of man?

35 Then Jesus said unto them, Yet a little while is the light with you. Walk while ye have the light, lest darkness come upon you: for he that walketh in darkness knoweth not whither he goeth.

36 While ye have light, believe in the light, that ye may be the children of light. These things spake Jesus, and departed, and did hide himself from them.

37 But though he had done so many miracles before them, yet they believed not on him:

38 That the saying of E-sai'as the prophet might be fulfilled, which he spake, Lord, who hath believed our report? and to whom hath the arm of the Lord been revealed?

39 Therefore they could not believe, because that E-sai'as said again,

40 He hath blinded their eyes, and hardened their heart; that they should not see with *their* eyes, nor understand with *their* heart, and be converted, and I should heal them.

41 Isaías dijo esto cuando vio su gloria, y habló acerca de él.
42 Con todo eso, aun de los gobernantes, muchos creyeron en él; pero a causa de los fariseos no lo confesaban, para no ser expulsados de la sinagoga.
43 Porque amaban más la gloria de los hombres que la gloria de Dics.
44 Jesús clamó y dijo: El que cree en mí, no cree en mí, sino en el que me envió;
45 y el que me ve, ve al que me envió.
46 Yo, la luz, he venido al mundo, para que todo aquel que cree en mí no permanezca en tinieblas.
47 Al que oye mis palabras, y no las guarda, yo no le juzgo; porque no he venido a juzgar al mundo, sino a salvar al mundo.
48 El que me rechaza, y no recibe mis palabras, tiene quien le juzgue; la palabra que he hablado, ella le juzgará en el día postrero.
49 Porque yo no he hablado por mi propia cuenta; el Padre que me envió, él me dio mandamiento de lo que he de decir, y de lo que he de hablar.
50 Y sé que su mandamiento es vida eterna. Así pues, lo que yo hablo, lo hablo como el Padre me lo ha dicho.

CAPÍTULO 13

ANTES de la fiesta de la pascua, sabiendo Jesús que su hora había llegado para que pasase de este mundo al Padre, como había amado a los suyos que estaban en el mundo, los amó hasta el fin.
2 Y cuando cenaban, como el diablo ya había puesto en el corazón de Judas Iscariote, hijo de Simón, que le entregase,
3 sabiendo Jesús que el Padre le había dado todas las cosas en las manos, y que había salido de Dios, y a Dios iba,
4 se levantó de la cena, y se quitó su manto, y tomando una toalla, se la ciñó.
5 Luego puso agua en un lebrillo, y comenzó a lavar los pies de los discípulos, y a enjugarlos con la toalla con que estaba ceñido.
6 Entonces vino a Simón Pedro; y Pedro le dijo: Señor, ¿tú me lavas los pies?
7 Respondió Jesús y le dijo: Lo que yo hago, tú no lo comprendes ahora; mas lo entenderás después.
8 Pedro le dijo: No me lavarás los pies jamás. Jesús le respondió: Si no te lavare, no tendrás parte conmigo.
9 Le dijo Simón Pedro: Señor, no sólo

41 These *things* said E-sai'as, when he saw his glory, and spake of him.
42 Nevertheless among the chief rulers also many believed on him; but because of the Pharisees they did not confess *him*, lest they should be put out of the synagogue:
43 For they loved the praise of men more than the praise of God.
44 Jesus cried and said, He that believeth on me, believeth not on me, but on him that sent me.
45 And he that seeth me seeth him that sent me.
46 I am come a light into the world, that whosoever believeth on me should not abide in darkness.
47 And if any man hear my words, and believe not, I judge him not: for I came not to judge the world, but to save the world.
48 He that rejecteth me, and receiveth not my words, hath one that judgeth him: the word that I have spoken, the same shall judge him in the last day.
49 For I have not spoken of myself; but the Father which sent me, he gave me a commandment, what I should say, and what I should speak.
50 And I know that his commandment is life everlasting: whatsoever I speak therefore, even as the Father said unto me, so I speak.

CHAPTER 13

NOW before the feast of the passover, when Jesus knew that his hour was come that he should depart out of this world unto the Father, having loved his own which were in the world, he loved them unto the end.
2 And supper being ended, the devil having now put into the heart of Judas Iscariot, Simon's *son*, to betray him;
3 Jesus knowing that the Father had given all things into his hands, and that he was come from God, and went to God;
4 He riseth from supper, and laid aside his garments; and took a towel, and girded himself.
5 After that he poureth water into a bason, and began to wash the disciples' feet, and to wipe *them* with the towel wherewith he was girded.
6 Then cometh he to Simon Peter: and Peter saith unto him, Lord, dost thou wash my feet?
7 Jesus answered and said unto him, What I do thou knowest not now; but thou shalt know hereafter.
8 Peter saith unto him, Thou shalt never wash my feet. Jesus answered him, If I wash thee not, thou hast no part with me.
9 Simon Peter saith unto him, Lord, not

mis pies, sino también las manos y la cabeza.

10 Jesús le dijo: El que está lavado, no necesita sino lavarse los pies, pues está todo limpio; y vosotros limpios estáis, aunque no todos.

11 Porque sabía quién le iba a entregar; por eso dijo: No estáis limpios todos.

12 Así que, después que les hubo lavado los pies, tomó su manto, volvió a la mesa, y les dijo: ¿Sabéis lo que os he hecho?

13 Vosotros me llamáis Maestro, y Señor; y decís bien, porque lo soy.

14 Pues si yo, el Señor y el Maestro, he lavado vuestros pies, vosotros también debéis lavaros los pies los unos a los otros.

15 Porque ejemplo os he dado, para que como yo os he hecho, vosotros también hagáis.

16 De cierto, de cierto os digo: El siervo no es mayor que su señor, ni el enviado es mayor que el que le envió.

17 Si sabéis estas cosas, bienaventurados seréis si las hiciereis.

18 No hablo de todos vosotros; yo sé a quienes he elegido; mas para que se cumpla la Escritura: El que come pan conmigo, levantó contra mí su calcañar.

19 Desde ahora os lo digo antes que suceda, para que cuando suceda, creáis que yo soy.

20 De cierto, de cierto os digo: El que recibe al que yo enviare, me recibe a mí; y el que me recibe a mí, recibe al que me envió.

21 Habiendo dicho Jesús esto, se conmovió en espíritu, y declaró y dijo: De cierto, de cierto os digo, que uno de vosotros me va a entregar.

22 Entonces los discípulos se miraban unos a otros, dudando de quién hablaba.

23 Y uno de sus discípulos, al cual Jesús amaba, estaba recostado al lado de Jesús.

24 A éste, pues, hizo señas Simón Pedro, para que preguntase quién era aquel de quien hablaba.

25 El entonces, recostado cerca del pecho de Jesús, le dijo: Señor, ¿quién es?

26 Respondió Jesús: A quien yo diere el pan mojado, aquél es. Y mojando el pan, lo dio a Judas Iscariote hijo de Simón.

27 Y después del bocado, Satanás entró en él. Entonces Jesús le dijo: Lo que vas a hacer, hazlo más pronto.

28 Pero ninguno de los que estaban a la mesa entendió por qué le dijo esto.

29 Porque algunos pensaban, puesto que Judas tenía la bolsa, que Jesús le de-

my feet only, but also *my* hands and *my* head.

10 Jesus saith to him, He that is washed needeth not save to wash *his* feet, but is clean every whit: and ye are clean, but not all.

11 For he knew who should betray him; therefore said he, Ye are not all clean.

12 So after he had washed their feet, and had taken his garments, and was set down again, he said unto them, Know ye what I have done to you?

13 Ye call me Master and Lord: and ye say well; for *so* I am.

14 If I then, *your* Lord and Master, have washed your feet; ye also ought to wash one another's feet.

15 For I have given you an example, that ye should do as I have done to you.

16 Verily, verily, I say unto you, The servant is not greater than his lord; neither he that is sent greater than he that sent him.

17 If ye know these things, happy are ye if ye do them.

18 I speak not of you all: I know whom I have chosen: but that the scripture may be fulfilled, He that eateth bread with me hath lifted up his heel against me.

19 Now I tell you before it come, that, when it is come to pass, ye may believe that I am *he*.

20 Verily, verily, I say unto you, He that receiveth whomsoever I send receiveth me; and he that receiveth me receiveth him that sent me.

21 When Jesus had thus said, he was troubled in spirit, and testified, and said, Verily, verily, I say unto you, that one of you shall betray me.

22 Then the disciples looked one on another, doubting of whom he spake.

23 Now there was leaning on Jesus' bosom one of his disciples, whom Jesus loved.

24 Simon Peter therefore beckoned to him, that he should ask who it should be of whom he spake.

25 He then lying on Jesus' breast saith unto him, Lord, who is it?

26 Jesus answered, He it is, to whom I shall give a sop, when I have dipped *it*. And when he had dipped the sop, he gave *it* to Judas Iscariot, *the son* of Simon.

27 And after the sop Satan entered into him. Then said Jesus unto him, That thou doest, do quickly.

28 Now no man at the table knew for what intent he spake this unto him.

29 For some *of them* thought, because Judas had the bag, that Jesus had said

cía: Compra lo que necesitamos para la fiesta; o que diese algo a los pobres.

30 Cuando él, pues, hubo tomado el bocado, luego salió; y era ya de noche.

31 Entonces, cuando hubo salido, dijo Jesús: Ahora es glorificado el Hijo del Hombre, y Dios es glorificado en él.

32 Si Dios es glorificado en él, Dios también le glorificará en sí mismo, y en seguida le glorificará.

33 Hijitos, aún estaré con vosotros un poco. Me buscaréis; pero como dije a los judíos, así os digo ahora a vosotros: A donde yo voy, vosotros no podéis ir.

34 Un mandamiento nuevo os doy: Que os améis unos a otros; como yo os he amado, que también os améis unos a otros.

35 En esto conocerán todos que sois mis discípulos, si tuviereis amor los unos con los otros.

36 Le dijo Simón Pedro: Señor, ¿a dónde vas? Jesús le respondió: A donde yo voy, no me puedes seguir ahora; mas me seguirás después.

37 Le dijo Pedro: Señor, ¿por qué no te puedo seguir ahora? Mi vida pondré por ti.

38 Jesús le respondió: ¿Tu vida pondrás por mí? De cierto, de cierto te digo: No cantará el gallo, sin que me hayas negado tres veces.

CAPÍTULO 14

NO se turbe vuestro corazón; creéis en Dios, creed también en mí.

2 En la casa de mi Padre muchas moradas hay; si así no fuera, yo os lo hubiera dicho; voy, pues, a preparar lugar para vosotros.

3 Y si me fuere y os preparare lugar, vendré otra vez, y os tomaré a mí mismo, para que donde yo estoy, vosotros también estéis.

4 Y sabéis a dónde voy, y sabéis el camino.

5 Le dijo Tomás: Señor, no sabemos a dónde vas; ¿cómo, pues, podemos saber el camino?

6 Jesús le dijo: Yo soy el camino, y la verdad, y la vida; nadie viene al Padre, sino por mí.

7 Si me conocieseis, también a mi Padre conoceríais; y desde ahora le conocéis, y le habéis visto.

8 Felipe le dijo: Señor, muéstranos el Padre, y nos basta.

9 Jesús le dijo: ¿Tanto tiempo hace que estoy con vosotros, y no me has conocido, Felipe? El que me ha visto a mí, ha visto al Padre; ¿cómo, pues, dices tú: Muéstranos el Padre?

10 ¿No crees que yo soy en el Padre, y

unto him, Buy *those things* that we have need of against the feast; or, that he should give something to the poor.

30 He then having received the sop went immediately out: and it was night.

31 Therefore, when he was gone out, Jesus said, Now is the Son of man glorified, and God is glorified in him.

32 If God be glorified in him, God shall also glorify him in himself, and shall straightway glorify him.

33 Little children, yet a little while I am with you. Ye shall seek me: and as I said unto the Jews, Whither I go, ye cannot come; so now I say to you.

34 A new commandment I give unto you, That ye love one another; as I have loved you, that ye also love one another.

35 By this shall all *men* know that ye are my disciples, if ye have love one to another.

36 Simon Peter said unto him, Lord, whither goest thou? Jesus answered him, Whither I go, thou canst not follow me now; but thou shalt follow me afterwards.

37 Peter said unto him, Lord, why cannot I follow thee now? I will lay down my life for thy sake.

38 Jesus answered him, Wilt thou lay down thy life for my sake? Verily, verily, I say unto thee, The cock shall not crow, till thou hast denied me thrice.

CHAPTER 14

LET not your heart be troubled: ye believe in God, believe also in me.

2 In my Father's house are many mansions: if *it were* not *so*, I would have told you. I go to prepare a place for you.

3 And if I go and prepare a place for you, I will come again, and receive you unto myself; that where I am, *there* ye may be also.

4 And whither I go ye know, and the way ye know.

5 Thomas saith unto him, Lord, we know not whither thou goest; and how can we know the way?

6 Jesus saith unto him, I am the way, the truth, and the life: no man cometh unto the Father, but by me.

7 If ye had known me, ye should have known my Father also: and from henceforth ye know him, and have seen him.

8 Philip saith unto him, Lord, shew us the Father, and it sufficeth us.

9 Jesus saith unto him, Have I been so long time with you, and yet hast thou not known me, Philip? he that hath seen me hath seen the Father; and how sayest thou *then*, Shew us the Father?

10 Believest thou not that I am in the

el Padre en mí? Las palabras que yo os hablo, no las hablo por mi propia cuenta, sino que el Padre que mora en mí, él hace las obras.

11 Creedme que yo soy en el Padre, y el Padre en mí; de otra manera, creedme por las mismas obras.

12 De cierto, de cierto os digo: El que en mí cree, las obras que yo hago, él las hará también; y aun mayores hará, porque yo voy al Padre.

13 Y todo lo que pidiereis al Padre en mi nombre, lo haré, para que el Padre sea glorificado en el Hijo.

14 Si algo pidiereis en *mi* nombre, yo lo haré.

15 Si me amáis, guardad mis mandamientos.

16 Y yo rogaré al Padre, y os dará otro Consolador, para que esté con vosotros para siempre:

17 el Espíritu de verdad, al cual el mundo no puede recibir, porque no le ve, ni le conoce; pero vosotros le conocéis, porque mora con vosotros, y estará en vosotros.

18 No os dejaré huérfanos; vendré a vosotros.

19 Todavía un poco, y el mundo no me verá más; pero vosotros me veréis; porque yo vivo, vosotros también viviréis.

20 En aquel día vosotros conoceréis que yo estoy en mi Padre, y vosotros en mí, y yo en vosotros.

21 El que tiene mis mandamientos, y los guarda, ése el que me ama; y el que me ama, será amado por mi Padre, y yo le amaré, y me manifestaré a él.

22 Le dijo Judas (no el Iscariote): Señor, ¿cómo es que te manifestarás a nosotros, y no al mundo?

23 Respondió Jesús y le dijo: El que me ama, mi palabra guardará; y mi Padre le amará, y vendremos a él, y haremos morada con él.

24 El que no me ama, no guarda mis palabras; y la palabra que habéis oído no es mía, sino del Padre que me envió.

25 Os he dicho estas cosas estando con vosotros.

26 Mas el Consolador, el Espíritu Santo, a quien el Padre enviará en mi nombre, él os enseñará todas las cosas, y os recordará todo lo que yo os he dicho.

27 La paz os dejo, mi paz os doy; yo no os la doy como el mundo la da. No se turbe vuestro corazón, ni tenga miedo.

28 Habéis oído que yo os he dicho: Voy, y vengo a vosotros. Si me amarais, os habríais regocijado, porque he dicho que

Father, and the Father in me? the words that I speak unto you I speak not of myself: but the Father that dwelleth in me, he doeth the works.

11 Believe me that I *am* in the Father, and the Father in me: or else believe me for the very works' sake.

12 Verily, verily, I say unto you, He that believeth on me, the works that I do shall he do also; and greater *works* than these shall he do; because I go unto my Father.

13 And whatsoever ye shall ask in my name, that will I do, that the Father may be glorified in the Son.

14 If ye shall ask any thing in my name, I will do *it*.

15 If ye love me, keep my commandments.

16 And I will pray the Father, and he shall give you another Comforter, that he may abide with you for ever;

17 *Even* the Spirit of truth; whom the world cannot receive, because it seeth him not, neither knoweth him: but ye know him; for he dwelleth with you, and shall be in you.

18 I will not leave you comfortless: I will come to you.

19 Yet a little while, and the world seeth me no more; but ye see me: because I live, ye shall live also.

20 At that day ye shall know that I *am* in my Father, and ye in me, and I in you.

21 He that hath my commandments, and keepeth them, he it is that loveth me: and he that loveth me shall be loved of my Father, and I will love him, and will manifest myself to him.

22 Judas saith unto him, not Iscariot, Lord, how is it that thou wilt manifest thyself unto us, and not unto the world?

23 Jesus answered and said unto him, If a man love me, he will keep my words: and my Father will love him, and we will come unto him, and make our abode with him.

24 He that loveth me not keepeth not my sayings: and the word which ye hear is not mine, but the Father's which sent me.

25 These things have I spoken unto you, being *yet* present with you.

26 But the Comforter, *which is* the Holy Ghost, whom the Father will send in my name, he shall teach you all things, and bring all things to your remembrance, whatsoever I have said unto you.

27 Peace I leave with you, my peace I give unto you: not as the world giveth, give I unto you. Let not your heart be troubled, neither let it be afraid.

28 Ye have heard how I said unto you, I go away, and come *again* unto you. If ye loved me, ye would rejoice, because I

voy al Padre; porque el Padre mayor es que yo.

29 Y ahora os lo he dicho antes que suceda, para que cuando suceda, creáis.

30 No hablaré ya mucho con vosotros; porque viene el príncipe de este mundo, y él nada tiene en mí.

31 Mas para que el mundo conozca que amo al Padre, y como el Padre me mandó, así hago. Levantaos, vamos de aquí.

CAPÍTULO 15

YO soy la vid verdadera, y mi Padre es el labrador.

2 Todo pámpano que en mí no lleva fruto, lo quitará; y todo aquel que lleva fruto, lo limpiará, para que lleve más fruto.

3 Ya vosotros estáis limpios por la palabra que os he hablado.

4 Permaneced en mí, y yo en vosotros. Como el pámpano no puede llevar fruto por sí mismo, si no permanece en la vid, así tampoco vosotros, si no permanecéis en mí.

5 Yo soy la vid, vosotros los pámpanos; el que permanece en mí, y yo en él, éste lleva mucho fruto; porque separados de mí nada podéis hacer.

6 El que en mí no permanece, será echado fuera como pámpano, y se secará; y los recogen, y los echan en el fuego, y arden.

7 Si permanecéis en mí, y mis palabras permanecen en vosotros, pedid todo lo que queréis, y os será hecho.

8 En esto es glorificado mi Padre, en que llevéis mucho fruto, y seáis así mis discípulos.

9 Como el Padre me ha amado, así también yo os he amado; permaneced en mi amor.

10 Si guardareis mis mandamientos, permaneceréis en mi amor; así como yo he guardado los mandamientos de mi Padre, y permanezco en su amor.

11 Estas cosas os he hablado, para que mi gozo esté en vosotros, y vuestro gozo sea cumplido.

12 Este es mi mandamiento: Que os améis unos a otros, como yo os he amado.

13 Nadie tiene mayor amor que este, que uno ponga su vida por sus amigos.

14 Vosotros sois mis amigos, si hacéis lo que yo os mando.

15 Ya no os llamaré siervos, porque el siervo no sabe lo que hace su señor; pero os he llamado amigos, porque todas las cosas que oí de mi Padre, os las he dado a conocer.

16 No me elegisteis vosotros a mí, sino que yo os elegí a vosotros, y os he puesto

said, I go unto the Father: for my Father is greater than I.

29 And now I have told you before it come to pass, that, when it is come to pass, ye might believe.

30 Hereafter I will not talk much with you: for the prince of this world cometh, and hath nothing in me.

31 But that the world may know that I love the Father; and as the Father gave me commandment, even so I do. Arise, let us go hence.

CHAPTER 15

I AM the true vine, and my Father is the husbandman.

2 Every branch in me that beareth not fruit he taketh away: and every *branch* that beareth fruit, he purgeth it, that it may bring forth more fruit.

3 Now ye are clean through the word which I have spoken unto you.

4 Abide in me, and I in you. As the branch cannot bear fruit of itself, except it abide in the vine; no more can ye, except ye abide in me.

5 I am the vine, ye *are* the branches: He that abideth in me, and I in him, the same bringeth forth much fruit: for without me ye can do nothing.

6 If a man abide not in me, he is cast forth as a branch, and is withered; and men gather them, and cast *them* into the fire, and they are burned.

7 If ye abide in me, and my words abide in you, ye shall ask what ye will, and it shall be done unto you.

8 Herein is my Father glorified, that ye bear much fruit; so shall ye be my disciples.

9 As the Father hath loved me, so have I loved you: continue ye in my love.

10 If ye keep my commandments, ye shall abide in my love; even as I have kept my Father's commandments, and abide in his love.

11 These things have I spoken unto you, that my joy might remain in you, and *that* your joy might be full.

12 This is my commandment, That ye love one another, as I have loved you.

13 Greater love hath no man than this, that a man lay down his life for his friends.

14 Ye are my friends, if ye do whatsoever I command you.

15 Henceforth I call you not servants; for the servant knoweth not what his lord doeth: but I have called you friends; for all things that I have heard of my Father I have made known unto you.

16 Ye have not chosen me, but I have chosen you, and ordained you, that ye

para que vayáis y llevéis fruto, y vuestro fruto permanezca; para que todo lo que pidiereis al Padre en mi nombre, él os lo dé.

17 Esto os mando: Que os améis unos a otros.

18 Si el mundo os aborrece, sabed que a mí me ha aborrecido antes que a vosotros.

19 Si fuerais del mundo, el mundo amaría lo suyo; pero porque no sois del mundo, antes yo os elegí del mundo, por eso el mundo os aborrece.

20 Acordaos de la palabra que yo os he dicho: El siervo no es mayor que su señor. Si a mí me han perseguido, también a vosotros os perseguirán; si han guardado mi palabra, también guardarán la vuestra.

21 Mas todo esto os harán por causa de mi nombre, porque no conocen al que me ha enviado.

22 Si yo no hubiera venido, ni les hubiera hablado, no tendrían pecado; pero ahora no tienen excusa por su pecado.

23 El que me aborrece a mí, también a mi Padre aborrece.

24 Si yo no hubiese hecho entre ellos obras que ningún otro ha hecho, no tendrían pecado; pero ahora han visto y han aborrecido a mí y a mi Padre.

25 Pero esto es para que se cumpla la palabra que está escrita en su ley: Sin causa me aborrecieron.

26 Pero cuando venga el Consolador, a quien yo os enviaré del Padre, el Espíritu de verdad, el cual procede del Padre, él dará testimonio acerca de mí.

27 Y vosotros daréis testimonio también, porque habéis estado conmigo desde el principio.

CAPÍTULO 16

ESTAS cosas os he hablado, para que no tengáis tropiezo.

2 Os expulsarán de las sinagogas; y aun viene la hora cuando cualquiera que os mate, pensará que rinde servicio a Dios.

3 Y harán esto porque no conocen al Padre ni a mí.

4 Mas os he dicho estas cosas, para que cuando llegue la hora, os acordéis de que ya os lo había dicho. Esto no os lo dije al principio, porque yo estaba con vosotros.

5 Pero ahora voy al que me envió; y ninguno de vosotros me pregunta: ¿A dónde vas?

6 Antes, porque os he dicho estas cosas, tristeza ha llenado vuestro corazón.

7 Pero yo os digo la verdad: Os convie-

should go and bring forth fruit, and *that* your fruit should remain: that whatsoever ye shall ask of the Father in my name, he may give it you.

17 These things I command you, that ye love one another.

18 If the world hate you, ye know that it hated me before *it hated* you.

19 If ye were of the world, the world would love his own: but because ye are not of the world, but I have chosen you out of the world, therefore the world hateth you.

20 Remember the word that I said unto you, The servant is not greater than his lord. If they have persecuted me, they will also persecute you; if they have kept my saying, they will keep yours also.

21 But all these things will they do unto you for my name's sake, because they know not him that sent me.

22 If I had not come and spoken unto them, they had not had sin: but now they have no cloak for their sin.

23 He that hateth me hateth my Father also.

24 If I had not done among them the works which none other man did, they had not had sin: but now have they both seen and hated both me and my Father.

25 But *this cometh to pass*, that the word might be fulfilled that is written in their law, They hated me without a cause.

26 But when the Comforter is come, whom I will send unto you from the Father, *even* the Spirit of truth, which proceedeth from the Father, he shall testify of me:

27 And ye also shall bear witness, because ye have been with me from the beginning.

CHAPTER 16

THESE things have I spoken unto you, that ye should not be offended.

2 They shall put you out of the synagogues: yea, the time cometh, that whosoever killeth you will think that he doeth God service.

3 And these things will they do unto you, because they have not known the Father, nor me.

4 But these things have I told you, that when the time shall come, ye may remember that I told you of them. And these things I said not unto you at the beginning, because I was with you.

5 But now I go my way to him that sent me; and none of you asketh me, Whither goest thou?

6 But because I have said these things unto you, sorrow hath filled your heart.

7 Nevertheless I tell you the truth; It is

ne que yo me vaya; porque si no me fuese, el Consolador no vendría a vosotros; mas si me fuere, os lo enviaré.
8 Y cuando él venga, convencerá al mundo de pecado, de justicia y de juicio.
9 De pecado, por cuanto no creen en mí;
10 de justicia, por cuanto voy al Padre, y no me veréis más;
11 y de juicio, por cuanto el príncipe de este mundo ha sido ya juzgado.
12 Aún tengo muchas cosas que deciros, pero ahora no las podéis sobrellevar.
13 Pero cuando venga el Espíritu de verdad, él os guiará a toda la verdad; porque no hablará por su propia cuenta, sino que hablará todo lo que oyere, y os hará saber las cosas que habrán de venir.
14 El me glorificará; porque tomará de lo mío, y os lo hará saber.
15 Todo lo que tiene el Padre es mío; por eso dije que tomará de lo mío, y os lo hará saber.
16 Todavía un poco, y no me veréis; y de nuevo un poco, y me veréis; porque yo voy al Padre.
17 Entonces se dijeron algunos de sus discípulos unos a otros: ¿Qué es esto que nos dice: Todavía un poco y no me veréis; y de nuevo un poco, y me veréis; y, porque yo voy al Padre?
18 Decían, pues: ¿Qué quiere decir con: Todavía un poco? No entendemos lo que habla.
19 Jesús conoció que querían preguntarle, y les dijo: ¿Preguntáis entre vosotros acerca de esto que dije: Todavía un poco y no me veréis, y de nuevo un poco y me veréis?
20 De cierto, de cierto os digo, que vosotros lloraréis y lamentaréis, y el mundo se alegrará; pero aunque vosotros estéis tristes, vuestra tristeza se convertirá en gozo.
21 La mujer cuando da a luz, tiene dolor, porque ha llegado su hora; pero después que ha dado a luz un niño, ya no se acuerda de la angustia, por el gozo de que haya nacido un hombre en el mundo.
22 También vosotros ahora tenéis tristeza; pero os volveré a ver, y se gozará vuestro corazón, y nadie os quitará vuestro gozo.
23 En aquel día no me preguntaréis nada. De cierto, de cierto os digo, que todo cuanto pidiereis al Padre en mi nombre, os lo dará.

expedient for you that I go away: for if I go not away, the Comforter will not come unto you; but if I depart, I will send him unto you.
8 And when he is come, he will reprove the world of sin, and of righteousness, and of judgment:
9 Of sin, because they believe not on me;
10 Of righteousness, because I go to my Father, and ye see me no more;
11 Of judgment, because the prince of this world is judged.
12 I have yet many things to say unto you, but ye cannot bear them now.
13 Howbeit when he, the Spirit of truth, is come, he will guide you into all truth: for he shall not speak of himself; but whatsoever he shall hear, *that* shall he speak: and he will shew you things to come.
14 He shall glorify me: for he shall receive of mine, and shall shew *it* unto you.
15 All things that the Father hath are mine: therefore said I, that he shall take of mine, and shall shew *it* unto you.
16 A little while, and ye shall not see me: and again, a little while, and ye shall see me, because I go to the Father.
17 Then said *some* of his disciples among themselves, What is this that he saith unto us, A little while, and ye shall not see me: and again, a little while, and ye shall see me: and, Because I go to the Father?
18 They said therefore, What is this that he saith, A little while? we cannot tell what he saith.
19 Now Jesus knew that they were desirous to ask him, and said unto them, Do ye inquire among yourselves of that I said, A little while, and ye shall not see me: and again, a little while, and ye shall see me?
20 Verily, verily, I say unto you, That ye shall weep and lament, but the world shall rejoice: and ye shall be sorrowful, but your sorrow shall be turned into joy.
21 A woman when she is in travail hath sorrow, because her hour is come: but as soon as she is delivered of the child, she remembereth no more the anguish, for joy that a man is born into the world.
22 And ye now therefore have sorrow: but I will see you again, and your heart shall rejoice, and your joy no man taketh from you.
23 And in that day ye shall ask me nothing. Verily, verily, I say unto you, Whatsoever ye shall ask the Father in my name, he will give *it* you.

24 Hasta ahora nada habéis pedido en mi nombre; pedid, y recibiréis, para que vuestro gozo sea cumplido.

25 Estas cosas os he hablado en alegorías; la hora viene cuando ya no os hablaré por alegorías, sino que claramente os anunciaré acerca del Padre.

26 En aquel día pediréis en mi nombre; y no os digo que yo rogaré al Padre por vosotros.

27 pues el Padre mismo os ama, porque vosotros me habéis amado, y habéis creído que yo salí de Dios.

28 Salí del Padre, y he venido al mundo; otra vez dejo el mundo, y voy al Padre.

29 Le dijeron sus discípulos: He aquí ahora hablas claramente, y ninguna alegoría dices.

30 Ahora entendemos que sabes todas las cosas, y no necesitas que nadie te pregunte; por esto creemos que has salido de Dios.

31 Jesús les respondió: ¿Ahora creéis?

32 He aquí la hora viene, y ha venido ya, en que seréis esparcidos cada uno por su lado, y me dejaréis solo; mas no estoy solo, porque el Padre está conmigo.

33 Estas cosas os he hablado para que en mí tengáis paz. En el mundo tendréis aflicción; pero confiad, yo he vencido al mundo.

CAPÍTULO 17

ESTAS cosas habló Jesús, y levantando los ojos al cielo, dijo: Padre, la hora ha llegado; glorifica a tu Hijo, para que también tu Hijo te glorifique a ti;

2 como le has dado potestad sobre toda carne, para que dé vida eterna a todos los que le diste.

3 Y esta es la vida eterna: que te conozcan a ti, el único Dios verdadero, y a Jesucristo, a quien has enviado.

4 Yo te he glorificado en la tierra; he acabado la obra que me diste que hiciese.

5 Ahora pues, Padre, glorifícame tú al lado tuyo, con aquella gloria que tuve contigo antes que el mundo fuese.

6 He manifestado tu nombre a los hombres que del mundo me diste; tuyos eran, y me los diste, y han guardado tu palabra.

7 Ahora han conocido que todas las cosas que me has dado, proceden de ti;

8 porque las palabras que me diste, les he dado; y ellos las recibieron, y han

24 Hitherto have ye asked nothing in my name: ask, and ye shall receive, that your joy may be full.

25 These things have I spoken unto you in proverbs: but the time cometh, when I shall no more speak unto you in proverbs, but I shall shew you plainly of the Father.

26 At that day ye shall ask in my name: and I say not unto you, that I will pray the Father for you:

27 For the Father himself loveth you, because ye have loved me, and have believed that I came out from God.

28 I came forth from the Father, and am come into the world: again, I leave the world, and go to the Father.

29 His disciples said unto him, Lo, now speakest thou plainly, and speakest no proverb.

30 Now are we sure that thou knowest all things, and needest not that any man should ask thee: by this we believe that thou camest forth from God.

31 Jesus answered them, Do ye now believe?

32 Behold, the hour cometh, yea, is now come, that ye shall be scattered, every man to his own, and shall leave me alone: and yet I am not alone, because the Father is with me.

33 These things I have spoken unto you, that in me ye might have peace. In the world ye shall have tribulation: but be of good cheer; I have overcome the world.

CHAPTER 17

THESE words spake Jesus, and lifted up his eyes to heaven, and said, Father, the hour is come; glorify thy Son, that thy Son also may glorify thee:

2 As thou hast given him power over all flesh, that he should give eternal life to as many as thou hast given him.

3 And this is life eternal, that they might know thee the only true God, and Jesus Christ, whom thou hast sent.

4 I have glorified thee on the earth: I have finished the work which thou gavest me to do.

5 And now, O Father, glorify thou me with thine own self with the glory which I had with thee before the world was.

6 I have manifested thy name unto the men which thou gavest me out of the world: thine they were, and thou gavest them me; and they have kept thy word.

7 Now they have known that all things whatsoever thou hast given me are of thee.

8 For I have given unto them the words which thou gavest me; and they have received *them*, and have known surely

conocido verdaderamente que salí de ti,
y han creído que tú me enviaste.
9 Yo ruego por ellos; no ruego por el
mundo, sino por los que me diste; porque
tuyos son,
10 y todo lo mío es tuyo, y lo tuyo mío;
y he sido glorificado en ellos.
11 Y ya no estoy en el mundo; mas és-
tos están en el mundo, y yo voy a ti. Pa-
dre santo, a los que me has dado, guárda-
los en tu nombre, para que sean uno, así
como nosotros.
12 Cuando estaba con ellos en el mun-
do, yo los guardaba en tu nombre; a los
que me diste, yo los guardé, y ninguno de
ellos se perdió, sino el hijo de perdición,
para que la Escritura se cumpliese.
13 Pero ahora voy a ti; y hablo esto en
el mundo, para que tengan mi gozo cum-
plido en sí mismos.
14 Yo les he dado tu palabra; y el mun-
do los aborreció, porque no son del mun-
do, como tampoco yo soy del mundo.
15 No ruego que los quites del mundo,
sino que los guardes del mal.
16 No son del mundo, como tampoco
yo soy del mundo.
17 Santifícalos en tu verdad; tu palabra
es verdad.
18 Como tú me enviaste al mundo, así
yo los he enviado al mundo.
19 Y por ellos yo me santifico a mí mis-
mo, para que también ellos sean santifi-
cados en la verdad.
20 Mas no ruego solamente por éstos,
sino también por los que han de creer en
mí por la palabra de ellos,
21 para que todos sean uno; como tú,
oh Padre, en mí, y yo en ti, que también
ellos sean uno en nosotros; para que el
mundo crea que tú me enviaste.
22 La gloria que me diste, yo les he
dado, para que sean uno, así como noso-
tros somos uno.
23 Yo en ellos, y tú en mí, para que
sean perfectos en unidad, para que el
mundo conozca que tú me enviaste, y
que los has amado a ellos como también
a mí me has amado.
24 Padre, aquellos que me has dado,
quiero que donde yo estoy, también ellos
estén conmigo, para que vean mi gloria
que me has dado; porque me has amado
desde antes de la fundación del mundo.
25 Padre justo, el mundo no te ha cono-
cido, pero yo te he conocido, y éstos han
conocido que tú me enviaste.
26 Y les he dado a conocer tu nombre, y
lo daré a conocer aún, para que el amor

that I came out from thee, and they have
believed that thou didst send me.
9 I pray for them: I pray not for the
world, but for them which thou hast given
me; for they are thine.
10 And all mine are thine, and thine are
mine; and I am glorified in them.
11 And now I am no more in the world,
but these are in the world, and I come to
thee. Holy Father, keep through thine
own name those whom thou hast given
me, that they may be one, as we *are*.
12 While I was with them in the world,
I kept them in thy name: those that thou
gavest me I have kept, and none of them
is lost, but the son of perdition; that the
scripture might be fulfilled.
13 And now come I to thee; and these
things I speak in the world, that they
might have my joy fulfilled in themselves.
14 I have given them thy word; and the
world hath hated them, because they are
not of the world, even as I am not of the
world.
15 I pray not that thou shouldest take
them out of the world, but that thou
shouldest keep them from the evil.
16 They are not of the world, even as I
am not of the world.
17 Sanctify them through thy truth: thy
word is truth.
18 As thou hast sent me into the world,
even so have I also sent them into the
world.
19 And for their sakes I sanctify myself,
that they also might be sanctified through
the truth.
20 Neither pray I for these alone, but for
them also which shall believe on me
through their word;
21 That they all may be one; as thou,
Father, *art* in me, and I in thee, that they
also may be one in us: that the world may
believe that thou hast sent me.
22 And the glory which thou gavest me
I have given them; that they may be one,
even as we are one:
23 I in them, and thou in me, that they
may be made perfect in one; and that the
world may know that thou hast sent me,
and hast loved them, as thou hast loved
me.
24 Father, I will that they also, whom
thou hast given me, be with me where I
am; that they may behold my glory, which
thou hast given me: for thou lovedst me
before the foundation of the world.
25 O righteous Father, the world hath
not known thee: but I have known thee,
and these have known that thou hast sent
me.
26 And I have declared unto them thy
name, and will declare *it*: that the love

con que me has amado, esté en ellos, y yo en ellos.

CAPÍTULO 18

HABIENDO dicho Jesús estas cosas, salió con sus discípulos al otro lado del torrente de Cedrón, donde había un huerto, en el cual entró con sus discipulos.

2 Y también Judas, el que le entregaba, conocía aquel lugar, porque muchas veces Jesús se había reunido allí con sus discípulos.

3 Judas, pues, tomando una compañía de soldados, y alguaciles de los principales sacerdotes y de los fariseos, fue allí con linternas y antorchas, y con armas.

4 Pero Jesús, sabiendo todas las cosas que le habían de sobrevenir, se adelantó y les dijo: ¿A quién buscáis?

5 Le respondieron: A Jesús nazareno. Jesús les dijo: Yo soy. Y estaba también con ellos Judas, el que le entregaba.

6 Cuando les dijo: Yo soy, retrocedieron, y cayeron a tierra.

7 Volvió, pues, a preguntarles: ¿A quién buscáis? Y ellos dijeron: A Jesús nazareno.

8 Respondió Jesús: Os he dicho que yo soy; pues si me buscáis a mí, dejad ir a éstos;

9 para que se cumpliese aquello que había dicho: De los que me diste, no perdí ninguno.

10 Entonces Simón Pedro, que tenía una espada, la desenvainó, e hirió al siervo del sumo sacerdote, y le cortó la oreja derecha. Y el siervo se llamaba Malco.

11 Jesús entonces dijo a Pedro: Mete tu espada en la vaina; la copa que el Padre me ha dado, ¿no la he de beber?

12 Entonces la compañía de soldados, el tribuno y los alguaciles de los judíos, prendieron a Jesús y le ataron,

13 y le llevaron primeramente a Anás; porque era suegro de Caifás, que era sumo sacerdote aquel año.

14 Era Caifás el que había dado el consejo a los judíos, de que convenía que un solo hombre muriese por el pueblo.

15 Y seguían a Jesús Simón Pedro y otro discípulo. Y este discípulo era conocido del sumo sacerdote, y entró con Jesús al patio del sumo sacerdote;

16 mas Pedro estaba fuera, a la puerta. Salió, pues, el discípulo que era conocido del sumo sacerdote, y habló a la portera, e hizo entrar a Pedro.

wherewith thou hast loved me may be in them, and I in them

CHAPTER 18

WHEN Jesus had spoken these words, he went forth with his disciples over the brook Ce'dron, where was a garden, into the which he entered, and his disciples.

2 And Judas also, which betrayed him, knew the place: for Jesus ofttimes resorted thither with his disciples.

3 Judas then, having received a band *of men* and officers from the chief priests and Pharisees, cometh thither with lanterns and torches and weapons.

4 Jesus therefore, knowing all things that should come upon him, went forth, and said unto them, Whom seek ye?

5 They answered him, Jesus of Nazareth. Jesus saith unto them, I am *he*. And Judas also, which betrayed him, stood with them.

6 As soon then as he had said unto them, I am *he*, they went backward, and fell to the ground.

7 Then asked he them again, Whom seek ye? And they said, Jesus of Nazareth.

8 Jesus answered, I have told you that I am *he*: if therefore ye seek me, let these go their way:

9 That the saying might be fulfilled, which he spake, Of them which thou gavest me have I lost none.

10 Then Simon Peter having a sword drew it, and smote the high priest's servant, and cut off his right ear. The servant's name was Mal'chus.

11 Then said Jesus unto Peter, Put up thy sword into the sheath: the cup which my Father hath given me, shall I not drink it?

12 Then the band and the captain and officers of the Jews took Jesus, and bound him,

13 And led him away to An'nas first; for he was father in law to Cai'a-phas, which was the high priest that same year.

14 Now Cai'a-phas was he, which gave counsel to the Jews, that it was expedient that one man should die for the people.

15 And Simon Peter followed Jesus, and *so did* another disciple: that disciple was known unto the high priest, and went in with Jesus into the palace of the high priest.

16 But Peter stood at the door without. Then went out that other disciple, which was known unto the high priest, and spake unto her that kept the door, and brought in Peter.

17 Entonces la criada portera dijo a Pe-
dro: ¿No eres tú también de los discípu-
los de este hombre? Dijo él: No lo soy.
18 Y estaban en pie los siervos y los al-
guaciles que habían encendido un fuego;
porque hacía frío, y se calentaban; y tam-
bién con ellos estaba Pedro en pie, calen-
tándose.
19 Y el sumo sacerdote preguntó a
Jesús acerca de sus discípulos y de su
doctrina.
20 Jesús le respondió: Yo públicamente
he hablado al mundo; siempre he enseña-
do en la sinagoga y en el templo, donde
se reúnen todos los judíos, y nada he ha-
blado en oculto.
21 ¿Por qué me preguntas a mí? Pre-
gunta a los que han oído, qué les haya yo
hablado; he aquí, ellos saben lo que yo he
dicho.
22 Cuando Jesús hubo dicho esto, uno
de los alguaciles, que estaba allí, le dio
una bofetada, diciendo: ¿Así respondes al
sumo sacerdote?
23 Jesús le respondió: Si he hablado
mal, testifica en qué está el mal; y si bien,
¿por qué me golpeas?
24 Anás entonces le envió atado a Cai-
fás, el sumo sacerdote.
25 Estaba, pues, Pedro en pie, calentán-
dose. Y le dijeron: ¿No eres tú de sus dis-
cípulos? El negó, y dijo: No lo soy.
26 Uno de los siervos del sumo sacer-
dote, pariente de aquel a quien Pedro ha-
bía cortado la oreja, le dijo: ¿No te vi yo
en el huerto con él?
27 Negó Pedro otra vez; y en seguida
cantó el gallo.
28 Llevaron a Jesús de casa de Caifás al
pretorio. Era de mañana, y ellos no entra-
ron en el pretorio para no contaminarse,
y así poder comer la pascua.
29 Entonces salió Pilato a ellos, y les
dijo: ¿Qué acusación traéis contra este
hombre?
30 Respondieron y le dijeron: Si éste no
fuera malhechor, no te lo habríamos en-
tregado.
31 Entonces les dijo Pilato: Tomadle
vosotros, y juzgadle según vuestra ley. Y
los judíos le dijeron: A nosotros no nos
está permitido dar muerte a nadie;
32 para que se cumpliese la palabra que
Jesús había dicho, dando a entender de
qué muerte iba a morir.
33 Entonces Pilato volvió a entrar en el
pretorio, y llamó a Jesús y le dijo: ¿Eres
tú el Rey de los judíos?
34 Jesús le respondió: ¿Dices tú esto
por ti mismo, o te lo han dicho otros de
mí?

17 Then saith the damsel that kept the
door unto Peter, Art not thou also *one* of
this man's disciples? He saith, I am not.
18 And the servants and officers stood
there, who had made a fire of coals; for it
was cold: and they warmed themselves:
and Peter stood with them, and warmed
himself.
19 The high priest then asked Jesus of
his disciples, and of his doctrine.
20 Jesus answered him, I spake openly
to the world; I ever taught in the syna-
gogue, and in the temple, whither the
Jews always resort; and in secret have I
said nothing.
21 Why askest thou me? ask them
which heard me, what I have said unto
them: behold, they know what I said.
22 And when he had thus spoken, one
of the officers which stood by struck
Jesus with the palm of his hand, saying,
Answerest thou the high priest so?
23 Jesus answered him, If I have spo-
ken evil, bear witness of the evil: but if
well, why smitest thou me?
24 Now An'nas had sent him bound
unto Cai'a-phas the high priest.
25 And Simon Peter stood and warmed
himself. They said therefore unto him,
Art not thou also *one* of his disciples? He
denied *it*, and said, I am not.
26 One of the servants of the high
priest, being *his* kinsman whose ear Pe-
ter cut off, saith, Did not I see thee in the
garden with him?
27 Peter then denied again: and imme-
diately the cock crew.
28 Then led they Jesus from Cai'a-phas
unto the hall of judgment: and it was ear-
ly; and they themselves went not into the
judgment hall, lest they should be de-
filed; but that they might eat the pass-
over.
29 Pilate then went out unto them, and
said, What accusation bring ye against
this man?
30 They answered and said unto him, If
he were not a malefactor, we would not
have delivered him up unto thee.
31 Then said Pilate unto them, Take ye
him, and judge him according to your
law. The Jews therefore said unto him, It
is not lawful for us to put any man to
death:
32 That the saying of Jesus might be
fulfilled, which he spake, signifying what
death he should die.
33 Then Pilate entered into the judg-
ment hall again, and called Jesus, and
said unto him, Art thou the King of the
Jews?
34 Jesus answered him, Sayest thou
this thing of thyself, or did others tell it
thee of me?

35 Pilato le respondió: ¿Soy yo acaso judío? Tu nación, y los principales sacerdotes, te han entregado a mí. ¿Qué has hecho?

36 Respondió Jesús: Mi reino no es de este mundo; si mi reino fuera de este mundo, mis servidores pelearían para que yo no fuera entregado a los judíos; pero mi reino no es de aquí.

37 Le dijo entonces Pilato: ¿Luego, eres tú rey? Respondió Jesús: Tú dices que yo soy rey. Yo para esto he nacido, y para esto he venido al mundo, para dar testimonio a la verdad. Todo aquel que es de la verdad, oye mi voz.

38 Le dijo Pilato: ¿Qué es la verdad? Y cuando hubo dicho esto, salió otra vez a los judíos, y les dijo: Yo no hallo en él ningún delito.

39 Pero vosotros tenéis la costumbre de que os suelte uno en la pascua. ¿Queréis, pues, que os suelte al Rey de los judíos?

40 Entonces todos dieron voces de nuevo, diciendo: No a éste, sino a Barrabás. Y Barrabás era ladrón.

CAPÍTULO 19

ASÍ que, entonces tomó Pilato a Jesús, y le azotó.

2 Y los soldados entretejieron una corona de espinas, y la pusieron sobre su cabeza, y le vistieron con un manto de púrpura;

3 y le decían: ¡Salve, Rey de los judíos! y le daban de bofetadas.

4 Entonces Pilato salió otra vez, y les dijo: Mirad, os lo traigo fuera, para que entendáis que ningún delito hallo en él.

5 Y salió Jesús, llevando la corona de espinas y el manto de púrpura. Y Pilato les dijo: ¡He aquí el hombre!

6 Cuando le vieron los principales sacerdotes y los alguaciles, dieron voces, diciendo: ¡Crucifícale! ¡Crucifícale! Pilato les dijo: Tomadle vosotros, y crucificadle; porque yo no hallo delito en él.

7 Los judíos le respondieron: Nosotros tenemos una ley, y según nuestra ley debe morir, porque se hizo a sí mismo Hijo de Dios.

8 Cuando Pilato oyó decir esto, tuvo más miedo.

9 Y entró otra vez en el pretorio, y dijo a Jesús: ¿De dónde eres tú? Mas Jesús no le dio respuesta.

10 Entonces le dijo Pilato: ¿A mí no me hablas? ¿No sabes que tengo autoridad para crucificarte, y que tengo autoridad para soltarte?

11 Respondió Jesús: Ninguna autoridad tendrías contra mí, si no te fuese dada de

35 Pilate answered, Am I a Jew? Thine own nation and the chief priests have delivered thee unto me: what hast thou done?

36 Jesus answered, My kingdom is not of this world: if my kingdom were of this world, then would my servants fight, that I should not be delivered to the Jews: but now is my kingdom not from hence.

37 Pilate therefore said unto him, Art thou a king then? Jesus answered, Thou sayest that I am a king. To this end was I born, and for this cause came I into the world, that I should bear witness unto the truth. Every one that is of the truth heareth my voice.

38 Pilate saith unto him, What is truth? And when he had said this, he went out again unto the Jews, and saith unto them, I find in him no fault *at all*.

39 But ye have a custom, that I should release unto you one at the passover: will ye therefore that I release unto you the King of the Jews?

40 Then cried they all again, saying, Not this man, but Ba-rab'bas. Now Ba-rab'bas was a robber.

CHAPTER 19

THEN Pilate therefore took Jesus, and scourged *him*.

2 And the soldiers platted a crown of thorns, and put *it* on his head, and they put on him a purple robe,

3 And said, Hail, King of the Jews! and they smote him with their hands.

4 Pilate therefore went forth again, and saith unto them, Behold, I bring him forth to you, that ye may know that I find no fault in him.

5 Then came Jesus forth, wearing the crown of thorns, and the purple robe. And *Pilate* saith unto them, Behold the man!

6 When the chief priests therefore and officers saw him, they cried out, saying, Crucify *him*, crucify *him*. Pilate saith unto them, Take ye him, and crucify *him*: for I find no fault in him.

7 The Jews answered him, We have a law, and by our law he ought to die, because he made himself the Son of God.

8 When Pilate therefore heard that saying, he was the more afraid;

9 And went again into the judgment hall, and saith unto Jesus, Whence art thou? But Jesus gave him no answer.

10 Then saith Pilate unto him, Speakest thou not unto me? knowest thou not that I have power to crucify thee, and have power to release thee?

11 Jesus answered, Thou couldest have no power *at all* against me, except it

arriba; por tanto, el que a ti me ha entregado, mayor pecado tiene.

12 Desde entonces procuraba Pilato soltarle; pero los judíos daban voces, diciendo: Si a éste sueltas, no eres amigo de César; todo el que se hace rey, a César se opone.

13 Entonces Pilato, oyendo esto, llevó fuera a Jesús, y se sentó en el tribunal en el lugar llamado el Enlosado, y en hebreo Gabata.

14 Era la preparación de la pascua, y como la hora sexta. Entonces dijo a los judíos: ¡He aquí vuestro Rey!

15 Pero ellos gritaron: ¡Fuera, fuera, crucifícale! Pilato les dijo: ¿A vuestro Rey he de crucificar? Respondieron los principales sacerdotes: No tenemos más rey que César.

16 Así que entonces lo entregó a ellos para que fuese crucificado. Tomaron, pues, a Jesús, y le llevaron.

17 Y él, cargando su cruz, salió al lugar llamado de la Calavera, y en hebreo, Gólgota;

18 y allí le crucificaron, y con él a otros dos, uno a cada lado, y Jesús en medio.

19 Escribió también Pilato un título, que puso sobre la cruz, el cual decía: JESÚS NAZARENO, REY DE LOS JUDÍOS.

20 Y muchos de los judíos leyeron este título; porque el lugar donde Jesús fue crucificado estaba cerca de la ciudad, y el título estaba escrito en hebreo, en griego y en latín.

21 Dijeron a Pilato los principales sacerdotes de los judíos: No escribas: Rey de los judíos; sino, que él dijo: Soy Rey de los judíos.

22 Respondió Pilato: Lo que he escrito, he escrito.

23 Cuando los soldados hubieron crucificado a Jesús, tomaron sus vestidos, e hicieron cuatro partes, una para cada soldado. Tomaron también su túnica, la cual era sin costura, de un solo tejido de arriba abajo.

24 Entonces dijeron entre sí: No la partamos, sino echemos suertes sobre ella, a ver de quién será. Esto fue para que se cumpliese la Escritura, que dice: Repartieron entre sí mis vestidos, y sobre mi ropa echaron suertes. Y así lo hicieron los soldados.

25 Estaban junto a la cruz de Jesús su madre, y la hermana de su madre, María mujer de Cleofas, y María Magdalena.

26 Cuando vio Jesús a su madre, y al discípulo a quien él amaba, que estaba

were given thee from above: therefore he that delivered me unto thee hath the greater sin.

12 And from thenceforth Pilate sought to release him: but the Jews cried out, saying, If thou let this man go, thou art not Cæsar's friend: whosoever maketh himself a king speaketh against Cæsar.

13 When Pilate therefore heard that saying, he brought Jesus forth, and sat down in the judgment seat in a place that is called the Pavement, but in the Hebrew, Gab'ba-tha.

14 And it was the preparation of the passover, and about the sixth hour: and he saith unto the Jews, Behold your King!

15 But they cried out, Away with *him*, away with *him*, crucify him. Pilate saith unto them, Shall I crucify your King? The chief priests answered, We have no king but Cæsar.

16 Then delivered he him therefore unto them to be crucified. And they took Jesus, and led *him* away.

17 And he bearing his cross went forth into a place called *the place* of a skull, which is called in the Hebrew Gol'go-tha:

18 Where they crucified him, and two other with him, on either side one, and Jesus in the midst.

19 And Pilate wrote a title, and put *it* on the cross. And the writing was, JESUS OF NAZARETH THE KING OF THE JEWS.

20 This title then read many of the Jews: for the place where Jesus was crucified was nigh to the city: and it was written in Hebrew, *and* Greek, *and* Latin.

21 Then said the chief priests of the Jews to Pilate, Write not, The King of the Jews; but that he said, I am King of the Jews.

22 Pilate answered, What I have written I have written.

23 Then the soldiers, when they had crucified Jesus, took his garments, and made four parts, to every soldier a part; and also *his* coat: now the coat was without seam, woven from the top throughout.

24 They said therefore among themselves, Let us not rend it, but cast lots for it, whose it shall be: that the scripture might be fulfilled, which saith, They parted my raiment among them, and for my vesture they did cast lots. These things therefore the soldiers did.

25 Now there stood by the cross of Jesus his mother, and his mother's sister, Mary the *wife* of Cle'o-phas, and Mary Magdalene.

26 When Jesus therefore saw his mother, and the disciple standing by,

presente, dijo a su madre: Mujer, he ahí tu hijo.

27 Después dijo al discípulo: He ahí tu madre. Y desde aquella hora el discípulo la recibió en su casa.

28 Después de esto, sabiendo Jesús que ya todo estaba consumado, dijo, para que la Escritura se cumpliese: Tengo sed.

29 Y estaba allí una vasija llena de vinagre; entonces ellos empaparon en vinagre una esponja, y poniéndola en un hisopo, se la acercaron a la boca.

30 Cuando Jesús hubo tomado el vinagre, dijo: Consumado es. Y habiendo inclinado la cabeza, entregó el espíritu.

31 Entonces los judíos, por cuanto era la preparación de la pascua, a fin de que los cuerpos no quedasen en la cruz en el día de reposo (pues aquel día de reposo era de gran solemnidad), rogaron a Pilato que se les quebrasen las piernas, y fuesen quitados de allí.

32 Vinieron, pues, los soldados, y quebraron las piernas al primero, y asimismo al otro que había sido crucificado con él.

33 Mas cuando llegaron a Jesús, como le vieron ya muerto, no le quebraron las piernas.

34 Pero uno de los soldados le abrió el costado con una lanza, y al instante salió sangre y agua.

35 Y el que lo vio da testimonio, y su testimonio es verdadero; y él sabe que dice verdad, para que vosotros también creáis.

36 Porque estas cosas sucedieron para que se cumpliese la Escritura: No será quebrado hueso suyo.

37 Y también otra Escritura dice: Mirarán al que traspasaron.

38 Después de todo esto, José de Arimatea, que era discípulo de Jesús, pero secretamente por miedo de los judíos, rogó a Pilato que le permitiese llevarse el cuerpo de Jesús; y Pilato se lo concedió. Entonces vino, y se llevó el cuerpo de Jesús.

39 También Nicodemo, el que antes había visitado a Jesús de noche, vino trayendo un compuesto de mirra y de áloes, como cien libras.

40 Tomaron, pues, el cuerpo de Jesús, y lo envolvieron en lienzos con especias aromáticas, según es costumbre sepultar entre los judíos.

41 Y en el lugar donde había sido crucificado, había un huerto, y en el huerto un sepulcro nuevo, en el cual aún no había sido puesto ninguno.

42 Allí, pues, por causa de la preparación de la pascua de los judíos, y porque aquel sepulcro estaba cerca, pusieron a Jesús.

whom he loved, he saith unto his mother, Woman, behold thy son!

27 Then saith he to the disciple, Behold thy mother! And from that hour that disciple took her unto his own *home*.

28 After this, Jesus knowing that all things were now accomplished, that the scripture might be fulfilled, saith, I thirst.

29 Now there was set a vessel full of vinegar: and they filled a spunge with vinegar, and put *it* upon hyssop, and put *it* to his mouth.

30 When Jesus therefore had received the vinegar, he said, It is finished: and he bowed his head, and gave up the ghost.

31 The Jews therefore, because it was the preparation, that the bodies should not remain upon the cross on the sabbath day, (for that sabbath day was an high day,) besought Pilate that their legs might be broken, and *that* they might be taken away.

32 Then came the soldiers, and brake the legs of the first, and of the other which was crucified with him.

33 But when they came to Jesus, and saw that he was dead already, they brake not his legs:

34 But one of the soldiers with a spear pierced his side, and forthwith came there out blood and water.

35 And he that saw *it* bare record, and his record is true: and he knoweth that he saith true, that ye might believe.

36 For these things were done, that the scripture should be fulfilled, A bone of him shall not be broken.

37 And again another scripture saith, They shall look on him whom they pierced.

38 And after this Joseph of Ar-i-ma-thæ'a, being a disciple of Jesus, but secretly for fear of the Jews, besought Pilate that he might take away the body of Jesus: and Pilate gave *him* leave. He came therefore, and took the body of Jesus.

39 And there came also Nic-o-de'mus, which at the first came to Jesus by night, and brought a mixture of myrrh and aloes, about an hundred pound *weight*.

40 Then took they the body of Jesus, and wound it in linen clothes with the spices, as the manner of the Jews is to bury.

41 Now in the place where he was crucified there was a garden; and in the garden a new sepulchre, wherein was never man yet laid.

42 There laid they Jesus therefore because of the Jews' preparation *day;* for the sepulchre was nigh at hand.

CAPÍTULO 20

EL primer día de la semana, María Magdalena fue de mañana, siendo aún oscuro, al sepulcro; y vio quitada la piedra del sepulcro.

2 Entonces corrió, y fue a Simón Pedro y al otro discípulo, aquel al que amaba Jesús, y les dijo: Se han llevado del sepulcro al Señor, y no sabemos dónde le han puesto.

3 Y salieron Pedro y el otro discípulo, y fueron al sepulcro.

4 Corrían los dos juntos; pero el otro discípulo corrió más aprisa que Pedro, y llegó primero al sepulcro.

5 Y bajándose a mirar, vio los lienzos puestos allí, pero no entró.

6 Luego llegó Simón Pedro tras él, y entró en el sepulcro, y vio los lienzos puestos allí,

7 y el sudario, que había estado sobre la cabeza de Jesús, no puesto con los lienzos, sino enrollado en un lugar aparte.

8 Entonces entró también el otro discípulo, que había venido primero al sepulcro; y vio, y creyó.

9 Porque aún no habían entendido la Escritura, que era necesario que él resucitase de los muertos.

10 Y volvieron los discípulos a los suyos.

11 Pero María estaba fuera llorando junto al sepulcro; y mientras lloraba, se inclinó para mirar dentro del sepulcro;

12 y vio a dos ángeles con vestiduras blancas, que estaban sentados el uno a la cabecera, y el otro a los pies, donde el cuerpo de Jesús había sido puesto.

13 Y le dijeron: Mujer, ¿por qué lloras? Les dijo: Porque se han llevado a mi Señor, y no sé dónde le han puesto.

14 Cuando había dicho esto, se volvió, y vio a Jesús que estaba allí; mas no sabía que era Jesús.

15 Jesús le dijo: Mujer, ¿por qué lloras? ¿A quién buscas? Ella, pensando que era el hortelano, le dijo: Señor, si tú lo has llevado, dime dónde lo has puesto, y yo lo llevaré.

16 Jesús le dijo: ¡María! Volviéndose ella, le dijo: ¡Raboni! (que quiere decir, Maestro).

17 Jesús le dijo: No me toques, porque aún no he subido a mi Padre; mas vé a mis hermanos, y diles: Subo a mi Padre y a vuestro Padre, a mi Dios y a vuestro Dios.

18 Fue entonces María Magdalena para

CHAPTER 20

THE first *day* of the week cometh Mary Magdalene early, when it was yet dark, unto the sepulchre, and seeth the stone taken away from the sepulchre.

2 Then she runneth, and cometh to Simon Peter, and to the other disciple, whom Jesus loved, and saith unto them, They have taken away the Lord out of the sepulchre, and we know not where they have laid him.

3 Peter therefore went forth, and that other disciple, and came to the sepulchre.

4 So they ran both together: and the other disciple did outrun Peter, and came first to the sepulchre.

5 And he stooping down, *and looking in,* saw the linen clothes lying; yet went he not in.

6 Then cometh Simon Peter following him, and went into the sepulchre, and seeth the linen clothes lie,

7 And the napkin, that was about his head, not lying with the linen clothes, but wrapped together in a place by itself.

8 Then went in also that other disciple, which came first to the sepulchre, and he saw, and believed.

9 For as yet they knew not the scripture, that he must rise again from the dead.

10 Then the disciples went away again unto their own home.

11 But Mary stood without at the sepulchre weeping: and as she wept, she stooped down, *and looked* into the sepulchre,

12 And seeth two angels in white sitting, the one at the head, and the other at the feet, where the body of Jesus had lain.

13 And they say unto her, Woman, why weepest thou? She saith unto them, Because they have taken away my Lord, and I know not where they have laid him.

14 And when she had thus said, she turned herself back, and saw Jesus standing, and knew not that it was Jesus.

15 Jesus saith unto her, Woman, why weepest thou? whom seekest thou? She, supposing him to be the gardener, saith unto him, Sir, if thou have borne him hence, tell me where thou hast laid him, and I will take him away.

16 Jesus saith unto her, Mary. She turned herself, and saith unto him, Rabbo'ni; which is to say, Master.

17 Jesus saith unto her, Touch me not; for I am not yet ascended to my Father: but go to my brethren, and say unto them, I ascend unto my Father, and your Father; and *to* my God, and your God.

18 Mary Magdalene came and told the

dar a los discípulos las nuevas de que había visto al Señor, y que él le había dicho estas cosas.

19 Cuando llegó la noche de aquel mismo día, el primero de la semana, estando las puertas cerradas en el lugar donde los discípulos estaban reunidos por miedo de los judíos, vino Jesús, y puesto en medio, les dijo: Paz a vosotros.

20 Y cuando les hubo dicho esto, les mostró las manos y el costado. Y los discípulos se regocijaron viendo al Señor.

21 Entonces Jesús les dijo otra vez: Paz a vosotros. Como me envió el Padre, así también yo os envío.

22 Y habiendo dicho esto, sopló, y les dijo: Recibid el Espíritu Santo.

23 A quienes remitiereis los pecados, les son remitidos; y a quienes se los retuviereis, les son retenidos.

24 Pero Tomás, uno de los doce, llamado Dídimo, no estaba con ellos cuando Jesús vino.

25 Le dijeron, pues, los otros discípulos: Al Señor hemos visto. El les dijo: Si no viere en sus manos la señal de los clavos, y metiere mi dedo en el lugar de los clavos, y metiere mi mano en su costado, no creeré.

26 Ocho días después, estaban otra vez sus discípulos dentro, y con ellos Tomás. Llegó Jesús, estando las puertas cerradas, y se puso en medio y les dijo: Paz a vosotros.

27 Luego dijo a Tomás: Pon aquí tu dedo, y mira mis manos; y acerca tu mano, y métela en mi costado; y no seas incrédulo, sino creyente.

28 Entonces Tomás respondió y le dijo: ¡Señor mío, y Dios mío!

29 Jesús le dijo: Porque me has visto, Tomás, creíste; bienaventurados los que no vieron, y creyeron.

30 Hizo además Jesús muchas otras señales en presencia de sus discípulos, las cuales no están escritas en este libro.

31 Pero éstas se han escrito para que creáis que Jesús es el Cristo, el Hijo de Dios, y para que creyendo, tengáis vida en su nombre.

CAPÍTULO 21

DESPUÉS de esto, Jesús se manifestó otra vez a sus discípulos junto al mar de Tiberias; y se manifestó de esta manera:

2 Estaban juntos Simón Pedro, Tomás llamado el Dídimo, Natanael el de Caná

disciples that she had seen the Lord, and *that* he had spoken these things unto her.

19 Then the same day at evening, being the first *day* of the week, when the doors were shut where the disciples were assembled for fear of the Jews, came Jesus and stood in the midst, and saith unto them, Peace *be* unto you.

20 And when he had so said, he shewed unto them *his* hands and his side. Then were the disciples glad, when they saw the Lord.

21 Then said Jesus to them again, Peace *be* unto you: as *my* Father hath sent me, even so send I you.

22 And when he had said this, he breathed on *them*, and saith unto them, Receive ye the Holy Ghost:

23 Whose soever sins ye remit, they are remitted unto them; *and* whose soever *sins* ye retain, they are retained.

24 But Thomas, one of the twelve, called Did'y-mus, was not with them when Jesus came.

25 The other disciples therefore said unto him, We have seen the Lord. But he said unto them, Except I shall see in his hands the print of the nails, and put my finger into the print of the nails, and thrust my hand into his side, I will not believe.

26 And after eight days again his disciples were within, and Thomas with them: *then* came Jesus, the doors being shut, and stood in the midst, and said, Peace *be* unto you.

27 Then saith he to Thomas, Reach hither thy finger, and behold my hands; and reach hither thy hand, and thrust *it* into my side: and be not faithless, but believing.

28 And Thomas answered and said unto him, My Lord and my God.

29 Jesus saith unto him, Thomas, because thou hast seen me, thou hast believed: blessed *are* they that have not seen, and *yet* have believed.

30 And many other signs truly did Jesus in the presence of his disciples, which are not written in this book:

31 But these are written, that ye might believe that Jesus is the Christ, the Son of God; and that believing ye might have life through his name.

CHAPTER 21

AFTER these things Jesus shewed himself again to the disciples at the sea of Ti-be'ri-as; and on this wise shewed he *himself*.

2 There were together Simon Peter, and Thomas called Did'y-mus, and Nathanael

de Galilea, los hijos de Zebedeo, y otros dos de sus discípulos.

3 Simón Pedro les dijo: Voy a pescar. Ellos le dijeron: Vamos nosotros también contigo. Fueron, y entraron en una barca; y aquella noche no pescaron nada.

4 Cuando ya iba amaneciendo, se presentó Jesús en la playa; mas los discípulos no sabían que era Jesús.

5 Y les dijo: Hijitos, ¿tenéis algo de comer? Le respondieron: No.

6 El les dijo: Echad la red a la derecha de la barca, y hallaréis. Entonces la echaron, y ya no la podían sacar, por la gran cantidad de peces.

7 Entonces aquel discípulo a quien Jesús amaba dijo a Pedro: ¡Es el Señor! Simón Pedro, cuando oyó que era el Señor, se ciñó la ropa (porque se había despojado de ella), y se echó al mar.

8 Y los otros discípulos vinieron con la barca, arrastrando la red de peces, pues no distaban de tierra sino como doscientos codos.

9 Al descender a tierra, vieron brasas puestas, y un pez encima de ellas, y pan.

10 Jesús les dijo: Traed de los peces que acabáis de pescar.

11 Subió Simón Pedro, y sacó la red a tierra, llena de grandes peces, ciento cincuenta y tres; y aun siendo tantos, la red no se rompió.

12 Les dijo Jesús: Venid, comed. Y ninguno de los discípulos se atrevía a preguntarle: ¿Tú, quién eres? sabiendo que era el Señor.

13 Vino, pues, Jesús, y tomó el pan y les dio, y asimismo del pescado.

14 Esta era ya la tercera vez que Jesús se manifestaba a sus discípulos, después de haber resucitado de los muertos.

15 Cuando hubieron comido, Jesús dijo a Simón Pedro: Simón, hijo de Jonás, ¿me amas más que éstos? Le respondió: Sí, Señor; tú sabes que te amo. El le dijo: Apacienta mis corderos.

16 Volvió a decirle la segunda vez: Simón, hijo de Jonás, ¿me amas? Pedro le respondió: Sí, Señor; tú sabes que te amo. Le dijo: Pastorea mis ovejas.

17 Le dijo la tercera vez: Simón, hijo de Jonás, ¿me amas? Pedro se entristeció de que le dijese la tercera vez: ¿Me amas? y le respondió: Señor, tú lo sabes todo; tú

of Cana in Galilee, and the *sons* of Zeb'edee, and two other of his disciples.

3 Simon Peter saith unto them, I go a fishing. They say unto him, We also go with thee. They went forth, and entered into a ship immediately; and that night they caught nothing.

4 But when the morning was now come, Jesus stood on the shore: but the disciples knew not that it was Jesus.

5 Then Jesus saith unto them, Children, have ye any meat? They answered him, No.

6 And he said unto them, Cast the net on the right side of the ship, and ye shall find. They cast therefore, and now they were not able to draw it for the multitude of fishes.

7 Therefore that disciple whom Jesus loved saith unto Peter, It is the Lord. Now when Simon Peter heard that it was the Lord, he girt *his* fisher's coat *unto him*, (for he was naked,) and did cast himself into the sea.

8 And the other disciples came in a little ship; (for they were not far from land, but as it were two hundred cubits,) dragging the net with fishes.

9 As soon then as they were come to land, they saw a fire of coals there, and fish laid thereon, and bread.

10 Jesus saith unto them, Bring of the fish which ye have now caught.

11 Simon Peter went up, and drew the net to land full of great fishes, an hundred and fifty and three: and for all there were so many, yet was not the net broken.

12 Jesus saith unto them, Come *and* dine. And none of the disciples durst ask him, Who art thou? knowing that it was the Lord.

13 Jesus then cometh, and taketh bread, and giveth them, and fish likewise.

14 This is now the third time that Jesus shewed himself to his disciples, after that he was risen from the dead.

15 So when they had dined, Jesus saith to Simon Peter, Simon, *son* of Jonas, lovest thou me more than these? He saith unto him, Yea, Lord; thou knowest that I love thee. He saith unto him, Feed my lambs.

16 He saith to him again the second time, Simon, *son* of Jonas, lovest thou me? He saith unto him, Yea, Lord; thou knowest that I love thee. He saith unto him, Feed my sheep.

17 He saith unto him the third time, Simon, *son* of Jonas, lovest thou me? Peter was grieved because he said unto him the third time, Lovest thou me? And he said unto him, Lord, thou knowest all things;

sabes que te amo. Jesús le dijo: Apacienta mis ovejas.

18 De cierto, de cierto te digo: Cuando eras más joven, te ceñías, e ibas a donde querías; mas cuando ya seas viejo, extenderás tus manos, y te ceñirá otro, y te llevará a donde no quieras.

19 Esto dijo, dando a entender con qué muerte había de glorificar a Dios. Y dicho esto, añadió: Sígueme.

20 Volviéndose Pedro, vio que les seguía el discípulo a quien amaba Jesús, el mismo que en la cena se había recostado al lado de él, y le había dicho: Señor, ¿quién es el que te ha de entregar?

21 Cuando Pedro le vio, dijo a Jesús: Señor, ¿y qué de éste?

22 Jesús le dijo: Si quiero que él quede hasta que yo venga, ¿qué a ti? Sígueme tú.

23 Este dicho se extendió entonces entre los hermanos, que aquel discípulo no moriría. Pero Jesús no le dijo que no moriría, sino: Si quiero que él quede hasta que yo venga, ¿qué a ti?

24 Este es el discípulo que da testimonio de estas cosas, y escribió estas cosas; y sabemos que su testimonio es verdadero.

25 Y hay también otras muchas cosas que hizo Jesús, las cuales si se escribieran una por una, pienso que ni aun en el mundo cabrían los libros que se habrían de escribir. Amén.

thou knowest that I love thee. Jesus saith unto him, Feed my sheep.

18 Verily, verily, I say unto thee, When thou wast young, thou girdedst thyself, and walkedst whither thou wouldest: but when thou shalt be old, thou shalt stretch forth thy hands, and another shall gird thee, and carry *thee* whither thou wouldest not.

19 This spake he, signifying by what death he should glorify God. And when he had spoken this, he saith unto him, Follow me.

20 Then Peter, turning about, seeth the disciple whom Jesus loved following; which also leaned on his breast at supper, and said, Lord, which is he that betrayeth thee?

21 Peter seeing him saith to Jesus, Lord, and what *shall* this man *do?*

22 Jesus saith unto him, If I will that he tarry till I come, what *is that* to thee? follow thou me.

23 Then went this saying abroad among the brethren, that that disciple should not die: yet Jesus said not unto him, He shall not die; but, If I will that he tarry till I come, what *is that* to thee?

24 This is the disciple which testifieth of these things, and wrote these things: and we know that his testimony is true.

25 And there are also many other things which Jesus did, the which, if they should be written every one, I suppose that even the world itself could not contain the books that should be written. Amen.

LOS HECHOS
DE LOS APÓSTOLES
CAPÍTULO 1

EN el primer tratado, oh Teófilo, hablé
acerca de todas las cosas que Jesús
comenzó a hacer y a enseñar,
2 hasta el día en que fue recibido arri-
ba, después de haber dado mandamien-
tos por el Espíritu Santo a los apóstoles
que había escogido;
3 a quienes también, después de haber
padecido, se presentó vivo con muchas
pruebas indubitables, apareciéndoseles
durante cuarenta días y hablándoles
acerca del reino de Dios.
4 Y estando juntos, les mandó que no
se fueran de Jerusalén, sino que espera-
sen la promesa del Padre, la cual, les dijo,
oísteis de *mí*.
5 Porque Juan ciertamente bautizó con
agua, mas vosotros seréis bautizados con
el Espíritu Santo dentro de no muchos
días.
6 Entonces los que se habían reunido le
preguntaron, diciendo: Señor, ¿restaura-
rás el reino a Israel en este tiempo?
7 Y les dijo: No os toca a vosotros saber
los tiempos o las sazones, que el Padre
puso en su sola potestad;
8 pero recibiréis poder, cuando haya
venido sobre vosotros el Espíritu Santo, y
me seréis testigos en Jerusalén, en toda
Judea, en Samaria, y hasta lo último de la
tierra.
9 Y habiendo dicho estas cosas, viéndo-
lo ellos, fue alzado, y le recibió una nube
que le ocultó de sus ojos.
10 Y estando ellos con los ojos puestos
en el cielo, entre tanto que él se iba, he
aquí se pusieron junto a ellos dos varones
con vestiduras blancas,
11 los cuales también les dijeron: Varo-
nes galileos, ¿por qué estáis mirando al
cielo? Este mismo Jesús, que ha sido to-
mado de vosotros al cielo, así vendrá
como le habéis visto ir al cielo.
12 Entonces volvieron a Jerusalén
desde el monte que se llama del Olivar, el
cual está cerca de Jerusalén, camino de
un día de reposo.
13 Y entrados, subieron al aposento
alto, donde moraban Pedro y Jacobo,
Juan, Andrés, Felipe, Tomás, Bartolomé,
Mateo, Jacobo hijo de Alfeo, Simón el
Zelote y Judas hermano de Jacobo.
14 Todos éstos perseveraban unánimes
en oración y ruego, con las mujeres, y

THE ACTS OF THE APOSTLES
CHAPTER 1

THE former treatise have I made, O
The-oph'i-lus, of all that Jesus began
both to do and teach,
2 Until the day in which he was taken
up, after that he through the Holy Ghost
had given commandments unto the apos-
tles whom he had chosen:
3 To whom also he shewed himself
alive after his passion by many infallible
proofs, being seen of them forty days,
and speaking of the things pertaining to
the kingdom of God:
4 And, being assembled together with
them, commanded them that they should
not depart from Jerusalem, but wait for
the promise of the Father, which, *saith
he*, ye have heard of me.
5 For John truly baptized with water;
but ye shall be baptized with the Holy
Ghost not many days hence.
6 When they therefore were come to-
gether, they asked of him, saying, Lord,
wilt thou at this time restore again the
kingdom to Israel?
7 And he said unto them, It is not for
you to know the times or the seasons,
which the Father hath put in his own
power.
8 But ye shall receive power, after that
the Holy Ghost is come upon you: and ye
shall be witnesses unto me both in Jeru-
salem, and in all Judaea, and in Sa-ma'ri-
a, and unto the uttermost part of the
earth.
9 And when he had spoken these
things, while they beheld, he was taken
up; and a cloud received him out of their
sight.
10 And while they looked stedfastly
toward heaven as he went up, behold,
two men stood by them in white apparel;
11 Which also said, Ye men of Galilee,
why stand ye gazing up into heaven? this
same Jesus, which is taken up from you
into heaven, shall so come in like manner
as ye have seen him go into heaven.
12 Then returned they unto Jerusalem
from the mount called Olivet, which is
from Jerusalem a sabbath day's journey.
13 And when they were come in, they
went up into an upper room, where
abode both Peter, and James, and John,
and Andrew, Philip, and Thomas, Bar-
tholomew, and Matthew, James *the son*
of Al-phæ'us, and Simon Ze-lo'tes, and
Judas *the brother* of James.
14 These all continued with one accord
in prayer and supplication, with the

con María la madre de Jesús, y con sus hermanos.

15 En aquellos días Pedro se levantó en medio de los hermanos (y los reunidos eran como ciento veinte en número), y dijo:

16 Varones hermanos, era necesario que se cumpliese la Escritura en que el Espíritu Santo habló antes por boca de David acerca de Judas, que fue guía de los que prendieron a Jesús,

17 y era contado con nosotros, y tenía parte en este ministerio.

18 Este, pues, con el salario de su iniquidad adquirió un campo, y cayendo de cabeza, se reventó por la mitad, y todas sus entrañas se derramaron.

19 Y fue notorio a todos los habitantes de Jerusalén, de tal manera que aquel campo se llama en su propia lengua, Acéldama, que quiere decir, Campo de sangre.

20 Porque está escrito en el libro de los Salmos: Sea hecha desierta su habitación, y no haya quien more en ella; y: Tome otro su oficio.

21 Es necesario, pues, que de estos hombres que han estado juntos con nosotros todo el tiempo que el Señor Jesús entraba y salía entre nosotros,

22 comenzando desde el bautismo de Juan hasta el día en que de entre nosotros fue recibido arriba, uno sea hecho testigo con nosotros, de su resurrección.

23 Y señalaron a dos: a José, llamado Barsabás, que tenía por sobrenombre Justo, y a Matías.

24 Y orando, dijeron: Tú, Señor, que conoces los corazones de todos, muestra cuál de estos dos has escogido,

25 para que tome la parte de este ministerio y apostolado, de que cayó Judas por transgresión, para irse a su propio lugar.

26 Y les echaron suertes, y la suerte cayó sobre Matías; y fue contado con los once apóstoles.

CAPÍTULO 2

CUANDO llegó el día de Pentecostés, estaban todos unánimes juntos.

2 Y de repente vino del cielo un estruendo como de un viento recio que soplaba, el cual llenó toda la casa donde estaban sentados;

3 y se les aparecieron lenguas repartidas, como de fuego, asentándose sobre cada uno de ellos.

4 Y fueron todos llenos del Espíritu Santo, y comenzaron a hablar en otras lenguas, según el Espíritu les daba que hablasen.

5 Moraban entonces en Jerusalén ju-

women, and Mary the mother of Jesus, and with his brethren.

15 And in those days Peter stood up in the midst of the disciples, and said, (the number of names together were about an hundred and twenty,)

16 Men *and* brethren, this scripture must needs have been fulfilled, which the Holy Ghost by the mouth of David spake before concerning Judas, which was guide to them that took Jesus.

17 For he was numbered with us, and had obtained part of this ministry.

18 Now this man purchased a field with the reward of iniquity; and falling headlong, he burst asunder in the midst, and all his bowels gushed out.

19 And it was known unto all the dwellers at Jerusalem; insomuch as that field is called in their proper tongue, A-cel'da-ma, that is to say, The field of blood.

20 For it is written in the book of Psalms, Let his habitation be desolate, and let no man dwell therein: and his bishoprick let another take.

21 Wherefore of these men which have companied with us all the time that the Lord Jesus went in and out among us,

22 Beginning from the baptism of John, unto that same day that he was taken up from us, must one be ordained to be a witness with us of his resurrection.

23 And they appointed two, Joseph called Bar'sa-bas, who was surnamed Justus, and Mat-thi'as.

24 And they prayed, and said, Thou, Lord, which knowest the hearts of all *men*, shew whether of these two thou hast chosen,

25 That he may take part of this ministry and apostleship, from which Judas by transgression fell, that he might go to his own place.

26 And they gave forth their lots; and the lot fell upon Mat-thi'as; and he was numbered with the eleven apostles.

CHAPTER 2

AND when the day of Pentecost was fully come, they were all with one accord in one place.

2 And suddenly there came a sound from heaven as of a rushing mighty wind, and it filled all the house where they were sitting.

3 And there appeared unto them cloven tongues like as of fire, and it sat upon each of them.

4 And they were all filled with the Holy Ghost, and began to speak with other tongues, as the Spirit gave them utterance.

5 And there were dwelling at Jerusalem

díos, varones piadosos, de todas las naciones bajo el cielo.

6 Y hecho este estruendo, se juntó la multitud; y estaban confusos, porque cada uno les oía hablar en su propia lengua.

7 Y estaban atónitos y maravillados, diciendo: Mirad, ¿no son galileos todos estos que hablan?

8 ¿Cómo, pues, les oímos nosotros hablar cada uno en nuestra lengua en la que hemos nacido?

9 Partos, medos, elamitas, y los que habitamos en Mesopotamia, en Judea, en Capadocia, en el Ponto y en Asia,

10 en Frigia y Panfilia, en Egipto y en las regiones de Africa más allá de Cirene, y romanos aquí residentes, tanto judíos como prosélitos,

11 cretenses y árabes, les oímos hablar en nuestras lenguas las maravillas de Dios.

12 Y estaban todos atónitos y perplejos, diciéndose unos a otros: ¿Qué quiere decir esto?

13 Mas otros, burlándose, decían: Están llenos de mosto.

14 Entonces Pedro, poniéndose en pie con los once, alzó la voz y les habló diciendo: Varones judíos, y todos los que habitáis en Jerusalén, esto os sea notorio, y oíd mis palabras.

15 Porque éstos no están ebrios, como vosotros suponéis, puesto que es la hora tercera del día.

16 Mas esto es lo dicho por el profeta Joel:

17 Y en los postreros días, dice Dios, derramaré de mi Espíritu sobre toda carne, y vuestros hijos y vuestras hijas profetizarán; vuestros jóvenes verán visiones, y vuestros ancianos soñarán sueños;

18 y de cierto sobre mis siervos y sobre mis siervas en aquellos días derramaré de mi Espíritu, y profetizarán.

19 Y daré prodigios arriba en el cielo, y señales abajo en la tierra, sangre y fuego y vapor de humo;

20 el sol se convertirá en tinieblas, y la luna en sangre, antes que venga el día del Señor, grande y manifiesto;

21 y todo aquel que invocare el nombre del Señor, será salvo.

22 Varones israelitas, oíd estas palabras: Jesús nazareno, varón aprobado por Dios entre vosotros con las maravillas, prodigios y señales que Dios hizo entre vosotros por medio de él, como vosotros mismos sabéis;

23 a éste, entregado por el determinado consejo y anticipado conocimiento de

Jews, devout men, out of every nation under heaven.

6 Now when this was noised abroad, the multitude came together, and were confounded, because that every man heard them speak in his own language.

7 And they were all amazed and marvelled, saying one to another, Behold, are not all these which speak Galilæans?

8 And how hear we every man in our own tongue, wherein we were born?

9 Par'thi-ans, and Medes, and E'lamites, and the dwellers in Mes-o-po-ta'mi-a, and in Judæa, and Cap-pa-do'ci-a, in Pontus, and Asia,

10 Phryg'i-a, and Pam-phyl'i-a, in Egypt, and in the parts of Libya about Cy-re'ne, and strangers of Rome, Jews and proselytes,

11 Cretes and Arabians, we do hear them speak in our tongues the wonderful works of God.

12 And they were all amazed, and were in doubt, saying one to another, What meaneth this?

13 Others mocking said, These men are full of new wine.

14 But Peter, standing up with the eleven, lifted up his voice, and said unto them, Ye men of Judæa, and all *ye* that dwell at Jerusalem, be this known unto you, and hearken to my words:

15 For these are not drunken, as ye suppose, seeing it is *but* the third hour of the day.

16 But this is that which was spoken by the prophet Jo'el;

17 And it shall come to pass in the last days, saith God, I will pour out of my Spirit upon all flesh: and your sons and your daughters shall prophesy, and your young men shall see visions, and your old men shall dream dreams:

18 And on my servants and on my handmaidens I will pour out in those days of my Spirit; and they shall prophesy:

19 And I will shew wonders in heaven above, and signs in the earth beneath; blood, and fire, and vapour of smoke:

20 The sun shall be turned into darkness, and the moon into blood, before that great and notable day of the Lord come:

21 And it shall come to pass, *that* whosoever shall call on the name of the Lord shall be saved.

22 Ye men of Israel, hear these words; Jesus of Nazareth, a man approved of God among you by miracles and wonders and signs, which God did by him in the midst of you, as ye yourselves also know:

23 Him, being delivered by the determinate counsel and foreknowledge of God,

Dios, prendisteis y matasteis por manos de inicuos, crucificándole;

24 al cual Dios levantó, sueltos los dolores de la muerte, por cuanto era imposible que fuese retenido por ella.

25 Porque David dice de él: Veía al Señor siempre delante de mí; porque está a mi diestra, no seré conmovido.

26 Por lo cual mi corazón se alegró, y se gozó mi lengua, y aun mi carne descansará en esperanza;

27 porque no dejarás mi alma en el Hades, ni permitirás que tu Santo vea corrupción.

28 Me hiciste conocer los caminos de la vida; me llenarás de gozo con tu presencia.

29 Varones hermanos, se os puede decir libremente del patriarca David, que murió y fue sepultado, y su sepulcro está con nosotros hasta el día de hoy.

30 Pero siendo profeta, y sabiendo que con juramento Dios le había jurado que de su descendencia, en cuanto a la carne, levantaría al Cristo para que se sentase en su trono,

31 viéndolo antes, habló de la resurrección de Cristo, que su alma no fue dejada en el Hades, ni su carne vio corrupción.

32 A este Jesús resucitó Dios, de lo cual todos nosotros somos testigos.

33 Así que, exaltado por la diestra de Dios, y habiendo recibido del Padre la promesa del Espíritu Santo, ha derramado esto que vosotros veis y oís.

34 Porque David no subió a los cielos; pero él mismo dice: Dijo el Señor a mi Señor: Siéntate a mi diestra,

35 Hasta que ponga a tus enemigos por estrado de tus pies.

36 Sepa, pues, ciertísimamente toda la casa de Israel, que a este Jesús a quien vosotros crucificasteis, Dios le ha hecho Señor y Cristo.

37 Al oir esto, se compungieron de corazón, y dijeron a Pedro y a los otros apóstoles: Varones hermanos, ¿qué haremos?

38 Pedro les dijo: Arrepentíos, y bautícese cada uno de vosotros en el nombre de Jesucristo para perdón de los pecados; y recibiréis el don del Espíritu Santo.

39 Porque para vosotros es la promesa, y para vuestros hijos, y para todos los que están lejos; para cuantos el Señor nuestro Dios llamare.

40 Y con otras muchas palabras testificaba y les exhortaba, diciendo: Sed salvos de esta perversa generación.

ye have taken, and by wicked hands have crucified and slain:

24 Whom God hath raised up, having loosed the pains of death: because it was not possible that he should be holden of it.

25 For David speaketh concerning him, I foresaw the Lord always before my face, for he is on my right hand, that I should not be moved:

26 Therefore did my heart rejoice, and my tongue was glad; moreover also my flesh shall rest in hope:

27 Because thou wilt not leave my soul in hell, neither wilt thou suffer thine Holy One to see corruption.

28 Thou hast made known to me the ways of life; thou shalt make me full of joy with thy countenance.

29 Men *and* brethren, let me freely speak unto you of the patriarch David, that he is both dead and buried, and his sepulchre is with us unto this day.

30 Therefore being a prophet, and knowing that God had sworn with an oath to him, that of the fruit of his loins, according to the flesh, he would raise up Christ to sit on his throne;

31 He seeing this before spake of the resurrection of Christ, that his soul was not left in hell, neither his flesh did see corruption.

32 This Jesus hath God raised up, whereof we all are witnesses.

33 Therefore being by the right hand of God exalted, and having received of the Father the promise of the Holy Ghost, he hath shed forth this, which ye now see and hear.

34 For David is not ascended into the heavens: but he saith himself, The LORD said unto my Lord, Sit thou on my right hand,

35 Until I make thy foes thy footstool.

36 Therefore let all the house of Israel know assuredly, that God hath made that same Jesus, whom ye have crucified, both Lord and Christ.

37 Now when they heard *this*, they were pricked in their heart, and said unto Peter and to the rest of the apostles, Men *and* brethren, what shall we do?

38 Then Peter said unto them, Repent, and be baptized every one of you in the name of Jesus Christ for the remission of sins, and ye shall receive the gift of the Holy Ghost.

39 For the promise is unto you, and to your children, and to all that are afar off, *even* as many as the Lord our God shall call.

40 And with many other words did he testify and exhort, saying, Save yourselves from this untoward generation.

41 Así que, los que recibieron su pala-
bra fueron bautizados; y se añadieron
aquel día como tres mil personas.
42 Y perseveraban en la doctrina de los
apóstoles, en la comunión unos con o-
tros, en el partimiento del pan y en las
oraciones.
43 Y sobrevino temor a toda persona; y
muchas maravillas y señales eran hechas
por los apóstoles.
44 Todos los que habían creído estaban
juntos, y tenían en común todas las co-
sas;
45 y vendían sus propiedades y sus
bienes, y lo repartían a todos según la ne-
cesidad de cada uno.
46 Y perseverando unánimes cada día
en el templo, y partiendo el pan en las
casas, comían juntos con alegría y senci-
llez de corazón,
47 alabando a Dios, y teniendo favor
con todo el pueblo. Y el Señor añadía
cada día a la iglesia los que habían de ser
salvos.

CAPÍTULO 3

PEDRO y Juan subían juntos al templo
a la hora novena, la de la oración.
2 Y era traído un hombre cojo de naci-
miento, a quien ponían cada día a la
puerta del templo que se llama la Her-
mosa, para que pidiese limosna de los
que entraban en el templo.
3 Este, cuando vio a Pedro y a Juan que
iban a entrar en el templo, les rogaba que
le diesen limosna.
4 Pedro, con Juan, fijando en él los
ojos, le dijo: Míranos.
5 Entonces él les estuvo atento, espe-
rando recibir de ellos algo.
6 Mas Pedro dijo: No tengo plata ni oro,
pero lo que tengo te doy; en el nombre de
Jesucristo de Nazaret, levántate y anda.
7 Y tomándole por la mano derecha le
levantó; y al momento se le afirmaron los
pies y tobillos;
8 y saltando, se puso en pie y anduvo; y
entró con ellos en el templo, andando, y
saltando, y alabando a Dios.
9 Y todo el pueblo le vio andar y alabar
a Dios.
10 Y le reconocían que era el que se
sentaba a pedir limosna a la puerta del
templo, la Hermosa; y se llenaron de a-
sombro y espanto por lo que le había
sucedido.
11 Y teniendo asidos a Pedro y a Juan
el cojo que había sido sanado, todo el
pueblo, atónito, concurrió a ellos al pórti-
co que se llama de Salomón.
12 Viendo esto Pedro, respondió al
pueblo: Varones israelitas, ¿por qué os
maravilláis de esto? ¿o por qué ponéis los

41 Then they that gladly received his
word were baptized: and the same day
there were added *unto them* about three
thousand souls.
42 And they continued stedfastly in the
apostles' doctrine and fellowship, and in
breaking of bread, and in prayers.
43 And fear came upon every soul: and
many wonders and signs were done by
the apostles.
44 And all that believed were together,
and had all things common;
45 And sold their possessions and
goods, and parted them to all *men*, as ev-
ery man had need.
46 And they, continuing daily with one
accord in the temple, and breaking bread
from house to house, did eat their meat
with gladness and singleness of heart,
47 Praising God, and having favour
with all the people. And the Lord added
to the church daily such as should be
saved.

CHAPTER 3

NOW Peter and John went up together
into the temple at the hour of prayer,
being the ninth *hour*.
2 And a certain man lame from his
mother's womb was carried, whom they
laid daily at the gate of the temple which
is called Beautiful, to ask alms of them
that entered into the temple;
3 Who seeing Peter and John about to
go into the temple asked an alms.
4 And Peter, fastening his eyes upon
him with John, said, Look on us.
5 And he gave heed unto them, expect-
ing to receive something of them.
6 Then Peter said, Silver and gold have
I none; but such as I have give I thee: In
the name of Jesus Christ of Nazareth rise
up and walk.
7 And he took him by the right hand,
and lifted *him* up: and immediately his
feet and ancle bones received strength.
8 And he leaping up stood, and walked,
and entered with them into the temple,
walking, and leaping, and praising God.
9 And all the people saw him walking
and praising God:
10 And they knew that it was he which
sat for alms at the Beautiful gate of the
temple: and they were filled with wonder
and amazement at that which had hap-
pened unto him.
11 And as the lame man which was
healed held Peter and John, all the people
ran together unto them in the porch that
is called Solomon's, greatly wondering.
12 And when Peter saw *it*, he answered
unto the people, Ye men of Israel, why
marvel ye at this? or why look ye so ear-

ojos en nosotros, como si por nuestro po-
der o piedad hubiésemos hecho andar a
éste?
13 El Dios de Abraham, de Isaac y de
Jacob, el Dios de nuestros padres, ha glo-
rificado a su Hijo Jesús, a quien vosotros
entregasteis y negasteis delante de Pila-
to, cuando éste había resuelto ponerle en
libertad.
14 Mas vosotros negasteis al Santo y al
Justo, y pedisteis que se os diese un ho-
micida,
15 y matasteis al Autor de la vida, a
quien Dios ha resucitado de los muertos,
de lo cual nosotros somos testigos.
16 Y por la fe en su nombre, a éste, que
vosotros veis y conocéis, le ha confirma-
do su nombre; y la fe que es por él ha
dado a éste esta completa sanidad en
presencia de todos vosotros.
17 Mas ahora, hermanos, sé que por ig-
norancia lo habéis hecho, como también
vuestros gobernantes.
18 Pero Dios ha cumplido así lo que ha-
bía antes anunciado por boca de todos
sus profetas, que su Cristo había de pa-
decer.
19 Así que, arrepentíos y convertíos,
para que sean borrados vuestros peca-
dos; para que vengan de la presencia del
Señor tiempos de refrigerio,
20 y él envíe a Jesucristo, que os fue
antes anunciado;
21 a quien de cierto es necesario que el
cielo reciba hasta los tiempos de la res-
tauración de todas las cosas, de que ha-
bló Dios por boca de sus santos profetas
que han sido desde tiempo antiguo.
22 Porque Moisés dijo a los padres: El
Señor vuestro Dios os levantará profeta
de entre vuestros hermanos, como a mí; a
él oiréis en todas las cosas que os hable;
23 y toda alma que no oiga a aquel pro-
feta, será desarraigada del pueblo.
24 Y todos los profetas desde Samuel
en adelante, cuantos han hablado, tam-
bién han anunciado estos días.
25 Vosotros sois los hijos de los profe-
tas, y del pacto que Dios hizo con nues-
tros padres, diciendo a Abraham: En tu
simiente serán benditas todas las fami-
lias de la tierra.
26 A vosotros primeramente, Dios, ha-
biendo levantado a su Hijo, lo envió para
que os bendijese, a fin de que cada uno se
convierta de su maldad.

nestly on us, as though by our own power
or holiness we had made this man to
walk?
13 The God of Abraham, and of Isaac,
and of Jacob, the God of our fathers, hath
glorified his Son Jesus; whom ye deliv-
ered up, and denied him in the presence
of Pilate, when he was determined to let
him go.
14 But ye denied the Holy One and the
Just, and desired a murderer to be
granted unto you;
15 And killed the Prince of life, whom
God hath raised from the dead; whereof
we are witnesses.
16 And his name through faith in his
name hath made this man strong, whom
ye see and know: yea, the faith which is
by him hath given him this perfect
soundness in the presence of you all.
17 And now, brethren, I wot that
through ignorance ye did *it*, as *did* also
your rulers.
18 But those things, which God before
had shewed by the mouth of all his
prophets, that Christ should suffer, he
hath so fulfilled.
19 Repent ye therefore, and be con-
verted, that your sins may be blotted out,
when the times of refreshing shall come
from the presence of the Lord;
20 And he shall send Jesus Christ,
which before was preached unto you:
21 Whom the heaven must receive until
the times of restitution of all things,
which God hath spoken by the mouth of
all his holy prophets since the world be-
gan.
22 For Moses truly said unto the fa-
thers, A prophet shall the Lord your God
raise up unto you of your brethren, like
unto me; him shall ye hear in all things
whatsoever he shall say unto you.
23 And it shall come to pass, *that* every
soul, which will not hear that prophet,
shall be destroyed from among the peo-
ple.
24 Yea, and all the prophets from Sam-
uel and those that follow after, as many
as have spoken, have likewise foretold of
these days.
25 Ye are the children of the prophets,
and of the covenant which God made
with our fathers, saying unto Abraham,
And in thy seed shall all the kindreds of
the earth be blessed.
26 Unto you first God, having raised up
his Son Jesus, sent him to bless you, in
turning away every one of you from his
iniquities.

CAPÍTULO 4

HABLANDO ellos al pueblo, vinieron sobre ellos los sacerdotes con el jefe de la guardia del templo, y los saduceos,
2 resentidos de que enseñasen al pueblo, y anunciasen en Jesús la resurrección de entre los muertos.
3 Y les echaron mano, y los pusieron en la cárcel hasta el día siguiente, porque era ya tarde.
4 Pero muchos de los que habían oído la palabra, creyeron; y el número de los varones era como cinco mil.
5 Aconteció al día siguiente, que se reunieron en Jerusalén los gobernantes, los ancianos y los escribas,
6 y el sumo sacerdote Anás, y Caifás y Juan y Alejandro, y todos los que eran de la familia de los sumos sacerdotes;
7 y poniéndoles en medio, les preguntaron: ¿Con qué potestad, o en qué nombre, habéis hecho vosotros esto?
8 Entonces Pedro, lleno del Espíritu Santo, les dijo: Gobernantes del pueblo, y ancianos de Israel:
9 Puesto que hoy se nos interroga acerca del beneficio hecho a un hombre enfermo, de qué manera éste haya sido sanado,
10 sea notorio a todos vosotros, y a todo el pueblo de Israel, que en el nombre de Jesucristo de Nazaret, a quien vosotros crucificasteis y a quien Dios resucitó de los muertos, por él este hombre está en vuestra presencia sano.
11 Este Jesús es la piedra reprobada por vosotros los edificadores, la cual ha venido a ser cabeza del ángulo.
12 Y en ningún otro hay salvación; porque no hay otro nombre bajo el cielo, dado a los hombres, en que podamos ser salvos.
13 Entonces viendo el denuedo de Pedro y de Juan, y sabiendo que eran hombres sin letras y del vulgo, se maravillaban; y les reconocían que habían estado con Jesús.
14 Y viendo al hombre que había sido sanado, que estaba en pie con ellos, no podían decir nada en contra.
15 Entonces les ordenaron que saliesen del concilio; y conferenciaban entre sí,
16 diciendo: ¿Qué haremos con estos hombres? Porque de cierto, señal manifiesta ha sido hecha por ellos, notoria a todos los que moran en Jerusalén, y no lo podemos negar.
17 Sin embargo, para que no se divulgue más entre el pueblo, amenacémosles para que no hablen de aquí en adelante a hombre alguno en este nombre.

CHAPTER 4

AND as they spake unto the people, the priests, and the captain of the temple, and the Sad′du-cees, came upon them,
2 Being grieved that they taught the people, and preached through Jesus the resurrection from the dead.
3 And they laid hands on them, and put *them* in hold unto the next day: for it was now eventide.
4 Howbeit many of them which heard the word believed; and the number of the men was about five thousand.
5 And it came to pass on the morrow, that their rulers, and elders, and scribes,
6 And An′nas the high priest, and Cai′a-phas, and John, and Alexander, and as many as were of the kindred of the high priest, were gathered together at Jerusalem.
7 And when they had set them in the midst, they asked, By what power, or by what name, have ye done this?
8 Then Peter, filled with the Holy Ghost, said unto them, Ye rulers of the people, and elders of Israel,
9 If we this day be examined of the good deed done to the impotent man, by what means he is made whole;
10 Be it known unto you all, and to all the people of Israel, that by the name of Jesus Christ of Nazareth, whom ye crucified, whom God raised from the dead, *even* by him doth this man stand here before you whole.
11 This is the stone which was set at nought of you builders, which is become the head of the corner.
12 Neither is there salvation in any other: for there is none other name under heaven given among men, whereby we must be saved.
13 Now when they saw the boldness of Peter and John, and perceived that they were unlearned and ignorant men, they marvelled; and they took knowledge of them, that they had been with Jesus.
14 And beholding the man which was healed standing with them, they could say nothing against it.
15 But when they had commanded them to go aside out of the council, they conferred among themselves,
16 Saying, What shall we do to these men? for that indeed a notable miracle hath been done by them *is* manifest to all them that dwell in Jerusalem; and we cannot deny *it*.
17 But that it spread no further among the people, let us straitly threaten them, that they speak henceforth to no man in this name.

18 Y llamándolos, les intimaron que en
ninguna manera hablasen ni enseñasen
en el nombre de Jesús.
19 Mas Pedro y Juan respondieron diciéndoles: Juzgad si es justo delante de
Dios obedecer a vosotros antes que a
Dios;
20 porque no podemos dejar de decir lo
que hemos visto y oído.
21 Ellos entonces les amenazaron y les
soltaron, no hallando ningún modo de
castigarles, por causa del pueblo; porque
todos glorificaban a Dios por lo que se
había hecho,
22 ya que el hombre en quien se había
hecho este milagro de sanidad, tenía más
de cuarenta años.
23 Y puestos en libertad, vinieron a los
suyos y contaron todo lo que los principales sacerdotes y los ancianos les habían dicho.
24 Y ellos, habiéndolo oído, alzaron
unánimes la voz a Dios, y dijeron: Soberano Señor, tú eres el Dios que hiciste el
cielo y la tierra, el mar y todo lo que en
ellos hay;
25 que por boca de David tu siervo dijiste: ¿Por qué se amotinan las gentes, Y
los pueblos piensan cosas vanas?
26 Se reunieron los reyes de la tierra, y
los príncipes se juntaron en uno contra el
Señor, y contra su Cristo.
27 Porque verdaderamente se unieron
en esta ciudad contra tu santo Hijo Jesús,
a quien ungiste, Herodes y Poncio Pilato,
con los gentiles y el pueblo de Israel,
28 para hacer cuanto tu mano y tu consejo habían antes determinado que sucediera.
29 Y ahora, Señor, mira sus amenazas,
y concede a tus siervos que con todo denuedo hablen tu palabra,
30 mientras extiendes tu mano para
que se hagan sanidades y señales y prodigios mediante el nombre de tu santo Hijo
Jesús.
31 Cuando hubieron orado, el lugar en
que estaban congregados tembló; y todos
fueron llenos del Espíritu Santo, y hablaban con denuedo la palabra de Dios.
32 Y la multitud de los que habían creído era de un corazón y un alma; y ninguno decía ser suyo propio nada de lo que
poseía, sino que tenían todas las cosas en
común.
33 Y con gran poder los apóstoles daban testimonio de la resurrección del Señor Jesús, y abundante gracia era sobre
todos ellos.
34 Así que no había entre ellos ningún
necesitado; porque todos los que poseían

18 And they called them, and commanded them not to speak at all nor
teach in the name of Jesus.
19 But Peter and John answered and
said unto them, Whether it be right in the
sight of God to hearken unto you more
than unto God, judge ye.
20 For we cannot but speak the things
which we have seen and heard.
21 So when they had further threatened
them, they let them go, finding nothing
how they might punish them, because of
the people: for all *men* glorified God for
that which was done.
22 For the man was above forty years
old, on whom this miracle of healing was
shewed.
23 And being let go, they went to their
own company, and reported all that the
chief priests and elders had said unto
them.
24 And when they heard that, they
lifted up their voice to God with one accord, and said, Lord thou *art* God, which
hast made heaven, and earth, and the
sea, and all that in them is:
25 Who by the mouth of thy servant
David hast said, Why did the heathen
rage, and the people imagine vain things?
26 The kings of the earth stood up, and
the rulers were gathered together against
the Lord, and against his Christ.
27 For of a truth against thy holy child
Jesus, whom thou hast anointed, both
Herod, and Pontius Pilate, with the Gentiles, and the people of Israel, were gathered together,
28 For to do whatsoever thy hand and
thy counsel determined before to be
done.
29 And now, Lord behold their threatenings: and grant unto thy servants, that
with all boldness they may speak thy
word,
30 By stretching forth thine hand to
heal; and that signs and wonders may be
done by the name of thy holy child Jesus.
31 And when they had prayed, the
place was shaken where they were assembled together; and they were all filled
with the Holy Ghost, and they spake the
word of God with boldness.
32 And the multitude of them that believed were of one heart and of one soul:
neither said any *of them* that ought of the
things which he possessed was his own;
but they had all things common.
33 And with great power gave the
apostles witness of the resurrection of
the Lord Jesus: and great grace was upon
them all.
34 Neither was there any among them
that lacked: for as many as were posses-

heredades o casas, las vendían, y traían el precio de lo vendido,

35 y lo ponían a los pies de los apóstoles; y se repartía a cada uno según su necesidad.

36 Entonces José, a quien los apóstoles pusieron por sobrenombre Bernabé (que traducido es, Hijo de consolación), levita, natural de Chipre,

37 como tenía una heredad, la vendió y trajo el precio y lo puso a los pies de los apóstoles.

CAPÍTULO 5

PERO cierto hombre llamado Ananías, con Safira su mujer, vendió una heredad,

2 y sustrajo del precio, sabiéndolo también su mujer; y trayendo sólo una parte, la puso a los pies de los apóstoles.

3 Y dijo Pedro: Ananías, ¿por qué llenó Satanás tu corazón para que mintieses al Espíritu Santo, y sustrajeses del precio de la heredad?

4 Reteniéndola, ¿no se te quedaba a ti? y vendida, ¿no estaba en tu poder? ¿Por qué pusiste esto en tu corazón? No has mentido a los hombres, sino a Dios.

5 Al oir Ananías estas palabras, cayó y expiró. Y vino un gran temor sobre todos los que lo oyeron.

6 Y levantándose los jóvenes, lo envolvieron, y sacándolo, lo sepultaron.

7 Pasado un lapso como de tres horas, sucedió que entró su mujer, no sabiendo lo que había acontecido.

8 Entonces Pedro le dijo: Dime, ¿vendisteis en tanto la heredad? Y ella dijo: Sí, en tanto.

9 Y Pedro le dijo: ¿Por qué convinisteis en tentar al Espíritu del Señor? He aquí a la puerta los pies de los que han sepultado a tu marido, y te sacarán a ti.

10 Al instante ella cayó a los pies de él, y expiró; y cuando entraron los jóvenes, la hallaron muerta; y la sacaron, y la sepultaron junto a su marido.

11 Y vino gran temor sobre toda la iglesia, y sobre todos los que oyeron estas cosas.

12 Y por la mano de los apóstoles se hacían muchas señales y prodigios en el pueblo; y estaban todos unánimes en el pórtico de Salomón.

13 De los demás, ninguno se atrevía a juntarse con ellos; mas el pueblo los alababa grandemente.

sors of lands or houses sold them, and brought the prices of the things that were sold,

35 And laid *them* down at the apostles' feet: and distribution was made unto every man according as he had need.

36 And Joses, who by the apostles was surnamed Barnabas, (which is, being interpreted, The son of consolation,) a Levite, *and* of the country of Cyprus,

37 Having land, sold *it*, and brought the money, and laid *it* at the apostles' feet.

CHAPTER 5

BUT a certain man named An-a-ni'as, with Sap-phi'ra his wife, sold a possession,

2 And kept back *part* of the price, his wife also being privy *to it*, and brought a certain part, and laid *it* at the apostles' feet.

3 But Peter said, An-a-ni'as, why hath Satan filled thine heart to lie to the Holy Ghost, and to keep back *part* of the price of the land?

4 Whiles it remained, was it not thine own? and after it was sold, was it not in thine own power? why hast thou conceived this thing in thine heart? thou hast not lied unto men, but unto God.

5 And An-a-ni'as hearing these words fell down, and gave up the ghost: and great fear came on all them that heard these things.

6 And the young men arose, wound him up, and carried *him* out, and buried *him*.

7 And it was about the space of three hours after, when his wife, not knowing what was done, came in.

8 And Peter answered unto her, Tell me whether ye sold the land for so much? And she said, Yea, for so much.

9 Then Peter said unto her, How is it that ye have agreed together to tempt the Spirit of the Lord? behold, the feet of them which have buried thy husband *are* at the door, and shall carry thee out.

10 Then fell she down straightway at his feet, and yielded up the ghost: and the young men came in, and found her dead, and, carrying *her* forth, buried *her* by her husband.

11 And great fear came upon all the church, and upon as many as heard these things.

12 And by the hands of the apostles were many signs and wonders wrought among the people; (and they were all with one accord in Solomon's porch.

13 And of the rest durst no man join himself to them: but the people magnified them.

14 Y los que creían en el Señor aumentaban más, gran número así de hombres como de mujeres;

15 tanto que sacaban los enfermos a las calles, y los ponían en camas y lechos, para que al pasar Pedro, a lo menos su sombra cayese sobre alguno de ellos.

16 Y aun de las ciudades vecinas muchos venían a Jerusalén, trayendo enfermos y atormentados de espíritus inmundos; y todos eran sanados.

17 Entonces levantándose el sumo sacerdote y todos los que estaban con él, esto es, la secta de los saduceos, se llenaron de celos;

18 y echaron mano a los apóstoles y los pusieron en la cárcel pública.

19 Mas un ángel del Señor, abriendo de noche las puertas de la cárcel y sacándolos, dijo:

20 Id, y puestos en pie en el templo, anunciad al pueblo todas las palabras de esta vida.

21 Habiendo oído esto, entraron de mañana en el templo, y enseñaban. Entre tanto, vinieron el sumo sacerdote y los que estaban con él, y convocaron al concilio y a todos los ancianos de los hijos de Israel, y enviaron a la cárcel para que fuesen traídos.

22 Pero cuando llegaron los alguaciles, no los hallaron en la cárcel; entonces volvieron y dieron aviso,

23 diciendo: Por cierto, la cárcel hemos hallado cerrada con toda seguridad, y los guardas afuera de pie ante las puertas; mas cuando abrimos, a nadie hallamos dentro.

24 Cuando oyeron estas palabras el sumo sacerdote y el jefe de la guardia del templo y los principales sacerdotes, dudaban en qué vendría a parar aquello.

25 Pero viniendo uno, les dio esta noticia: He aquí, los varones que pusisteis en la cárcel están en el templo, y enseñan al pueblo.

26 Entonces fue el jefe de la guardia con los alguaciles, y los trajo sin violencia, porque temían ser apedreados por el pueblo.

27 Cuando los trajeron, los presentaron en el concilio, y el sumo sacerdote les preguntó,

28 diciendo: ¿No os mandamos estrictamente que no enseñaseis en ese nombre? Y ahora habéis llenado a Jerusalén de vuestra doctrina, y queréis echar sobre nosotros la sangre de ese hombre.

29 Respondiendo Pedro y los apóstoles, dijeron: Es necesario obedecer a Dios antes que a los hombres.

30 El Dios de nuestros padres levantó a

14 And believers were the more added to the Lord, multitudes both of men and women.)

15 Insomuch that they brought forth the sick into the streets, and laid *them* on beds and couches, that at the least the shadow of Peter passing by might overshadow some of them.

16 There came also a multitude *out* of the cities round about unto Jerusalem, bringing sick folks, and them which were vexed with unclean spirits: and they were healed every one.

17 Then the high priest rose up, and all they that were with him, (which is the sect of the Sad′du-cees,) and were filled with indignation,

18 And laid their hands on the apostles, and put them in the common prison.

19 But the angel of the Lord by night opened the prison doors, and brought them forth, and said

20 Go, stand and speak in the temple to the people all the words of this life.

21 And when they heard *that*, they entered into the temple early in the morning, and taught. But the high priest came, and they that were with him, and called the council together, and all the senate of the children of Israel, and sent to the prison to have them brought.

22 But when the officers came, and found them not in the prison, they returned, and told,

23 Saying, The prison truly found we shut with all safety, and the keepers standing without before the doors: but when we had opened, we found no man within.

24 Now when the high priest and the captain of the temple and the chief priests heard these things, they doubted of them whereunto this would grow.

25 Then came one and told them, saying, Behold, the men whom ye put in prison are standing in the temple, and teaching the people.

26 Then went the captain with the officers, and brought them without violence: for they feared the people, lest they should have been stoned.

27 And when they had brought them, they set *them* before the council: and the high priest asked them,

28 Saying, Did not we straitly command you that ye should not teach in this name? and, behold, ye have filled Jerusalem with your doctrine, and intend to bring this man's blood upon us.

29 Then Peter and the *other* apostles answered and said, We ought to obey God rather than men.

30 The God of our fathers raised up

Jesús, a quien vosotros matasteis colgándole en un madero.

31 A éste, Dios ha exaltado con su diestra por Príncipe y Salvador, para dar a Israel arrepentimiento y perdón de pecados.

32 Y nosotros somos testigos suyos de estas cosas, y también el Espíritu Santo, el cual ha dado Dios a los que le obedecen.

33 Ellos, oyendo esto, se enfurecían y querían matarlos.

34 Entonces levantándose en el concilio un fariseo llamado Gamaliel, doctor de la ley, venerado de todo el pueblo, mandó que sacasen fuera por un momento a los apóstoles,

35 y luego dijo: Varones israelitas, mirad por vosotros lo que vais a hacer respecto a estos hombres.

36 Porque antes de estos días se levantó Teudas, diciendo que era alguien. A éste se unió un número como de cuatrocientos hombres; pero él fue muerto, y todos los que le obedecían fueron dispersados y reducidos a nada.

37 Después de éste, se levantó Judas el galileo, en los días del censo, y llevó en pos de sí a mucho pueblo. Pereció también él, y todos los que le obedecían fueron dispersados.

38 Y ahora os digo: Apartaos de estos hombres, y dejadlos; porque si este consejo o esta obra es de los hombres, se desvanecerá;

39 mas si es de Dios, no la podréis destruir; no seáis tal vez hallados luchando contra Dios.

40 Y convinieron con él; y llamando a los apóstoles, después de azotarlos, les intimaron que no hablasen en el nombre de Jesús, y los pusieron en libertad.

41 Y ellos salieron de la presencia del concilio, gozosos de haber sido tenidos por dignos de padecer afrenta por causa del Nombre.

42 Y todos los días, en el templo y por las casas, no cesaban de enseñar y predicar a Jesucristo.

CAPÍTULO 6

EN aquellos días, como creciera el número de los discípulos, hubo murmuración de los griegos contra los hebreos, de que las viudas de aquéllos eran desatendidas en la distribución diaria.

2 Entonces los doce convocaron a la multitud de los discípulos, y dijeron: No es justo que nosotros dejemos la palabra de Dios, para servir a las mesas.

Jesus, whom ye slew and hanged on a tree.

31 Him hath God exalted with his right hand *to be* a Prince and a Saviour, for to give repentance to Israel, and forgiveness of sins.

32 And we are his witnesses of these things; and *so is* also the Holy Ghost, whom God hath given to them that obey him.

33 When they heard *that*, they were cut *to the heart*, and took counsel to slay them.

34 Then stood there up one in the council, a Pharisee, named Ga-ma'li-el, a doctor of the law, had in reputation among all the people, and commanded to put the apostles forth a little space;

35 And said unto them, Ye men of Israel, take heed to yourselves what ye intend to do as touching these men.

36 For before these days rose up Theu'das, boasting himself to be somebody; to whom a number of men, about four hundred, joined themselves: who was slain; and all, as many as obeyed him, were scattered, and brought to nought.

37 After this man rose up Judas of Galilee in the days of the taxing, and drew away much people after him: he also perished; and all, *even* as many as obeyed him, were dispersed.

38 And now I say unto you, Refrain from these men, and let them alone: for if this counsel or this work be of men, it will come to nought:

39 But if it be of God, ye cannot overthrow it; lest haply ye be found even to fight against God.

40 And to him they agreed: and when they had called the apostles, and beaten *them*, they commanded that they should not speak in the name of Jesus, and let them go.

41 And they departed from the presence of the council, rejoicing that they were counted worthy to suffer shame for his name.

42 And daily in the temple, and in every house, they ceased not to teach and preach Jesus Christ.

CHAPTER 6

AND in those days, when the number of the disciples was multiplied, there arose a murmuring of the Grecians against the Hebrews, because their widows were neglected in the daily ministration.

2 Then the twelve called the multitude of the disciples *unto them*, and said, It is not reason that we should leave the word of God, and serve tables.

3 Buscad, pues, hermanos, de entre vosotros a siete varones de buen testimonio, llenos del Espíritu Santo y de sabiduría, a quienes encarguemos de este trabajo.

4 Y nosotros persistiremos en la oración y en el ministerio de la palabra.

5 Agradó la propuesta a toda la multitud; y eligieron a Esteban, varón lleno de fe y del Espíritu Santo, a Felipe, a Prócoro, a Nicanor, a Timón, a Parmenas, y a Nicolás prosélito de Antioquía;

6 a los cuales presentaron ante los apóstoles, quienes, orando, les impusieron las manos.

7 Y crecía la palabra del Señor, y el número de los discípulos se multiplicaba grandemente en Jerusalén; también muchos de los sacerdotes obedecían a la fe.

8 Y Esteban, lleno de gracia y de poder, hacía grandes prodigios y señales entre el pueblo.

9 Entonces se levantaron unos de la sinagoga llamada de los libertos, y de los de Cirene, de Alejandría, de Cilicia y de Asia, disputando con Esteban.

10 Pero no podían resistir a la sabiduría y al Espíritu con que hablaba.

11 Entonces sobornaron a unos para que dijesen que le habían oído hablar palabras blasfemas contra Moisés y contra Dios.

12 Y soliviantaron al pueblo, a los ancianos y a los escribas; y arremetiendo, le arrebataron, y le trajeron al concilio.

13 Y pusieron testigos falsos que decían: Este hombre no cesa de hablar palabras blasfemas contra este lugar santo y contra la ley;

14 pues le hemos oído decir que ese Jesús de Nazaret destruirá este lugar, y cambiará las costumbres que nos dio Moisés.

15 Entonces todos los que estaban sentados en el concilio, al fijar los ojos en él, vieron su rostro como el rostro de un ángel.

CAPÍTULO 7

EL sumo sacerdote dijo entonces: ¿Es esto así?

2 Y él dijo: Varones hermanos y padres, oíd: El Dios de la gloria apareció a nuestro padre Abraham, estando en Mesopotamia, antes que morase en Harán,

3 y le dijo: Sal de tu tierra y de tu parentela, y ven a la tierra que yo te mostraré.

4 Entonces salió de la tierra de los caldeos y habitó en Harán; y de allí muerto

3 Wherefore, brethren, look ye out among you seven men of honest report, full of the Holy Ghost and wisdom, whom we may appoint over this business.

4 But we will give ourselves continually to prayer, and to the ministry of the word.

5 And the saying pleased the whole multitude: and they chose Stephen, a man full of faith and of the Holy Ghost, and Philip, and Proch'o-rus, and Ni-ca'nor, and Ti'mon, and Par'me-nas, and Nicolas a proselyte of Antioch:

6 Whom they set before the apostles: and when they had prayed, they laid *their* hands on them.

7 And the word of God increased; and the number of the disciples multiplied in Jerusalem greatly; and a great company of the priests were obedient to the faith.

8 And Stephen, full of faith and power, did great wonders and miracles among the people.

9 Then there arose certain of the synagogue, which is called *the synagogue* of the Lib'er-tines, and Cy-re'ni-ans, and Alexandrians, and of them of Ci-li'ci-a and of Asia, disputing with Stephen.

10 And they were not able to resist the wisdom and the spirit by which he spake.

11 Then they suborned men, which said, We have heard him speak blasphemous words against Moses, and *against* God.

12 And they stirred up the people, and the elders, and the scribes, and came upon *him*, and caught him, and brought *him* to the council,

13 And set up false witnesses, which said, This man ceaseth not to speak blasphemous words against this holy place, and the law:

14 For we have heard him say, that this Jesus of Nazareth shall destroy this place, and shall change the customs which Moses delivered us.

15 And all that sat in the council, looking stedfastly on him, saw his face as it had been the face of an angel.

CHAPTER 7

THEN said the high priest, Are these things so?

2 And he said, Men, brethren, and fathers, hearken; The God of glory appeared unto our father Abraham, when he was in Mes-o-po-ta'mi-a, before he dwelt in Char'ran,

3 And said unto him, Get thee out of thy country, and from thy kindred, and come into the land which I shall shew thee.

4 Then came he out of the land of the Chal-dæ'ans, and dwelt in Char'ran: and

su padre, Dios le trasladó a esta tierra, en la cual vosotros habitáis ahora.

5 Y no le dio herencia en ella, ni aun para asentar un pie; pero le prometió que se la daría en posesión, y a su descendencia después de él, cuando él aún no tenía hijo.

6 Y le dijo Dios así: Que su descendencia sería extranjera en tierra ajena, y que los reducirían a servidumbre y los maltratarían, por cuatrocientos años.

7 Mas yo juzgaré, dijo Dios, a la nación de la cual serán siervos; y después de esto saldrán y me servirán en este lugar.

8 Y le dio el pacto de la circuncisión; y así Abraham engendró a Isaac, y le circuncidó al octavo día; e Isaac a Jacob, y Jacob a los doce patriarcas.

9 Los patriarcas, movidos por envidia, vendieron a José para Egipto; pero Dios estaba con él,

10 y le libró de todas sus tribulaciones, y le dio gracia y sabiduría delante de Faraón rey de Egipto, el cual lo puso por gobernador sobre Egipto y sobre toda su casa.

11 Vino entonces hambre en toda la tierra de Egipto y de Canaán, y grande tribulación; y nuestros padres no hallaban alimentos.

12 Cuando oyó Jacob que había trigo en Egipto, envió a nuestros padres la primera vez.

13 Y en la segunda, José se dio a conocer a sus hermanos, y fue manifestado a Faraón el linaje de José.

14 Y enviando José, hizo venir a su padre Jacob, y a toda su parentela, en número de setenta y cinco personas.

15 Así descendió Jacob a Egipto, donde murió él, y también nuestros padres;

16 los cuales fueron trasladados a Siquem, y puestos en el sepulcro que a precio de dinero compró Abraham de los hijos de Hamor en Siquem.

17 Pero cuando se acercaba el tiempo de la promesa, que Dios había jurado a Abraham, el pueblo creció y se multiplicó en Egipto,

18 hasta que se levantó en Egipto otro rey que no conocía a José.

19 Este rey, usando de astucia con nuestro pueblo, maltrató a nuestros padres, a fin de que expusiesen a la muerte a sus niños, para que no se propagasen.

20 En aquel mismo tiempo nació Moisés, y fue agradable a Dios; y fue criado tres meses en casa de su padre.

21 Pero siendo expuesto a la muerte, la hija de Faraón le recogió y le crió como a hijo suyo.

from thence, when his father was dead, he removed him into this land, wherein ye now dwell.

5 And he gave him none inheritance in it, no, not *so much as* to set his foot on: yet he promised that he would give it to him for a possession, and to his seed after him, when *as yet* he had no child.

6 And God spake on this wise, That his seed should sojourn in a strange land; and that they should bring them into bondage, and entreat *them* evil four hundred years.

7 And the nation to whom they shall be in bondage will I judge, said God: and after that shall they come forth, and serve me in this place.

8 And he gave him the covenant of circumcision: and so *Abraham* begat Isaac, and circumcised him the eighth day; and Isaac *begat* Jacob; and Jacob *begat* the twelve patriarchs.

9 And the patriarchs, moved with envy, sold Joseph into Egypt: but God was with him,

10 And delivered him out of all his afflictions, and gave him favour and wisdom in the sight of Pharaoh king of Egypt; and he made him governor over Egypt and all his house.

11 Now there came a dearth over all the land of Egypt and Cha'naan, and great affliction: and our fathers found no sustenance.

12 But when Jacob heard that there was corn in Egypt, he sent out our fathers first.

13 And at the second *time* Joseph was made known to his brethren; and Joseph's kindred was made known unto Pharaoh.

14 Then sent Joseph, and called his father Jacob to *him*, and all his kindred, threescore and fifteen souls.

15 So Jacob went down into Egypt, and died, he, and our fathers,

16 And were carried over into Sy'chem, and laid in the sepulchre that Abraham bought for a sum of money of the sons of Em'mor *the father* of Sy'chem.

17 But when the time of the promise drew nigh, which God had sworn to Abraham, the people grew and multiplied in Egypt,

18 Till another king arose, which knew not Joseph.

19 The same dealt subtilly with our kindred, and evil entreated our fathers, so that they cast out their young children, to the end they might not live.

20 In which time Moses was born, and was exceeding fair, and nourished up in his father's house three months:

21 And when he was cast out, Pharaoh's daughter took him up, and nourished him for her own son.

22 Y fue enseñado Moisés en toda la sabiduría de los egipcios; y era poderoso en sus palabras y obras.
23 Cuando hubo cumplido la edad de cuarenta años, le vino al corazón el visitar a sus hermanos, los hijos de Israel.
24 Y al ver a uno que era maltratado, lo defendió, e hiriendo al egipcio, vengó al oprimido.
25 Pero él pensaba que sus hermanos comprendían que Dios les daría libertad por mano suya; mas ellos no lo habían entendido así.
26 Y al día siguiente, se presentó a unos de ellos que reñían, y los ponía en paz, diciendo: Varones, hermanos sois, ¿por qué os maltratáis el uno al otro?
27 Entonces el que maltrataba a su prójimo le rechazó, diciendo: ¿Quién te ha puesto por gobernante y juez sobre nosotros?
28 ¿Quieres tú matarme, como mataste ayer al egipcio?
29 Al oir esta palabra, Moisés huyó, y vivió como extranjero en tierra de Madián, donde engendró dos hijos.
30 Pasados cuarenta años, un ángel se le apareció en el desierto del monte Sinaí, en la llama de fuego de una zarza.
31 Entonces Moisés, mirando se maravilló de la visión; y acercándose para observar, vino a él la voz del Señor:
32 Yo soy el Dios de tus padres, el Dios de Abraham, el Dios de Isaac, y el Dios de Jacob. Y Moisés, temblando, no se atrevía a mirar.
33 Y le dijo el Señor: Quita el calzado de tus pies, porque el lugar en que estás es tierra santa.
34 Ciertamente he visto la aflicción de mi pueblo que está en Egipto, y he oído su gemido, y he descendido para librarlos. Ahora, pues, ven, te enviaré a Egipto.
35 A este Moisés, a quien habían rechazado, diciendo: ¿Quién te ha puesto por gobernante y juez?, a éste lo envió Dios como gobernante y libertador por mano del ángel que se le apareció en la zarza.
36 Este los sacó, habiendo hecho prodigios y señales en tierra de Egipto, y en el Mar Rojo, y en el desierto por cuarenta años.
37 Este Moisés es el que dijo a los hijos de Israel: Profeta os levantará el Señor vuestro Dios de entre vuestros hermanos, como a mí; a él oiréis.
38 Este es aquel Moisés que estuvo en la congregación en el desierto con el ángel que le hablaba en el monte Sinaí, y con nuestros padres, y que recibió palabras de vida que darnos;

22 And Moses was learned in all the wisdom of the Egyptians, and was mighty in words and in deeds.
23 And when he was full forty years old, it came into his heart to visit his brethren the children of Israel.
24 And seeing one *of them* suffer wrong, he defended *him*, and avenged him that was oppressed, and smote the Egyptian:
25 For he supposed his brethren would have understood how that God by his hand would deliver them: but they understood not.
26 And the next day he shewed himself unto them as they strove, and would have set them at one again, saying, Sirs, ye are brethren; why do ye wrong one to another?
27 But he that did his neighbour wrong thrust him away, saying, Who made thee a ruler and a judge over us?
28 Wilt thou kill me, as thou diddest the Egyptian yesterday?
29 Then fled Moses at this saying, and was a stranger in the land of Ma'di-an, where he begat two sons.
30 And when forty years were expired, there appeared to him in the wilderness of mount Si'na an angel of the Lord in a flame of fire in a bush.
31 When Moses saw *it*, he wondered at the sight: and as he drew near to behold *it*, the voice of the Lord came unto him,
32 *Saying*, I *am* the God of thy fathers, the God of Abraham, and the God of Isaac, and the God of Jacob. Then Moses trembled, and durst not behold.
33 Then said the Lord to him, Put off thy shoes from thy feet: for the place where thou standest is holy ground.
34 I have seen, I have seen the affliction of my people which is in Egypt, and I have heard their groaning, and am come down to deliver them. And now come, I will send thee into Egypt.
35 This Moses whom they refused, saying, Who made thee a ruler and a judge? the same did God send *to be* a ruler and a deliverer by the hand of the angel which appeared to him in the bush.
36 He brought them out, after that he had shewed wonders and signs in the land of Egypt, and in the Red sea, and in the wilderness forty years.
37 This is that Moses, which said unto the children of Israel, A prophet shall the Lord your God raise up unto you of your brethren, like unto me; him shall ye hear.
38 This is he, that was in the church in the wilderness with the angel which spake to him in the mount Si'na, and *with* our fathers: who received the lively oracles to give unto us:

39 al cual nuestros padres no quisieron obedecer, sino que le desecharon, y en sus corazones se volvieron a Egipto,

40 cuando dijeron a Aarón: Haznos dioses que vayan delante de nosotros; porque a este Moisés, que nos sacó de la tierra de Egipto, no sabemos qué le haya acontecido.

41 Entonces hicieron un becerro, y ofrecieron sacrificio al ídolo, y en las obras de sus manos se regocijaron.

42 Y Dios se apartó, y los entregó a que rindiesen culto al ejército del cielo; como está escrito en el libro de los profetas: ¿Acaso me ofrecisteis víctimas y sacrificios en el desierto por cuarenta años, casa de Israel?

43 Antes bien llevasteis el tabernáculo de Moloc, y la estrella de vuestro dios Renfán, figuras que os hicisteis para adorarlas. Os transportaré, pues, más allá de Babilonia.

44 Tuvieron nuestros padres el tabernáculo del testimonio en el desierto, como había ordenado Dios cuando dijo a Moisés que lo hiciese conforme al modelo que había visto.

45 El cual, recibido a su vez por nuestros padres, lo introdujeron con Josué al tomar posesión de la tierra de los gentiles, a los cuales Dios arrojó de la presencia de nuestros padres, hasta los días de David.

46 Este halló gracia delante de Dios, y pidió proveer tabernáculo para el Dios de Jacob.

47 Mas Salomón le edificó casa;

48 si bien el Altísimo no habita en templos hechos de mano, como dice el profeta:

49 El cielo es mi trono, y la tierra el estrado de mis pies. ¿Qué casa me edificaréis? dice el Señor; ¿O cuál es el lugar de mi reposo?

50 ¿No hizo mi mano todas estas cosas?

51 ¡Duros de cerviz, e incircuncisos de corazón y de oídos! Vosotros resistís siempre al Espíritu Santo; como vuestros padres, así también vosotros.

52 ¿A cuál de los profetas no persiguieron vuestros padres? Y mataron a los que anunciaron de antemano la venida del Justo, de quien vosotros ahora habéis sido entregadores y matadores;

53 vosotros que recibisteis la ley por disposición de ángeles, y no la guardasteis.

54 Oyendo estas cosas, se enfurecían en sus corazones, y crujían los dientes contra él.

55 Pero Esteban, lleno del Espíritu Santo, puestos los ojos en el cielo, vio la glo-

39 To whom our fathers would not obey, but thrust *him* from them, and in their hearts turned back again into Egypt,

40 Saying unto Aaron, Make us gods to go before us: for *as for* this Moses, which brought us out of the land of Egypt, we wot not what is become of him.

41 And they made a calf in those days, and offered sacrifice unto the idol, and rejoiced in the works of their own hands.

42 Then God turned, and gave them up to worship the host of heaven; as it is written in the book of the prophets, O ye house of Israel, have ye offered to me slain beasts and sacrifices *by the space of* forty years in the wilderness?

43 Yea, ye took up the tabernacle of Mo'loch, and the star of your god Rem'-phan, figures which ye made to worship them: and I will carry you away beyond Babylon.

44 Our fathers had the tabernacle of witness in the wilderness, as he had appointed, speaking unto Moses, that he should make it according to the fashion that he had seen.

45 Which also our fathers that came after brought in with Jesus into the possession of the Gentiles, whom God drave out before the face of our fathers, unto the days of David;

46 Who found favour before God, and desired to find a tabernacle for the God of Jacob.

47 But Solomon built him an house.

48 Howbeit the most High dwelleth not in temples made with hands; as saith the prophet,

49 Heaven *is* my throne, and earth *is* my footstool: what house will ye build me? saith the Lord: or what *is* the place of my rest?

50 Hath not my hand made all these things?

51 Ye stiffnecked and uncircumcised in heart and ears, ye do always resist the Holy Ghost: as your fathers *did*, so *do* ye.

52 Which of the prophets have not your fathers persecuted? and they have slain them which shewed before of the coming of the Just One; of whom ye have been now the betrayers and murderers:

53 Who have received the law by the disposition of angels, and have not kept *it*.

54 When they heard these things, they were cut to the heart, and they gnashed on him with *their* teeth.

55 But he, being full of the Holy Ghost, looked up stedfastly into heaven, and

ria de Dios, y a Jesús que estaba a la dies-
tra de Dios,
56 y dijo: He aquí, veo los cielos abier-
tos, y al Hijo del Hombre que está a la
diestra de Dios.
57 Entonces ellos, dando grandes
voces, se taparon los oídos, y arremetie-
ron a una contra él.
58 Y echándole fuera de la ciudad, le
apedrearon; y los testigos pusieron sus
ropas a los pies de un joven que se llama-
ba Saulo.
59 Y apedreaban a Esteban, mientras él
invocaba y decía: Señor Jesús, recibe mi
espíritu.
60 Y puesto de rodillas, clamó a gran
voz; Señor, no les tomes en cuenta este
pecado. Y habiendo dicho esto, durmió.

CAPÍTULO 8

Y Saulo consentía en su muerte. En
aquel día hubo una gran persecución
contra la iglesia que estaba en Jerusalén;
y todos fueron esparcidos por las tierras
de Judea y de Samaria, salvo los apósto-
les.
2 Y hombres piadosos llevaron a ente-
rrar a Esteban, e hicieron gran llanto
sobre él.
3 Y Saulo asolaba la iglesia, y entrando
casa por casa, arrastraba a hombres y a
mujeres, y los entregaba en la cárcel.
4 Pero los que fueron esparcidos iban
por todas partes anunciando el evangelio.
5 Entonces Felipe, descendiendo a la
ciudad de Samaria, les predicaba a Cris-
to.
6 Y la gente, unánime, escuchaba aten-
tamente las cosas que decía Felipe, oyen-
do y viendo las señales que hacía.
7 Porque de muchos que tenían espí-
ritus inmundos, salían éstos dando
grandes voces; y muchos paralíticos y
cojos eran sanados;
8 así que había gran gozo en aquella
ciudad.
9 Pero había un hombre llamado Si-
món, que antes ejercía la magia en aque-
lla ciudad, y había engañado a la gente de
Samaria, haciéndose pasar por algún
grande.
10 A éste oían atentamente todos,
desde el más pequeño hasta el más
grande, diciendo: Este es el gran poder de
Dios.
11 Y le estaban atentos, porque con sus
artes mágicas les había engañado mucho
tiempo.
12 Pero cuando creyeron a Felipe, que
anunciaba el evangelio del reino de Dios

saw the glory of God, and Jesus standing
on the right hand of God,
56 And said, Behold, I see the heavens
opened, and the Son of man standing on
the right hand of God.
57 Then they cried out with a loud
voice, and stopped their ears, and ran
upon him with one accord,
58 And cast *him* out of the city, and
stoned *him:* and the witnesses laid down
their clothes at a young man's feet,
whose name was Saul.
59 And they stoned Stephen, calling
upon *God,* and saying, Lord Jesus, re-
ceive my spirit.
60 And he kneeled down, and cried
with a loud voice, Lord, lay not this sin to
their charge. And when he had said this,
he fell asleep.

CHAPTER 8

AND Saul was consenting unto his
death. And at that time there was a
great persecution against the church
which was at Jerusalem; and they were
all scattered abroad throughout the re-
gions of Judæa and Sa-ma′ri-a, except
the apostles.
2 And devout men carried Stephen *to
his burial,* and made great lamentation
over him.
3 As for Saul, he made havock of the
church, entering into every house, and
haling men and women committed *them*
to prison.
4 Therefore they that were scattered
abroad went every where preaching the
word.
5 Then Philip went down to the city of
Sa-ma′ri-a, and preached Christ unto
them.
6 And the people with one accord gave
heed unto those things which Philip
spake, hearing and seeing the miracles
which he did.
7 For unclean spirits, crying with loud
voice, came out of many that were pos-
sessed *with them:* and many taken with
palsies, and that were lame, were healed.
8 And there was great joy in that city.
9 But there was a certain man, called
Simon, which beforetime in the same city
used sorcery, and bewitched the people
of Sa-ma′ri-a, giving out that himself was
some great one:
10 To whom they all gave heed, from
the least to the greatest, saying, This man
is the great power of God.
11 And to him they had regard, because
that of long time he had bewitched them
with sorceries.
12 But when they believed Philip
preaching the things concerning the

y el nombre de Jesucristo, se bautizaban hombres y mujeres.

13 También creyó Simón mismo, y habiéndose bautizado, estaba siempre con Felipe; y viendo las señales y grandes milagros que se hacían, estaba atónito.

14 Cuando los apóstoles que estaban en Jerusalén oyeron que Samaria había recibido la palabra de Dios, enviaron allá a Pedro y a Juan;

15 los cuales, habiendo venido, oraron por ellos para que recibiesen el Espíritu Santo;

16 porque aún no había descendido sobre ninguno de ellos, sino que solamente habían sido bautizados en el nombre de Jesús.

17 Entonces les imponían las manos, y recibían el Espíritu Santo.

18 Cuando vio Simón que por la imposición de las manos de los apóstoles se daba el Espíritu Santo, les ofreció dinero,

19 diciendo: Dadme también a mí este poder, para que cualquiera a quien yo impusiere las manos reciba el Espíritu Santo.

20 Entonces Pedro le dijo: Tu dinero perezca contigo, porque has pensado que el don de Dios se obtiene con dinero.

21 No tienes tú parte ni suerte en este asunto, porque tu corazón no es recto delante de Dios.

22 Arrepiéntete, pues, de esta tu maldad, y ruega a Dios, si quizás te sea perdonado el pensamiento de tu corazón;

23 porque en hiel de amargura y en prisión de maldad veo que estás.

24 Respondiendo entonces Simón, dijo: Rogad vosotros por mí al Señor, para que nada de esto que habéis dicho venga sobre mí.

25 Y ellos, habiendo testificado y hablado la palabra de Dios, se volvieron a Jerusalén, y en muchas poblaciones de los samaritanos anunciaron el evangelio.

26 Un ángel del Señor habló a Felipe, diciendo: Levántate y vé hacia el sur, por el camino que desciende de Jerusalén a Gaza, el cual es desierto.

27 Entonces él se levantó y fue. Y sucedió que un etíope, eunuco, funcionario de Candace reina de los etíopes, el cual estaba sobre todos sus tesoros, y había venido a Jerusalén para adorar,

28 volvía sentado en su carro, y leyendo al profeta Isaías.

29 Y el Espíritu dijo a Felipe: Acércate y júntate a ese carro.

kingdom of God, and the name of Jesus Christ, they were baptized, both men and women.

13 Then Simon himself believed also: and when he was baptized, he continued with Philip, and wondered, beholding the miracles and signs which were done.

14 Now when the apostles which were at Jerusalem heard that Sa-ma′ri-a had received the word of God, they sent unto them Peter and John:

15 Who, when they were come down, prayed for them, that they might receive the Holy Ghost:

16 (For as yet he was fallen upon none of them: only they were baptized in the name of the Lord Jesus.)

17 Then laid they *their* hands on them, and they received the Holy Ghost.

18 And when Simon saw that through laying on of the apostles' hands the Holy Ghost was given, he offered them money,

19 Saying, Give me also this power, that on whomsoever I lay hands, he may receive the Holy Ghost.

20 But Peter said unto him, Thy money perish with thee, because thou hast thought that the gift of God may be purchased with money.

21 Thou hast neither part nor lot in this matter: for thy heart is not right in the sight of God.

22 Repent therefore of this thy wickedness, and pray God, if perhaps the thought of thine heart may be forgiven thee.

23 For I perceive that thou art in the gall of bitterness, and *in* the bond of iniquity.

24 Then answered Simon, and said, Pray ye to the Lord for me, that none of these things which ye have spoken come upon me.

25 And they, when they had testified and preached the word of the Lord, returned to Jerusalem, and preached the gospel in many villages of the Sa-mar′i-tans.

26 And the angel of the Lord spake unto Philip, saying, Arise, and go toward the south unto the way that goeth down from Jerusalem unto Ga′za, which is desert.

27 And he arose and went: and, behold, a man of E-thi-o′pi-a, an eunuch of great authority under Can′da-ce queen of the E-thi-o′pi-ans, who had the charge of all her treasure, and had come to Jerusalem for to worship,

28 Was returning, and sitting in his chariot read E-sai′as the prophet.

29 Then the Spirit said unto Philip, Go near, and join thyself to this chariot.

30 Acudiendo Felipe, le oyó que leía al profeta Isaías, y dijo: Pero ¿entiendes lo que lees?

31 El dijo: ¿Y cómo podré, si alguno no me enseñare? Y rogó a Felipe que subiese y se sentara con él.

32 El pasaje de la Escritura que leía era este: Como oveja a la muerte fue llevado; y como cordero mudo delante del que lo trasquila, así no abrió su boca.

33 En su humillación no se le hizo justicia; mas su generación, ¿quién la contará? Porque fue quitada de la tierra su vida.

34 Respondiendo el eunuco, dijo a Felipe: Te ruego que me digas: ¿de quién dice el profeta esto; de sí mismo, o de algún otro?

35 Entonces Felipe, abriendo su boca, y comenzando desde esta escritura, le anunció el evangelio de Jesús.

36 Y yendo por el camino, llegaron a cierta agua, y dijo el eunuco: Aquí hay agua; ¿qué impide que yo sea bautizado?

37 Felipe dijo: Si crees de todo corazón, bien puedes. Y respondiendo, dijo: Creo que Jesucristo es el Hijo de Dios.

38 Y mandó parar el carro; y descendieron ambos al agua, Felipe, y el eunuco, y le bautizó.

39 Cuando subieron del agua, el Espíritu del Señor arrebató a Felipe; y el eunuco no le vio más, y siguió gozoso su camino.

40 Pero Felipe se encontró en Azoto; y pasando, anunciaba el evangelio en todas las ciudades, hasta que llegó a Cesarea.

CAPÍTULO 9

SAULO, respirando aún amenazas y muerte contra los discípulos del Señor, vino al sumo sacerdote,

2 y le pidió cartas para las sinagogas de Damasco, a fin de que si hallase algunos hombres o mujeres de este Camino, los trajese presos a Jerusalén.

3 Mas yendo por el camino, aconteció que al llegar cerca de Damasco, repentinamente le rodeó un resplandor de luz del cielo;

4 y cayendo en tierra, oyó una voz que le decía: Saulo, Saulo, ¿por qué me persigues?

5 El dijo: ¿Quién eres, Señor? Y le dijo: Yo soy Jesús, a quien tú persigues; dura cosa te es dar coces contra el aguijón.

30 And Philip ran thither to *him*, and heard him read the prophet E-sai'as, and said, Understandest thou what thou readest?

31 And he said, How can I, except some man should guide me? And he desired Philip that he would come up and sit with him.

32 The place of the scripture which he read was this, He was led as a sheep to the slaughter; and like a lamb dumb before his shearer, so opened he not his mouth:

33 In his humiliation his judgment was taken away: and who shall declare his generation? for his life is taken from the earth.

34 And the eunuch answered Philip, and said, I pray thee, of whom speaketh the prophet this? of himself, or of some other man?

35 Then Philip opened his mouth, and began at the same scripture, and preached unto him Jesus.

36 And as they went on *their* way, they came unto a certain water: and the eunuch said, See, *here is* water; what doth hinder me to be baptized?

37 And Philip said, If thou believest with all thine heart, thou mayest. And he answered and said, I believe that Jesus Christ is the Son of God.

38 And he commanded the chariot to stand still: and they went down both into the water, both Philip and the eunuch; and he baptized him.

39 And when they were come up out of the water, the Spirit of the Lord caught away Philip, that the eunuch saw him no more: and he went on his way rejoicing.

40 But Philip was found at A-zo'tus: and passing through he preached in all the cities, till he came to Cæs-a-re'a.

CHAPTER 9

AND Saul, yet breathing out threatenings and slaughter against the disciples of the Lord, went unto the high priest,

2 And desired of him letters to Damascus to the synagogues, that if he found any of this way, whether they were men or women, he might bring them bound unto Jerusalem.

3 And as he journeyed, he came near Damascus: and suddenly there shined round about him a light from heaven:

4 And he fell to the earth, and heard a voice saying unto him, Saul, Saul, why persecutest thou me?

5 And he said, Who art thou, Lord? And the Lord said, I am Jesus whom thou persecutest: *it is* hard for thee to kick against the pricks.

6 El, temblando y temeroso, dijo: Señor, ¿qué quieres que yo haga? Y el Señor le dijo: Levántate y entra en la ciudad, y se te dirá lo que debes hacer.

7 Y los hombres que iban con Saulo se pararon atónitos, oyendo a la verdad la voz, mas sin ver a nadie.

8 Entonces Saulo se levantó de tierra, y abriendo los ojos, no veía a nadie; así que, llevándole por la mano, le metieron en Damasco,

9 donde estuvo tres días sin ver, y no comió ni bebió.

10 Había entonces en Damasco un discípulo llamado Ananías, a quien el Señor dijo en visión: Ananías. Y él respondió: Heme aquí, Señor.

11 Y el Señor le dijo: Levántate, y vé a la calle que se llama Derecha, y busca en casa de Judas a uno llamado Saulo, de Tarso; porque he aquí, él ora,

12 y ha visto en visión a un varón llamado Ananías, que entra y le pone las manos encima para que recobre la vista.

13 Entonces Ananías respondió: Señor, he oído de muchos acerca de este hombre, cuántos males ha hecho a tus santos en Jerusalén;

14 y aun aquí tiene autoridad de los principales sacerdotes para prender a todos los que invocan tu nombre.

15 El Señor le dijo: Vé, porque instrumento escogido me es éste, para llevar mi nombre en presencia de los gentiles, y de reyes, y de los hijos de Israel;

16 porque yo le mostraré cuánto le es necesario padecer por mi nombre.

17 Fue entonces Ananías y entró en la casa, y poniendo sobre él las manos, dijo: Hermano Saulo, el Señor Jesús, que se te apareció en el camino por donde venías, me ha enviado para que recibas la vista y seas lleno del Espíritu Santo.

18 Y al momento le cayeron de los ojos como escamas, y recibió al instante la vista; y levantándose, fue bautizado.

19 Y habiendo tomado alimento, recobró fuerzas. Y estuvo Saulo por algunos días con los discípulos que estaban en Damasco.

20 En seguida predicaba a Cristo en las sinagogas, diciendo que éste era el Hijo de Dios.

21 Y todos los que le oían estaban atónitos, y decían: ¿No es éste el que asolaba en Jerusalén a los que invocaban este

6 And he trembling and astonished said, Lord, what wilt thou have me to do? And the Lord *said* unto him, Arise, and go into the city, and it shall be told thee what thou must do.

7 And the men which journeyed with him stood speechless, hearing a voice, but seeing no man.

8 And Saul arose from the earth; and when his eyes were opened, he saw no man: but they led him by the hand, and brought *him* into Damascus.

9 And he was three days without sight, and neither did eat nor drink.

10 And there was a certain disciple at Damascus, named An-a-ni'as; and to him said the Lord in a vision, An-a-ni'as. And he said, Behold, I *am here*, Lord.

11 And the Lord *said* unto him, Arise, and go into the street which is called Straight, and inquire in the house of Judas for *one* called Saul of Tarsus: for, behold, he prayeth,

12 And hath seen in a vision a man named An-a-ni'as coming in, and putting *his* hand on him, that he might receive his sight.

13 Then An-a-ni'as answered, Lord, I have heard by many of this man, how much evil he hath done to thy saints at Jerusalem:

14 And here he hath authority from the chief priests to bind all that call on thy name.

15 But the Lord said unto him, Go thy way: for he is a chosen vessel unto me, to bear my name before the Gentiles, and kings, and the children of Israel:

16 For I will shew him how great things he must suffer for my name's sake.

17 And An-a-ni'as went his way, and entered into the house; and putting his hands on him said, Brother Saul, the Lord, *even* Jesus, that appeared unto thee in the way as thou camest, hath sent me, that thou mightest receive thy sight, and be filled with the Holy Ghost.

18 And immediately there fell from his eyes as it had been scales: and he received sight forthwith, and arose, and was baptized.

19 And when he had received meat, he was strengthened. Then was Saul certain days with the disciples which were at Damascus.

20 And straightway he preached Christ in the synagogues, that he is the Son of God.

21 But all that heard *him* were amazed, and said; Is not this he that destroyed them which called on this name in Jerusalem, and came hither for that intent,

nombre, y a eso vino acá, para llevarlos presos ante los principales sacerdotes?

22 Pero Saulo mucho más se esforzaba, y confundía a los judíos que moraban en Damasco, demostrando que Jesús era el Cristo.

23 Pasados muchos días, los judíos resolvieron en consejo matarle;

24 pero sus asechanzas llegaron a conocimiento de Saulo. Y ellos guardaban las puertas de día y de noche para matarle.

25 Entonces los discípulos, tomándole de noche, le bajaron por el muro, descolgándole en una canasta.

26 Cuando llegó a Jerusalén, trataba de juntarse con los discípulos; pero todos le tenían miedo, no creyendo que fuese discípulo.

27 Entonces Bernabé, tomándole, lo trajo a los apóstoles, y les contó cómo Saulo había visto en el camino al Señor, el cual le había hablado, y cómo en Damasco había hablado valerosamente en el nombre de Jesús.

28 Y estaba con ellos en Jerusalén; y entraba y salía,

29 y hablaba denodadamente en el nombre del Señor, y disputaba con los griegos; pero éstos procuraban matarle.

30 Cuando supieron esto los hermanos, le llevaron hasta Cesarea, y le enviaron a Tarso.

31 Entonces las iglesias tenían paz por toda Judea, Galilea y Samaria; y eran edificadas, andando en el temor del Señor, y se acrecentaban fortalecidas por el Espíritu Santo.

32 Aconteció que Pedro, visitando a todos, vino también a los santos que habitaban en Lida.

33 Y halló allí a uno que se llamaba Eneas, que hacía ocho años que estaba en cama, pues era paralítico.

34 Y le dijo Pedro: Eneas, Jesucristo te sana; levántate, y haz tu cama. Y en seguida se levantó.

35 Y le vieron todos los que habitaban en Lida y en Sarón, los cuales se convirtieron al Señor.

36 Había entonces en Jope una discípula llamada Tabita, que traducido quiere decir, Dorcas. Esta abundaba en buenas obras y en limosnas que hacía.

37 Y aconteció que en aquellos días enfermó y murió. Después de lavada, la pusieron en una sala.

38 Y como Lida estaba cerca de Jope, los discípulos, oyendo que Pedro estaba allí, le enviaron dos hombres, a rogarle: No tardes en venir a nosotros.

that he might bring them bound unto the chief priests?

22 But Saul increased the more in strength, and confounded the Jews which dwelt at Damascus, proving that this is very Christ.

23 And after that many days were fulfilled, the Jews took counsel to kill him:

24 But their laying await was known of Saul. And they watched the gates day and night to kill him.

25 Then the disciples took him by night, and let *him* down by the wall in a basket.

26 And when Saul was come to Jerusalem, he assayed to join himself to the disciples: but they were all afraid of him, and believed not that he was a disciple.

27 But Barnabas took him, and brought *him* to the apostles, and declared unto them how he had seen the Lord in the way, and that he had spoken to him, and how he had preached boldly at Damascus in the name of Jesus.

28 And he was with them coming in and going out at Jerusalem.

29 And he spake boldly in the name of the Lord Jesus, and disputed against the Grecians: but they went about to slay him.

30 *Which* when the brethren knew, they brought him down to Cæs-a-re'a, and sent him forth to Tarsus.

31 Then had the churches rest throughout all Judæa and Galilee and Sa-ma'ri-a, and were edified; and walking in the fear of the Lord, and in the comfort of the Holy Ghost, were multiplied.

32 And it came to pass, as Peter passed throughout all *quarters*, he came down also to the saints which dwelt at Lyd'da.

33 And there he found a certain man named Æ-ne'as, which had kept his bed eight years, and was sick of the palsy.

34 And Peter said unto him, Æ-ne'as, Jesus Christ maketh thee whole: arise, and make thy bed. And he arose immediately.

35 And all that dwelt at Lyd'da and Sa'-ron saw him, and turned to the Lord.

36 Now there was at Joppa a certain disciple named Tabitha, which by interpretation is called Dorcas: this woman was full of good works and almsdeeds which she did.

37 And it came to pass in those days, that she was sick, and died: whom when they had washed, they laid *her* in an upper chamber.

38 And forasmuch as Lyd'da was nigh to Joppa, and the disciples had heard that Peter was there, they sent unto him two men, desiring *him* that he would not delay to come to them.

39 Levantándose entonces Pedro, fue con ellos; y cuando llegó, le llevaron a la sala, donde le rodearon todas las viudas, llorando y mostrando las túnicas y los vestidos que Dorcas hacía cuando estaba con ellas.

40 Entonces, sacando a todos, Pedro se puso de rodillas y oró; y volviéndose al cuerpo, dijo: Tabita, levántate. Y ella abrió los ojos, y al ver a Pedro, se incorporó.

41 Y él, dándole la mano, la levantó; entonces, llamando a los santos y a las viudas, la presentó viva.

42 Esto fue notorio en toda Jope, y muchos creyeron en el Señor.

43 Y aconteció que se quedó muchos días en Jope en casa de un cierto Simón, curtidor.

CAPÍTULO 10

HABÍA en Cesarea un hombre llamado Cornelio, centurión de la compañía llamada la Italiana,

2 piadoso y temeroso de Dios con toda su casa, y que hacía muchas limosnas al pueblo, y oraba a Dios siempre.

3 Este vio claramente en una visión, como a la hora novena del día, que un ángel de Dios entraba donde él estaba, y le decía: Cornelio.

4 El, mirándole fijamente, y atemorizado, dijo: ¿Qué es, Señor? Y le dijo: Tus oraciones y tus limosnas han subido para memoria delante de Dios.

5 Envía, pues, ahora hombres a Jope, y haz venir a Simón, el que tiene por sobrenombre Pedro.

6 Este posa en casa de cierto Simón curtidor, que tiene su casa junto al mar; él te dirá lo que es necesario que hagas.

7 Ido el ángel que hablaba con Cornelio, éste llamó a dos de sus criados, y a un devoto soldado de los que le asistían;

8 a los cuales envió a Jope, después de haberles contado todo.

9 Al día siguiente, mientras ellos iban por el camino y se acercaban a la ciudad, Pedro subió a la azotea para orar, cerca de la hora sexta.

10 Y tuvo gran hambre, y quiso comer; pero mientras le preparaban algo, le sobrevino un éxtasis;

11 y vio el cielo abierto, y que descendía algo semejante a un gran lienzo, que atado de las cuatro puntas era bajado a la tierra;

12 en el cual había de todos los cuadrúpedos terrestres y reptiles y aves del cielo.

39 Then Peter arose and went with them. When he was come, they brought him into the upper chamber: and all the widows stood by him weeping, and shewing the coats and garments which Dorcas made, while she was with them.

40 But Peter put them all forth, and kneeled down, and prayed; and turning *him* to the body said, Tabitha, arise. And she opened her eyes: and when she saw Peter, she sat up.

41 And he gave her *his* hand, and lifted her up, and when he had called the saints and widows, presented her alive.

42 And it was known throughout all Joppa; and many believed in the Lord.

43 And it came to pass, that he tarried many days in Joppa with one Simon a tanner.

CHAPTER 10

THERE was a certain man in Cæs-a-re′a called Cornelius, a centurion of the band called the Italian *band*,

2 A devout *man*, and one that feared God with all his house, which gave much alms to the people, and prayed to God alway.

3 He saw in a vision evidently about the ninth hour of the day an angel of God coming in to him, and saying unto him, Cornelius.

4 And when he looked on him, he was afraid, and said, What is it, Lord? And he said unto him, Thy prayers and thine alms are come up for a memorial before God.

5 And now send men to Joppa, and call for *one* Simon, whose surname is Peter:

6 He lodgeth with one Simon a tanner, whose house is by the sea side: he shall tell thee what thou oughtest to do.

7 And when the angel which spake unto Cornelius was departed, he called two of his household servants, and a devout soldier of them that waited on him continually;

8 And when he had declared all *these* things unto them, he sent them to Joppa.

9 On the morrow, as they went on their journey, and drew nigh unto the city, Peter went up upon the housetop to pray about the sixth hour:

10 And he became very hungry, and would have eaten: but while they made ready, he fell into a trance,

11 And saw heaven opened, and a certain vessel descending unto him, as it had been a great sheet knit at the four corners, and let down to the earth:

12 Wherein were all manner of fourfooted beasts of the earth, and wild beasts, and creeping things, and fowls of the air.

13 Y le vino una voz: Levántate, Pedro, mata y come.

14 Entonces Pedro dijo: Señor, no; porque ninguna cosa común o inmunda he comido jamás.

15 Volvió la voz a él la segunda vez: Lo que Dios limpió, no lo llames tú común.

16 Esto se hizo tres veces; y aquel lienzo volvió a ser recogido en el cielo.

17 Y mientras Pedro estaba perplejo dentro de sí sobre lo que significaría la visión que había visto, he aquí los hombres que habían sido enviados por Cornelio, los cuales, preguntando por la casa de Simón, llegaron a la puerta.

18 Y llamando, preguntaron si moraba allí un Simón que tenía por sobrenombre Pedro.

19 Y mientras Pedro pensaba en la visión, le dijo el Espíritu: He aquí, tres hombres te buscan.

20 Levántate, pues, y desciende, y no dudes de ir con ellos, porque yo los he enviado.

21 Entonces Pedro, descendiendo a donde estaban los hombres que fueron enviados por Cornelio, les dijo: He aquí, yo soy el que buscáis; ¿cuál es la causa por la que habéis venido?

22 Ellos dijeron: Cornelio el centurión, varón justo y temeroso de Dios, y que tiene buen testimonio en toda la nación de los judíos, ha recibido instrucciones de un santo ángel, de hacerte venir a su casa para oir tus palabras.

23 Entonces, haciéndoles entrar, los hospedó. Y al día siguiente, levantándose, se fue con ellos; y le acompañaron algunos de los hermanos de Jope.

24 Al otro día entraron en Cesarea. Y Cornelio los estaba esperando, habiendo convocado a sus parientes y amigos más íntimos.

25 Cuando Pedro entró, salió Cornelio a recibirle, y postrándose a sus pies, adoró.

26 Mas Pedro le levantó, diciendo: Levántate, pues yo mismo también soy hombre.

27 Y hablando con él, entró, y halló a muchos que se habían reunido.

28 Y les dijo: Vosotros sabéis cuán abominable es para un varón judío juntarse o acercarse a un extranjero; pero a mí me ha mostrado Dios que a ningún hombre llame común o inmundo;

29 por lo cual, al ser llamado, vine sin replicar. Así que pregunto: ¿Por qué causa *me* habéis hecho venir?

30 Entonces Cornelio dijo: Hace cuatro días que a esta hora yo estaba en ayunas; y a la hora novena, mientras oraba en mi

13 And there came a voice to him, Rise, Peter; kill, and eat.

14 But Peter said, Not so, Lord; for I have never eaten any thing that is common or unclean.

15 And the voice *spake* unto him again the second time, What God hath cleansed, *that* call not thou common.

16 This was done thrice: and the vessel was received up again into heaven.

17 Now while Peter doubted in himself what this vision which he had seen should mean, behold, the men which were sent from Cornelius had made inquiry for Simon's house, and stood before the gate,

18 And called, and asked whether Simon, which was surnamed Peter, were lodged there.

19 While Peter thought on the vision, the Spirit said unto him, Behold, three men seek thee.

20 Arise therefore, and get thee down, and go with them, doubting nothing: for I have sent them.

21 Then Peter went down to the men which were sent unto him from Cornelius; and said, Behold, I am he whom ye seek: what *is* the cause wherefore ye are come?

22 And they said, Cornelius the centurion, a just man, and one that feareth God, and of good report among all the nation of the Jews, was warned from God by an holy angel to send for thee into his house, and to hear words of thee.

23 Then called he them in, and lodged *them*. And on the morrow Peter went away with them, and certain brethren from Joppa accompanied him.

24 And the morrow after they entered into Cæs-a-re'a. And Cornelius waited for them, and had called together his kinsmen and near friends.

25 And as Peter was coming in, Cornelius met him, and fell down at his feet, and worshipped *him*.

26 But Peter took him up, saying, Stand up; I myself also am a man.

27 And as he talked with him, he went in, and found many that were come together.

28 And he said unto them, Ye know how that it is an unlawful thing for a man that is a Jew to keep company, or come unto one of another nation; but God hath shewed me that I should not call any man common or unclean.

29 Therefore came I *unto you* without gainsaying, as soon as I was sent for: I ask therefore for what intent ye have sent for me?

30 And Cornelius said, Four days ago I was fasting until this hour; and at the ninth hour I prayed in my house, and,

casa, vi que se puso delante de mí un varón con vestido resplandeciente,

31 y dijo: Cornelio, tu oración ha sido oída, y tus limosnas han sido recordadas delante de Dios.

32 Envía, pues, a Jope, y haz venir a Simón el que tiene por sobrenombre Pedro, el cual mora en casa de Simón, un curtidor, junto al mar; y cuando llegue, él te hablará.

33 Así que luego envié por ti; y tú has hecho bien en venir. Ahora, pues, todos nosotros estamos aquí en la presencia de Dios, para oir todo lo que Dios te ha mandado.

34 Entonces Pedro, abriendo la boca, dijo: En verdad comprendo que Dios no hace acepción de personas,

35 sino que en toda nación se agrada del que le teme y hace justicia.

36 Dios envió mensaje a los hijos de Israel, anunciando el evangelio de la paz por medio de Jesucristo; éste es Señor de todos.

37 Vosotros sabéis lo que se divulgó por toda Judea, comenzando desde Galilea, después del bautismo que predicó Juan:

38 cómo Dios ungió con el Espíritu Santo y con poder a Jesús de Nazaret, y cómo éste anduvo haciendo bienes y sanando a todos los oprimidos por el diablo, porque Dios estaba con él.

39 Y nosotros somos testigos de todas las cosas que Jesús hizo en la tierra de Judea y en Jerusalén; a quien mataron colgándole en un madero.

40 A éste levantó Dios al tercer día, e hizo que se manifestase;

41 no a todo el pueblo, sino a los testigos que Dios había ordenado de antemano, a nosotros que comimos y bebimos con él después que resucitó de los muertos.

42 Y nos mandó que predicásemos al pueblo, y testificásemos que él es el que Dios ha puesto por Juez de vivos y muertos.

43 De éste dan testimonio todos los profetas, que todos los que en él creyeren, recibirán perdón de pecados por su nombre.

44 Mientras aún hablaba Pedro estas palabras, el Espíritu Santo cayó sobre todos los que oían el discurso.

45 Y los fieles de la circuncisión que habían venido con Pedro se quedaron atónitos de que también sobre los gentiles se derramase el don del Espíritu Santo.

46 Porque los oían que hablaban en lenguas, y que magnificaban a Dios.

47 Entonces respondió Pedro: ¿Puede acaso alguno impedir el agua, para que

behold, a man stood before me in bright clothing,

31 And said, Cornelius, thy prayer is heard, and thine alms are had in remembrance in the sight of God.

32 Send therefore to Joppa, and call hither Simon, whose surname is Peter; he is lodged in the house of *one* Simon a tanner by the sea side: who, when he cometh, shall speak unto thee.

33 Immediately therefore I sent to thee; and thou hast well done that thou art come. Now therefore are we all here present before God, to hear all things that are commanded thee of God.

34 Then Peter opened *his* mouth, and said, Of a truth I perceive that God is no respecter of persons:

35 But in every nation he that feareth him, and worketh righteousness, is accepted with him.

36 The word which *God* sent unto the children of Israel, preaching peace by Jesus Christ: (he is Lord of all:)

37 That word, *I say*, ye know, which was published throughout all Judæa, and began from Galilee, after the baptism which John preached;

38 How God anointed Jesus of Nazareth with the Holy Ghost and with power: who went about doing good, and healing all that were oppressed of the devil; for God was with him.

39 And we are witnesses of all things which he did both in the land of the Jews, and in Jerusalem; whom they slew and hanged on a tree:

40 Him God raised up the third day, and shewed him openly;

41 Not to all the people, but unto witnesses chosen before of God, *even* to us, who did eat and drink with him after he rose from the dead.

42 And he commanded us to preach unto the people, and to testify that it is he which was ordained of God *to be* the Judge of quick and dead.

43 To him give all the prophets witness, that through his name whosoever believeth in him shall receive remission of sins.

44 While Peter yet spake these words, the Holy Ghost fell on all them which heard the word.

45 And they of the circumcision which believed were astonished, as many as came with Peter, because that on the Gentiles also was poured out the gift of the Holy Ghost.

46 For they heard them speak with tongues, and magnify God. Then answered Peter,

47 Can any man forbid water, that these

no sean bautizados estos que han recibido el Espíritu Santo también como nosotros?

48 Y mandó bautizarles en el nombre del Señor Jesús. Entonces le rogaron que se quedase por algunos días.

CAPÍTULO 11

OYERON los apóstoles y los hermanos que estaban en Judea, que también los gentiles habían recibido la palabra de Dios.

2 Y cuando Pedro subió a Jerusalén, disputaban con él los que eran de la circuncisión,

3 diciendo: ¿Por qué has entrado en casa de hombres incircuncisos, y has comido con ellos?

4 Entonces comenzó Pedro a contarles por orden lo sucedido, diciendo:

5 Estaba yo en la ciudad de Jope orando, y vi en éxtasis una visión; algo semejante a un gran lienzo que descendía, que por las cuatro puntas era bajado del cielo y venía hasta mí.

6 Cuando fijé en él los ojos, consideré y vi cuadrúpedos terrestres, y fieras, y reptiles, y aves del cielo.

7 Y oí una voz que me decía: Levántate, Pedro, mata y come.

8 Y dije: Señor, no; porque ninguna cosa común o inmunda entró jamás en mi boca.

9 Entonces la voz me respondió del cielo por segunda vez: Lo que Dios limpió, no lo llames tú común.

10 Y esto se hizo tres veces, y volvió todo a ser llevado arriba al cielo.

11 Y he aquí, luego llegaron tres hombres a la casa donde yo estaba, enviados a mí desde Cesarea.

12 Y el Espíritu me dijo que fuese con ellos sin dudar. Fueron también conmigo estos seis hermanos, y entramos en casa de un varón,

13 quien nos contó cómo había visto en su casa un ángel, que se puso en pie y le dijo: Envía hombres a Jope, y haz venir a Simón, el que tiene por sobrenombre Pedro;

14 él te hablará palabras por las cuales serás salvo tú, y toda tu casa.

15 Y cuando comencé a hablar, cayó el Espíritu Santo sobre ellos también, como sobre nosotros al principio.

16 Entonces me acordé de lo dicho por el Señor, cuando dijo: Juan ciertamente bautizó en agua, mas vosotros seréis bautizados con el Espíritu Santo.

17 Si Dios, pues, les concedió también el mismo don que a nosotros que hemos creído en el Señor Jesucristo, ¿quién era yo que pudiese estorbar a Dios?

should not be baptized, which have received the Holy Ghost as well as we?

48 And he commanded them to be baptized in the name of the Lord. Then prayed they him to tarry certain days.

CHAPTER 11

AND the apostles and brethren that were in Judæa heard that the Gentiles had also received the word of God.

2 And when Peter was come up to Jerusalem, they that were of the circumcision contended with him,

3 Saying, Thou wentest in to men uncircumcised, and didst eat with them.

4 But Peter rehearsed *the matter* from the beginning, and expounded *it* by order unto them, saying,

5 I was in the city of Joppa praying: and in a trance I saw a vision, A certain vessel descend, as it had been a great sheet, let down from heaven by four corners; and it came even to me:

6 Upon the which when I had fastened mine eyes, I considered, and saw fourfooted beasts of the earth, and wild beasts, and creeping things, and fowls of the air.

7 And I heard a voice saying unto me, Arise, Peter; slay and eat.

8 But I said, Not so, Lord: for nothing common or unclean hath at any time entered into my mouth.

9 But the voice answered me again from heaven, What God hath cleansed, *that* call not thou common.

10 And this was done three times: and all were drawn up again into heaven.

11 And, behold, immediately there were three men already come unto the house where I was, sent from Cæs-a-re'a unto me.

12 And the spirit bade me go with them, nothing doubting. Moreover these six brethren accompanied me, and we entered into the man's house:

13 And he shewed us how he had seen an angel in his house, which stood and said unto him, Send men to Joppa, and call for Simon, whose surname is Peter;

14 Who shall tell thee words, whereby thou and all thy house shall be saved.

15 And as I began to speak, the Holy Ghost fell on them, as on us at the beginning.

16 Then remembered I the word of the Lord, how that he said, John indeed baptized with water; but ye shall be baptized with the Holy Ghost.

17 Forasmuch then as God gave them the like gift as *he did* unto us, who believed on the Lord Jesus Christ; what was I, that I could withstand God?

18 Entonces, oídas estas cosas, callaron, y glorificaron a Dios, diciendo: ¡De manera que también a los gentiles ha dado Dios arrepentimiento para vida!

19 Ahora bien, los que habían sido esparcidos a causa de la persecución que hubo con motivo de Esteban, pasaron hasta Fenicia, Chipre y Antioquía, no hablando a nadie la palabra, sino sólo a los judíos.

20 Pero había entre ellos unos varones de Chipre y de Cirene, los cuales, cuando entraron en Antioquía, hablaron también a los griegos, anunciando el evangelio del Señor Jesús.

21 Y la mano del Señor estaba con ellos, y gran número creyó y se convirtió al Señor.

22 Llegó la noticia de estas cosas a oídos de la iglesia que estaba en Jerusalén; y enviaron a Bernabé que fuese hasta Antioquía.

23 Este, cuando llegó, y vio la gracia de Dios, se regocijó, y exhortó a todos a que con propósito de corazón permaneciesen fieles al Señor.

24 Porque era varón bueno, y lleno del Espíritu Santo y de fe. Y una gran multitud fue agregada al Señor.

25 Después fue Bernabé a Tarso para buscar a Saulo; y hallándole, le trajo a Antioquía.

26 Y se congregaron allí todo un año con la iglesia, y enseñaron a mucha gente; y a los discípulos se les llamó cristianos por primera vez en Antioquía.

27 En aquellos días unos profetas descendieron de Jerusalén a Antioquía.

28 Y levantándose uno de ellos, llamado Agabo, daba a entender por el Espíritu, que vendría una gran hambre en toda la tierra habitada; la cual sucedió en tiempo de Claudio.

29 Entonces los discípulos, cada uno conforme a lo que tenía, determinaron enviar socorro a los hermanos que habitaban en Judea;

30 lo cual en efecto hicieron, enviándolo a los ancianos por mano de Bernabé y de Saulo.

CAPÍTULO 12

EN aquel mismo tiempo el rey Herodes echó mano a algunos de la iglesia para maltratarles.

2 Y mató a espada a Jacobo, hermano de Juan.

3 Y viendo que esto había agradado a los judíos, procedió a prender también a Pedro. Eran entonces los días de los panes sin levadura.

4 Y habiéndole tomado preso, le puso en la cárcel, entregándole a cuatro gru-

18 When they heard these things, they held their peace, and glorified God, saying, Then hath God also to the Gentiles granted repentance unto life.

19 Now they which were scattered abroad upon the persecution that arose about Stephen travelled as far as Phe-ni′ce, and Cyprus, and Antioch, preaching the word to none but unto the Jews only.

20 And some of them were men of Cyprus and Cy-re′ne, which, when they were come to Antioch, spake unto the Grecians, preaching the Lord Jesus.

21 And the hand of the Lord was with them: and a great number believed, and turned unto the Lord.

22 Then tidings of these things came unto the ears of the church which was in Jerusalem: and they sent forth Barnabas, that he should go as far as Antioch.

23 Who, when he came, and had seen the grace of God, was glad, and exhorted them all, that with purpose of heart they would cleave unto the Lord.

24 For he was a good man, and full of the Holy Ghost and of faith: and much people was added unto the Lord.

25 Then departed Barnabas to Tarsus, for to seek Saul:

26 And when he had found him, he brought him unto Antioch. And it came to pass, that a whole year they assembled themselves with the church, and taught much people. And the disciples were called Christians first in Antioch.

27 And in these days came prophets from Jerusalem unto Antioch.

28 And there stood up one of them named Ag′a-bus, and signified by the spirit that there should be great dearth throughout all the world: which came to pass in the days of Claudius Cæsar.

29 Then the disciples, every man according to his ability, determined to send relief unto the brethren which dwelt in Judæa:

30 Which also they did, and sent it to the elders by the hands of Barnabas and Saul.

CHAPTER 12

NOW about that time Herod the king stretched forth *his* hands to vex certain of the church.

2 And he killed James the brother of John with the sword.

3 And because he saw it pleased the Jews, he proceeded further to take Peter also. (Then were the days of unleavened bread.)

4 And when he had apprehended him, he put *him* in prison, and delivered *him*

pos de cuatro soldados cada uno, para que le custodiasen; y se proponía sacarle al pueblo después de la pascua.

5 Así que Pedro estaba custodiado en la cárcel; pero la iglesia hacía sin cesar oración a Dios por él.

6 Y cuando Herodes le iba a sacar, aquella misma noche estaba Pedro durmiendo entre dos soldados, sujeto con dos cadenas, y los guardas delante de la puerta custodiaban la cárcel.

7 Y he aquí que se presentó un ángel del Señor, y una luz resplandeció en la cárcel; y tocando a Pedro en el costado, le despertó, diciendo: Levántate pronto. Y las cadenas se le cayeron de las manos.

8 Le dijo el ángel: Cíñete, y átate las sandalias. Y lo hizo así. Y le dijo: Envuélvete en tu manto, y sígueme.

9 Y saliendo, le seguía; pero no sabía que era verdad lo que hacía el ángel, sino que pensaba que veía una visión.

10 Habiendo pasado la primera y la segunda guardia, llegaron a la puerta de hierro que daba a la ciudad, la cual se les abrió por sí misma; y salidos, pasaron una calle, y luego el ángel se apartó de él.

11 Entonces Pedro, volviendo en sí, dijo: Ahora entiendo verdaderamente que el Señor ha enviado su ángel, y me ha librado de la mano de Herodes, y de todo lo que el pueblo de los judíos esperaba.

12 Y habiendo considerado esto, llegó a casa de María la madre de Juan, el que tenía por sobrenombre Marcos, donde muchos estaban reunidos orando.

13 Cuando llamó Pedro a la puerta del patio, salió a escuchar una muchacha llamada Rode,

14 la cual, cuando reconoció la voz de Pedro, de gozo no abrió la puerta, sino que corriendo adentro, dio la nueva de que Pedro estaba a la puerta.

15 Y ellos le dijeron: Estás loca. Pero ella aseguraba que así era. Entonces ellos decían: ¡Es su ángel!

16 Mas Pedro persistía en llamar; y cuando abrieron y le vieron, se quedaron atónitos.

17 Pero él, haciéndoles con la mano señal de que callasen, les contó cómo el Señor le había sacado de la cárcel. Y dijo:

to four quaternions of soldiers to keep him; intending after Easter to bring him forth to the people.

5 Peter therefore was kept in prison: but prayer was made without ceasing of the church unto God for him.

6 And when Herod would have brought him forth, the same night Peter was sleeping between two soldiers, bound with two chains: and the keepers before the door kept the prison.

7 And, behold, the angel of the Lord came upon *him*, and a light shined in the prison: and he smote Peter on the side, and raised him up, saying, Arise up quickly. And his chains fell off from *his* hands.

8 And the angel said unto him, Gird thyself, and bind on thy sandals. And so he did. And he saith unto him, Cast thy garment about thee, and follow me.

9 And he went out, and followed him; and wist not that it was true which was done by the angel; but thought he saw a vision.

10 When they were past the first and the second ward, they came unto the iron gate that leadeth unto the city; which opened to them of his own accord: and they went out, and passed on through one street; and forthwith the angel departed from him.

11 And when Peter was come to himself, he said, Now I know of a surety, that the Lord hath sent his angel, and hath delivered me out of the hand of Herod, and *from* all the expectation of the people of the Jews.

12 And when he had considered *the thing*, he came to the house of Mary the mother of John, whose surname was Mark; where many were gathered together praying.

13 And as Peter knocked at the door of the gate, a damsel came to hearken, named Rhoda.

14 And when she knew Peter's voice, she opened not the gate for gladness, but ran in, and told how Peter stood before the gate.

15 And they said unto her, Thou art mad. But she constantly affirmed that it was even so. Then said they, It is his angel.

16 But Peter continued knocking: and when they had opened *the door*, and saw him, they were astonished.

17 But he, beckoning unto them with the hand to hold their peace, declared unto them how the Lord had brought him out of the prison. And he said, Go shew

Haced saber esto a Jacobo y a los hermanos. Y salió, y se fue a otro lugar.

18 Luego que fue de día, hubo no poco alboroto entre los soldados sobre qué había sido de Pedro.

19 Mas Herodes, habiéndole buscado sin hallarle, después de interrogar a los guardas, ordenó llevarlos a la muerte. Después descendió de Judea a Cesarea y se quedó allí.

20 Y Herodes estaba enojado contra los de Tiro y de Sidón; pero ellos vinieron de acuerdo ante él, y sobornado Blasto, que era camarero mayor del rey, pedían paz, porque su territorio era abastecido por el del rey.

21 Y un día señalado, Herodes, vestido de ropas reales, se sentó en el tribunal y les arengó.

22 Y el pueblo aclamaba gritando: ¡Voz de Dios, y no de hombre!

23 Al momento un ángel del Señor le hirió, por cuanto no dio la gloria a Dios; y expiró comido de gusanos.

24 Pero la palabra del Señor crecía y se multiplicaba.

25 Y Bernabé y Saulo, cumplido su servicio, volvieron de Jerusalén, llevando también consigo a Juan, el que tenía por sobrenombre Marcos.

CAPÍTULO 13

HABÍA entonces en la iglesia que estaba en Antioquía, profetas y maestros: Bernabé, Simón el que se llamaba Niger, Lucio de Cirene, Manaén el que se había criado junto con Herodes el tetrarca, y Saulo.

2 Ministrando éstos al Señor, y ayunando, dijo el Espíritu Santo: Apartadme a Bernabé y a Saulo para la obra a que los he llamado.

3 Entonces, habiendo ayunado y orado, les impusieron las manos y los despidieron.

4 Ellos, entonces, enviados por el Espíritu Santo, descendieron a Seleucia, y de allí navegaron a Chipre.

5 Y llegados a Salamina, anunciaban la palabra de Dios en las sinagogas de los judíos. Tenían también a Juan de ayudante.

6 Y habiendo atravesado toda la isla hasta Pafos, hallaron a cierto mago, falso profeta, judío, llamado Barjesús,

7 que estaba con el procónsul Sergio Paulo, varón prudente. Este, llamando a Bernabé y a Saulo, deseaba oir la palabra de Dios.

these things unto James, and to the brethren. And he departed, and went into another place.

18 Now as soon as it was day, there was no small stir among the soldiers, what was become of Peter.

19 And when Herod had sought for him, and found him not, he examined the keepers, and commanded that *they* should be put to death. And he went down from Judæa to Cæs-a-re'a, and *there* abode.

20 And Herod was highly displeased with them of Tyre and Si'don: but they came with one accord to him, and, having made Blas'tus the king's chamberlain their friend, desired peace; because their country was nourished by the king's *country*.

21 And upon a set day Herod, arrayed in royal apparel, sat upon his throne, and made an oration unto them.

22 And the people gave a shout, *saying, It is* the voice of a god, and not of a man.

23 And immediately the angel of the Lord smote him, because he gave not God the glory: and he was eaten of worms, and gave up the ghost.

24 But the word of God grew and multiplied.

25 And Barnabas and Saul returned from Jerusalem, when they had fulfilled *their* ministry, and took with them John, whose surname was Mark.

CHAPTER 13

NOW there were in the church that was at Antioch certain prophets and teachers; as Barnabas, and Simeon that was called Ni'ger, and Lucius of Cy-re'ne, and Man'a-en, which had been brought up with Herod the tetrarch, and Saul.

2 As they ministered to the Lord, and fasted, the Holy Ghost said, Separate me Barnabas and Saul for the work whereunto I have called them.

3 And when they had fasted and prayed, and laid *their* hands on them, they sent *them* away.

4 So they, being sent forth by the Holy Ghost, departed unto Se-leu'ci-a; and from thence they sailed to Cyprus.

5 And when they were at Sal'a-mis, they preached the word of God in the synagogues of the Jews: and they had also John to *their* minister.

6 And when they had gone through the isle unto Pa'phos, they found a certain sorcerer, a false prophet, a Jew, whose name *was* Bar-je'sus:

7 Which was with the deputy of the country, Sergius Paulus, a prudent man; who called for Barnabas and Saul, and desired to hear the word of God.

8 Pero les resistía Elimas, el mago (pues así se traduce su nombre), procurando apartar de la fe al procónsul.

9 Entonces Saulo, que también es Pablo, lleno del Espíritu Santo, fijando en él los ojos,

10 dijo: ¡Oh, lleno de todo engaño y de toda maldad, hijo del diablo, enemigo de toda justicia! ¿No cesarás de trastornar los caminos rectos del Señor?

11 Ahora, pues, he aquí la mano del Señor está contra ti, y serás ciego, y no verás el sol por algún tiempo. E inmediatamente cayeron sobre él oscuridad y tinieblas; y andando alrededor, buscaba quien le condujese de la mano.

12 Entonces el procónsul, viendo lo que había sucedido, creyó, maravillado de la doctrina del Señor.

13 Habiendo zarpado de Pafos, Pablo y sus compañeros arribaron a Perge de Panfilia; pero Juan, apartándose de ellos, volvió a Jerusalén.

14 Ellos, pasando de Perge, llegaron a Antioquía de Pisidia; y entraron en la sinagoga un día de reposo y se sentaron.

15 Y después de la lectura de la ley y de los profetas, los principales de la sinagoga mandaron a decirles: Varones hermanos, si tenéis alguna palabra de exhortación para el pueblo, hablad.

16 Entonces Pablo, levantándose, hecha señal de silencio con la mano, dijo: Varones israelitas, y los que teméis a Dios, oíd:

17 El Dios de este pueblo de Israel escogió a nuestros padres, y enalteció al pueblo, siendo ellos extranjeros en tierra de Egipto, y con brazo levantado los sacó de ella.

18 Y por un tiempo como de cuarenta años los soportó en el desierto;

19 y habiendo destruido siete naciones en la tierra de Canaán, les dio en herencia su territorio.

20 Después, como por cuatrocientos cincuenta años, les dio jueces hasta el profeta Samuel.

21 Luego pidieron rey, y Dios les dio a Saúl hijo de Cis, varón de la tribu de Benjamín, por cuarenta años.

22 Quitado éste, les levantó por rey a David, de quien dio también testimonio diciendo: He hallado a David hijo de Isaí, varón conforme a mi corazón, quien hará todo lo que yo quiero.

8 But El′y-mas the sorcerer (for so is his name by interpretation) withstood them, seeking to turn away the deputy from the faith.

9 Then Saul, (who also *is called* Paul,) filled with the Holy Ghost, set his eyes on him,

10 And said, O full of all subtilty and all mischief, *thou* child of the devil, *thou* enemy of all righteousness, wilt thou not cease to pervert the right ways of the Lord?

11 And now, behold, the hand of the Lord *is* upon thee, and thou shalt be blind, not seeing the sun for a season. And immediately there fell on him a mist and a darkness; and he went about seeking some to lead him by the hand.

12 Then the deputy, when he saw what was done, believed, being astonished at the doctrine of the Lord.

13 Now when Paul and his company loosed from Pa′phos, they came to Per′ga in Pam-phyl′i-a: and John departing from them returned to Jerusalem.

14 But when they departed from Per′ga, they came to Antioch in Pi-sid′i-a, and went into the synagogue on the sabbath day, and sat down.

15 And after the reading of the law and the prophets the rulers of the synagogue sent unto them, saying, *Ye* men *and* brethren, if ye have any word of exhortation for the people, say on.

16 Then Paul stood up, and beckoning with *his* hand said, Men of Israel, and ye that fear God, give audience.

17 The God of this people of Israel chose our fathers, and exalted the people when they dwelt as strangers in the land of Egypt, and with an high arm brought he them out of it.

18 And about the time of forty years suffered he their manners in the wilderness.

19 And when he had destroyed seven nations in the land of Cha′naan, he divided their land to them by lot.

20 And after that he gave *unto them* judges about the space of four hundred and fifty years, until Samuel the prophet.

21 And afterward they desired a king: and God gave unto them Saul the son of Cis, a man of the tribe of Benjamin, by the space of forty years.

22 And when he had removed him, he raised up unto them David to be their king; to whom also he gave testimony, and said, I have found David the *son* of Jesse, a man after mine own heart, which shall fulfil all my will.

23 De la descendencia de éste, y conforme a la promesa, Dios levantó a Jesús por Salvador a Israel.

24 Antes de su venida, predicó Juan el bautismo de arrepentimiento a todo el pueblo de Israel.

25 Mas cuando Juan terminaba su carrera, dijo: ¿Quién pensáis que soy? No soy yo él; mas he aquí viene tras mí uno de quien no soy digno de desatar el calzado de los pies.

26 Varones hermanos, hijos del linaje de Abraham, y los que entre vosotros teméis a Dios, a vosotros es enviada la palabra de esta salvación.

27 Porque los habitantes de Jerusalén y sus gobernantes, no conociendo a Jesús, ni las palabras de los profetas que se leen todos los días de reposo, las cumplieron al condenarle.

28 Y sin hallar en él causa digna de muerte, pidieron a Pilato que se le matase.

29 Y habiendo cumplido todas las cosas que de él estaban escritas, quitándolo del madero, lo pusieron en el sepulcro.

30 Mas Dios le levantó de los muertos.

31 Y él se apareció durante muchos días a los que habían subido juntamente con él de Galilea a Jerusalén, los cuales ahora son sus testigos ante el pueblo.

32 Y nosotros también os anunciamos el evangelio de aquella promesa hecha a nuestros padres,

33 la cual Dios ha cumplido a los hijos de ellos, a nosotros, resucitando a Jesús; como está escrito también en el salmo segundo: Mi hijo eres tú, yo te he engendrado hoy.

34 Y en cuanto a que le levantó de los muertos para nunca más volver a corrupción, lo dijo así: Os daré las misericordias fieles de David.

35 Por eso dice también en otro salmo: No permitirás que tu Santo vea corrupción.

36 Porque a la verdad David, habiendo servido a su propia generación según la voluntad de Dios, durmió, y fue reunido con sus padres, y vio corrupción.

37 Mas aquel a quien Dios levantó, no vio corrupción.

38 Sabed, pues, esto, varones hermanos: que por medio de él se os anuncia perdón de pecados,

39 y que de todo aquello de que por la ley de Moisés no pudisteis ser justificados, en él es justificado todo aquel que cree.

40 Mirad, pues, que no venga sobre vosotros lo que está dicho en los profetas:

41 Mirad, oh menospreciadores, y

23 Of this man's seed hath God according to *his* promise raised unto Israel a Saviour, Jesus:

24 When John had first preached before his coming the baptism of repentance to all the people of Israel.

25 And as John fulfilled his course, he said, Whom think ye that I am? I am not *he*. But, behold, there cometh one after me, whose shoes of *his* feet I am not worthy to loose.

26 Men *and* brethren, children of the stock of Abraham, and whosoever among you feareth God, to you is the word of this salvation sent.

27 For they that dwell at Jerusalem, and their rulers, because they knew him not, nor yet the voices of the prophets which are read every sabbath day, they have fulfilled *them* in condemning *him*.

28 And though they found no cause of death *in him*, yet desired they Pilate that he should be slain.

29 And when they had fulfilled all that was written of him, they took *him* down from the tree, and laid *him* in a sepulchre.

30 But God raised him from the dead:

31 And he was seen many days of them which came up with him from Galilee to Jerusalem, who are his witnesses unto the people.

32 And we declare unto you glad tidings, how that the promise which was made unto the fathers,

33 God hath fulfilled the same unto us their children, in that he hath raised up Jesus again; as it is also written in the second psalm, Thou art my Son, this day have I begotten thee.

34 And as concerning that he raised him up from the dead, *now* no more to return to corruption, he said on this wise, I will give you the sure mercies of David.

35 Wherefore he saith also in another *psalm*, Thou shalt not suffer thine Holy One to see corruption.

36 For David, after he had served his own generation by the will of God, fell on sleep, and was laid unto his fathers, and saw corruption:

37 But he, whom God raised again, saw no corruption.

38 Be it known unto you therefore, men *and* brethren, that through this man is preached unto you the forgiveness of sins:

39 And by him all that believe are justified from all things, from which ye could not be justified by the law of Moses.

40 Beware therefore, lest that come upon you, which is spoken of in the prophets;

41 Behold, ye despisers, and wonder,

asombraos, y desapareced; porque yo hago una obra en vuestros días, obra que no creeréis, si alguien os la contare.

42 Cuando salieron ellos de la sinagoga de los judíos, los gentiles les rogaron que el siguiente día de reposo les hablasen de estas cosas.

43 Y despedida la congregación, muchos de los judíos y de los prosélitos piadosos siguieron a Pablo y a Bernabé, quienes hablándoles, les persuadían a que perseverasen en la gracia de Dios.

44 El siguiente día de reposo se juntó casi toda la ciudad para oir la palabra de Dios.

45 Pero viendo los judíos la muchedumbre, se llenaron de celos, y rebatían lo que Pablo decía, contradiciendo y blasfemando.

46 Entonces Pablo y Bernabé, hablando con denuedo, dijeron: A vosotros a la verdad era necesario que se os hablase primero la palabra de Dios; mas puesto que la desecháis, y no os juzgáis dignos de la vida eterna, he aquí, nos volvemos a los gentiles.

47 Porque así nos ha mandado el Señor, diciendo: Te he puesto para luz de los gentiles, a fin de que seas para salvación hasta lo último de la tierra.

48 Los gentiles, oyendo esto, se regocijaban y glorificaban la palabra del Señor, y creyeron todos los que estaban ordenados para vida eterna.

49 Y la palabra del Señor se difundía por toda aquella provincia.

50 Pero los judíos instigaron a mujeres piadosas y distinguidas, y a los principales de la ciudad, y levantaron persecución contra Pablo y Bernabé, y los expulsaron de sus límites.

51 Ellos entonces, sacudiendo contra ellos el polvo de sus pies, llegaron a Iconio.

52 Y los discípulos estaban llenos de gozo y del Espíritu Santo.

CAPÍTULO 14

ACONTECIÓ en Iconio que entraron juntos en la sinagoga de los judíos, y hablaron de tal manera que creyó una gran multitud de judíos, y asimismo de griegos.

2 Mas los judíos que no creían excitaron y corrompieron los ánimos de los gentiles contra los hermanos.

3 Por tanto, se detuvieron allí mucho tiempo, hablando con denuedo, confiados en el Señor, el cual daba testimonio a la palabra de su gracia, concediendo que se hiciesen por las manos de ellos señales y prodigios.

4 Y la gente de la ciudad estaba dividi-

and perish: for I work a work in your days, a work which ye shall in no wise believe, though a man declare it unto you.

42 And when the Jews were gone out of the synagogue, the Gentiles besought that these words might be preached to them the next sabbath.

43 Now when the congregation was broken up, many of the Jews and religious proselytes followed Paul and Barnabas: who, speaking to them, persuaded them to continue in the grace of God.

44 And the next sabbath day came almost the whole city together to hear the word of God.

45 But when the Jews saw the multitudes, they were filled with envy, and spake against those things which were spoken by Paul, contradicting and blaspheming.

46 Then Paul and Barnabas waxed bold, and said, It was necessary that the word of God should first have been spoken to you: but seeing ye put it from you, and judge yourselves unworthy of everlasting life, lo, we turn to the Gentiles.

47 For so hath the Lord commanded us, *saying*, I have set thee to be a light of the Gentiles, that thou shouldest be for salvation unto the ends of the earth.

48 And when the Gentiles heard this, they were glad, and glorified the word of the Lord: and as many as were ordained to eternal life believed.

49 And the word of the Lord was published throughout all the region.

50 But the Jews stirred up the devout and honourable women, and the chief men of the city, and raised persecution against Paul and Barnabas, and expelled them out of their coasts.

51 But they shook off the dust of their feet against them, and came unto I-co'ni-um.

52 And the disciples were filled with joy, and with the Holy Ghost.

CHAPTER 14

AND it came to pass in I-co'ni-um, that they went both together into the synagogue of the Jews, and so spake, that a great multitude both of the Jews and also of the Greeks believed.

2 But the unbelieving Jews stirred up the Gentiles, and made their minds evil affected against the brethren.

3 Long time therefore abode they speaking boldly in the Lord, which gave testimony unto the word of his grace, and granted signs and wonders to be done by their hands.

4 But the multitude of the city was di-

da: unos estaban con los judíos, y otros con los apóstoles.

5 Pero cuando los judíos y los gentiles, juntamente con sus gobernantes, se lanzaron a afrentarlos y apedrearlos,

6 habiéndolo sabido, huyeron a Listra y Derbe, ciudades de Licaonia, y a toda la región circunvecina,

7 y allí predicaban el evangelio.

8 Y cierto hombre de Listra estaba sentado, imposibilitado de los pies, cojo de nacimiento, que jamás había andado.

9 Este oyó hablar a Pablo, el cual, fijando en él sus ojos, y viendo que tenía fe para ser sanado,

10 dijo a gran voz: Levántate derecho sobre tus pies. Y él saltó, y anduvo.

11 Entonces la gente, visto lo que Pablo había hecho, alzó la voz, diciendo en lengua licaónica: Dioses bajo la semejanza de hombres han descendido a nosotros.

12 Y a Bernabé llamaban Júpiter, y a Pablo, Mercurio, porque éste era el que llevaba la palabra.

13 Y el sacerdote de Júpiter, cuyo templo estaba frente a la ciudad, trajo toros y guirnaldas delante de las puertas, y juntamente con la muchedumbre quería ofrecer sacrificios.

14 Cuando lo oyeron los apóstoles Bernabé y Pablo, rasgaron sus ropas, y se lanzaron entre la multitud, dando voces

15 y diciendo: Varones, ¿por qué hacéis esto? Nosotros también somos hombres semejantes a vosotros, que os anunciamos que de estas vanidades os convirtáis al Dios vivo, que hizo el cielo y la tierra, el mar, y todo lo que en ellos hay.

16 En las edades pasadas él ha dejado a todas las gentes andar en sus propios caminos;

17 si bien no se dejó a sí mismo sin testimonio, haciendo bien, dándonos lluvias del cielo y tiempos fructíferos, llenando de sustento y de alegría nuestros corazones.

18 Y diciendo estas cosas, difícilmente lograron impedir que la multitud les ofreciese sacrificio.

19 Entonces vinieron unos judíos de Antioquía y de Iconio, que persuadieron a la multitud, y habiendo apedreado a Pablo, le arrastraron fuera de la ciudad, pensando que estaba muerto.

20 Pero rodeándole los discípulos, se levantó y entró en la ciudad; y al día siguiente salió con Bernabé para Derbe.

21 Y después de anunciar el evangelio a aquella ciudad y de hacer muchos dis-

vided: and part held with the Jews, and part with the apostles.

5 And when there was an assault made both of the Gentiles, and also of the Jews with their rulers, to use *them* despitefully, and to stone them,

6 They were ware of *it*, and fled unto Lys′tra and Der′be, cities of Ly-ca-o′ni-a, and unto the region that lieth round about:

7 And there they preached the gospel.

8 And there sat a certain man at Lys′tra, impotent in his feet, being a cripple from his mother's womb, who never had walked:

9 The same heard Paul speak: who stedfastly beholding him, and perceiving that he had faith to be healed,

10 Said with a loud voice, Stand upright on thy feet. And he leaped and walked.

11 And when the people saw what Paul had done, they lifted up their voices, saying in the speech of Ly-ca-o′ni-a, The gods are come down to us in the likeness of men.

12 And they called Barnabas, Jupiter; and Paul, Mer-cu′ri-us, because he was the chief speaker.

13 Then the priest of Jupiter, which was before their city, brought oxen and garlands unto the gates, and would have done sacrifice with the people.

14 *Which* when the apostles, Barnabas and Paul, heard *of*, they rent their clothes, and ran in among the people, crying out,

15 And saying, Sirs, why do ye these things? We also are men of like passions with you, and preach unto you that ye should turn from these vanities unto the living God, which made heaven, and earth, and the sea, and all things that are therein:

16 Who in times past suffered all nations to walk in their own ways.

17 Nevertheless he left not himself without witness, in that he did good, and gave us rain from heaven, and fruitful seasons, filling our hearts with food and gladness.

18 And with these sayings scarce restrained they the people, that they had not done sacrifice unto them.

19 And there came thither *certain* Jews from Antioch and I-co′ni-um, who persuaded the people, and, having stoned Paul, drew *him* out of the city, supposing he had been dead.

20 Howbeit, as the disciples stood round about him, he rose up, and came into the city: and the next day he departed with Barnabas to Der′be.

21 And when they had preached the gospel to that city, and had taught many,

cípulos, volvieron a Listra, a Iconio y a Antioquía,
22 confirmando los ánimos de los discípulos, exhortándoles a que permaneciesen en la fe, y diciéndoles: Es necesario que a través de muchas tribulaciones entremos en el reino de Dios.
23 Y constituyeron ancianos en cada iglesia, y habiendo orado con ayunos, los encomendaron al Señor en quien habían creído.
24 Pasando luego por Pisidia, vinieron a Panfilia.
25 Y habiendo predicado la palabra en Perge, descendieron a Atalia.
26 De allí navegaron a Antioquía, desde donde habían sido encomendados a la gracia de Dios para la obra que habían cumplido.
27 Y habiendo llegado, y reunido a la iglesia, refirieron cuán grandes cosas había hecho Dios con ellos, y cómo había abierto la puerta de la fe a los gentiles.
28 Y se quedaron allí mucho tiempo con los discípulos.

CAPÍTULO 15

ENTONCES algunos que venían de Judea enseñaban a los hermanos: Si no os circuncidáis conforme al rito de Moisés, no podéis ser salvos.
2 Como Pablo y Bernabé tuviesen una discusión y contienda no pequeña con ellos, se dispuso que subiesen Pablo y Bernabé a Jerusalén, y algunos otros de ellos, a los apóstoles y los ancianos, para tratar esta cuestión.
3 Ellos, pues, habiendo sido encaminados por la iglesia, pasaron por Fenicia y Samaria, contando la conversión de los gentiles; y causaban gran gozo a todos los hermanos.
4 Y llegados a Jerusalén, fueron recibidos por la iglesia y los apóstoles y los ancianos, y refirieron todas las cosas que Dios había hecho con ellos.
5 Pero algunos de la secta de los fariseos, que habían creído, se levantaron diciendo: Es necesario circuncidarlos, y mandarles que guarden la ley de Moisés.
6 Y se reunieron los apóstoles y los ancianos para conocer de este asunto.
7 Y después de mucha discusión, Pedro se levantó y les dijo: Varones hermanos, vosotros sabéis cómo ya hace algún tiempo que Dios escogió que los gentiles oyesen por mi boca la palabra del evangelio y creyesen.
8 Y Dios, que conoce los corazones, les

they returned again to Lys'tra, and *to* I-co'ni-um, and Antioch,
22 Confirming the souls of the disciples, *and* exhorting them to continue in the faith, and that we must through much tribulation enter into the kingdom of God.
23 And when they had ordained them elders in every church, and had prayed with fasting, they commended them to the Lord, on whom they believed.
24 And after they had passed throughout Pi-sid'i-a, they came to Pam-phyl'i-a.
25 And when they had preached the word in Per'ga, they went down into At-ta'li-a:
26 And thence sailed to Antioch, from whence they had been recommended to the grace of God for the work which they fulfilled.
27 And when they were come, and had gathered the church together, they rehearsed all that God had done with them, and how he had opened the door of faith unto the Gentiles.
28 And there they abode long time with the disciples.

CHAPTER 15

AND certain men which came down from Judæa taught the brethren, *and said*, Except ye be circumcised after the manner of Moses, ye cannot be saved.
2 When therefore Paul and Barnabas had no small dissension and disputation with them, they determined that Paul and Barnabas, and certain other of them, should go up to Jerusalem unto the apostles and elders about this question.
3 And being brought on their way by the church, they passed through Phe-ni'ce and Sa-ma'ri-a, declaring the conversion of the Gentiles: and they caused great joy unto all the brethren.
4 And when they were come to Jerusalem, they were received of the church, and *of* the apostles and elders, and they declared all things that God had done with them.
5 But there rose up certain of the sect of the Pharisees which believed, saying, That it was needful to circumcise them, and to command *them* to keep the law of Moses.
6 And the apostles and elders came together for to consider of this matter.
7 And when there had been much disputing, Peter rose up, and said unto them, Men *and* brethren, ye know how that a good while ago God made choice among us, that the Gentiles by my mouth should hear the word of the gospel, and believe.
8 And God, which knoweth the hearts,

dio testimonio, dándoles el Espíritu Santo lo mismo que a nosotros;

9 y ninguna diferencia hizo entre nosotros y ellos, purificando por la fe sus corazones.

10 Ahora, pues, ¿por qué tentáis a Dios, poniendo sobre la cerviz de los discípulos un yugo que ni nuestros padres ni nosotros hemos podido llevar?

11 Antes creemos que por la gracia del Señor Jesús seremos salvos, de igual modo que ellos.

12 Entonces toda la multitud calló, y oyeron a Bernabé y a Pablo, que contaban cuán grandes señales y maravillas había hecho Dios por medio de ellos entre los gentiles.

13 Y cuando ellos callaron, Jacobo respondió diciendo: Varones hermanos, oídme.

14 Simón ha contado cómo Dios visitó por primera vez a los gentiles, para tomar de ellos pueblo para su nombre.

15 Y con esto concuerdan las palabras de los profetas, como está escrito:

16 Después de esto volveré y reedificaré el tabernáculo de David, que está caído; y repararé sus ruinas, y lo volveré a levantar,

17 Para que el resto de los hombres busque al Señor, y todos los gentiles, sobre los cuales es invocado mi nombre,

18 dice el Señor, que hace conocer todo esto desde tiempos antiguos.

19 Por lo cual yo juzgo que no se inquiete a los gentiles que se convierten a Dios,

20 sino que se les escriba que se aparten de las contaminaciones de los ídolos, de fornicación, de ahogado y de sangre.

21 Porque Moisés desde tiempos antiguos tiene en cada ciudad quien lo predique en las sinagogas, donde es leído cada día de reposo.

22 Entonces pareció bien a los apóstoles y a los ancianos, con toda la iglesia, elegir de entre ellos varones y enviarlos a Antioquía con Pablo y Bernabé: a Judas que tenía por sobrenombre Barsabás, y a Silas, varones principales entre los hermanos;

23 y escribir por conducto ellos: Los apóstoles y los ancianos y los hermanos, a los hermanos de entre los gentiles que están en Antioquía, en Siria y en Cilicia, salud.

24 Por cuanto hemos oído que algunos que han salido de nosotros, a los cuales no dimos orden, os han inquietado con palabras, perturbando vuestras almas, mandando circuncidaros y guardar la ley,

25 nos ha parecido bien, habiendo llegado a un acuerdo, elegir varones y en-

bare them witness, giving them the Holy Ghost, even as *he did* unto us;

9 And put no difference between us and them, purifying their hearts by faith.

10 Now therefore why tempt ye God, to put a yoke upon the neck of the disciples, which neither our fathers nor we were able to bear?

11 But we believe that through the grace of the Lord Jesus Christ we shall be saved, even as they.

12 Then all the multitude kept silence, and gave audience to Barnabas and Paul, declaring what miracles and wonders God had wrought among the Gentiles by them.

13 And after they had held their peace, James answered, saying, Men *and* brethren, hearken unto me:

14 Simeon hath declared how God at the first did visit the Gentiles, to take out of them a people for his name.

15 And to this agree the words of the prophets; as it is written,

16 After this I will return, and will build again the tabernacle of David, which is fallen down; and I will build again the ruins thereof, and I will set it up:

17 That the residue of men might seek after the Lord, and all the Gentiles, upon whom my name is called, saith the Lord, who doeth all these things.

18 Known unto God are all his works from the beginning of the world.

19 Wherefore my sentence is, that we trouble not them, which from among the Gentiles are turned to God:

20 But that we write unto them, that they abstain from pollutions of idols, and *from* fornication, and *from* things strangled, and *from* blood.

21 For Moses of old time hath in every city them that preach him, being read in the synagogues every sabbath day.

22 Then pleased it the apostles and elders, with the whole church, to send chosen men of their own company to Antioch with Paul and Barnabas; *namely*, Judas surnamed Bar′sa-bas, and Silas, chief men among the brethren:

23 And they wrote *letters* by them after this manner; The apostles and elders and brethren *send* greeting unto the brethren which are of the Gentiles in Antioch and Syria and Ci-li′ci-a.

24 Forasmuch as we have heard, that certain which went out from us have troubled you with words, subverting your souls, saying, *Ye must* be circumcised, and keep the law: to whom we gave no *such* commandment:

25 It seemed good unto us, being assembled with one accord, to send chosen

viarlos a vosotros con nuestros amados Bernabé y Pablo,

26 hombres que han expuesto su vida por el nombre de nuestro Señor Jesucristo.

27 Así que enviamos a Judas y a Silas, los cuales también de palabra os harán saber lo mismo.

28 Porque ha parecido bien al Espíritu Santo, y a nosotros, no imponeros ninguna carga más que estas cosas necesarias:

29 que os abstengáis de lo sacrificado a ídolos, de sangre, de ahogado y de fornicación; de las cuales cosas si os guardareis, bien haréis. Pasadlo bien.

30 Así, pues, los que fueron enviados descendieron a Antioquía, y reuniendo a la congregación, entregaron la carta;

31 habiendo leído la cual, se regocijaron por la consolación.

32 Y Judas y Silas, como ellos también eran profetas, consolaron y confirmaron a los hermanos con abundancia de palabras.

33 Y pasando algún tiempo allí, fueron despedidos en paz por los hermanos, para volver a aquellos que los habían enviado.

34 Mas a Silas le pareció bien el quedarse allí.

35 Y Pablo y Bernabé continuaron en Antioquía, enseñando la palabra del Señor y anunciando el evangelio con otros muchos.

36 Después de algunos días, Pablo dijo a Bernabé: Volvamos a visitar a los hermanos en todas las ciudades en que hemos anunciado la palabra del Señor, para ver cómo están.

37 Y Bernabé quería que llevasen consigo a Juan, el que tenía por sobrenombre Marcos;

38 pero a Pablo no le parecía bien llevar consigo al que se había apartado de ellos desde Panfilia, y no había ido con ellos a la obra.

39 Y hubo tal desacuerdo entre ellos, que se separaron el uno del otro; Bernabé, tomando a Marcos, navegó a Chipre,

40 y Pablo, escogiendo a Silas, salió encomendado por los hermanos a la gracia del Señor,

41 y pasó por Siria y Cilicia, confirmando a las iglesias.

CAPÍTULO 16

DESPUÉS llegó a Derbe y a Listra; y he aquí, había allí cierto discípulo llamado Timoteo, hijo de una mujer judía creyente, pero de padre griego;

men unto you with our beloved Barnabas and Paul,

26 Men that have hazarded their lives for the name of our Lord Jesus Christ.

27 We have sent therefore Judas and Silas, who shall also tell *you* the same things by mouth.

28 For it seemed good to the Holy Ghost, and to us, to lay upon you no greater burden than these necessary things;

29 That ye abstain from meats offered to idols, and from blood, and from things strangled, and from fornication: from which if ye keep yourselves, ye shall do well. Fare ye well.

30 So when they were dismissed, they came to Antioch: and when they had gathered the multitude together, they delivered the epistle:

31 *Which* when they had read, they rejoiced for the consolation.

32 And Judas and Silas, being prophets also themselves, exhorted the brethren with many words, and confirmed *them*.

33 And after they had tarried *there* a space, they were let go in peace from the brethren unto the apostles.

34 Notwithstanding it pleased Silas to abide there still.

35 Paul also and Barnabas continued in Antioch, teaching and preaching the word of the Lord, with many others also.

36 And some days after Paul said unto Barnabas, Let us go again and visit our brethren in every city where we have preached the word of the Lord, *and see* how they do.

37 And Barnabas determined to take with them John, whose surname was Mark.

38 But Paul thought not good to take him with them, who departed from them from Pam-phyl'i-a, and went not with them to the work.

39 And the contention was so sharp between them, that they departed asunder one from the other: and so Barnabas took Mark, and sailed unto Cyprus;

40 And Paul chose Silas, and departed, being recommended by the brethren unto the grace of God.

41 And he went through Syria and Ci-li'ci-a, confirming the churches.

CHAPTER 16

THEN came he to Der'be and Lys'tra: and, behold, a certain disciple was there, named Ti-mo'the-us, the son of a certain woman, which was a Jewess, and believed; but his father *was* a Greek:

2 y daban buen testimonio de él los hermanos que estaban en Listra y en Iconio.

3 Quiso Pablo que éste fuese con él; y tomándole, le circuncidó por causa de los judíos que había en aquellos lugares; porque todos sabían que su padre era griego.

4 Y al pasar por las ciudades, les entregaban las ordenanzas que habían acordado los apóstoles y los ancianos que estaban en Jerusalén, para que las guardasen.

5 Así que las iglesias eran confirmadas en la fe, y aumentaban en número cada día.

6 Y atravesando Frigia y la provincia de Galacia, les fue prohibido por el Espíritu Santo hablar la palabra en Asia;

7 y cuando llegaron a Misia, intentaron ir a Bitinia, pero el Espíritu no se lo permitió.

8 Y pasando junto a Misia, descendieron a Troas.

9 Y se le mostró a Pablo una visión de noche: un varón macedonio estaba en pie, rogándole y diciendo: Pasa a Macedonia y ayúdanos.

10 Cuando vio la visión, en seguida procuramos partir para Macedonia, dando por cierto que Dios nos llamaba para que les anunciásemos el evangelio.

11 Zarpando, pues, de Troas, vinimos con rumbo directo a Samotracia, y el día siguiente a Neápolis;

12 y de allí a Filipos, que es la primera ciudad de la provincia de Macedonia, y una colonia; y estuvimos en aquella ciudad algunos días.

13 Y un día de reposo salimos fuera de la puerta, junto al río, donde solía hacerse la oración; y sentándonos, hablamos a las mujeres que se habían reunido.

14 Entonces una mujer llamada Lidia, vendedora de púrpura, de la ciudad de Tiatira, que adoraba a Dios, estaba oyendo; y el Señor abrió el corazón de ella para que estuviese atenta a lo que Pablo decía.

15 Y cuando fue bautizada, y su familia, nos rogó diciendo: Si habéis juzgado que yo sea fiel al Señor, entrad en mi casa, y posad. Y nos obligó a quedarnos.

16 Aconteció que mientras íbamos a la oración, nos salió al encuentro una muchacha que tenía espíritu de adivinación, la cual daba gran ganancia a sus amos, adivinando.

17 Esta, siguiendo a Pablo y a nosotros, daba voces, diciendo: Estos hombres son

2 Which was well reported of by the brethren that were at Lys′tra and I-co′ni-um.

3 Him would Paul have to go forth with him; and took and circumcised him because of the Jews which were in those quarters: for they knew all that his father was a Greek.

4 And as they went through the cities, they delivered them the decrees for to keep, that were ordained of the apostles and elders which were at Jerusalem.

5 And so were the churches established in the faith, and increased in number daily.

6 Now when they had gone throughout Phryg′i-a and the region of Ga-la′tia, and were forbidden of the Holy Ghost to preach the word in Asia,

7 After they were come to Mys′i-a, they assayed to go into Bi-thyn′i-a: but the Spirit suffered them not.

8 And they passing by Mys′i-a came down to Troas.

9 And a vision appeared to Paul in the night; There stood a man of Macedonia, and prayed him, saying, Come over into Macedonia, and help us.

10 And after he had seen the vision, immediately we endeavoured to go into Macedonia, assuredly gathering that the Lord had called us for to preach the gospel unto them.

11 Therefore loosing from Troas, we came with a straight course to Sam-o-thra′ci-a, and the next *day* to Ne-ap′o-lis;

12 And from thence to Phi-lip′pi, which is the chief city of that part of Macedonia, *and* a colony: and we were in that city abiding certain days.

13 And on the sabbath we went out of the city by a river side, where prayer was wont to be made; and we sat down, and spake unto the women which resorted *thither.*

14 And a certain woman named Lyd′i-a, a seller of purple, of the city of Thy-a-ti′ra, which worshipped God, heard *us:* whose heart the Lord opened, that she attended unto the things which were spoken of Paul.

15 And when she was baptized, and her household, she besought *us*, saying, If ye have judged me to be faithful to the Lord, come into my house, and abide *there.* And she constrained us.

16 And it came to pass, as we went to prayer, a certain damsel possessed with a spirit of divination met us, which brought her masters much gain by soothsaying:

17 The same followed Paul and us, and cried, saying, These men are the servants

siervos del Dios Altísimo, quienes os anuncian el camino de salvación.

18 Y esto lo hacía por muchos días; mas desagradando a Pablo, éste se volvió y dijo al espíritu: Te mando en el nombre de Jesucristo, que salgas de ella. Y salió en aquella misma hora.

19 Pero viendo sus amos que había salido la esperanza de su ganancia, prendieron a Pablo y a Silas, y los trajeron al foro, ante las autoridades;

20 y presentándolos a los magistrados, dijeron: Estos hombres, siendo judíos, alborotan nuestra ciudad.

21 y enseñan costumbres que no nos es lícito recibir ni hacer, pues somos romanos.

22 Y se agolpó el pueblo contra ellos; y los magistrados, rasgándoles las ropas, ordenaron azotarles con varas.

23 Después de haberles azotado mucho, los echaron en la cárcel, mandando al carcelero que los guardase con seguridad.

24 El cual, recibido este mandato, los metió en el calabozo de más adentro, y les aseguró los pies en el cepo.

25 Pero a medianoche, orando Pablo y Silas, cantaban himnos a Dios; y los presos los oían.

26 Entonces sobrevino de repente un gran terremoto, de tal manera que los cimientos de la cárcel se sacudían; y al instante se abrieron todas las puertas, y las cadenas de todos se soltaron.

27 Despertando el carcelero, y viendo abiertas las puertas de la cárcel, sacó la espada y se iba a matar, pensando que los presos habían huido.

28 Mas Pablo clamó a gran voz, diciendo: No te hagas ningún mal, pues todos estamos aquí.

29 El entonces, pidiendo luz, se precipitó adentro, y temblando, se postró a los pies de Pablo y de Silas;

30 y sacándolos, les dijo: Señores, ¿qué debo hacer para ser salvo?

31 Ellos dijeron: Cree en el Señor Jesucristo, y serás salvo, tú y tu casa.

32 Y le hablaron la palabra del Señor a él y a todos los que estaban en su casa.

33 Y él, tomándolos en aquella misma hora de la noche, les lavó las heridas; y en seguida se bautizó él con todos los suyos.

34 Y llevándolos a su casa, les puso la mesa; y se regocijó con toda su casa de haber creído a Dios.

35 Cuando fue de día, los magistrados enviaron alguaciles a decir: Suelta a aquellos hombres.

of the most high God, which shew unto us the way of salvation.

18 And this did she many days. But Paul, being grieved, turned and said to the spirit, I command thee in the name of Jesus Christ to come out of her. And he came out the same hour.

19 And when her masters saw that the hope of their gains was gone, they caught Paul and Silas, and drew *them* into the marketplace unto the rulers,

20 And brought them to the magistrates, saying, These men, being Jews, do exceedingly trouble our city,

21 And teach customs, which are not lawful for us to receive, neither to observe, being Romans.

22 And the multitude rose up together against them: and the magistrates rent off their clothes, and commanded to beat *them*.

23 And when they had laid many stripes upon them, they cast *them* into prison, charging the jailor to keep them safely:

24 Who, having received such a charge, thrust them into the inner prison, and made their feet fast in the stocks.

25 And at midnight Paul and Silas prayed, and sang praises unto God: and the prisoners heard them.

26 And suddenly there was a great earthquake, so that the foundations of the prison were shaken: and immediately all the doors were opened, and every one's bands were loosed.

27 And the keeper of the prison awaking out of his sleep, and seeing the prison doors open, he drew out his sword, and would have killed himself, supposing that the prisoners had been fled.

28 But Paul cried with a loud voice, saying, Do thyself no harm: for we are all here.

29 Then he called for a light, and sprang in, and came trembling, and fell down before Paul and Silas,

30 And brought them out, and said, Sirs, what must I do to be saved?

31 And they said, Believe on the Lord Jesus Christ, and thou shalt be saved, and thy house.

32 And they spake unto him the word of the Lord, and to all that were in his house.

33 And he took them the same hour of the night, and washed *their* stripes; and was baptized, he and all his, straightway.

34 And when he had brought them into his house, he set meat before them, and rejoiced, believing in God with all his house.

35 And when it was day, the magistrates sent the serjeants, saying, Let those men go.

36 Y el carcelero hizo saber estas palabras a Pablo: Los magistrados han mandado a decir que se os suelte; así que ahora salid, y marchaos en paz.

37 Pero Pablo les dijo: Después de azotarnos públicamente sin sentencia judicial, siendo ciudadanos romanos, nos echaron en la cárcel, ¿y ahora nos echan encubiertamente? No, por cierto, sino vengan ellos mismos a sacarnos.

38 Y los alguaciles hicieron saber estas palabras a los magistrados, los cuales tuvieron miedo al oir que eran romanos.

39 Y viniendo, les rogaron; y sacándolos, les pidieron que salieran de la ciudad.

40 Entonces, saliendo de la cárcel, entraron en casa de Lidia, y habiendo visto a los hermanos, los consolaron, y se fueron.

CAPÍTULO 17

PASANDO por Anfípolis y Apolonia, llegaron a Tesalónica, donde había una sinagoga de los judíos.

2 Y Pablo, como acostumbraba, fue a ellos, y por tres días de reposo discutió con ellos,

3 declarando y exponiendo por medio de las Escrituras, que era necesario que el Cristo padeciese, y resucitase de los muertos; y que Jesús, a quien yo os anuncio, decía él, es el Cristo.

4 Y algunos de ellos creyeron, y se juntaron con Pablo y con Silas; y de los griegos piadosos gran número, y mujeres nobles no pocas.

5 Entonces los judíos que no creían, teniendo celos, tomaron consigo a algunos ociosos, hombres malos, y juntando una turba, alborotaron la ciudad; y asaltando la casa de Jasón, procuraban sacarlos al pueblo.

6 Pero no hallándolos, trajeron a Jasón y a algunos hermanos ante las autoridades de la ciudad, gritando: Estos que trastornan el mundo entero también han venido acá;

7 a los cuales Jasón ha recibido; y todos éstos contravienen los decretos de César, diciendo que hay otro rey, Jesús.

8 Y alborotaron al pueblo y a las autoridades de la ciudad, oyendo estas cosas.

9 Pero obtenida fianza de Jasón y de los demás, los soltaron.

10 Inmediatamente, los hermanos enviaron de noche a Pablo y a Silas hasta Berea. Y ellos, habiendo llegado, entraron en la sinagoga de los judíos.

11 Y éstos eran más nobles que los que

36 And the keeper of the prison told this saying to Paul, The magistrates have sent to let you go: now therefore depart, and go in peace.

37 But Paul said unto them, They have beaten us openly uncondemned, being Romans, and have cast *us* into prison; and now do they thrust us out privily? nay verily; but let them come themselves and fetch us out.

38 And the serjeants told these words unto the magistrates: and they feared, when they heard that they were Romans.

39 And they came and besought them, and brought *them* out, and desired *them* to depart out of the city.

40 And they went out of the prison, and entered into *the house of* Lyd'i-a: and when they had seen the brethren, they comforted them, and departed.

CHAPTER 17

NOW when they had passed through Am-phip'o-lis and Ap-ol-lo'ni-a, they came to Thes-sa-lo-ni'ca, where was a synagogue of the Jews:

2 And Paul, as his manner was, went in unto them, and three sabbath days reasoned with them out of the scriptures,

3 Opening and alleging, that Christ must needs have suffered, and risen again from the dead; and that this Jesus, whom I preach unto you, is Christ.

4 And some of them believed, and consorted with Paul and Silas; and of the devout Greeks a great multitude, and of the chief women not a few.

5 But the Jews which believed not, moved with envy, took unto them certain lewd fellows of the baser sort, and gathered a company, and set all the city on an uproar, and assaulted the house of Jason, and sought to bring them out to the people.

6 And when they found them not, they drew Jason and certain brethren unto the rulers of the city, crying, These that have turned the world upside down are come hither also;

7 Whom Jason hath received: and these all do contrary to the decrees of Cæsar, saying that there is another king, *one* Jesus.

8 And they troubled the people and the rulers of the city, when they heard these things.

9 And when they had taken security of Jason, and of the other, they let them go.

10 And the brethren immediately sent away Paul and Silas by night unto Be-re'a: who coming *thither* went into the synagogue of the Jews.

11 These were more noble than those in

estaban en Tesalónica, pues recibieron la palabra con toda solicitud, escudriñando cada día las Escrituras para ver si estas cosas eran así.
12 Así que creyeron muchos de ellos, y mujeres griegas de distinción, y no pocos hombres.
13 Cuando los judíos de Tesalónica supieron que también en Berea era anunciada la palabra de Dios por Pablo, fueron allá, y también alborotaron a las multitudes.
14 Pero inmediatamente los hermanos enviaron a Pablo que fuese hacia el mar; y Silas y Timoteo se quedaron allí.
15 Y los que se habían encargado de conducir a Pablo le llevaron a Atenas; y habiendo recibido orden para Silas y Timoteo, de que viniesen a él lo más pronto que pudiesen, salieron.
16 Mientras Pablo los esperaba en Atenas, su espíritu se enardecía viendo la ciudad entregada a la idolatría.
17 Así que discutía en la sinagoga con los judíos y piadosos, y en la plaza cada día con los que concurrían.
18 Y algunos filósofos de los epicúreos y de los estoicos disputaban con él; y unos decían: ¿Qué querrá decir este palabrero? Y otros: Parece que es predicador de nuevos dioses; porque les predicaba el evangelio de Jesús, y de la resurrección.
19 Y tomándole, le trajeron al Areópago, diciendo: ¿Podremos saber qué es esta nueva enseñanza de que hablas?
20 Pues traes a nuestros oídos cosas extrañas. Queremos, pues, saber qué quiere decir esto.
21 (Porque todos los atenienses y los extranjeros residentes allí, en ninguna otra cosa se interesaban sino en decir o en oir algo nuevo.)
22 Entonces Pablo, puesto en pie en medio del Areópago, dijo: Varones atenienses, en todo observo que sois muy religiosos;
23 porque pasando y mirando vuestros santuarios, hallé también un altar en el cual estaba esta inscripción: AL DIOS NO CONOCIDO. Al que vosotros adoráis, pues, sin conocerle, es a quien yo os anuncio.
24 El Dios que hizo el mundo y todas las cosas que en él hay, siendo Señor del cielo y de la tierra, no habita en templos hechos por manos humanas,
25 ni es honrado por manos de hombres, como si necesitase de algo; pues él es quien da a todos vida y aliento y todas las cosas.

Thes-sa-lo-ni'ca, in that they received the word with all readiness of mind, and searched the scriptures daily, whether those things were so.
12 Therefore many of them believed; also of honourable women which were Greeks, and of men, not a few.
13 But when the Jews of Thes-sa-lo-ni'ca had knowledge that the word of God was preached of Paul at Be-re'a, they came thither also, and stirred up the people.
14 And then immediately the brethren sent away Paul to go as it were to the sea: but Silas and Ti-mo'the-us abode there still.
15 And they that conducted Paul brought him unto Athens: and receiving a commandment unto Silas and Ti-mo'the-us for to come to him with all speed, they departed.
16 Now while Paul waited for them at Athens, his spirit was stirred in him, when he saw the city wholly given to idolatry.
17 Therefore disputed he in the synagogue with the Jews, and with the devout persons, and in the market daily with them that met with him.
18 Then certain philosophers of the Ep-i-cu-re'ans, and of the Sto'icks, encountered him. And some said, What will this babbler say? other some, He seemeth to be a setter forth of strange gods: because he preached unto them Jesus, and the resurrection.
19 And they took him, and brought him unto Ar-e-op'a-gus, saying, May we know what this new doctrine, whereof thou speakest, *is*?
20 For thou bringest certain strange things to our ears: we would know therefore what these things mean.
21 (For all the Athenians and strangers which were there spent their time in nothing else, but either to tell, or to hear some new thing.)
22 Then Paul stood in the midst of Mars' hill, and said, *Ye* men of Athens, I perceive that in all things ye are too superstitious.
23 For as I passed by, and beheld your devotions, I found an altar with this inscription, TO THE UNKNOWN GOD. Whom therefore ye ignorantly worship, him declare I unto you.
24 God that made the world and all things therein, seeing that he is Lord of heaven and earth, dwelleth not in temples made with hands;
25 Neither is worshipped with men's hands, as though he needed any thing, seeing he giveth to all life, and breath, and all things;

26 Y de una sangre ha hecho todo el linaje de los hombres, para que habiten sobre toda la faz de la tierra; y les ha prefijado el orden de los tiempos, y los límites de su habitación;
27 para que busquen a Dios, si en alguna manera, palpando, puedan hallarle, aunque ciertamente no está lejos de cada uno de nosotros.
28 Porque en él vivimos, y nos movemos, y somos; como algunos de vuestros propios poetas también han dicho: Porque linaje suyo somos.
29 Siendo, pues, linaje de Dios, no debemos pensar que la Divinidad sea semejante a oro, o plata, o piedra, escultura de arte y de imaginación de hombres.
30 Pero Dios, habiendo pasado por alto los tiempos de esta ignorancia, ahora manda a todos los hombres en todo lugar, que se arrepientan;
31 por cuanto ha establecido un día en el cual juzgará al mundo con justicia, por aquel varón a quien designó, dando fe a todos con haberle levantado de los muertos.
32 Pero cuando oyeron lo de la resurrección de los muertos, unos se burlaban, y otros decían: Ya te oiremos acerca de esto otra vez.
33 Y así Pablo salió de en medio de ellos.
34 Mas algunos creyeron, juntándose con él; entre los cuales estaba Dionisio el areopagita, una mujer llamada Dámaris, y otros con ellos.

CAPÍTULO 18

DESPUÉS de estas cosas, Pablo salió de Atenas y fue a Corinto.
2 Y halló a un judío llamado Aquila, natural del Ponto, recién venido de Italia con Priscila su mujer, por cuanto Claudio había mandado que todos los judíos saliesen de Roma. Fue a ellos,
3 y como era del mismo oficio, se quedó con ellos, y trabajaban juntos, pues el oficio de ellos era hacer tiendas.
4 Y discutía en la sinagoga todos los días de reposo, y persuadía a judíos y a griegos.
5 Y cuando Silas y Timoteo vinieron de Macedonia, Pablo estaba entregado por entero a la predicación de la palabra, testificando a los judíos que Jesús era el Cristo.
6 Pero oponiéndose y blasfemando éstos, les dijo, sacudiéndose los vestidos: Vuestra sangre sea sobre vuestra propia cabeza; yo, limpio; desde ahora me iré a los gentiles.
7 Y saliendo de allí, se fue a la casa de

26 And hath made of one blood all nations of men for to dwell on all the face of the earth, and hath determined the times before appointed, and the bounds of their habitation;
27 That they should seek the Lord, if haply they might feel after him, and find him, though he be not far from every one of us:
28 For in him we live, and move, and have our being; as certain also of your own poets have said, For we are also his offspring.
29 Forasmuch then as we are the offspring of God, we ought not to think that the Godhead is like unto gold, or silver, or stone, graven by art and man's device.
30 And the times of this ignorance God winked at; but now commandeth all men every where to repent:
31 Because he hath appointed a day, in the which he will judge the world in righteousness by *that* man whom he hath ordained; *whereof* he hath given assurance unto all *men*, in that he hath raised him from the dead.
32 And when they heard of the resurrection of the dead, some mocked: and others said, We will hear thee again of this *matter*.
33 So Paul departed from among them.
34 Howbeit certain men clave unto him, and believed: among the which *was* Di-o-nys'i-us the Ar-e-op'a-gite, and a woman named Dam'a-ris, and others with them.

CHAPTER 18

AFTER these things Paul departed from Athens, and came to Corinth;
2 And found a certain Jew named Aq'-ui-la, born in Pontus, lately come from Italy, with his wife Priscilla; (because that Claudius had commanded all Jews to depart from Rome:) and came unto them.
3 And because he was of the same craft, he abode with them, and wrought: for by their occupation they were tentmakers.
4 And he reasoned in the synagogue every sabbath, and persuaded the Jews and the Greeks.
5 And when Silas and Ti-mo'the-us were come from Macedonia, Paul was pressed in the spirit, and testified to the Jews *that* Jesus *was* Christ.
6 And when they opposed themselves, and blasphemed, he shook *his* raiment, and said unto them, Your blood *be* upon your own heads; I *am* clean: from henceforth I will go unto the Gentiles.
7 And he departed thence, and entered

uno llamado Justo, temeroso de Dios, la cual estaba junto a la sinagoga.

8 Y Crispo, el principal de la sinagoga, creyó en el Señor con toda su casa; y muchos de los corintios, oyendo, creían y eran bautizados.

9 Entonces el Señor dijo a Pablo en visión de noche: No temas, sino habla, y no calles;

10 porque yo estoy contigo, y ninguno pondrá sobre ti la mano para hacerte mal, porque yo tengo mucho pueblo en esta ciudad.

11 Y se detuvo allí un año y seis meses, enseñándoles la palabra de Dios.

12 Pero siendo Galión procónsul de Acaya, los judíos se levantaron de común acuerdo contra Pablo, y le llevaron al tribunal,

13 diciendo: Este persuade a los hombres a honrar a Dios contra la ley.

14 Y al comenzar Pablo a hablar, Galión dijo a los judíos: Si fuera algún agravio o algún crimen enorme, oh judíos, conforme a derecho yo os toleraría.

15 Pero si son cuestiones de palabras, y de nombres, y de vuestra ley, vedlo vosotros; porque yo no quiero ser juez de estas cosas.

16 Y los echó del tribunal.

17 Entonces todos los griegos, apoderándose de Sóstenes, principal de la sinagoga, le golpeaban delante del tribunal; pero a Galión nada se le daba de ello.

18 Mas Pablo, habiéndose detenido aún muchos días allí, después se despidió de los hermanos y navegó a Siria, y con él Priscila y Aquila, habiéndose rapado la cabeza en Cencrea, porque tenía hecho voto.

19 Y llegó a Efeso, y los dejó allí; y entrando en la sinagoga, discutía con los judíos,

20 los cuales le rogaban que se quedase con ellos por más tiempo; mas no accedió,

21 sino que se despidió de ellos, diciendo: Es necesario que en todo caso yo guarde en Jerusalén la fiesta que viene; pero otra vez volveré a vosotros, si Dios quiere. Y zarpó de Efeso.

22 Habiendo arribado a Cesarea, subió para saludar a la iglesia, y luego descendió a Antioquía.

23 Y después de estar allí algún tiempo, salió, recorriendo por orden la región de Galacia y de Frigia, confirmando a todos los discípulos.

24 Llegó entonces a Efeso un judío llamado Apolos, natural de Alejandría, va-

into a certain *man's* house, named Justus, *one* that worshipped God, whose house joined hard to the synagogue.

8 And Crispus, the chief ruler of the synagogue, believed on the Lord with all his house; and many of the Co-rinth′i-ans hearing believed, and were baptized.

9 Then spake the Lord to Paul in the night by a vision, Be not afraid, but speak, and hold not thy peace:

10 For I am with thee, and no man shall set on thee to hurt thee: for I have much people in this city.

11 And he continued *there* a year and six months, teaching the word of God among them.

12 And when Gal′li-o was the deputy of A-chai′a, the Jews made insurrection with one accord against Paul, and brought him to the judgment seat,

13 Saying, This *fellow* persuadeth men to worship God contrary to the law.

14 And when Paul was now about to open *his* mouth, Gal′li-o said unto the Jews, If it were a matter of wrong or wicked lewdness, O *ye* Jews, reason would that I should bear with you:

15 But if it be a question of words and names, and *of* your law, look ye *to it;* for I will be no judge of such *matters.*

16 And he drave them from the judgment seat.

17 Then all the Greeks took Sos′the-nes, the chief ruler of the synagogue, and beat *him* before the judgment seat. And Gal′li-o cared for none of those things.

18 And Paul *after this* tarried *there* yet a good while, and then took his leave of the brethren, and sailed thence into Syr-ia, and with him Priscilla and Aq′ui-la; having shorn *his* head in Cen′chre-a: for he had a vow.

19 And he came to Eph′e-sus, and left them there: but he himself entered into the synagogue, and reasoned with the Jews.

20 When they desired *him* to tarry longer time with them, he consented not;

21 But bade them farewell, saying, I must by all means keep this feast that cometh in Jerusalem: but I will return again unto you, if God will. And he sailed from Eph′e-sus.

22 And when he had landed at Cæs-a-re′a, and gone up, and saluted the church, he went down to Antioch.

23 And after he had spent some time *there,* he departed, and went over *all* the country of Ga-la′tia and Phryg′i-a in order, strengthening all the disciples.

24 And a certain Jew named Apollos, born at Alexandria, an eloquent man,

rón elocuente, poderoso en las Escrituras.
25 Este había sido instruido en el camino del Señor; y siendo de espíritu fervoroso, hablaba y enseñaba diligentemente lo concerniente al Señor, aunque solamente conocía el bautismo de Juan.
26 Y comenzó a hablar con denuedo en la sinagoga; pero cuando le oyeron Priscila y Aquila, le tomaron aparte y le expusieron más exactamente el camino de Dios.
27 Y queriendo él pasar a Acaya, los hermanos le animaron, y escribieron a los discípulos que le recibiesen; y llegado él allá, fue de gran provecho a los que por la gracia habían creído;
28 porque con gran vehemencia refutaba públicamente a los judíos, demostrando por las Escrituras que Jesús era el Cristo.

CAPÍTULO 19

ACONTECIÓ que entre tanto que Apolos estaba en Corinto, Pablo, después de recorrer las regiones superiores, vino a Efeso, y hallando a ciertos discípulos,
2 les dijo: ¿Recibisteis el Espíritu Santo cuando creísteis? Y ellos le dijeron: Ni siquiera hemos oído si hay Espíritu Santo.
3 Entonces dijo: ¿En qué, pues, fuisteis bautizados? Ellos dijeron: En el bautismo de Juan.
4 Dijo Pablo: Juan bautizó con bautismo de arrepentimiento, diciendo al pueblo que creyesen en aquel que vendría después de él, esto es, en Jesús el Cristo.
5 Cuando oyeron esto, fueron bautizados en el nombre del Señor Jesús.
6 Y habiéndoles impuesto Pablo las manos, vino sobre ellos el Espíritu Santo; y hablaban en lenguas, y profetizaban.
7 Eran por todos unos doce hombres.
8 Y entrando Pablo en la sinagoga, habló con denuedo por espacio de tres meses, discutiendo y persuadiendo acerca del reino de Dios.
9 Pero endureciéndose algunos y no creyendo, maldiciendo el Camino delante de la multitud, se apartó Pablo de ellos y separó a los discípulos, discutiendo cada día en la escuela de uno llamado Tiranno.
10 Así continuó por espacio de dos años, de manera que todos los que habitaban en Asia, judíos y griegos, oyeron la palabra del Señor Jesús.
11 Y hacía Dios milagros extraordinarios por mano de Pablo,
12 de tal manera que aun se llevaban a los enfermos los paños o delantales de su

and mighty in the scriptures, came to Eph'e-sus.
25 This man was instructed in the way of the Lord; and being fervent in the spirit, he spake and taught diligently the things of the Lord, knowing only the baptism of John.
26 And he began to speak boldly in the synagogue: whom when Aq'ui-la and Priscilla had heard, they took him unto *them*, and expounded unto him the way of God more perfectly.
27 And when he was disposed to pass into A-chai'a, the brethren wrote, exhorting the disciples to receive him: who, when he was come, helped them much which had believed through grace:
28 For he mightily convinced the Jews, *and that* publickly, shewing by the scriptures that Jesus was Christ.

CHAPTER 19

AND it came to pass, that, while Apollos was at Corinth, Paul having passed through the upper coasts came to Eph'e-sus: and finding certain disciples,
2 He said unto them, Have ye received the Holy Ghost since ye believed? And they said unto him, We have not so much as heard whether there be any Holy Ghost.
3 And he said unto them, Unto what then were ye baptized? And they said, Unto John's baptism.
4 Then said Paul, John verily baptized with the baptism of repentance, saying unto the people, that they should believe on him which should come after him, that is, on Christ Jesus.
5 When they heard *this*, they were baptized in the name of the Lord Jesus.
6 And when Paul had laid *his* hands upon them, the Holy Ghost came on them; and they spake with tongues, and prophesied.
7 And all the men were about twelve.
8 And he went into the synagogue, and spake boldly for the space of three months, disputing and persuading the things concerning the kingdom of God.
9 But when divers were hardened, and believed not, but spake evil of that way before the multitude, he departed from them, and separated the disciples, disputing daily in the school of one Ty-ran'nus.
10 And this continued by the space of two years; so that all they which dwelt in Asia heard the word of the Lord Jesus, both Jews and Greeks.
11 And God wrought special miracles by the hands of Paul:
12 So that from his body were brought unto the sick handkerchiefs or aprons,

cuerpo, y las enfermedades se iban de ellos, y los espíritus malos salían.

13 Pero algunos de los judíos, exorcistas ambulantes, intentaron invocar el nombre del Señor Jesús sobre los que tenían espíritus malos, diciendo: Os conjuro por Jesús, el que predica Pablo.

14 Había siete hijos de un tal Esceva, judío, jefe de los sacerdotes, que hacían esto.

15 Pero respondiendo el espíritu malo, dijo: A Jesús conozco, y sé quién es Pablo; pero vosotros, ¿quiénes sois?

16 Y el hombre en quien estaba el espíritu malo, saltando sobre ellos y dominándolos, pudo más que ellos, de tal manera que huyeron de aquella casa desnudos y heridos.

17 Y esto fue notorio a todos los que habitaban en Efeso, así judíos como griegos; y tuvieron temor todos ellos, y era magnificado el nombre del Señor Jesús.

18 Y muchos de los que habían creído venían, confesando y dando cuenta de sus hechos.

19 Asimismo muchos de los que habían practicado la magia trajeron los libros y los quemaron delante de todos; y hecha la cuenta de su precio, hallaron que era cincuenta mil piezas de plata.

20 Así crecía y prevalecía poderosamente la palabra del Señor.

21 Pasadas estas cosas, Pablo se propuso en espíritu ir a Jerusalén, después de recorrer Macedonia y Acaya, diciendo: Después que haya estado allí, me será necesario ver también a Roma.

22 Y enviando a Macedonia a dos de los que le ayudaban, Timoteo y Erasto, él se quedó por algún tiempo en Asia.

23 Hubo por aquel tiempo un disturbio no pequeño acerca del Camino.

24 Porque un platero llamado Demetrio, que hacía de plata templecillos de Diana, daba no poca ganancia a los artífices;

25 a los cuales, reunidos con los obreros del mismo oficio, dijo: Varones, sabéis que de este oficio obtenemos nuestra riqueza;

26 pero veis y oís que este Pablo, no solamente en Efeso, sino en casi toda Asia, ha apartado a muchas gentes con persuasión, diciendo que no son dioses los que se hacen con las manos.

27 Y no solamente hay peligro de que este nuestro negocio venga a desacreditarse, sino también que el templo de la gran diosa Diana sea estimado en nada, y comience a ser destruida la majestad de aquella a quien venera toda Asia, y el mundo entero.

28 Cuando oyeron estas cosas, se llena-

and the diseases departed from them, and the evil spirits went out of them.

13 Then certain of the vagabond Jews, exorcists, took upon them to call over them which had evil spirits the name of the Lord Jesus, saying, We adjure you by Jesus whom Paul preacheth.

14 And there were seven sons of *one* Sce′va, a Jew, *and* chief of the priests, which did so.

15 And the evil spirit answered and said, Jesus I know, and Paul I know; but who are ye?

16 And the man in whom the evil spirit was leaped on them, and overcame them, and prevailed against them, so that they fled out of that house naked and wounded.

17 And this was known to all the Jews and Greeks also dwelling at Eph′e-sus; and fear fell on them all, and the name of the Lord Jesus was magnified.

18 And many that believed came, and confessed, and shewed their deeds.

19 Many of them also which used curious arts brought their books together, and burned them before all *men:* and they counted the price of them, and found *it* fifty thousand *pieces* of silver.

20 So mightily grew the word of God and prevailed.

21 After these things were ended, Paul purposed in the spirit, when he had passed through Macedonia and A-chai′a, to go to Jerusalem, saying, After I have been there, I must also see Rome.

22 So he sent into Macedonia two of them that ministered unto him, Ti-mo′the-us and E-ras′tus; but he himself stayed in Asia for a season.

23 And the same time there arose no small stir about that way.

24 For a certain *man* named De-me′tri-us, a silversmith, which made silver shrines for Diana, brought no small gain unto the craftsmen;

25 Whom he called together with the workmen of like occupation, and said, Sirs, ye know that by this craft we have our wealth.

26 Moreover ye see and hear, that not alone at Eph′e-sus, but almost throughout all Asia, this Paul hath persuaded and turned away much people, saying that they be no gods, which are made with hands:

27 So that not only this our craft is in danger to be set at nought; but also that the temple of the great goddess Diana should be despised, and her magnificence should be destroyed, whom all Asia and the world worshippeth.

28 And when they heard *these sayings,*

ron de ira, y gritaron, diciendo: ¡Grande es Diana de los efesios!
29 Y la ciudad se llenó de confusión, y a una se lanzaron al teatro, arrebatando a Gayo y a Aristarco, macedonios, compañeros de Pablo.
30 Y queriendo Pablo salir al pueblo, los discípulos no le dejaron.
31 También algunas de las autoridades de Asia, que eran sus amigos, le enviaron recado, rogándole que no se presentase en el teatro.
32 Unos, pues, gritaban una cosa, y otros otra; porque la concurrencia estaba confusa, y los más no sabían por qué se habían reunido.
33 Y sacaron de entre la multitud a Alejandro, empujándole los judíos. Entonces Alejandro, pedido silencio con la mano, quería hablar en su defensa ante el pueblo.
34 Pero cuando le conocieron que era judío, todos a una voz gritaron casi por dos horas: ¡Grande es Diana de los efesios!
35 Entonces el escribano, cuando había apaciguado a la multitud, dijo: Varones efesios, ¿y quién es el hombre que no sabe que la ciudad de los efesios es guardiana del templo de la gran diosa Diana, y de la imagen venida de Júpiter?
36 Puesto que esto no puede contradecirse, es necesario que os apacigüéis, y que nada hagáis precipitadamente.
37 Porque habéis traído a estos hombres, sin ser sacrílegos ni blasfemadores de vuestra diosa.
38 Que si Demetrio y los artífices que están con él tienen pleito contra alguno, audiencias se conceden, y procónsules hay; acúsense los unos a los otros.
39 Y si demandáis alguna otra cosa, en legítima asamblea se puede decidir.
40 Porque peligro hay de que seamos acusados de sedición por esto de hoy, no habiendo ninguna causa por la cual podamos dar razón de este concurso.
41 Y habiendo dicho esto, despidió la asamblea.

CAPÍTULO 20

DESPUÉS que cesó el alboroto, llamó Pablo a los discípulos, y habiéndolos exhortado y abrazado, se despidió y salió para ir a Macedonia.
2 Y después de recorrer aquellas regio-

they were full of wrath, and cried out, saying, Great *is* Diana of the E-phe'sians.
29 And the whole city was filled with confusion: and having caught Gaius and Ar-is-tar'chus, men of Macedonia, Paul's companions in travel, they rushed with one accord into the theatre.
30 And when Paul would have entered in unto the people, the disciples suffered him not.
31 And certain of the chief of Asia, which were his friends, sent unto him, desiring *him* that he would not adventure himself into the theatre.
32 Some therefore cried one thing, and some another: for the assembly was confused; and the more part knew not wherefore they were come together.
33 And they drew Alexander out of the multitude, the Jews putting him forward. And Alexander beckoned with the hand, and would have made his defence unto the people.
34 But when they knew that he was a Jew, all with one voice about the space of two hours cried out, Great *is* Diana of the E-phe'sians.
35 And when the townclerk had appeased the people, he said, *Ye* men of Eph'e-sus, what man is there that knoweth not how that the city of the E-phe'sians is a worshipper of the great goddess Diana, and of the *image* which fell down from Jupiter?
36 Seeing then that these things cannot be spoken against, ye ought to be quiet, and to do nothing rashly.
37 For ye have brought hither these men, which are neither robbers of churches, nor yet blasphemers of your goddess.
38 Wherefore if De-me'tri-us, and the craftsmen which are with him, have a matter against any man, the law is open, and there are deputies: let them implead one another.
39 But if ye inquire any thing concerning other matters, it shall be determined in a lawful assembly.
40 For we are in danger to be called in question for this day's uproar, there being no cause whereby we may give an account of this concourse.
41 And when he had thus spoken, he dismissed the assembly.

CHAPTER 20

AND after the uproar was ceased, Paul called unto *him* the disciples, and embraced *them*, and departed for to go into Macedonia.
2 And when he had gone over those

nes, y de exhortarles con abundancia de palabras, llegó a Grecia.

3 Después de haber estado allí tres meses, y siéndole puestas asechanzas por los judíos para cuando se embarcase para Siria, tomó la decisión de volver por Macedonia.

4 Y le acompañaron hasta Asia, Sópater de Berea, Aristarco y Segundo de Tesalónica, Gayo de Derbe, y Timoteo; y de Asia, Tíquico y Trófimo.

5 Estos, habiéndose adelantado, nos esperaron en Troas.

6 Y nosotros, pasados los días de los panes sin levadura, navegamos de Filipos, y en cinco días nos reunimos con ellos en Troas, donde nos quedamos siete días.

7 El primer día de la semana, reunidos los discípulos para partir el pan, Pablo les enseñaba, habiendo de salir al día siguiente; y alargó el discurso hasta la medianoche.

8 Y había muchas lámparas en el aposento alto donde estaban reunidos;

9 y un joven llamado Eutico, que estaba sentado en la ventana, rendido de un sueño profundo, por cuanto Pablo disertaba largamente, vencido del sueño cayó del tercer piso abajo, y fue levantado muerto.

10 Entonces descendió Pablo y se echó sobre él, y abrazándole, dijo: No os alarméis, pues está vivo.

11 Después de haber subido, y partido el pan y comido, habló largamente hasta el alba; y así salió.

12 Y llevaron al joven vivo, y fueron grandemente consolados.

13 Nosotros, adelantándonos a embarcarnos, navegamos a Asón para recoger allí a Pablo, ya que así lo había determinado, queriendo él ir por tierra.

14 Cuando se reunió con nosotros en Asón, tomándole a bordo, vinimos a Mitilene.

15 Navegando de allí, al día siguiente llegamos delante de Quío, y al otro día tomamos puerto en Samos; y habiendo hecho escala en Trogilio, al día siguiente llegamos a Mileto.

16 Porque Pablo se había propuesto pasar de largo a Efeso, para no detenerse en Asia, pues se apresuraba por estar el día de Pentecostés, si le fuese posible, en Jerusalén.

17 Enviando, pues, desde Mileto a Efeso, hizo llamar a los ancianos de la iglesia.

18 Cuando vinieron a él, les dijo: Vosotros sabéis cómo me he comportado entre vosotros todo el tiempo, desde el primer día que entré en Asia,

parts, and had given them much exhortation, he came into Greece,

3 And *there* abode three months. And when the Jews laid wait for him, as he was about to sail into Syria, he purposed to return through Macedonia.

4 And there accompanied him into Asia Sop'a-ter of Be-re'a; and of the Thes-sa-lo'ni-ans, Ar-is-tar'chus and Se-cun'dus; and Gaius of Der'be, and Ti-mo'the-us; and of Asia, Tych'i-cus and Troph'i-mus.

5 These going before tarried for us at Troas.

6 And we sailed away from Phi-lip'pi after the days of unleavened bread, and came unto them to Troas in five days; where we abode seven days.

7 And upon the first *day* of the week, when the disciples came together to break bread, Paul preached unto them, ready to depart on the morrow; and continued his speech until midnight.

8 And there were many lights in the upper chamber, where they were gathered together.

9 And there sat in a window a certain young man named Eu'ty-chus, being fallen into a deep sleep: and as Paul was long preaching, he sunk down with sleep, and fell down from the third loft, and was taken up dead.

10 And Paul went down, and fell on him, and embracing *him* said, Trouble not yourselves; for his life is in him.

11 When he therefore was come up again, and had broken bread, and eaten, and talked a long while, even till break of day, so he departed.

12 And they brought the young man alive, and were not a little comforted.

13 And we went before to ship, and sailed unto As'sos, there intending to take in Paul: for so had he appointed, minding himself to go afoot.

14 And when he met with us at As'sos, we took him in, and came to Mit-y-le'ne.

15 And we sailed thence, and came the next *day* over against Chi'os; and the next *day* we arrived at Sa'mos, and tarried at Tro-gyl'li-um; and the next *day* we came to Mi-le'tus.

16 For Paul had determined to sail by Eph'e-sus, because he would not spend the time in Asia: for he hasted, if it were possible for him, to be at Jerusalem the day of Pentecost.

17 And from Mi-le'tus he sent to Eph'e-sus, and called the elders of the church.

18 And when they were come to him, he said unto them, Ye know, from the first day that I came into Asia, after what manner I have been with you at all seasons,

19 sirviendo al Señor con toda humildad, y con muchas lágrimas, y pruebas que me han venido por las asechanzas de los judíos;

20 y cómo nada que fuese útil he rehuido de anunciaros y enseñaros, públicamente y por las casas,

21 testificando a judíos y a gentiles acerca del arrepentimiento para con Dios, y de la fe en nuestro Señor Jesucristo.

22 Ahora, he aquí, ligado yo en espíritu, voy a Jerusalén, sin saber lo que allá me ha de acontecer;

23 salvo que el Espíritu Santo por todas las ciudades me da testimonio, diciendo que me esperan prisiones y tribulaciones.

24 Pero de ninguna cosa hago caso, ni estimo preciosa mi vida para mí mismo, con tal que acabe mi carrera con gozo, y el ministerio que recibí del Señor Jesús, para dar testimonio del evangelio de la gracia de Dios.

25 Y ahora, he aquí, yo sé que ninguno de todos vosotros, entre quienes he pasado predicando el reino de Dios, verá más mi rostro.

26 Por tanto, yo os protesto en el día de hoy, que estoy limpio de la sangre de todos;

27 porque no he rehuido anunciaros todo el consejo de Dios.

28 Por tanto, mirad por vosotros, y por todo el rebaño en que el Espíritu Santo os ha puesto por obispos, para apacentar la iglesia del Señor, la cual él ganó por su propia sangre.

29 Porque yo sé que después de mi partida entrarán en medio de vosotros lobos rapaces, que no perdonarán al rebaño.

30 Y de vosotros mismos se levantarán hombres que hablen cosas perversas para arrastrar tras sí a los discípulos.

31 Por tanto, velad, acordándoos que por tres años, de noche y de día, no he cesado de amonestar con lágrimas a cada uno.

32 Y ahora, hermanos, os encomiendo a Dios, y a la palabra de su gracia, que tiene poder para sobreedificaros y daros herencia con todos los santificados.

33 Ni plata ni oro ni vestido de nadie he codiciado.

34 Antes vosotros sabéis que para lo que me ha sido necesario a mí y a los que están conmigo, estas manos me han servido.

35 En todo os he enseñado que, trabajando así, se debe ayudar a los necesitados, y recordar las palabras del Señor Jesús, que dijo: Más bienaventurado es dar que recibir.

19 Serving the Lord with all humility of mind, and with many tears, and temptations, which befell me by the lying in wait of the Jews:

20 *And* how I kept back nothing that was profitable *unto you,* but have shewed you, and have taught you publickly, and from house to house,

21 Testifying both to the Jews, and also to the Greeks, repentance toward God, and faith toward our Lord Jesus Christ.

22 And now, behold, I go bound in the spirit unto Jerusalem, not knowing the things that shall befall me there:

23 Save that the Holy Ghost witnesseth in every city, saying that bonds and afflictions abide me.

24 But none of these things move me, neither count I my life dear unto myself, so that I might finish my course with joy, and the ministry, which I have received of the Lord Jesus, to testify the gospel of the grace of God.

25 And now, behold, I know that ye all, among whom I have gone preaching the kingdom of God, shall see my face no more.

26 Wherefore I take you to record this day, that I *am* pure from the blood of all *men.*

27 For I have not shunned to declare unto you all the counsel of God.

28 Take heed therefore unto yourselves, and to all the flock, over the which the Holy Ghost hath made you overseers, to feed the church of God, which he hath purchased with his own blood.

29 For I know this, that after my departing shall grievous wolves enter in among you, not sparing the flock.

30 Also of your own selves shall men arise, speaking perverse things, to draw away disciples after them.

31 Therefore watch, and remember, that by the space of three years I ceased not to warn every one night and day with tears.

32 And now, brethren, I commend you to God, and to the word of his grace, which is able to build you up, and to give you an inheritance among all them which are sanctified.

33 I have coveted no man's silver, or gold, or apparel.

34 Yea, ye yourselves know, that these hands have ministered unto my necessities, and to them that were with me.

35 I have shewed you all things, how that so labouring ye ought to support the weak, and to remember the words of the Lord Jesus, how he said, It is more blessed to give than to receive.

36 Cuando hubo dicho estas cosas, se puso de rodillas, y oró con todos ellos.

37 Entonces hubo gran llanto de todos; y echándose al cuello de Pablo, le besaban,

38 doliéndose en gran manera por la palabra que dijo, de que no verían más su rostro. Y le acompañaron al barco.

CAPÍTULO 21

DESPUÉS de separarnos de ellos, zarpamos y fuimos con rumbo directo a Cos, y al día siguiente a Rodas, y de allí a Pátara.

2 Y hallando un barco que pasaba a Fenicia, nos embarcamos, y zarpamos.

3 Al avistar Chipre, dejándola a mano izquierda, navegamos a Siria, y arribamos a Tiro, porque el barco había de descargar allí.

4 Y hallados los discípulos, nos quedamos allí siete días; y ellos decían a Pablo por el Espíritu, que no subiese a Jerusalén.

5 Cumplidos aquellos días, salimos, acompañándonos todos, con sus mujeres e hijos, hasta fuera de la ciudad; y puestos de rodillas en la playa, oramos.

6 Y abrazándonos los unos a los otros, subimos al barco, y ellos se volvieron a sus casas.

7 Y nosotros completamos la navegación, saliendo de Tiro y arribando a Tolemaida; y habiendo saludado a los hermanos, nos quedamos con ellos un día.

8 Al otro día, saliendo Pablo y los que con él estábamos, fuimos a Cesarea; y entrando en casa de Felipe el evangelista, que era uno de los siete, posamos con él.

9 Este tenía cuatro hijas doncellas que profetizaban.

10 Y permaneciendo nosotros allí algunos días, descendió de Judea un profeta llamado Agabo,

11 quien viniendo a vernos, tomó el cinto de Pablo, y atándose los pies y las manos, dijo: Esto dice el Espíritu Santo: Así atarán los judíos en Jerusalén al varón de quien es este cinto, y le entregarán en manos de los gentiles.

12 Al oir esto, le rogamos nosotros y los de aquel lugar, que no subiese a Jerusalén.

13 Entonces Pablo respondió: ¿Qué hacéis llorando y quebrantándome el corazón? Porque yo estoy dispuesto no sólo a ser atado, mas aun a morir en Jerusalén por el nombre del Señor Jesús.

36 And when he had thus spoken, he kneeled down, and prayed with them all.

37 And they all wept sore, and fell on Paul's neck, and kissed him,

38 Sorrowing most of all for the words which he spake, that they should see his face no more. And they accompanied him unto the ship.

CHAPTER 21

AND it came to pass, that after we were gotten from them, and had launched, we came with a straight course unto Co'-os, and the *day* following unto Rhodes, and from thence unto Pat'a-ra:

2 And finding a ship sailing over unto Phe-ni'cia, we went aboard, and set forth.

3 Now when we had discovered Cyprus, we left it on the left hand, and sailed into Syria, and landed at Tyre: for there the ship was to unlade her burden.

4 And finding disciples, we tarried there seven days: who said to Paul through the Spirit, that he should not go up to Jerusalem.

5 And when we had accomplished those days, we departed and went our way; and they all brought us on our way, with wives and children, till *we were* out of the city: and we kneeled down on the shore, and prayed.

6 And when we had taken our leave one of another, we took ship; and they returned home again.

7 And when we had finished *our* course from Tyre, we came to Ptol-e-ma'is, and saluted the brethren, and abode with them one day.

8 And the next *day* we that were of Paul's company departed, and came unto Cæs-a-re'a: and we entered into the house of Philip the evangelist, which was *one* of the seven; and abode with him.

9 And the same man had four daughters, virgins, which did prophesy.

10 And as we tarried *there* many days, there came down from Judæa a certain prophet, named Ag'a-bus.

11 And when he was come unto us, he took Paul's girdle, and bound his own hands and feet, and said, Thus saith the Holy Ghost, So shall the Jews at Jerusalem bind the man that owneth this girdle, and shall deliver *him* into the hands of the Gentiles.

12 And when we heard these things, both we, and they of that place, besought him not to go up to Jerusalem.

13 Then Paul answered, What mean ye to weep and to break mine heart? for I am ready not to be bound only, but also to die at Jerusalem for the name of the Lord Jesus.

14 Y como no le pudimos persuadir, desistimos, diciendo: Hágase la voluntad del Señor.

15 Después de esos días, hechos ya los preparativos, subimos a Jerusalén.

16 Y vinieron también con nosotros de Cesarea algunos de los discípulos, trayendo consigo a uno llamado Mnasón, de Chipre, discípulo antiguo, con quien nos hospedaríamos.

17 Cuando llegamos a Jerusalén, los hermanos nos recibieron con gozo.

18 Y al día siguiente Pablo entró con nosotros a ver a Jacobo, y se hallaban reunidos todos los ancianos;

19 a los cuales, después de haberles saludado, les contó una por una las cosas que Dios había hecho entre los gentiles por su ministerio.

20 Cuando ellos lo oyeron, glorificaron a Dios, y le dijeron: Ya ves, hermano, cuántos millares de judíos hay que han creído; y todos son celosos por la ley.

21 Pero se les ha informado en cuanto a ti, que enseñas a todos los judíos que están entre los gentiles a apostatar de Moisés, diciéndoles que no circunciden a sus hijos, ni observen las costumbres.

22 ¿Qué hay, pues? La multitud se reunirá de cierto, porque oirán que has venido.

23 Haz, pues, esto que te decimos: Hay entre nosotros cuatro hombres que tienen obligación de cumplir voto.

24 Tómalos contigo, purifícate con ellos, y paga sus gastos para que se rasuren la cabeza; y todos comprenderán que no hay nada de lo que se les informó acerca de ti, sino que tú también andas ordenadamente, guardando la ley.

25 Pero en cuanto a los gentiles que han creído, nosotros les hemos escrito determinando que no guarden nada de esto; solamente que se abstengan de lo sacrificado a los ídolos, de sangre, de ahogado y de fornicación.

26 Entonces Pablo tomó consigo a aquellos hombres, y al día siguiente, habiéndose purificado con ellos, entró en el templo, para anunciar el cumplimiento de los días de la purificación, cuando había de presentarse la ofrenda por cada uno de ellos.

27 Pero cuando estaban para cumplirse los siete días, unos judíos de Asia, al verle en el templo, alborotaron a toda la multitud y le echaron mano,

28 dando voces: ¡Varones israelitas, ayudad! Este es el hombre que por todas partes enseña a todos contra el pueblo, la ley y este lugar; y además de esto, ha me-

14 And when he would not be persuaded, we ceased, saying, The will of the Lord be done.

15 And after those days we took up our carriages, and went up to Jerusalem.

16 There went with us also *certain* of the disciples of Cæs-a-re'a, and brought with them one Mna'son of Cyprus, an old disciple, with whom we should lodge.

17 And when we were come to Jerusalem, the brethren received us gladly.

18 And the *day* following Paul went in with us unto James; and all the elders were present.

19 And when he had saluted them, he declared particularly what things God had wrought among the Gentiles by his ministry.

20 And when they heard *it*, they glorified the Lord, and said unto him, Thou seest, brother, how many thousands of Jews there are which believe; and they are all zealous of the law:

21 And they are informed of thee, that thou teachest all the Jews which are among the Gentiles to forsake Moses, saying that they ought not to circumcise *their* children, neither to walk after the customs.

22 What is it therefore? the multitude must needs come together: for they will hear that thou art come.

23 Do therefore this that we say to thee: We have four men which have a vow on them;

24 Them take, and purify thyself with them, and be at charges with them, that they may shave *their* heads: and all may know that those things, whereof they were informed concerning thee, are nothing; but *that* thou thyself also walkest orderly, and keepest the law.

25 As touching the Gentiles which believe, we have written *and* concluded that they observe no such thing, save only that they keep themselves from *things* offered to idols, and from blood, and from strangled, and from fornication.

26 Then Paul took the men, and the next day purifying himself with them entered into the temple, to signify the accomplishment of the days of purification, until that an offering should be offered for every one of them.

27 And when the seven days were almost ended, the Jews which were of Asia, when they saw him in the temple, stirred up all the people, and laid hands on him,

28 Crying out, Men of Israel, help: This is the man, that teacheth all *men* every where against the people, and the law, and this place: and further brought

tido a griegos en el templo, y ha profanado este santo lugar.

29 Porque antes habían visto con él en la ciudad a Trófimo, de Efeso, a quien pensaban que Pablo había metido en el templo.

30 Así que toda la ciudad se conmovió, y se agolpó el pueblo; y apoderándose de Pablo, le arrastraron fuera del templo, e inmediatamente cerraron las puertas.

31 Y procurando ellos matarle, se le avisó al tribuno de la compañía, que toda la ciudad de Jerusalén estaba alborotada.

32 Este, tomando luego soldados y centuriones, corrió a ellos. Y cuando ellos vieron al tribuno y a los soldados, dejaron de golpear a Pablo.

33 Entonces, llegando el tribuno, le prendió y le mandó atar con dos cadenas, y preguntó quién era y qué había hecho.

34 Pero entre la multitud, unos gritaban una cosa, y otros otra; y como no podía entender nada de cierto a causa del alboroto, le mandó llevar a la fortaleza.

35 Al llegar a las gradas, aconteció que era llevado en peso por los soldados a causa de la violencia de la multitud;

36 porque la muchedumbre del pueblo venía detrás, gritando: ¡Muera!

37 Cuando comenzaron a meter a Pablo en la fortaleza, dijo al tribuno: ¿Se me permite decirte algo? Y él dijo: ¿Sabes griego?

38 ¿No eres tú aquel egipcio que levantó una sedición antes de estos días, y sacó al desierto los cuatro mil sicarios?

39 Entonces dijo Pablo: Yo de cierto soy hombre judío de Tarso, ciudadano de una ciudad no insignificante de Cilicia; pero te ruego que me permitas hablar al pueblo.

40 Y cuando él se lo permitió, Pablo, estando en pie en las gradas, hizo señal con la mano al pueblo. Y hecho gran silencio, habló en lengua hebrea, diciendo:

CAPÍTULO 22

VARONES hermanos y padres, oíd ahora mi defensa ante vosotros.

2 Y al oir que les hablaba en lengua hebrea, guardaron más silencio. Y él les dijo:

3 Yo de cierto soy judío, nacido en Tarso de Cilicia, pero criado en esta ciudad, instruido a los pies de Gamaliel, estrictamente conforme a la ley de nuestros padres, celoso de Dios, como hoy lo sois todos vosotros.

4 Perseguía yo este Camino hasta la

Greeks also into the temple, and hath polluted this holy place.

29 (For they had seen before with him in the city Troph'i-mus an E-phe'sian, whom they supposed that Paul had brought into the temple.)

30 And all the city was moved, and the people ran together: and they took Paul, and drew him out of the temple: and forthwith the doors were shut.

31 And as they went about to kill him, tidings came unto the chief captain of the band, that all Jerusalem was in an uproar.

32 Who immediately took soldiers and centurions, and ran down unto them: and when they saw the chief captain and the soldiers, they left beating of Paul.

33 Then the chief captain came near, and took him, and commanded *him* to be bound with two chains; and demanded who he was, and what he had done.

34 And some cried one thing, some another, among the multitude: and when he could not know the certainty for the tumult, he commanded him to be carried into the castle.

35 And when he came upon the stairs, so it was, that he was borne of the soldiers for the violence of the people.

36 For the multitude of the people followed after, crying, Away with him.

37 And as Paul was to be led into the castle, he said unto the chief captain, May I speak unto thee? Who said, Canst thou speak Greek?

38 Art not thou that Egyptian, which before these days madest an uproar, and leddest out into the wilderness four thousand men that were murderers?

39 But Paul said, I am a man *which am* a Jew of Tarsus, *a city* in Ci-li'ci-a, a citizen of no mean city: and, I beseech thee, suffer me to speak unto the people.

40 And when he had given him licence, Paul stood on the stairs, and beckoned with the hand unto the people. And when there was made a great silence, he spake unto *them* in the Hebrew tongue, saying,

CHAPTER 22

MEN, brethren, and fathers, hear ye my defence *which I make* now unto you.

2 (And when they heard that he spake in the Hebrew tongue to them, they kept the more silence: and he saith,)

3 I am verily a man *which am* a Jew, born in Tarsus, *a city* in Ci-li'ci-a, yet brought up in this city at the feet of Ga-ma'li-el, *and* taught according to the perfect manner of the law of the fathers, and was zealous toward God, as ye all are this day.

4 And I persecuted this way unto the

muerte, prendiendo y entregando en cárceles a hombres y mujeres;
5 como el sumo sacerdote también me es testigo, y todos los ancianos, de quienes también recibí cartas para los hermanos, y fui a Damasco para traer presos a Jerusalén también a los que estuviesen allí, para que fuesen castigados.
6 Pero aconteció que yendo yo, al llegar cerca de Damasco, como a mediodía, de repente me rodeó mucha luz del cielo;
7 y caí al suelo, y oí una voz que me decía: Saulo, Saulo, ¿por qué me persigues?
8 Yo entonces respondí: ¿Quién eres, Señor? Y me dijo: Yo soy Jesús de Nazaret, a quien tú persigues.
9 Y los que estaban conmigo vieron a la verdad la luz, y se espantaron; pero no entendieron la voz del que hablaba conmigo.
10 Y dije: ¿Qué haré, Señor? Y el Señor me dijo: Levántate, y vé a Damasco, y allí se te dirá todo lo que está ordenado que hagas.
11 Y como yo no veía a causa de la gloria de la luz, llevado de la mano por los que estaban conmigo, llegué a Damasco.
12 Entonces uno llamado Ananías varón piadoso según la ley, que tenía buen testimonio de todos los judíos que allí moraban,
13 vino a mí, y acercándose, me dijo: Hermano Saulo, recibe la vista. Y yo en aquella misma hora recobré la vista y lo miré.
14 Y él dijo: El Dios de nuestros padres te ha escogido para que conozcas su voluntad, y veas al Justo, y oigas la voz de su boca.
15 Porque serás testigo suyo a todos los hombres, de lo que has visto y oído.
16 Ahora, pues, ¿por qué te detienes? Levántate y bautízate, y lava tus pecados, invocando su nombre.
17 Y me aconteció, vuelto a Jerusalén, que orando en el templo me sobrevino un éxtasis.
18 Y le vi que me decía: Date prisa, y sal prontamente de Jerusalén; porque no recibirán tu testimonio acerca de mí.
19 Yo dije: Señor, ellos saben que yo encarcelaba y azotaba en todas las sinagogas a los que creían en ti;
20 y cuando se derramaba la sangre de Esteban tu testigo, yo mismo también estaba presente, y consentía en su muerte, y guardaba las ropas de los que le mataban.
21 Pero me dijo: Vé, porque yo te enviaré lejos a los gentiles.

death, binding and delivering into prisons both men and women.
5 As also the high priest doth bear me witness, and all the estate of the elders: from whom also I received letters unto the brethren, and went to Damascus, to bring them which were there bound unto Jerusalem, for to be punished.
6 And it came to pass, that, as I made my journey, and was come nigh unto Damascus about noon, suddenly there shone from heaven a great light round about me.
7 And I fell unto the ground, and heard a voice saying unto me, Saul, Saul, why persecutest thou me?
8 And I answered, Who art thou, Lord? And he said unto me, I am Jesus of Nazareth, whom thou persecutest.
9 And they that were with me saw indeed the light, and were afraid; but they heard not the voice of him that spake to me.
10 And I said, What shall I do, Lord? And the Lord said unto me, Arise, and go into Damascus; and there it shall be told thee of all things which are appointed for thee to do.
11 And when I could not see for the glory of that light, being led by the hand of them that were with me, I came into Damascus.
12 And one An-a-ni'as, a devout man according to the law, having a good report of all the Jews which dwelt *there,*
13 Came unto me, and stood, and said unto me, Brother Saul, receive thy sight. And the same hour I looked up upon him.
14 And he said, The God of our fathers hath chosen thee, that thou shouldest know his will, and see that Just One, and shouldest hear the voice of his mouth.
15 For thou shalt be his witness unto all men of what thou hast seen and heard.
16 And now why tarriest thou? arise, and be baptized, and wash away thy sins, calling on the name of the Lord.
17 And it came to pass, that, when I was come again to Jerusalem, even while I prayed in the temple, I was in a trance;
18 And saw him saying unto me, Make haste, and get thee quickly out of Jerusalem: for they will not receive thy testimony concerning me.
19 And I said, Lord, they know that I imprisoned and beat in every synagogue them that believed on thee:
20 And when the blood of thy martyr Stephen was shed, I also was standing by, and consenting unto his death, and kept the raiment of them that slew him.
21 And he said unto me, Depart: for I will send thee far hence unto the Gentiles.

22 Y le oyeron hasta esta palabra; entonces alzaron la voz, diciendo: Quita de la tierra a tal hombre, porque no conviene que viva.

23 Y como ellos gritaban y arrojaban sus ropas y lanzaban polvo al aire,

24 mandó el tribuno que le metiesen en la fortaleza, y ordenó que fuese examinado con azotes, para saber por qué causa clamaban así contra él.

25 Pero cuando le ataron con correas, Pablo dijo al centurión que estaba presente: ¿Os es lícito azotar a un ciudadano romano sin haber sido condenado?

26 Cuando el centurión oyó esto, fue y dio aviso al tribuno, diciendo: ¿Qué vas a hacer? Porque este hombre es ciudadano romano.

27 Vino el tribuno y le dijo: Dime, ¿eres tú ciudadano romano? El dijo: Sí.

28 Respondió el tribuno: Yo con una gran suma adquirí esta ciudadanía. Entonces Pablo dijo: Pero yo lo soy de nacimiento.

29 Así que, luego se apartaron de él los que le iban a dar tormento; y aun el tribuno, al saber que era ciudadano romano, también tuvo temor por haberle atado.

30 Al día siguiente, queriendo saber de cierto la causa por la cual le acusaban los judíos, le soltó de las cadenas, y mandó venir a los principales sacerdotes y a todo el concilio, y sacando a Pablo, le presentó ante ellos.

CAPÍTULO 23

ENTONCES Pablo, mirando fijamente al concilio, dijo: Varones hermanos, yo con toda buena conciencia he vivido delante de Dios hasta el día de hoy.

2 El sumo sacerdote Ananías ordenó entonces a los que estaban junto a él, que le golpeasen en la boca.

3 Entonces Pablo le dijo: ¡Dios te golpeará a ti, pared blanqueada! ¿Estás tú sentado para juzgarme conforme a la ley, y quebrantando la ley me mandas golpear?

4 Los que estaban presentes dijeron: ¿Al sumo sacerdote de Dios injurias?

5 Pablo dijo: No sabía, hermanos, que era el sumo sacerdote; pues escrito está: No maldecirás a un príncipe de tu pueblo.

6 Entonces Pablo, notando que una parte era de saduceos y otra de fariseos, alzó la voz en el concilio: Varones hermanos, yo soy fariseo, hijo de fariseo; acerca

22 And they gave him audience unto this word, and *then* lifted up their voices, and said, Away with such a *fellow* from the earth: for it is not fit that he should live.

23 And as they cried out, and cast off *their* clothes, and threw dust into the air,

24 The chief captain commanded him to be brought into the castle, and bade that he should be examined by scourging; that he might know wherefore they cried so against him.

25 And as they bound him with thongs, Paul said unto the centurion that stood by, Is it lawful for you to scourge a man that is a Roman, and uncondemned?

26 When the centurion heard *that,* he went and told the chief captain, saying, Take heed what thou doest: for this man is a Roman.

27 Then the chief captain came, and said unto him, Tell me, art thou a Roman? He said, Yea.

28 And the chief captain answered, With a great sum obtained I this freedom. And Paul said, But I was *free* born.

29 Then straightway they departed from him which should have examined him: and the chief captain also was afraid, after he knew that he was a Roman, and because he had bound him.

30 On the morrow, because he would have known the certainty wherefore he was accused of the Jews, he loosed him from *his* bands, and commanded the chief priests and all their council to appear, and brought Paul down, and set him before them.

CHAPTER 23

AND Paul, earnestly beholding the council, said, Men *and* brethren, I have lived in all good conscience before God until this day.

2 And the high priest An-a-ni′as commanded them that stood by him to smite him on the mouth.

3 Then said Paul unto him, God shall smite thee, *thou* whited wall: for sittest thou to judge me after the law, and commandest me to be smitten contrary to the law?

4 And they that stood by said, Revilest thou God's high priest?

5 Then said Paul, I wist not, brethren, that he was the high priest: for it is written, Thou shalt not speak evil of the ruler of thy people.

6 But when Paul perceived that the one part were Sad′du-cees, and the other Pharisees, he cried out in the council, Men *and* brethren, I am a Pharisee, the

de la esperanza y de la resurrección de los muertos se me juzga.
7 Cuando dijo esto, se produjo disensión entre los fariseos y los saduceos, y la asamblea se dividió.
8 Porque los saduceos dicen que no hay resurrección, ni ángel, ni espíritu; pero los fariseos afirman estas cosas.
9 Y hubo un gran vocerío; y levantándose los escribas de la parte de los fariseos, contendían, diciendo: Ningún mal hallamos en este hombre; que si un espíritu le ha hablado, o un ángel, no resistamos a Dios.
10 Y habiendo grande disensión, el tribuno, teniendo temor de que Pablo fuese despedazado por ellos, mandó que bajasen soldados y le arrebatasen de en medio de ellos, y le llevasen a la fortaleza.
11 A la noche siguiente se le presentó el Señor y le dijo: Ten ánimo, Pablo, pues como has testificado de mí en Jerusalén, así es necesario que testifiques también en Roma.
12 Venido el día, algunos de los judíos tramaron un complot y se juramentaron bajo maldición, diciendo que no comerían ni beberían hasta que hubiesen dado muerte a Pablo.
13 Eran más de cuarenta los que habían hecho esta conjuración,
14 los cuales fueron a los principales sacerdotes y a los ancianos y dijeron: Nosotros nos hemos juramentado bajo maldición, a no gustar nada hasta que hayamos dado muerte a Pablo.
15 Ahora pues, vosotros, con el concilio, requerid al tribuno que le traiga mañana ante vosotros, como que queréis indagar alguna cosa más cierta acerca de él; y nosotros estaremos listos para matarle antes que llegue.
16 Mas el hijo de la hermana de Pablo, oyendo hablar de la celada, fue y entró en la fortaleza, y dio aviso a Pablo.
17 Pablo, llamando a uno de los centuriones, dijo: Lleva a este joven ante el tribuno, porque tiene cierto aviso que darle.
18 El entonces tomándole, le llevó al tribuno, y dijo: El preso Pablo me llamó y me rogó que trajese ante ti a este joven, que tiene algo que hablarte.
19 El tribuno, tomándole de la mano y retirándose aparte, le preguntó: ¿Qué es lo que tienes que decirme?
20 El le dijo: Los judíos han convenido en rogarte que mañana lleves a Pablo

son of a Pharisee: of the hope and resurrection of the dead I am called in question.
7 And when he had so said, there arose a dissension between the Pharisees and the Sad′du-cees: and the multitude was divided.
8 For the Sad′du-cees say that there is no resurrection, neither angel, nor spirit: but the Pharisees confess both.
9 And there arose a great cry: and the scribes *that were* of the Pharisees' part arose, and strove, saying, We find no evil in this man: but if a spirit or an angel hath spoken to him, let us not fight against God.
10 And when there arose a great dissension, the chief captain, fearing lest Paul should have been pulled in pieces of them, commanded the soldiers to go down, and to take him by force from among them, and to bring *him* into the castle.
11 And the night following the Lord stood by him, and said, Be of good cheer, Paul: for as thou hast testified of me in Jerusalem, so must thou bear witness also at Rome.
12 And when it was day, certain of the Jews banded together, and bound themselves under a curse, saying that they would neither eat nor drink till they had killed Paul.
13 And they were more than forty which had made this conspiracy.
14 And they came to the chief priests and elders, and said, We have bound ourselves under a great curse, that we will eat nothing until we have slain Paul.
15 Now therefore ye with the council signify to the chief captain that he bring him down unto you to morrow, as though ye would inquire something more perfectly concerning him: and we, or ever he come near, are ready to kill him.
16 And when Paul's sister's son heard of their lying in wait, he went and entered into the castle, and told Paul.
17 Then Paul called one of the centurions unto *him*, and said, Bring this young man unto the chief captain: for he hath a certain thing to tell him.
18 So he took him, and brought *him* to the chief captain, and said, Paul the prisoner called me unto *him*, and prayed me to bring this young man unto thee, who hath something to say unto thee.
19 Then the chief captain took him by the hand, and went *with him* aside privately, and asked *him*, What is that thou hast to tell me?
20 And he said, The Jews have agreed to desire thee that thou wouldest bring down Paul to morrow into the council, as

ante el concilio, como que van a inquirir alguna cosa más cierta acerca de él.

21 Pero tú no les creas; porque más de cuarenta hombres de ellos le acechan, los cuales se han juramentado bajo maldición, a no comer ni beber hasta que le hayan dado muerte; y ahora están listos esperando tu promesa.

22 Entonces el tribuno despidió al joven, mandándole que a nadie dijese que le había dado aviso de esto.

23 Y llamando a dos centuriones, mandó que preparasen para la hora tercera de la noche doscientos soldados, setenta jinetes y doscientos lanceros, para que fuesen hasta Cesarea;

24 y que preparasen cabalgaduras en que poniendo a Pablo, le llevasen en salvo a Félix el gobernador.

25 Y escribió una carta en estos términos:

26 Claudio Lisias al excelentísimo gobernador Félix: Salud.

27 A este hombre, aprehendido por los judíos, y que iban ellos a matar, lo libré yo acudiendo con la tropa, habiendo sabido que era ciudadano romano.

28 Y queriendo saber la causa por qué le acusaban, le llevé al concilio de ellos;

29 y hallé que le acusaban por cuestiones de la ley de ellos, pero que ningún delito tenía digno de muerte o de prisión.

30 Pero al ser avisado de asechanzas que los judíos habían tendido contra este hombre, al punto le he enviado a ti, intimando también a los acusadores que traten delante de ti lo que tengan contra él. Pásalo bien.

31 Y los soldados, tomando a Pablo como se les ordenó, le llevaron de noche a Antípatris.

32 Y al día siguiente, dejando a los jinetes que fuesen con él, volvieron a la fortaleza.

33 Cuando aquéllos llegaron a Cesarea, y dieron la carta al gobernador, presentaron también a Pablo delante de él.

34 Y el gobernador, leída la carta, preguntó de qué provincia era; y habiendo entendido que era de Cilicia,

35 le dijo: Te oiré cuando vengan tus acusadores. Y mandó que le custodiasen en el pretorio de Herodes.

CAPÍTULO 24

CINCO días después, descendió el sumo sacerdote Ananías con algunos

though they would inquire somewhat of him more perfectly.

21 But do not thou yield unto them: for there lie in wait for him of them more than forty men, which have bound themselves with an oath, that they will neither eat nor drink till they have killed him: and now are they ready, looking for a promise from thee.

22 So the chief captain *then* let the young man depart, and charged *him, See thou* tell no man that thou hast shewed these things to me.

23 And he called unto *him* two centurions, saying, Make ready two hundred soldiers to go to Cæs-a-re′a, and horsemen threescore and ten, and spearmen two hundred, at the third hour of the night;

24 And provide *them* beasts, that they may set Paul on, and bring *him* safe unto Felix the governor.

25 And he wrote a letter after this manner:

26 Claudius Ly′si-as unto the most excellent governor Felix *sendeth* greeting.

27 This man was taken of the Jews, and should have been killed of them: then came I with an army, and rescued him, having understood that he was a Roman.

28 And when I would have known the cause wherefore they accused him, I brought him forth into their council:

29 Whom I perceived to be accused of questions of their law, but to have nothing laid to his charge worthy of death or of bonds.

30 And when it was told me how that the Jews laid wait for the man, I sent straightway to thee, and gave commandment to his accusers also to say before thee what *they had* against him. Farewell.

31 Then the soldiers, as it was commanded them, took Paul, and brought *him* by night to An-tip′a-tris.

32 On the morrow they left the horsemen to go with him, and returned to the castle:

33 Who, when they came to Cæs-a-re′a, and delivered the epistle to the governor, presented Paul also before him.

34 And when the governor had read *the letter*, he asked of what province he was. And when he understood that *he was* of Ci-li′ci-a;

35 I will hear thee, said he, when thine accusers are also come. And he commanded him to be kept in Herod's judgment hall.

CHAPTER 24

AND after five days An-a-ni′as the high priest descended with the elders, and

de los ancianos y un cierto orador llamado Tértulo, y comparecieron ante el gobernador contra Pablo.

2 Y cuando éste fue llamado, Tértulo comenzó a acusarle, diciendo: Como debido a ti gozamos de gran paz, y muchas cosas son bien gobernadas en el pueblo por tu prudencia,

3 oh excelentísimo Félix, lo recibimos en todo tiempo y en todo lugar con toda gratitud.

4 Pero por no molestarte más largamente, te ruego que nos oigas brevemente conforme a tu equidad.

5 Porque hemos hallado que este hombre es una plaga, y promotor de sediciones entre todos los judíos por todo el mundo, y cabecilla de la secta de los nazarenos.

6 Intentó también profanar el templo; y prendiéndole, quisimos juzgarle conforme a nuestra ley.

7 Pero interviniendo el tribuno Lisias, con gran violencia le quitó de nuestras manos,

8 mandando a sus acusadores que viniesen a ti. Tú mismo, pues, al juzgarle, podrás informarte de todas estas cosas de que le acusamos.

9 Los judíos también confirmaban, diciendo ser así todo.

10 Habiéndole hecho señal el gobernador a Pablo para que hablase, éste respondió: Porque sé que desde hace muchos años eres juez de esta nación, con buen ánimo haré mi defensa.

11 Como tú puedes cerciorarte, no hace más de doce días que subí a adorar a Jerusalén;

12 y no me hallaron disputando con ninguno, ni amotinando a la multitud; ni en el templo, ni en las sinagogas ni en la ciudad;

13 ni te pueden probar las cosas de que ahora me acusan.

14 Pero esto te confieso, que según el Camino que ellos llaman herejía, así sirvo al Dios de mis padres, creyendo todas las cosas que en la ley y en los profetas están escritas;

15 teniendo esperanza en Dios, la cual ellos también abrigan, de que ha de haber resurrección de los muertos, así de justos como de injustos.

16 Y por esto procuro tener siempre una conciencia sin ofensa ante Dios y ante los hombres.

17 Pero pasados algunos años, vine a hacer limosnas a mi nación y presentar ofrendas.

18 Estaba en ello, cuando unos judíos de Asia me hallaron purificado en el templo, no con multitud ni con alboroto.

with a certain orator *named* Ter-tul'lus, who informed the governor against Paul.

2 And when he was called forth, Ter-tul'lus began to accuse *him*, saying, Seeing that by thee we enjoy great quietness, and that very worthy deeds are done unto this nation by thy providence,

3 We accept *it* always, and in all places, most noble Felix, with all thankfulness.

4 Notwithstanding, that I be not further tedious unto thee, I pray thee that thou wouldest hear us of thy clemency a few words.

5 For we have found this man *a* pestilent *fellow*, and a mover of sedition among all the Jews throughout the world, and a ringleader of the sect of the Nazarenes:

6 Who also hath gone about to profane the temple: whom we took, and would have judged according to our law.

7 But the chief captain Ly'si-as came *upon us*, and with great violence took *him* away out of our hands,

8 Commanding his accusers to come unto thee: by examining of whom thyself mayest take knowledge of all these things, whereof we accuse him.

9 And the Jews also assented, saying that these things were so.

10 Then Paul, after that the governor had beckoned unto him to speak, answered, Forasmuch as I know that thou hast been of many years a judge unto this nation, I do the more cheerfully answer for myself:

11 Because that thou mayest understand, that there are yet but twelve days since I went up to Jerusalem for to worship.

12 And they neither found me in the temple disputing with any man, neither raising up the people, neither in the synagogues, nor in the city:

13 Neither can they prove the things whereof they now accuse me.

14 But this I confess unto thee, that after the way which they call heresy, so worship I the God of my fathers, believing all things which are written in the law and in the prophets:

15 And have hope toward God, which they themselves also allow, that there shall be a resurrection of the dead, both of the just and unjust.

16 And herein do I exercise myself, to have always a conscience void of offence toward God, and *toward* men.

17 Now after many years I came to bring alms to my nation, and offerings.

18 Whereupon certain Jews from Asia found me purified in the temple, neither with multitude, nor with tumult.

19 Ellos debieran comparecer ante ti y acusarme, si contra mí tienen algo.

20 O digan éstos mismos si hallaron en mí alguna cosa mal hecha, cuando comparecí ante el concilio,

21 a no ser que estando entre ellos prorrumpí en alta voz: Acerca de la resurrección de los muertos soy juzgado hoy por vosotros.

22 Entonces Félix, oídas estas cosas, estando bien informado de este Camino, les aplazó, diciendo: Cuando descendiere el tribuno Lisias, acabaré de conocer de vuestro asunto.

23 Y mandó al centurión que se custodiase a Pablo, pero que se le concediese alguna libertad, y que no impidiese a ninguno de los suyos servirle o venir a él.

24 Algunos días después, viniendo Félix con Drusila su mujer, que era judía, llamó a Pablo, y le oyó acerca de la fe en Jesucristo.

25 Pero al disertar Pablo acerca de la justicia, del dominio propio y del juicio venidero, Félix se espantó, y dijo: Ahora vete; pero cuando tenga oportunidad te llamaré.

26 Esperaba también con esto, que Pablo le diera dinero para que le soltase; por lo cual muchas veces lo hacía venir y hablaba con él.

27 Pero al cabo de dos años recibió Félix por sucesor a Porcio Festo; y queriendo Félix congraciarse con los judíos, dejó preso a Pablo.

CAPÍTULO 25

LLEGADO, pues, Festo a la provincia, subió de Cesarea a Jerusalén tres días después.

2 Y los principales sacerdotes y los más influyentes de los judíos se presentaron ante él contra Pablo, y le rogaron,

3 pidiendo contra él, como gracia, que le hiciese traer a Jerusalén; preparando ellos una celada para matarle en el camino.

4 Pero Festo respondió que Pablo estaba custodiado en Cesarea, adonde él mismo partiría en breve.

5 Los que de vosotros puedan, dijo, desciendan conmigo, y si hay algún crimen en este hombre, acúsenle.

6 Y deteniéndose entre ellos no más de ocho o diez días, venido a Cesarea, al siguiente día se sentó en el tribunal, y mandó que fuese traído Pablo.

7 Cuando éste llegó, lo rodearon los judíos que habían venido de Jerusalén, pre-

19 Who ought to have been here before thee, and object, if they had ought against me.

20 Or else let these same *here* say, if they have found any evil doing in me, while I stood before the council,

21 Except it be for this one voice, that I cried standing among them, Touching the resurrection of the dead I am called in question by you this day.

22 And when Felix heard these things, having more perfect knowledge of *that* way, he deferred them, and said, When Ly'si-as the chief captain shall come down, I will know the uttermost of your matter.

23 And he commanded a centurion to keep Paul, and to let *him* have liberty, and that he should forbid none of his acquaintance to minister or come unto him.

24 And after certain days, when Felix came with his wife Dru-sil'la, which was a Jewess, he sent for Paul, and heard him concerning the faith in Christ.

25 And as he reasoned of righteousness, temperance, and judgment to come, Felix trembled, and answered, Go thy way for this time; when I have a convenient season, I will call for thee.

26 He hoped also that money should have been given him of Paul, that he might loose him: wherefore he sent for him the oftener, and communed with him.

27 But after two years Por'ci-us Fes'tus came into Felix' room: and Felix, willing to shew the Jews a pleasure, left Paul bound.

CHAPTER 25

NOW when Fes'tus was come into the province, after three days he ascended from Cæs-a-re'a to Jerusalem.

2 Then the high priest and the chief of the Jews informed him against Paul, and besought him,

3 And desired favour against him, that he would send for him to Jerusalem, laying wait in the way to kill him.

4 But Fes'tus answered, that Paul should be kept at Cæs-a-re'a, and that he himself would depart shortly *thither*.

5 Let them therefore, said he, which among you are able, go down with *me*, and accuse this man, if there be any wickedness in him.

6 And when he had tarried among them more than ten days, he went down unto Cæs-a-re'a; and the next day sitting on the judgment seat commanded Paul to be brought.

7 And when he was come, the Jews which came down from Jerusalem stood

sentando contra él muchas y graves acusaciones, las cuales no podían probar;
8 alegando Pablo en su defensa: Ni contra la ley de los judíos, ni contra el templo, ni contra César he pecado en nada.
9 Pero Festo, queriendo congraciarse con los judíos, respondiendo a Pablo dijo: ¿Quieres subir a Jerusalén, y allá ser juzgado de estas cosas delante de mí?
10 Pablo dijo: Ante el tribunal de César estoy, donde debo ser juzgado. A los judíos no les he hecho ningún agravio, como tú sabes muy bien.
11 Porque si algún agravio, o cosa alguna digna de muerte he hecho, no rehúso morir; pero si nada hay de las cosas de que éstos me acusan, nadie puede entregarme a ellos. A César apelo.
12 Entonces Festo, habiendo hablado con el consejo, respondió: A César has apelado; a César irás.
13 Pasados algunos días, el rey Agripa y Berenice vinieron a Cesarea para saludar a Festo.
14 Y como estuvieron allí muchos días, Festo expuso al rey la causa de Pablo, diciendo: Un hombre ha sido dejado preso por Félix,
15 respecto al cual, cuando fui a Jerusalén, se me presentaron los principales sacerdotes y los ancianos de los judíos, pidiendo condenación contra él.
16 A éstos respondí que no es costumbre de los romanos entregar alguno a la muerte antes que el acusado tenga delante a sus acusadores, y pueda defenderse de la acusación.
17 Así que, habiendo venido ellos juntos acá, sin ninguna dilación, al día siguiente, sentado en el tribunal, mandé traer al hombre.
18 Y estando presentes los acusadores, ningún cargo presentaron de los que yo sospechaba,
19 sino que tenían contra él ciertas cuestiones acerca de su religión, y de un cierto Jesús, ya muerto, el que Pablo afirmaba estar vivo.
20 Yo, dudando en cuestión semejante, le pregunté si quería ir a Jerusalén y allá ser juzgado de estas cosas.
21 Mas como Pablo apeló para que se le reservase para el conocimiento de Augusto, mandé que le custodiasen hasta que le enviara yo a César.
22 Entonces Agripa dijo a Festo: Yo

round about, and laid many and grievous complaints against Paul, which they could not prove.
8 While he answered for himself, Neither against the law of the Jews, neither against the temple, nor yet against Cæsar, have I offended any thing at all.
9 But Fes'tus, willing to do the Jews a pleasure, answered Paul, and said, Wilt thou go up to Jerusalem, and there be judged of these things before me?
10 Then said Paul, I stand at Cæsar's judgment seat, where I ought to be judged: to the Jews have I done no wrong, as thou very well knowest.
11 For if I be an offender, or have committed any thing worthy of death, I refuse not to die: but if there be none of these things whereof these accuse me, no man may deliver me unto them. I appeal unto Cæsar.
12 Then Fes'tus, when he had conferred with the council, answered, Hast thou appealed unto Cæsar? unto Cæsar shalt thou go.
13 And after certain days king A-grip'pa and Bernice came unto Cæs-a-re'a to salute Fes'tus.
14 And when they had been there many days, Fes'tus declared Paul's cause unto the king, saying, There is a certain man left in bonds by Felix:
15 About whom, when I was at Jerusalem, the chief priests and the elders of the Jews informed *me*, desiring *to have* judgment against him.
16 To whom I answered, It is not the manner of the Romans to deliver any man to die, before that he which is accused have the accusers face to face, and have licence to answer for himself concerning the crime laid against him.
17 Therefore, when they were come hither, without any delay on the morrow I sat on the judgment seat, and commanded the man to be brought forth.
18 Against whom when the accusers stood up, they brought none accusation of such things as I supposed:
19 But had certain questions against him of their own superstition, and of one Jesus, which was dead, whom Paul affirmed to be alive.
20 And because I doubted of such manner of questions, I asked *him* whether he would go to Jerusalem, and there be judged of these matters.
21 But when Paul had appealed to be reserved unto the hearing of Augustus, I commanded him to be kept till I might send him to Cæsar.
22 Then A-grip'pa said unto Fes'tus, I

también quisiera oir a ese hombre. Y él le dijo: Mañana le oirás.

23 Al otro día, viniendo Agripa y Berenice con mucha pompa, y entrando en la audiencia con los tribunos y principales hombres de la ciudad, por mandato de Festo fue traído Pablo.

24 Entonces Festo dijo: Rey Agripa, y todos los varones que estáis aquí juntos con nosotros, aquí tenéis a este hombre, respecto del cual toda la multitud de los judíos me ha demandado en Jerusalén y aquí, dando voces que no debe vivir más.

25 Pero yo, hallando que ninguna cosa digna de muerte ha hecho, y como él mismo apeló a Augusto, he determinado enviarle a él.

26 Como no tengo cosa cierta que escribir a mi señor, le he traído ante vosotros, y mayormente ante ti, oh rey Agripa, para que después de examinarle, tenga yo qué escribir.

27 Porque me parece fuera de razón enviar un preso, y no informar de los cargos que haya en su contra.

CAPÍTULO 26

ENTONCES Agripa dijo a Pablo: Se te permite hablar por ti mismo. Pablo entonces, extendiendo la mano, comenzó así su defensa:

2 Me tengo por dichoso, oh rey Agripa, de que haya de defenderme hoy delante de ti de todas las cosas de que soy acusado por los judíos.

3 Mayormente porque tú conoces todas las costumbres y cuestiones que hay entre los judíos; por lo cual te ruego que me oigas con paciencia.

4 Mi vida, pues, desde mi juventud, la cual desde el principio pasé en mi nación, en Jerusalén, la conocen todos los judíos;

5 los cuales también saben que yo desde el principio, si quieren testificarlo, conforme a la más rigurosa secta de nuestra religión, viví fariseo.

6 Y ahora, por la esperanza de la promesa que hizo Dios a nuestros padres soy llamado a jucio;

7 promesa cuyo cumplimiento esperan que han de alcanzar nuestras doce tribus, sirviendo constantemente a Dios de día y de noche. Por esta esperanza, oh rey Agripa, soy acusado por los judíos.

8 ¡Qué! ¿Se juzga entre vosotros cosa increíble que Dios resucite a los muertos?

9 Yo ciertamente había creído mi deber hacer muchas cosas contra el nombre de Jesús de Nazaret;

10 lo cual también hice en Jerusalén. Yo encerré en cárceles a muchos de los

would also hear the man myself. To morrow, said he, thou shalt hear him.

23 And on the morrow, when A-grip'pa was come, and Bernice, with great pomp, and was entered into the place of hearing, with the chief captains, and principal men of the city, at Fes'tus' commandment Paul was brought forth.

24 And Fes'tus said, King A-grip'pa, and all men which are here present with us, ye see this man, about whom all the multitude of the Jews have dealt with me, both at Jerusalem, and *also* here, crying that he ought not to live any longer.

25 But when I found that he had committed nothing worthy of death, and that he himself hath appealed to Augustus, I have determined to send him.

26 Of whom I have no certain thing to write unto my lord. Wherefore I have brought him forth before you, and specially before thee, O king A-grip'pa, that, after examination had, I might have somewhat to write.

27 For it seemeth to me unreasonable to send a prisoner, and not withal to signify the crimes *laid* against him.

CHAPTER 26

THEN A-grip'pa said unto Paul, Thou art permitted to speak for thyself. Then Paul stretched forth the hand, and answered for himself:

2 I think myself happy, king A-grip'pa, because I shall answer for myself this day before thee touching all the things whereof I am accused of the Jews:

3 Especially *because I know* thee to be expert in all customs and questions which are among the Jews: wherefore I beseech thee to hear me patiently.

4 My manner of life from my youth, which was at the first among mine own nation at Jerusalem, know all the Jews;

5 Which knew me from the beginning, if they would testify, that after the most straitest sect of our religion I lived a Pharisee.

6 And now I stand and am judged for the hope of the promise made of God unto our fathers:

7 Unto which *promise* our twelve tribes, instantly serving *God* day and night, hope to come. For which hope's sake, king A-grip'pa, I am accused of the Jews.

8 Why should it be thought a thing incredible with you, that God should raise the dead?

9 I verily thought with myself, that I ought to do many things contrary to the name of Jesus of Nazareth.

10 Which thing I also did in Jerusalem: and many of the saints did I shut up in

santos, habiendo recibido poderes de los
principales sacerdotes; y cuando los ma-
taron, yo di mi voto.
11 Y muchas veces, castigándolos en
todas las sinagogas, los forcé a blasfe-
mar; y enfurecido sobremanera contra e-
llos, los perseguí hasta en las ciudades
extranjeras.
12 Ocupado en esto, iba yo a Damasco
con poderes y en comisión de los princi-
pales sacerdotes,
13 cuando a mediodía, oh rey, yendo
por el camino, ví una luz del cielo que
sobrepasaba el resplandor del sol, la cual
me rodeó a mí y a los que iban conmigo.
14 Y habiendo caído todos nosotros en
tierra, oí una voz que me hablaba, y decía
en lengua hebrea: Saulo, Saulo, ¿por qué
me persigues? Dura cosa te es dar coces
contra el aguijón.
15 Yo entonces dije: ¿Quién eres, Se-
ñor? Y el Señor dijo: Yo soy Jesús, a
quien tú persigues.
16 Pero levántate, y ponte sobre tus
pies; porque para esto he aparecido a ti,
para ponerte por ministro y testigo de las
cosas que has visto, y de aquellas en que
me apareceré a ti,
17 librándote de tu pueblo, y de los gen-
tiles, a quienes ahora te envío,
18 para que abras sus ojos, para que se
conviertan de las tinieblas a la luz, y de la
potestad de Satanás a Dios; para que re-
ciban, por la fe que es en mí, perdón de
pecados y herencia entre los santificados.
19 Por lo cual, oh rey Agripa, no fui re-
belde a la visión celestial,
20 sino que anuncié primeramente a los
que están en Damasco, y Jerusalén, y por
toda la tierra de Judea, y a los gentiles,
que se arrepintiesen y se convirtiesen a
Dios, haciendo obras dignas de arrepenti-
miento.
21 Por causa de esto los judíos, pren-
diéndome en el templo, intentaron ma-
tarme.
22 Pero habiendo obtenido auxilio de
Dios, persevero hasta el día de hoy, dan-
do testimonio a pequeños y a grandes, no
diciendo nada fuera de las cosas que los
profetas y Moisés dijeron que habían de
suceder:
23 Que el Cristo había de padecer, y ser
el primero de la resurrección de los
muertos, para anunciar luz al pueblo y a
los gentiles.
24 Diciendo él estas cosas en su defen-
sa, Festo a gran voz dijo: Estás loco, Pa-
blo; las muchas letras te vuelven loco.
25 Mas él dijo: No estoy loco, excelentí-

prison, having received authority from
the chief priests; and when they were put
to death, I gave my voice against *them.*
11 And I punished them oft in every
synagogue, and compelled *them* to blas-
pheme; and being exceedingly mad
against them, I persecuted *them* even
unto strange cities.
12 Whereupon as I went to Damascus
with authority and commission from the
chief priests,
13 At midday, O king, I saw in the way
a light from heaven, above the brightness
of the sun, shining round about me and
them which journeyed with me.
14 And when we were all fallen to the
earth, I heard a voice speaking unto me,
and saying in the Hebrew tongue, Saul,
Saul, why persecutest thou me? *it is* hard
for thee to kick against the pricks.
15 And I said, Who art thou, Lord? And
he said, I am Jesus whom thou persecut-
est.
16 But rise, and stand upon thy feet: for
I have appeared unto thee for this pur-
pose, to make thee a minister and a wit-
ness both of these things which thou hast
seen, and of those things in the which I
will appear unto thee;
17 Delivering thee from the people, and
from the Gentiles, unto whom now I send
thee,
18 To open their eyes, *and* to turn *them*
from darkness to light, and *from* the
power of Satan unto God, that they may
receive forgiveness of sins, and inherit-
ance among them which are sanctified by
faith that is in me.
19 Whereupon, O king A-grip'pa, I was
not disobedient unto the heavenly vision:
20 But shewed first unto them of Da-
mascus, and at Jerusalem, and through-
out all the coasts of Judæa, and *then* to
the Gentiles, that they should repent and
turn to God, and do works meet for re-
pentance.
21 For these causes the Jews caught
me in the temple, and went about to kill
me.
22 Having therefore obtained help of
God, I continue unto this day, witnessing
both to small and great, saying none oth-
er things than those which the prophets
and Moses did say should come:
23 That Christ should suffer, *and* that
he should be the first that should rise
from the dead, and should shew light
unto the people, and to the Gentiles.
24 And as he thus spake for himself,
Fes'tus said with a loud voice, Paul, thou
art beside thyself; much learning doth
make thee mad.
25 But he said, I am not mad, most

simo Festo, sino que hablo palabras de verdad y de cordura.

26 Pues el rey sabe estas cosas, delante de quien también hablo con toda confianza. Porque no pienso que ignora nada de esto; pues no se ha hecho esto en algún rincón.

27 ¿Crees, oh rey Agripa, a los profetas? Yo sé que crees.

28 Entonces Agripa dijo a Pablo: Por poco me persuades a ser cristiano.

29 Y Pablo dijo: ¡Quisiera Dios que por poco o por mucho, no solamente tú, sino tambíen todos los que hoy me oyen, fueseis hechos tales cual yo soy, excepto estas cadenas!

30 Cuando había dicho estas cosas, se levantó el rey, y el gobernador, y Berenice, y los que se habían sentado con ellos;

31 y cuando se retiraron aparte, hablaban entre sí, diciendo: Ninguna cosa digna ni de muerte ni de prisión ha hecho este hombre.

32 Y Agripa dijo a Festo: Podía este hombre ser puesto en libertad, si no hubiera apelado a César.

CAPÍTULO 27

CUANDO se decidió que habíamos de navegar para Italia, entregaron a Pablo y a algunos otros presos a un centurión llamado Julio, de la compañía Augusta.

2 Y embarcándonos en una nave adramitena que iba a tocar los puertos de Asia, zarpamos, estando con nosotros Aristarco, macedonio de Tesalónica.

3 Al otro día llegamos a Sidón; y Julio, tratando humanamente a Pablo, le permitió que fuese a los amigos, para ser atendido por ellos.

4 Y haciéndonos a la vela desde allí, navegamos a sotavento de Chipre, porque los vientos eran contrarios.

5 Habiendo atravesado el mar frente a Cilicia y Panfilia, arribamos a Mira, ciudad de Licia.

6 Y hallando allí el centurión una nave alejandrina que zarpaba para Italia, nos embarcó en ella.

7 Navegando muchos días despacio, y llegando a duras penas frente a Gnido, porque nos impedía el viento, navegamos a sotavento de Creta, frente a Salmón.

8 Y costeándola con dificultad, llegamos a un lugar que llaman Buenos Puertos, cerca del cual estaba la ciudad de Lasea.

9 Y habiendo pasado mucho tiempo, y siendo ya peligrosa la navegación, por haber pasado ya el ayuno, Pablo les amonestaba,

noble Fes′tus; but speak forth the words of truth and soberness.

26 For the king knoweth of these things, before whom also I speak freely: for I am persuaded that none of these things are hidden from him; for this thing was not done in a corner.

27 King A-grip′pa, believest thou the prophets? I know that thou believest.

28 Then A-grip′pa said unto Paul, Almost thou persuadest me to be a Christian.

29 And Paul said, I would to God, that not only thou, but also all that hear me this day, were both almost, and altogether such as I am, except these bonds.

30 And when he had thus spoken, the king rose up, and the governor, and Bernice, and they that sat with them:

31 And when they were gone aside, they talked between themselves, saying, This man doeth nothing worthy of death or of bonds.

32 Then said A-grip′pa unto Fes′tus, This man might have been set at liberty, if he had not appealed unto Cæsar.

CHAPTER 27

AND when it was determined that we should sail into Italy, they delivered Paul and certain other prisoners unto *one* named Julius, a centurion of Augustus' band.

2 And entering into a ship of Ad-ra-myt′ti-um, we launched, meaning to sail by the coasts of Asia; *one* Ar-is-tar′chus, a Macedonian of Thes-sa-lo-ni′ca, being with us.

3 And the next *day* we touched at Si′-don. And Julius courteously entreated Paul, and gave *him* liberty to go unto his friends to refresh himself.

4 And when we had launched from thence, we sailed under Cyprus, because the winds were contrary.

5 And when we had sailed over the sea of Ci-li′ci-a and Pam-phyl′i-a, we came to My′ra, *a city* of Ly′ci-a.

6 And there the centurion found a ship of Alexandria sailing into Italy; and he put us therein.

7 And when we had sailed slowly many days, and scarce were come over against Cni′dus, the wind not suffering us, we sailed under Crete, over against Sal-mo′ne;

8 And, hardly passing it, came unto a place which is called The fair havens; nigh whereunto was the city *of* La-se′a.

9 Now when much time was spent, and when sailing was now dangerous, because the fast was now already past, Paul admonished *them*,

10 diciéndoles: Varones, veo que la navegación va a ser con perjuicio y mucha pérdida, no sólo del cargamento y de la nave, sino también de nuestras personas.

11 Pero el centurión daba más crédito al piloto y al patrón de la nave, que a lo que Pablo decía.

12 Y siendo incómodo el puerto para invernar, la mayoría acordó zarpar también de allí, por si pudiesen arribar a Fenice, puerto de Creta que mira al nordeste y sudeste, e invernar allí.

13 Y soplando una brisa del sur, pareciéndoles que ya tenían lo que deseaban, levaron anclas e iban costeando Creta.

14 Pero no mucho después dio contra la nave un viento huracanado llamado Euroclidón.

15 Y siendo arrebatada la nave, y no pudiendo poner proa al viento, nos abandonamos a él y nos dejamos llevar.

16 Y habiendo corrido a sotavento de una pequeña isla llamada Clauda, con dificultad pudimos recoger el esquife.

17 Y una vez subido a bordo, usaron de refuerzos para ceñir la nave; y teniendo temor de dar en la Sirte, arriaron las velas y quedaron a la deriva.

18 Pero siendo combatidos por una furiosa tempestad, al siguiente día empezaron a alijar,

19 y al tercer día con nuestras propias manos arrojamos los aparejos de la nave.

20 Y no apareciendo ni sol ni estrellas por muchos días, y acosados por una tempestad no pequeña, ya habíamos perdido toda esperanza de salvarnos.

21 Entonces Pablo, como hacía ya mucho que no comíamos, puesto en pie en medio de ellos, dijo: Habría sido por cierto conveniente, oh varones, haberme oído, y no zarpar de Creta tan sólo para recibir este perjuicio y pérdida.

22 Pero ahora os exhorto a tener buen ánimo, pues no habrá ninguna pérdida de vida entre vosotros, sino solamente de la nave.

23 Porque esta noche ha estado conmigo el ángel del Dios de quien soy y a quien sirvo,

24 diciendo: Pablo, no temas; es necesario que comparezcas ante César; y he aquí, Dios te ha concedido todos los que navegan contigo.

25 Por tanto, oh varones, tened buen ánimo; porque yo confío en Dios que será así como se me ha dicho.

26 Con todo, es necesario que demos en alguna isla.

27 Venida la decimacuarta noche, y siendo llevados a través del mar Adriáti-

10 And said unto them, Sirs, I perceive that this voyage will be with hurt and much damage, not only of the lading and ship, but also of our lives.

11 Nevertheless the centurion believed the master and the owner of the ship, more than those things which were spoken by Paul.

12 And because the haven was not commodious to winter in, the more part advised to depart thence also, if by any means they might attain to Phe-ni'ce, *and there* to winter; *which is* an haven of Crete, and lieth toward the south west and north west.

13 And when the south wind blew softly, supposing that they had obtained *their* purpose, loosing *thence*, they sailed close by Crete.

14 But not long after there arose against it a tempestuous wind, called Euroc'ly-don.

15 And when the ship was caught, and could not bear up into the wind, we let *her* drive.

16 And running under a certain island which is called Clau'da, we had much work to come by the boat:

17 Which when they had taken up, they used helps, undergirding the ship; and, fearing lest they should fall into the quicksands, strake sail, and so were driven.

18 And we being exceedingly tossed with a tempest, the next *day* they lightened the ship;

19 And the third *day* we cast out with our own hands the tackling of the ship.

20 And when neither sun nor stars in many days appeared, and no small tempest lay on *us*, all hope that we should be saved was then taken away.

21 But after long abstinence Paul stood forth in the midst of them, and said, Sirs, ye should have hearkened unto me, and not have loosed from Crete, and to have gained this harm and loss.

22 And now I exhort you to be of good cheer: for there shall be no loss of *any man's* life among you, but of the ship.

23 For there stood by me this night the angel of God, whose I am, and whom I serve,

24 Saying, Fear not, Paul; thou must be brought before Cæsar: and, lo, God hath given thee all them that sail with thee.

25 Wherefore, sirs, be of good cheer: for I believe God, that it shall be even as it was told me.

26 Howbeit we must be cast upon a certain island.

27 But when the fourteenth night was come, as we were driven up and down in

co, a la medianoche los marineros sospecharon que estaban cerca de tierra;

28 y echando la sonda, hallaron veinte brazas; y pasando un poco más adelante, volviendo a echar la sonda, hallaron quince brazas.

29 Y temiendo dar en escollos, echaron cuatro anclas por la popa, y ansiaban que se hiciese de día.

30 Entonces los marineros procuraron huir de la nave, y echando el esquife al mar, aparentaban como que querían largar las anclas de proa.

31 Pero Pablo dijo al centurión y a los soldados: Si éstos no permanecen en la nave, vosotros no podéis salvaros.

32 Entonces los soldados cortaron las amarras del esquife y lo dejaron perderse.

33 Cuando comenzó a amanecer, Pablo exhortaba a todos que comiesen, diciendo: Este es el decimocuarto día que veláis y permanecéis en ayunas, sin comer nada.

34 Por tanto, os ruego que comáis por vuestra salud; pues ni aun un cabello de la cabeza de ninguno de vosotros perecerá.

35 Y habiendo dicho esto, tomó el pan y dio gracias a Dios en presencia de todos, y partiéndolo, comenzó a comer.

36 Entonces todos, teniendo ya mejor ánimo, comieron también.

37 Y éramos todas las personas en la nave doscientas setenta y seis.

38 Y ya satisfechos, aligeraron la nave, echando el trigo al mar.

39 Cuando se hizo de día, no reconocían la tierra, pero veían una ensenada que tenía playa, en la cual acordaron varar, si pudiesen, la nave.

40 Cortando, pues, las anclas, las dejaron en el mar, largando también las amarras del timón; e izada al viento la vela de proa, enfilaron hacia la playa.

41 Pero dando en un lugar de dos aguas, hicieron encallar la nave; y la proa, hincada, quedó inmóvil, y la popa se abría con la violencia del mar.

42 Entonces los soldados acordaron matar a los presos, para que ninguno se fugase nadando.

43 Pero el centurión, queriendo salvar a Pablo, les impidió este intento, y mandó que los que pudiesen nadar se echasen los primeros, y saliesen a tierra;

A'dri-a, about midnight the shipmen deemed that they drew near to some country;

28 And sounded, and found *it* twenty fathoms: and when they had gone a little further, they sounded again, and found *it* fifteen fathoms.

29 Then fearing lest we should have fallen upon rocks, they cast four anchors out of the stern, and wished for the day.

30 And as the shipmen were about to flee out of the ship, when they had let down the boat into the sea, under colour as though they would have cast anchors out of the foreship,

31 Paul said to the centurion and to the soldiers, Except these abide in the ship, ye cannot be saved.

32 Then the soldiers cut off the ropes of the boat, and let her fall off.

33 And while the day was coming on, Paul besought *them* all to take meat, saying, This day is the fourteenth day that ye have tarried and continued fasting, having taken nothing.

34 Wherefore I pray you to take *some* meat: for this is for your health: for there shall not an hair fall from the head of any of you.

35 And when he had thus spoken, he took bread, and gave thanks to God in presence of them all: and when he had broken *it*, he began to eat.

36 Then were they all of good cheer, and they also took *some* meat.

37 And we were in all in the ship two hundred threescore and sixteen souls.

38 And when they had eaten enough, they lightened the ship, and cast out the wheat into the sea.

39 And when it was day, they knew not the land: but they discovered a certain creek with a shore, into the which they were minded, if it were possible, to thrust in the ship.

40 And when they had taken up the anchors, they committed *themselves* unto the sea, and loosed the rudder bands, and hoised up the mainsail to the wind, and made toward shore.

41 And falling into a place where two seas met, they ran the ship aground; and the forepart stuck fast, and remained unmoveable, but the hinder part was broken with the violence of the waves.

42 And the soldiers' counsel was to kill the prisoners, lest any of them should swim out, and escape.

43 But the centurion, willing to save Paul, kept them from *their* purpose; and commanded that they which could swim should cast *themselves* first *into the sea*, and get to land:

44 y los demás, parte en tablas, parte en cosas de la nave. Y así aconteció que todos se salvaron saliendo a tierra.

CAPÍTULO 28

ESTANDO ya a salvo, supimos que la isla se llamaba Malta.

2 Y los naturales nos trataron con no poca humanidad; porque encendiendo un fuego, nos recibieron a todos, a causa de la lluvia que caía, y del frío.

3 Entonces, habiendo recogido Pablo algunas ramas secas, las echó al fuego; y una víbora, huyendo del calor, se le prendió en la mano.

4 Cuando los naturales vieron la víbora colgando de su mano, se decían unos a otros: Ciertamente este hombre es homicida, a quien, escapado del mar, la justicia no deja vivir.

5 Pero él, sacudiendo la víbora en el fuego, ningún daño padeció.

6 Ellos estaban esperando que él se hinchase, o cayese muerto de repente; mas habiendo esperado mucho, y viendo que ningún mal le venía, cambiaron de parecer y dijeron que era un dios.

7 En aquellos lugares había propiedades del hombre principal de la isla, llamado Publio, quien nos recibió y hospedó solícitamente tres días.

8 Y aconteció que el padre de Publio estaba en cama, enfermo de fiebre y de disentería; y entró Pablo a verle, y después de haber orado, le impuso las manos, y le sanó.

9 Hecho esto, también los otros que en la isla tenían enfermedades, venían, y eran sanados;

10 los cuales también nos honraron con muchas atenciones; y cuando zarpamos nos cargaron de las cosas necesarias.

11 Pasados tres meses, nos hicimos a la vela en una nave alejandrina que había invernado en la isla, la cual tenía por enseña a Cástor y Pólux.

12 Y llegados a Siracusa, estuvimos allí tres días.

13 De allí, costeando alrededor, llegamos a Regio; y otro día después, soplando el viento sur, llegamos al segundo día a Puteoli,

14 donde habiendo hallado hermanos, nos rogaron que nos quedásemos con ellos siete días; y luego fuimos a Roma,

15 de donde, oyendo de nosotros los hermanos, salieron a recibirnos hasta el Foro de Apio y las Tres Tabernas; y al

44 And the rest, some on boards, and some on *broken pieces* of the ship. And so it came to pass, that they escaped all safe to land.

CHAPTER 28

AND when they were escaped, then they knew that the island was called Mel′i-ta.

2 And the barbarous people shewed us no little kindness: for they kindled a fire, and received us every one, because of the present rain, and because of the cold.

3 And when Paul had gathered a bundle of sticks, and laid *them* on the fire, there came a viper out of the heat, and fastened on his hand.

4 And when the barbarians saw the *venomous* beast hang on his hand, they said among themselves, No doubt this man is a murderer, whom, though he hath escaped the sea, yet vengeance suffereth not to live.

5 And he shook off the beast into the fire, and felt no harm.

6 Howbeit they looked when he should have swollen, or fallen down dead suddenly: but after they had looked a great while, and saw no harm come to him, they changed their minds, and said that he was a god.

7 In the same quarters were possessions of the chief man of the island, whose name was Publius; who received us, and lodged us three days courteously.

8 And it came to pass, that the father of Publius lay sick of a fever and of a bloody flux: to whom Paul entered in, and prayed, and laid his hands on him, and healed him.

9 So when this was done, others also, which had diseases in the island, came, and were healed:

10 Who also honoured us with many honours; and when we departed, they laded *us* with such things as were necessary.

11 And after three months we departed in a ship of Alexandria, which had wintered in the isle, whose sign was Castor and Pollux.

12 And landing at Syracuse, we tarried *there* three days.

13 And from thence we fetched a compass, and came to Rhe′gi-um: and after one day the south wind blew, and we came the next day to Pu-te′o-li:

14 Where we found brethren, and were desired to tarry with them seven days: and so we went toward Rome.

15 And from thence, when the brethren heard of us, they came to meet us as far as Ap′pi-i fo′rum, and The three taverns:

verlos, Pablo dio gracias a Dios y cobró aliento.

16 Cuando llegamos a Roma, el centurión entregó los presos al prefecto militar, pero a Pablo se le permitió vivir aparte, con un soldado que le custodiase.

17 Aconteció que tres días después, Pablo convocó a los principales de los judíos, a los cuales, luego que estuvieron reunidos, les dijo: Yo, varones hermanos, no habiendo hecho nada contra el pueblo, ni contra las costumbres de nuestros padres, he sido entregado preso desde Jerusalén en manos de los romanos;

18 los cuales, habiéndome examinado, me querían soltar, por no haber en mí ninguna causa de muerte.

19 Pero oponiéndose los judíos, me vi obligado a apelar a César; no porque tenga de qué acusar a mi nación.

20 Así que por esta causa os he llamado para veros y hablaros; porque por la esperanza de Israel estoy sujeto con esta cadena.

21 Entonces ellos le dijeron: Nosotros ni hemos recibido de Judea cartas acerca de ti, ni ha venido alguno de los hermanos que haya denunciado o hablado algún mal de ti.

22 Pero querríamos oir de ti lo que piensas; porque de esta secta nos es notorio que en todas partes se habla contra ella.

23 Y habiéndole señalado un día, vinieron a él muchos a la posada, a los cuales les declaraba y les testificaba el reino de Dios desde la mañana hasta la tarde, persuadiéndoles acerca de Jesús, tanto por la ley de Moisés como por los profetas.

24 Y algunos asentían a lo que se decía, pero otros no creían.

25 Y como no estuviesen de acuerdo entre sí, al retirarse, les dijo Pablo esta palabra: Bien habló el Espíritu Santo por medio del profeta Isaías a nuestros padres, diciendo:

26 Vé a este pueblo, y diles: De oído oiréis, y no entenderéis; y viendo veréis, y no percibiréis;

27 porque el corazón de este pueblo se ha engrosado, y con los oídos oyeron pesadamente, y sus ojos han cerrado, para que no vean con los ojos, y oigan con los oídos, y entiendan de corazón, y se conviertan, y yo los sane.

28 Sabed, pues, que a los gentiles es enviada esta salvación de Dios; y ellos oirán.

whom when Paul saw, he thanked God, and took courage.

16 And when we came to Rome, the centurion delivered the prisoners to the captain of the guard: but Paul was suffered to dwell by himself with a soldier that kept him.

17 And it came to pass, that after three days Paul called the chief of the Jews together: and when they were come together, he said unto them, Men *and* brethren, though I have committed nothing against the people, or customs of our fathers, yet was I delivered prisoner from Jerusalem into the hands of the Romans.

18 Who, when they had examined me, would have let *me* go, because there was no cause of death in me.

19 But when the Jews spake against *it*, I was constrained to appeal unto Cæsar; not that I had ought to accuse my nation of.

20 For this cause therefore have I called for you, to see *you*, and to speak with *you*: because that for the hope of Israel I am bound with this chain.

21 And they said unto him, We neither received letters out of Judæa concerning thee, neither any of the brethren that came shewed or spake any harm of thee.

22 But we desire to hear of thee what thou thinkest: for as concerning this sect, we know that every where it is spoken against.

23 And when they had appointed him a day, there came many to him into *his* lodging; to whom he expounded and testified the kingdom of God, persuading them concerning Jesus, both out of the law of Moses, and *out of* the prophets, from morning till evening.

24 And some believed the things which were spoken, and some believed not.

25 And when they agreed not among themselves, they departed, after that Paul had spoken one word, Well spake the Holy Ghost by E-sai′as the prophet unto our fathers,

26 Saying, Go unto this people, and say, Hearing ye shall hear, and shall not understand; and seeing ye shall see, and not perceive:

27 For the heart of this people is waxed gross, and their ears are dull of hearing, and their eyes have they closed; lest they should see with *their* eyes, and hear with *their* ears, and understand with *their* heart, and should be converted, and I should heal them.

28 Be it known therefore unto you, that the salvation of God is sent unto the Gentiles, and *that* they will hear it.

29 Y cuando hubo dicho esto, los judíos se fueron, teniendo gran discusión entre sí.
30 Y Pablo permaneció dos años enteros en una casa alquilada, y recibía a todos los que a él venían,
31 predicando el reino de Dios y enseñando acerca del Señor Jesucristo, abiertamente y sin impedimento.

29 And when he had said these words, the Jews departed, and had great reasoning among themselves.
30 And Paul dwelt two whole years in his own hired house, and received all that came in unto him,
31 Preaching the kingdom of God, and teaching those things which concern the Lord Jesus Christ, with all confidence, no man forbidding him.

LA EPÍSTOLA DEL APÓSTOL SAN PABLO A LOS

ROMANOS

CAPÍTULO 1

PABLO, siervo de Jesucristo, llamado a ser apóstol, apartado para el evangelio de Dios,
2 que él había prometido antes por sus profetas en las santas Escrituras,
3 acerca de su Hijo, nuestro Señor Jesucristo, que era del linaje de David según la carne,
4 que fue declarado Hijo de Dios con poder, según el Espíritu de santidad, por la resurrección de entre los muertos,
5 y por quien recibimos la gracia y el apostolado, para la obediencia a la fe en todas las naciones por amor de su nombre;
6 entre las cuales estáis también vosotros, llamados a ser de Jesucristo;
7 a todos los que estáis en Roma, amados de Dios, llamados a ser santos: Gracia y paz a vosotros, de Dios nuestro Padre y del Señor Jesucristo.
8 Primeramente doy gracias a mi Dios mediante Jesucristo con respecto a todos vosotros, de que vuestra fe se divulga por todo el mundo.
9 Porque testigo me es Dios, a quien sirvo en mi espíritu en el evangelio de su Hijo, de que sin cesar hago mención de vosotros siempre en mis oraciones,
10 rogando que de alguna manera tenga al fin, por la voluntad de Dios, un próspero viaje para ir a vosotros.
11 Porque deseo veros, para comunicaros algún don espiritual, a fin de que seáis confirmados;
12 esto es, para ser mutuamente confortados por la fe que nos es común a vosotros y a mí.
13 Pero no quiero, hermanos, que ignoréis que muchas veces me he propuesto ir a vosotros (pero hasta ahora he sido estorbado), para tener también entre

THE EPISTLE OF PAUL THE APOSTLE TO THE

ROMANS

CHAPTER 1

PAUL, a servant of Jesus Christ, called *to be* an apostle, separated unto the gospel of God,
2 (Which he had promised afore by his prophets in the holy scriptures,)
3 Concerning his Son Jesus Christ our Lord, which was made of the seed of David according to the flesh;
4 And declared *to be* the Son of God with power, according to the spirit of holiness, by the resurrection from the dead:
5 By whom we have received grace and apostleship, for obedience to the faith among all nations, for his name:
6 Among whom are ye also the called of Jesus Christ:
7 To all that be in Rome, beloved of God, called *to be* saints: Grace to you and peace from God our Father, and the Lord Jesus Christ.
8 First, I thank my God through Jesus Christ for you all, that your faith is spoken of throughout the whole world.
9 For God is my witness, whom I serve with my spirit in the gospel of his Son, that without ceasing I make mention of you always in my prayers;
10 Making request, if by any means now at length I might have a prosperous journey by the will of God to come unto you.
11 For I long to see you, that I may impart unto you some spiritual gift, to the end ye may be established;
12 That is, that I may be comforted together with you by the mutual faith both of you and me.
13 Now I would not have you ignorant, brethren, that oftentimes I purposed to come unto you, (but was let hitherto,)

vosotros algún fruto, como entre los demás gentiles.
14 A griegos y a no griegos, a sabios y a no sabios soy deudor.
15 Así que, en cuanto a mí, pronto estoy a anunciaros el evangelio también a vosotros que estáis en Roma.
16 Porque no me avergüenzo del evangelio, porque es poder de Dios para salvación a todo aquel que cree; al judío primeramente, y también al griego.
17 Porque en el evangelio la justicia de Dios se revela por fe y para fe, como está escrito: Mas el justo por la fe vivirá.
18 Porque la ira de Dios se revela desde el cielo contra toda impiedad e injusticia de los hombres que detienen con injusticia la verdad;
19 porque lo que de Dios se conoce les es manifiesto, pues Dios se lo manifestó.
20 Porque las cosas invisibles de él, su eterno poder y deidad, se hacen claramente visibles desde la creación del mundo, siendo entendidas por medio de las cosas hechas, de modo que no tienen excusa.
21 Pues habiendo conocido a Dios, no le glorificaron como a Dios, ni le dieron gracias, sino que se envanecieron en sus razonamientos, y su necio corazón fue entenebrecido.
22 Profesando ser sabios, se hicieron necios,
23 y cambiaron la gloria del Dios incorruptible en semejanza de imagen de hombre corruptible, de aves, de cuadrúpedos y de reptiles.
24 Por lo cual también Dios los entregó a la inmundicia, en las concupiscencias de sus corazones, de modo que deshonraron entre sí sus propios cuerpos,
25 ya que cambiaron la verdad de Dios por la mentira, honrando y dando culto a las criaturas antes que al Creador, el cual es bendito por los siglos. Amén.
26 Por esto Dios los entregó a pasiones vergonzosas; pues aun sus mujeres cambiaron el uso natural por el que es contra naturaleza,
27 y de igual modo también los hombres, dejando el uso natural de la mujer, se encendieron en su lascivia unos con otros, cometiendo hechos vergonzosos hombres con hombres, y recibiendo en sí mismos la retribución debida a su extravío.
28 Y como ellos no aprobaron tener en cuenta a Dios, Dios los entregó a una mente reprobada, para hacer cosas que no convienen;
29 estando atestados de toda injusticia, fornicación, perversidad, avaricia, mal-

that I might have some fruit among you also, even as among other Gentiles.
14 I am debtor both to the Greeks, and to the Barbarians; both to the wise, and to the unwise.
15 So, as much as in me is, I am ready to preach the gospel to you that are at Rome also.
16 For I am not ashamed of the gospel of Christ: for it is the power of God unto salvation to every one that believeth; to the Jew first, and also to the Greek.
17 For therein is the righteousness of God revealed from faith to faith: as it is written, The just shall live by faith.
18 For the wrath of God is revealed from heaven against all ungodliness and unrighteousness of men, who hold the truth in unrighteousness;
19 Because that which may be known of God is manifest in them; for God hath shewed *it* unto them.
20 For the invisible things of him from the creation of the world are clearly seen, being understood by the things that are made, *even* his eternal power and Godhead; so that they are without excuse:
21 Because that, when they knew God, they glorified *him* not as God, neither were thankful; but became vain in their imaginations, and their foolish heart was darkened.
22 Professing themselves to be wise, they became fools,
23 And changed the glory of the uncorruptible God into an image made like to corruptible man, and to birds, and fourfooted beasts, and creeping things.
24 Wherefore God also gave them up to uncleanness through the lusts of their own hearts, to dishonour their own bodies between themselves:
25 Who changed the truth of God into a lie, and worshipped and served the creature more than the Creator, who is blessed for ever. Amen.
26 For this cause God gave them up unto vile affections: for even their women did change the natural use into that which is against nature:
27 And likewise also the men, leaving the natural use of the woman, burned in their lust one toward another; men with men working that which is unseemly, and receiving in themselves that recompence of their error which was meet.
28 And even as they did not like to retain God in *their* knowledge, God gave them over to a reprobate mind, to do those things which are not convenient;
29 Being filled with all unrighteousness, fornication, wickedness, covetous-

dad; llenos de envidia, homicidios, contiendas, engaños y malignidades;

30 murmuradores, detractores, aborrecedores de Dios, injuriosos, soberbios, altivos, inventores de males, desobedientes a los padres,

31 necios, desleales, sin afecto natural, implacables, sin misericordia;

32 quienes habiendo entendido el juicio de Dios, que los que practican tales cosas son dignos de muerte, no sólo las hacen, sino que también se complacen con los que las practican.

CAPÍTULO 2

POR lo cual eres inexcusable, oh hombre, quienquiera que seas tú que juzgas; pues en lo que juzgas a otro, te condenas a ti mismo; porque tú que juzgas haces lo mismo.

2 Mas sabemos que el juicio de Dios contra los que practican tales cosas es según verdad.

3 ¿Y piensas esto, oh hombre, tú que juzgas a los que tal hacen, y haces lo mismo, que tú escaparás del juicio de Dios?

4 ¿O menosprecias las riquezas de su benignidad, paciencia y longanimidad, ignorando que su benignidad te guía al arrepentimiento?

5 Pero por tu dureza y por tu corazón no arrepentido, atesoras para ti mismo ira para el día de la ira y de la revelación del justo juicio de Dios,

6 el cual pagará a cada uno conforme a sus obras:

7 vida eterna a los que, perseverando en bien hacer, buscan gloria y honra e inmortalidad,

8 pero ira y enojo a los que son contenciosos y no obedecen a la verdad, sino que obedecen a la injusticia;

9 tribulación y angustia sobre todo ser humano que hace lo malo, el judío primeramente y también el griego,

10 pero gloria y honra y paz a todo el que hace lo bueno, al judío primeramente y también al griego;

11 porque no hay acepción de personas para con Dios.

12 Porque todos los que sin ley han pecado, sin ley también perecerán; y todos los que bajo la ley han pecado, por la ley serán juzgados;

13 porque no son los oidores de la ley los justos ante Dios, sino los hacedores de la ley serán justificados.

14 Porque cuando los gentiles que no tienen ley, hacen por naturaleza lo que es de la ley, éstos, aunque no tengan ley, son ley para sí mismos,

15 mostrando la obra de la ley escrita en sus corazones, dando testimonio su

ness, maliciousness; full of envy, murder, debate, deceit, malignity; whisperers,

30 Backbiters, haters of God, despiteful, proud, boasters, inventors of evil things, disobedient to parents,

31 Without understanding, covenantbreakers, without natural affection, implacable, unmerciful:

32 Who knowing the judgment of God, that they which commit such things are worthy of death, not only do the same, but have pleasure in them that do them.

CHAPTER 2

THEREFORE thou art inexcusable, O man, whosoever thou art that judgest: for wherein thou judgest another, thou condemnest thyself; for thou that judgest doest the same things.

2 But we are sure that the judgment of God is according to truth against them which commit such things.

3 And thinkest thou this, O man, that judgest them which do such things, and doest the same, that thou shalt escape the judgment of God?

4 Or despisest thou the riches of his goodness and forbearance and longsuffering; not knowing that the goodness of God leadeth thee to repentance?

5 But after thy hardness and impenitent heart treasurest up unto thyself wrath against the day of wrath and revelation of the righteous judgment of God;

6 Who will render to every man according to his deeds:

7 To them who by patient continuance in well doing seek for glory and honour and immortality, eternal life:

8 But unto them that are contentious, and do not obey the truth, but obey unrighteousness, indignation and wrath,

9 Tribulation and anguish, upon every soul of man that doeth evil, of the Jew first, and also of the Gentile;

10 But glory, honour, and peace, to every man that worketh good, to the Jew first, and also to the Gentile:

11 For there is no respect of persons with God.

12 For as many as have sinned without law shall also perish without law: and as many as have sinned in the law shall be judged by the law;

13 (For not the hearers of the law *are* just before God, but the doers of the law shall be justified.

14 For when the Gentiles, which have not the law, do by nature the things contained in the law, these, having not the law, are a law unto themselves:

15 Which shew the work of the law written in their hearts, their conscience

conciencia, y acusándoles o defendiéndoles sus razonamientos,

16 en el día en que Dios juzgará por Jesucristo los secretos de los hombres, conforme a mi evangelio.

17 He aquí, tú tienes el sobrenombre de judío, y te apoyas en la ley, y te glorías en Dios,

18 y conoces su voluntad, e instruido por la ley apruebas lo mejor,

19 y confías en que eres guía de los ciegos, luz de los que están en tinieblas,

20 instructor de los indoctos, maestro de niños, que tienes en la ley la forma de la ciencia y de la verdad.

21 Tú, pues, que enseñas a otro, ¿no te enseñas a ti mismo? Tú que predicas que no se ha de hurtar, ¿hurtas?

22 Tú que dices que no se ha de adulterar, ¿adulteras? Tú que abominas de los ídolos, ¿cometes sacrilegio?

23 Tú que te jactas de la ley, ¿con infracción de la ley deshonras a Dios?

24 Porque como está escrito, el nombre de Dios es blasfemado entre los gentiles por causa de vosotros.

25 Pues en verdad la circuncisión aprovecha, si guardas la ley; pero si eres transgresor de la ley, tu circuncisión viene a ser incircuncisión.

26 Si, pues, el incircunciso guardare las ordenanzas de la ley, ¿no será tenida su incircuncisión como circuncisión?

27 Y el que físicamente es incircunciso, pero guarda perfectamente la ley, te condenará a ti, que con la letra de la ley y con la circuncisión eres transgresor de la ley.

28 Pues no es judío el que lo es exteriormente, ni es la circuncisión la que se hace exteriormente en la carne;

29 sino que es judío el que lo es en lo interior, y la circuncisión es la del corazón, en espíritu, no en letra; la alabanza del cual no viene de los hombres, sino de Dios.

CAPÍTULO 3

¿QUÉ ventaja tiene, pues, el judío? ¿o de qué aprovecha la circuncisión?

2 Mucho, en todas maneras. Primero, ciertamente, que les ha sido confiada la palabra de Dios.

3 ¿Pues qué, si algunos de ellos han sido incrédulos? ¿Su incredulidad habrá hecho nula la fidelidad de Dios?

4 De ninguna manera; antes bien sea Dios veraz, y todo hombre mentiroso;

also bearing witness, and *their* thoughts the mean while accusing or else excusing one another;)

16 In the day when God shall judge the secrets of men by Jesus Christ according to my gospel.

17 Behold, thou art called a Jew, and restest in the law, and makest thy boast of God,

18 And knowest *his* will, and approvest the things that are more excellent, being instructed out of the law;

19 And art confident that thou thyself art a guide of the blind, a light of them which are in darkness,

20 An instructor of the foolish, a teacher of babes, which hast the form of knowledge and of the truth in the law.

21 Thou therefore which teachest another, teachest thou not thyself? thou that preachest a man should not steal, dost thou steal?

22 Thou that sayest a man should not commit adultery, dost thou commit adultery? thou that abhorrest idols, dost thou commit sacrilege?

23 Thou that makest thy boast of the law, through breaking the law dishonourest thou God?

24 For the name of God is blasphemed among the Gentiles through you, as it is written.

25 For circumcision verily profiteth, if thou keep the law: but if thou be a breaker of the law, thy circumcision is made uncircumcision.

26 Therefore if the uncircumcision keep the righteousness of the law, shall not his uncircumcision be counted for circumcision?

27 And shall not uncircumcision which is by nature, if it fulfil the law, judge thee, who by the letter and circumcision dost transgress the law?

28 For he is not a Jew, which is one outwardly; neither *is that* circumcision, which is outward in the flesh:

29 But he *is* a Jew, which is one inwardly; and circumcision *is that* of the heart, in the spirit, *and* not in the letter; whose praise *is* not of men, but of God.

CHAPTER 3

WHAT advantage then hath the Jew? or what profit *is there* of circumcision?

2 Much every way: chiefly, because that unto them were committed the oracles of God.

3 For what if some did not believe? shall their unbelief make the faith of God without effect?

4 God forbid: yea, let God be true, but every man a liar; as it is written, That

como está escrito: Para que seas justificado en tus palabras, y venzas cuando fueres juzgado.
5 Y si nuestra injusticia hace resaltar la justicia de Dios, ¿qué diremos? ¿Será injusto Dios que da castigo? (Hablo como hombre.)
6 En ninguna manera; de otro modo, ¿cómo juzgaría Dios al mundo?
7 Pero si por mi mentira la verdad de Dios abundó para su gloria, ¿por qué aún soy juzgado como pecador?
8 ¿Y por qué no decir (como se nos calumnia, y como algunos, cuya condenación es justa, afirman que nosotros decimos): Hagamos males para que vengan bienes?
9 ¿Qué, pues? ¿Somos *nosotros mejores* que ellos? En ninguna manera; pues ya hemos acusado a judíos y a gentiles, que todos están bajo pecado.
10 Como está escrito: No hay justo, ni aun uno;
11 no hay quien entienda, no hay quien busque a Dios.
12 Todos se desviaron, a una se hicieron inútiles; no hay quien haga lo bueno, no hay ni siquiera uno.
13 Sepulcro abierto es su garganta; con su lengua engañan. Veneno de áspides hay debajo de sus labios;
14 su boca está llena de maldición y de amargura.
15 Sus pies se apresuran para derramar sangre;
16 quebranto y desventura hay en sus caminos;
17 y no conocieron camino de paz.
18 No hay temor de Dios delante de sus ojos.
19 Pero sabemos que todo lo que la ley dice, lo dice a los que están bajo la ley, para que toda boca se cierre y todo el mundo quede bajo el juicio de Dios;
20 ya que por las obras de la ley ningún ser humano será justificado delante de él; porque por medio de la ley es el conocimiento del pecado.
21 Pero ahora, aparte de la ley, se ha manifestado la justicia de Dios, testificada por la ley y por los profetas;
22 la justicia de Dios por medio de la fe en Jesucristo, para todos los que creen en él. Porque no hay diferencia,
23 por cuanto todos pecaron, y están destituidos de la gloria de Dios,
24 siendo justificados gratuitamente por su gracia, mediante la redención que es en Cristo Jesús,
25 a quien Dios puso como propiciación por medio de la fe en su sangre, para manifestar su justicia, a causa de haber pa-

thou mightest be justified in thy sayings, and mightest overcome when thou art judged.
5 But if our unrighteousness commend the righteousness of God, what shall we say? *Is* God unrighteous who taketh vengeance? (I speak as a man)
6 God *forbid*: for then how shall God judge the world?
7 For if the truth of God hath more abounded through my lie unto his glory; why yet am I also judged as a sinner?
8 And not *rather*, (as we be slanderously reported, and as some affirm that we say,) Let us do evil, that good may come? whose damnation is just.
9 What then? are we better *than they?* No, in no wise: for we have before proved both Jews and Gentiles, that they are all under sin;
10 As it is written, There is none righteous, no, not one:
11 There is none that understandeth, there is none that seeketh after God.
12 They are all gone out of the way, they are together become unprofitable; there is none that doeth good, no, not one.
13 *Their throat is an open* sepulchre; with their tongues they have used deceit; the poison of asps *is* under their lips:
14 Whose mouth *is* full of cursing and bitterness:
15 Their feet *are* swift to shed blood:
16 Destruction and misery *are* in their ways:
17 And the way of peace have they not known:
18 There is no fear of God before their eyes.
19 Now we know that what things soever the law saith, it saith to them who are under the law: that every mouth may be stopped, and all the world may become guilty before God.
20 Therefore by the deeds of the law there shall no flesh be justified in his sight: for by the law *is* the knowledge of sin.
21 But *now the* righteousness of God without the law is manifested, being witnessed by the law and the prophets;
22 Even the righteousness of God *which is* by faith of Jesus Christ unto all and upon all them that believe: for there is no difference:
23 For all have sinned, and come short of the glory of God;
24 Being justified freely by his grace through the redemption that is in Christ Jesus:
25 Whom God hath set forth *to be* a propitiation through faith in his blood, to declare his righteousness for the remis-

sado por alto, en su paciencia, los pecados pasados,

26 con la mira de manifestar en este tiempo su justicia, a fin de que él sea el justo, y el que justifica al que es de la fe de Jesús.

27 ¿Dónde, pues, está la jactancia? Queda excluida. ¿Por cuál ley? ¿Por la de las obras? No, sino por la ley de la fe.

28 Concluimos, pues, que el hombre es justificado por fe sin las obras de la ley.

29 ¿Es Dios solamente Dios de los judíos? ¿No es también Dios de los gentiles? Ciertamente, también de los gentiles.

30 Porque Dios es uno, y él justificará por la fe a los de la circuncisión, y por medio de la fe a los de la incircuncisión.

31 ¿Luego por la fe invalidamos la ley? En ninguna manera, sino que confirmamos la ley.

CAPÍTULO 4

¿QUÉ, pues, diremos que halló Abraham, nuestro padre según la carne?

2 Porque si Abraham fue justificado por las obras, tiene de qué gloriarse, pero no para con Dios.

3 Porque ¿qué dice la Escritura? Creyó Abraham a Dios, y le fue contado por justicia.

4 Pero al que obra, no se le cuenta el salario como gracia, sino como deuda;

5 mas al que no obra, sino cree en aquel que justifica al impío, su fe le es contada por justicia.

6 Como también David habla de la bienaventuranza del hombre a quien Dios atribuye justicia sin obras,

7 diciendo: Bienaventurados aquellos cuyas iniquidades son perdonadas, y cuyos pecados son cubiertos.

8 Bienaventurado el varón a quien el Señor no inculpa de pecado.

9 ¿Es, pues, esta bienaventuranza solamente para los de la circuncisión, o también para los de la incircuncisión? Porque decimos que a Abraham le fue contada la fe por justicia.

10 ¿Cómo, pues, le fue contada? ¿Estando en la circuncisión, o en la incircuncisión? No en la circuncisión, sino en la incircuncisión.

11 Y recibió la circuncisión como señal, como sello de la justicia de la fe que tuvo estando aún incircunciso; para que fuese padre de todos los creyentes no circuncidados, a fin de que también a ellos la fe les sea contada por justicia;

12 y padre de la circuncisión, para los que no solamente son de la circuncisión, sino que también siguen las pisadas de la

sion of sins that are past, through the forbearance of God;

26 To declare, *I say*, at this time his righteousness: that he might be just, and the justifier of him which believeth in Jesus.

27 Where *is* boasting then? It is excluded. By what law? of works? Nay: but by the law of faith.

28 Therefore we conclude that a man is justified by faith without the deeds of the law.

29 *Is he* the God of the Jews only? *is he* not also of the Gentiles? Yes, of the Gentiles also:

30 Seeing *it is* one God, which shall justify the circumcision by faith, and uncircumcision through faith.

31 Do we then make void the law through faith? God forbid: yea, we establish the law.

CHAPTER 4

WHAT shall we say then that Abraham our father, as pertaining to the flesh, hath found?

2 For if Abraham were justified by works, he hath *whereof* to glory; but not before God.

3 For what saith the scripture? Abraham believed God, and it was counted unto him for righteousness.

4 Now to him that worketh is the reward not reckoned of grace, but of debt.

5 But to him that worketh not, but believeth on him that justifieth the ungodly, his faith is counted for righteousness.

6 Even as David also describeth the blessedness of the man, unto whom God imputeth righteousness without works,

7 *Saying*, Blessed *are* they whose iniquities are forgiven, and whose sins are covered.

8 Blessed *is* the man to whom the Lord will not impute sin.

9 *Cometh* this blessedness then upon the circumcision *only*, or upon the uncircumcision also? for we say that faith was reckoned to Abraham for righteousness.

10 How was it then reckoned? when he was in circumcision, or in uncircumcision? Not in circumcision, but in uncircumcision.

11 And he received the sign of circumcision, a seal of the righteousness of the faith which *he had yet* being uncircumcised: that he might be the father of all them that believe, though they be not circumcised; that righteousness might be imputed unto them also:

12 And the father of circumcision to them who are not of the circumcision only, but who also walk in the steps of

fe que tuvo nuestro padre Abraham antes de ser circuncidado.

13 Porque no por la ley fue dada a Abraham o a su descendencia la promesa de que sería heredero del mundo, sino por la justicia de la fe.

14 Porque si los que son de la ley son los herederos, vana resulta la fe, y anulada la promesa.

15 Pues la ley produce ira; pero donde no hay ley, tampoco hay transgresión.

16 Por tanto, es por fe, para que sea por gracia, a fin de que la promesa sea firme para toda su descendencia; no solamente para la que es de la ley, sino también para la que es de la fe de Abraham, el cual es padre de todos nosotros

17 (como está escrito: Te he puesto por padre de muchas gentes) delante de Dios, a quien creyó, el cual da vida a los muertos, y llama las cosas que no son, como si fuesen.

18 El creyó en esperanza contra esperanza, para llegar a ser padre de muchas gentes, conforme a lo que se le había dicho: Así será tu descendencia.

19 Y no se debilitó en la fe al considerar su cuerpo, que estaba ya como muerto (siendo de casi cien años), o la esterilidad de la matriz de Sara.

20 Tampoco dudó, por incredulidad, de la promesa de Dios, sino que se fortaleció en fe, dando gloria a Dios,

21 plenamente convencido de que era también poderoso para hacer todo lo que había prometido;

22 por lo cual también su fe le fue contada por justicia.

23 Y no solamente con respecto a él se escribió que le fue contada,

24 sino también con respecto a nosotros a quienes ha de ser contada, esto es, a los que creemos en el que levantó de los muertos a Jesús, Señor nuestro,

25 el cual fue entregado por nuestras transgresiones, y resucitado para nuestra justificación.

CAPÍTULO 5

JUSTIFICADOS, pues, por la fe, tenemos paz para con Dios por medio de nuestro Señor Jesucristo;

2 por quien también tenemos entrada por la fe a esta gracia en la cual estamos firmes, y nos gloriamos en la esperanza de la gloria de Dios.

3 Y no sólo esto, sino que también nos gloriamos en las tribulaciones, sabiendo que la tribulación produce paciencia;

4 y la paciencia, prueba; y la prueba, esperanza;

5 y la esperanza no avergüenza; porque el amor de Dios ha sido derramado en

that faith of our father Abraham, which *he had* being *yet* uncircumcised.

13 For the promise, that he should be the heir of the world, *was* not to Abraham, or to his seed, through the law, but through the righteousness of faith.

14 For if they which are of the law *be* heirs, faith is made void, and the promise made of none effect:

15 Because the law worketh wrath: for where no law is, *there is* no transgression.

16 Therefore *it is* of faith, that *it might be* by grace; to the end the promise might be sure to all the seed; not to that only which is of the law, but to that also which is of the faith of Abraham; who is the father of us all,

17 (As it is written, I have made thee a father of many nations,) before him whom he believed, *even* God, who quickeneth the dead, and calleth those things which be not as though they were.

18 Who against hope believed in hope, that he might become the father of many nations, according to that which was spoken, So shall thy seed be.

19 And being not weak in faith, he considered not his own body now dead, when he was about an hundred years old, neither yet the deadness of Sarah's womb:

20 He staggered not at the promise of God through unbelief; but was strong in faith, giving glory to God;

21 And being fully persuaded that, what he had promised, he was able also to perform.

22 And therefore it was imputed to him for righteousness.

23 Now it was not written for his sake alone, that it was imputed to him;

24 But for us also, to whom it shall be imputed, if we believe on him that raised up Jesus our Lord from the dead;

25 Who was delivered for our offences, and was raised again for our justification.

CHAPTER 5

THEREFORE being justified by faith, we have peace with God through our Lord Jesus Christ:

2 By whom also we have access by faith into this grace wherein we stand, and rejoice in hope of the glory of God.

3 And not only *so*, but we glory in tribulations also: knowing that tribulation worketh patience;

4 And patience, experience; and experience, hope:

5 And hope maketh not ashamed; because the love of God is shed abroad in

nuestros corazones por el Espíritu Santo que nos fue dado.

6 Porque Cristo, cuando aún éramos débiles, a su tiempo murió por los impíos.

7 Ciertamente, apenas morirá alguno por un justo; con todo, pudiera ser que alguno osara morir por el bueno.

8 Mas Dios muestra su amor para con nosotros, en que siendo aún pecadores, Cristo murió por nosotros.

9 Pues mucho más, estando ya justificados en su sangre, por él seremos salvos de la ira.

10 Porque si siendo enemigos, fuimos reconciliados con Dios por la muerte de su Hijo, mucho más, estando reconciliados, seremos salvos por su vida.

11 Y no sólo esto, sino que también nos gloriamos en Dios por el Señor nuestro Jesucristo, por quien hemos recibido ahora la reconciliación.

12 Por tanto, como el pecado entró en el mundo por un hombre, y por el pecado la muerte, así la muerte pasó a todos los hombres, por cuanto todos pecaron.

13 Pues antes de la ley, había pecado en el mundo; pero donde no hay ley, no se inculpa de pecado.

14 No obstante, reinó la muerte desde Adán hasta Moisés, aun en los que no pecaron a la manera de la transgresión de Adán, el cual es figura del que había de venir.

15 Pero el don no fue como la transgresión; porque si por la transgresión de aquel uno murieron los muchos, abundaron mucho más para los muchos la gracia y el don de Dios por la gracia de un hombre, Jesucristo.

16 Y con el don no sucede como en el caso de aquel uno que pecó; porque ciertamente el juicio vino a causa de un solo pecado para condenación, pero el don vino a causa de muchas transgresiones para justificación.

17 Pues si por la transgresión de uno solo reinó la muerte, mucho más reinarán en vida por uno solo, Jesucristo, los que reciben la abundancia de la gracia y del don de la justicia.

18 Así que, como por la transgresión de uno vino la condenación a todos los hombres, de la misma manera por la justicia de uno vino a todos los hombres la justificación de vida.

19 Porque así como por la desobediencia de un hombre los muchos fueron constituidos pecadores, así también por la obediencia de uno, los muchos serán constituidos justos.

20 Pero la ley se introdujo para que el pecado abundase; mas cuando el pecado abundó, sobreabundó la gracia;

our hearts by the Holy Ghost which is given unto us.

6 For when we were yet without strength, in due time Christ died for the ungodly.

7 For scarcely for a righteous man will one die: yet peradventure for a good man some would even dare to die.

8 But God commendeth his love toward us, in that, while we were yet sinners, Christ died for us.

9 Much more then, being now justified by his blood, we shall be saved from wrath through him.

10 For if, when we were enemies, we were reconciled to God by the death of his Son, much more, being reconciled, we shall be saved by his life.

11 And not only so, but we also joy in God through our Lord Jesus Christ, by whom we have now received the atonement.

12 Wherefore, as by one man sin entered into the world, and death by sin; and so death passed upon all men, for that all have sinned:

13 (For until the law sin was in the world: but sin is not imputed when there is no law.

14 Nevertheless death reigned from Adam to Moses, even over them that had not sinned after the similitude of Adam's transgression, who is the figure of him that was to come.

15 But not as the offence, so also *is* the free gift. For if through the offence of one many be dead, much more the grace of God, and the gift by grace, *which is* by one man, Jesus Christ, hath abounded unto many.

16 And not as *it was* by one that sinned, *so is* the gift: for the judgment *was* by one to condemnation, but the free gift *is* of many offences unto justification.

17 For if by one man's offence death reigned by one; much more they which receive abundance of grace and of the gift of righteousness shall reign in life by one, Jesus Christ.)

18 Therefore as by the offence of one *judgment came* upon all men to condemnation; even so by the righteousness of one *the free gift came* upon all men unto justification of life.

19 For as by one man's disobedience many were made sinners, so by the obedience of one shall many be made righteous.

20 Moreover the law entered, that the offence might abound. But where sin abounded, grace did much more abound:

21 para que así como el pecado reinó para muerte, así también la gracia reine por la justicia para vida eterna mediante Jesucristo, Señor nuestro.

CAPÍTULO 6

¿QUÉ, pues, diremos? ¿Perseveraremos en el pecado para que la gracia abunde?
2 En ninguna manera. Porque los que hemos muerto al pecado, ¿cómo viviremos aún en él?
3 ¿O no sabéis que todos los que hemos sido bautizados en Cristo Jesús, hemos sido bautizados en su muerte?
4 Porque somos sepultados juntamente con él para muerte por el bautismo, a fin de que como Cristo resucitó de los muertos por la gloria del Padre, así también nosotros andemos en vida nueva.
5 Porque si fuimos plantados juntamente con él en la semejanza de su muerte, así también lo seremos en la de su resurrección;
6 sabiendo esto, que nuestro viejo hombre fue crucificado juntamente con él, para que el cuerpo del pecado sea destruido, a fin de que no sirvamos más al pecado.
7 Porque el que ha muerto, ha sido justificado del pecado.
8 Y si morimos con Cristo, creemos que también viviremos con él;
9 sabiendo que Cristo, habiendo resucitado de los muertos, ya no muere; la muerte no se enseñorea más de él.
10 Porque en cuanto murió, al pecado murió una vez por todas; mas en cuanto vive, para Dios vive.
11 Así también vosotros consideraos muertos al pecado, pero vivos para Dios en Cristo Jesús, Señor nuestro.
12 No reine, pues, el pecado en vuestro cuerpo mortal, de modo que lo obedezcáis en sus concupiscencias;
13 ni tampoco presentéis vuestros miembros al pecado como instrumentos de iniquidad, sino presentaos vosotros mismos a Dios como vivos de entre los muertos, y vuestros miembros a Dios como instrumentos de justicia.
14 Porque el pecado no se enseñoreará de vosotros; pues no estáis bajo la ley, sino bajo la gracia.
15 ¿Qué, pues? ¿Pecaremos, porque no estamos bajo la ley, sino bajo la gracia? En ninguna manera.
16 ¿No sabéis que si os sometéis a alguien como esclavos para obedecerle, sois esclavos de aquel a quien obedecéis, sea del pecado para muerte, o sea de la obediencia para justicia?
17 Pero gracias a Dios, que aunque

21 That as sin hath reigned unto death, even so might grace reign through righteousness unto eternal life by Jesus Christ our Lord.

CHAPTER 6

WHAT shall we say then? Shall we continue in sin, that grace may abound?
2 God forbid. How shall we, that are dead to sin, live any longer therein?
3 Know ye not, that so many of us as were baptized into Jesus Christ were baptized into his death?
4 Therefore we are buried with him by baptism into death: that like as Christ was raised up from the dead by the glory of the Father, even so we also should walk in newness of life.
5 For if we have been planted together in the likeness of his death, we shall be also *in the likeness* of *his* resurrection:
6 Knowing this, that our old man is crucified with *him*, that the body of sin might be destroyed, that henceforth we should not serve sin.
7 For he that is dead is freed from sin.
8 Now if we be dead with Christ, we believe that we shall also live with him:
9 Knowing that Christ being raised from the dead dieth no more; death hath no more dominion over him.
10 For in that he died, he died unto sin once: but in that he liveth, he liveth unto God.
11 Likewise reckon ye also yourselves to be dead indeed unto sin, but alive unto God through Jesus Christ our Lord.
12 Let not sin therefore reign in your mortal body, that ye should obey it in the lusts thereof.
13 Neither yield ye your members *as* instruments of unrighteousness unto sin: but yield yourselves unto God, as those that are alive from the dead, and your members *as* instruments of righteousness unto God.
14 For sin shall not have dominion over you: for ye are not under the law, but under grace.
15 What then? shall we sin, because we are not under the law, but under grace? God forbid.
16 Know ye not, that to whom ye yield yourselves servants to obey, his servants ye are to whom ye obey; whether of sin unto death, or of obedience unto righteousness?
17 But God be thanked, that ye were

erais esclavos del pecado, habéis obedecido de corazón a aquella forma de doctrina a la cual fuisteis entregados;

18 y libertados del pecado, vinisteis a ser siervos de la justicia.

19 Hablo como humano, por vuestra humana debilidad; que así como para iniquidad presentasteis vuestros miembros para servir a la inmundicia y a la iniquidad, así ahora para santificación presentad vuestros miembros para servir a la justicia.

20 Porque cuando erais esclavos del pecado, erais libres acerca de la justicia.

21 ¿Pero qué fruto teníais de aquellas cosas de las cuales ahora os avergonzáis? Porque el fin de ellas es muerte.

22 Mas ahora que habéis sido libertados del pecado y hechos siervos de Dios, tenéis por vuestro fruto la santificación, y como fin, la vida eterna.

23 Porque la paga del pecado es muerte, mas la dádiva de Dios es vida eterna en Cristo Jesús Señor nuestro.

CAPÍTULO 7

¿ACASO ignoráis, hermanos (pues hablo con los que conocen la ley), que la ley se enseñorea del hombre entre tanto que éste vive?

2 Porque la mujer casada está sujeta por la ley al marido mientras éste vive; pero si el marido muere, ella queda libre de la ley del marido.

3 Así que, si en vida del marido se uniere a otro varón, será llamada adúltera; pero si su marido muriere, es libre de esa ley, de tal manera que si se uniere a otro marido, no será adúltera.

4 Así también vosotros, hermanos míos, habéis muerto a la ley mediante el cuerpo de Cristo, para que seáis de otro, del que resucitó de los muertos, a fin de que llevemos fruto para Dios.

5 Porque mientras estábamos en la carne, las pasiones pecaminosas que eran por la ley obraban en nuestros miembros llevando fruto para muerte.

6 Pero ahora estamos libres de la ley, por haber muerto para aquella en que estábamos sujetos, de modo que sirvamos bajo el régimen nuevo del Espíritu y no bajo el régimen viejo de la letra.

7 ¿Qué diremos, pues? ¿La ley es pecado? En ninguna manera. Pero yo no conocí el pecado sino por la ley; porque tampoco conociera la codicia, si la ley no dijera: No codiciarás.

8 Mas el pecado, tomando ocasión por el mandamiento, produjo en mí toda codicia; porque sin la ley el pecado está muerto.

the servants of sin, but ye have obeyed from the heart that form of doctrine which was delivered you.

18 Being then made free from sin, ye became the servants of righteousness.

19 I speak after the manner of men because of the infirmity of your flesh: for as ye have yielded your members servants to uncleanness and to iniquity unto iniquity; even so now yield your members servants to righteousness unto holiness.

20 For when ye were the servants of sin, ye were free from righteousness.

21 What fruit had ye then in those things whereof ye are now ashamed? for the end of those things *is* death.

22 But now being made free from sin, and become servants to God, ye have your fruit unto holiness, and the end everlasting life.

23 For the wages of sin *is* death; but the gift of God *is* eternal life through Jesus Christ our Lord.

CHAPTER 7

KNOW ye not, brethren, (for I speak to them that know the law,) how that the law hath dominion over a man as long as he liveth?

2 For the woman which hath an husband is bound by the law to *her* husband so long as he liveth; but if the husband be dead, she is loosed from the law of *her* husband.

3 So then if, while *her* husband liveth, she be married to another man, she shall be called an adulteress: but if her husband be dead, she is free from that law; so that she is no adulteress, though she be married to another man.

4 Wherefore, my brethren, ye also are become dead to the law by the body of Christ; that ye should be married to another, *even* to him who is raised from the dead, that we should bring forth fruit unto God.

5 For when we were in the flesh, the motions of sins, which were by the law, did work in our members to bring forth fruit unto death.

6 But now we are delivered from the law, that being dead wherein we were held; that we should serve in newness of spirit, and not *in* the oldness of the letter.

7 What shall we say then? *Is* the law sin? God forbid. Nay, I had not known sin, but by the law: for I had not known lust, except the law had said, Thou shalt not covet.

8 But sin, taking occasion by the commandment, wrought in me all manner of concupiscence. For without the law sin *was* dead.

9 Y yo sin la ley vivía en un tiempo; pero venido el mandamiento, el pecado revivió y yo morí.
10 Y hallé que el mismo mandamiento que era para vida, a mí me resultó para muerte;
11 porque el pecado, tomando ocasión por el mandamiento, me engañó, y por él me mató.
12 De manera que la ley a la verdad es santa, y el mandamiento santo, justo y bueno.
13 ¿Luego lo que es bueno, vino a ser muerte para mí? En ninguna manera; sino que el pecado, para mostrarse pecado, produjo en mí la muerte por medio de lo que es bueno, a fin de que por el mandamiento el pecado llegase a ser sobremanera pecaminoso.
14 Porque sabemos que la ley es espiritual; mas yo soy carnal, vendido al pecado.
15 Porque lo que hago, no lo entiendo; pues no hago lo que quiero, sino lo que aborrezco, eso hago.
16 Y si lo que no quiero, esto hago, apruebo que la ley es buena.
17 De manera que ya no soy yo quien hace aquello, sino el pecado que mora en mí.
18 Y yo sé que en mí, esto es, en mi carne, no mora el bien; porque el querer el bien está en mí, pero no el hacerlo.
19 Porque no hago el bien que quiero, sino el mal que no quiero, eso hago.
20 Y si hago lo que no quiero, ya no lo hago yo, sino el pecado que mora en mí.
21 Así que, queriendo yo hacer el bien, hallo esta ley: que el mal está en mí.
22 Porque según el hombre interior, me deleito en la ley de Dios;
23 pero veo otra ley en mis miembros, que se rebela contra la ley de mi mente, y que me lleva cautivo a la ley del pecado que está en mis miembros.
24 ¡Miserable de mí! ¿quién me librará de este cuerpo de muerte?
25 Gracias doy a Dios, por Jesucristo Señor nuestro. Así que, yo mismo con la mente sirvo a la ley de Dios, mas con la carne a la ley del pecado.

CAPÍTULO 8

AHORA, pues, ninguna condenación hay para los que están en Cristo Jesús, los que no andan conforme a la carne, sino conforme al Espíritu.
2 Porque la ley del Espíritu de vida en Cristo Jesús me ha librado de la ley del pecado y de la muerte.
3 Porque lo que era imposible para la ley, por cuanto era débil por la carne, Dios, enviando a su Hijo en semejanza de

9 For I was alive without the law once: but when the commandment came, sin revived, and I died.
10 And the commandment, which *was ordained* to life, I found *to be* unto death.
11 For sin, taking occasion by the commandment, deceived me, and by it slew *me*.
12 Wherefore the law *is* holy, and the commandment holy, and just, and good.
13 Was then that which is good made death unto me? God forbid. But sin, that it might appear sin, working death in me by that which is good; that sin by the commandment might become exceeding sinful.
14 For we know that the law is spiritual: but I am carnal, sold under sin.
15 For that which I do I allow not: for what I would, that do I not; but what I hate, that do I.
16 If then I do that which I would not, I consent unto the law that *it is* good.
17 Now then it is no more I that do it, but sin that dwelleth in me.
18 For I know that in me (that is, in my flesh,) dwelleth no good thing: for to will is present with me; but *how* to perform that which is good I find not.
19 For the good that I would I do not: but the evil which I would not, that I do.
20 Now if I do that I would not, it is no more I that do it, but sin that dwelleth in me.
21 I find then a law, that, when I would do good, evil is present with me.
22 For I delight in the law of God after the inward man:
23 But I see another law in my members, warring against the law of my mind, and bringing me into captivity to the law of sin which is in my members.
24 O wretched man that I am! who shall deliver me from the body of this death?
25 I thank God through Jesus Christ our Lord. So then with the mind I myself serve the law of God; but with the flesh the law of sin.

CHAPTER 8

THERE is therefore now no condemnation to them which are in Christ Jesus, who walk not after the flesh, but after the Spirit.
2 For the law of the Spirit of life in Christ Jesus hath made me free from the law of sin and death.
3 For what the law could not do, in that it was weak through the flesh, God sending his own Son in the likeness of sinful

carne de pecado y a causa del pecado, condenó al pecado en la carne;

4 para que la justicia de la ley se cumpliese en nosotros, que no andamos conforme a la carne, sino conforme al Espíritu.

5 Porque los que son de la carne piensan en las cosas de la carne; pero los que son del Espíritu, en las cosas del Espíritu.

6 Porque el ocuparse de la carne es muerte, pero el ocuparse del Espíritu es vida y paz.

7 Por cuanto los designios de la carne son enemistad contra Dios; porque no se sujetan a la ley de Dios, ni tampoco pueden;

8 y los que viven según la carne no pueden agradar a Dios.

9 Mas vosotros no vivís según la carne, sino según el Espíritu, si es que el Espíritu de Dios mora en vosotros. Y si alguno no tiene el Espíritu de Cristo, no es de él.

10 Pero si Cristo está en vosotros, el cuerpo en verdad está muerto a causa del pecado, mas el espíritu vive a causa de la justicia.

11 Y si el Espíritu de aquel que levantó de los muertos a Jesús mora en vosotros, el que levantó de los muertos a Cristo Jesús vivificará también vuestros cuerpos mortales por su Espíritu que mora en vosotros.

12 Así que, hermanos, deudores somos, no a la carne, para que vivamos conforme a la carne;

13 porque si vivís conforme a la carne, moriréis, mas si por el Espíritu hacéis morir las obras de la carne, viviréis.

14 Porque todos los que son guiados por el Espíritu de Dios, éstos son hijos de Dios.

15 Pues no habéis recibido el espíritu de esclavitud para estar otra vez en temor, sino que habéis recibido el espíritu de adopción, por el cual clamamos: ¡Abba, Padre!

16 El Espíritu mismo da testimonio a nuestro espíritu, de que somos hijos de Dios.

17 Y si hijos, también herederos; herederos de Dios y coherederos con Cristo, si es que padecemos juntamente con él, para que juntamente con él seamos glorificados.

18 Pues tengo por cierto que las aflicciones del tiempo presente no son comparables con la gloria venidera que en nosotros ha de manifestarse.

19 Porque el anhelo ardiente de la creación es el aguardar la manifestación de los hijos de Dios.

20 Porque la creación fue sujetada a va-

flesh, and for sin, condemned sin in the flesh:

4 That the righteousness of the law might be fulfilled in us, who walk not after the flesh, but after the Spirit.

5 For they that are after the flesh do mind the things of the flesh; but they that are after the Spirit the things of the Spirit.

6 For to be carnally minded *is* death; but to be spiritually minded *is* life and peace.

7 Because the carnal mind *is* enmity against God: for it is not subject to the law of God, neither indeed can be.

8 So then they that are in the flesh cannot please God.

9 But ye are not in the flesh, but in the Spirit, if so be that the Spirit of God dwell in you. Now if any man have not the Spirit of Christ, he is none of his.

10 And if Christ *be* in you, the body *is* dead because of sin; but the Spirit *is* life because of righteousness.

11 But if the Spirit of him that raised up Jesus from the dead dwell in you, he that raised up Christ from the dead shall also quicken your mortal bodies by his Spirit that dwelleth in you.

12 Therefore, brethren, we are debtors, not to the flesh, to live after the flesh.

13 For if ye live after the flesh, ye shall die: but if ye through the Spirit do mortify the deeds of the body, ye shall live.

14 For as many as are led by the Spirit of God, they are the sons of God.

15 For ye have not received the spirit of bondage again to fear; but ye have received the Spirit of adoption, whereby we cry, Abba, Father.

16 The Spirit itself beareth witness with our spirit, that we are the children of God:

17 And if children, then heirs; heirs of God, and joint-heirs with Christ; if so be that we suffer with *him*, that we may be also glorified together.

18 For I reckon that the sufferings of this present time *are* not worthy *to be compared* with the glory which shall be revealed in us.

19 For the earnest expectation of the creature waiteth for the manifestation of the sons of God.

20 For the creature was made subject

nidad, no por su propia voluntad, sino por causa del que la sujetó en esperanza;

21 porque también la creación misma será libertada de la esclavitud de corrupción, a la libertad gloriosa de los hijos de Dios.

22 Porque sabemos que toda la creación gime a una, y a una está con dolores de parto hasta ahora;

23 y no sólo ella, sino que también nosotros mismos, que tenemos las primicias del Espíritu, nosotros también gemimos dentro de nosotros mismos, esperando la adopción, la redención de nuestro cuerpo.

24 Porque en esperanza fuimos salvos; pero la esperanza que se ve, no es esperanza; porque lo que alguno ve, ¿a qué esperarlo?

25 Pero si esperamos lo que no vemos, con paciencia lo aguardamos.

26 Y de igual manera el Espíritu nos ayuda en nuestra debilidad; pues qué hemos de pedir como conviene, no lo sabemos, pero el Espíritu mismo intercede por nosotros con gemidos indecibles.

27 Mas el que escudriña los corazones sabe cuál es la intención del Espíritu, porque conforme a la voluntad de Dios intercede por los santos.

28 Y sabemos que a los que aman a Dios, todas las cosas les ayudan a bien, esto es, a los que conforme a su propósito son llamados.

29 Porque a los que antes conoció, también los predestinó para que fuesen hechos conformes a la imagen de su Hijo, para que él sea el primogénito entre muchos hermanos.

30 Y a los que predestinó, a éstos también llamó; y a los que llamó, a éstos también justificó; y a los que justificó, a éstos también glorificó.

31 ¿Qué, pues, diremos a esto? Si Dios es por nosotros, ¿quién contra nosotros?

32 El que no escatimó ni a su propio Hijo, sino que lo entregó por todos nosotros, ¿cómo no nos dará también con él todas las cosas?

33 ¿Quién acusará a los escogidos de Dios? Dios es el que justifica.

34 ¿Quién es el que condenará? Cristo es el que murió; más aun, el que también resucitó, el que además está a la diestra de Dios, el que también intercede por nosotros.

35 ¿Quién nos separará del amor de Cristo? ¿Tribulación, o angustia, o persecución, o hambre, o desnudez, o peligro, o espada?

36 Como está escrito: Por causa de ti somos muertos todo el tiempo; somos contados como ovejas de matadero.

to vanity, not willingly, but by reason of him who hath subjected *the same* in hope,

21 Because the creature itself also shall be delivered from the bondage of corruption into the glorious liberty of the children of God.

22 For we know that the whole creation groaneth and travaileth in pain together until now.

23 And not only *they*, but ourselves also, which have the firstfruits of the Spirit, even we ourselves groan within ourselves, waiting for the adoption, *to wit*, the redemption of our body.

24 For we are saved by hope: but hope that is seen is not hope: for what a man seeth, why doth he yet hope for?

25 But if we hope for that we see not, *then* do we with patience wait for *it*.

26 Likewise the Spirit also helpeth our infirmities: for we know not what we should pray for as we ought: but the Spirit itself maketh intercession for us with groanings which cannot be uttered.

27 And he that searcheth the hearts knoweth what *is* the mind of the Spirit, because he maketh intercession for the saints according to *the will of* God.

28 And we know that all things work together for good to them that love God, to them who are the called according to *his* purpose.

29 For whom he did foreknow, he also did predestinate *to be* conformed to the image of his Son, that he might be the firstborn among many brethren.

30 Moreover whom he did predestinate, them he also called: and whom he called, them he also justified: and whom he justified, them he also glorified.

31 What shall we then say to these things? If God *be* for us, who *can be* against us?

32 He that spared not his own Son, but delivered him up for us all, how shall he not with him also freely give us all things?

33 Who shall lay any thing to the charge of God's elect? *It is* God that justifieth.

34 Who *is* he that condemneth? *It is* Christ that died, yea rather, that is risen again, who is even at the right hand of God, who also maketh intercession for us.

35 Who shall separate us from the love of Christ? *shall* tribulation, or distress, or persecution, or famine, or nakedness, or peril, or sword?

36 As it is written, For thy sake we are killed all the day long; we are accounted as sheep for the slaughter.

37 Antes, en todas estas cosas somos más que vencedores por medio de aquel que nos amó.

38 Por lo cual estoy seguro de que ni la muerte, ni la vida, ni ángeles, ni principados, ni potestades, ni lo presente, ni lo por venir,

39 ni lo alto, ni lo profundo, ni ninguna otra cosa creada nos podrá separar del amor de Dios, que es en Cristo Jesús Señor nuestro.

CAPÍTULO 9

VERDAD digo en Cristo, no miento, y mi conciencia me da testimonio en el Espíritu Santo,

2 que tengo gran tristeza y continuo dolor en mi corazón.

3 Porque deseara yo mismo ser anatema, separado de Cristo, por amor a mis hermanos, los que son mis parientes según la carne;

4 que son israelitas, de los cuales son la adopción, la gloria, el pacto, la promulgación de la ley, el culto y las promesas;

5 de quienes son los patriarcas, y de los cuales, según la carne, vino Cristo, el cual es Dios sobre todas las cosas, bendito por los siglos. Amén.

6 No que la palabra de Dios haya fallado; porque no todos los que descienden de Israel son israelitas,

7 ni por ser descendientes de Abraham, son todos hijos; sino: En Isaac te será llamada descendencia.

8 Esto es: no los que son hijos según la carne son los hijos de Dios, sino que los que son hijos según la promesa son contados como descendientes.

9 Porque la palabra de la promesa es esta: Por este tiempo vendré, y Sara tendrá un hijo.

10 Y no sólo esto, sino también cuando Rebeca concibió de uno, de Isaac nuestro padre

11 (pues no habían aún nacido, ni habían hecho aún ni bien ni mal, para que el propósito de Dios conforme a la elección permaneciese, no por las obras sino por el que llama),

12 se le dijo: El mayor servirá al menor.

13 Como está escrito: A Jacob amé, mas a Esaú aborrecí.

14 ¿Qué, pues, diremos? ¿Que hay injusticia en Dios? En ninguna manera.

15 Pues a Moisés dice: Tendré misericordia del que yo tenga misericordia, y me compadeceré del que yo me compadezca.

16 Así que no depende del que quiere, ni del que corre, sino de Dios que tiene misericordia.

17 Porque la Escritura dice a Faraón:

37 Nay, in all these things we are more than conquerors through him that loved us.

38 For I am persuaded, that neither death, nor life, nor angels, nor principalities, nor powers, nor things present, nor things to come,

39 Nor height, nor depth, nor any other creature, shall be able to separate us from the love of God, which is in Christ Jesus our Lord.

CHAPTER 9

I SAY the truth in Christ, I lie not, my conscience also bearing me witness in the Holy Ghost,

2 That I have great heaviness and continual sorrow in my heart.

3 For I could wish that myself were accursed from Christ for my brethren, my kinsmen according to the flesh:

4 Who are Israelites; to whom *pertaineth* the adoption, and the glory, and the covenants, and the giving of the law, and the service *of God*, and the promises;

5 Whose *are* the fathers, and of whom as concerning the flesh Christ *came*, who is over all, God blessed for ever. Amen.

6 Not as though the word of God hath taken none effect. For they *are* not all Israel, which are of Israel:

7 Neither, because they are the seed of Abraham, *are they* all children: but, In Isaac shall thy seed be called.

8 That is, They which are the children of the flesh, these *are* not the children of God: but the children of the promise are counted for the seed.

9 For this *is* the word of promise, At this time will I come, and Sarah shall have a son.

10 And not only *this*; but when Rebecca also had conceived by one, *even* by our father Isaac;

11 (For *the children* being not yet born, neither having done any good or evil, that the purpose of God according to election might stand, not of works, but of him that calleth;)

12 It was said unto her, The elder shall serve the younger.

13 As it is written, Jacob have I loved, but Esau have I hated.

14 What shall we say then? *Is there* unrighteousness with God? God forbid.

15 For he saith to Moses, I will have mercy on whom I will have mercy, and I will have compassion on whom I will have compassion.

16 So then *it is* not of him that willeth, nor of him that runneth, but of God that sheweth mercy.

17 For the scripture saith unto Pha-

Para esto mismo te he levantado, para
mostrar en ti mi poder, y para que mi
nombre sea anunciado por toda la tierra.
18 De manera que de quien quiere,
tiene misericordia, y al que quiere endu-
recer, endurece.
19 Pero me dirás: ¿Por qué, pues, incul-
pa? porque ¿quién ha resistido a su vo-
luntad?
20 Mas antes, oh hombre, ¿quién eres
tú, para que alterques con Dios? ¿Dirá el
vaso de barro al que lo formó: ¿Por qué
me has hecho así?
21 ¿O no tiene potestad el alfarero
sobre el barro, para hacer de la misma
masa un vaso para honra y otro para des-
honra?
22 ¿Y qué, si Dios, queriendo mostrar
su ira y hacer notorio su poder, soportó
con mucha paciencia los vasos de ira pre-
parados para destrucción,
23 y para hacer notorias las riquezas de
su gloria, las mostró para con los vasos
de misericordia que él preparó de ante-
mano para gloria,
24 a los cuales también ha llamado,
esto es, a nosotros, no sólo de los judíos,
sino también de los gentiles?
25 Como también en Oseas dice: Lla-
maré pueblo mío al que no era mi pueblo,
y a la no amada, amada.
26 Y en el lugar donde se les dijo: Voso-
tros no sois pueblo mío, allí serán llama-
dos hijos del Dios viviente.
27 También Isaías clama tocante a Is-
rael: Si fuere el número de los hijos de
Israel como la arena del mar, tan sólo el
remanente será salvo;
28 porque el Señor ejecutará su senten-
cia sobre la tierra en justicia y con pron-
titud.
29 Y como antes dijo Isaías: Si el Señor
de los ejércitos no nos hubiera dejado
descendencia, como Sodoma habríamos
venido a ser, y a Gomorra seríamos
semejantes.
30 ¿Qué, pues, diremos? Que los gen-
tiles, que no iban tras la justicia, han al-
canzado la justicia, es decir, la justicia
que es por fe;
31 mas Israel, que iba tras una ley de
justicia, no la alcanzó.
32 ¿Por qué? Porque iban tras ella no
por fe, sino como por obras de la ley,
pues tropezaron en la piedra de tropiezo,
33 como está escrito: He aquí pongo en
Sion piedra de tropiezo y roca de caída; y
el que creyere en él, no será avergonza-
do.

raoh, Even for this same purpose have I
raised thee up, that I might shew my
power in thee, and that my name might
be declared throughout all the earth.
18 Therefore hath he mercy on whom
he will *have mercy*, and whom he will he
hardeneth.
19 Thou wilt say then unto me, Why
doth he yet find fault? For who hath re-
sisted his will?
20 Nay but, O man, who art thou that
repliest against God? Shall the thing
formed say to him that formed *it*, Why
hast thou made me thus?
21 Hath not the potter power over the
clay, of the same lump to make one ves-
sel unto honour, and another unto dis-
honour?
22 *What* if God, willing to shew *his*
wrath, and to make his power known, en-
dured with much longsuffering the ves-
sels of wrath fitted to destruction:
23 And that he might make known the
riches of his glory on the vessels of mer-
cy, which he had afore prepared unto
glory,
24 Even us, whom he hath called, not of
the Jews only, but also of the Gentiles?
25 As he saith also in O'see, I will call
them my people, which were not my peo-
ple; and her beloved, which was not be-
loved.
26 And it shall come to pass, *that* in the
place where it was said unto them, Ye
are not my people; there shall they be
called the children of the living God.
27 E-sai'as also crieth concerning Is-
rael, Though the number of the children
of Israel be as the sand of the sea, a rem-
nant shall be saved:
28 For he will finish the work, and cut *it*
short in righteousness: because a short
work will the Lord make upon the earth.
29 And as E-sai'as said before, Except
the Lord of Sab'a-oth had left us a seed,
we had been as Sod'o-ma, and been made
like unto Go-mor'rha.
30 What shall we say then? That the
Gentiles, which followed not after right-
eousness, have attained to righteousness,
even the righteousness which is of faith.
31 But Israel, which followed after the
law of righteousness, hath not attained to
the law of righteousness.
32 Wherefore? Because *they sought it*
not by faith, but as it were by the works
of the law. For they stumbled at that
stumblingstone;
33 As it is written, Behold, I lay in Sion
a stumblingstone and rock of offence:
and whosoever believeth on him shall not
be ashamed.

CAPÍTULO 10

HERMANOS, ciertamente el anhelo de mi corazón, y mi oración a Dios por Israel, es para salvación.

2 Porque yo les doy testimonio de que tienen celo de Dios, pero no conforme a ciencia.

3 Porque ignorando la justicia de Dios, y procurando establecer la suya propia, no se han sujetado a la justicia de Dios;

4 porque el fin de la ley es Cristo, para justicia a todo aquel que cree.

5 Porque de la justicia que es por la ley Moisés escribe así: El hombre que haga estas cosas, vivirá por ellas.

6 Pero la justicia que es por la fe dice así: No digas en tu corazón: ¿Quién subirá al cielo? (esto es, para traer abajo a Cristo);

7 o, ¿quién descenderá al abismo? (esto es, para hacer subir a Cristo de entre los muertos).

8 Mas ¿qué dice? Cerca de ti está la palabra, en tu boca y en tu corazón. Esta es la palabra de fe que predicamos:

9 que si confesares con tu boca que Jesús es el Señor, y creyeres en tu corazón que Dios le levantó de los muertos, serás salvo.

10 Porque con el corazón se cree para justicia, pero con la boca se confiesa para salvación.

11 Pues la Escritura dice: Todo aquel que en él creyere, no será avergonzado.

12 Porque no hay diferencia entre judío y griego, pues el mismo que es Señor de todos, es rico para con todos los que le invocan;

13 porque todo aquel que invocare el nombre del Señor, será salvo.

14 ¿Cómo, pues, invocarán a aquel en el cual no han creído? ¿Y cómo creerán en aquel de quien no han oído? ¿Y cómo oirán sin haber quien les predique?

15 ¿Y cómo predicarán si no fueren enviados? Como está escrito: ¡Cuán hermosos son los pies de los que anuncian la paz, de los que anuncian buenas nuevas!

16 Mas no todos obedecieron al evangelio; pues Isaías dice: Señor, ¿quién ha creído a nuestro anuncio?

17 Así que la fe es por el oir, y el oir, por la palabra de Dios.

18 Pero digo: ¿No han oído? Antes bien,

CHAPTER 10

BRETHREN, my heart's desire and prayer to God for Israel is, that they might be saved.

2 For I bear them record that they have a zeal of God, but not according to knowledge.

3 For they being ignorant of God's righteousness, and going about to establish their own righteousness, have not submitted themselves unto the righteousness of God.

4 For Christ *is* the end of the law for righteousness to every one that believeth.

5 For Moses describeth the righteousness which is of the law, That the man which doeth those things shall live by them.

6 But the righteousness which is of faith speaketh on this wise, Say not in thine heart, Who shall ascend into heaven? (that is, to bring Christ down *from above*:)

7 Or, Who shall descend into the deep? (that is, to bring up Christ again from the dead.)

8 But what saith it? The word is nigh thee, *even* in thy mouth, and in thy heart: that is, the word of faith, which we preach;

9 That if thou shalt confess with thy mouth the Lord Jesus, and shalt believe in thine heart that God hath raised him from the dead, thou shalt be saved.

10 For with the heart man believeth unto righteousness; and with the mouth confession is made unto salvation.

11 For the scripture saith, Whosoever believeth on him shall not be ashamed.

12 For there is no difference between the Jew and the Greek: for the same Lord over all is rich unto all that call upon him.

13 For whosoever shall call upon the name of the Lord shall be saved.

14 How then shall they call on him in whom they have not believed? and how shall they believe in him of whom they have not heard? and how shall they hear without a preacher?

15 And how shall they preach, except they be sent? as it is written, How beautiful are the feet of them that preach the gospel of peace, and bring glad tidings of good things!

16 But they have not all obeyed the gospel. For E-sai'as saith, Lord, who hath believed our report?

17 So then faith *cometh* by hearing, and hearing by the word of God.

18 But I say, Have they not heard? Yes

por toda la tierra ha salido la voz de ellos,
y hasta los fines de la tierra sus palabras.
19 También digo: ¿No ha conocido esto
Israel? Primeramente Moisés dice: Yo os
provocaré a celos con un pueblo que no
es pueblo; con pueblo insensato os provocaré a ira.
20 E Isaías dice resueltamente: Fui hallado de los que no me buscaban; me
manifesté a los que no preguntaban por
mí.
21 Pero acerca de Israel dice: Todo el
día extendí mis manos a un pueblo rebelde y contradictor.

CAPÍTULO 11

DIGO, pues: ¿Ha desechado Dios a su
pueblo? En ninguna manera. Porque
también yo soy israelita, de la descendencia de Abraham, de la tribu de Benjamín.
2 No ha desechado Dios a su pueblo, al
cual desde antes conoció. ¿O no sabéis
qué dice de Elías la Escritura, cómo invoca a Dios contra Israel, diciendo:
3 Señor, a tus profetas han dado
muerte, y tus altares han derribado; y
sólo yo he quedado, y procuran matarme?
4 Pero ¿qué le dice la divina respuesta?
Me he reservado siete mil hombres, que
no han doblado la rodilla delante de Baal.
5 Así también aun en este tiempo ha
quedado un remanente escogido por gracia.
6 Y si por gracia, ya no es por obras; de
otra manera la gracia ya no es gracia. Y
si por obras, ya no es gracia; de otra manera la obra ya no es obra.
7 ¿Qué pues? Lo que buscaba Israel, no
lo ha alcanzado; pero los escogidos sí lo
han alcanzado, y los demás fueron endurecidos;
8 como está escrito: Dios les dio espíritu de estupor, ojos con que no vean y oídos con que no oigan, hasta el día de hoy.
9 Y David dice: Sea vuelto su convite
en trampa y en red, en tropezadero y en
retribución;
10 sean oscurecidos sus ojos para que
no vean, y agóbiales la espalda para
siempre.
11 Digo, pues: ¿Han tropezado los de
Israel para que cayesen? En ninguna manera; pero por su transgresión vino la salvación a los gentiles, para provocarles a
celos.
12 Y si su transgresión es la riqueza del
mundo, y su defección la riqueza de los
gentiles, ¿cuánto más su plena restauración?
13 Porque a vosotros hablo, gentiles.

verily, their sound went into all the earth,
and their words unto the ends of the
world.
19 But I say, Did not Israel know? First
Moses saith, I will provoke you to jealousy by *them that are* no people, *and* by
a foolish nation I will anger you.
20 But E-sai'as is very bold, and saith, I
was found of them that sought me not; I
was made manifest unto them that asked
not after me.
21 But to Israel he saith, All day long I
have stretched forth my hands unto a
disobedient and gainsaying people.

CHAPTER 11

I SAY then, Hath God cast away his
people? God forbid. For I also am an
Israelite, of the seed of Abraham, *of* the
tribe of Benjamin.
2 God hath not cast away his people
which he foreknew. Wot ye not what the
scripture saith of E-li'as? how he maketh
intercession to God against Israel, saying,
3 Lord, they have killed thy prophets,
and digged down thine altars; and I am
left alone, and they seek my life.
4 But what saith the answer of God
unto him? I have reserved to myself
seven thousand men, who have not
bowed the knee to *the image of* Ba'al.
5 Even so then at this present time also
there is a remnant according to the election of grace.
6 And if by grace, then *is it* no more of
works: otherwise grace is no more grace.
But if *it be* of works, then is it no more
grace: otherwise work is no more work.
7 What then? Israel hath not obtained
that which he seeketh for; but the election hath obtained it, and the rest were
blinded
8 (According as it is written, God hath
given them the spirit of slumber, eyes
that they should not see, and ears that
they should not hear;) unto this day.
9 And David saith, Let their table be
made a snare, and a trap, and a stumblingblock, and a recompence unto them:
10 Let their eyes be darkened, that they
may not see, and bow down their back
alway.
11 I say then, Have they stumbled that
they should fall? God forbid: but *rather*
through their fall salvation *is come* unto
the Gentiles, for to provoke them to jealousy.
12 Now if the fall of them *be* the riches
of the world, and the diminishing of them
the riches of the Gentiles; how much
more their fulness?
13 For I speak to you Gentiles, inas-

Por cuanto yo soy apóstol a los gentiles,
honro mi ministerio,
14 por si en alguna manera pueda pro-
vocar a celos a los de mi sangre, y hacer
salvos a algunos de ellos.
15 Porque si su exclusión es la reconci-
liación del mundo, ¿qué será su admisión,
sino vida de entre los muertos?
16 Si las primicias son santas, también
lo es la masa restante; y si la raíz es
santa, también lo son las ramas.
17 Pues si algunas de las ramas fueron
desgajadas, y tú, siendo olivo silvestre,
has sido injertado en lugar de ellas, y has
sido hecho participante de la raíz y de la
rica savia del olivo,
18 no te jactes contra las ramas; y si te
jactas, sabe que no sustentas tú a la raíz,
sino la raíz a ti.
19 Pues las ramas, dirás, fueron desga-
jadas para que yo fuese injertado.
20 Bien; por su incredulidad fueron des-
gajadas, pero tú por la fe estás en pie. No
te ensoberbezcas, sino teme.
21 Porque si Dios no perdonó a las ra-
mas naturales, a ti tampoco te perdonará.
22 Mira, pues, la bondad y la severidad
de Dios; la severidad ciertamente para
con los que cayeron, pero la bondad para
contigo, si permaneces en esa bondad;
pues de otra manera tú también serás
cortado.
23 Y aun ellos, si no permanecieren en
incredulidad, serán injertados, pues po-
deroso es Dios para volverlos a injertar.
24 Porque si tú fuiste cortado del que
por naturaleza es olivo silvestre, y contra
naturaleza fuiste injertado en el buen oli-
vo, ¿cuánto más éstos, que son las ramas
naturales, serán injertados en su propio
olivo?
25 Porque no quiero, hermanos, que ig-
noréis este misterio, para que no seáis
arrogantes en cuanto a vosotros mismos:
que ha acontecido a Israel endurecimien-
to en parte, hasta que haya entrado la
plenitud de los gentiles;
26 y luego todo Israel será salvo, como
está escrito: Vendrá de Sion el Liberta-
dor, que apartará de Jacob la impiedad.
27 Y este será mi pacto con ellos, cuan-
do yo quite sus pecados.
28 Así que en cuanto al evangelio, son
enemigos por causa de vosotros; pero en
cuanto a la elección, son amados por cau-
sa de los padres.
29 Porque irrevocables son los dones y
el llamamiento de Dios.
30 Pues como vosotros también en otro

much as I am the apostle of the Gentiles,
I magnify mine office:
14 If by any means I may provoke to
emulation *them which are* my flesh, and
might save some of them.
15 For if the casting away of them *be*
the reconciling of the world, what *shall*
the receiving *of them be*, but life from the
dead?
16 For if the firstfruit *be* holy, the lump
is also *holy:* and if the root *be* holy, so *are*
the branches.
17 And if some of the branches be bro-
ken off, and thou, being a wild olive tree,
wert graffed in among them, and with
them partakest of the root and fatness of
the olive tree;
18 Boast not against the branches. But
if thou boast, thou bearest not the root,
but the root thee.
19 Thou wilt say then, The branches
were broken off, that I might be graffed
in.
20 Well; because of unbelief they were
broken off, and thou standest by faith. Be
not highminded, but fear:
21 For if God spared not the natural
branches, *take heed* lest he also spare not
thee.
22 Behold therefore the goodness and
severity of God: on them which fell, se-
verity; but toward thee, goodness, if thou
continue in *his* goodness: otherwise thou
also shalt be cut off.
23 And they also, if they abide not still
in unbelief, shall be graffed in: for God is
able to graff them in again.
24 For if thou wert cut out of the olive
tree which is wild by nature, and wert
graffed contrary to nature into a good ol-
ive tree: how much more shall these,
which be the natural *branches*, be graffed
into their own olive tree?
25 For I would not, brethren, that ye
should be ignorant of this mystery, lest
ye should be wise in your own conceits;
that blindness in part is happened to Is-
rael, until the fulness of the Gentiles be
come in.
26 And so all Israel shall be saved: as it
is written, There shall come out of Sion
the Deliverer, and shall turn away ungod-
liness from Jacob:
27 For this *is* my covenant unto them,
when I shall take away their sins.
28 As concerning the gospel, *they are*
enemies for your sakes: but as touching
the election, *they are* beloved for the fa-
thers' sakes.
29 For the gifts and calling of God *are*
without repentance.
30 For as ye in times past have not be-

tiempo erais desobedientes a Dios, pero ahora habéis alcanzado misericordia por la desobediencia de ellos,

31 así también éstos ahora han sido desobedientes, para que por la misericordia concedida a vosotros, ellos también alcancen misericordia.

32 Porque Dios sujetó a todos en desobediencia, para tener misericordia de todos.

33 ¡Oh profundidad de las riquezas de la sabiduría y de la ciencia de Dios! ¡Cuán insondables son sus juicios, e inescrutables sus caminos!

34 Porque ¿quién entendió la mente del Señor? ¿O quién fue su consejero?

35 ¿O quién le dio a él primero, para que le fuese recompensado?

36 Porque de él, y por él, y para él, son todas las cosas. A él sea la gloria por los siglos. Amén.

CAPÍTULO 12

ASÍ que, hermanos, os ruego por las misericordias de Dios, que presentéis vuestros cuerpos en sacrificio vivo, santo, agradable a Dios, que es vuestro culto racional.

2 No os conforméis a este siglo, sino transformaos por medio de la renovación de vuestro entendimiento, para que comprobéis cuál sea la buena voluntad de Dios, agradable y perfecta.

3 Digo, pues, por la gracia que me es dada, a cada cual que está entre vosotros, que no tenga más alto concepto de sí que el que debe tener, sino que piense de sí con cordura, conforme a la medida de fe que Dios repartió a cada uno.

4 Porque de la manera que en un cuerpo tenemos muchos miembros, pero no todos los miembros tienen la misma función,

5 así nosotros, siendo muchos, somos un cuerpo en Cristo, y todos miembros los unos de los otros.

6 De manera que, teniendo diferentes dones, según la gracia que nos es dada, si el de profecía, úsese conforme a la medida de la fe;

7 o si de servicio, en servir; o el que enseña, en la enseñanza;

8 el que exhorta, en la exhortación; el que reparte, con liberalidad; el que preside, con solicitud; el que hace misericordia, con alegría.

9 El amor sea sin fingimiento. Aborreced lo malo, seguid lo bueno.

10 Amaos los unos a los otros con amor fraternal; en cuanto a honra, prefiriéndoos los unos a los otros.

11 En lo que requiere diligencia, no perezosos; fervientes en espíritu, sirviendo al Señor;

lieved God, yet have now obtained mercy through their unbelief:

31 Even so have these also now not believed, that through your mercy they also may obtain mercy.

32 For God hath concluded them all in unbelief, that he might have mercy upon all.

33 O the depth of the riches both of the wisdom and knowledge of God! how unsearchable *are* his judgments, and his ways past finding out!

34 For who hath known the mind of the Lord? or who hath been his counsellor?

35 Or who hath first given to him, and it shall be recompensed unto him again?

36 For of him, and through him, and to him, *are* all things: to whom *be* glory for ever. Amen.

CHAPTER 12

I BESEECH you therefore, brethren, by the mercies of God, that ye present your bodies a living sacrifice, holy, acceptable unto God, *which is* your reasonable service.

2 And be not conformed to this world: but be ye transformed by the renewing of your mind, that ye may prove what *is* that good, and acceptable, and perfect, will of God.

3 For I say, through the grace given unto me, to every man that is among you, not to think *of himself* more highly than he ought to think; but to think soberly, according as God hath dealt to every man the measure of faith.

4 For as we have many members in one body, and all members have not the same office:

5 So we, *being* many, are one body in Christ, and every one members one of another.

6 Having then gifts differing according to the grace that is given to us, whether prophecy, *let us prophesy* according to the proportion of faith;

7 Or ministry, *let us wait* on *our* ministering: or he that teacheth, on teaching;

8 Or he that exhorteth, on exhortation: he that giveth, *let him do it* with simplicity; he that ruleth, with diligence; he that sheweth mercy, with cheerfulness.

9 *Let* love be without dissimulation. Abhor that which is evil; cleave to that which is good.

10 *Be* kindly affectioned one to another with brotherly love; in honour preferring one another;

11 Not slothful in business; fervent in spirit; serving the Lord;

12 gozosos en la esperanza; sufridos en la tribulación; constantes en la oración;

13 compartiendo para las necesidades de los santos; practicando la hospitalidad.

14 Bendecid a los que os persiguen; bendecid, y no maldigáis.

15 Gozaos con los que se gozan; llorad con los que lloran.

16 Unánimes entre vosotros; no altivos, sino asociándoos con los humildes. No seáis sabios en vuestra propia opinión.

17 No paguéis a nadie mal por mal; procurad lo bueno delante de todos los hombres.

18 Si es posible, en cuanto dependa de vosotros, estad en paz con todos los hombres.

19 No os venguéis vosotros mismos, amados míos, sino dejad lugar a la ira de Dios; porque escrito está: Mía es la venganza, yo pagaré, dice el Señor.

20 Así que, si tu enemigo tuviere hambre, dale de comer; si tuviere sed, dale de beber; pues haciendo esto, ascuas de fuego amontonarás sobre su cabeza.

21 No seas vencido de lo malo, sino vence con el bien el mal.

CAPÍTULO 13

SOMÉTASE toda persona a las autoridades superiores; porque no hay autoridad sino de parte de Dios, y las que hay, por Dios han sido establecidas.

2 De modo que quien se opone a la autoridad, a lo establecido por Dios resiste; y los que resisten, acarrean condenación para sí mismos.

3 Porque los magistrados no están para infundir temor al que hace el bien, sino al malo. ¿Quieres, pues, no temer la autoridad? Haz lo bueno, y tendrás alabanza de ella;

4 porque es servidor de Dios para tu bien. Pero si haces lo malo, teme; porque no en vano lleva la espada, pues es servidor de Dios, vengador para castigar al que hace lo malo.

5 Por lo cual es necesario estarle sujetos, no solamente por razón del castigo, sino también por causa de la conciencia.

6 Pues por esto pagáis también los tributos, porque son servidores de Dios que atienden continuamente a esto mismo.

7 Pagad a todos lo que debéis: al que tributo, tributo; al que impuesto, impuesto; al que respeto, respeto; al que honra, honra.

8 No debáis a nadie nada, sino el ama-

12 Rejoicing in hope; patient in tribulation; continuing instant in prayer;

13 Distributing to the necessity of saints; given to hospitality.

14 Bless them which persecute you: bless, and curse not.

15 Rejoice with them that do rejoice, and weep with them that weep.

16 *Be* of the same mind one toward another. Mind not high things, but condescend to men of low estate. Be not wise in your own conceits.

17 Recompense to no man evil for evil. Provide things honest in the sight of all men.

18 If it be possible, as much as lieth in you, live peaceably with all men.

19 Dearly beloved, avenge not yourselves, but *rather* give place unto wrath: for it is written, Vengeance *is* mine; I will repay, saith the Lord.

20 Therefore if thine enemy hunger, feed him; if he thirst, give him drink: for in so doing thou shalt heap coals of fire on his head.

21 Be not overcome of evil, but overcome evil with good.

CHAPTER 13

LET every soul be subject unto the higher powers. For there is no power but of God: the powers that be are ordained of God.

2 Whosoever therefore resisteth the power, resisteth the ordinance of God: and they that resist shall receive to themselves damnation.

3 For rulers are not a terror to good works, but to the evil. Wilt thou then not be afraid of the power? do that which is good, and thou shalt have praise of the same:

4 For he is the minister of God to thee for good. But if thou do that which is evil, be afraid; for he beareth not the sword in vain: for he is the minister of God, a revenger to *execute* wrath upon him that doeth evil.

5 Wherefore *ye* must needs be subject, not only for wrath, but also for conscience sake.

6 For for this cause pay ye tribute also: for they are God's ministers, attending continually upon this very thing.

7 Render therefore to all their dues: tribute to whom tribute *is due;* custom to whom custom; fear to whom fear; honour to whom honour.

8 Owe no man any thing, but to love

ros unos a otros; porque el que ama al
prójimo, ha cumplido la ley.
9 Porque: No adulterarás, no matarás,
no hurtarás, no dirás falso testimonio, no
codiciarás, y cualquier otro mandamien-
to, en esta sentencia se resume: Amarás
a tu prójimo como a ti mismo.
10 El amor no hace mal al prójimo; así
que el cumplimiento de la ley es el amor.
11 Y esto, conociendo el tiempo, que es
ya hora de levantarnos del sueño; porque
ahora está más cerca de nosotros nuestra
salvación que cuando creímos.
12 La noche está avanzada, y se acerca
el día. Desechemos, pues, las obras de las
tinieblas, y vistámonos las armas de la
luz.
13 Andemos como de día, honestamen-
te; no en glotonerías y borracheras, no en
lujurias y lascivias, no en contiendas y
envidia,
14 sino vestíos del Señor Jesucristo, y
no proveáis para los deseos de la carne.

CAPÍTULO 14

RECIBID al débil en la fe, pero no para
contender sobre opiniones.
2 Porque uno cree que se ha de comer
de todo; otro, que es débil, come legum-
bres.
3 El que come, no menosprecie al que
no come, y el que no come, no juzgue al
que come; porque Dios le ha recibido.
4 ¿Tú quién eres, que juzgas al criado
ajeno? Para su propio señor está en pie, o
cae; pero estará firme, porque poderoso
es el Señor para hacerle estar firme.
5 Uno hace diferencia entre día y día;
otro juzga iguales todos los días. Cada
uno esté plenamente convencido en su
propia mente.
6 El que hace caso del día, lo hace para
el Señor; y el que no hace caso del día,
para el Señor no lo hace. El que come,
para el Señor come, porque da gracias a
Dios; y el que no come, para el Señor no
come, y da gracias a Dios.
7 Porque ninguno de nosotros vive para
sí, y ninguno muere para sí.
8 Pues si vivimos, para el Señor vivi-
mos; y si morimos, para el Señor mori-
mos. Asi pues, sea que vivamos, o que
muramos, del Señor somos.
9 Porque Cristo para esto murió y resu-
citó, y volvió a vivir, para ser Señor así
de los muertos como de los que viven.
10 Pero tú, ¿por qué juzgas a tu her-

one another: for he that loveth another
hath fulfilled the law.
9 For this, Thou shalt not commit adul-
tery, Thou shalt not kill, Thou shalt not
steal, Thou shalt not bear false witness,
Thou shalt not covet; and if *there be* any
other commandment, it is briefly com-
prehended in this saying, namely, Thou
shalt love thy neighbour as thyself.
10 Love worketh no ill to his neighbour:
therefore love *is* the fulfilling of the law.
11 And that, knowing the time, that
now *it is* high time to awake out of sleep:
for now *is* our salvation nearer than
when we believed.
12 The night is far spent, the day is at
hand: let us therefore cast off the works
of darkness, and let us put on the armour
of light.
13 Let us walk honestly, as in the day;
not in rioting and drunkenness, not in
chambering and wantonness, not in strife
and envying.
14 But put ye on the Lord Jesus Christ,
and make not provision for the flesh, to
fulfil the lusts *thereof.*

CHAPTER 14

HIM that is weak in the faith receive ye,
but not to doubtful disputations.
2 For one believeth that he may eat all
things: another, who is weak, eateth
herbs.
3 Let not him that eateth despise him
that eateth not; and let not him which
eateth not judge him that eateth: for God
hath received him.
4 Who art thou that judgest another
man's servant? to his own master he
standeth or falleth. Yea, he shall be
holden up: for God is able to make him
stand.
5 One man esteemeth one day above
another: another esteemeth every day
alike. Let every man be fully persuaded
in his own mind.
6 He that regardeth the day, regardeth
it unto the Lord; and he that regardeth
not the day, to the Lord he doth not re-
gard *it.* He that eateth, eateth to the
Lord, for he giveth God thanks; and he
that eateth not, to the Lord he eateth not,
and giveth God thanks.
7 For none of us liveth to himself, and
no man dieth to himself.
8 For whether we live, we live unto the
Lord; and whether we die, we die unto
the Lord: whether we live therefore, or
die, we are the Lord's.
9 For to this end Christ both died, and
rose, and revived, that he might be Lord
both of the dead and living.
10 But why dost thou judge thy

mano? O tú también, ¿por qué menosprecias a tu hermano? Porque todos compareceremos ante el tribunal de Cristo.
11 Porque escrito está: Vivo yo, dice el Señor, que ante mí se doblará toda rodilla, y toda lengua confesará a Dios.
12 De manera que cada uno de nosotros dará a Dios cuenta de sí.
13 Así que, ya no nos juzguemos más los unos a los otros, sino más bien decidid no poner tropiezo u ocasión de caer al hermano.
14 Yo sé, y confío en el Señor Jesús, que nada es inmundo en sí mismo; mas para el que piensa que algo es inmundo, para él lo es.
15 Pero si por causa de la comida tu hermano es contristado, ya no andas conforme al amor. No hagas que por la comida tuya se pierda aquel por quien Cristo murió.
16 No sea, pues, vituperado vuestro bien;
17 porque el reino de Dios no es comida ni bebida, sino justicia, paz y gozo en el Espíritu Santo.
18 Porque el que en esto sirve a Cristo, agrada a Dios, y es aprobado por los hombres.
19 Así que, sigamos lo que contribuye a la paz y a la mutua edificación.
20 No destruyas la obra de Dios por causa de la comida. Todas las cosas a la verdad son limpias; pero es malo que el hombre haga tropezar a otros con lo que come.
21 Bueno es no comer carne, ni beber vino, ni nada en que tu hermano tropiece, o se ofenda, o se debilite.
22 ¿Tienes tú fe? Tenla para contigo delante de Dios. Bienaventurado el que no se condena a sí mismo en lo que aprueba.
23 Pero el que duda sobre lo que come, es condenado, porque no lo hace con fe; y todo lo que no proviene de fe, es pecado.

CAPÍTULO 15

ASÍ que, los que somos fuertes debemos soportar las flaquezas de los débiles, y no agradarnos a nosotros mismos.
2 Cada uno de nosotros agrade a su prójimo en lo que es bueno, para edificación.
3 Porque ni aun Cristo se agradó a sí mismo; antes bien, como está escrito: Los vituperios de los que te vituperaban, cayeron sobre mí.
4 Porque las cosas que se escribieron antes, para nuestra enseñanza se escribieron, a fin de que por la paciencia y la consolación de las Escrituras, tengamos esperanza.
5 Pero el Dios de la paciencia y de la

brother? or why dost thou set at nought thy brother? for we shall all stand before the judgment seat of Christ.
11 For it is written, *As* I live, saith the Lord, every knee shall bow to me, and every tongue shall confess to God.
12 So then every one of us shall give account of himself to God.
13 Let us not therefore judge one another any more: but judge this rather, that no man put a stumblingblock or an occasion to fall in *his* brother's way.
14 I know, and am persuaded by the Lord Jesus, that *there is* nothing unclean of itself: but to him that esteemeth any thing to be unclean, to him *it is* unclean.
15 But if thy brother be grieved with *thy* meat, now walkest thou not charitably. Destroy not him with thy meat, for whom Christ died.
16 Let not then your good be evil spoken of:
17 For the kingdom of God is not meat and drink; but righteousness, and peace, and joy in the Holy Ghost.
18 For he that in these things serveth Christ *is* acceptable to God, and approved of men.
19 Let us therefore follow after the things which make for peace, and things wherewith one may edify another.
20 For meat destroy not the work of God. All things indeed *are* pure; but *it is* evil for that man who eateth with offence.
21 *It is* good neither to eat flesh, nor to drink wine, nor *any thing* whereby thy brother stumbleth, or is offended, or is made weak.
22 Hast thou faith? have *it* to thyself before God. Happy *is* he that condemneth not himself in that thing which he alloweth.
23 And he that doubteth is damned if he eat, because *he eateth* not of faith: for whatsoever *is* not of faith is sin.

CHAPTER 15

WE then that are strong ought to bear the infirmities of the weak, and not to please ourselves.
2 Let every one of us please *his* neighbour for *his* good to edification.
3 For even Christ pleased not himself: but, as it is written, The reproaches of them that reproached thee fell on me.
4 For whatsoever things were written aforetime were written for our learning, that we through patience and comfort of the scriptures might have hope.
5 Now the God of patience and conso-

consolación os dé entre vosotros un mismo sentir según Cristo Jesús,

6 para que unánimes, a una voz, glorifiquéis al Dios y Padre de nuestro Señor Jesucristo.

7 Por tanto, recibíos los unos a los otros, como también Cristo nos recibió, para gloria de Dios.

8 Pues os digo, que Cristo Jesús vino a ser siervo de la circuncisión para mostrar la verdad de Dios, para confirmar las promesas hechas a los padres,

9 y para que los gentiles glorifiquen a Dios por su misericordia, como está escrito: Por tanto, yo te confesaré entre los gentiles, y cantaré a tu nombre.

10 Y otra vez dice: Alegraos, gentiles, con su pueblo.

11 Y otra vez: Alabad al Señor todos los gentiles, y magnificadle todos los pueblos.

12 Y otra vez dice Isaías: Estará la raíz de Isaí, y el que se levantará a regir los gentiles; los gentiles esperarán en él.

13 Y el Dios de esperanza os llene de todo gozo y paz en el creer, para que abundéis en esperanza por el poder del Espíritu Santo.

14 Pero estoy seguro de vosotros, hermanos míos, de que vosotros mismos estáis llenos de bondad, llenos de todo conocimiento, de tal manera que podéis amonestaros los unos a los otros.

15 Mas os he escrito, hermanos, en parte con atrevimiento, como para haceros recordar, por la gracia que de Dios me es dada

16 para ser ministro de Jesucristo a los gentiles, ministrando el evangelio de Dios, para que los gentiles le sean ofrenda agradable, santificada por el Espíritu Santo.

17 Tengo, pues, de qué gloriarme en Cristo Jesús en lo que a Dios se refiere.

18 Porque no osaría hablar sino de lo que Cristo ha hecho por medio de mí para la obediencia de los gentiles, con la palabra y con las obras,

19 con potencia de señales y prodigios, en el poder del Espíritu de Dios; de manera que desde Jerusalén, y por los alrededores hasta Ilírico, todo lo he llenado del evangelio de Cristo.

20 Y de esta manera me esforcé a predicar el evangelio, no donde Cristo ya hubiese sido nombrado, para no edificar sobre fundamento ajeno,

21 sino, como está escrito: Aquellos a quienes nunca les fue anunciado acerca de él, verán; y los que nunca han oído de él, entenderán.

22 Por esta causa me he visto impedido muchas veces de ir a vosotros.

lation grant you to be likeminded one toward another according to Christ Jesus:

6 That ye may with one mind *and* one mouth glorify God, even the Father of our Lord Jesus Christ.

7 Wherefore receive ye one another, as Christ also received us to the glory of God.

8 Now I say that Jesus Christ was a minister of the circumcision for the truth of God, to confirm the promises *made* unto the fathers:

9 And that the Gentiles might glorify God for *his* mercy; as it is written, For this cause I will confess to thee among the Gentiles, and sing unto thy name.

10 And again he saith, Rejoice, ye Gentiles, with his people.

11 And again, Praise the Lord, all ye Gentiles; and laud him, all ye people.

12 And again, E-sai'as saith, There shall be a root of Jesse, and he that shall rise to reign over the Gentiles; in him shall the Gentiles trust.

13 Now the God of hope fill you with all joy and peace in believing, that ye may abound in hope, through the power of the Holy Ghost.

14 And I myself also am persuaded of you, my brethren, that ye also are full of goodness, filled with all knowledge, able also to admonish one another.

15 Nevertheless, brethren, I have written the more boldly unto you in some sort, as putting you in mind, because of the grace that is given to me of God,

16 That I should be the minister of Jesus Christ to the Gentiles, ministering the gospel of God, that the offering up of the Gentiles might be acceptable, being sanctified by the Holy Ghost.

17 I have therefore whereof I may glory through Jesus Christ in those things which pertain to God.

18 For I will not dare to speak of any of those things which Christ hath not wrought by me, to make the Gentiles obedient, by word and deed,

19 Through mighty signs and wonders, by the power of the Spirit of God; so that from Jerusalem, and round about unto Il-lyr'i-cum, I have fully preached the gospel of Christ.

20 Yea, so have I strived to preach the gospel, not where Christ was named, lest I should build upon another man's foundation:

21 But as it is written, To whom he was not spoken of, they shall see: and they that have not heard shall understand.

22 For which cause also I have been much hindered from coming to you.

23 Pero ahora, no teniendo más campo
en estas regiones, y deseando desde hace
muchos años ir a vosotros,
24 cuando vaya a España, iré a voso-
tros; porque espero veros al pasar, y ser
encaminado allá por vosotros, una vez
que haya gozado con vosotros.
25 Mas ahora voy a Jerusalén para mi-
nistrar a los santos.
26 Porque Macedonia y Acaya tuvieron
a bien hacer una ofrenda para los pobres
que hay entre los santos que están en Je-
rusalén.
27 Pues les pareció bueno, y son deudo-
res a ellos; porque si los gentiles han sido
hechos participantes de sus bienes espiri-
tuales, deben también ellos ministrarles
de los materiales.
28 Así que, cuando haya concluido
esto, y les haya entregado este fruto, pa-
saré entre vosotros rumbo a España.
29 Y sé que cuando vaya a vosotros, lle-
garé con abundancia de la bendición del
evangelio de Cristo.
30 Pero os ruego, hermanos, por nu-
estro Señor Jesucristo y por el amor del
Espíritu, que me ayudéis orando por mí a
Dios,
31 para que sea librado de los rebeldes
que están en Judea, y que la ofrenda de
mi servicio a los santos en Jerusalén sea
acepta;
32 para que con gozo llegue a vosotros
por la voluntad de Dios, y que sea recrea-
do juntamente con vosotros.
33 Y el Dios de paz sea con todos voso-
tros. Amén.

CAPÍTULO 16

OS recomiendo además nuestra herma-
na Febe, la cual es diaconisa de la i-
glesia en Cencrea;
2 que la recibáis en el Señor, como es
digno de los santos, y que la ayudéis en
cualquier cosa en que necesite de voso-
tros; porque ella ha ayudado a muchos, y
a mí mismo.
3 Saludad a Priscila y a Aquila, mis co-
laboradores en Cristo Jesús,
4 que expusieron su vida por mí; a los
cuales no sólo yo doy gracias, sino tam-
bién todas las iglesias de los gentiles.
5 Saludad también a la iglesia de su
casa. Saludad a Epeneto, amado mío, que
es el primer fruto de Acaya para Cristo.
6 Saludad a María, la cual ha trabajado
mucho entre vosotros.
7 Saludad a Andrónico y a Junias, mis
parientes y mis compañeros de prisiones,

23 But now having no more place in
these parts, and having a great desire
these many years to come unto you;
24 Whensoever I take my journey into
Spain, I will come to you: for I trust to
see you in my journey, and to be brought
on my way thitherward by you, if first I
be somewhat filled with your *company*.
25 But now I go unto Jerusalem to min-
ister unto the saints.
26 For it hath pleased them of Macedo-
nia and A-chai'a to make a certain contri-
bution for the poor saints which are at
Jerusalem.
27 It hath pleased them verily; and
their debtors they are. For if the Gentiles
have been made partakers of their spiri-
tual things, their duty is also to minister
unto them in carnal things.
28 When therefore I have performed
this, and have sealed to them this fruit, I
will come by you into Spain.
29 And I am sure that, when I come
unto you, I shall come in the fulness of
the blessing of the gospel of Christ.
30 Now I beseech you, brethren, for the
Lord Jesus Christ's sake, and for the love
of the Spirit, that ye strive together with
me in *your* prayers to God for me;
31 That I may be delivered from them
that do not believe in Judæa; and that my
service which *I have* for Jerusalem may
be accepted of the saints;
32 That I may come unto you with joy
by the will of God, and may with you be
refreshed.
33 Now the God of peace *be* with you
all. Amen.

CHAPTER 16

I COMMEND unto you Phebe our sister,
which is a servant of the church which
is at Cen'chre-a:
2 That ye receive her in the Lord, as be-
cometh saints, and that ye assist her in
whatsoever business she hath need of
you: for she hath been a succourer of
many, and of myself also.
3 Greet Priscilla and Aq'ui-la my help-
ers in Christ Jesus:
4 Who have for my life laid down their
own necks: unto whom not only I give
thanks, but also all the churches of the
Gentiles.
5 Likewise *greet* the church that is in
their house. Salute my wellbeloved E-
pæn'e-tus, who is the firstfruits of A-
chai'a unto Christ.
6 Greet Mary, who bestowed much la-
bour on us.
7 Salute An-dro-ni'cus and Junia, my
kinsmen, and my fellowprisoners, who

los cuales son muy estimados entre los apóstoles, y que también fueron antes de mí en Cristo.

8 Saludad a Amplias, amado mío en el Señor.

9 Saludad a Urbano, nuestro colaborador en Cristo Jesús, y a Estaquis, amado mío.

10 Saludad a Apeles, aprobado en Cristo. Saludad a los de la casa de Aristóbulo.

11 Saludad a Herodión, mi pariente. Saludad a los de la casa de Narciso, los cuales están en el Señor.

12 Saludad a Trifena y a Trifosa, las cuales trabajan en el Señor. Saludad a la amada Pérsida, la cual ha trabajado mucho en el Señor.

13 Saludad a Rufo, escogido en el Señor, y a su madre y mía.

14 Saludad a Asincrito, a Flegonte, a Hermas, a Patrobas, a Hermes y a los hermanos que están con ellos.

15 Saludad a Filólogo, a Julia, a Nereo y a su hermana, a Olimpas y a todos los santos que están con ellos.

16 Saludaos los unos a los otros con ósculo santo. Os saludan todas las iglesias de Cristo.

17 Mas os ruego, hermanos, que os fijéis en los que causan divisiones y tropiezos en contra de la doctrina que vosotros habéis aprendido, y que os apartéis de ellos.

18 Porque tales personas no sirven a nuestro Señor Jesucristo, sino a sus propios vientres, y con suaves palabras y lisonjas engañan los corazones de los ingenuos.

19 Porque vuestra obediencia ha venido a ser notoria a todos, así que me gozo de vosotros; pero quiero que seáis sabios para el bien, e ingenuos para el mal.

20 Y el Dios de paz aplastará en breve a Satanás bajo vuestros pies. La gracia de nuestro Señor Jesucristo sea con vosotros.

21 Os saludan Timoteo mi colaborador, y Lucio, Jasón y Sosípater, mis parientes.

22 Yo Tercio, que escribí la epístola, os saludo en el Señor.

23 Os saluda Gayo, hospedador mío y de toda la iglesia. Os saluda Erasto, tesorero de la ciudad, y el hermano Cuarto.

24 La gracia de nuestro Señor Jesucristo sea con todos vosotros. Amén.

25 Y al que puede confirmaros según mi evangelio y la predicación de Jesucristo, según la revelación del misterio que se ha mantenido oculto desde tiempos eternos,

26 pero que ha sido manifestado ahora, y que por las Escrituras de los profetas, según el mandamiento del Dios eterno, se

are of note among the apostles, who also were in Christ before me.

8 Greet Am′pli-as my beloved in the Lord.

9 Salute Ur′bane, our helper in Christ, and Sta′chys my beloved.

10 Salute A-pel′les approved in Christ. Salute them which are of Ar-is-to-bu′lus' *household*.

11 Salute He-ro′di-on my kinsman. Greet them that be of the *household* of Nar-cis′sus, which are in the Lord.

12 Salute Try-phe′na and Try-pho′sa, who labour in the Lord. Salute the beloved Persis, which laboured much in the Lord.

13 Salute Rufus chosen in the Lord, and his mother and mine.

14 Salute A-syn′cri-tus, Phle′gon, Her′mas, Pat′ro-bas, Her′mes, and the brethren which are with them.

15 Salute Phi-lol′o-gus, and Julia, Ne′re-us, and his sister, and O-lym′pas, and all the saints which are with them.

16 Salute one another with an holy kiss. The churches of Christ salute you.

17 Now I beseech you, brethren, mark them which cause divisions and offences contrary to the doctrine which ye have learned; and avoid them.

18 For they that are such serve not our Lord Jesus Christ, but their own belly; and by good words and fair speeches deceive the hearts of the simple.

19 For your obedience is come abroad unto all *men*. I am glad therefore on your behalf: but yet I would have you wise unto that which is good, and simple concerning evil.

20 And the God of peace shall bruise Satan under your feet shortly. The grace of our Lord Jesus Christ *be* with you. Amen.

21 Ti-mo′the-us my workfellow, and Lucius, and Jason, and So-sip′a-ter, my kinsmen, salute you.

22 I Ter′tius, who wrote *this* epistle, salute you in the Lord.

23 Gaius mine host, and of the whole church, saluteth you. E-ras′tus the chamberlain of the city saluteth you, and Quartus a brother.

24 The grace of our Lord Jesus Christ *be* with you all. Amen.

25 Now to him that is of power to stablish you according to my gospel, and the preaching of Jesus Christ, according to the revelation of the mystery, which was kept secret since the world began,

26 But now is made manifest, and by the scriptures of the prophets, according to the commandment of the everlasting

ha dado a conocer a todas las gentes para que obedezcan a la fe,
27 al único y sabio Dios, sea gloria mediante Jesucristo para siempre. Amén.

LA PRIMERA EPÍSTOLA DEL APÓSTOL SAN PABLO A LOS

CORINTIOS

CAPÍTULO 1

PABLO, llamado a ser apóstol de Jesucristo por la voluntad de Dios, y el hermano Sóstenes,
2 a la iglesia de Dios que está en Corinto, a los santificados en Cristo Jesús, llamados a ser santos con todos los que en cualquier lugar invocan el nombre de nuestro Señor Jesucristo, Señor de ellos y nuestro:
3 Gracia y paz a vosotros, de Dios nuestro Padre y del Señor Jesucristo.
4 Gracias doy a mi Dios siempre por vosotros, por la gracia de Dios que os fue dada en Cristo Jesús;
5 porque en todas las cosas fuisteis enriquecidos en él, en toda palabra y en toda ciencia;
6 así como el testimonio acerca de Cristo ha sido confirmado en vosotros,
7 de tal manera que nada os falta en ningún don, esperando la manifestación de nuestro Señor Jesucristo;
8 el cual también os confirmará hasta el fin, para que seáis irreprensibles en el día de nuestro Señor Jesucristo.
9 Fiel es Dios, por el cual fuisteis llamados a la comunión con su Hijo Jesucristo nuestro Señor.
10 Os ruego, pues, hermanos, por el nombre de nuestro Señor Jesucristo, que habléis todos una misma cosa, y que no haya entre vosotros divisiones, sino que estéis perfectamente unidos en una misma mente y en un mismo parecer.
11 Porque he sido informado acerca de vosotros, hermanos míos, por los de Cloé, que hay entre vosotros contiendas.
12 Quiero decir, que cada uno de vosotros dice: Yo soy de Pablo; y yo de Apolos; y yo de Cefas; y yo de Cristo.
13 ¿Acaso está dividido Cristo? ¿Fue crucificado Pablo por vosotros? ¿O fuisteis bautizados en el nombre de Pablo?
14 Doy gracias a Dios de que a ninguno de vosotros he bautizado, sino a Crispo y a Gayo,

God, made known to all nations for the obedience of faith:
27 To God only wise, *be* glory through Jesus Christ for ever. Amen.

THE FIRST EPISTLE OF PAUL THE APOSTLE TO THE

CORINTHIANS

CHAPTER 1

PAUL, called *to be* an apostle of Jesus Christ through the will of God, and Sos'the-nes *our* brother,
2 Unto the church of God which is at Corinth, to them that are sanctified in Christ Jesus, called *to be* saints, with all that in every place call upon the name of Jesus Christ our Lord, both theirs and ours:
3 Grace *be* unto you, and peace, from God our Father, and *from* the Lord Jesus Christ.
4 I thank my God always on your behalf, for the grace of God which is given you by Jesus Christ;
5 That in every thing ye are enriched by him, in all utterance, and *in* all knowledge;
6 Even as the testimony of Christ was confirmed in you:
7 So that ye come behind in no gift; waiting for the coming of our Lord Jesus Christ:
8 Who shall also confirm you unto the end, *that ye may be* blameless in the day of our Lord Jesus Christ.
9 God *is* faithful, by whom ye were called unto the fellowship of his Son Jesus Christ our Lord.
10 Now I beseech you, brethren, by the name of our Lord Jesus Christ, that ye all speak the same thing, and *that* there be no divisions among you; but *that* ye be perfectly joined together in the same mind and in the same judgment.
11 For it hath been declared unto me of you, my brethren, by them *which are of the house* of Chlo'e, that there are contentions among you.
12 Now this I say, that every one of you saith, I am of Paul; and I of Apollos; and I of Ce'phas; and I of Christ.
13 Is Christ divided? was Paul crucified for you? or were ye baptized in the name of Paul?
14 I thank God that I baptized none of you, but Crispus and Gaius;

15 para que ninguno diga que fuisteis
bautizados en mi nombre.
16 También bauticé a la familia de Es-
téfanas; de los demás, no sé si he bautiza-
do a algún otro.
17 Pues no me envió Cristo a bautizar,
sino a predicar el evangelio; no con sabi-
duría de palabras, para que no se haga
vana la cruz de Cristo.
18 Porque la palabra de la cruz es locu-
ra a los que se pierden; pero a los que se
salvan, esto es, a nosotros, es poder de
Dios.
19 Pues está escrito: Destruiré la sabi-
duría de los sabios, y desecharé el enten-
dimiento de los entendidos.
20 ¿Dónde está el sabio? ¿Dónde está el
escriba? ¿Dónde está el disputador de
este siglo? ¿No ha enloquecido Dios la sa-
biduría del mundo?
21 Pues ya que en la sabiduría de Dios,
el mundo no conoció a Dios mediante la
sabiduría, agradó a Dios salvar a los cre-
yentes por la locura de la predicación.
22 Porque los judíos piden señales, y
los griegos buscan sabiduría;
23 pero nosotros predicamos a Cristo
crucificado, para los judíos ciertamente
tropezadero, y para los gentiles locura;
24 mas para los llamados, así judíos
como griegos, Cristo poder de Dios, y sa-
biduría de Dios.
25 Porque lo insensato de Dios es más
sabio que los hombres, y lo débil de Dios
es más fuerte que los hombres.
26 Pues mirad, hermanos, vuestra vo-
cación, que no sois muchos sabios según
la carne, ni muchos poderosos, ni mu-
chos nobles;
27 sino que lo necio del mundo escogió
Dios, para avergonzar a los sabios; y lo
débil del mundo escogió Dios, para aver-
gonzar a lo fuerte;
28 y lo vil del mundo y lo menosprecia-
do escogió Dios, y lo que no es, para des-
hacer lo que es,
29 a fin de que nadie se jacte en su pre-
sencia.
30 Mas por él estáis vosotros en Cristo
Jesús, el cual nos ha sido hecho por Dios
sabiduría, justificación, santificación y
redención;
31 para que, como está escrito: El que
se gloría, gloríese en el Señor.

CAPÍTULO 2

ASÍ que, hermanos, cuando fui a voso-
tros para anunciaros el testimonio de
Dios, no fui con excelencia de palabras o
de sabiduría.
2 Pues me propuse no saber entre voso-

15 Lest any should say that I had bap-
tized in mine own name.
16 And I baptized also the household of
Steph'a-nas: besides, I know not whether
I baptized any other.
17 For Christ sent me not to baptize,
but to preach the gospel: not with wis-
dom of words, lest the cross of Christ
should be made of none effect.
18 For the preaching of the cross is to
them that perish foolishness; but unto us
which are saved it is the power of God.
19 For it is written, I will destroy the
wisdom of the wise, and will bring to
nothing the understanding of the pru-
dent.
20 Where *is* the wise? where *is* the
scribe? where *is* the disputer of this
world? hath not God made foolish the
wisdom of this world?
21 For after that in the wisdom of God
the world by wisdom knew not God, it
pleased God by the foolishness of
preaching to save them that believe.
22 For the Jews require a sign, and the
Greeks seek after wisdom:
23 But we preach Christ crucified, unto
the Jews a stumblingblock, and unto the
Greeks foolishness;
24 But unto them which are called,
both Jews and Greeks, Christ the power
of God, and the wisdom of God.
25 Because the foolishness of God is
wiser than men; and the weakness of
God is stronger than men.
26 For ye see your calling, brethren,
how that not many wise men after the
flesh, not many mighty, not many noble,
are called:
27 But God hath chosen the foolish
things of the world to confound the wise;
and God hath chosen the weak things of
the world to confound the things which
are mighty;
28 And base things of the world, and
things which are despised, hath God cho-
sen, *yea,* and things which are not, to
bring to nought things that are:
29 That no flesh should glory in his
presence.
30 But of him are ye in Christ Jesus,
who of God is made unto us wisdom, and
righteousness, and sanctification, and re-
demption:
31 That, according as it is written, He
that glorieth, let him glory in the Lord.

CHAPTER 2

AND I, brethren, when I came to you,
came not with excellency of speech
or of wisdom, declaring unto you the tes-
timony of God.
2 For I determined not to know any

tros cosa alguna sino a Jesucristo, y a éste crucificado.
3 Y estuve entre vosotros con debilidad, y mucho temor y temblor;
4 y ni mi palabra ni mi predicación fue con palabras persuasivas de humana sabiduría, sino con demostración del Espíritu y de poder,
5 para que vuestra fe no esté fundada en la sabiduría de los hombres, sino en el poder de Dios.
6 Sin embargo, hablamos sabiduría entre los que han alcanzado madurez; y sabiduría, no de este siglo, ni de los príncipes de este siglo, que perecen.
7 Mas hablamos sabiduría de Dios en misterio, la sabiduría oculta, la cual Dios predestinó antes de los siglos para nuestra gloria,
8 la que ninguno de los príncipes de este siglo conoció; porque si la hubieran conocido, nunca habrían crucificado al Señor de gloria.
9 Antes bien, como está escrito: Cosas que ojo no vio, ni oído oyó, ni han subido en corazón de hombre, son las que Dios ha preparado para los que le aman.
10 Pero Dios nos las reveló a nosotros por el Espíritu; porque el Espíritu todo lo escudriña, aun lo profundo de Dios.
11 Porque ¿quién de los hombres sabe las cosas del hombre, sino el espíritu del hombre que está en él? Así tampoco nadie conoció las cosas de Dios, sino el Espíritu de Dios.
12 Y nosotros no hemos recibido el espíritu del mundo, sino el Espíritu que proviene de Dios, para que sepamos lo que Dios nos ha concedido,
13 lo cual también hablamos, no con palabras enseñadas por sabiduría humana, sino con las que enseña el Espíritu, acomodando lo espiritual a lo espiritual.
14 Pero el hombre natural no percibe las cosas que son del Espíritu de Dios, porque para él son locura, y no las puede entender, porque se han de discernir espiritualmente.
15 En cambio el espiritual juzga todas las cosas; pero él no es juzgado de nadie.
16 Porque ¿quién conoció la mente del Señor? ¿Quién le instruirá? Mas nosotros tenemos la mente de Cristo.

CAPÍTULO 3

De manera que yo, hermanos, no pude hablaros como a espirituales, sino como a carnales, como a niños en Cristo.
2 Os di a beber leche, y no vianda; porque aún no erais capaces, ni sois capaces todavía,
3 porque aún sois carnales; pues habiendo entre vosotros celos, contiendas y

thing among you, save Jesus Christ, and him crucified.
3 And I was with you in weakness, and in fear, and in much trembling.
4 And my speech and my preaching *was* not with enticing words of man's wisdom, but in demonstration of the Spirit and of power:
5 That your faith should not stand in the wisdom of men, but in the power of God.
6 Howbeit we speak wisdom among them that are perfect: yet not the wisdom of this world, nor of the princes of this world, that come to nought:
7 But we speak the wisdom of God in a mystery, *even* the hidden *wisdom*, which God ordained before the world unto our glory:
8 Which none of the princes of this world knew: for had they known *it*, they would not have crucified the Lord of glory.
9 But as it is written, Eye hath not seen, nor ear heard, neither have entered into the heart of man, the things which God hath prepared for them that love him.
10 But God hath revealed *them* unto us by his Spirit: for the Spirit searcheth all things, yea, the deep things of God.
11 For what man knoweth the things of a man, save the spirit of man which is in him? even so the things of God knoweth no man, but the Spirit of God.
12 Now we have received, not the spirit of the world, but the spirit which is of God; that we might know the things that are freely given to us of God.
13 Which things also we speak, not in the words which man's wisdom teacheth, but which the Holy Ghost teacheth; comparing spiritual things with spiritual.
14 But the natural man receiveth not the things of the Spirit of God: for they are foolishness unto him: neither can he know *them*, because they are spiritually discerned.
15 But he that is spiritual judgeth all things, yet he himself is judged of no man.
16 For who hath known the mind of the Lord, that he may instruct him? But we have the mind of Christ.

CHAPTER 3

And I, brethren, could not speak unto you as unto spiritual, but as unto carnal, *even* as unto babes in Christ.
2 I have fed you with milk, and not with meat: for hitherto ye were not able *to bear it*, neither yet now are ye able.
3 For ye are yet carnal: for whereas *there is* among you envying, and strife,

disensiones, ¿no sois carnales, y andáis
como hombres?
4 Porque diciendo el uno: Yo cierta-
mente soy de Pablo; y el otro: Yo soy de
Apolos, ¿no sois carnales?
5 ¿Qué, pues, es Pablo, y qué es Apo-
los? Servidores por medio de los cuales
habéis creído; y eso según lo que a cada
uno concedió el Señor.
6 Yo planté, Apolos regó; pero el creci-
miento lo ha dado Dios.
7 Así que ni el que planta es algo, ni el
que riega, sino Dios, que da el crecimien-
to.
8 Y el que planta y el que riega son una
misma cosa; aunque cada uno recibirá su
recompensa conforme a su labor.
9 Porque nosotros somos colaborado-
res de Dios, y vosotros sois labranza de
Dios, edificio de Dios.
10 Conforme a la gracia de Dios que me
ha sido dada, yo como perito arquitecto
puse el fundamento, y otro edifica enci-
ma; pero cada uno mire cómo sobreedifi-
ca.
11 Porque nadie puede poner otro fun-
damento que el que está puesto, el cual
es Jesucristo.
12 Y si sobre este fundamento alguno
edificare oro, plata, piedras preciosas,
madera, heno, hojarasca,
13 la obra de cada uno se hará mani-
fiesta; porque el día la declarará, pues
por el fuego será revelada; y la obra de
cada uno cuál sea, el fuego la probará.
14 Si permaneciere la obra de alguno
que sobreedificó, recibirá recompensa.
15 Si la obra de alguno se quemare, él
sufrirá pérdida, si bien él mismo será
salvo, aunque así como por fuego.
16 ¿No sabéis que sois templo de Dios,
y que el Espíritu de Dios mora en voso-
tros?
17 Si alguno destruyere el templo de
Dios, Dios le destruirá a él; porque el
templo de Dios, el cual sois vosotros,
santo es.
18 Nadie se engañe a sí mismo; si al-
guno entre vosotros se cree sabio en este
siglo, hágase ignorante, para que llegue a
ser sabio.
19 Porque la sabiduría de este mundo
es insensatez para con Dios; pues escrito
está: El prende a los sabios en la astucia
de ellos.
20 Y otra vez: El Señor conoce los pen-
samientos de los sabios, que son vanos.
21 Así que, ninguno se gloríe en los
hombres; porque todo es vuestro:
22 sea Pablo, sea Apolos, sea Cefas, sea
el mundo, sea la vida, sea la muerte, sea
lo presente, sea lo por venir, todo es
vuestro,

and divisions, are ye not carnal, and walk
as men?
4 For while one saith, I am of Paul; and
another, I *am* of Apollos; are ye not car-
nal?
5 Who then is Paul, and who *is* Apollos,
but ministers by whom ye believed, even
as the Lord gave to every man?
6 I have planted, Apollos watered; but
God gave the increase.
7 So then neither is he that planteth
any thing, neither he that watereth; but
God that giveth the increase.
8 Now he that planteth and he that wa-
tereth are one: and every man shall re-
ceive his own reward according to his
own labour.
9 For we are labourers together with
God: ye are God's husbandry, *ye are*
God's building.
10 According to the grace of God which
is given unto me, as a wise masterbuild-
er, I have laid the foundation, and an-
other buildeth thereon. But let every man
take heed how he buildeth thereupon.
11 For other foundation can no man lay
than that is laid, which is Jesus Christ.
12 Now if any man build upon this
foundation gold, silver, precious stones,
wood, hay, stubble;
13 Every man's work shall be made
manifest: for the day shall declare it, be-
cause it shall be revealed by fire; and the
fire shall try every man's work of what
sort it is.
14 If any man's work abide which he
hath built thereupon, he shall receive a
reward.
15 If any man's work shall be burned,
he shall suffer loss: but he himself shall
be saved; yet so as by fire.
16 Know ye not that ye are the temple
of God, and *that* the Spirit of God dwell-
eth in you?
17 If any man defile the temple of God,
him shall God destroy; for the temple of
God is holy, which *temple* ye are.
18 Let no man deceive himself. If any
man among you seemeth to be wise in
this world, let him become a fool, that he
may be wise.
19 For the wisdom of this world is fool-
ishness with God. For it is written, He
taketh the wise in their own craftiness.
20 And again, The Lord knoweth the
thoughts of the wise, that they are vain.
21 Therefore let no man glory in men.
For all things are yours;
22 Whether Paul, or Apollos, or Ce′-
phas, or the world, or life, or death, or
things present, or things to come; all are
yours;

23 y vosotros de Cristo, y Cristo de Dios.

CAPÍTULO 4

ASÍ, pues, ténganos los hombres por servidores de Cristo, y administradores de los misterios de Dios.

2 Ahora bien, se requiere de los administradores, que cada uno sea hallado fiel.

3 Yo en muy poco tengo el ser juzgado por vosotros, o por tribunal humano; y ni aun yo me juzgo a mí mismo.

4 Porque aunque de nada tengo mala conciencia, no por eso soy justificado; pero el que me juzga es el Señor.

5 Así que, no juzguéis nada antes de tiempo, hasta que venga el Señor, el cual aclarará también lo oculto de las tinieblas, y manifestará las intenciones de los corazones; y entonces cada uno recibirá su alabanza de Dios.

6 Pero esto, hermanos, lo he presentado como ejemplo en mí y en Apolos por amor de vosotros, para que en nosotros aprendáis a no pensar más de lo que está escrito, no sea que por causa de uno, os envanezcáis unos contra otros.

7 Porque ¿quién te distingue? ¿o qué tienes que no hayas recibido? Y si lo recibiste, ¿por qué te glorías como si no lo hubieras recibido?

8 Ya estáis saciados, ya estáis ricos, sin nosotros reináis. ¡Y ojalá reinaseis, para que nosotros reinásemos también juntamente con vosotros!

9 Porque según pienso, Dios nos ha exhibido a nosotros los apóstoles como postreros, como a sentenciados a muerte; pues hemos llegado a ser espectáculo al mundo, a los ángeles y a los hombres.

10 Nosotros somos insensatos por amor de Cristo, mas vosotros prudentes en Cristo; nosotros débiles, mas vosotros fuertes; vosotros honorables, mas nosotros despreciados.

11 Hasta esta hora padecemos hambre, tenemos sed, estamos desnudos, somos abofeteados, y no tenemos morada fija.

12 Nos fatigamos trabajando con nuestras propias manos; nos maldicen, y bendecimos; padecemos persecución, y la soportamos.

13 Nos difaman, y rogamos; hemos venido a ser hasta ahora como la escoria del mundo, el desecho de todos.

14 No escribo esto para avergonzaros, sino para amonestaros como a hijos míos amados.

15 Porque aunque tengáis diez mil ayos en Cristo, no tendréis muchos padres; pues en Cristo Jesús yo os engendré por medio del evangelio.

23 And ye are Christ's; and Christ *is* God's.

CHAPTER 4

LET a man so account of us, as of the ministers of Christ, and stewards of the mysteries of God.

2 Moreover it is required in stewards, that a man be found faithful.

3 But with me it is a very small thing that I should be judged of you, or of man's judgment: yea, I judge not mine own self.

4 For I know nothing by myself; yet am I not hereby justified: but he that judgeth me is the Lord.

5 Therefore judge nothing before the time, until the Lord come, who both will bring to light the hidden things of darkness, and will make manifest the counsels of the hearts: and then shall every man have praise of God.

6 And these things, brethren, I have in a figure transferred to myself and *to* Apollos for your sakes; that ye might learn in us not to think *of men* above that which is written, that no one of you be puffed up for one against another.

7 For who maketh thee to differ *from another?* and what hast thou that thou didst not receive? now if thou didst receive *it*, why dost thou glory, as if thou hadst not received *it?*

8 Now ye are full, now ye are rich, ye have reigned as kings without us: and I would to God ye did reign, that we also might reign with you.

9 For I think that God hath set forth us the apostles last, as it were appointed to death: for we are made a spectacle unto the world, and to angels, and to men.

10 We *are* fools for Christ's sake, but ye *are* wise in Christ; we *are* weak, but ye *are* strong; ye *are* honourable, but we *are* despised.

11 Even unto this present hour we both hunger, and thirst, and are naked, and are buffeted, and have no certain dwellingplace;

12 And labour, working with our own hands: being reviled, we bless; being persecuted, we suffer it:

13 Being defamed, we intreat: we are made as the filth of the world, *and are* the offscouring of all things unto this day.

14 I write not these things to shame you, but as my beloved sons I warn *you.*

15 For though ye have ten thousand instructors in Christ, yet *have ye* not many fathers: for in Christ Jesus I have begotten you through the gospel.

16 Por tanto, os ruego que me imitéis.
17 Por esto mismo os he enviado a Timoteo, que es mi hijo amado y fiel en el Señor, el cual os recordará mi proceder en Cristo, de la manera que enseño en todas partes y en todas las iglesias.
18 Mas algunos están envanecidos, como si yo nunca hubiese de ir a vosotros.
19 Pero iré pronto a vosotros, si el Señor quiere, y conoceré, no las palabras, sino el poder de los que andan envanecidos.
20 Porque el reino de Dios no consiste en palabras, sino en poder.
21 ¿Qué queréis? ¿Iré a vosotros con vara, o con amor y espíritu de mansedumbre?

CAPÍTULO 5

DE cierto se oye que hay entre vosotros fornicación, y tal fornicación cual ni aun se nombra entre los gentiles; tanto que alguno tiene la mujer de su padre.
2 Y vosotros estáis envanecidos. ¿No debierais más bien haberos lamentado, para que fuese quitado de en medio de vosotros el que cometió tal acción?
3 Ciertamente yo, como ausente en cuerpo, pero presente en espíritu, ya como presente he juzgado al que tal cosa ha hecho.
4 En el nombre de nuestro Señor Jesucristo, reunidos vosotros y mi espíritu, con el poder de nuestro Señor Jesucristo,
5 el tal sea entregado a Satanás para destrucción de la carne, a fin de que el espíritu sea salvo en el día del Señor Jesús.
6 No es buena vuestra jactancia. ¿No sabéis que un poco de levadura leuda toda la masa?
7 Limpiaos, pues, de la vieja levadura, para que seáis nueva masa, sin levadura como sois; porque nuestra pascua, que es Cristo, ya fue sacrificada por nosotros.
8 Así que celebremos la fiesta, no con la vieja levadura, ni con la levadura de malicia y de maldad, sino con panes sin levadura, de sinceridad y de verdad.
9 Os he escrito por carta, que no os juntéis con los fornicarios;
10 no absolutamente con los fornicarios de este mundo, o con los avaros, o con los ladrones, o con los idolatras; pues en tal caso os sería necesario salir del mundo.
11 Más bien os escribí que no os juntéis con ninguno que, llamándose hermano, fuere fornicario, o avaro, o idólatra, o

16 Wherefore I beseech you, be ye followers of me.
17 For this cause have I sent unto you Ti-mo'the-us, who is my beloved son, and faithful in the Lord, who shall bring you into remembrance of my ways which be in Christ, as I teach every where in every church.
18 Now some are puffed up, as though I would not come to you.
19 But I will come to you shortly, if the Lord will, and will know, not the speech of them which are puffed up, but the power.
20 For the kingdom of God *is* not in word, but in power.
21 What will ye? shall I come unto you with a rod, or in love, and *in* the spirit of meekness?

CHAPTER 5

IT is reported commonly *that there is* fornication among you, and such fornication as is not so much as named among the Gentiles, that one should have his father's wife.
2 And ye are puffed up, and have not rather mourned, that he that hath done this deed might be taken away from among you.
3 For I verily, as absent in body, but present in spirit, have judged already, as though I were present, *concerning* him that hath so done this deed,
4 In the name of our Lord Jesus Christ, when ye are gathered together, and my spirit, with the power of our Lord Jesus Christ,
5 To deliver such an one unto Satan for the destruction of the flesh, that the spirit may be saved in the day of the Lord Jesus.
6 Your glorying *is* not good. Know ye not that a little leaven leaveneth the whole lump?
7 Purge out therefore the old leaven, that ye may be a new lump, as ye are unleavened. For even Christ our passover is sacrificed for us:
8 Therefore let us keep the feast, not with old leaven, neither with the leaven of malice and wickedness; but with the unleavened *bread* of sincerity and truth.
9 I wrote unto you in an epistle not to company with fornicators:
10 Yet not altogether with the fornicators of this world, or with the covetous, or extortioners, or with idolaters; for then must ye needs go out of the world.
11 But now I have written unto you not to keep company, if any man that is called a brother be a fornicator, or covet-

maldiciente, o borracho, o ladrón; con el
tal ni aun comáis.
12 Porque ¿qué razón tendría yo para
juzgar a los que están fuera? ¿No juzgáis
vosotros a los que están dentro?
13 Porque a los que están fuera, Dios
juzgará. Quitad, pues, a ese perverso de
entre vosotros.

CAPÍTULO 6

¿OSA alguno de vosotros, cuando tiene
algo contra otro, ir a juicio delante
de los injustos, y no delante de los santos?
2 ¿O no sabéis que los santos han de
juzgar al mundo? Y si el mundo ha de ser
juzgado por vosotros, ¿sois indignos de
juzgar cosas muy pequeñas?
3 ¿O no sabéis que hemos de juzgar a
los ángeles? ¿Cuánto más las cosas de
esta vida?
4 Si, pues, tenéis juicios sobre cosas de
esta vida, ¿ponéis para juzgar a los que
son de menor estima en la iglesia?
5 Para avergonzaros lo digo. ¿Pues qué,
no hay entre vosotros sabio, ni aun uno,
que pueda juzgar entre sus hermanos,
6 sino que el hermano con el hermano
pleitea en juicio, y esto ante los incrédulos?
7 Así que, por cierto es ya una falta en
vosotros que tengáis pleitos entre vosotros mismos. ¿Por qué no sufrís más bien
el agravio? ¿Por qué no sufrís más bien el
ser defraudados?
8 Pero vosotros cometéis el agravio, y
defraudáis, y esto a los hermanos.
9 ¿No sabéis que los injustos no heredarán el reino de Dios? No erréis; ni los fornicarios, ni los idólatras, ni los adúlteros,
ni los afeminados, ni los que se echan con
varones,
10 ni los ladrones, ni los avaros, ni los
borrachos, ni los maldicientes, ni los estafadores, heredarán el reino de Dios.
11 Y esto erais algunos; mas ya habéis
sido lavados, ya habéis sido santificados,
ya habéis sido justificados en el nombre
del Señor Jesús, y por el Espíritu de nuestro Dios.
12 Todas las cosas me son lícitas, mas
no todas convienen; todas las cosas me
son lícitas, mas yo no me dejaré dominar
de ninguna.
13 Las viandas para el vientre, y el
vientre para las viandas; pero tanto al
uno como a las otras destruirá Dios. Pero
el cuerpo no es para la fornicación, sino
para el Señor, y el Señor para el cuerpo.
14 Y Dios, que levantó al Señor, también a nosotros nos levantará con su poder.
15 ¿No sabéis que vuestros cuerpos son

ous, or an idolater, or a railer, or a drunkard, or an extortioner; with such an one
no not to eat.
12 For what have I to do to judge them
also that are without? do not ye judge
them that are within?
13 But them that are without God judgeth. Therefore put away from among
yourselves that wicked person.

CHAPTER 6

DARE any of you, having a matter
against another, go to law before the
unjust, and not before the saints?
2 Do ye not know that the saints shall
judge the world? and if the world shall be
judged by you, are ye unworthy to judge
the smallest matters?
3 Know ye not that we shall judge angels? how much more things that pertain
to this life?
4 If then ye have judgments of things
pertaining to this life, set them to judge
who are least esteemed in the church.
5 I speak to your shame. Is it so, that
there is not a wise man among you? no,
not one that shall be able to judge between his brethren?
6 But brother goeth to law with
brother, and that before the unbelievers.
7 Now therefore there is utterly a fault
among you, because ye go to law one
with another. Why do ye not rather take
wrong? why do ye not rather *suffer yourselves to* be defrauded?
8 Nay, ye do wrong, and defraud, and
that *your* brethren.
9 Know ye not that the unrighteous
shall not inherit the kingdom of God? Be
not deceived: neither fornicators, nor
idolaters, nor adulterers, nor effeminate,
nor abusers of themselves with mankind,
10 Nor thieves, nor covetous, nor
drunkards, nor revilers, nor extortioners,
shall inherit the kingdom of God.
11 And such were some of you: but ye
are washed, but ye are sanctified, but ye
are justified in the name of the Lord
Jesus, and by the Spirit of our God.
12 All things are lawful unto me, but all
things are not expedient: all things are
lawful for me, but I will not be brought
under the power of any.
13 Meats for the belly, and the belly for
meats: but God shall destroy both it and
them. Now the body *is* not for fornication, but for the Lord; and the Lord for
the body.
14 And God hath both raised up the
Lord, and will also raise up us by his own
power.
15 Know ye not that your bodies are

miembros de Cristo? ¿Quitaré, pues, los
miembros de Cristo y los haré miembros
de una ramera? De ningún modo.
16 ¿O no sabéis que el que se une con
una ramera, es un cuerpo con ella?
Porque dice: Los dos serán una sola
carne.
17 Pero el que se une al Señor, un espíritu es con él.
18 Huid de la fornicación. Cualquier
otro pecado que el hombre cometa, está
fuera del cuerpo; mas el que fornica, contra su propio cuerpo peca.
19 ¿O ignoráis que vuestro cuerpo es
templo del Espíritu Santo, el cual está en
vosotros, el cual tenéis de Dios, y que no
sois vuestros?
20 Porque habéis sido comprados por
precio; glorificad, pues, a Dios en vuestro
cuerpo y en vuestro espíritu, los cuales
son de Dios.

CAPÍTULO 7

EN cuanto a las cosas de que me escribisteis, bueno le sería al hombre no
tocar mujer;
2 pero a causa de las fornicaciones,
cada uno tenga su propia mujer, y cada
una tenga su propio marido.
3 El marido cumpla con la mujer el deber conyugal, y asimismo la mujer con el
marido.
4 La mujer no tiene potestad sobre su
propio cuerpo, sino el marido; ni tampoco tiene el marido potestad sobre su
propio cuerpo, sino la mujer.
5 No os neguéis el uno al otro, a no ser
por algún tiempo de mutuo consentimiento, para ocuparos sosegadamente en
la oración; y volved a juntaros en uno,
para que no os tiente Satanás a causa de
vuestra incontinencia.
6 Mas esto digo por vía de concesión,
no por mandamiento.
7 Quisiera más bien que todos los hombres fuesen como yo; pero cada uno tiene
su propio don de Dios, uno a la verdad de
un modo, y otro de otro.
8 Digo, pues, a los solteros y a las viudas, que bueno les fuera quedarse como
yo;
9 pero si no tienen don de continencia,
cásense, pues mejor es casarse que estarse quemando.
10 Pero a los que están unidos en matrimonio, mando, no yo, sino el Señor: Que
la mujer no se separe del marido;
11 y si se separa, quédese sin casar, o
reconcíliese con su marido; y que el marido no abandone a su mujer.
12 Y a los demás yo digo, no el Señor:
Si algún hermano tiene mujer que no sea

the members of Christ? shall I then take
the members of Christ, and make *them*
the members of an harlot? God forbid.
16 What? know ye not that he which is
joined to an harlot is one body? for two,
saith he, shall be one flesh.
17 But he that is joined unto the Lord is
one spirit.
18 Flee fornication. Every sin that a
man doeth is without the body; but he
that committeth fornication sinneth
against his own body.
19 What? know ye not that your body is
the temple of the Holy Ghost *which is* in
you, which ye have of God, and ye are
not your own?
20 For ye are bought with a price:
therefore glorify God in your body, and
in your spirit, which are God's.

CHAPTER 7

NOW concerning the things whereof ye
wrote unto me: *It is* good for a man
not to touch a woman.
2 Nevertheless, *to avoid* fornication, let
every man have his own wife, and let every woman have her own husband.
3 Let the husband render unto the wife
due benevolence: and likewise also the
wife unto the husband.
4 The wife hath not power of her own
body, but the husband: and likewise also
the husband hath not power of his own
body, but the wife.
5 Defraud ye not one the other, except
it be with consent for a time, that ye may
give yourselves to fasting and prayer;
and come together again, that Satan
tempt you not for your incontinency.
6 But I speak this by permission, *and*
not of commandment.
7 For I would that all men were even as
I myself. But every man hath his proper
gift of God, one after this manner, and
another after that.
8 I say therefore to the unmarried and
widows, It is good for them if they abide
even as I.
9 But if they cannot contain, let them
marry: for it is better to marry than to
burn.
10 And unto the married I command,
yet not I, but the Lord, Let not the wife
depart from *her* husband:
11 But and if she depart, let her remain
unmarried, or be reconciled to *her* husband: and let not the husband put away
his wife.
12 But to the rest speak I, not the Lord:
If any brother hath a wife that believeth

creyente, y ella consiente en vivir con él,
no la abandone.
13 Y si una mujer tiene marido que no
sea creyente, y él consiente en vivir con
ella, no lo abandone.
14 Porque el marido incrédulo es santi-
ficado en la mujer, y la mujer incrédula
en el marido; pues de otra manera vues-
tros hijos serían inmundos, mientras que
ahora son santos.
15 Pero si el incrédulo se separa, sepá-
rese; pues no está el hermano o la herma-
na sujeto a servidumbre en semejante
caso, sino que a paz nos llamó Dios.
16 Porque ¿qué sabes tú, oh mujer, si
quizá harás salvo a tu marido? ¿O qué
sabes tú, oh marido, si quizá harás salva
a tu mujer?
17 Pero cada uno como el Señor le re-
partió, y como Dios llamó a cada uno, así
haga; esto ordeno en todas las iglesias.
18 ¿Fue llamado alguno siendo circun-
ciso? Quédese circunciso. ¿Fue llamado
alguno siendo incircunciso? No se circun-
cide.
19 La circuncisión nada es, y la incir-
cuncisión nada es, sino el guardar los
mandamientos de Dios.
20 Cada uno en el estado en que fue lla-
mado, en él se quede.
21 ¿Fuiste llamado siendo esclavo? No
te dé cuidado; pero también, si puedes
hacerte libre, procúralo más.
22 Porque el que en el Señor fue llama-
do siendo esclavo, liberto es del Señor;
asimismo el que fue llamado siendo libre,
esclavo es de Cristo.
23 Por precio fuisteis comprados; no os
hagáis esclavos de los hombres.
24 Cada uno, hermanos, en el estado en
que fue llamado, así permanezca para
con Dios.
25 En cuanto a las vírgenes no tengo
mandamiento del Señor; mas doy mi pa-
recer, como quien ha alcanzado miseri-
cordia del Señor para ser fiel.
26 Tengo, pues, esto por bueno a causa
de la necesidad que apremia; que hará
bien el hombre en quedarse como está.
27 ¿Estás ligado a mujer? No procures
soltarte. ¿Estás libre de mujer? No pro-
cures casarte.
28 Mas también si te casas, no pecas; y
si la doncella se casa, no peca; pero los
tales tendrán aflicción de la carne, y yo
os la quisiera evitar.
29 Pero esto digo, hermanos: que el
tiempo es corto; resta, pues, que los que
tienen esposa sean como si no la tuvie-
sen;
30 y los que lloran, como si no llorasen;
y los que se alegran, como si no se ale-

not, and she be pleased to dwell with
him, let him not put her away.
13 And the woman which hath an hus-
band that believeth not, and if he be
pleased to dwell with her, let her not
leave him.
14 For the unbelieving husband is sanc-
tified by the wife, and the unbelieving
wife is sanctified by the husband: else
were your children unclean; but now are
they holy.
15 But if the unbelieving depart, let him
depart. A brother or a sister is not under
bondage in such *cases:* but God hath
called us to peace.
16 For what knowest thou, O wife,
whether thou shalt save *thy* husband? or
how knowest thou, O man, whether thou
shalt save *thy* wife?
17 But as God hath distributed to every
man, as the Lord hath called every one,
so let him walk. And so ordain I in all
churches.
18 Is any man called being circum-
cised? let him not become uncircum-
cised. Is any called in uncircumcision? let
him not be circumcised.
19 Circumcision is nothing, and uncir-
cumcision is nothing, but the keeping of
the commandments of God.
20 Let every man abide in the same
calling wherein he was called.
21 Art thou called *being* a servant? care
not for it: but if thou mayest be made
free, use *it* rather.
22 For he that is called in the Lord,
being a servant, is the Lord's freeman:
likewise also he that is called, *being* free,
is Christ's servant.
23 Ye are bought with a price; be not ye
the servants of men.
24 Brethren, let every man, wherein he
is called, therein abide with God.
25 Now concerning virgins I have no
commandment of the Lord: yet I give my
judgment, as one that hath obtained mer-
cy of the Lord to be faithful.
26 I suppose therefore that this is good
for the present distress, *I say,* that *it is*
good for a man so to be.
27 Art thou bound unto a wife? seek
not to be loosed. Art thou loosed from a
wife? seek not a wife.
28 But and if thou marry, thou hast not
sinned; and if a virgin marry, she hath
not sinned. Nevertheless such shall have
trouble in the flesh: but I spare you.
29 But this I say, brethren, the time *is*
short: it remaineth, that both they that
have wives be as though they had none;
30 And they that weep, as though they
wept not; and they that rejoice, as though

grasen; y los que compran, como si no poseyesen;

31 y los que disfrutan de este mundo, como si no lo disfrutasen; porque la apariencia de este mundo se pasa.

32 Quisiera, pues, que estuvieseis sin congoja. El soltero tiene cuidado de las cosas del Señor, de cómo agradar al Señor;

33 pero el casado tiene cuidado de las cosas del mundo, de cómo agradar a su mujer.

34 Hay asimismo diferencia entre la casada y la doncella. La doncella tiene cuidado de las cosas del Señor, para ser santa así en cuerpo como en espíritu; pero la casada tiene cuidado de las cosas del mundo, de cómo agradar a su marido.

35 Esto lo digo para vuestro provecho; no para tenderos lazo, sino para lo honesto y decente, y para que sin impedimento os acerquéis al Señor.

36 Pero si alguno piensa que es impropio para su hija virgen que pase ya de edad, y es necesario que así sea, haga lo que quiera, no peca; que se case.

37 Pero el que está firme en su corazón, sin tener necesidad, sino que es dueño de su propia voluntad, y ha resuelto en su corazón guardar a su hija virgen, bien hace.

38 De manera que el que la da en casamiento hace bien, y el que no la da en casamiento hace mejor.

39 La mujer casada está ligada por la ley mientras su marido vive; pero si su marido muriere, libre es para casarse con quien quiera, con tal que sea en el Señor.

40 Pero a mi juicio, más dichosa será si se quedare así; y pienso que también yo tengo el Espíritu de Dios.

CAPÍTULO 8

EN cuanto a lo sacrificado a los ídolos, sabemos que todos tenemos conocimiento. El conocimiento envanece, pero el amor edifica.

2 Y si alguno se imagina que sabe algo, aún no sabe nada como debe saberlo.

3 Pero si alguno ama a Dios, es conocido por él.

4 Acerca, pues, de las viandas que se sacrifican a los ídolos, sabemos que un ídolo nada es en el mundo, y que no hay más que un Dios.

5 Pues aunque haya algunos que se llamen dioses, sea en el cielo, o en la tierra (como hay muchos dioses y muchos señores),

6 para nosotros, sin embargo, sólo hay

they rejoiced not; and they that buy, as though they possessed not;

31 And they that use this world, as not abusing *it:* for the fashion of this world passeth away.

32 But I would have you without carefulness. He that is unmarried careth for the things that belong to the Lord, how he may please the Lord:

33 But he that is married careth for the things that are of the world, how he may please *his* wife.

34 There is difference *also* between a wife and a virgin. The unmarried woman careth for the things of the Lord, that she may be holy both in body and in spirit: but she that is married careth for the things of the world, how she may please *her* husband.

35 And this I speak for your own profit; not that I may cast a snare upon you, but for that which is comely, and that ye may attend upon the Lord without distraction.

36 But if any man think that he behaveth himself uncomely toward his virgin, if she pass the flower of *her* age, and need so require, let him do what he will, he sinneth not: let them marry.

37 Nevertheless he that standeth stedfast in his heart, having no necessity, but hath power over his own will, and hath so decreed in his heart that he will keep his virgin, doeth well.

38 So then he that giveth *her* in marriage doeth well; but he that giveth *her* not in marriage doeth better.

39 The wife is bound by the law as long as her husband liveth; but if her husband be dead, she is at liberty to be married to whom she will; only in the Lord.

40 But she is happier if she so abide, after my judgment: and I think also that I have the Spirit of God.

CHAPTER 8

NOW as touching things offered unto idols, we know that we all have knowledge. Knowledge puffeth up, but charity edifieth.

2 And if any man think that he knoweth any thing, he knoweth nothing yet as he ought to know.

3 But if any man love God, the same is known of him.

4 As concerning therefore the eating of those things that are offered in sacrifice unto idols, we know that an idol *is* nothing in the world, and that *there is* none other God but one.

5 For though there be that are called gods, whether in heaven or in earth, (as there be gods many, and lords many,)

6 But to us *there is but* one God, the

un Dios, el Padre, del cual proceden todas las cosas, y nosotros somos para él; y un Señor, Jesucristo, por medio del cual son todas las cosas, y nosotros por medio de él.

7 Pero no en todos hay este conocimiento; porque algunos, habituados hasta aquí a los ídolos, comen como sacrificado a ídolos, y su conciencia, siendo débil, se contamina.

8 Si bien la vianda no nos hace más aceptos ante Dios; pues ni porque comamos, seremos más, ni porque no comamos, seremos menos.

9 Pero mirad que esta libertad vuestra no venga a ser tropezadero para los débiles.

10 Porque si alguno te ve a ti, que tienes conocimiento, sentado a la mesa en un lugar de ídolos, la conciencia de aquel que es débil, ¿no será estimulada a comer de lo sacrificado a los ídolos?

11 Y por el conocimiento tuyo, se perderá el hermano débil por quien Cristo murió.

12 De esta manera, pues, pecando contra los hermanos e hiriendo su débil conciencia, contra Cristo pecáis.

13 Por lo cual, si la comida le es a mi hermano ocasión de caer, no comeré carne jamás, para no poner tropiezo a mi hermano.

CAPÍTULO 9

¿NO soy apóstol? ¿No soy libre? ¿No he visto a Jesús el Señor nuestro? ¿No sois vosotros mi obra en el Señor?

2 Si para otros no soy apóstol, para vosotros ciertamente lo soy; porque el sello de mi apostolado sois vosotros en el Señor.

3 Contra los que me acusan, esta es mi defensa:

4 ¿Acaso no tenemos derecho de comer y beber?

5 ¿No tenemos derecho de traer con nosotros una hermana por mujer como también los otros apóstoles, y los hermanos del Señor, y Cefas?

6 ¿O sólo yo y Bernabé no tenemos derecho de no trabajar?

7 ¿Quién fue jamás soldado a sus propias expensas? ¿Quién planta viña y no come de su fruto? ¿O quién apacienta el rebaño y no toma de la leche del rebaño?

8 ¿Digo esto sólo como hombre? ¿No dice esto también la ley?

9 Porque en la ley de Moisés está escrito: No pondrás bozal al buey que trilla. ¿Tiene Dios cuidado de los bueyes,

10 o lo dice enteramente por nosotros?

Father, of whom *are* all things, and we in him; and one Lord Jesus Christ, by whom *are* all things, and we by him.

7 Howbeit *there* is not in every man that knowledge: for some with conscience of the idol unto this hour eat *it* as a thing offered unto an idol; and their conscience being weak is defiled.

8 But meat commendeth us not to God: for neither, if we eat, are we the better; neither, if we eat not, are we the worse.

9 But take heed lest by any means this liberty of yours become a stumblingblock to them that are weak.

10 For if any man see thee which hast knowledge sit at meat in the idol's temple, shall not the conscience of him which is weak be emboldened to eat those things which are offered to idols;

11 And through thy knowledge shall the weak brother perish, for whom Christ died?

12 But when ye sin so against the brethren, and wound their weak conscience, ye sin against Christ.

13 Wherefore, if meat make my brother to offend, I will eat no flesh while the world standeth, lest I make my brother to offend.

CHAPTER 9

AM I not an apostle? am I not free? have I not seen Jesus Christ our Lord? are not ye my work in the Lord?

2 If I be not an apostle unto others, yet doubtless I am to you: for the seal of mine apostleship are ye in the Lord.

3 Mine answer to them that do examine me is this,

4 Have we not power to eat and to drink?

5 Have we not power to lead about a sister, a wife, as well as other apostles, and *as* the brethren of the Lord, and Ce'phas?

6 Or I only and Barnabas, have not we power to forbear working?

7 Who goeth a warfare any time at his own charges? who planteth a vineyard, and eateth not of the fruit thereof? or who feedeth a flock, and eateth not of the milk of the flock?

8 Say I these things as a man? or saith not the law the same also?

9 For it is written in the law of Moses, Thou shalt not muzzle the mouth of the ox that treadeth out the corn. Doth God take care for oxen?

10 Or saith he *it* altogether for our

Pues por nosotros se escribió; porque con esperanza debe arar el que ara, y el que trilla, con esperanza de recibir del fruto.

11 Si nosotros sembramos entre vosotros lo espiritual, ¿es gran cosa si segáremos de vosotros lo material?

12 Si otros participan de este derecho sobre vosotros, ¿cuánto más nosotros? Pero no hemos usado de este derecho, sino que lo soportamos todo, por no poner ningún obstáculo al evangelio de Cristo.

13 ¿No sabéis que los que trabajan en las cosas sagradas, comen del templo, y que los que sirven al altar, del altar participan?

14 Así también ordenó el Señor a los que anuncian el evangelio, que vivan del evangelio.

15 Pero yo de nada de esto me he aprovechado, ni tampoco he escrito esto para que se haga así conmigo; porque prefiero morir, antes que nadie desvanezca esta mi gloria.

16 Pues si anuncio el evangelio, no tengo por qué gloriarme; porque me es impuesta necesidad; y ¡ay de mí si no anunciare el evangelio!

17 Por lo cual, si lo hago de buena voluntad, recompensa tendré; pero si de mala voluntad, la comisión me ha sido encomendada.

18 ¿Cuál, pues, es mi galardón? Que predicando el evangelio, presente gratuitamente el evangelio de Cristo, para no abusar de mi derecho en el evangelio.

19 Por lo cual, siendo libre de todos, me he hecho siervo de todos para ganar a mayor número.

20 Me he hecho a los judíos como judío, para ganar a los judíos; a los que están sujetos a la ley (aunque yo no esté sujeto a la ley) como sujeto a la ley, para ganar a los que están sujetos a la ley;

21 a los que están sin ley, como si yo estuviera sin ley (no estando yo sin ley de Dios, sino bajo la ley de Cristo), para ganar a los que están sin ley.

22 Me he hecho débil a los débiles, para ganar a los débiles; a todos me he hecho de todo, para que de todos modos salve a algunos.

23 Y esto hago por causa del evangelio, para hacerme copartícipe de él.

24 ¿No sabéis que los que corren en el estadio, todos a la verdad corren, pero uno solo se lleva el premio? Corred de tal manera que lo obtengáis.

25 Todo aquel que lucha, de todo se abstiene; ellos, a la verdad, para recibir una corona corruptible, pero nosotros, una incorruptible.

sakes? For our sakes, no doubt, *this* is written: that he that ploweth should plow in hope; and that he that thresheth in hope should be partaker of his hope.

11 If we have sown unto you spiritual things, *is it* a great thing if we shall reap your carnal things?

12 If others be partakers of *this* power over you, *are* not we rather? Nevertheless we have not used this power; but suffer all things, lest we should hinder the gospel of Christ.

13 Do ye not know that they which minister about holy things live *of the things* of the temple? and they which wait at the altar are partakers with the altar?

14 Even so hath the Lord ordained that they which preach the gospel should live of the gospel.

15 But I have used none of these things: neither have I written these things, that it should be so done unto me: for *it were* better for me to die, than that any man should make my glorying void.

16 For though I preach the gospel, I have nothing to glory of: for necessity is laid upon me; yea, woe is unto me, if I preach not the gospel!

17 For if I do this thing willingly, I have a reward: but if against my will, a dispensation *of the gospel* is committed unto me.

18 What is my reward then? *Verily* that, when I preach the gospel, I may make the gospel of Christ without charge, that I abuse not my power in the gospel.

19 For though I be free from all *men*, yet have I made myself servant unto all, that I might gain the more.

20 And unto the Jews I became as a Jew, that I might gain the Jews; to them that are under the law, as under the law, that I might gain them that are under the law;

21 To them that are without law, as without law, (being not without law to God, but under the law to Christ,) that I might gain them that are without law.

22 To the weak became I as weak, that I might gain the weak: I am made all things to all *men*, that I might by all means save some.

23 And this I do for the gospel's sake, that I might be partaker thereof with *you*.

24 Know ye not that they which run in a race run all, but one receiveth the prize? So run, that ye may obtain.

25 And every man that striveth for the mastery is temperate in all things. Now they *do it* to obtain a corruptible crown; but we an incorruptible.

26 Así que, yo de esta manera corro, no como a la ventura; de esta manera peleo, no como quien golpea el aire,

27 sino que golpeo mi cuerpo, y lo pongo en servidumbre, no sea que habiendo sido heraldo para otros, yo mismo venga a ser eliminado.

CAPÍTULO 10

PORQUE no quiero, hermanos, que ignoréis que nuestros padres todos estuvieron bajo la nube, y todos pasaron el mar;

2 y todos en Moisés fueron bautizados en la nube y en el mar,

3 y todos comieron el mismo alimento espiritual,

4 y todos bebieron la misma bebida espiritual; porque bebían de la roca espiritual que los seguía, y la roca era Cristo.

5 Pero de los más de ellos no se agradó Dios; por lo cual quedaron postrados en el desierto.

6 Mas estas cosas sucedieron como ejemplos para nosotros, para que no codiciemos cosas malas, como ellos codiciaron.

7 Ni seáis idólatras, como algunos de ellos, según está escrito: Se sentó el pueblo a comer y a beber, y se levantó a jugar.

8 Ni forniquemos, como algunos de ellos fornicaron, y cayeron en un día veintitrés mil.

9 Ni tentemos al Señor, como también algunos de ellos le tentaron, y perecieron por las serpientes.

10 Ni murmuréis, como algunos de ellos murmuraron, y perecieron por el destructor.

11 Y estas cosas les acontecieron como ejemplo, y están escritas para amonestarnos a nosotros, a quienes han alcanzado los fines de los siglos.

12 Así que, el que piensa estar firme, mire que no caiga.

13 No os ha sobrevenido ninguna tentación que no sea humana; pero fiel es Dios, que no os dejará ser tentados más de lo que podéis resistir, sino que dará también juntamente con la tentación la salida, para que podáis soportar.

14 Por tanto, amados míos, huid de la idolatría.

15 Como a sensatos os hablo; juzgad vosotros lo que digo.

16 La copa de bendición que bendecimos, ¿no es la comunión de la sangre de Cristo? El pan que partimos, ¿no es la comunión del cuerpo de Cristo?

17 Siendo uno solo el pan, nosotros, con ser muchos, somos un cuerpo; pues todos participamos de aquel mismo pan.

18 Mirad a Israel según la carne; los

26 I therefore so run, not as uncertainly; so fight I, not as one that beateth the air:

27 But I keep under my body, and bring *it* into subjection: lest that by any means, when I have preached to others, I myself should be a castaway.

CHAPTER 10

MOREOVER, brethren, I would not that ye should be ignorant, how that all our fathers were under the cloud, and all passed through the sea;

2 And were all baptized unto Moses in the cloud and in the sea;

3 And did all eat the same spiritual meat;

4 And did all drink the same spiritual drink: for they drank of that spiritual Rock that followed them: and that Rock was Christ.

5 But with many of them God was not well pleased: for they were overthrown in the wilderness.

6 Now these things were our examples, to the intent we should not lust after evil things, as they also lusted.

7 Neither be ye idolaters, as *were* some of them; as it is written, The people sat down to eat and drink, and rose up to play.

8 Neither let us commit fornication, as some of them committed, and fell in one day three and twenty thousand.

9 Neither let us tempt Christ, as some of them also tempted, and were destroyed of serpents.

10 Neither murmur ye, as some of them also murmured, and were destroyed of the destroyer.

11 Now all these things happened unto them for ensamples: and they are written for our admonition, upon whom the ends of the world are come.

12 Wherefore let him that thinketh he standeth take heed lest he fall.

13 There hath no temptation taken you but such as is common to man: but God *is* faithful, who will not suffer you to be tempted above that ye are able; but will with the temptation also make a way to escape, that ye may be able to bear *it*.

14 Wherefore, my dearly beloved, flee from idolatry.

15 I speak as to wise men; judge ye what I say.

16 The cup of blessing which we bless, is it not the communion of the blood of Christ? The bread which we break, is it not the communion of the body of Christ?

17 For we *being* many are one bread, *and* one body: for we are all partakers of that one bread.

18 Behold Israel after the flesh: are not

que comen de los sacrificios, ¿no son par-
tícipes del altar?
19 ¿Qué digo, pues? ¿Que el ídolo es
algo, o que sea algo lo que se sacrifica a
los ídolos?
20 Antes digo que lo que los gentiles
sacrifican, a los demonios lo sacrifican, y
no a Dios; y no quiero que vosotros os
hagáis partícipes con los demonios.
21 No podéis beber la copa del Señor, y
la copa de los demonios; no podéis parti-
cipar de la mesa del Señor, y de la mesa
de los demonios.
22 ¿O provocaremos a celos al Señor?
¿Somos más fuertes que él?
23 Todo me es lícito, pero no todo con-
viene; todo me es lícito, pero no todo edi-
fica.
24 Ninguno busque su propio bien, sino
el del otro.
25 De todo lo que se vende en la carni-
cería, comed, sin preguntar nada por mo-
tivos de conciencia;
26 porque del Señor es la tierra y su
plenitud.
27 Si algún incrédulo os invita, y que-
réis ir, de todo lo que se os ponga delante
comed, sin preguntar nada por motivos
de conciencia.
28 Mas si alguien os dijere: Esto fue sa-
crificado a los ídolos; no lo comáis, por
causa de aquel que lo declaró, y por moti-
vos de conciencia; porque del Señor es la
tierra y su plenitud.
29 La conciencia, digo, no la tuya, sino
la del otro. Pues ¿por qué se ha de juzgar
mi libertad por la conciencia de otro?
30 Y si yo con agradecimiento partici-
po, ¿por qué he de ser censurado por a-
quello de que doy gracias?
31 Si, pues, coméis o bebéis, o hacéis
otra cosa, hacedlo todo para la gloria de
Dios.
32 No seáis tropiezo ni a judíos, ni a
gentiles, ni a la iglesia de Dios;
33 como también yo en todas las cosas
agrado a todos, no procurando mi propio
beneficio, sino el de muchos, para que
sean salvos.

CAPÍTULO 11

SED imitadores de mí, así como yo de
Cristo.
2 Os alabo, hermanos, porque en todo
os acordáis de mí, y retenéis las instruc-
ciones tal como os las entregué.
3 Pero quiero que sepáis que Cristo es
la cabeza de todo varón, y el varón es la
cabeza de la mujer, y Dios la cabeza de
Cristo.
4 Todo varón que ora o profetiza con la
cabeza cubierta, afrenta su cabeza.

they which eat of the sacrifices partakers
of the altar?
19 What say I then? that the idol is any
thing, or that which is offered in sacrifice
to idols is any thing?
20 But *I say*, that the things which the
Gentiles sacrifice, they sacrifice to devils,
and not to God: and I would not that ye
should have fellowship with devils.
21 Ye cannot drink the cup of the Lord,
and the cup of devils: ye cannot be par-
takers of the Lord's table, and of the ta-
ble of devils.
22 Do we provoke the Lord to jealousy?
are we stronger than he?
23 All things are lawful for me, but all
things are not expedient: all things are
lawful for me, but all things edify not.
24 Let no man seek his own, but every
man another's *wealth*.
25 Whatsoever is sold in the shambles,
that eat, asking no question for con-
science sake:
26 For the earth *is* the Lord's, and the
fulness thereof.
27 If any of them that believe not bid
you *to a feast*, and ye be disposed to go;
whatsoever is set before you, eat, asking
no question for conscience sake.
28 But if any man say unto you, This is
offered in sacrifice unto idols, eat not for
his sake that shewed it, and for con-
science sake: for the earth *is* the Lord's,
and the fulness thereof:
29 Conscience, I say, not thine own, but
of the other: for why is my liberty judged
of another *man's* conscience?
30 For if I by grace be a partaker, why
am I evil spoken of for that for which I
give thanks?
31 Whether therefore ye eat, or drink,
or whatsoever ye do, do all to the glory of
God.
32 Give none offence, neither to the
Jews, nor to the Gentiles, nor to the
church of God:
33 Even as I please all *men* in all *things*,
not seeking mine own profit, but the
profit of many, that they may be saved.

CHAPTER 11

BE ye followers of me, even as I also *am*
of Christ.
2 Now I praise you, brethren, that ye
remember me in all things, and keep the
ordinances, as I delivered *them* to you.
3 But I would have you know, that the
head of every man is Christ; and the head
of the woman *is* the man; and the head of
Christ *is* God.
4 Every man praying or prophesying,
having *his* head covered, dishonoureth
his head.

5 Pero toda mujer que ora o profetiza con la cabeza descubierta, afrenta su cabeza; porque lo mismo es que si se hubiese rapado.

6 Porque si la mujer no se cubre, que se corte también el cabello; y si le es vergonzoso a la mujer cortarse el cabello o raparse, que se cubra.

7 Porque el varón no debe cubrirse la cabeza, pues él es imagen y gloria de Dios; pero la mujer es gloria del varón.

8 Porque el varón no procede de la mujer, sino la mujer del varón,

9 y tampoco el varón fue creado por causa de la mujer, sino la mujer por causa del varón.

10 Por lo cual la mujer debe tener señal de autoridad sobre su cabeza, por causa de los ángeles.

11 Pero en el Señor, ni el varón es sin la mujer, ni la mujer sin el varón;

12 porque así como la mujer procede del varón, también el varón nace de la mujer; pero todo procede de Dios.

13 Juzgad vosotros mismos: ¿Es propio que la mujer ore a Dios sin cubrirse la cabeza?

14 La naturaleza misma ¿no os enseña que al varón le es deshonroso dejarse crecer el cabello?

15 Por el contrario, a la mujer dejarse crecer el cabello le es honroso; porque en lugar de velo le es dado el cabello.

16 Con todo eso, si alguno quiere ser contencioso, nosotros no tenemos tal costumbre, ni las iglesias de Dios.

17 Pero al anunciaros esto que sigue, no os alabo; porque no os congregáis para lo mejor, sino para lo peor.

18 Pues en primer lugar, cuando os reunís como iglesia, oigo que hay entre vosotros divisiones; y en parte lo creo.

19 Porque es preciso que entre vosotros haya disensiones, para que se hagan manifiestos entre vosotros los que son aprobados.

20 Cuando, pues, os reunís vosotros, esto no es comer la cena del Señor.

21 Porque al comer, cada uno se adelanta a tomar su propia cena; y uno tiene hambre, y otro se embriaga.

22 Pues qué, ¿no tenéis casas en que comáis y bebáis? ¿O menospreciáis la iglesia de Dios, y avergonzáis a los que no tienen nada? ¿Qué os diré? ¿Os alabaré? En esto no os alabo.

23 Porque yo recibí del Señor lo que también os he enseñado: Que el Señor Jesús, la noche que fue entregado, tomó pan;

24 y habiendo dado gracias, lo partió, y dijo: Tomad, comed; esto es mi cuerpo

5 But every woman that prayeth or prophesieth with *her* head uncovered dishonoureth her head: for that is even all one as if she were shaven.

6 For if the woman be not covered, let her also be shorn: but if it be a shame for a woman to be shorn or shaven, let her be covered.

7 For a man indeed ought not to cover *his* head, forasmuch as he is the image and glory of God: but the woman is the glory of the man.

8 For the man is not of the woman; but the woman of the man.

9 Neither was the man created for the woman; but the woman for the man.

10 For this cause ought the woman to have power on *her* head because of the angels.

11 Nevertheless neither is the man without the woman, neither the woman without the man, in the Lord.

12 For as the woman *is* of the man, even so *is* the man also by the woman; but all things of God.

13 Judge in yourselves: is it comely that a woman pray unto God uncovered?

14 Doth not even nature itself teach you, that, if a man have long hair, it is a shame unto him?

15 But if a woman have long hair, it is a glory to her: for *her* hair is given her for a covering.

16 But if any man seem to be contentious, we have no such custom, neither the churches of God.

17 Now in this that I declare *unto you* I praise *you* not, that ye come together not for the better, but for the worse.

18 For first of all, when ye come together in the church, I hear that there be divisions among you; and I partly believe it.

19 For there must be also heresies among you, that they which are approved may be made manifest among you.

20 When ye come together therefore into one place, *this* is not to eat the Lord's supper.

21 For in eating every one taketh before *other* his own supper: and one is hungry, and another is drunken.

22 What? have ye not houses to eat and to drink in? or despise ye the church of God, and shame them that have not? What shall I say to you? shall I praise you in this? I praise *you* not.

23 For I have received of the Lord that which also I delivered unto you, That the Lord Jesus the *same* night in which he was betrayed took bread:

24 And when he had given thanks, he brake *it*, and said, Take, eat: this is my

que por vosotros es partido; haced esto en memoria de mí.

25 Asimismo tomó también la copa, después de haber cenado, diciendo: Esta copa es el nuevo pacto en mi sangre; haced esto todas las veces que la bebiereis, en memoria de mí.

26 Así, pues, todas las veces que comiereis este pan, y bebiereis esta copa, la muerte del Señor anunciáis hasta que él venga.

27 De manera que cualquiera que comiere este pan o bebiere esta copa del Señor indignamente, será culpado del cuerpo y de la sangre del Señor.

28 Por tanto, pruébese cada uno a sí mismo, y coma así del pan, y beba de la copa.

29 Porque el que come y bebe indignamente, sin discernir el cuerpo del Señor, juicio come y bebe para sí.

30 Por lo cual hay muchos enfermos y debilitados entre vosotros, y muchos duermen.

31 Si, pues, nos examinásemos a nosotros mismos, no seríamos juzgados;

32 mas siendo juzgados, somos castigados por el Señor, para que no seamos condenados con el mundo.

33 Así que, hermanos míos, cuando os reunís a comer, esperaos unos a otros.

34 Si alguno tuviere hambre, coma en su casa, para que no os reunáis para juicio. Las demás cosas las pondré en orden cuando yo fuere.

CAPÍTULO 12

NO quiero, hermanos, que ignoréis acerca de los dones espirituales.

2 Sabéis que cuando erais gentiles, se os extrabviaba llevandoos, como se os llevaba, a los idolos mudos.

3 Por tanto, os hago saber que nadie que hable por el Espíritu de Dios llama anatema a Jesús; y nadie puede llamar a Jesús Señor, sino por el Espíritu Santo.

4 Ahora bien, hay diversidad de dones, pero el Espíritu es el mismo.

5 Y hay diversidad de ministerios, pero el Señor es el mismo.

6 Y hay diversidad de operaciones, pero Dios, que hace todas las cosas en todos, es el mismo.

7 Pero a cada uno le es dada la manifestación del Espíritu para provecho.

8 Porque a éste es dada por el Espíritu palabra de sabiduría; a otro, palabra de ciencia según el mismo Espíritu;

9 a otro, fe por el mismo Espíritu; y a otro, dones de sanidades por el mismo Espíritu.

10 A otro, el hacer milagros; a otro,

body, which is broken for you: this do in remembrance of me.

25 After the same manner also *he took* the cup, when he had supped, saying, This cup is the new testament in my blood: this do ye, as oft as ye drink *it*, in remembrance of me.

26 For as often as ye eat this bread, and drink this cup, ye do shew the Lord's death till he come.

27 Wherefore whosoever shall eat this bread, and drink *this* cup of the Lord, unworthily, shall be guilty of the body and blood of the Lord.

28 But let a man examine himself, and so let him eat of *that* bread, and drink of *that* cup.

29 For he that eateth and drinketh unworthily, eateth and drinketh damnation *to himself, not* discerning the Lord's body.

30 For this cause many *are* weak and sickly among you, and many sleep.

31 For if we would judge ourselves, we should not be judged.

32 But when we are judged, we are chastened of the Lord, that we should not be condemned with the world.

33 Wherefore, my brethren, when ye come together to eat, tarry one for another.

34 And if any man hunger, let him eat at home; that ye come not together unto condemnation. And the rest will I set in order when I come.

CHAPTER 12

NOW concerning spiritual *gifts*, brethren, I would not have you ignorant.

2 Ye know that ye were Gentiles, carried away unto these dumb idols, even as ye were led.

3 Wherefore I give you to understand, that no man speaking by the Spirit of God calleth Jesus accursed: and *that* no man can say that Jesus is the Lord, but by the Holy Ghost.

4 Now there are diversities of gifts, but the same Spirit.

5 And there are differences of administrations, but the same Lord.

6 And there are diversities of operations, but it is the same God which worketh all in all.

7 But the manifestation of the Spirit is given to every man to profit withal.

8 For to one is given by the Spirit the word of wisdom; to another the word of knowledge by the same Spirit;

9 To another faith by the same Spirit; to another the gifts of healing by the same Spirit;

10 To another the working of miracles;

profecía; a otro, discernimiento de espíritus; a otro, diversos géneros de lenguas; y a otro, interpretación de lenguas.

11 Pero todas estas cosas las hace uno y el mismo Espíritu, repartiendo a cada uno en particular como él quiere.

12 Porque así como el cuerpo es uno, y tiene muchos miembros, pero todos los miembros del cuerpo, siendo muchos, son un solo cuerpo, así también Cristo.

13 Porque por un solo Espíritu fuimos todos bautizados en un cuerpo, sean judíos o griegos, sean esclavos o libres; y a todos se nos dio a beber de un mismo Espíritu.

14 Además, el cuerpo no es un solo miembro, sino muchos.

15 Si dijere el pie: Porque no soy mano, no soy del cuerpo, ¿por eso no será del cuerpo?

16 Y si dijere la oreja: Porque no soy ojo, no soy del cuerpo, ¿por eso no será del cuerpo?

17 Si todo el cuerpo fuese ojo, ¿dónde estaría el oído? Si todo fuese oído, ¿dónde estaría el olfato?

18 Mas ahora Dios ha colocado los miembros cada uno de ellos en el cuerpo, como él quiso.

19 Porque si todos fueran un solo miembro, ¿dónde estaría el cuerpo?

20 Pero ahora son muchos los miembros, pero el cuerpo es uno solo.

21 Ni el ojo puede decir a la mano: No te necesito, ni tampoco la cabeza a los pies: No tengo necesidad de vosotros.

22 Antes bien los miembros del cuerpo que parecen más débiles, son los más necesarios;

23 y a aquellos del cuerpo que nos parecen menos dignos, a éstos vestimos más dignamente; y los que en nosotros son menos decorosos, se tratan con más decoro.

24 Porque los que en nosotros son más decorosos, no tienen necesidad; pero Dios ordenó el cuerpo, dando más abundante honor al que le faltaba,

25 para que no haya desavenencia en el cuerpo, sino que los miembros todos se preocupen los unos por los otros.

26 De manera que si un miembro padece, todos los miembros se duelen con él, y si un miembro recibe honra, todos los miembros con él se gozan.

27 Vosotros, pues, sois el cuerpo de Cristo, y miembros cada uno en particular.

28 Y a unos puso Dios en la iglesia, primeramente apóstoles, luego profetas, lo tercero maestros, luego los que hacen

to another prophecy; to another discerning of spirits; to another *divers* kinds of tongues; to another the interpretation of tongues:

11 But all these worketh that one and the selfsame Spirit, dividing to every man severally as he will.

12 For as the body is one, and hath many members, and all the members of that one body, being many, are one body: so also *is* Christ.

13 For by one Spirit are we all baptized into one body, whether *we be* Jews or Gentiles, whether *we be* bond or free; and have been all made to drink into one Spirit.

14 For the body is not one member, but many.

15 If the foot shall say, Because I am not the hand, I am not of the body; is it therefore not of the body?

16 And if the ear shall say, Because I am not the eye, I am not of the body; is it therefore not of the body?

17 If the whole body *were* an eye, where *were* the hearing? If the whole *were* hearing, where *were* the smelling?

18 But now hath God set the members every one of them in the body, as it hath pleased him.

19 And if they were all one member, where *were* the body?

20 But now *are they* many members, yet but one body.

21 And the eye cannot say unto the hand, I have no need of thee: nor again the head to the feet, I have no need of you.

22 Nay, much more those members of the body, which seem to be more feeble, are necessary:

23 And those *members* of the body, which we think to be less honourable, upon these we bestow more abundant honour; and our uncomely *parts* have more abundant comeliness.

24 For our comely *parts* have no need: but God hath tempered the body together, having given more abundant honour to that *part* which lacked:

25 That there should be no schism in the body; but *that* the members should have the same care one for another.

26 And whether one member suffer, all the members suffer with it; or one member be honoured, all the members rejoice with it.

27 Now ye are the body of Christ, and members in particular.

28 And God hath set some in the church, first apostles, secondarily prophets, thirdly teachers, after that miracles,

milagros, después los que sanan, los que ayudan, los que administran, los que tienen don de lenguas.
29 ¿Son todos apóstoles? ¿son todos profetas? ¿todos maestros? ¿hacen todos milagros?
30 ¿Tienen todos dones de sanidad? ¿hablan todos lenguas? ¿interpretan todos?
31 Procurad, pues, los dones mejores. Mas yo os muestro un camino aun más excelente.

CAPÍTULO 13

SI yo hablase lenguas humanas y angélicas, y no tengo amor, vengo a ser como metal que resuena, o címbalo que retiñe.
2 Y si tuviese profecía, y entendiese todos los misterios y toda ciencia, y si tuviese toda la fe, de tal manera que trasladase los montes, y no tengo amor, nada soy.
3 Y si repartiese todos mis bienes para dar de comer a los pobres, y si entregase mi cuerpo para ser quemado, y no tengo amor, de nada me sirve.
4 El amor es sufrido, es benigno; el amor no tiene envidia, el amor no es jactancioso, no se envanece;
5 no hace nada indebido, no busca lo suyo, no se irrita, no guarda rencor;
6 no se goza de la injusticia, mas se goza de la verdad.
7 Todo lo sufre, todo lo cree, todo lo espera, todo lo soporta.
8 El amor nunca deja de ser; pero las profecías se acabarán, y cesarán las lenguas, y la ciencia acabará.
9 Porque en parte conocemos, y en parte profetizamos;
10 mas cuando venga lo perfecto, entonces lo que es en parte se acabará.
11 Cuando yo era niño, hablaba como niño, pensaba como niño, juzgaba como niño; mas cuando ya fui hombre, dejé lo que era de niño.
12 Ahora vemos por espejo, oscuramente; mas entonces veremos cara a cara. Ahora conozco en parte; pero entonces conoceré como fui conocido.
13 Y ahora permanecen la fe, la esperanza y el amor, estos tres; pero el mayor de ellos es el amor.

CAPÍTULO 14

SEGUID el amor ; y procurad los dones espirituales, pero sobre todo que profeticéis.
2 Porque el que habla en lenguas no habla a los hombres, sino a Dios; pues nadie

then gifts of healings, helps, governments, diversities of tongues.
29 *Are* all apostles? *are* all prophets? *are* all teachers? *are* all workers of miracles?
30 Have all the gifts of healing? do all speak with tongues? do all interpret?
31 But covet earnestly the best gifts: and yet shew I unto you a more excellent way.

CHAPTER 13

THOUGH I speak with the tongues of men and of angels, and have not charity, I am become *as* sounding brass, or a tinkling cymbal.
2 And though I have *the gift of* prophecy, and understand all mysteries, and all knowledge; and though I have all faith, so that I could remove mountains, and have not charity, I am nothing.
3 And though I bestow all my goods to feed *the poor*, and though I give my body to be burned, and have not charity, it profiteth me nothing.
4 Charity suffereth long, *and* is kind; charity envieth not; charity vaunteth not itself, is not puffed up,
5 Doth not behave itself unseemly, seeketh not her own, is not easily provoked, thinketh no evil;
6 Rejoiceth not in iniquity, but rejoiceth in the truth;
7 Beareth all things, believeth all things, hopeth all things, endureth all things.
8 Charity never faileth: but whether *there be* prophecies, they shall fail; whether *there be* tongues, they shall cease; whether *there be* knowledge, it shall vanish away.
9 For we know in part, and we prophesy in part.
10 But when that which is perfect is come, then that which is in part shall be done away.
11 When I was a child, I spake as a child, I understood as a child, I thought as a child: but when I became a man, I put away childish things.
12 For now we see through a glass, darkly; but then face to face: now I know in part; but then shall I know even as also I am known.
13 And now abideth faith, hope, charity, these three; but the greatest of these *is* charity.

CHAPTER 14

FOLLOW after charity, and desire spiritual *gifts*, but rather that ye may prophesy.
2 For he that speaketh in an *unknown* tongue speaketh not unto men, but unto

le entiende, aunque por el Espíritu habla misterios.
3 Pero el que profetiza habla a los hombres para edificación, exhortación y consolación.
4 El que habla en lengua extraña, a sí mismo se edifica; pero el que profetiza, edifica a la iglesia.
5 Así que, quisiera que todos vosotros hablaseis en lenguas, pero más que profetizaseis; porque mayor es el que profetiza que el que habla en lenguas, a no ser que las interprete para que la iglesia reciba edificación.
6 Ahora pues, hermanos, si yo voy a vosotros hablando en lenguas, ¿qué os aprovechará, si no *os* hablare con revelación, o con ciencia, o con profecía, o con doctrina?
7 Ciertamente las cosas inanimadas que producen sonidos, como la flauta o la cítara, si no dieren distinción de voces, ¿cómo se sabrá lo que se toca con la flauta o con la cítara?
8 Y si la trompeta diere sonido incierto, ¿quién se preparará para la batalla?
9 Así también vosotros, si por la lengua no diereis palabra bien comprensible, ¿cómo se entenderá lo que decís? Porque hablaréis al aire.
10 Tantas clases de idiomas hay, seguramente, en el mundo, y ninguno de ellos carece de significado.
11 Pero si yo ignoro el valor de las palabras, seré como extranjero para el que habla, y el que habla será como extranjero para mí.
12 Así también vosotros; pues que anheláis dones espirituales, procurad abundar en ellos para edificación de la iglesia.
13 Por lo cual, el que habla en lengua extraña, pida en oración poder interpretarla.
14 Porque si yo oro en lengua desconocida, mi espíritu ora, pero mi entendimiento queda sin fruto.
15 ¿Qué, pues? Oraré con el espíritu, pero oraré también con el entendimiento; cantaré con el espíritu, pero cantaré también con el entendimiento.
16 Porque si bendices sólo con el espíritu, el que ocupa lugar de simple oyente, ¿cómo dirá el Amén a tu acción de gracias? pues no sabe lo que has dicho.
17 Porque tú, a la verdad, bien das gracias; pero el otro no es edificado.
18 Doy gracias a Dios que hablo en lenguas más que todos vosotros;
19 pero en la iglesia prefiero hablar cinco palabras con mi entendimiento, para enseñar también a otros, que diez mil palabras en lengua desconocida.

God: for no man understandeth *him;* howbeit in the spirit he speaketh mysteries.
3 But he that prophesieth speaketh unto men *to* edification, and exhortation, and comfort.
4 He that speaketh in an *unknown* tongue edifieth himself; but he that prophesieth edifieth the church.
5 I would that ye all spake with tongues, but rather that ye prophesied: for greater *is* he that prophesieth than he that speaketh with tongues, except he interpret, that the church may receive edifying.
6 Now, brethren, if I come unto you speaking with tongues, what shall I profit you, except I shall speak to you either by revelation, or by knowledge, or by prophesying, or by doctrine?
7 And even things without life giving sound, whether pipe or harp, except they give a distinction in the sounds, how shall it be known what is piped or harped?
8 For if the trumpet give an uncertain sound, who shall prepare himself to the battle?
9 So likewise ye, except ye utter by the tongue words easy to be understood, how shall it be known what is spoken? for ye shall speak into the air.
10 There are, it may be, so many kinds of voices in the world, and none of them *is* without signification.
11 Therefore if I know not the meaning of the voice, I shall be unto him that speaketh a barbarian, and he that speaketh *shall be* a barbarian unto me.
12 Even so ye, forasmuch as ye are zealous of spiritual *gifts*, seek that ye may excel to the edifying of the church.
13 Wherefore let him that speaketh in an *unknown* tongue pray that he may interpret.
14 For if I pray in an *unknown* tongue, my spirit prayeth, but my understanding is unfruitful.
15 What is it then? I will pray with the spirit, and I will pray with the understanding also: I will sing with the spirit, and I will sing with the understanding also.
16 Else when thou shalt bless with the spirit, how shall he that occupieth the room of the unlearned say Amen at thy giving of thanks, seeing he understandeth not what thou sayest?
17 For thou verily givest thanks well, but the other is not edified.
18 I thank my God, I speak with tongues more than ye all:
19 Yet in the church I had rather speak five words with my understanding, that *by my voice* I might teach others also, than ten thousand words in an *unknown* tongue.

20 Hermanos, no seáis niños en el modo de pensar, sino sed niños en la malicia, pero maduros en el modo de pensar.

21 En la ley está escrito: En otras lenguas y con otros labios hablaré a este pueblo; y ni aun así me oirán, dice el Señor.

22 Así que, las lenguas son por señal, no a los creyentes, sino a los incrédulos; pero la profecía, no a los incrédulos, sino a los creyentes.

23 Si, pues, toda la iglesia se reúne en un solo lugar, y todos hablan en lenguas, y *entran* indoctos o incrédulos, ¿no dirán que estáis locos?

24 Pero si todos profetizan, y entra algún incrédulo o indocto, por todos es convencido, por todos es juzgado;

25 lo oculto de su corazón se hace manifiesto; y así, postrándose sobre el rostro, adorará a Dios, declarando que verdaderamente Dios está entre vosotros.

26 ¿Qué hay, pues, hermanos? Cuando os reunís, cada uno de vosotros tiene salmo, tiene doctrina, tiene lengua, tiene revelación, tiene interpretación. Hágase todo para edificación.

27 Si habla alguno en lengua extraña, sea esto por dos, o a lo más tres, y por turno; y uno interprete.

28 Y si no hay intérprete, calle en la iglesia, y hable para sí mismo y para Dios.

29 Asimismo, los profetas hablen dos o tres, y los demás juzguen.

30 Y si algo le fuere revelado a otro que estuviere sentado, calle el primero.

31 Porque podéis profetizar todos uno por uno, para que todos aprendan, y todos sean exhortados.

32 Y los espíritus de los profetas están sujetos a los profetas;

33 pues Dios no es Dios de confusión, sino de paz. Como en todas las iglesias de los santos,

34 vuestras mujeres callen en las congregaciones; porque no les es permitido hablar, sino que estén sujetas, como también la ley lo dice.

35 Y si quieren aprender algo, pregunten en casa a sus maridos; porque es indecoroso que una mujer hable en la congregación.

36 ¿Acaso ha salido de vosotros la palabra de Dios, o sólo a vosotros ha llegado?

37 Si alguno se cree profeta, o espiritual, reconozca que lo que os escribo son mandamientos del Señor.

20 Brethren, be not children in understanding: howbeit in malice be ye children, but in understanding be men.

21 In the law it is written, With *men of* other tongues and other lips will I speak unto this people; and yet for all that will they not hear me, saith the Lord.

22 Wherefore tongues are for a sign, not to them that believe, but to them that believe not: but prophesying *serveth* not for them that believe not, but for them which believe.

23 If therefore the whole church be come together into one place, and all speak with tongues, and there come in *those that are* unlearned, or unbelievers, will they not say that ye are mad?

24 But if all prophesy, and there come in one that believeth not, or *one* unlearned, he is convinced of all, he is judged of all:

25 And thus are the secrets of his heart made manifest; and so falling down on *his* face he will worship God, and report that God is in you of a truth.

26 How is it then, brethren? when ye come together, every one of you hath a psalm, hath a doctrine, hath a tongue, hath a revelation, hath an interpretation. Let all things be done unto edifying.

27 If any man speak in an *unknown* tongue, *let it be* by two, or at the most *by* three, and *that* by course; and let one interpret.

28 But if there be no interpreter, let him keep silence in the church; and let him speak to himself, and to God.

29 Let the prophets speak two or three, and let the other judge.

30 If *any thing* be revealed to another that sitteth by, let the first hold his peace.

31 For ye may all prophesy one by one, that all may learn, and all may be comforted.

32 And the spirits of the prophets are subject to the prophets.

33 For God is not *the author* of confusion, but of peace, as in all churches of the saints.

34 Let your women keep silence in the churches: for it is not permitted unto them to speak; but *they are commanded* to be under obedience, as also saith the law.

35 And if they will learn any thing, let them ask their husbands at home: for it is a shame for women to speak in the church.

36 What? came the word of God out from you? or came it unto you only?

37 If any man think himself to be a prophet, or spiritual, let him acknowledge that the things that I write unto you are the commandments of the Lord.

38 Mas el que ignora, ignore.
39 Así que, hermanos, procurad profe-
tizar, y no impidáis el hablar lenguas;
40 pero hágase todo decentemente y
con orden.

CAPÍTULO 15

ADEMÁS os declaro, hermanos, el evan-
gelio que os he predicado, el cual
también recibisteis, en el cual también
perseveráis;
2 por el cual asimismo, si retenéis la
palabra que os he predicado, sois salvos,
si no creísteis en vano.
3 Porque primeramente os he enseñado
lo que asimismo recibí: Que Cristo murió
por nuestros pecados, conforme a las Es-
crituras;
4 y que fue sepultado, y que resucitó al
tercer día, conforme a las Escrituras;
5 y que apareció a Cefas, y después a
los doce.
6 Después apareció a más de quinien-
tos hermanos a la vez, de los cuales mu-
chos viven aún, y otros ya duermen.
7 Después apareció a Jacobo; después a
todos los apóstoles;
8 y al último de todos, como a un abor-
tivo, me apareció a mí.
9 Porque yo soy el más pequeño de los
apóstoles, que no soy digno de ser llama-
do apóstol, porque perseguí a la iglesia
de Dios.
10 Pero por la gracia de Dios soy lo que
soy; y su gracia no ha sido en vano para
conmigo, antes he trabajado más que to-
dos ellos; pero no yo, sino la gracia de
Dios conmigo.
11 Porque o sea yo o sean ellos, así pre-
dicamos, y así habéis creído.
12 Pero si se predica de Cristo que re-
sucitó de los muertos, ¿cómo dicen algu-
nos entre vosotros que no hay resurrec-
ción de muertos?
13 Porque si no hay resurrección de
muertos, tampoco Cristo resucitó.
14 Y si Cristo no resucitó, vana es en-
tonces nuestra predicación, vana es tam-
bién vuestra fe.
15 Y somos hallados falsos testigos de
Dios; porque hemos testificado de Dios
que él resucitó a Cristo, al cual no resuci-
tó, si en verdad los muertos no resucitan.
16 Porque si los muertos no resucitan,
tampoco Cristo resucitó;
17 y si Cristo no resucitó, vuestra fe es
vana; aún estáis en vuestros pecados.
18 Entonces también los que durmieron
en Cristo perecieron.
19 Si en esta vida solamente esperamos
en Cristo, somos los más dignos de con-
miseración de todos los hombres.

38 But if any man be ignorant, let him be
ignorant.
39 Wherefore, brethren, covet to proph-
esy, and forbid not to speak with tongues.
40 Let all things be done decently and in
order.

CHAPTER 15

MOREOVER, brethren, I declare unto
you the gospel which I preached unto
you, which also ye have received, and
wherein ye stand;
2 By which also ye are saved, if ye keep
in memory what I preached unto you,
unless ye have believed in vain.
3 For I delivered unto you first of all that
which I also received, how that Christ
died for our sins according to the scrip-
tures;
4 And that he was buried, and that he
rose again the third day according to the
scriptures:
5 And that he was seen of Ce′phas, then
of the twelve:
6 After that he was seen of above five
hundred brethren at once; of whom the
greater part remain unto this present, but
some are fallen asleep.
7 After that, he was seen of James; then
of all the apostles.
8 And last of all he was seen of me also,
as of one born out of due time.
9 For I am the least of the apostles, that
am not meet to be called an apostle,
because I persecuted the church of God.
10 But by the grace of God I am what I
am: and his grace which *was bestowed*
upon me was not in vain; but I laboured
more abundantly than they all: yet not I,
but the grace of God which was with me.
11 Therefore whether *it were* I or they,
so we preach, and so ye believed.
12 Now if Christ be preached that he
rose from the dead, how say some among
you that there is no resurrection of the
dead?
13 But if there be no resurrection of the
dead, then is Christ not risen:
14 And if Christ be not risen, then *is* our
preaching vain, and your faith *is* also vain.
15 Yea, and we are found false wit-
nesses of God; because we have testified
of God that he raised up Christ: whom he
raised not up, if so be that the dead rise
not.
16 For if the dead rise not, then is not
Christ raised:
17 And if Christ be not raised, your faith
is vain; ye are yet in your sins.
18 Then they also which are fallen
asleep in Christ are perished.
19 If in this life only we have hope in
Christ, we are of all men most miserable.

20 Mas ahora Cristo ha resucitado de los muertos; primicias de los que durmieron es hecho.
21 Porque por cuanto la muerte entró por un hombre, también por un hombre la resurrección de los muertos.
22 Porque así como en Adán todos mueren, también en Cristo todos serán vivificados.
23 Pero cada uno en su debido orden: Cristo, las primicias; luego los que son de Cristo, en su venida.
24 Luego el fin, cuando entregue el reino al Dios y Padre, cuando haya suprimido todo dominio, toda autoridad y potencia.
25 Porque preciso es que él reine hasta que haya puesto a todos sus enemigos debajo de sus pies.
26 Y el postrer enemigo que será destruido es la muerte.
27 Porque todas las cosas las sujetó debajo de sus pies. Y cuando dice que todas las cosas han sido sujetadas a él, claramente se exceptúa aquel que sujetó a él todas las cosas.
28 Pero luego que todas las cosas le estén sujetas, entonces también el Hijo mismo se sujetará al que le sujetó a él todas las cosas, para que Dios sea todo en todos.
29 De otro modo, ¿qué harán los que se bautizan por los muertos, si en ninguna manera los muertos resucitan? ¿Por qué, pues, se bautizan por los muertos?
30 ¿Y por qué nosotros peligramos a toda hora?
31 Os aseguro, hermanos, por la gloria que de vosotros tengo en nuestro Señor Jesucristo, que cada día muero.
32 Si como hombre batallé en Efeso contra fieras, ¿qué me aprovecha? Si los muertos no resucitan, comamos y bebamos, porque mañana moriremos.
33 No erréis; las malas conversaciones corrompen las buenas costumbres.
34 Velad debidamente, y no pequéis; porque algunos no conocen a Dios; para vergüenza vuestra lo digo.
35 Pero dirá alguno: ¿Cómo resucitarán los muertos? ¿Con qué cuerpo vendrán?
36 Necio, lo que tú siembras no se vivifica, si no muere antes.
37 Y lo que siembras no es el cuerpo que ha de salir, sino el grano desnudo, ya sea de trigo o de otro grano;
38 pero Dios le da el cuerpo como él quiso, y a cada semilla su propio cuerpo.
39 No toda carne es la misma carne, sino que una carne es la de los hombres, otra carne la de las bestias, otra la de los peces, y otra la de las aves.
40 Y hay cuerpos celestiales, y cuerpos

20 But now is Christ risen from the dead, *and* become the firstfruits of them that slept.
21 For since by man *came* death, by man *came* also the resurrection of the dead.
22 For as in Adam all die, even so in Christ shall all be made alive.
23 But every man in his own order: Christ the firstfruits; afterward they that are Christ's at his coming.
24 Then *cometh* the end, when he shall have delivered up the kingdom to God, even the Father; when he shall have put down all rule and all authority and power.
25 For he must reign, till he hath put all enemies under his feet.
26 The last enemy *that* shall be destroyed *is* death.
27 For he hath put all things under his feet. But when he saith, all things are put under *him, it is* manifest that he is excepted, which did put all things under him.
28 And when all things shall be subdued unto him, then shall the Son also himself be subject unto him that put all things under him, that God may be all in all.
29 Else what shall they do which are baptized for the dead, if the dead rise not at all? why are they then baptized for the dead?
30 And why stand we in jeopardy every hour?
31 I protest by your rejoicing which I have in Christ Jesus our Lord, I die daily.
32 If after the manner of men I have fought with beasts at Eph'e-sus, what advantageth it me, if the dead rise not? let us eat and drink; for to morrow we die.
33 Be not deceived: evil communications corrupt good manners.
34 Awake to righteousness, and sin not; for some have not the knowledge of God: I speak *this* to your shame.
35 But some *man* will say, How are the dead raised up? and with what body do they come?
36 *Thou* fool, that which thou sowest is not quickened, except it die:
37 And that which thou sowest, thou sowest not that body that shall be, but bare grain, it may chance of wheat, or of some other *grain:*
38 But God giveth it a body as it hath pleased him, and to every seed his own body.
39 All flesh *is* not the same flesh: but *there is* one *kind of* flesh of men, another flesh of beasts, another of fishes, *and* another of birds.
40 *There are* also celestial bodies, and

terrenales; pero una es la gloria de los celestiales, y otra la de los terrenales.

41 Una es la gloria del sol, otra la gloria de la luna, y otra la gloria de las estrellas, pues una estrella es diferente de otra en gloria.

42 Así también es la resurrección de los muertos. Se siembra en corrupción, resucitará en incorrupción.

43 Se siembra en deshonra, resucitará en gloria; se siembra en debilidad, resucitará en poder.

44 Se siembra cuerpo animal, resucitará cuerpo espiritual. Hay cuerpo animal, y hay cuerpo espiritual.

45 Así también está escrito: Fue hecho el primer hombre Adán alma viviente; el postrer Adán, espíritu vivificante.

46 Mas lo espiritual no es primero, sino lo animal; luego lo espiritual.

47 El primer hombre es de la tierra, terrenal; el segundo hombre, que es el Señor, es del cielo.

48 Cual el terrenal, tales también los terrenales; y cual el celestial, tales también los celestiales.

49 Y así como hemos traído la imagen del terrenal, traeremos también la imagen del celestial.

50 Pero esto digo, hermanos: que la carne y la sangre no pueden heredar el reino de Dios, ni la corrupción hereda la incorrupción.

51 He aquí, os digo un misterio: No todos dormiremos; pero todos seremos transformados,

52 en un momento, en un abrir y cerrar de ojos, a la final trompeta; porque se tocará la trompeta, y los muertos serán resucitados incorruptibles, y nosotros seremos transformados.

53 Porque es necesario que esto corruptible se vista de incorrupción, y esto mortal se vista de inmortalidad.

54 Y cuando esto corruptible se haya vestido de incorrupción, y esto mortal se haya vestido de inmortalidad, entonces se cumplirá la palabra que está escrita: Sorbida es la muerte en victoria.

55 ¿Dónde está, oh muerte, tu aguijón? ¿Dónde, oh sepulcro, tu victoria?

56 ya que el aguijón de la muerte es el pecado, y el poder del pecado, la ley.

57 Mas gracias sean dadas a Dios, que nos da la victoria por medio de nuestro Señor Jesucristo.

58 Así que, hermanos míos amados, estad firmes y constantes, creciendo en la obra del Señor siempre, sabiendo que vuestro trabajo en el Señor no es en vano.

bodies terrestrial: but the glory of the celestial *is* one, and the *glory* of the terrestrial *is* another.

41 *There is* one glory of the sun, and another glory of the moon, and another glory of the stars: for *one* star differeth from *another* star in glory.

42 So also *is* the resurrection of the dead. It is sown in corruption; it is raised in incorruption:

43 It is sown in dishonour; it is raised in glory: it is sown in weakness; it is raised in power:

44 It is sown a natural body; it is raised a spiritual body. There is a natural body, and there is a spiritual body.

45 And so it is written, The first man Adam was made a living soul; the last Adam *was made* a quickening spirit.

46 Howbeit that *was* not first which is spiritual, but that which is natural; and afterward that which is spiritual.

47 The first man *is* of the earth, earthy: the second man *is* the Lord from heaven.

48 As *is* the earthy, such *are* they also that are earthy: and as *is* the heavenly, such *are* they also that are heavenly.

49 And as we have borne the image of the earthy, we shall also bear the image of the heavenly.

50 Now this I say, brethren, that flesh and blood cannot inherit the kingdom of God; neither doth corruption inherit incorruption.

51 Behold, I shew you a mystery; We shall not all sleep, but we shall all be changed,

52 In a moment, in the twinkling of an eye, at the last trump: for the trumpet shall sound, and the dead shall be raised incorruptible, and we shall be changed.

53 For this corruptible must put on incorruption, and this mortal *must* put on immortality.

54 So when this corruptible shall have put on incorruption, and this mortal shall have put on immortality, then shall be brought to pass the saying that is written, Death is swallowed up in victory.

55 O death, where *is* thy sting? O grave, where *is* thy victory?

56 The sting of death *is* sin; and the strength of sin *is* the law.

57 But thanks *be* to God, which giveth us the victory through our Lord Jesus Christ.

58 Therefore, my beloved brethren, be ye stedfast, unmoveable, always abounding in the work of the Lord, forasmuch as ye know that your labour is not in vain in the Lord.

CAPÍTULO 16

EN cuanto a la ofrenda para los santos,
haced vosotros también de la manera
que ordené en las iglesias de Galacia.
2 Cada primer día de la semana cada
uno de vosotros ponga aparte algo, según
haya prosperado, guardándolo, para que
cuando yo llegue no se recojan entonces
ofrendas.
3 Y cuando haya llegado, a quienes hu-
biereis designado por carta, a éstos en-
viaré para que lleven vuestro donativo a
Jerusalén.
4 Y si fuere propio que yo también
vaya, irán conmigo.
5 Iré a vosotros, cuando haya pasado
por Macedonia, pues por Macedonia ten-
go que pasar.
6 Y podrá ser que me quede con voso-
tros, o aun pase el invierno, para que
vosotros me encaminéis a donde haya de
ir.
7 Porque no quiero veros ahora de
paso, pues espero estar con vosotros al-
gún tiempo, si el Señor lo permite.
8 Pero estaré en Efeso hasta Pentecos-
tés;
9 porque se me ha abierto puerta
grande y eficaz, y muchos son los adver-
sarios.
10 Y si llega Timoteo, mirad que esté
con vosotros con tranquilidad, porque él
hace la obra del Señor así como yo.
11 Por tanto, nadie le tenga en poco,
sino encaminadle en paz, para que venga
a mí, porque le espero con los hermanos.
12 Acerca del hermano Apolos, mucho
le rogué que fuese a vosotros con los her-
manos, mas de ninguna manera tuvo vo-
luntad de ir por ahora; pero irá cuando
tenga oportunidad.
13 Velad, estad firmes en la fe; portaos
varonilmente, y esforzaos.
14 Todas vuestras cosas sean hechas
con amor.
15 Hermanos, ya sabéis que la familia
de Estéfanas es las primicias de Acaya, y
que ellos se han dedicado al servicio de
los santos.
16 Os ruego que os sujetéis a personas
como ellos, y a todos los que ayudan y
trabajan.
17 Me regocijo con la venida de Estéfa-
nas, de Fortunato y de Acaico, pues ellos
han suplido vuestra ausencia.
18 Porque confortaron mi espíritu y el
vuestro; reconoced, pues, a tales perso-
nas.
19 Las iglesias de Asia os saludan.
Aquila y Priscila, con la iglesia que está

CHAPTER 16

NOW concerning the collection for the
saints, as I have given order to the
churches of Ga-la'tia, even so do ye.
2 Upon the first *day* of the week let ev-
ery one of you lay by him in store, as *God*
hath prospered him, that there be no
gatherings when I come.
3 And when I come, whomsoever ye
shall approve by *your* letters, them will I
send to bring your liberality unto Jerusa-
lem.
4 And if it be meet that I go also, they
shall go with me.
5 Now I will come unto you, when I
shall pass through Macedonia: for I do
pass through Macedonia.
6 And it may be that I will abide, yea,
and winter with you, that ye may bring
me on my journey whithersoever I go.
7 For I will not see you now by the way;
but I trust to tarry a while with you, if the
Lord permit.
8 But I will tarry at Eph'e-sus until Pen-
tecost.
9 For a great door and effectual is
opened unto me, and *there are* many ad-
versaries.
10 Now if Ti-mo'the-us come, see that
he may be with you without fear: for he
worketh the work of the Lord, as I also
do.
11 Let no man therefore despise him:
but conduct him forth in peace, that he
may come unto me: for I look for him
with the brethren.
12 As touching *our* brother Apollos, I
greatly desired him to come unto you
with the brethren: but his will was not at
all to come at this time; but he will come
when he shall have convenient time.
13 Watch ye, stand fast in the faith,
quit you like men, be strong.
14 Let all your things be done with
charity.
15 I beseech you, brethren, (ye know
the house of Steph'a-nas, that it is the
firstfruits of A-chai'a, and *that* they have
addicted themselves to the ministry of
the saints,)
16 That ye submit yourselves unto
such, and to every one that helpeth with
us, and laboureth.
17 I am glad of the coming of Steph'a-
nas and For-tu-na'tus and A-cha'i-cus:
for that which was lacking on your part
they have supplied.
18 For they have refreshed my spirit
and yours: therefore acknowledge ye
them that are such.
19 The churches of Asia salute you.
Aq'ui-la and Priscilla salute you much in

en su casa, os saludan mucho en el Señor.

20 Os saludan todos los hermanos. Saludaos los unos a los otros con ósculo santo.

21 Yo, Pablo, os escribo esta salutación de mi propia mano.

22 El que no amare al Señor Jesucristo, sea anatema. El Señor viene.

23 La gracia del Señor Jesucristo esté con vosotros.

24 Mi amor en Cristo Jesús esté con todos vosotros. Amén.

LA SEGUNDA EPÍSTOLA DEL APÓSTOL SAN PABLO A LOS

CORINTIOS

CAPÍTULO 1

PABLO, apóstol de Jesucristo por la voluntad de Dios, y el hermano Timoteo, a la iglesia de Dios que está en Corinto, con todos los santos que están en toda Acaya:

2 Gracia y paz a vosotros, de Dios nuestro Padre y del Señor Jesucristo.

3 Bendito sea el Dios y Padre de nuestro Señor Jesucristo, Padre de misericordias y Dios de toda consolación,

4 el cual nos consuela en todas nuestras tribulaciones, para que podamos también nosotros consolar a los que están en cualquier tribulación, por medio de la consolación con que nosotros somos consolados por Dios.

5 Porque de la manera que abundan en nosotros las aflicciones de Cristo, así abunda también por el mismo Cristo nuestra consolación.

6 Pero si somos atribulados, es para vuestra consolación y salvación; o si somos consolados, es para vuestra consolación y salvación, la cual se opera en el sufrir las mismas aflicciones que nosotros también padecemos.

7 Y nuestra esperanza respecto de vosotros es firme, pues sabemos que así como sois compañeros en las aflicciones, también lo sois en la consolación.

8 Porque hermanos, no queremos que ignoréis acerca de nuestra tribulación que nos sobrevino en Asia; pues fuimos abrumados sobremanera más allá de nuestras fuerzas, de tal modo que aun perdimos la esperanza de conservar la vida.

9 Pero tuvimos en nosotros mismos sentencia de muerte, para que no confiá-

the Lord, with the church that is in their house.

20 All the brethren greet you. Greet ye one another with an holy kiss.

21 The salutation of *me* Paul with mine own hand.

22 If any man love not the Lord Jesus Christ, let *him* be A-nath′e-ma Mar′an-a′tha.

23 The grace of our Lord Jesus Christ *be* with you.

24 My love *be* with you all in Christ Jesus. Amen.

THE SECOND EPISTLE OF PAUL THE APOSTLE TO THE

CORINTHIANS

CHAPTER 1

PAUL, an apostle of Jesus Christ by the will of God, and Timothy *our* brother, unto the church of God which is at Corinth, with all the saints which are in all A-chai′a:

2 Grace *be* to you and peace from God our Father, and *from* the Lord Jesus Christ.

3 Blessed *be* God, even the Father of our Lord Jesus Christ, the Father of mercies, and the God of all comfort;

4 Who comforteth us in all our tribulation, that we may be able to comfort them which are in any trouble, by the comfort wherewith we ourselves are comforted of God.

5 For as the sufferings of Christ abound in us, so our consolation also aboundeth by Christ.

6 And whether we be afflicted, *it is* for your consolation and salvation, which is effectual in the enduring of the same sufferings which we also suffer: or whether we be comforted, *it is* for your consolation and salvation.

7 And our hope of you *is* stedfast, knowing, that as ye are partakers of the sufferings, so *shall* ye *be* also of the consolation.

8 For we would not, brethren, have you ignorant of our trouble which came to us in Asia, that we were pressed out of measure, above strength, insomuch that we despaired even of life:

9 But we had the sentence of death in ourselves, that we should not trust in

semos en nosotros mismos, sino en Dios que resucita a los muertos;

10 el cual nos libró, y nos libra, y en quien esperamos que aún nos librará, de tan gran muerte;

11 cooperando también vosotros a favor nuestro con la oración, para que por muchas personas sean dadas gracias a favor nuestro por el don concedido a nosotros por medio de muchos.

12 Porque nuestra gloria es esta: el testimonio de nuestra conciencia, que con sencillez y sinceridad de Dios, no con sabiduría humana, sino con la gracia de Dios, nos hemos conducido en el mundo, y mucho más con vosotros.

13 Porque no os escribimos otras cosas de las que leéis, o también entendéis; y espero que hasta el fin las entenderéis;

14 como también en parte habéis entendido que somos vuestra gloria, así como también vosotros la nuestra, para el día del Señor Jesús.

15 Con esta confianza quise ir primero a vosotros, para que tuvieseis una segunda gracia,

16 y por vosotros pasar a Macedonia, y desde Macedonia venir otra vez a vosotros, y ser encaminado por vosotros a Judea.

17 Así que, al proponerme esto, ¿usé quizá de ligereza? ¿O lo que pienso hacer, lo pienso según la carne, para que haya en mí Sí y No?

18 Mas, como Dios es fiel, nuestra palabra a vosotros no es Sí y No.

19 Porque el Hijo de Dios, Jesucristo, que entre vosotros ha sido predicado por nosotros, por mí, Silvano y Timoteo, no ha sido Sí y No; mas ha sido Sí en él;

20 porque todas las promesas de Dios son en él Sí, y en él Amén, por medio de nosotros, para la gloria de Dios.

21 Y el que nos confirma con vosotros en Cristo, y el que nos ungió, es Dios,

22 el cual también nos ha sellado, y nos ha dado las arras del Espíritu en nuestros corazones.

23 Mas yo invoco a Dios por testigo sobre mi alma, que por ser indulgente con vosotros no he pasado todavía a Corinto.

24 No que nos enseñoreemos de vuestra fe, sino que colaboramos para vuestro gozo; porque por la fe estáis firmes.

CAPÍTULO 2

ESTO, pues, determiné para conmigo, no ir otra vez a vosotros con tristeza.

2 Porque si yo os contristo, ¿quién será luego el que me alegre, sino aquel a quien yo contristé?

ourselves, but in God which raiseth the dead:

10 Who delivered us from so great a death, and doth deliver: in whom we trust that he will yet deliver *us;*

11 Ye also helping together by prayer for us, that for the gift *bestowed* upon us by the means of many persons thanks may be given by many on our behalf.

12 For our rejoicing is this, the testimony of our conscience, that in simplicity and godly sincerity, not with fleshly wisdom, but by the grace of God, we have had our conversation in the world, and more abundantly to you-ward.

13 For we write none other things unto you, than what ye read or acknowledge; and I trust ye shall acknowledge even to the end;

14 As also ye have acknowledged us in part, that we are your rejoicing, even as ye also *are* ours in the day of the Lord Jesus.

15 And in this confidence I was minded to come unto you before, that ye might have a second benefit;

16 And to pass by you into Macedonia, and to come again out of Macedonia unto you, and of you to be brought on my way toward Judæa.

17 When I therefore was thus minded, did I use lightness? or the things that I purpose, do I purpose according to the flesh, that with me there should be yea yea, and nay nay?

18 But *as* God *is* true, our word toward you was not yea and nay.

19 For the Son of God, Jesus Christ, who was preached among you by us, *even* by me and Sil-va'nus and Ti-mo'the-us, was not yea and nay, but in him was yea.

20 For all the promises of God in him *are* yea, and in him Amen, unto the glory of God by us.

21 Now he which stablisheth us with you in Christ, and hath anointed us, *is* God;

22 Who hath also sealed us, and given the earnest of the Spirit in our hearts.

23 Moreover I call God for a record upon my soul, that to spare you I came not as yet unto Corinth.

24 Not for that we have dominion over your faith, but are helpers of your joy: for by faith ye stand.

CHAPTER 2

BUT I determined this with myself, that I would not come again to you in heaviness.

2 For if I make you sorry, who is he then that maketh me glad, but the same which is made sorry by me?

3 Y esto mismo os escribí, para que cuando llegue no tenga tristeza de parte de aquellos de quienes me debiera gozar; confiando en vosotros todos que mi gozo es el de todos vosotros.
4 Porque por la mucha tribulación y angustia del corazón os escribí con muchas lágrimas, no para que fueseis contristados, sino para que supieseis cuán grande es el amor que os tengo.
5 Pero si alguno me ha causado tristeza, no me la ha causado a mí solo, sino en cierto modo (por no exagerar) a todos vosotros.
6 Le basta a tal persona esta reprensión hecha por muchos;
7 así que, al contrario, vosotros más bien debéis perdonarle y consolarle, para que no sea consumido de demasiada tristeza.
8 Por lo cual os ruego que confirméis el amor para con él.
9 Porque también para este fin os escribí, para tener la prueba de si vosotros sois obedientes en todo.
10 Y al que vosotros perdonáis, yo también; porque también yo lo que he perdonado, si algo he perdonado, por vosotros lo he hecho en presencia de Cristo,
11 para que Satanás no gane ventaja alguna sobre nosotros; pue no ignoramos sus maquinaciones.
12 Cuando llegué a Troas para predicar el evangelio de Cristo, aunque se me abrió puerta en el Señor,
13 no tuve reposo en mi espíritu, por no haber hallado a mi hermano Tito; así, despidiéndome de ellos, partí para Macedonia.
14 Mas a Dios gracias, el cual nos lleva siempre en triunfo en Cristo Jesús, y por medio de nosotros manifiesta en todo lugar el olor de su conocimiento.
15 Porque para Dios somos grato olor de Cristo en los que se salvan, y en los que se pierden;
16 a éstos ciertamente olor de muerte para muerte, y a aquéllos olor de vida para vida. Y para estas cosas, ¿quién es suficiente?
17 Pues no somos como muchos, que medran falsificando la palabra de Dios, sino que con sinceridad, como de parte de Dios, y delante de Dios, hablamos en Cristo.

CAPÍTULO 3

¿COMENZAMOS otra vez a recomendarnos a nosotros mismos? ¿O tenemos necesidad, como algunos, de cartas de recomendación para vosotros, o de recomendación de vosotros?

3 And I wrote this same unto you, lest, when I came, I should have sorrow from them of whom I ought to rejoice; having confidence in you all that my joy is *the joy* of you all.
4 For out of much affliction and anguish of heart I wrote unto you with many tears; not that ye should be grieved, but that ye might know the love which I have more abundantly unto you.
5 But if any have caused grief, he hath not grieved me, but in part: that I may not overcharge you all.
6 Sufficient to such a man *is* this punishment, which *was inflicted* of many.
7 So that contrariwise ye *ought* rather to forgive *him*, and comfort *him*, lest perhaps such a one should be swallowed up with overmuch sorrow.
8 Wherefore I beseech you that ye would confirm *your* love toward him.
9 For to this end also did I write, that I might know the proof of you, whether ye be obedient in all things.
10 To whom ye forgive any thing, I *forgive* also: for if I forgave any thing, to whom I forgave *it*, for your sakes *forgave I it* in the person of Christ;
11 Lest Satan should get an advantage of us: for we are not ignorant of his devices.
12 Furthermore, when I came to Troas to *preach* Christ's gospel, and a door was opened unto me of the Lord,
13 I had no rest in my spirit, because I found not Titus my brother: but taking my leave of them, I went from thence into Macedonia.
14 Now thanks *be* unto God, which always causeth us to triumph in Christ, and maketh manifest the savour of his knowledge by us in every place.
15 For we are unto God a sweet savour of Christ, in them that are saved, and in them that perish:
16 To the one *we are* the savour of death unto death; and to the other the savour of life unto life. And who *is* sufficient for these things?
17 For we are not as many, which corrupt the word of God: but as of sincerity, but as of God, in the sight of God speak we in Christ.

CHAPTER 3

DO we begin again to commend ourselves? or need we, as some *others*, epistles of commendation to you, or *letters* of commendation from you?

2 Nuestras cartas sois vosotros, escritas en nuestros corazones, conocidas y leídas por todos los hombres;

3 siendo manifiesto que sois carta de Cristo expedida por nosotros, escrita no con tinta, sino con el Espíritu del Dios vivo; no en tablas de piedra, sino en tablas de carne del corazón.

4 Y tal confianza tenemos mediante Cristo para con Dios;

5 no que seamos competentes por nosotros mismos para pensar algo como de nosotros mismos, sino que nuestra competencia proviene de Dios,

6 el cual asimismo nos hizo ministros competentes de un nuevo pacto, no de la letra, sino del espíritu; porque la letra mata, mas el espíritu vivifica.

7 Y si el ministerio de muerte grabado con letras en piedras fue con gloria, tanto que los hijos de Israel no pudieron fijar la vista en el rostro de Moisés a causa de la gloria de su rostro, la cual había de perecer,

8 ¿cómo no será más bien con gloria el ministerio del espíritu?

9 Porque si el ministerio de condenación fue con gloria, mucho más abundará en gloria el ministerio de justificación.

10 Porque aun lo que fue glorioso, no es glorioso en este respecto, en comparación con la gloria más eminente.

11 Porque si lo que perece tuvo gloria, mucho más glorioso será lo que permanece.

12 Así que, teniendo tal esperanza, usamos de mucha franqueza;

13 y no como Moisés, que ponía un velo sobre su rostro, para que los hijos de Israel no fijaran la vista en el fin de aquello que había de ser abolido.

14 Pero el entendimiento de ellos se embotó; porque hasta el día de hoy, cuando leen el antiguo pacto, les queda el mismo velo no descubierto, el cual por Cristo es quitado.

15 Y aun hasta el día de hoy, cuando se lee a Moisés, el velo está puesto sobre el corazón de ellos.

16 Pero cuando se conviertan al Señor, el velo se quitará.

17 Porque el Señor es el Espíritu; y donde está el Espíritu del Señor, allí hay libertad.

18 Por tanto, nosotros todos, mirando a cara descubierta como en un espejo la gloria del Señor, somos transformados de gloria en gloria en la misma imagen, como por el Espíritu del Señor.

2 Ye are our epistle written in our hearts, known and read of all men:

3 *Forasmuch as ye are* manifestly declared to be the epistle of Christ ministered by us, written not with ink, but with the Spirit of the living God; not in tables of stone, but in fleshy tables of the heart.

4 And such trust have we through Christ to God-ward:

5 Not that we are sufficient of ourselves to think any thing as of ourselves; but our sufficiency *is* of God;

6 Who also hath made us able ministers of the new testament; not of the letter, but of the spirit: for the letter killeth, but the spirit giveth life.

7 But if the ministration of death, written *and* engraven in stones, was glorious, so that the children of Israel could not stedfastly behold the face of Moses for the glory of his countenance; which *glory* was to be done away:

8 How shall not the ministration of the spirit be rather glorious?

9 For if the ministration of condemnation *be* glory, much more doth the ministration of righteousness exceed in glory.

10 For even that which was made glorious had no glory in this respect, by reason of the glory that excelleth.

11 For if that which is done away *was* glorious, much more that which remaineth *is* glorious.

12 Seeing then that we have such hope, we use great plainness of speech:

13 And not as Moses, *which* put a vail over his face, that the children of Israel could not stedfastly look to the end of that which is abolished:

14 But their minds were blinded: for until this day remaineth the same vail untaken away in the reading of the old testament; which *vail* is done away in Christ.

15 But even unto this day, when Moses is read, the vail is upon their heart.

16 Nevertheless when it shall turn to the Lord, the vail shall be taken away.

17 Now the Lord is that Spirit: and where the Spirit of the Lord *is*, there *is* liberty.

18 But we all, with open face beholding as in a glass the glory of the Lord, are changed into the same image from glory to glory, *even* as by the Spirit of the Lord.

CAPÍTULO 4

POR lo cual, teniendo nosotros este ministerio según la misericordia que hemos recibido, no desmayamos.

2 Antes bien renunciamos a lo oculto y vergonzoso, no andando con astucia, ni adulterando la palabra de Dios, sino por la manifestación de la verdad recomendándonos a toda conciencia humana delante de Dios.

3 Pero si nuestro evangelio está aún encubierto, entre los que se pierden está encubierto;

4 en los cuales el dios de este siglo cegó el entendimiento de los incrédulos, para que no les resplandezca la luz del evangelio de la gloria de Cristo, el cual es la imagen de Dios.

5 Porque no nos predicamos a nosotros mismos, sino a Jesucristo como Señor, y a nosotros como vuestros siervos por amor de Jesús.

6 Porque Dios, que mandó que de las tinieblas resplandeciese la luz, es el que resplandeció en nuestros corazones, para iluminación del conocimiento de la gloria de Dios en la faz de Jesucristo.

7 Pero tenemos este tesoro en vasos de barro, para que la excelencia del poder sea de Dios, y no de nosotros,

8 que estamos atribulados en todo, mas no angustiados; en apuros, mas no desesperados;

9 perseguidos, mas no desamparados; derribados, pero no destruidos;

10 llevando en el cuerpo siempre por todas partes la muerte de Jesús, para que también la vida de Jesús se manifieste en nuestros cuerpos.

11 Porque nosotros que vivimos, siempre estamos entregados a muerte por causa de Jesús, para que también la vida de Jesús se manifieste en nuestra carne mortal.

12 De manera que la muerte actúa en nosotros, y en vosotros la vida.

13 Pero teniendo el mismo espíritu de fe, conforme a lo que está escrito: Creí, por lo cual hablé, nosotros también creemos, por lo cual también hablamos,

14 sabiendo que el que resucitó al Señor Jesús, a nosotros también nos resucitará con Jesús, y nos presentará juntamente con vosotros.

15 Porque todas estas cosas padecemos por amor a vosotros, para que abundando la gracia por medio de muchos, la acción de gracias sobreabunde para gloria de Dios.

16 Por tanto, no desmayamos; antes

CHAPTER 4

THEREFORE seeing we have this ministry, as we have received mercy, we faint not;

2 But have renounced the hidden things of dishonesty, not walking in craftiness, nor handling the word of God deceitfully; but by manifestation of the truth commending ourselves to every man's conscience in the sight of God.

3 But if our gospel be hid, it is hid to them that are lost:

4 In whom the god of this world hath blinded the minds of them which believe not, lest the light of the glorious gospel of Christ, who is the image of God, should shine unto them.

5 For we preach not ourselves, but Christ Jesus the Lord; and ourselves your servants for Jesus' sake.

6 For God, who commanded the light to shine out of darkness, hath shined in our hearts, to *give* the light of the knowledge of the glory of God in the face of Jesus Christ.

7 But we have this treasure in earthen vessels, that the excellency of the power may be of God, and not of us.

8 *We are* troubled on every side, yet not distressed; *we are* perplexed, but not in despair;

9 Persecuted, but not forsaken; cast down, but not destroyed;

10 Always bearing about in the body the dying of the Lord Jesus, that the life also of Jesus might be made manifest in our body.

11 For we which live are alway delivered unto death for Jesus' sake, that the life also of Jesus might be made manifest in our mortal flesh.

12 So then death worketh in us, but life in you.

13 We having the same spirit of faith, according as it is written, I believed, and therefore have I spoken; we also believe, and therefore speak;

14 Knowing that he which raised up the Lord Jesus shall raise up us also by Jesus, and shall present *us* with you.

15 For all things *are* for your sakes, that the abundant grace might through the thanksgiving of many redound to the glory of God.

16 For which cause we faint not; but

aunque este nuestro hombre exterior se va desgastando, el interior no obstante se renueva de día en día.
17 Porque esta leve tribulación momentánea produce en nosotros un cada vez más excelente y eterno peso de gloria;
18 no mirando nosotros las cosas que se ven, sino las que no se ven; pues las cosas que se ven son temporales, pero las que no se ven son eternas.

CAPÍTULO 5

PORQUE sabemos que si nuestra morada terrestre, este tabernáculo, se deshiciere, tenemos de Dios un edificio, una casa no hecha de manos, eterna, en los cielos.
2 Y por esto también gemimos, deseando ser revestidos de aquella nuestra habitación celestial;
3 pues así seremos hallados vestidos, y no desnudos.
4 Porque asimismo los que estamos en este tabernáculo gemimos con angustia; porque no quisiéramos ser desnudados, sino revestidos, para que lo mortal sea absorbido por la vida.
5 Mas el que nos hizo para esto mismo es Dios, quien nos ha dado las arras del Espíritu.
6 Así que vivimos confiados siempre, y sabiendo que entre tanto que estamos en el cuerpo, estamos ausentes del Señor
7 (porque por fe andamos, no por vista);
8 pero confiamos, y más quisiéramos estar ausentes del cuerpo, y presentes al Señor.
9 Por tanto procuramos también, o ausentes o presentes, serle agradables.
10 Porque es necesario que todos nosotros comparezcamos ante el tribunal de Cristo, para que cada uno reciba según lo que haya hecho mientras estaba en el cuerpo, sea bueno o sea malo.
11 Conociendo, pues, el temor del Señor, persuadimos a los hombres; pero a Dios le es manifiesto lo que somos; y espero que también lo sea a vuestras conciencias.
12 No nos recomendamos, pues, otra vez a vosotros, sino os damos ocasión de gloriaros por nosotros, para que tengáis con qué responder a los que se glorían en las apariencias y no en el corazón.
13 Porque si estamos locos, es para Dios; y si somos cuerdos, es para vosotros.
14 Porque el amor de Cristo nos constriñe, pensando esto: que si uno murió por todos, luego todos murieron;
15 y por todos murió, para que los que

though our outward man perish, yet the inward *man* is renewed day by day.
17 For our light affliction, which is but for a moment, worketh for us a far more exceeding *and* eternal weight of glory;
18 While we look not at the things which are seen, but at the things which are not seen: for the things which are seen *are* temporal; but the things which are not seen *are* eternal.

CHAPTER 5

FOR we know that if our earthly house of *this* tabernacle were dissolved, we have a building of God, an house not made with hands, eternal in the heavens.
2 For in this we groan, earnestly desiring to be clothed upon with our house which is from heaven:
3 If so be that being clothed we shall not be found naked.
4 For we that are in *this* tabernacle do groan, being burdened: not for that we would be unclothed, but clothed upon, that mortality might be swallowed up of life.
5 Now he that hath wrought us for the selfsame thing *is* God, who also hath given unto us the earnest of the Spirit.
6 Therefore *we are* always confident, knowing that, whilst we are at home in the body, we are absent from the Lord:
7 (For we walk by faith, not by sight:)
8 We are confident, *I say*, and willing rather to be absent from the body, and to be present with the Lord.
9 Wherefore we labour, that, whether present or absent, we may be accepted of him.
10 For we must all appear before the judgment seat of Christ; that every one may receive the things *done* in *his* body, according to that he hath done, whether *it be* good or bad.
11 Knowing therefore the terror of the Lord, we persuade men; but we are made manifest unto God; and I trust also are made manifest in your consciences.
12 For we commend not ourselves again unto you, but give you occasion to glory on our behalf, that ye may have somewhat to *answer* them which glory in appearance, and not in heart.
13 For whether we be beside ourselves, *it is* to God: or whether we be sober, *it is* for your cause.
14 For the love of Christ constraineth us; because we thus judge, that if one died for all, then were all dead:
15 And *that* he died for all, that they

viven, ya no vivan para sí, sino para aquel que murió y resucitó por ellos.

16 De manera que nosotros de aquí en adelante a nadie conocemos según la carne; y aun si a Cristo conocimos según la carne, ya no lo conocemos así.

17 De modo que si alguno está en Cristo, nueva criatura es; las cosas viejas pasaron; he aquí todas son hechas nuevas.

18 Y todo esto proviene de Dios, quien nos reconcilió consigo mismo por Cristo, y nos dio el ministerio de la reconciliación;

19 que Dios estaba en Cristo reconciliando consigo al mundo, no tomándoles en cuenta a los hombres sus pecados, y nos encargó a nosotros la palabra de la reconciliación.

20 Así que, somos embajadores en nombre de Cristo, como si Dios rogase por medio de nosotros; os rogamos en nombre de Cristo: Reconciliaos con Dios.

21 Al que no conoció pecado, por nosotros lo hizo pecado, para que nosotros fuésemos hechos justicia de Dios en él.

CAPÍTULO 6

ASÍ, pues, nosotros, como colaboradores suyos, os exhortamos también a que no recibáis en vano la gracia de Dios.

2 Porque dice: En tiempo aceptable te he oído, y en día de salvación te he socorrido. He aquí ahora el tiempo aceptable; he aquí ahora el día de salvación.

3 No damos a nadie ninguna ocasión de tropiezo, para que nuestro ministerio no sea vituperado;

4 antes bien, nos recomendamos en todo como ministros de Dios, en mucha paciencia, en tribulaciones, en necesidades, en angustias;

5 en azotes, en cárceles, en tumultos, en trabajos, en desvelos, en ayunos;

6 en pureza, en ciencia, en longanimidad, en bondad, en el Espíritu Santo, en amor sincero,

7 en palabra de verdad, en poder de Dios, con armas de justicia a diestra y a siniestra;

8 por honra y por deshonra, por mala fama y por buena fama; como engañadores, pero veraces;

9 como desconocidos, pero bien conocidos; como moribundos, mas he aquí vivimos; como castigados, mas no muertos;

10 como entristecidos, mas siempre gozosos; como pobres, mas enriqueciendo a muchos; como no teniendo nada, mas poseyéndolo todo.

11 Nuestra boca se ha abierto a vosotros, oh corintios; nuestro corazón se ha ensanchado

which live should not henceforth live unto themselves, but unto him which died for them, and rose again.

16 Wherefore henceforth know we no man after the flesh: yea, though we have known Christ after the flesh, yet now henceforth know we *him* no more.

17 Therefore if any man *be* in Christ, *he is* a new creature: old things are passed away; behold, all things are become new.

18 And all things *are* of God, who hath reconciled us to himself by Jesus Christ, and hath given to us the ministry of reconciliation;

19 To wit, that God was in Christ, reconciling the world unto himself, not imputing their trespasses unto them; and hath committed unto us the word of reconciliation.

20 Now then we are ambassadors for Christ, as though God did beseech *you* by us: we pray *you* in Christ's stead, be ye reconciled to God.

21 For he hath made him *to be* sin for us, who knew no sin; that we might be made the righteousness of God in him.

CHAPTER 6

WE then, *as* workers together *with him*, beseech *you* also that ye receive not the grace of God in vain.

2 (For he saith, I have heard thee in a time accepted, and in the day of salvation have I succoured thee: behold, now *is* the accepted time; behold, now *is* the day of salvation.)

3 Giving no offence in any thing, that the ministry be not blamed:

4 But in all *things* approving ourselves as the ministers of God, in much patience, in afflictions, in necessities, in distresses,

5 In stripes, in imprisonments, in tumults, in labours, in watchings, in fastings;

6 By pureness, by knowledge, by longsuffering, by kindness, by the Holy Ghost, by love unfeigned,

7 By the word of truth, by the power of God, by the armour of righteousness on the right hand and on the left,

8 By honour and dishonour, by evil report and good report: as deceivers, and *yet* true;

9 As unknown, and *yet* well known; as dying, and, behold, we live; as chastened, and not killed;

10 As sorrowful, yet alway rejoicing; as poor, yet making many rich; as having nothing, and *yet* possessing all things.

11 O *ye* Co-rinth'i-ans, our mouth is open unto you, our heart is enlarged.

12 No estáis estrechos en nosotros, pero sí sois estrechos en vuestro propio corazón.
13 Pues, para corresponder del mismo modo (como a hijos hablo), ensanchaos también vosotros.
14 No os unáis en yugo desigual con los incrédulos; porque ¿qué compañerismo tiene la justicia con la injusticia? ¿Y qué comunión la luz con las tinieblas?
15 ¿Y qué concordia Cristo con Belial? ¿O qué parte el creyente con el incrédulo?
16 ¿Y qué acuerdo hay entre el templo de Dios y los ídolos? Porque vosotros sois el templo del Dios viviente, como Dios dijo: Habitaré y andaré entre ellos, y seré su Dios, y ellos serán mi pueblo.
17 Por lo cual, salid de en medio de ellos, y apartaos, dice el Señor, y no toquéis lo inmundo; y yo os recibiré,
18 y seré para vosotros por Padre, y vosotros me seréis hijos e hijas, dice el Señor Todopoderoso.

CAPÍTULO 7

ASÍ que, amados, puesto que tenemos tales promesas, limpiémonos de toda contaminación de carne y de espíritu, perfeccionando la santidad en el temor de Dios.
2 Admitidnos: a nadie hemos agraviado, a nadie hemos corrompido, a nadie hemos engañado.
3 No lo digo para condenaros; pues ya he dicho antes que estáis en nuestro corazón, para morir y para vivir juntamente.
4 Mucha franqueza tengo con vosotros; mucho me glorío con respecto de vosotros; lleno estoy de consolación; sobreabundo de gozo en todas nuestras tribulaciones.
5 Porque de cierto, cuando vinimos a Macedonia, ningún reposo tuvo nuestro cuerpo, sino que en todo fuimos atribulados; de fuera, conflictos; de dentro, temores.
6 Pero Dios, que consuela a los humildes, nos consoló con la venida de Tito;
7 y no sólo con su venida, sino también con la consolación con que él había sido consolado en cuanto a vosotros, haciéndonos saber vuestro gran afecto, vuestro llanto, vuestra solicitud por mí, de manera que me regocijé aun más.
8 Porque aunque os contristé con la carta, no me pesa, aunque entonces lo lamenté; porque veo que aquella carta, aunque por algún tiempo, os contristó.
9 Ahora me gozo, no porque hayáis sido contristados, sino porque fuisteis contristados para arrepentimiento; por-

12 Ye are not straitened in us, but ye are straitened in your own bowels.
13 Now for a recompence in the same, (I speak as unto *my* children,) be ye also enlarged.
14 Be ye not unequally yoked together with unbelievers: for what fellowship hath righteousness with unrighteousness? and what communion hath light with darkness?
15 And what concord hath Christ with Be'li-al? or what part hath he that believeth with an infidel?
16 And what agreement hath the temple of God with idols? for ye are the temple of the living God; as God hath said, I will dwell in them, and walk in *them;* and I will be their God, and they shall be my people.
17 Wherefore come out from among them, and be ye separate, saith the Lord, and touch not the unclean *thing;* and I will receive you,
18 And will be a Father unto you, and ye shall be my sons and daughters, saith the Lord Almighty.

CHAPTER 7

HAVING therefore these promises, dearly beloved, let us cleanse ourselves from all filthiness of the flesh and spirit, perfecting holiness in the fear of God.
2 Receive us; we have wronged no man, we have corrupted no man, we have defrauded no man.
3 I speak not *this* to condemn *you:* for I have said before, that ye are in our hearts to die and live with *you.*
4 Great *is* my boldness of speech toward you, great *is* my glorying of you: I am filled with comfort, I am exceeding joyful in all our tribulation.
5 For, when we were come into Macedonia, our flesh had no rest, but we were troubled on every side; without *were* fightings, within *were* fears.
6 Nevertheless God, that comforteth those that are cast down, comforted us by the coming of Titus;
7 And not by his coming only, but by the consolation wherewith he was comforted in you, when he told us your earnest desire, your mourning, your fervent mind toward me; so that I rejoiced the more.
8 For though I made you sorry with a letter, I do not repent, though I did repent: for I perceive that the same epistle hath made you sorry, though *it were* but for a season.
9 Now I rejoice, not that ye were made sorry, but that ye sorrowed to repen-

que habéis sido contristados según Dios, para que ninguna pérdida padecieseis por nuestra parte.
10 Porque la tristeza que es según Dios produce arrepentimiento para salvación, de que no hay que arrepentirse; pero la tristeza del mundo produce muerte.
11 Porque he aquí, esto mismo de que hayáis sido contristados según Dios, ¡qué solicitud produjo en vosotros, qué defensa, qué indignación, qué temor, qué ardiente afecto, qué celo, y qué vindicación! En todo os habéis mostrado limpios en el asunto.
12 Así que, aunque os escribí, no fue por causa del que cometió el agravio, ni por causa del que lo padeció, sino para que se os hiciese manifiesta nuestra solicitud que tenemos por vosotros delante de Dios.
13 Por esto hemos sido consolados en vuestra consolación; pero mucho más nos gozamos por el gozo de Tito, que haya sido confortado su espíritu por todos vosotros.
14 Pues si de algo me he gloriado con él respecto de vosotros, no he sido avergonzado, sino que así como en todo os hemos hablado con verdad, también nuestro gloriarnos con Tito resultó verdad.
15 Y su cariño para con vosotros es aun más abundante, cuando se acuerda de la obediencia de todos vosotros, de cómo lo recibisteis con temor y temblor.
16 Me gozo de que en todo tengo confianza en vosotros.

CAPÍTULO 8

ASIMISMO, hermanos, os hacemos saber la gracia de Dios que se ha dado a las iglesias de Macedonia;
2 que en grande prueba de tribulación, la abundancia de su gozo y su profunda pobreza abundaron en riquezas de su generosidad.
3 Pues doy testimonio de que con agrado han dado conforme a sus fuerzas, y aun más allá de sus fuerzas,
4 pidiéndonos con muchos ruegos que les concediésemos el privilegio de participar en este servicio para los santos.
5 Y no como lo esperábamos, sino que a sí mismos se dieron primeramente al Señor, y luego a nosotros por la voluntad de Dios;
6 de manera que exhortamos a Tito para que tal como comenzó antes, asimismo acabe también entre vosotros esta obra de gracia.
7 Por tanto, como en todo abundáis, en fe, en palabra, en ciencia, en toda solicitud, y en vuestro amor para con nosotros, abundad también en esta gracia.

tance: for ye were made sorry after a godly manner, that ye might receive damage by us in nothing.
10 For godly sorrow worketh repentance to salvation not to be repented of: but the sorrow of the world worketh death.
11 For behold this selfsame thing, that ye sorrowed after a godly sort, what carefulness it wrought in you, yea, *what* clearing of yourselves, yea, *what* indignation, yea, *what* fear, yea, *what* vehement desire, yea, *what* zeal, yea, *what* revenge! In all *things* ye have approved yourselves to be clear in this matter.
12 Wherefore, though I wrote unto you, *I did it* not for his cause that had done the wrong, nor for his cause that suffered wrong, but that our care for you in the sight of God might appear unto you.
13 Therefore we were comforted in your comfort: yea, and exceedingly the more joyed we for the joy of Titus, because his spirit was refreshed by you all.
14 For if I have boasted any thing to him of you, I am not ashamed; but as we spake all things to you in truth, even so our boasting, which *I made* before Titus, is found a truth.
15 And his inward affection is more abundant toward you, whilst he remembereth the obedience of you all, how with fear and trembling ye received him.
16 I rejoice therefore that I have confidence in you in all *things*.

CHAPTER 8

MOREOVER, brethren, we do you to wit of the grace of God bestowed on the churches of Macedonia;
2 How that in a great trial of affliction the abundance of their joy and their deep poverty abounded unto the riches of their liberality.
3 For to *their* power, I bear record, yea, and beyond *their* power *they were* willing of themselves;
4 Praying us with much intreaty that we would receive the gift, and *take upon us* the fellowship of the ministering to the saints.
5 And *this they did*, not as we hoped, but first gave their own selves to the Lord, and unto us by the will of God.
6 Insomuch that we desired Titus, that as he had begun, so he would also finish in you the same grace also.
7 Therefore, as ye abound in every *thing, in* faith, and utterance, and knowledge, and *in* all diligence, and *in* your love to us, *see* that ye abound in this grace also.

8 No hablo como quien manda, sino para poner a prueba, por medio de la diligencia de otros, también la sinceridad del amor vuestro.

9 Porque ya conocéis la gracia de nuestro Señor Jesucristo, que por amor a vosotros se hizo pobre, siendo rico, para que vosotros con su pobreza fueseis enriquecidos.

10 Y en esto doy mi consejo; porque esto os conviene a vosotros, que comenzasteis antes, no sólo a hacerlo, sino también a quererlo, desde el año pasado.

11 Ahora, pues, llevad también a cabo el hacerlo, para que como estuvisteis prontos a querer, así también lo estéis en cumplir conforme a lo que tengáis.

12 Porque si primero hay la voluntad dispuesta, será acepta según lo que uno tiene no según lo que no tiene.

13 Porque no digo esto para que haya para otros holgura, y para vosotros estrechez,

14 sino para que en este tiempo, con igualdad, la abundancia vuestra supla la escasez de ellos, para que también la abundancia de ellos supla la necesidad vuestra, para que haya igualdad,

15 como está escrito: El que recogió mucho, no tuvo más, y el que poco, no tuvo menos.

16 Pero gracias a Dios que puso en el corazón de Tito la misma solicitud por vosotros.

17 Pues a la verdad recibió la exhortación; pero estando también muy solícito, por su propia voluntad partió para ir a vosotros.

18 Y enviamos juntamente con él al hermano cuya alabanza en el evangelio se oye por todas las iglesias;

19 y no sólo esto, sino que también fue designado por las iglesias como compañero de nuestra peregrinación para llevar este donativo, que es administrado por nosotros para gloria del Señor mismo, y para demostrar vuestra buena voluntad;

20 evitando que nadie nos censure en cuanto a esta ofrenda abundante que administramos,

21 procurando hacer las cosas honradamente, no sólo delante del Señor sino también delante de los hombres.

22 Enviamos también con ellos a nuestro hermano, cuya diligencia hemos comprobado repetidas veces en muchas cosas, y ahora mucho más diligente por la mucha confianza que tiene en vosotros.

23 En cuanto a Tito, es mi compañero y colaborador para con vosotros; y en cuanto a nuestros hermanos, son mensajeros de las iglesias, y gloria de Cristo.

8 I speak not by commandment, but by occasion of the forwardness of others, and to prove the sincerity of your love.

9 For ye know the grace of our Lord Jesus Christ, that, though he was rich, yet for your sakes he became poor, that ye through his poverty might be rich.

10 And herein I give *my* advice: for this is expedient for you, who have begun before, not only to do, but also to be forward a year ago.

11 Now therefore perform the doing *of it;* that as *there was* a readiness to will, so *there may be* a performance also out of that which ye have.

12 For if there be first a willing mind, *it is* accepted according to that a man hath, *and* not according to that he hath not.

13 For *I mean* not that other men be eased, and ye burdened:

14 But by an equality, *that* now at this time your abundance *may be a supply* for their want, that their abundance also may be *a supply* for your want: that there may be equality:

15 As it is written, He that *had gathered* much had nothing over; and he that *had gathered* little had no lack.

16 But thanks *be* to God, which put the same earnest care into the heart of Titus for you.

17 For indeed he accepted the exhortation; but being more forward, of his own accord he went unto you.

18 And we have sent with him the brother, whose praise *is* in the gospel throughout all the churches;

19 And not *that* only, but who was also chosen of the churches to travel with us with this grace, which is administered by us to the glory of the same Lord, and *declaration of* your ready mind:

20 Avoiding this, that no man should blame us in this abundance which is administered by us:

21 Providing for honest things, not only in the sight of the Lord, but also in the sight of men.

22 And we have sent with them our brother, whom we have oftentimes proved diligent in many things, but now much more diligent, upon the great confidence which *I have* in you.

23 Whether *any do inquire* of Titus, *he is* my partner and fellowhelper concerning you: or our brethren *be inquired of, they are* the messengers of the churches, *and* the glory of Christ.

24 Mostrad, pues, para con ellos ante
las iglesias la prueba de vuestro amor, y
de nuestro gloriarnos respecto de voso-
tros.

CAPÍTULO 9

CUANTO a la ministración para los
santos, es por demás que yo os escri-
ba;
2 pues conozco vuestra buena volun-
tad, de la cual yo me glorío entre los de
Macedonia, que Acaya está preparada
desde el año pasado; y vuestro celo ha
estimulado a la mayoría.
3 Pero he enviado a los hermanos, para
que nuestro gloriarnos de vosotros no sea
vano en esta parte; para que como lo he
dicho, estéis preparados;
4 no sea que si vinieren conmigo algu-
nos macedonios, y os hallaren despreve-
nidos, nos avergoncemos nosotros, por
no decir vosotros, de esta nuestra con-
fianza.
5 Por tanto, tuve por necesario exhor-
tar a los hermanos que fuesen primero a
vosotros y preparasen primero vuestra
generosidad antes prometida, para que
esté lista como de generosidad, y no
como de exigencia nuestra.
6 Pero esto digo: El que siembra es-
casamente, también segará escasamente;
y el que siembra generosamente, genero-
samente también segará.
7 Cada uno dé como propuso en su co-
razón: no con tristeza, ni por necesidad,
porque Dios ama al dador alegre.
8 Y poderoso es Dios para hacer que
abunde en vosotros toda gracia, a fin de
que, teniendo siempre en todas las cosas
todo lo suficiente, abundéis para toda
buena obra;
9 como está escrito: Repartió, dio a los
pobres; su justicia permanece para
siempre.
10 Y el que da semilla al que siembra, y
pan al que come, proveerá y multiplicará
vuestra sementera, y aumentará los fru-
tos de vuestra justicia,
11 para que estéis enriquecidos en todo
para toda liberalidad, la cual produce por
medio de nosotros acción de gracias a
Dios.
12 Porque la ministración de este servi-
cio no solamente suple lo que a los santos
falta, sino que también abunda en mu-
chas acciones de gracias a Dios;
13 pues por la experiencia de esta mi-
nistración glorifican a Dios por la obe-
diencia que profesáis al evangelio de
Cristo, y por la liberalidad de vuestra
contribución para ellos y para todos;
14 asimismo en la oración de ellos por

24 Wherefore shew ye to them, and be-
fore the churches, the proof of your love,
and of our boasting on your behalf.

CHAPTER 9

FOR as touching the ministering to the
saints, it is superfluous for me to
write to you:
2 For I know the forwardness of your
mind, for which I boast of you to them of
Macedonia, that A-chai'a was ready a
year ago; and your zeal hath provoked
very many.
3 Yet have I sent the brethren, lest our
boasting of you should be in vain in this
behalf; that, as I said, ye may be ready:
4 Lest haply if they of Macedonia come
with me, and find you unprepared, we
(that we say not, ye) should be ashamed
in this same confident boasting.
5 Therefore I thought it necessary to
exhort the brethren, that they would go
before unto you, and make up before-
hand your bounty, whereof ye had notice
before, that the same might be ready, as
a matter of bounty, and not as *of* covet-
ousness.
6 But this *I say*, He which soweth spar-
ingly shall reap also sparingly; and he
which soweth bountifully shall reap also
bountifully.
7 Every man according as he purposeth
in his heart, *so let him give;* not grudg-
ingly, or of necessity: for God loveth a
cheerful giver.
8 And God *is* able to make all grace
abound toward you; that ye, always hav-
ing all sufficiency in all *things*, may
abound to every good work:
9 (As it is written, He hath dispersed
abroad; he hath given to the poor: his
righteousness remaineth for ever.
10 Now he that ministereth seed to the
sower both minister bread for *your* food,
and multiply your seed sown, and in-
crease the fruits of your righteousness;)
11 Being enriched in every thing to all
bountifulness, which causeth through us
thanksgiving to God.
12 For the administration of this ser-
vice not only supplieth the want of the
saints, but is abundant also by many
thanksgivings unto God;
13 Whiles by the experiment of this
ministration they glorify God for your
professed subjection unto the gospel of
Christ, and for *your* liberal distribution
unto them, and unto all *men;*
14 And by their prayer for you, which

vosotros, a quienes aman a causa de la superabundante gracia de Dios en vosotros.

15 ¡Gracias a Dios por su don inefable!

CAPÍTULO 10

YO Pablo os ruego por la mansedumbre y ternura de Cristo, yo que estando presente ciertamente soy humilde entre vosotros, mas ausente soy osado para con vosotros;

2 ruego, pues, que cuando esté presente, no tenga que usar de aquella osadía con que estoy dispuesto a proceder resueltamente contra algunos que nos tienen como si anduviésemos según la carne.

3 Pues aunque andamos en la carne, no militamos según la carne;

4 porque las armas de nuestra milicia no son carnales, sino poderosas en Dios para la destrucción de fortalezas,

5 derribando argumentos y toda altivez que se levanta contra el conocimiento de Dios, y llevando cautivo todo pensamiento a la obediencia a Cristo,

6 y estando prontos para castigar toda desobediencia, cuando vuestra obediencia sea perfecta.

7 Miráis las cosas según la apariencia. Si alguno está persuadido en sí mismo que es de Cristo, esto también piense por sí mismo, que como él es de Cristo, así también nosotros somos de Cristo.

8 Porque aunque me gloríe algo más todavía de nuestra autoridad, la cual el Señor nos dio para edificación y no para vuestra destrucción, no me avergonzaré;

9 para que no parezca como que os quiero amedrentar por cartas.

10 Porque a la verdad, dicen, las cartas son duras y fuertes; mas la presencia corporal débil, y la palabra menospreciable.

11 Esto tenga en cuenta tal persona, que así como somos en la palabra por cartas, estando ausentes, lo seremos también en hechos, estando presentes.

12 Porque no nos atrevemos a contarnos ni a compararnos con algunos que se alaban a sí mismos; pero ellos, midiéndose a sí mismos por sí mismos, y comparándose consigo mismos, no son juiciosos.

13 Pero nosotros no nos gloriaremos desmedidamente, sino conforme a la regla que Dios nos ha dado por medida, para llegar también hasta vosotros.

14 Porque no nos hemos extralimitado, como si no llegásemos hasta vosotros, pues fuimos los primeros en llegar hasta vosotros con el evangelio de Cristo.

15 No nos gloriamos desmedidamente

long after you for the exceeding grace of God in you.

15 Thanks *be* unto God for his unspeakable gift.

CHAPTER 10

NOW I Paul myself beseech you by the meekness and gentleness of Christ, who in presence *am* base among you, but being absent am bold toward you:

2 But I beseech *you*, that I may not be bold when I am present with that confidence, wherewith I *think to be* bold against some, which think of us as if we walked according to the flesh.

3 For though we walk in the flesh, we do not war after the flesh:

4 (For the weapons of our warfare *are* not carnal, but mighty through God to the pulling down of strong holds;)

5 Casting down imaginations, and every high thing that exalteth itself against the knowledge of God, and bringing into captivity every thought to the obedience of Christ;

6 And having in a readiness to revenge all disobedience, when your obedience is fulfilled.

7 Do ye look on things after the outward appearance? If any man trust to himself that he is Christ's, let him of himself think this again, that, as he *is* Christ's, even so *are* we Christ's.

8 For though I should boast somewhat more of our authority, which the Lord hath given us for edification, and not for your destruction, I should not be ashamed:

9 That I may not seem as if I would terrify you by letters.

10 For *his* letters, *say they, are* weighty and powerful; but *his* bodily presence *is* weak, and *his* speech contemptible.

11 Let such an one think this, that, such as we are in word by letters when we are absent, such *will we be* also in deed when we are present.

12 For we dare not make ourselves of the number, or compare ourselves with some that commend themselves: but they measuring themselves by themselves, and comparing themselves among themselves, are not wise.

13 But we will not boast of things without *our* measure, but according to the measure of the rule which God hath distributed to us, a measure to reach even unto you.

14 For we stretch not ourselves beyond *our measure*, as though we reached not unto you: for we are come as far as to you also in *preaching* the gospel of Christ:

15 Not boasting of things without *our*

en trabajos ajenos, sino que esperamos que conforme crezca vuestra fe seremos muy engrandecidos entre vosotros, conforme a nuestra regla;
16 y que anunciaremos el evangelio en los lugares más allá de vosotros, sin entrar en la obra de otro para gloriarnos en lo que ya estaba preparado.
17 Mas el que se gloría, gloríese en el Señor;
18 porque no es aprobado el que se alaba a sí mismo, sino aquel a quien Dios alaba.

CAPÍTULO 11

¡OJALÁ me toleraseis un poco de locura! Sí, toleradme.
2 Porque os celo con celo de Dios; pues os he desposado con un solo esposo, para presentaros como una virgen pura a Cristo.
3 Pero temo que como la serpiente con su astucia engañó a Eva, vuestros sentidos sean de alguna manera extraviados de la sincera fidelidad a Cristo.
4 Porque si viene alguno predicando a otro Jesús que el que os hemos predicado, o si recibís otro espíritu que el que habéis recibido, u otro evangelio que el que habéis recibido, u otro evangelio que el que habéis aceptado, bien lo toleráis;
5 y pienso que en nada he sido inferior a aquellos grandes apóstoles.
6 Pues aunque sea tosco en la palabra, no lo soy en el conocimiento; en todo y por todo os lo hemos demostrado.
7 ¿Pequé yo humillándome a mí mismo, para que vosotros fueseis enaltecidos, por cuanto os he predicado el evangelio de Dios de balde?
8 He despojado a otras iglesias, recibiendo salario para serviros a vosotros.
9 Y cuando estaba entre vosotros y tuve necesidad, a ninguno fui carga, pues lo que me faltaba, lo suplieron los hermanos que vinieron de Macedonia, y en todo me guardé y me guardaré de seros gravoso.
10 Por la verdad de Cristo que está en mí, que no se me impedirá esta mi gloria en las regiones de Acaya.
11 ¿Por qué? ¿Porque no os amo? Dios lo sabe.
12 Mas lo que hago, lo haré aún, para quitar la ocasión a aquellos que la desean, a fin de que en aquello en que se glorían, sean hallados semejantes a nosotros.
13 Porque éstos son falsos apóstoles, obreros fraudulentos, que se disfrazan como apóstoles de Cristo.

measure, *that is*, of other men's labours; but having hope, when your faith is increased, that we shall be enlarged by you according to our rule abundantly,
16 To preach the gospel in the *regions* beyond you, *and* not to boast in another man's line of things made ready to our hand.
17 But he that glorieth, let him glory in the Lord.
18 For not he that commendeth himself is approved, but whom the Lord commendeth.

CHAPTER 11

WOULD to God ye could bear with me a little in *my* folly: and indeed bear with me.
2 For I am jealous over you with godly jealousy: for I have espoused you to one husband, that I may present *you as* a chaste virgin to Christ.
3 But I fear, lest by any means, as the serpent beguiled Eve through his subtilty, so your minds should be corrupted from the simplicity that is in Christ.
4 For if he that cometh preacheth another Jesus, whom we have not preached, *or if* ye receive another spirit, which ye have not received, or another gospel, which ye have not accepted, ye might well bear with *him*.
5 For I suppose I was not a whit behind the very chiefest apostles.
6 But though *I be* rude in speech, yet not in knowledge; but we have been throughly made manifest among you in all things.
7 Have I committed an offence in abasing myself that ye might be exalted, because I have preached to you the gospel of God freely?
8 I robbed other churches, taking wages *of them*, to do you service.
9 And when I was present with you, and wanted, I was chargeable to no man: for that which was lacking to me the brethren which came from Macedonia supplied: and in all *things* I have kept myself from being burdensome unto you, and *so* will I keep *myself*.
10 As the truth of Christ is in me, no man shall stop me of this boasting in the regions of A-chai'a.
11 Wherefore? because I love you not? God knoweth.
12 But what I do, that I will do, that I may cut off occasion from them which desire occasion; that wherein they glory, they may be found even as we.
13 For such *are* false apostles, deceitful workers, transforming themselves into the apostles of Christ.

14 Y no es maravilla, porque el mismo Satanás se disfraza como ángel de luz.

15 Así que, no es extraño si también sus ministros se disfrazan como ministros de justicia; cuyo fin será conforme a sus obras.

16 Otra vez digo: Que nadie me tenga por loco; o de otra manera, recibidme como a loco, para que yo también me glorie un poquito.

17 Lo que hablo, no lo hablo según el Señor, sino como en locura, con esta confianza de gloriarme.

18 Puesto que muchos se glorían según la carne, también yo me gloriaré;

19 porque de buena gana toleráis a los necios, siendo vosotros cuerdos.

20 Pues toleráis si alguno os esclaviza, si alguno os devora, si alguno toma lo vuestro, si alguno se enaltece, si alguno os da de bofetadas.

21 Para vergüenza mía lo digo, para eso fuimos demasiado débiles. Pero en lo que otro tenga osadía (hablo con locura), también yo tengo osadía.

22¿Son hebreos? Yo también. ¿Son israelitas? Yo también. ¿Son descendientes de Abraham? También yo.

23 ¿Son ministros de Cristo? (Como si estuviera loco hablo.) Yo más; en trabajos más abundante; en azotes sin número; en cárceles más; en peligros de muerte muchas veces.

24 De los judíos cinco veces he recibido cuarenta azotes menos uno.

25 Tres veces he sido azotado con varas; una vez apedreado; tres veces he padecido naufragio; una noche y un día he estado como náufrago en alta mar;

26 en caminos muchas veces; en peligros de ríos peligros de ladrones, peligros de los de mi nación, peligros de los gentiles, peligros en la ciudad, peligros en el desierto, peligros en el mar, peligros entre falsos hermanos;

27 en trabajo y fatiga, en muchos desvelos, en hambre y sed, en muchos ayunos, en frío y en desnudez;

28 y además de otras cosas, lo que sobre mí se agolpa cada día, la preocupación por todas las iglesias.

29 ¿Quién enferma, y yo no enfermo? ¿A quién se le hace tropezar, y yo no me indigno?

30 Si es necesario gloriarse, me gloriaré en lo que es de mi debilidad.

31 El Dios y Padre de nuestro Señor Jesucristo, quien es bendito por los siglos, sabe que no miento.

32 En Damasco, el gobernador de la provincia del rey Aretas guardaba la ciudad de los damascenos para prenderme;

14 And no marvel; for Satan himself is transformed into an angel of light.

15 Therefore *it is* no great thing if his ministers also be transformed as the ministers of righteousness; whose end shall be according to their works.

16 I say again, Let no man think me a fool; if otherwise, yet as a fool receive me, that I may boast myself a little.

17 That which I speak, I speak *it* not after the Lord, but as it were foolishly, in this confidence of boasting.

18 Seeing that many glory after the flesh, I will glory also.

19 For ye suffer fools gladly, seeing ye *yourselves* are wise.

20 For ye suffer, if a man bring you into bondage, if a man devour *you*, if a man take *of you*, if a man exalt himself, if a man smite you on the face.

21 I speak as concerning reproach, as though we had been weak. Howbeit whereinsoever any is bold, (I speak foolishly,) I am bold also.

22 Are they Hebrews? so *am* I. Are they Israelites? so *am* I. Are they the seed of Abraham? so *am* I.

23 Are they ministers of Christ? (I speak as a fool) I *am* more; in labours more abundant, in stripes above measure, in prisons more frequent, in deaths oft.

24 Of the Jews five times received I forty *stripes* save one.

25 Thrice was I beaten with rods, once was I stoned, thrice I suffered shipwreck, a night and a day I have been in the deep;

26 *In* journeyings often, *in* perils of waters, *in* perils of robbers, *in* perils by *mine own* countrymen, *in* perils by the heathen, *in* perils in the city, *in* perils in the wilderness, *in* perils in the sea, *in* perils among false brethren;

27 In weariness and painfulness, in watchings often, in hunger and thirst, in fastings often, in cold and nakedness.

28 Beside those things that are without, that which cometh upon me daily, the care of all the churches.

29 Who is weak, and I am not weak? who is offended, and I burn not?

30 If I must needs glory, I will glory of the things which concern mine infirmities.

31 The God and Father of our Lord Jesus Christ, which is blessed for evermore, knoweth that I lie not.

32 In Damascus the governor under Ar'e-tas the king kept the city of the Dam'as-cenes with a garrison, desirous to apprehend me:

33 y fui descolgado del muro en un canasto por una ventana, y escapé de sus manos.

CAPÍTULO 12

CIERTAMENTE no me conviene gloriarme; pero vendré a las visiones y a las revelaciones del Señor.

2 Conozco a un hombre en Cristo, que hace catorce años (si en el cuerpo, no lo sé; si fuera del cuerpo, no lo sé; Dios lo sabe) fue arrebatado hasta el tercer cielo.

3 Y conozco al tal hombre (si en el cuerpo, o fuera del cuerpo, no lo sé; Dios lo sabe),

4 que fue arrebatado al paraíso, donde oyó palabras inefables que no le es dado al hombre expresar.

5 De tal hombre me gloriaré; pero de mí mismo en nada me gloriaré, sino en mis debilidades.

6 Sin embargo, si quisiera gloriarme, no sería insensato, porque diría la verdad; pero lo dejo, para que nadie piense de mí más de lo que en mí ve, u oye de mí.

7 Y para que la grandeza de las revelaciones no me exaltase desmedidamente, me fue dado un aguijón en mi carne, un mensajero de Satanás que me abofetee, para que no me enaltezca sobremanera;

8 respecto a lo cual tres veces he rogado al Señor, que lo quite de mí.

9 Y me ha dicho: Bástate mi gracia; porque mi poder se perfecciona en la debilidad. Por tanto, de buena gana me gloriaré más bien en mis debilidades, para que repose sobre mí el poder de Cristo.

10 Por lo cual, por amor a Cristo me gozo en las debilidades, en afrentas, en necesidades, en persecuciones, en angustias; porque cuando soy débil, entonces soy fuerte.

11 Me he hecho un necio al gloriarme; vosotros me obligasteis a ello, pues yo debía ser alabado por vosotros; porque en nada he sido menos que aquellos grandes apóstoles, aunque nada soy.

12 Con todo, las señales de apóstol han sido hechas entre vosotros en toda paciencia, por señales, prodigios y milagros.

13 Porque ¿en qué habéis sido menos que las otras iglesias, sino en que yo mismo no os he sido carga? ¡Perdonadme este agravio!

14 He aquí, por tercera vez estoy preparado para ir a vosotros; y no os seré gravoso, porque no busco lo vuestro, sino a vosotros, pues no deben atesorar los hijos para los padres, sino los padres para los hijos.

15 Y yo con el mayor placer gastaré lo

33 And through a window in a basket was I let down by the wall, and escaped his hands.

CHAPTER 12

IT is not expedient for me doubtless to glory. I will come to visions and revelations of the Lord.

2 I knew a man in Christ above fourteen years ago, (whether in the body, I cannot tell; or whether out of the body, I cannot tell: God knoweth;) such an one caught up to the third heaven.

3 And I knew such a man, (whether in the body, or out of the body, I cannot tell: God knoweth;)

4 How that he was caught up into paradise, and heard unspeakable words, which it is not lawful for a man to utter.

5 Of such an one will I glory: yet of myself I will not glory, but in mine infirmities.

6 For though I would desire to glory, I shall not be a fool; for I will say the truth: but *now* I forbear, lest any man should think of me above that which he seeth me *to be*, or *that* he heareth of me.

7 And lest I should be exalted above measure through the abundance of the revelations, there was given to me a thorn in the flesh, the messenger of Satan to buffet me, lest I should be exalted above measure.

8 For this thing I besought the Lord thrice, that it might depart from me.

9 And he said unto me, My grace is sufficient for thee: for my strength is made perfect in weakness. Most gladly therefore will I rather glory in my infirmities, that the power of Christ may rest upon me.

10 Therefore I take pleasure in infirmities, in reproaches, in necessities, in persecutions, in distresses for Christ's sake: for when I am weak, then am I strong.

11 I am become a fool in glorying; ye have compelled me: for I ought to have been commended of you: for in nothing am I behind the very chiefest apostles, though I be nothing.

12 Truly the signs of an apostle were wrought among you in all patience, in signs, and wonders, and mighty deeds.

13 For what is it wherein ye were inferior to other churches, except *it be* that I myself was not burdensome to you? forgive me this wrong.

14 Behold, the third time I am ready to come to you; and I will not be burdensome to you: for I seek not yours, but you: for the children ought not to lay up for the parents, but the parents for the children.

15 And I will very gladly spend and be

mío, y aun yo mismo me gastaré del todo por amor de vuestras almas, aunque amándoos más, sea amado menos.
16 Pero admitiendo esto, que yo no os he sido carga, sino que como soy astuto, os prendí por engaño,
17 ¿acaso os he engañado por alguno de los que he enviado a vosotros?
18 Rogué a Tito, y envié con él al hermano. ¿Os engañó acaso Tito? ¿No hemos procedido con el mismo espíritu y en las mismas pisadas?
19 ¿Pensáis aún que nos disculpamos con vosotros? Delante de Dios en Cristo hablamos; y todo, muy amados, para vuestra edificación.
20 Pues me temo que cuando llegue, no os halle tales como quiero, y yo sea hallado de vosotros cual no queréis; que haya entre vosotros contiendas, envidias, iras, divisiones, maledicencias, murmuraciones, soberbias, desórdenes;
21 que cuando vuelva, me humille Dios entre vosotros, y quizá tenga que llorar por muchos de los que antes han pecado, y no se han arrepentido de la inmundicia y fornicación y lascivia que han cometido.

CAPÍTULO 13

ESTA es la tercera vez que voy a vosotros. Por boca de dos o de tres testigos se decidirá todo asunto.
2 He dicho antes, y ahora digo otra vez como si estuviera presente, y ahora ausente lo escribo a los que antes pecaron, y a todos los demás, que si voy otra vez, no seré indulgente;
3 pues buscáis una prueba de que habla Cristo en mí, el cual no es débil para con vosotros, sino que es poderoso en vosotros.
4 Porque aunque fue crucificado en debilidad, vive por el poder de Dios. Pues también nosotros somos débiles en él, pero viviremos con él por el poder de Dios para con vosotros.
5 Examinaos a vosotros mismos si estáis en la fe; probaos a vosotros mismos. ¿O no os conocéis a vosotros mismos, que Jesucristo está en vosotros, a menos que estéis reprobados?
6 Mas espero que conoceréis que nosotros no estamos reprobados.
7 Y oramos a Dios que ninguna cosa mala hagáis; no para que nosotros aparezcamos aprobados, sino para que vosotros hagáis lo bueno, aunque nosotros seamos como reprobados.
8 Porque nada podemos contra la verdad, sino por la verdad.
9 Por lo cual nos gozamos de que seamos nosotros débiles, y que vosotros es-

spent for you; though the more abundantly I love you, the less I be loved.
16 But be it so, I did not burden you: nevertheless, being crafty, I caught you with guile.
17 Did I make a gain of you by any of them whom I sent unto you?
18 I desired Titus, and with *him* I sent a brother. Did Titus make a gain of you? walked we not in the same spirit? *walked we* not in the same steps?
19 Again, think ye that we excuse ourselves unto you? we speak before God in Christ: but *we do* all things, dearly beloved, for your edifying.
20 For I fear, lest, when I come, I shall not find you such as I would, and *that* I shall be found unto you such as ye would not: lest *there be* debates, envyings, wraths, strifes, backbitings, whisperings, swellings, tumults:
21 *And* lest, when I come again, my God will humble me among you, and *that* I shall bewail many which have sinned already, and have not repented of the uncleanness and fornication and lasciviousness which they have committed.

CHAPTER 13

THIS *is* the third *time* I am coming to you. In the mouth of two or three witnesses shall every word be established.
2 I told you before, and foretell you, as if I were present, the second time; and being absent now I write to them which heretofore have sinned, and to all other, that, if I come again, I will not spare:
3 Since ye seek a proof of Christ speaking in me, which to you-ward is not weak, but is mighty in you.
4 For though he was crucified through weakness, yet he liveth by the power of God. For we also are weak in him, but we shall live with him by the power of God toward you.
5 Examine yourselves, whether ye be in the faith; prove your own selves. Know ye not your own selves, how that Jesus Christ is in you, except ye be reprobates?
6 But I trust that ye shall know that we are not reprobates.
7 Now I pray to God that ye do no evil; not that we should appear approved, but that ye should do that which is honest, though we be as reprobates.
8 For we can do nothing against the truth, but for the truth.
9 For we are glad, when we are weak,

téis fuertes; y aun oramos por vuestra
perfección.
10 Por esto os escribo estando ausente,
para no usar de severidad cuando esté
presente, conforme a la autoridad que el
Señor me ha dado para edificación, y no
para destrucción.
11 Por lo demás, hermanos, tened gozo,
perfeccionaos, consolaos, sed de un mis-
mo sentir, y vivid en paz; y el Dios de paz
y de amor estará con vosotros.
12 Saludaos unos a otros con ósculo
santo.
13 Todos los santos os saludan.
14 La gracia del Señor Jesucristo, el
amor de Dios, y la comunión del Espíritu
Santo sean con todos vosotros. Amén.

LA EPÍSTOLA DEL APÓSTOL

SAN PABLO A LOS

GÁLATAS

CAPÍTULO 1

PABLO, apóstol (no de hombres ni por
hombre, sino por Jesucristo y por Dios
el Padre que lo resucitó de los muertos),
2 y todos los hermanos que están con-
migo, a las iglesias de Galacia:
3 Gracia y paz sean a vosotros, de Dios
el Padre y de nuestro Señor Jesucristo,
4 el cual se dio a sí mismo por nuestros
pecados para librarnos del presente siglo
malo, conforme a la voluntad de nuestro
Dios y Padre,
5 a quien sea la gloria por los siglos de
los siglos. Amén.
6 Estoy maravillado de que tan pronto
os hayáis alejado del que os llamó por la
gracia de Cristo, para seguir un evangelio
diferente.
7 No que haya otro, sino que hay algu-
nos que os perturban y quieren pervertir
el evangelio de Cristo.
8 Mas si aun nosotros, o un ángel del
cielo, os anunciare otro evangelio dife-
rente del que os hemos anunciado, sea a-
natema.
9 Como antes hemos dicho, también a-
hora lo repito: Si alguno os predica dife-
rente evangelio del que habéis recibido,
sea anatema.
10 Pues, ¿busco ahora el favor de los
hombres, o el de Dios? ¿O trato de agra-
dar a los hombres? Pues si todavía agra-
dara a los hombres, no sería siervo de
Cristo.
11 Mas os hago saber, hermanos, que el

and ye are strong: and this also we wish,
even your perfection.
10 Therefore I write these things being
absent, lest being present I should use
sharpness, according to the power which
the Lord hath given me to edification,
and not to destruction.
11 Finally, brethren, farewell. Be per-
fect, be of good comfort, be of one mind,
live in peace; and the God of love and
peace shall be with you.
12 Greet one another with an holy kiss.
13 All the saints salute you.
14 The grace of the Lord Jesus Christ,
and the love of God, and the communion
of the Holy Ghost, *be* with you all. Amen.

THE EPISTLE OF PAUL THE APOSTLE

TO THE

GALATIANS

CHAPTER 1

PAUL, an apostle, (not of men, neither
by man, but by Jesus Christ, and God
the Father, who raised him from the
dead;)
2 And all the brethren which are with
me, unto the churches of Ga-la'tia:
3 Grace *be* to you and peace from God
the Father, and *from* our Lord Jesus
Christ,
4 Who gave himself for our sins, that
he might deliver us from this present evil
world, according to the will of God and
our Father:
5 To whom *be* glory for ever and ever.
Amen.
6 I marvel that ye are so soon removed
from him that called you into the grace of
Christ unto another gospel:
7 Which is not another; but there be
some that trouble you, and would pervert
the gospel of Christ.
8 But though we, or an angel from
heaven, preach any other gospel unto
you than that which we have preached
unto you, let him be accursed.
9 As we said before, so say I now again,
If any *man* preach any other gospel unto
you than that ye have received, let him
be accursed.
10 For do I now persuade men, or God?
or do I seek to please men? for if I yet
pleased men, I should not be the servant
of Christ.
11 But I certify you, brethren, that the

evangelio anunciado por mí, no es según
hombre;
12 pues yo ni lo recibí ni lo aprendí de
hombre alguno, sino por revelación de
Jesucristo.
13 Porque ya habéis oído acerca de mi
conducta en otro tiempo en el judaísmo,
que perseguía sobremanera a la iglesia
de Dios, y la asolaba;
14 y en el judaísmo aventajaba a mu-
chos de mis contemporáneos en mi na-
ción, siendo mucho más celoso de las tra-
diciones de mis padres.
15 Pero cuando agradó a Dios, que me
apartó desde el vientre de mi madre, y
me llamó por su gracia,
16 revelar a su Hijo en mí, para que yo
le predicase entre los gentiles, no consul-
té en seguida con carne y sangre,
17 ni subí a Jerusalén a los que eran a-
póstoles antes que yo; sino que fui a Ara-
bia, y volví de nuevo a Damasco.
18 Después, pasados tres años, subí a
Jerusalén para ver a Pedro, y permanecí
con él quince días;
19 pero no vi a ningún otro de los após-
toles, sino a Jacobo el hermano del Se-
ñor.
20 En esto que os escribo, he aquí de-
lante de Dios que no miento.
21 Después fui a las regiones de Siria y
de Cilicia,
22 y no era conocido de vista a las igle-
sias de Judea, que eran en Cristo;
23 solamente oían decir: Aquel que en
otro tiempo nos perseguía, ahora predica
la fe que en otro tiempo asolaba.
24 Y glorificaban a Dios en mí.

CAPÍTULO 2

DESPUÉS, pasados catorce años, subí
otra vez a Jerusalén con Bernabé, lle-
vando también *conmigo* a Tito.
2 Pero subí según una revelación, y
para no correr o haber corrido en vano,
expuse en privado a los que tenían cierta
reputación el evangelio que predico entre
los gentiles.
3 Mas ni aun Tito, que estaba conmigo,
con todo y ser griego, fue obligado a cir-
cuncidarse;
4 y esto a pesar de los falsos hermanos
introducidos a escondidas, que entraban
para espiar nuestra libertad que tenemos
en Cristo Jesús, para reducirnos a escla-
vitud,
5 a los cuales ni por un momento acce-
dimos a someternos, para que la verdad
del evangelio permaneciese con vosotros.
6 Pero de los que tenían reputación de
ser algo (lo que hayan sido en otro tiem-

gospel which was preached of me is not
after man.
12 For I neither received it of man, nei-
ther was I taught *it*, but by the revelation
of Jesus Christ.
13 For ye have heard of my conversa-
tion in time past in the Jews' religion,
how that beyond measure I persecuted
the church of God, and wasted it:
14 And profited in the Jews' religion
above many my equals in mine own na-
tion, being more exceedingly zealous of
the traditions of my fathers.
15 But when it pleased God, who sepa-
rated me from my mother's womb, and
called *me* by his grace,
16 To reveal his Son in me, that I might
preach him among the heathen; immedi-
ately I conferred not with flesh and
blood:
17 Neither went I up to Jerusalem to
them which were apostles before me; but
I went into Arabia, and returned again
unto Damascus.
18 Then after three years I went up to
Jerusalem to see Peter, and abode with
him fifteen days.
19 But other of the apostles saw I none,
save James the Lord's brother.
20 Now the things which I write unto
you, behold, before God, I lie not.
21 Afterwards I came into the regions
of Syria and Ci-li'ci-a;
22 And was unknown by face unto the
churches of Judæa which were in Christ:
23 But they had heard only, That he
which persecuted us in times past now
preacheth the faith which once he de-
stroyed.
24 And they glorified God in me.

CHAPTER 2

THEN fourteen years after I went up
again to Jerusalem with Barnabas,
and took Titus with *me* also.
2 And I went up by revelation, and
communicated unto them that gospel
which I preach among the Gentiles, but
privately to them which were of reputa-
tion, lest by any means I should run, or
had run, in vain.
3 But neither Titus, who was with me,
being a Greek, was compelled to be cir-
cumcised:
4 And that because of false brethren
unawares brought in, who came in priv-
ily to spy out our liberty which we have
in Christ Jesus, that they might bring us
into bondage:
5 To whom we gave place by subjec-
tion, no, not for an hour; that the truth of
the gospel might continue with you.
6 But of these who seemed to be some-
what, (whatsoever they were, it maketh

po nada me importa; Dios no hace acepción de personas), a mí, pues, los de reputación nada nuevo me comunicaron.

7 Antes por el contrario, como vieron que me había sido encomendado el evangelio de la incircuncisión, como a Pedro el de la circuncisión

8 (pues el que actuó en Pedro para el apostolado de la circuncisión, actuó también en mí para con los gentiles),

9 y reconociendo la gracia que me había sido dada, Jacobo, Cefas y Juan, que eran considerados como columnas, nos dieron a mí y a Bernabé la diestra en señal de compañerismo, para que nosotros fuésemos a los gentiles, y ellos a la circuncisión.

10 Solamente nos pidieron que nos acordásemos de los pobres; lo cual también procuré con diligencia hacer.

11 Pero cuando Pedro vino a Antioquía, le resistí cara a cara, porque era de condenar.

12 Pues antes que viniesen algunos de parte de Jacobo, comía con los gentiles; pero después que vinieron, se retraía y se apartaba, porque tenía miedo de los de la circuncisión.

13 Y en su simulación participaban también los otros judíos, de tal manera que aun Bernabé fue también arrastrado por la hipocresía de ellos.

14 Pero cuando vi que no andaban rectamente conforme a la verdad del evangelio, dije a Pedro delante de todos: Si tú, siendo judío, vives como los gentiles y no como judío, ¿por qué obligas a los gentiles a judaizar?

15 Nosotros, judíos de nacimiento, y no pecadores de entre los gentiles,

16 sabiendo que el hombre no es justificado por las obras de la ley, sino por la fe de Jesucristo, nosotros también hemos creído en Jesucristo, para ser justificados por la fe de Cristo y no por las obras de la ley, por cuanto por las obras de la ley nadie será justificado.

17 Y si buscando ser justificados en Cristo, también nosotros somos hallados pecadores, ¿es por eso Cristo ministro de pecado? En ninguna manera.

18 Porque si las cosas que destruí, las mismas vuelvo a edificar, transgresor me hago.

19 Porque yo por la ley soy muerto para la ley, a fin de vivir para Dios.

20 Con Cristo estoy juntamente crucificado, y ya no vivo yo, mas vive Cristo en mí; y lo que ahora vivo en la carne, lo vivo en la fe del Hijo de Dios, el cual me amó y se entregó a sí mismo por mí.

21 No desecho la gracia de Dios; pues si

no matter to me: God accepteth no man's person:) for they who seemed *to be somewhat* in conference added nothing to me:

7 But contrariwise, when they saw that the gospel of the uncircumcision was committed unto me, as *the gospel* of the circumcision *was* unto Peter;

8 (For he that wrought effectually in Peter to the apostleship of the circumcision, the same was mighty in me toward the Gentiles:)

9 And when James, Ce′phas, and John, who seemed to be pillars, perceived the grace that was given unto me, they gave to me and Barnabas the right hands of fellowship; that we *should go* unto the heathen, and they unto the circumcision.

10 Only *they would* that we should remember the poor; the same which I also was forward to do.

11 But when Peter was come to Antioch, I withstood him to the face, because he was to be blamed.

12 For before that certain came from James, he did eat with the Gentiles: but when they were come, he withdrew and separated himself, fearing them which were of the circumcision.

13 And the other Jews dissembled likewise with him; insomuch that Barnabas also was carried away with their dissimulation.

14 But when I saw that they walked not uprightly according to the truth of the gospel, I said unto Peter before *them* all, If thou, being a Jew, livest after the manner of Gentiles, and not as do the Jews, why compellest thou the Gentiles to live as do the Jews?

15 We *who are* Jews by nature, and not sinners of the Gentiles,

16 Knowing that a man is not justified by the works of the law, but by the faith of Jesus Christ, even we have believed in Jesus Christ, that we might be justified by the faith of Christ, and not by the works of the law: for by the works of the law shall no flesh be justified.

17 But if, while we seek to be justified by Christ, we ourselves also are found sinners, *is* therefore Christ the minister of sin? God forbid.

18 For if I build again the things which I destroyed, I make myself a transgressor.

19 For I through the law am dead to the law, that I might live unto God.

20 I am crucified with Christ: nevertheless I live; yet not I, but Christ liveth in me: and the life which I now live in the flesh I live by the faith of the Son of God, who loved me, and gave himself for me.

21 I do not frustrate the grace of God:

por la ley fuese la justicia, entonces por demás murió Cristo.

CAPÍTULO 3

¡OH gálatas insensatos! ¿quién os fascinó para no obedecer a la verdad, a vosotros ante cuyos ojos Jesucristo fue ya presentado claramente entre vosotros como crucificado?

2 Esto solo quiero saber de vosotros: ¿Recibisteis el Espíritu por las obras de la ley, o por el oir con fe?

3 ¿Tan necios sois? ¿Habiendo comenzado por el Espíritu, ahora vais a acabar por la carne?

4 ¿Tantas cosas habéis padecido en vano? si es que realmente fue en vano.

5 Aquel, pues, que os suministra el Espíritu, y hace maravillas entre vosotros, ¿lo hace por las obras de la ley, o por el oir con fe?

6 Así Abraham creyó a Dios, y le fue contado por justicia.

7 Sabed, por tanto, que los que son de fe, éstos son hijos de Abraham.

8 Y la Escritura, previendo que Dios había de justificar por la fe a los gentiles, dio de antemano la buena nueva a Abraham, diciendo: En ti serán benditas todas las naciones.

9 De modo que los de la fe son bendecidos con el creyente Abraham.

10 Porque todos los que dependen de las obras de la ley están bajo maldición, pues escrito está: Maldito todo aquel que no permaneciere en todas las cosas escritas en el libro de la ley, para hacerlas.

11 Y que por la ley ninguno se justifica para con Dios, es evidente, porque: El justo por la fe vivirá;

12 y la ley no es de fe, sino que dice: El que hiciere estas cosas vivirá por ellas.

13 Cristo nos redimió de la maldición de la ley, hecho por nosotros maldición (porque está escrito: Maldito todo el que es colgado en un madero),

14 para que en Cristo Jesús la bendición de Abraham alcanzase a los gentiles, a fin de que por la fe recibiésemos la promesa del Espíritu.

15 Hermanos, hablo en términos humanos: Un pacto, aunque sea de hombre, una vez ratificado, nadie lo invalida, ni le añade.

16 Ahora bien, a Abraham fueron hechas las promesas, y a su simiente. No dice: Y a las simientes, como si hablase de muchos, sino como de uno: Y a tu simiente, la cual es Cristo.

17 Esto, pues, digo: El pacto previamente ratificado por Dios para con Cristo, la ley que vino cuatrocientos treinta

for if righteousness *come* by the law, then Christ is dead in vain.

CHAPTER 3

O FOOLISH Ga-la'tians, who hath bewitched you, that ye should not obey the truth, before whose eyes Jesus Christ hath been evidently set forth, crucified among you?

2 This only would I learn of you, Received ye the Spirit by the works of the law, or by the hearing of faith?

3 Are ye so foolish? having begun in the Spirit, are ye now made perfect by the flesh?

4 Have ye suffered so many things in vain? if *it be* yet in vain.

5 He therefore that ministereth to you the Spirit, and worketh miracles among you, *doeth he it* by the works of the law, or by the hearing of faith?

6 Even as Abraham believed God, and it was accounted to him for righteousness.

7 Know ye therefore that they which are of faith, the same are the children of Abraham.

8 And the scripture, foreseeing that God would justify the heathen through faith, preached before the gospel unto Abraham, *saying*, In thee shall all nations be blessed.

9 So then they which be of faith are blessed with faithful Abraham.

10 For as many as are of the works of the law are under the curse: for it is written, Cursed *is* every one that continueth not in all things which are written in the book of the law to do them.

11 But that no man is justified by the law in the sight of God, *it is* evident: for, The just shall live by faith.

12 And the law is not of faith: but, The man that doeth them shall live in them.

13 Christ hath redeemed us from the curse of the law, being made a curse for us: for it is written, Cursed *is* every one that hangeth on a tree:

14 That the blessing of Abraham might come on the Gentiles through Jesus Christ; that we might receive the promise of the Spirit through faith.

15 Brethren, I speak after the manner of men; Though *it be* but a man's covenant, yet *if it be* confirmed, no man disannulleth, or addeth thereto.

16 Now to Abraham and his seed were the promises made. He saith not, And to seeds, as of many; but as of one, And to thy seed, which is Christ.

17 And this I say, *that* the covenant, that was confirmed before of God in Christ, the law, which was four hundred and thirty years after, cannot disannul,

años después, no lo abroga, para invalidar la promesa.

18 Porque si la herencia es por la ley, ya no es por la promesa; pero Dios la concedió a Abraham mediante la promesa.

19 Entonces, ¿para qué sirve la ley? Fue añadida a causa de las transgresiones, hasta que viniese la simiente a quien fue hecha la promesa; y fue ordenada por medio de ángeles en mano de un mediador.

20 Y el mediador no lo es de uno solo; pero Dios es uno.

21 ¿Luego la ley es contraria a las promesas de Dios? En ninguna manera; porque si la ley dada pudiera vivificar, la justicia fuera verdaderamente por la ley.

22 Mas la Escritura lo encerró todo bajo pecado, para que la promesa que es por la fe en Jesucristo fuese dada a los creyentes.

23 Pero antes que viniese la fe, estábamos confinados bajo la ley, encerrados para aquella fe que iba a ser revelada.

24 De manera que la ley ha sido nuestro ayo, para llevarnos a Cristo, a fin de que fuésemos justificados por la fe.

25 Pero venida la fe, ya no estamos bajo ayo,

26 pues todos sois hijos de Dios por la fe en Cristo Jesús;

27 porque todos los que habéis sido bautizados en Cristo, de Cristo estáis revestidos.

28 Ya no hay judío ni griego; no hay esclavo ni libre; no hay varón ni mujer; porque todos vosotros sois uno en Cristo Jesús.

29 Y si vosotros sois de Cristo, ciertamente linaje de Abraham sois, y herederos según la promesa.

CAPÍTULO 4

PERO también digo: Entre tanto que el heredero es niño, en nada difiere del esclavo, aunque es señor de todo;

2 sino que está bajo tutores y curadores hasta el tiempo señalado por el padre.

3 Así también nosotros, cuando éramos niños, estábamos en esclavitud bajo los rudimentos del mundo.

4 Pero cuando vino el cumplimiento del tiempo, Dios envió a su Hijo, nacido de mujer y nacido bajo la ley,

5 para que redimiese a los que estaban bajo la ley, a fin de que recibiésemos la adopción de hijos.

6 Y por cuanto sois hijos, Dios envió a vuestros corazones el Espíritu de su Hijo, el cual clama: ¡Abba, Padre!

7 Así que ya no eres esclavo, sino hijo; y si hijo, también heredero de Dios por medio de Cristo.

that it should make the promise of none effect.

18 For if the inheritance *be* of the law, *it is* no more of promise: but God gave *it* to Abraham by promise.

19 Wherefore then *serveth* the law? It was added because of transgressions, till the seed should come to whom the promise was made; *and it was* ordained by angels in the hand of a mediator.

20 Now a mediator is not *a mediator* of one, but God is one.

21 *Is* the law then against the promises of God? God forbid: for if there had been a law given which could have given life, verily righteousness should have been by the law.

22 But the scripture hath concluded all under sin, that the promise by faith of Jesus Christ might be given to them that believe.

23 But before faith came, we were kept under the law, shut up unto the faith which should afterwards be revealed.

24 Wherefore the law was our schoolmaster *to bring us* unto Christ, that we might be justified by faith.

25 But after that faith is come, we are no longer under a schoolmaster.

26 For ye are all the children of God by faith in Christ Jesus.

27 For as many of you as have been baptized into Christ have put on Christ.

28 There is neither Jew nor Greek, there is neither bond nor free, there is neither male nor female: for ye are all one in Christ Jesus.

29 And if ye *be* Christ's, then are ye Abraham's seed, and heirs according to the promise.

CHAPTER 4

NOW I say, *That* the heir, as long as he is a child, differeth nothing from a servant, though he be lord of all;

2 But is under tutors and governors until the time appointed of the father.

3 Even so we, when we were children, were in bondage under the elements of the world:

4 But when the fulness of the time was come, God sent forth his Son, made of a woman, made under the law,

5 To redeem them that were under the law, that we might receive the adoption of sons.

6 And because ye are sons, God hath sent forth the Spirit of his Son into your hearts, crying, Abba, Father.

7 Wherefore thou art no more a servant, but a son; and if a son, then an heir of God through Christ.

8 Ciertamente, en otro tiempo, no conociendo a Dios, servíais a los que por naturaleza no son dioses;

9 mas ahora, conociendo a Dios, o más bien, siendo conocidos por Dios, ¿cómo es que os volvéis de nuevo a los débiles y pobres rudimentos, a los cuales os queréis volver a esclavizar?

10 Guardáis los días, los meses, los tiempos y los años.

11 Me temo de vosotros, que haya trabajado en vano con vosotros.

12 Os ruego, hermanos, que os hagáis como yo, porque yo también me hice como vosotros. Ningún agravio me habéis hecho.

13 Pues vosotros sabéis que a causa de una enfermedad del cuerpo os anuncié el evangelio al principio;

14 y no me despreciasteis ni desechasteis por la prueba que tenía en mi cuerpo, antes bien me recibisteis como a un ángel de Dios, como a Cristo Jesús.

15 ¿Dónde, pues, está esa satisfacción que experimentabais? Porque os doy testimonio de que si hubieseis podido, os hubierais sacado vuestros propios ojos para dármelos.

16 ¿Me he hecho, pues, vuestro enemigo, por deciros la verdad?

17 Tienen celo por vosotros, pero no para bien, sino que quieren apartaros de nosotros para que vosotros tengáis celo por ellos.

18 Bueno es mostrar celo en lo bueno siempre, y no solamente cuando estoy presente con vosotros.

19 Hijitos *míos*, por quienes vuelvo a sufrir dolores de parto, hasta que Cristo sea formado en vosotros,

20 quisiera estar con vosotros ahora mismo y cambiar de tono, pues estoy perplejo en cuanto a vosotros.

21 Decidme, los que queréis estar bajo la ley: ¿no habéis oído la ley?

22 Porque está escrito que Abraham tuvo dos hijos; uno de la esclava, el otro de la libre.

23 Pero el de la esclava nació según la carne; mas el de la libre, por la promesa.

24 Lo cual es una alegoría, pues estas mujeres son los dos pactos; el uno proviene del monte Sinaí, el cual da hijos para esclavitud; éste es Agar.

25 Porque Agar es el monte Sinaí en Arabia, y corresponde a la Jerusalén actual, pues ésta, junto con sus hijos, está en esclavitud.

26 Mas la Jerusalén de arriba, la cual es madre de todos nosotros, es libre.

27 Porque está escrito: Regocíjate, oh estéril, tú que no das a luz; prorrumpe en júbilo y clama, tú que no tienes dolores

8 Howbeit then, when ye knew not God, ye did service unto them which by nature are no gods.

9 But now, after that ye have known God, or rather are known of God, how turn ye again to the weak and beggarly elements, whereunto ye desire again to be in bondage?

10 Ye observe days, and months, and times, and years.

11 I am afraid of you, lest I have bestowed upon you labour in vain.

12 Brethren, I beseech you, be as I *am;* for I *am* as ye *are:* ye have not injured me at all.

13 Ye know how through infirmity of the flesh I preached the gospel unto you at the first.

14 And my temptation which was in my flesh ye despised not, nor rejected; but received me as an angel of God, *even* as Christ Jesus.

15 Where is then the blessedness ye spake of? for I bear you record, that, if *it had been* possible, ye would have plucked out your own eyes, and have given them to me.

16 Am I therefore become your enemy, because I tell you the truth?

17 They zealously affect you, *but* not well; yea, they would exclude you, that ye might affect them.

18 But *it is* good to be zealously affected always in *a* good *thing,* and not only when I am present with you.

19 My little children, of whom I travail in birth again until Christ be formed in you,

20 I desire to be present with you now, and to change my voice; for I stand in doubt of you.

21 Tell me, ye that desire to be under the law, do ye not hear the law?

22 For it is written, that Abraham had two sons, the one by a bondmaid, the other by a freewoman.

23 But he *who was* of the bondwoman was born after the flesh; but he of the freewoman *was* by promise.

24 Which things are an allegory: for these are the two covenants; the one from the mount Si'nai, which gendereth to bondage, which is A'gar.

25 For this A'gar is mount Si'nai in Arabia, and answereth to Jerusalem which now is, and is in bondage with her children.

26 But Jerusalem which is above is free, which is the mother of us all.

27 For it is written, Rejoice, *thou* barren that bearest not; break forth and cry, thou that travailest not: for the desolate

de parto; porque más son los hijos de la desolada, que de la que tiene marido.
28 Así que, hermanos, nosotros, como Isaac, somos hijos de la promesa.
29 Pero como entonces el que había nacido según la carne perseguía al que había nacido según el Espíritu, así también ahora.
30 Mas ¿qué dice la Escritura? Echa fuera a la esclava y a su hijo, porque no heredará el hijo de la esclava con el hijo de la libre.
31 De manera, hermanos, que no somos hijos de la esclava, sino de la libre.

CAPÍTULO 5

ESTAD, pues, firmes en la libertad con que Cristo nos hizo libres, y no estéis otra vez sujetos al yugo de esclavitud.
2 He aquí yo Pablo os digo que si os circuncidáis, de nada os aprovechará Cristo.
3 Y otra vez testifico a todo hombre que se circuncida, que está obligado a guardar toda la ley.
4 De Cristo os desligasteis, los que por la ley os justificáis; de la gracia habéis caído.
5 Pues nosotros por el Espíritu aguardamos por fe la esperanza de la justicia;
6 porque en Cristo Jesús ni la circuncisión vale algo, ni la incircuncisión, sino la fe que obra por el amor.
7 Vosotros corríais bien; ¿quién os estorbó para no obedecer a la verdad?
8 Esta persuasión no procede de aquel que os llama.
9 Un poco de levadura leuda toda la masa.
10 Yo confío respecto de vosotros en el Señor, que no pensaréis de otro modo; mas el que os perturba llevará la sentencia, quienquiera que sea.
11 Y yo, hermanos, si aún predico la circuncisión, ¿por qué padezco persecución todavía? En tal caso se ha quitado el tropiezo de la cruz.
12 ¡Ojalá se mutilasen los que os perturban!
13 Porque vosotros, hermanos, a libertad fuisteis llamados; solamente que no uséis la libertad como ocasión para la carne, sino servíos por amor los unos a los otros.
14 Porque toda la ley en esta sola palabra se cumple: Amarás a tu prójimo como a ti mismo.
15 Pero si os mordéis y os coméis unos a otros, mirad que también no os consumáis unos a otros.
16 Digo, pues: Andad en el Espíritu, y no satisfagáis los deseos de la carne.
17 Porque el deseo de la carne es contra

hath many more children than she which hath an husband.
28 Now we, brethren, as Isaac was, are the children of promise.
29 But as then he that was born after the flesh persecuted him *that was born* after the Spirit, even so *it is* now.
30 Nevertheless what saith the scripture? Cast out the bondwoman and her son: for the son of the bondwoman shall not be heir with the son of the freewoman.
31 So then, brethren, we are not children of the bondwoman, but of the free.

CHAPTER 5

STAND fast therefore in the liberty wherewith Christ hath made us free, and be not entangled again with the yoke of bondage.
2 Behold, I Paul say unto you, that if ye be circumcised, Christ shall profit you nothing.
3 For I testify again to every man that is circumcised, that he is a debtor to do the whole law.
4 Christ is become of no effect unto you, whosoever of you are justified by the law; ye are fallen from grace.
5 For we through the Spirit wait for the hope of righteousness by faith.
6 For in Jesus Christ neither circumcision availeth any thing, nor uncircumcision; but faith which worketh by love.
7 Ye did run well; who did hinder you that ye should not obey the truth?
8 This persuasion *cometh* not of him that calleth you.
9 A little leaven leaveneth the whole lump.
10 I have confidence in you through the Lord, that ye will be none otherwise minded: but he that troubleth you shall bear his judgment, whosoever he be.
11 And I, brethren, if I yet preach circumcision, why do I yet suffer persecution? then is the offence of the cross ceased.
12 I would they were even cut off which trouble you.
13 For, brethren, ye have been called unto liberty; only *use* not liberty for an occasion to the flesh, but by love serve one another.
14 For all the law is fulfilled in one word, *even* in this; Thou shalt love thy neighbour as thyself.
15 But if ye bite and devour one another, take heed that ye be not consumed one of another.
16 *This* I say then, Walk in the Spirit, and ye shall not fulfil the lust of the flesh.
17 For the flesh lusteth against the

el Espíritu, y el del Espíritu es contra la carne; y éstos se oponen entre sí, para que no hagáis lo que quisiereis.

18 Pero si sois guiados por el Espíritu, no estáis bajo la ley.

19 Y manifiestas son las obras de la carne, que son: adulterio, fornicación, inmundicia, lascivia,

20 idolatría, hechicerías, enemistades, pleitos, celos, iras, contiendas, disensiones, herejías,

21 envidias, homicidios, borracheras, orgías, y cosas semejantes a estas; acerca de las cuales os amonesto, como ya os lo he dicho antes, que los que practican tales cosas no heredarán el reino de Dios.

22 Mas el fruto del Espíritu es amor, gozo, paz, paciencia, benignidad, bondad, fe,

23 mansedumbre, templanza; contra tales cosas no hay ley.

24 Pero los que son de Cristo han crucificado la carne con sus pasiones y deseos.

25 Si vivimos por el Espíritu, andemos también por el Espíritu.

26 No nos hagamos vanagloriosos, irritándonos unos a otros, envidiándonos unos a otros.

CAPÍTULO 6

HERMANOS, si alguno fuere sorprendido en alguna falta, vosotros que sois espirituales, restauradle con espíritu de mansedumbre, considerándote a ti mismo, no sea que tú también seas tentado.

2 Sobrellevad los unos las cargas de los otros, y cumplid así la ley de Cristo.

3 Porque el que se cree ser algo, no siendo nada, a sí mismo se engaña.

4 Así que, cada uno someta a prueba su propia obra, y entonces tendrá motivo de gloriarse sólo respecto de sí mismo, y no en otro;

5 porque cada uno llevará su propia carga.

6 El que es enseñado en la palabra, haga partícipe de toda cosa buena al que lo instruye.

7 No os engañéis; Dios no puede ser burlado: pues todo lo que el hombre sembrare, eso también segará.

8 Porque el que siembra para su carne, de la carne segará corrupción; mas el que siembra para el Espíritu, del Espíritu segará vida eterna.

9 No nos cansemos, pues, de hacer bien; porque a su tiempo segaremos, si no desmayamos.

10 Así que, según tengamos oportuni-

Spirit, and the Spirit against the flesh: and these are contrary the one to the other: so that ye cannot do the things that ye would.

18 But if ye be led of the Spirit, ye are not under the law.

19 Now the works of the flesh are manifest, which are *these;* Adultery, fornication, uncleanness, lasciviousness,

20 Idolatry, witchcraft, hatred, variance, emulations, wrath, strife, seditions, heresies,

21 Envyings, murders, drunkenness, revellings, and such like: of the which I tell you before, as I have also told *you* in time past, that they which do such things shall not inherit the kingdom of God.

22 But the fruit of the Spirit is love, joy, peace, longsuffering, gentleness, goodness, faith,

23 Meekness, temperance: against such there is no law.

24 And they that are Christ's have crucified the flesh with the affections and lusts.

25 If we live in the Spirit, let us also walk in the Spirit.

26 Let us not be desirous of vain glory, provoking one another, envying one another.

CHAPTER 6

BRETHREN, if a man be overtaken in a fault, ye which are spiritual, restore such an one in the spirit of meekness; considering thyself, lest thou also be tempted.

2 Bear ye one another's burdens, and so fulfil the law of Christ.

3 For if a man think himself to be something, when he is nothing, he deceiveth himself.

4 But let every man prove his own work, and then shall he have rejoicing in himself alone, and not in another.

5 For every man shall bear his own burden.

6 Let him that is taught in the word communicate unto him that teacheth in all good things.

7 Be not deceived; God is not mocked: for whatsoever a man soweth, that shall he also reap.

8 For he that soweth to his flesh shall of the flesh reap corruption; but he that soweth to the Spirit shall of the Spirit reap life everlasting.

9 And let us not be weary in well doing: for in due season we shall reap, if we faint not.

10 As we have therefore opportunity,

dad, hagamos bien a todos, y mayormen-
te a los de la familia de la fe.
11 Mirad con cuán grandes letras os es-
cribo de mi propia mano.
12 Todos los que quieren agradar en la
carne, éstos os obligan a que os circunci-
déis, solamente para no padecer persecu-
ción a causa de la cruz de Cristo.
13 Porque ni aun los mismos que se cir-
cuncidan guardan la ley; pero quieren
que vosotros os circuncidéis, para glo-
riarse en vuestra carne.
14 Pero lejos esté de mí gloriarme, sino
en la cruz de nuestro Señor Jesucristo,
por quien el mundo me es crucificado a
mí, y yo al mundo.
15 Porque en Cristo Jesús ni la circun-
cisión vale nada, ni la incircuncisión, sino
una nueva creación.
16 Y a todos los que anden conforme a
esta regla, paz y misericordia sea a ellos,
y al Israel de Dios.
17 De aquí en adelante nadie me cause
molestias; porque yo traigo en mi cuerpo
las marcas del Señor Jesús.
18 Hermanos, la gracia de nuestro Se-
ñor Jesucristo sea con vuestro espíritu.
Amén.

let us do good unto all *men*, especially
unto them who are of the household of
faith.
11 Ye see how large a letter I have writ-
ten unto you with mine own hand.
12 As many as desire to make a fair
shew in the flesh, they constrain you to
be circumcised; only lest they should suf-
fer persecution for the cross of Christ.
13 For neither they themselves who are
circumcised keep the law; but desire to
have you circumcised, that they may glo-
ry in your flesh.
14 But God forbid that I should glory,
save in the cross of our Lord Jesus
Christ, by whom the world is crucified
unto me, and I unto the world.
15 For in Christ Jesus neither circumci-
sion availeth any thing, nor uncircumci-
sion, but a new creature.
16 And as many as walk according to
this rule, peace *be* on them, and mercy,
and upon the Israel of God.
17 From henceforth let no man trouble
me: for I bear in my body the marks of
the Lord Jesus.
18 Brethren, the grace of our Lord
Jesus Christ *be* with your spirit. Amen.

LA EPÍSTOLA DEL APÓSTOL
SAN PABLO A LOS

EFESIOS

CAPÍTULO 1

PABLO, apóstol de Jesucristo por la voluntad de Dios, a los santos y fieles en Cristo Jesús que están en Efeso:
2 Gracia y paz a vosotros, de Dios nuestro Padre y del Señor Jesucristo.
3 Bendito sea el Dios y Padre de nuestro Señor Jesucristo, que nos bendijo con toda bendición espiritual en los lugares celestiales en Cristo,
4 según nos escogió en él antes de la fundación del mundo, para que fuésemos santos y sin mancha delante de él,
5 en amor habiéndonos predestinado para ser adoptados hijos suyos por medio de Jesucristo, según el puro afecto de su voluntad,
6 para alabanza de la gloria de su gracia, con la cual nos hizo aceptos en el Amado,
7 en quien tenemos redención por su sangre, el perdón de pecados según las riquezas de su gracia,
8 que hizo sobreabundar para con nosotros en toda sabiduría e inteligencia,
9 dándonos a conocer el misterio de su voluntad, según su beneplácito, el cual se había propuesto en sí mismo,
10 de reunir todas las cosas en Cristo, en la dispensación del cumplimiento de los tiempos, así las que están en los cielos, como las que están en la tierra.
11 En él asimismo tuvimos herencia, habiendo sido predestinados conforme al propósito del que hace todas las cosas según el designio de su voluntad,
12 a fin de que seamos para alabanza de su gloria, nosotros los que primeramente esperábamos en Cristo.
13 En él también vosotros, habiendo oído la palabra de verdad, el evangelio de vuestra salvación, y habiendo creído en él, fuisteis sellados con el Espíritu Santo de la promesa,
14 que es las arras de nuestra herencia hasta la redención de la posesión adquirida, para alabanza de su gloria.
15 Por esta causa también yo, habiendo oído de vuestra fe en el Señor Jesús, y de vuestro amor para con todos los santos,

THE EPISTLE OF PAUL THE APOSTLE
TO THE

EPHESIANS

CHAPTER 1

PAUL, an apostle of Jesus Christ by the will of God, to the saints which are at Eph'e-sus, and to the faithful in Christ Jesus:
2 Grace *be* to you, and peace, from God our Father, and *from* the Lord Jesus Christ.
3 Blessed *be* the God and Father of our Lord Jesus Christ, who hath blessed us with all spiritual blessings in heavenly *places* in Christ:
4 According as he hath chosen us in him before the foundation of the world, that we should be holy and without blame before him in love:
5 Having predestinated us unto the adoption of children by Jesus Christ to himself, according to the good pleasure of his will,
6 To the praise of the glory of his grace, wherein he hath made us accepted in the beloved.
7 In whom we have redemption through his blood, the forgiveness of sins, according to the riches of his grace;
8 Wherein he hath abounded toward us in all wisdom and prudence;
9 Having made known unto us the mystery of his will, according to his good pleasure which he hath purposed in himself:
10 That in the dispensation of the fulness of times he might gather together in one all things in Christ, both which are in heaven, and which are on earth; *even* in him:
11 In whom also we have obtained an inheritance, being predestinated according to the purpose of him who worketh all things after the counsel of his own will:
12 That we should be to the praise of his glory, who first trusted in Christ.
13 In whom ye also *trusted*, after that ye heard the word of truth, the gospel of your salvation: in whom also after that ye believed, ye were sealed with that holy Spirit of promise,
14 Which is the earnest of our inheritance until the redemption of the purchased possession, unto the praise of his glory.
15 Wherefore I also, after I heard of your faith in the Lord Jesus, and love unto all the saints,

16 no ceso de dar gracias por vosotros,
haciendo memoria de vosotros en mis
oraciones,
17 para que el Dios de nuestro Señor
Jesucristo, el Padre de gloria, os dé espí-
ritu de sabiduría y de revelación en el co-
nocimiento de él,
18 alumbrando los ojos de vuestro en-
tendimiento, para que sepáis cuál es la
esperanza a que él os ha llamado, y
cuáles las riquezas de la gloria de su he-
rencia en los santos,
19 y cuál la supereminente grandeza de
su poder para con nosotros los que cree-
mos, según la operación del poder de su
fuerza,
20 la cual operó en Cristo, resucitándo-
le de los muertos y sentándole a su dies-
tra en los lugares celestiales,
21 sobre todo principado y autoridad y
poder y señorío, y sobre todo nombre que
se nombra, no sólo en este siglo, sino
también en el venidero;
22 y sometió todas las cosas bajo sus
pies, y lo dio por cabeza sobre todas las
cosas a la iglesia,
23 la cual es su cuerpo, la plenitud de
Aquel que todo lo llena en todo.

CAPÍTULO 2

Y él os dio vida a vosotros, cuando esta-
bais muertos en vuestros delitos y pe-
cados,
2 en los cuales anduvisteis en otro
tiempo, siguiendo la corriente de este
mundo, conforme al príncipe de la potes-
tad del aire, el espíritu que ahora opera
en los hijos de desobediencia,
3 entre los cuales también todos noso-
tros vivimos en otro tiempo en los deseos
de nuestra carne, haciendo la voluntad de
la carne y de los pensamientos, y éramos
por naturaleza hijos de ira, lo mismo que
los demás.
4 Pero Dios, que es rico en misericor-
dia, por su gran amor con que nos amó,
5 aun estando nosotros muertos en pe-
cados, nos dio vida juntamente con Cris-
to (por gracia *sois* salvos),
6 y juntamente con él nos resucitó, y a-
simismo nos hizo sentar en los lugares
celestiales con Cristo Jesús,
7 para mostrar en los siglos venideros
las abundantes riquezas de su gracia en
su bondad para con nosotros en Cristo
Jesús.
8 Porque por gracia sois salvos por me-
dio de la fe; y esto no de vosotros, pues es
don de Dios;
9 no por obras, para que nadie se glorie.
10 Porque somos hechura suya, crea-
dos en Cristo Jesús para buenas obras,

16 Cease not to give thanks for you,
making mention of you in my prayers,
17 That the God of our Lord Jesus
Christ, the Father of glory, may give unto
you the spirit of wisdom and revelation
in the knowledge of him:
18 The eyes of your understanding
being enlightened; that ye may know
what is the hope of his calling, and what
the riches of the glory of his inheritance
in the saints,
19 And what *is* the exceeding greatness
of his power to us-ward who believe, ac-
cording to the working of his mighty
power,
20 Which he wrought in Christ, when
he raised him from the dead, and set *him*
at his own right hand in the heavenly
places,
21 Far above all principality, and
power, and might, and dominion, and ev-
ery name that is named, not only in this
world, but also in that which is to come:
22 And hath put all *things* under his
feet, and gave him *to be* the head over all
things to the church,
23 Which is his body, the fulness of him
that filleth all in all.

CHAPTER 2

AND you *hath he quickened*, who were
dead in trespasses and sins;
2 Wherein in time past ye walked ac-
cording to the course of this world, ac-
cording to the prince of the power of the
air, the spirit that now worketh in the
children of *disobedience*:
3 Among whom also we all had our
conversation in times past in the lusts of
our flesh, fulfilling the desires of the flesh
and of the mind; and were by nature the
children of wrath, even as others.
4 But God, who is rich in mercy, for his
great love wherewith he loved us,
5 Even when we were dead in sins, hath
quickened us together with Christ, (by
grace ye are saved;)
6 And hath raised *us* up together, and
made *us* sit together in heavenly *places*
in Christ Jesus:
7 That in the ages to come he might
shew the exceeding riches of his grace in
his kindness toward us through Christ
Jesus.
8 For by grace are ye saved through
faith; and that not of yourselves: *it is* the
gift of God:
9 Not of works, lest any man should
boast.
10 For we are his workmanship, cre-
ated in Christ Jesus unto good works,

las cuales Dios preparó de antemano para que anduviésemos en ellas.

11 Por tanto, acordaos de que en otro tiempo vosotros, los gentiles en cuanto a la carne, erais llamados incircuncisión por la llamada circuncisión hecha con mano en la carne.

12 En aquel tiempo estabais sin Cristo, alejados de la ciudadanía de Israel y ajenos a los pactos de la promesa, sin esperanza y sin Dios en el mundo.

13 Pero ahora en Cristo Jesús, vosotros que en otro tiempo estabais lejos, habéis sido hechos cercanos por la sangre de Cristo.

14 Porque él es nuestra paz, que de ambos pueblos hizo uno, derribando la pared intermedia de separación,

15 aboliendo en su carne las enemistades, la ley de los mandamientos expresados en ordenanzas, para crear en sí mismo de los dos un solo y nuevo hombre, haciendo la paz,

16 y mediante la cruz reconciliar con Dios a ambos en un solo cuerpo, matando en ella las enemistades.

17 Y vino y anunció las buenas nuevas de paz a vosotros que estabais lejos, y a los que estaban cerca;

18 porque por medio de él los unos y los otros tenemos entrada por un mismo Espíritu al Padre.

19 Así que ya no sois extranjeros ni advenedizos, sino conciudadanos de los santos, y miembros de la familia de Dios,

20 edificados sobre el fundamento de los apóstoles y profetas, siendo la principal piedra del ángulo Jesucristo mismo,

21 en quien todo el edificio, bien coordinado, va creciendo para ser un templo santo en el Señor;

22 en quien vosotros también sois juntamente edificados para morada de Dios en el Espíritu.

CAPÍTULO 3

POR esta causa yo Pablo, prisionero de Cristo Jesús por vosotros los gentiles;

2 si es que habéis oído de la administración de la gracia de Dios que me fue dada para con vosotros;

3 que por revelación me fue declarado el misterio, como antes lo he escrito brevemente,

4 leyendo lo cual podéis entender cuál sea mi conocimiento en el misterio de Cristo,

5 misterio que en otras generaciones no se dio a conocer a los hijos de los hombres, como ahora es revelado a sus santos apóstoles y profetas por el Espíritu:

6 que los gentiles son coherederos y

which God hath before ordained that we should walk in them.

11 Wherefore remember, that ye *being* in time past Gentiles in the flesh, who are called Uncircumcision by that which is called the Circumcision in the flesh made by hands;

12 That at that time ye were without Christ, being aliens from the commonwealth of Israel, and strangers from the covenants of promise, having no hope, and without God in the world:

13 But now in Christ Jesus ye who sometimes were far off are made nigh by the blood of Christ.

14 For he is our peace, who hath made both one, and hath broken down the middle wall of partition *between us;*

15 Having abolished in his flesh the enmity, *even* the law of commandments *contained* in ordinances; for to make in himself of twain one new man, *so* making peace;

16 And that he might reconcile both unto God in one body by the cross, having slain the enmity thereby:

17 And came and preached peace to you which were afar off, and to them that were nigh.

18 For through him we both have access by one Spirit unto the Father.

19 Now therefore ye are no more strangers and foreigners, but fellowcitizens with the saints, and of the household of God;

20 And are built upon the foundation of the apostles and prophets, Jesus Christ himself being the chief corner *stone;*

21 In whom all the building fitly framed together groweth unto an holy temple in the Lord:

22 In whom ye also are builded together for an habitation of God through the Spirit.

CHAPTER 3

FOR this cause I Paul, the prisoner of Jesus Christ for you Gentiles,

2 If ye have heard of the dispensation of the grace of God which is given me to you-ward:

3 How that by revelation he made known unto me the mystery; (as I wrote afore in few words,

4 Whereby, when ye read, ye may understand my knowledge in the mystery of Christ)

5 Which in other ages was not made known unto the sons of men, as it is now revealed unto his holy apostles and prophets by the Spirit;

6 That the Gentiles should be fellow-

miembros del mismo cuerpo, y copartícipes de la promesa en Cristo Jesús por medio del evangelio,

7 del cual yo fui hecho ministro por el don de la gracia de Dios que me ha sido dado según la operación de su poder.

8 A mí, que soy menos que el más pequeño de todos los santos, me fue dada esta gracia de anunciar entre los gentiles el evangelio de las inescrutables riquezas de Cristo,

9 y de aclarar a todos cuál sea la dispensación del misterio escondido desde los siglos en Dios, que creó todas las cosas;

10 para que la multiforme sabiduría de Dios sea ahora dada a conocer por medio de la iglesia a los principados y potestades en los lugares celestiales,

11 conforme al propósito eterno que hizo en Cristo Jesús nuestro Señor,

12 en quien tenemos seguridad y acceso con confianza por medio de la fe en él;

13 por lo cual pido que no desmayéis a causa de mis tribulaciones por vosotros, las cuales son vuestra gloria.

14 Por esta causa doblo mis rodillas ante el Padre de nuestro Señor Jesucristo,

15 de quien toma nombre toda familia en los cielos y en la tierra,

16 para que os dé, conforme a las riquezas de su gloria, el ser fortalecidos con poder en el hombre interior por su Espíritu;

17 para que habite Cristo por la fe en vuestros corazones, a fin de que, arraigados y cimentados en amor,

18 seáis plenamente capaces de comprender con todos los santos cuál sea la anchura, la longitud, la profundidad y la altura,

19 y de conocer el amor de Cristo, que excede a todo conocimiento, para que seáis llenos de toda la plenitud de Dios.

20 Y a Aquel que es poderoso para hacer todas las cosas mucho más abundantemente de lo que pedimos o entendemos, según el poder que actúa en nosotros,

21 a él sea gloria en la iglesia en Cristo Jesús por todas las edades, por los siglos de los siglos. Amén.

CAPÍTULO 4

YO pues, preso en el Señor, os ruego que andéis como es digno de la vocación con que fuisteis llamados,

2 con toda humildad y mansedumbre, soportándoos con paciencia los unos a los otros en amor,

3 solícitos en guardar la unidad del Espíritu en el vínculo de la paz;

heirs, and of the sa e body, and partakers of his promise in Christ by the gospel:

7 Whereof I was made a minister, according to the gift of the grace of God given unto me by the effectual working of his power.

8 Unto me, who am less than the least of all saints, is this grace given, that I should preach among the Gentiles the unsearchable riches of Christ;

9 And to make all *men* see what *is* the fellowship of the mystery, which from the beginning of the world hath been hid in God, who created all things by Jesus Christ:

10 To the intent that now unto the principalities and powers in heavenly *places* might be known by t e church the manifold wisdom of God,

11 According to the eternal purpose which he purposed in Christ Jesus our Lord:

12 In whom we have boldness and access with confidence by the faith of him.

13 Wherefore I desire that ye faint not at my tribulations for you, which is your glory.

14 For this cause I bow my knees unto the Father of our Lord Jesus Christ,

15 Of whom the whole family in heaven and earth is named,

16 That he would grant you, according to the riches of his glory, to be strengthened with might by his Spirit in the inner man;

17 That Christ may dwell in your hearts by faith; that ye, being rooted and grounded in love,

18 May be able to comprehend with all saints what *is* the breadth, and length, and depth, and height;

19 And to know the love of Christ, which passeth knowledge, that ye might be filled with all the fulness of God.

20 Now unto him that is able to do exceeding abundantly above all that we ask or think, according to the power that worketh in us,

21 Unto him *be* glory in the church by Christ Jesus throughout all ages, world without end. Amen.

CHAPTER 4

I THEREFORE, the prisoner of the Lord, beseech you that ye walk worthy of the vocation wherewith ye are called,

2 With all lowliness and meekness, with longsuffering, forbearing one another in love;

3 Endeavouring to keep the unity of the Spirit in the bond of peace.

4 un cuerpo, y un Espíritu, como fuisteis también llamados en una misma esperanza de vuestra vocación;
5 un Señor, una fe, un bautismo,
6 un Dios y Padre de todos, el cual es sobre todos, y por todos, y en todos.
7 Pero a cada uno de nosotros fue dada la gracia conforme a la medida del don de Cristo.
8 Por lo cual dice: Subiendo a lo alto, llevó cautiva la cautividad, y dio dones a los hombres.
9 Y eso de que subió, ¿qué es, sino que también había descendido primero a las partes más bajas de la tierra?
10 El que descendió, es el mismo que también subió por encima de todos los cielos para llenarlo todo.
11 Y él mismo constituyó a unos, apóstoles; a otros, profetas; a otros, evangelistas; a otros, pastores y maestros,
12 a fin de perfeccionar a los santos para la obra del ministerio, para la edificación del cuerpo de Cristo,
13 hasta que todos lleguemos a la unidad de la fe y del conocimiento del Hijo de Dios, a un varón perfecto, a la medida de la estatura de la plenitud de Cristo;
14 para que ya no seamos niños fluctuantes, llevados por doquiera de todo viento de doctrina, por estratagema de hombres que para engañar emplean con astucia las artimañas del error,
15 sino que siguiendo la verdad en amor, crezcamos en todo en aquel que es la cabeza, esto es, Cristo,
16 de quien todo el cuerpo, bien concertado y unido entre sí por todas las coyunturas que se ayudan mutuamente, según la actividad propia de cada miembro, recibe su crecimiento para ir edificándose en amor.
17 Esto, pues, digo y requiero en el Señor: que ya no andéis como los otros gentiles, que andan en la vanidad de su mente,
18 teniendo el entendimiento entenebrecido, ajenos de la vida de Dios por la ignorancia que en ellos hay, por la dureza de su corazón;
19 los cuales, después que perdieron toda sensibilidad, se entregaron a la lascivia para cometer con avidez toda clase de impureza.
20 Mas vosotros no habéis aprendido así a Cristo,
21 si en verdad le habéis oído, y habéis sido por él enseñados, conforme a la verdad que está en Jesús.
22 En cuanto a la pasada manera de vivir, despojaos del viejo hombre, que está viciado conforme a los deseos engañosos,

4 *There is* one body, and one Spirit, even as ye are called in one hope of your calling;
5 One Lord, one faith, one baptism,
6 One God and Father of all, who *is* above all, and through all, and in you all.
7 But unto every one of us is given grace according to the measure of the gift of Christ.
8 Wherefore he saith, When he ascended up on high, he led captivity captive, and gave gifts unto men.
9 (Now that he ascended, what is it but that he also descended first into the lower parts of the earth?
10 He that descended is the same also that ascended up far above all heavens, that he might fill all things.)
11 And he gave some, apostles; and some, prophets; and some, evangelists; and some, pastors and teachers;
12 For the perfecting of the saints, for the work of the ministry, for the edifying of the body of Christ:
13 Till we all come in the unity of the faith, and of the knowledge of the Son of God, unto a perfect man, unto the measure of the stature of the fulness of Christ:
14 That we *henceforth* be no more children, tossed to and fro, and carried about with every wind of doctrine, by the sleight of men, *and* cunning craftiness, whereby they lie in wait to deceive;
15 But speaking the truth in love, may grow up into him in all things, which is the head, *even* Christ:
16 From whom the whole body fitly joined together and compacted by that which every joint supplieth, according to the effectual working in the measure of every part, maketh increase of the body unto the edifying of itself in love.
17 This I say therefore, and testify in the Lord, that ye henceforth walk not as other Gentiles walk, in the vanity of their mind,
18 Having the understanding darkened, being alienated from the life of God through the ignorance that is in them, because of the blindness of their heart:
19 Who being past feeling have given themselves over unto lasciviousness, to work all uncleanness with greediness.
20 But ye have not so learned Christ;
21 If so be that ye have heard him, and have been taught by him, as the truth is in Jesus:
22 That ye put off concerning the former conversation the old man, which is corrupt according to the deceitful lusts;

23 y renovaos en el espíritu de vuestra mente,

24 y vestíos del nuevo hombre, creado según Dios en la justicia y santidad de la verdad.

25 Por lo cual, desechando la mentira, hablad verdad cada uno con su prójimo; porque somos miembros los unos de otros.

26 Airaos, pero no pequéis; no se ponga el sol sobre vuestro enojo,

27 ni deis lugar al diablo.

28 El que hurtaba, no hurte más, sino trabaje, haciendo con sus manos lo que es bueno, para que tenga qué compartir con el que padece necesidad.

29 Ninguna palabra corrompida salga de vuestra boca, sino la que sea buena para la necesaria edificación, a fin de dar gracia a los oyentes.

30 Y no contristéis al Espíritu Santo de Dios, con el cual fuisteis sellados para el día de la redención.

31 Quítense de vosotros toda amargura, enojo, ira, gritería y maledicencia, y toda malicia.

32 Antes sed benignos unos con otros, misericordiosos, perdonándoos unos a otros, como Dios también os perdonó a vosotros en Cristo.

CAPÍTULO 5

SED, pues, imitadores de Dios como hijos amados.

2 Y andad en amor, como también Cristo nos amó, y se entregó a sí mismo por nosotros, ofrenda y sacrificio a Dios en olor fragante.

3 Pero fornicación y toda inmundicia, o avaricia, ni aun se nombre entre vosotros, como conviene a santos;

4 ni palabras deshonestas, ni necedades, ni truhanerías, que no convienen, sino antes bien acciones de gracias.

5 Porque sabéis esto, que ningún fornicario, o inmundo, o avaro, que es idólatra, tiene herencia en el reino de Cristo y de Dios.

6 Nadie os engañe con palabras vanas, porque por estas cosas viene la ira de Dios sobre los hijos de desobediencia.

7 No seáis, pues, partícipes con ellos.

8 Porque en otro tiempo erais tinieblas, mas ahora sois luz en el Señor; andad como hijos de luz

9 (porque el fruto del Espíritu es en toda bondad, justicia y verdad),

10 comprobando lo que es agradable al Señor.

11 Y no participéis en las obras infructuosas de las tinieblas, sino más bien reprendedlas;

23 And be renewed in the spirit of your mind;

24 And that ye put on the new man, which after God is created in righteousness and true holiness.

25 Wherefore putting away lying, speak every man truth with his neighbour: for we are members one of another.

26 Be ye angry, and sin not: let not the sun go down upon your wrath:

27 Neither give place to the devil.

28 Let him that stole steal no more: but rather let him labour, working with *his* hands the thing which is good, that he may have to give to him that needeth.

29 Let no corrupt communication proceed out of your mouth, but that which is good to the use of edifying, that it may minister grace unto the hearers.

30 And grieve not the holy Spirit of God, whereby ye are sealed unto the day of redemption.

31 Let all bitterness, and wrath, and anger, and clamour, and evil speaking, be put away from you, with all malice:

32 And be ye kind one to another, tenderhearted, forgiving one another, even as God for Christ's sake hath forgiven you.

CHAPTER 5

BE ye therefore followers of God, as dear children:

2 And walk in love, as Christ also hath loved us, and hath given himself for us an offering and a sacrifice to God for a sweetsmelling savour.

3 But fornication, and all uncleanness, or covetousness, let it not be once named among you, as becometh saints;

4 Neither filthiness, nor foolish talking, nor jesting, which are not convenient: but rather giving of thanks.

5 For this ye know, that no whoremonger, nor unclean person, nor covetous man, who is an idolater, hath any inheritance in the kingdom of Christ and of God.

6 Let no man deceive you with vain words: for because of these things cometh the wrath of God upon the children of disobedience.

7 Be not ye therefore partakers with them.

8 For ye were sometimes darkness, but now *are ye* light in the Lord: walk as children of light:

9 (For the fruit of the Spirit *is* in all goodness and righteousness and truth;)

10 Proving what is acceptable unto the Lord.

11 And have no fellowship with the unfruitful works of darkness, but rather reprove *them*.

12 porque vergonzoso es aun hablar de
lo que ellos hacen en secreto.
13 Mas todas las cosas, cuando son
puestas en evidencia por la luz, son he-
chas manifiestas; porque la luz es lo que
manifiesta todo.
14 Por lo cual dice: Despiértate, tú que
duermes, y levántate de los muertos, y te
alumbrará Cristo.
15 Mirad, pues, con diligencia cómo an-
déis no como necios sino como sabios,
16 aprovechando bien el tiempo, por-
que los días son malos.
17 Por tanto, no seáis insensatos, sino
entendidos de cuál sea la voluntad del
Señor.
18 No os embriaguéis con vino, en lo
cual hay disolución; antes bien sed llenos
del Espíritu,
19 hablando entre vosotros con salmos,
con himnos y cánticos espirituales, can-
tando y alabando al Señor en vuestros
corazones;
20 dando siempre gracias por todo al
Dios y Padre, en el nombre de nuestro
Señor Jesucristo.
21 Someteos unos a otros en el temor
de Dios.
22 Las casadas estén sujetas a sus pro-
pios maridos, como al Señor;
23 porque el marido es cabeza de la
mujer, así como Cristo es cabeza de la
iglesia, la cual es su cuerpo, y él es su
Salvador.
24 Así que, como la iglesia está sujeta a
Cristo, así también las casadas lo estén a
sus maridos en todo.
25 Maridos, amad a vuestras mujeres,
así como Cristo amó a la iglesia, y se en-
tregó a sí mismo por ella,
26 para santificarla, habiéndola purifi-
cado en el lavamiento del agua por la
palabra,
27 a fin de presentársela a sí mismo,
una iglesia gloriosa, que no tuviese man-
cha ni arruga ni cosa semejante, sino que
fuese santa y sin mancha.
28 Así también los maridos deben amar
a sus mujeres como a sus mismos cuer-
pos. El que ama a su mujer, a sí mismo se
ama.
29 Porque nadie aborreció jamás a su
propia carne, sino que la sustenta y la
cuida, como también Cristo a la iglesia,
30 porque somos miembros de su cuer-
po, de su carne y de sus huesos.
31 Por esto dejará el hombre a su padre
y a su madre, y se unirá a su mujer, y los
dos serán una sola carne.
32 Grande es este misterio; mas yo digo
esto respecto de Cristo y de la iglesia.
33 Por lo demás, cada uno de vosotros

12 For it is a shame even to speak of
those things which are done of them in
secret.
13 But all things that are reproved are
made manifest by the light: for whatso-
ever doth make manifest is light.
14 Wherefore he saith, Awake thou
that sleepest, and arise from the dead,
and Christ shall give thee light.
15 See then that ye walk circumspectly,
not as fools, but as wise,
16 Redeeming the time, because the
days are evil.
17 Wherefore be ye not unwise, but un-
derstanding what the will of the Lord *is.*
18 And be not drunk with wine,
wherein is excess; but be filled with the
Spirit;
19 Speaking to yourselves in psalms
and hymns and spiritual songs, singing
and making melody in your heart to the
Lord;
20 Giving thanks always for all things
unto God and the Father in the name of
our Lord Jesus Christ;
21 Submitting yourselves one to an-
other in the fear of God.
22 Wives, submit yourselves unto your
own husbands, as unto the Lord.
23 For the husband is the head of the
wife, even as Christ is the head of the
church: and he is the saviour of the body.
24 Therefore as the church is subject
unto Christ, so *let* the wives *be* to their
own husbands in every thing.
25 Husbands, love your wives, even as
Christ also loved the church, and gave
himself for it;
26 That he might sanctify and cleanse it
with the washing of water by the word,
27 That he might present it to himself a
glorious church, not having spot, or wrin-
kle, or any such thing; but that it should
be holy and without blemish.
28 So ought men to love their wives as
their own bodies. He that loveth his wife
loveth himself.
29 For no man ever yet hated his own
flesh; but nourisheth and cherisheth it,
even as the Lord the church:
30 For we are members of his body, of
his flesh, and of his bones.
31 For this cause shall a man leave his
father and mother, and shall be joined
unto his wife, and they two shall be one
flesh.
32 This is a great mystery: but I speak
concerning Christ and the church.
33 Nevertheless let every one of you in

ame también a su mujer como a sí mis-
mo; y la mujer respete a su marido.

CAPÍTULO 6

HIJOS, obedeced en el Señor a vuestros
padres, porque esto es justo.
2 Honra a tu padre y a tu madre, que es
el primer mandamiento con promesa;
3 para que te vaya bien, y seas de larga
vida sobre la tierra.
4 Y vosotros, padres, no provoquéis a
ira a vuestros hijos, sino criadlos en dis-
ciplina y amonestación del Señor.
5 Siervos, obedeced a vuestros amos
terrenales con temor y temblor, con sen-
cillez de vuestro corazón, como a Cristo;
6 no sirviendo al ojo, como los que
quieren agradar a los hombres, sino
como siervos de Cristo, de corazón haci-
endo la voluntad de Dios;
7 sirviendo de buena voluntad, como al
Señor y no a los hombres,
8 sabiendo que el bien que cada uno hi-
ciere, ése recibirá del Señor, sea siervo o
sea libre.
9 Y vosotros, amos, haced con ellos lo
mismo, dejando las amenazas, sabiendo
que el Señor de ellos y vuestro está en los
cielos, y que para él no hay acepción de
personas.
10 Por lo demás, hermanos míos, forta-
leceos en el Señor, y en el poder de su
fuerza.
11 Vestíos de toda la armadura de Dios,
para que podáis estar firmes contra las
asechanzas del diablo.
12 Porque no tenemos lucha contra
sangre y carne, sino contra principados,
contra potestades, contra los gobernado-
res de las tinieblas de este siglo, contra
huestes espirituales de maldad en las re-
giones celestes.
13 Por tanto, tomad toda la armadura
de Dios, para que podáis resistir en el día
malo, y habiendo acabado todo, estar
firmes.
14 Estad, pues, firmes, ceñidos vuestros
lomos con la verdad, y vestidos con la co-
raza de justicia,
15 y calzados los pies con el apresto del
evangelio de la paz.
16 Sobre todo, tomad el escudo de la fe,
con que podáis apagar todos los dardos
de fuego del maligno.
17 Y tomad el yelmo de la salvación, y
la espada del Espíritu, que es la palabra
de Dios;
18 orando en todo tiempo con toda ora-
ción y súplica en el Espíritu, y velando en
ello con toda perseverancia y súplica por
todos los santos;
19 y por mí, a fin de que al abrir mi
boca me sea dada palabra para dar a

particular so love his wife even as him-
self; and the wife see that she reverence
her husband.

CHAPTER 6

CHILDREN, obey your parents in the
Lord: for this is right.
2 Honour thy father and mother;
(which is the first commandment with
promise;)
3 That it may be well with thee, and
thou mayest live long on the earth.
4 And, ye fathers, provoke not your
children to wrath: but bring them up in
the nurture and admonition of the Lord.
5 Servants, be obedient to them that
are *your* masters according to the flesh,
with fear and trembling, in singleness of
your heart, as unto Christ;
6 Not with eyeservice, as menpleasers;
but as the servants of Christ, doing the
will of God from the heart;
7 With good will doing service, as to
the Lord, and not to men:
8 Knowing that whatsoever good thing
any man doeth, the same shall he receive
of the Lord, whether *he be* bond or free.
9 And, ye masters, do the same things
unto them, forbearing threatening:
knowing that your Master also is in
heaven; neither is there respect of per-
sons with him.
10 Finally, my brethren, be strong in
the Lord, and in the power of his might.
11 Put on the whole armour of God,
that ye may be able to stand against the
wiles of the devil.
12 For we wrestle not against flesh and
blood, but against principalities, against
powers, against the rulers of the dark-
ness of this world, against spiritual wick-
edness in high *places*.
13 Wherefore take unto you the whole
armour of God, that ye may be able to
withstand in the evil day, and having
done all, to stand.
14 Stand therefore, having your loins
girt about with truth, and having on the
breastplate of righteousness;
15 And your feet shod with the prepa-
ration of the gospel of peace;
16 Above all, taking the shield of faith,
wherewith ye shall be able to quench all
the fiery darts of the wicked.
17 And take the helmet of salvation,
and the sword of the Spirit, which is the
word of God:
18 Praying always with all prayer and
supplication in the Spirit, and watching
thereunto with all perseverance and sup-
plication for all saints;
19 And for me, that utterance may be
given unto me, that I may open my

conocer con denuedo el misterio del evangelio,

20 por el cual soy embajador en cadenas; que con denuedo hable de él, como debo hablar.

21 Para que también vosotros sepáis mis asuntos, y lo que hago, todo os lo hará saber Tíquico, hermano amado y fiel ministro en el Señor,

22 el cual envié a vosotros para esto mismo, para que sepáis lo tocante a nosotros, y que consuele vuestros corazones.

23 Paz sea a los hermanos, y amor con fe, de Dios Padre y del Señor Jesucristo.

24 La gracia sea con todos los que aman a nuestro Señor Jesucristo con amor inalterable. Amén.

LA EPÍSTOLA DEL APÓSTOL
SAN PABLO A LOS

FILIPENSES

CAPÍTULO 1

PABLO y Timoteo, siervos de Jesucristo, a todos los santos en Cristo Jesús que están en Filipos, con los obispos y diáconos:

2 Gracia y paz a vosotros, de Dios nuestro Padre y del Señor Jesucristo.

3 Doy gracias a mi Dios siempre que me acuerdo de vosotros,

4 siempre en todas mis oraciones rogando con gozo por todos vosotros,

5 por vuestra comunión en el evangelio, desde el primer día hasta ahora;

6 estando persuadido de esto, que el que comenzó en vosotros la buena obra, la perfeccionará hasta el día de Jesucristo;

7 como me es justo sentir esto de todos vosotros, por cuanto os tengo en el corazón; y en mis prisiones, y en la defensa y confirmación del evangelio, todos vosotros sois participantes conmigo de la gracia.

8 Porque Dios me es testigo de cómo os amo a todos vosotros con el entrañable amor de Jesucristo.

9 Y esto pido en oración, que vuestro amor abunde aun más y más en ciencia y en todo conocimiento,

10 para que aprobéis lo mejor, a fin de que seáis sinceros e irreprensibles para el día de Cristo,

11 llenos de frutos de justicia que son por medio de Jesucristo, para gloria y alabanza de Dios.

mouth boldly, to make known the mystery of the gospel,

20 For which I am an ambassador in bonds: that therein I may speak boldly, as I ought to speak.

21 But that ye also may know my affairs, *and* how I do, Tych'i-cus, a beloved brother and faithful minister in the Lord, shall make known to you all things:

22 Whom I have sent unto you for the same purpose, that ye might know our affairs, and *that* he might comfort your hearts.

23 Peace *be* to the brethren, and love with faith, from God the Father and the Lord Jesus Christ.

24 Grace *be* with all them that love our Lord Jesus Christ in sincerity. Amen.

THE EPISTLE OF PAUL THE APOSTLE
TO THE

PHILIPPIANS

CHAPTER 1

PAUL and Ti-mo'the-us, the servants of Jesus Christ, to all the saints in Christ Jesus which are at Phi-lip'pi, with the bishops and deacons:

2 Grace *be* unto you, and peace, from God our Father, and *from* the Lord Jesus Christ.

3 I thank my God upon every remembrance of you,

4 Always in every prayer of mine for you all making request with joy,

5 For your fellowship in the gospel from the first day until now;

6 Being confident of this very thing, that he which hath begun a good work in you will perform *it* until the day of Jesus Christ:

7 Even as it is meet for me to think this of you all, because I have you in my heart; inasmuch as both in my bonds, and in the defence and confirmation of the gospel, ye all are partakers of my grace.

8 For God is my record, how greatly I long after you all in the bowels of Jesus Christ.

9 And this I pray, that your love may abound yet more and more in knowledge and *in* all judgment;

10 That ye may approve things that are excellent; that ye may be sincere and without offence till the day of Christ;

11 Being filled with the fruits of righteousness, which are by Jesus Christ, unto the glory and praise of God.

12 Quiero que sepáis, hermanos, que
las cosas que me han sucedido, han re-
dundado más bien para el progreso del
evangelio,
13 de tal manera que mis prisiones se
han hecho patentes en Cristo en todo el
pretorio, y a todos los demás.
14 Y la mayoría de los hermanos, co-
brando ánimo en el Señor con mis prisio-
nes, se atreven mucho más a hablar la
palabra sin temor.
15 Algunos, a la verdad, predican a
Cristo por envidia y contienda; pero otros
de buena voluntad.
16 Los unos anuncian a Cristo por con-
tención, no sinceramente, pensando aña-
dir aflicción a mis prisiones;
17 pero los otros por amor, sabiendo
que estoy puesto para la defensa del
evangelio.
18 ¿Qué, pues? Que no obstante, de to-
das maneras, o por pretexto o por ver-
dad, Cristo es anunciado; y en esto me
gozo, y me gozaré aún.
19 Porque sé que por vuestra oración y
la suministración del Espíritu de Jesu-
cristo, esto resultará en mi liberación,
20 conforme a mi anhelo y esperanza
de que en nada seré avergonzado; antes
bien con toda confianza, como siempre,
ahora también será magnificado Cristo
en mi cuerpo, o por vida o por muerte.
21 Porque para mí el vivir es Cristo, y el
morir es ganancia.
22 Mas si el vivir en la carne resulta
para mí en beneficio de la obra, no sé en-
tonces qué escoger.
23 Porque de ambas cosas estoy puesto
en estrecho, teniendo deseo de partir y
estar con Cristo, lo cual es muchísimo
mejor;
24 pero quedar en la carne es más nece-
sario por causa de vosotros.
25 Y confiado en esto, sé que quedaré,
que aún permaneceré con todos vosotros,
para vuestro provecho y gozo de la fe,
26 para que abunde vuestra gloria de
mí en Cristo Jesús por mi presencia otra
vez entre vosotros.
27 Solamente que os comportéis como
es digno del evangelio de Cristo, para que
o sea que vaya a veros, o que esté ausen-
te, oiga de vosotros que estáis firmes en
un mismo espíritu, combatiendo unáni-
mes por la fe del evangelio,
28 y en nada intimidados por los que se
oponen, que para ellos ciertamente es in-
dicio de perdición, mas para vosotros de
salvación; y esto de Dios.
29 Porque a vosotros os es concedido a
causa de Cristo, no sólo que creáis en él,
sino también que padezcáis por él,

12 But I would ye should understand,
brethren, that the things *which happened*
unto me have fallen out rather unto the
furtherance of the gospel;
13 So that my bonds in Christ are mani-
fest in all the palace, and in all other
places;
14 And many of the brethren in the
Lord, waxing confident by my bonds, are
much more bold to speak the word with-
out fear.
15 Some indeed preach Christ even of
envy and strife; and some also of good
will:
16 The one preach Christ of contention,
not sincerely, supposing to add affliction
to my bonds:
17 But the other of love, knowing that I
am set for the defence of the gospel.
18 What then? notwithstanding, every
way, whether in pretence, or in truth,
Christ is preached; and I therein do re-
joice, yea, and will rejoice.
19 For I know that this shall turn to my
salvation through your prayer, and the
supply of the Spirit of Jesus Christ,
20 According to my earnest expecta-
tion and *my* hope, that in nothing I shall
be ashamed, but *that* with all boldness,
as always, *so* now also Christ shall be
magnified in my body, whether *it be* by
life, or by death.
21 For to me to live *is* Christ, and to die
is gain.
22 But if I live in the flesh, this *is* the
fruit of my labour: yet what I shall
choose I wot not.
23 For I am in a strait betwixt two, hav-
ing a desire to depart, and to be with
Christ; which is far better:
24 Nevertheless to abide in the flesh *is*
more needful for you
25 And having this confidence, I know
that I shall abide and continue with you
all for your furtherance and joy of faith;
26 That your rejoicing may be more
abundant in Jesus Christ for me by my
coming to you again.
27 Only let your conversation be as it
becometh the gospel of Christ: that
whether I come and see you, or else be
absent, I may hear of your affairs, that ye
stand fast in one spirit, with one mind
striving together for the faith of the gos-
pel;
28 And in nothing terrified by your ad-
versaries: which is to them an evident to-
ken of perdition, but to you of salvation,
and that of God.
29 For unto you it is given in the behalf
of Christ, not only to believe on him, but
also to suffer for his sake;

30 teniendo el mismo conflicto que habéis visto en mí, y ahora oís que hay en mí.

CAPÍTULO 2

POR tanto, si hay alguna consolación en Cristo, si algún consuelo de amor, si alguna comunión del Espíritu, si algún afecto entrañable, si alguna misericordia,

2 completad mi gozo, sintiendo lo mismo, teniendo el mismo amor, unánimes, sintiendo una misma cosa.

3 Nada hagáis por contienda o por vanagloria; antes bien con humildad, estimando cada uno a los demás como superiores a él mismo;

4 no mirando cada uno por lo suyo propio, sino cada cual también por lo de los otros.

5 Haya, pues, en vosotros este sentir que hubo también en Cristo Jesús,

6 el cual, siendo en forma de Dios, no estimó el ser igual a Dios como cosa a que aferrarse,

7 sino que se despojó a sí mismo, tomando forma de siervo, hecho semejante a los hombres;

8 y estando en la condición de hombre, se humilló a sí mismo, haciéndose obediente hasta la muerte, y muerte de cruz.

9 Por lo cual Dios también le exaltó hasta lo sumo, y le dio un nombre que es sobre todo nombre,

10 para que en el nombre de Jesús se doble toda rodilla de los que están en los cielos, y en la tierra, y debajo de la tierra;

11 y toda lengua confiese que Jesucristo es el Señor, para gloria de Dios Padre.

12 Por tanto, amados míos, como siempre habéis obedecido, no como en mi presencia solamente, sino mucho más ahora en mi ausencia, ocupaos en vuestra salvación con temor y temblor,

13 porque Dios es el que en vosotros produce así el querer como el hacer, por su buena voluntad.

14 Haced todo sin murmuraciones y contiendas,

15 para que seáis irreprensibles y sencillos, hijos de Dios sin mancha en medio de una generación maligna y perversa, en medio de la cual resplandecéis como luminares en el mundo;

16 asidos de la palabra de vida, para que en el día de Cristo yo pueda gloriarme de que no he corrido en vano, ni en vano he trabajado.

17 Y aunque sea derramado en libación sobre el sacrificio y servicio de vuestra fe, me gozo y regocijo con todos vosotros.

18 Y asimismo gozaos y regocijaos también vosotros conmigo.

30 Having the same conflict which ye saw in me, and now hear *to be* in me.

CHAPTER 2

IF *there be* therefore any consolation in Christ, if any comfort of love, if any fellowship of the Spirit, if any bowels and mercies,

2 Fulfil ye my joy, that ye be likeminded, having the same love, *being* of one accord, of one mind.

3 *Let* nothing *be done* through strife or vainglory; but in lowliness of mind let each esteem other better than themselves.

4 Look not every man on his own things, but every man also on the things of others.

5 Let this mind be in you, which was also in Christ Jesus:

6 Who, being in the form of God, thought it not robbery to be equal with God:

7 But made himself of no reputation, and took upon him the form of a servant, and was made in the likeness of men:

8 And being found in fashion as a man, he humbled himself, and became obedient unto death, even the death of the cross.

9 Wherefore God also hath highly exalted him, and given him a name which is above every name:

10 That at the name of Jesus every knee should bow, of *things* in heaven, and *things* in earth, and *things* under the earth;

11 And *that* every tongue should confess that Jesus Christ *is* Lord, to the glory of God the Father.

12 Wherefore, my beloved, as ye have always obeyed, not as in my presence only, but now much more in my absence, work out your own salvation with fear and trembling.

13 For it is God which worketh in you both to will and to do of *his* good pleasure.

14 Do all things without murmurings and disputings:

15 That ye may be blameless and harmless, the sons of God, without rebuke, in the midst of a crooked and perverse nation, among whom ye shine as lights in the world;

16 Holding forth the word of life; that I may rejoice in the day of Christ, that I have not run in vain, neither laboured in vain.

17 Yea, and if I be offered upon the sacrifice and service of your faith, I joy, and rejoice with you all.

18 For the same cause also do ye joy, and rejoice with me.

19 Espero en el Señor Jesús enviaros
pronto a Timoteo, para que yo también
esté de buen ánimo al saber de vuestro
estado;
20 pues a ninguno tengo del mismo áni-
mo, y que tan sinceramente se interese
por vosotros.
21 Porque todos buscan lo suyo propio,
no lo que es de Cristo Jesús.
22 Pero ya conocéis los méritos de él,
que como hijo a padre ha servido conmi-
go en el evangelio.
23 Así que a éste espero enviaros, luego
que yo vea cómo van mis asuntos;
24 y confío en el Señor que yo también
iré pronto a vosotros.
25 Mas tuve por necesario enviaros a E-
pafrodito, mi hermano y colaborador y
compañero de milicia, vuestro mensaje-
ro, y ministrador de mis necesidades;
26 porque él tenía gran deseo de veros
a todos vosotros, y gravemente se angus-
tió porque habíais oído que había enfer-
mado.
27 Pues en verdad estuvo enfermo, a
punto de morir; pero Dios tuvo miseri-
cordia de él, y no solamente de él, sino
también de mí, para que yo no tuviese
tristeza sobre tristeza.
28 Así que le envío con mayor solicitud,
para que al verle de nuevo, os gocéis, y
yo esté con menos tristeza.
29 Recibidle, pues, en el Señor, con
todo gozo, y tened en estima a los que
son como él;
30 porque por la obra de Cristo estuvo
próximo a la muerte, exponiendo su vida
para suplir lo que faltaba en vuestro ser-
vicio por mí.

CAPÍTULO 3

POR lo demás, hermanos, gozaos en el
Señor. A mí no me es molesto el escri-
biros las mismas cosas, y para vosotros
es seguro.
2 Guardaos de los perros, guardaos de
los malos obreros, guardaos de los muti-
ladores del cuerpo.
3 Porque nosotros somos la circunci-
sión, los que en espíritu servimos a Dios
y nos gloriamos en Cristo Jesús, no te-
niendo confianza en la carne.
4 Aunque yo tengo también de qué con-
fiar en la carne. Si alguno piensa que
tiene de qué confiar en la carne, yo más:
5 circuncidado al octavo día, del linaje
de Israel, de la tribu de Benjamín, hebreo
de hebreos; en cuanto a la ley, fariseo;
6 en cuanto a celo, perseguidor de la i-
glesia; en cuanto a la justicia que es en la
ley, irreprensible.

19 But I trust in the Lord Jesus to send
Ti-mo'the-us shortly unto you, that I also
may be of good comfort, when I know
your state.
20 For I have no man likeminded, who
will naturally care for your state.
21 For all seek their own, not the things
which are Jesus Christ's.
22 But ye know the proof of him, that,
as a son with the father, he hath served
with me in the gospel.
23 Him therefore I hope to send pres-
ently, so soon as I shall see how it will go
with me.
24 But I trust in the Lord that I also my-
self shall come shortly.
25 Yet I supposed it necessary to send
to you E-paph-ro-di'tus, my brother, and
companion in labour, and fellowsoldier,
but your messenger, and he that minis-
tered to my wants.
26 For he longed after you all, and was
full of heaviness, because that ye had
heard that he had been sick.
27 For indeed he was sick nigh unto
death: but God had mercy on him; and
not on him only, but on me also, lest I
should have sorrow upon sorrow.
28 I sent him therefore the more care-
fully, that, when ye see him again, ye
may rejoice, and that I may be the less
sorrowful.
29 Receive him therefore in the Lord
with all gladness; and hold such in repu-
tation:
30 Because for the work of Christ he
was nigh unto death, not regarding his
life, to supply your lack of service toward
me.

CHAPTER 3

FINALLY, my brethren, rejoice in the
Lord. To write the same things to you,
to me indeed *is* not grievous, but for you
it is safe.
2 Beware of dogs, beware of evil work-
ers, beware of the concision.
3 For we are the circumcision, which
worship God in the spirit, and rejoice in
Christ Jesus, and have no confidence in
the flesh.
4 Though I might also have confidence
in the flesh. If any other man thinketh
that he hath whereof he might trust in
the flesh, I more:
5 Circumcised the eighth day, of the
stock of Israel, *of* the tribe of Benjamin,
an Hebrew of the Hebrews; as touching
the law, a Pharisee;
6 Concerning zeal, persecuting the
church; touching the righteousness
which is in the law, blameless.

7 Pero cuantas cosas eran para mí ganancia, las he estimado como pérdida por amor de Cristo.
8 Y ciertamente, aun estimo todas las cosas como pérdida por la excelencia del conocimiento de Cristo Jesús, mi Señor, por amor del cual lo he perdido todo, y lo tengo por basura, para ganar a Cristo,
9 y ser hallado en él, no teniendo mi propia justicia, que es por la ley, sino la que es por la fe de Cristo, la justicia que es de Dios por la fe;
10 a fin de conocerle, y el poder de su resurrección, y la participación de sus padecimientos, llegando a ser semejante a él en su muerte,
11 si en alguna manera llegase a la resurrección de entre los muertos.
12 No que lo haya alcanzado ya, ni que ya sea perfecto; sino que prosigo, por ver si logro asir aquello para lo cual fui también asido por Cristo Jesús.
13 Hermanos, yo mismo no pretendo haberlo ya alcanzado; pero una cosa hago: olvidando ciertamente lo que queda atrás, y extendiéndome a lo que está delante,
14 prosigo a la meta, al premio del supremo llamamiento de Dios en Cristo Jesús.
15 Así que, todos los que somos perfectos, esto mismo sintamos; y si otra cosa sentís, esto también os lo revelará Dios.
16 Pero en aquello a que hemos llegado, sigamos una misma regla, sintamos una misma cosa.
17 Hermanos, sed imitadores de mí, y mirad a los que así se conducen según el ejemplo que tenéis en nosotros.
18 Porque por ahí andan muchos, de los cuales os dije muchas veces, y aun ahora lo digo llorando, que son enemigos de la cruz de Cristo;
19 el fin de los cuales será perdición, cuyo dios es el vientre, y cuya gloria es su vergüenza; que sólo piensan en lo terrenal.
20 Mas nuestra ciudadanía está en los cielos, de donde también esperamos al Salvador, al Señor Jesucristo;
21 el cual transformará el cuerpo de la humillación nuestra, para que sea semejante al cuerpo de la gloria suya, por el poder con el cual puede también sujetar a sí mismo todas las cosas.

CAPÍTULO 4

ASÍ que, hermanos míos amados y deseados, gozo y corona mía, estad así firmes en el Señor, amados.

7 But what things were gain to me, those I counted loss for Christ.
8 Yea doubtless, and I count all things *but* loss for the excellency of the knowledge of Christ Jesus my Lord: for whom I have suffered the loss of all things, and do count them *but* dung, that I may win Christ,
9 And be found in him, not having mine own righteousness, which is of the law, but that which is through the faith of Christ, the righteousness which is of God by faith:
10 That I may know him, and the power of his resurrection, and the fellowship of his sufferings, being made conformable unto his death;
11 If by any means I might attain unto the resurrection of the dead.
12 Not as though I had already attained, either were already perfect: but I follow after, if that I may apprehend that for which also I am apprehended of Christ Jesus.
13 Brethren, I count not myself to have apprehended: but *this* one thing *I do*, forgetting those things which are behind, and reaching forth unto those things which are before,
14 I press toward the mark for the prize of the high calling of God in Christ Jesus.
15 Let us therefore, as many as be perfect, be thus minded: and if in any thing ye be otherwise minded, God shall reveal even this unto you.
16 Nevertheless, whereto we have already attained, let us walk by the same rule, let us mind the same thing.
17 Brethren, be followers together of me, and mark them which walk so as ye have us for an ensample.
18 (For many walk, of whom I have told you often, and now tell you even weeping, *that they are* the enemies of the cross of Christ:
19 Whose end *is* destruction, whose God *is their* belly, and *whose* glory *is* in their shame, who mind earthly things.)
20 For our conversation is in heaven; from whence also we look for the Saviour, the Lord Jesus Christ:
21 Who shall change our vile body, that it may be fashioned like unto his glorious body, according to the working whereby he is able even to subdue all things unto himself.

CHAPTER 4

THEREFORE, my brethren dearly beloved and longed for, my joy and crown, so stand fast in the Lord, *my* dearly beloved.

2 Ruego a Evodia y a Síntique, que sean de un mismo sentir en el Señor.

3 Asimismo te ruego también a ti, compañero fiel, que ayudes a éstas que combatieron juntamente conmigo en el evangelio, con Clemente también y los demás colaboradores míos, cuyos nombres están en el libro de la vida.

4 Regocijaos en el Señor siempre. Otra vez digo: ¡Regocijaos!

5 Vuestra gentileza sea conocida de todos los hombres. El Señor está cerca.

6 Por nada estéis afanosos, sino sean conocidas vuestras peticiones delante de Dios en toda oración y ruego, con acción de gracias.

7 Y la paz de Dios, que sobrepasa todo entendimiento, guardará vuestros corazones y vuestros pensamientos en Cristo Jesús.

8 Por lo demás, hermanos, todo lo que es verdadero, todo lo honesto, todo lo justo, todo lo puro, todo lo amable, todo lo que es de buen nombre; si hay virtud alguna, si algo digno de alabanza, en esto pensad.

9 Lo que aprendisteis y recibisteis y oísteis y visteis en mí, esto haced; y el Dios de paz estará con vosotros.

10 En gran manera me gocé en el Señor de que ya al fin habéis revivido vuestro cuidado de mí; de lo cual también estabais solícitos, pero os faltaba la oportunidad.

11 No lo digo porque tenga escasez, pues he aprendido a contentarme, cualquiera que sea mi situación.

12 Sé vivir humildemente, y sé tener abundancia; en todo y por todo estoy enseñado, así para estar saciado como para tener hambre, así para tener abundancia como para padecer necesidad.

13 Todo lo puedo en Cristo que me fortalece.

14 Sin embargo, bien hicisteis en participar conmigo en mi tribulación.

15 Y sabéis también vosotros, oh filipenses, que al principio de la predicación del evangelio, cuando partí de Macedonia, ninguna iglesia participó conmigo en razón de dar y recibir, sino vosotros solos;

16 pues aun a Tesalónica me enviasteis una y otra vez para mis necesidades.

17 No es que busque dádivas, sino que busco fruto que abunde en vuestra cuenta.

18 Pero todo lo he recibido, y tengo abundancia; estoy lleno, habiendo recibido de Epafrodito lo que enviasteis; olor fragante, sacrificio acepto, agradable a Dios.

19 Mi Dios, pues, suplirá todo lo que os

2 I beseech Eu-o′di-as, and beseech Syn′ty-che, that they be of the same mind in the Lord.

3 And I intreat thee also, true yokefellow, help those women which laboured with me in the gospel with Clement also, and *with* other my fellowlabourers, whose names *are* in the book of life.

4 Rejoice in the Lord alway: *and* again I say, Rejoice.

5 Let your moderation be known unto all men. The Lord *is* at hand.

6 Be careful for nothing; but in every thing by prayer and supplication with thanksgiving let your requests be made known unto God.

7 And the peace of God, which passeth all understanding, shall keep your hearts and minds through Christ Jesus.

8 Finally, brethren, whatsoever things are true, whatsoever things *are* honest, whatsoever things *are* just, whatsoever things *are* pure, whatsoever things *are* lovely, whatsoever things *are* of good report; if *there be* any virtue, and if *there be* any praise, think on these things.

9 Those things, which ye have both learned, and received, and heard, and seen in me, do: and the God of peace shall be with you.

10 But I rejoiced in the Lord greatly, that now at the last your care of me hath flourished again; wherein ye were also careful, but ye lacked opportunity.

11 Not that I speak in respect of want: for I have learned, in whatsoever state I am, *therewith* to be content.

12 I know both how to be abased, and I know how to abound: every where and in all things I am instructed both to be full and to be hungry, both to abound and to suffer need.

13 I can do all things through Christ which strengtheneth me.

14 Notwithstanding ye have well done, that ye did communicate with my affliction.

15 Now ye Phi-lip′pi-ans know also, that in the beginning of the gospel, when I departed from Macedonia, no church communicated with me as concerning giving and receiving, but ye only.

16 For even in Thes-sa-lo-ni′ca ye sent once and again unto my necessity.

17 Not because I desire a gift: but I desire fruit that may abound to your account.

18 But I have all, and abound: I am full, having received of E-paph-ro-di′tus the things *which were sent* from you, an odour of a sweet smell, a sacrifice acceptable, wellpleasing to God.

19 But my God shall supply all your

falta conforme a sus riquezas en gloria en Cristo Jesús.

20 Al Dios y Padre nuestro sea gloria por los siglos de los siglos. Amén.

21 Saludad a todos los santos en Cristo Jesús. Los hermanos que están conmigo os saludan.

22 Todos los santos os saludan, y especialmente los de la casa de César.

23 La gracia de nuestro Señor Jesucristo sea con todos vosotros. Amén.

LA EPÍSTOLA DEL APÓSTOL

SAN PABLO A LOS

COLOSENSES

CAPÍTULO 1

PABLO, apóstol de Jesucristo por la voluntad de Dios, y el hermano Timoteo,
2 a los santos y fieles hermanos en Cristo que están en Colosas: Gracia y paz sean a vosotros, de Dios nuestro Padre y del Señor Jesucristo.
3 Siempre orando por vosotros, damos gracias a Dios, Padre de nuestro Señor Jesucristo,
4 habiendo oído de vuestra fe en Cristo Jesús, y del amor que tenéis a todos los santos,
5 a causa de la esperanza que os está guardada en los cielos, de la cual ya habéis oído por la palabra verdadera del evangelio,
6 que ha llegado hasta vosotros, así como a todo el mundo, y lleva fruto y crece también en vosotros, desde el día que oísteis y conocisteis la gracia de Dios en verdad,
7 como lo habéis aprendido de Epafras, nuestro consiervo amado, que es un fiel ministro de Cristo para vosotros,
8 quien también nos ha declarado vuestro amor en el Espíritu.
9 Por lo cual también nosotros, desde el día que lo oímos, no cesamos de orar por vosotros, y de pedir que seáis llenos del conocimiento de su voluntad en toda sabiduría e inteligencia espiritual,
10 para que andéis como es digno del Señor, agradándole en todo, llevando fruto en toda buena obra, y creciendo en el conocimiento de Dios;
11 fortalecidos con todo poder, conforme a la potencia de su gloria, para toda paciencia y longanimidad;
12 con gozo dando gracias al Padre que nos hizo aptos para participar de la herencia de los santos en luz;

need according to his riches in glory by Christ Jesus.

20 Now unto God and our Father *be* glory for ever and ever. Amen.

21 Salute every saint in Christ Jesus. The brethren which are with me greet you.

22 All the saints salute you, chiefly they that are of Cæsar's household.

23 The grace of our Lord Jesus Christ *be* with you all. Amen.

THE EPISTLE OF PAUL THE APOSTLE

TO THE

COLOSSIANS

CHAPTER 1

PAUL, an apostle of Jesus Christ by the will of God, and Ti-mo'the-us *our* brother,
2 To the saints and faithful brethren in Christ which are at Co-los'se: Grace *be* unto you, and peace, from God our Father and the Lord Jesus Christ.
3 We give thanks to God and the Father of our Lord Jesus Christ, praying always for you,
4 Since we heard of your faith in Christ Jesus, and of the love *which ye have* to all the saints,
5 For the hope which is laid up for you in heaven, whereof ye heard before in the word of the truth of the gospel;
6 Which is come unto you, as *it is* in all the world; and bringeth forth fruit, as *it doth* also in you, since the day ye heard *of it*, and knew the grace of God in truth:
7 As ye also learned of Ep'a-phras our dear fellowservant, who is for you a faithful minister of Christ;
8 Who also declared unto us your love in the Spirit.
9 For this cause we also, since the day we heard *it*, do not cease to pray for you, and to desire that ye might be filled with the knowledge of his will in all wisdom and spiritual understanding;
10 That ye might walk worthy of the Lord unto all pleasing, being fruitful in every good work, and increasing in the knowledge of God;
11 Strengthened with all might, according to his glorious power, unto all patience and longsuffering with joyfulness;
12 Giving thanks unto the Father, which hath made us meet to be partakers of the inheritance of the saints in light:

13 el cual nos ha librado de la potestad de las tinieblas, y trasladado al reino de su amado Hijo,

14 en quien tenemos redención por su sangre, el perdón de pecados.

15 El es la imagen del Dios invisible, el primogénito de toda creación.

16 Porque en él fueron creadas todas las cosas, las que hay en los cielos y las que hay en la tierra, visibles e invisibles; sean tronos, sean dominios, sean principados, sean potestades; todo fue creado por medio de él y para él.

17 Y él es antes de todas las cosas, y todas las cosas en él subsisten;

18 y él es la cabeza del cuerpo que es la iglesia, él que es el principio, el primogénito de entre los muertos, para que en todo tenga la preeminencia;

19 por cuanto agradó al Padre que en él habitase toda plenitud,

20 y por medio de él reconciliar consigo todas las cosas, así las que están en la tierra como las que están en los cielos, haciendo la paz mediante la sangre de su cruz.

21 Y a vosotros también, que erais en otro tiempo extraños y enemigos en vuestra mente, haciendo malas obras, ahora os ha reconciliado

22 en su cuerpo de carne, por medio de la muerte, para presentaros santos y sin mancha e irreprensibles delante de él;

23 si en verdad permanecéis fundados y firmes en la fe, y sin moveros de la esperanza del evangelio que habéis oído, el cual se predica en toda la creación que está debajo del cielo; del cual yo Pablo fui hecho ministro.

24 Ahora me gozo en lo que padezco por vosotros, y cumplo en mi carne lo que falta de las aflicciones de Cristo por su cuerpo, que es la iglesia;

25 de la cual fui hecho ministro, según la administración de Dios que me fue dada para con vosotros, para que anuncie cumplidamente la palabra de Dios,

26 el misterio que había estado oculto desde los siglos y edades, pero que ahora ha sido manifestado a sus santos,

27 a quienes Dios quiso dar a conocer las riquezas de la gloria de este misterio entre los gentiles; que es Cristo en vosotros, la esperanza de gloria,

28 a quien anunciamos, amonestando a todo hombre, y enseñando a todo hombre en toda sabiduría, a fin de presentar perfecto en Cristo Jesús a todo hombre;

29 para lo cual también trabajo, luchando según la potencia de él, la cual actúa poderosamente en mí.

13 Who hath delivered us from the power of darkness, and hath translated *us* into the kingdom of his dear Son:

14 In whom we have redemption through his blood, *even* the forgiveness of sins:

15 Who is the image of the invisible God, the firstborn of every creature:

16 For by him were all things created, that are in heaven, and that are in earth, visible and invisible, whether *they be* thrones, or dominions, or principalities, or powers: all things were created by him, and for him:

17 And he is before all things, and by him all things consist.

18 And he is the head of the body, the church: who is the beginning, the firstborn from the dead; that in all *things* he might have the preeminence.

19 For it pleased *the Father* that in him should all fulness dwell;

20 And, having made peace through the blood of his cross, by him to reconcile all things unto himself; by him, *I say*, whether *they be* things in earth, or things in heaven.

21 And you, that were sometime alienated and enemies in *your* mind by wicked works, yet now hath he reconciled

22 In the body of his flesh through death, to present you holy and unblameable and unreproveable in his sight:

23 If ye continue in the faith grounded and settled, and *be* not moved away from the hope of the gospel, which ye have heard, *and* which was preached to every creature which is under heaven; whereof I Paul am made a minister;

24 Who now rejoice in my sufferings for you, and fill up that which is behind of the afflictions of Christ in my flesh for his body's sake, which is the church:

25 Whereof I am made a minister, according to the dispensation of God which is given to me for you, to fulfil the word of God;

26 *Even* the mystery which hath been hid from ages and from generations, but now is made manifest to his saints:

27 To whom God would make known what *is* the riches of the glory of this mystery among the Gentiles; which is Christ in you, the hope of glory:

28 Whom we preach, warning every man, and teaching every man in all wisdom; that we may present every man perfect in Christ Jesus:

29 Whereunto I also labour, striving according to his working, which worketh in me mightily.

CAPÍTULO 2

PORQUE quiero que sepáis cuán gran lucha sostengo por vosotros, y por los que están en Laodicea, y por todos los que nunca han visto mi rostro;

2 para que sean consolados sus corazones, unidos en amor, hasta alcanzar todas las riquezas de pleno entendimiento, a fin de conocer el misterio de Dios el Padre, y de Cristo,

3 en quien están escondidos todos los tesoros de la sabiduría y del conocimiento.

4 Y esto lo digo para que nadie os engañe con palabras persuasivas.

5 Porque aunque estoy ausente en cuerpo, no obstante en espíritu estoy con vosotros, gozándome y mirando vuestro buen orden y la firmeza de vuestra fe en Cristo.

6 Por tanto, de la manera que habéis recibido al Señor Jesucristo, andad en él;

7 arraigados y sobreedificados en él, y confirmados en la fe, así como habéis sido enseñados, abundando en acciones de gracias.

8 Mirad que nadie os engañe por medio de filosofías y huecas sutilezas, según las tradiciones de los hombres, conforme a los rudimentos del mundo, y no según Cristo.

9 Porque en él habita corporalmente toda la plenitud de la Deidad,

10 y vosotros estáis completos en él, que es la cabeza de todo principado y potestad.

11 En él también fuisteis circuncidados con circuncisión no hecha a mano, al echar de vosotros el cuerpo pecaminoso carnal, en la circuncisión de Cristo;

12 sepultados con él en el bautismo, en el cual fuisteis también resucitados con él, mediante la fe en el poder de Dios que le levantó de los muertos.

13 Y a vosotros, estando muertos en pecados y en la incircuncisión de vuestra carne, os dio vida juntamente con él, perdonándoos todos los pecados,

14 anulando el acta de los decretos que había contra nosotros, que nos era contraria, quitándola de en medio y clavándola en la cruz,

15 y despojando a los principados y a las potestades, los exhibió públicamente, triunfando sobre ellos en la cruz.

16 Por tanto, nadie os juzgue en comida o en bebida, o en cuanto a días de fiesta, luna nueva o días de reposo,

17 todo lo cual es sombra de lo que ha de venir; pero el cuerpo es de Cristo.

18 Nadie os prive de vuestro premio, afectando humildad y culto a los ángeles,

CHAPTER 2

FOR I would that ye knew what great conflict I have for you, and *for* them at La-od-i-ce'a, and *for* as many as have not seen my face in the flesh;

2 That their hearts might be comforted, being knit together in love, and unto all riches of the full assurance of understanding, to the acknowledgement of the mystery of God, and of the Father, and of Christ;

3 In whom are hid all the treasures of wisdom and knowledge.

4 And this I say, lest any man should beguile you with enticing words.

5 For though I be absent in the flesh, yet am I with you in the spirit, joying and beholding your order, and the stedfastness of your faith in Christ.

6 As ye have therefore received Christ Jesus the Lord, *so* walk ye in him:

7 Rooted and built up in him, and stablished in the faith, as ye have been taught, abounding therein with thanksgiving.

8 Beware lest any man spoil you through philosophy and vain deceit, after the tradition of men, after the rudiments of the world, and not after Christ.

9 For in him dwelleth all the fulness of the Godhead bodily.

10 And ye are complete in him, which is the head of all principality and power:

11 In whom also ye are circumcised with the circumcision made without hands, in putting off the body of the sins of the flesh by the circumcision of Christ:

12 Buried with him in baptism, wherein also ye are risen with *him* through the faith of the operation of God, who hath raised him from the dead.

13 And you, being dead in your sins and the uncircumcision of your flesh, hath he quickened together with him, having forgiven you all trespasses;

14 Blotting out the handwriting of ordinances that was against us, which was contrary to us, and took it out of the way, nailing it to his cross;

15 *And* having spoiled principalities and powers, he made a shew of them openly, triumphing over them in it.

16 Let no man therefore judge you in meat, or in drink, or in respect of an holyday, or of the new moon, or of the sabbath *days:*

17 Which are a shadow of things to come; but the body *is* of Christ.

18 Let no man beguile you of your reward in a voluntary humility and worshipping of angels, intruding into those

entremetiéndose en lo que no ha visto, vanamente hinchado por su propia mente carnal,

19 y no asiéndose de la Cabeza, en virtud de quien todo el cuerpo, nutriéndose y uniéndose por las coyunturas y ligamentos, crece con el crecimiento que da Dios.

20 Pues si habéis muerto con Cristo en cuanto a los rudimentos del mundo, ¿por qué, como si vivieseis en el mundo, os sometéis a preceptos

21 tales como: No manejes, ni gustes, ni aun toques

22 (en conformidad a mandamientos y doctrinas de hombres), cosas que todas se destruyen con el uso?

23 Tales cosas tienen a la verdad cierta reputación de sabiduría en culto voluntario, en humildad y en duro trato del cuerpo; pero no tienen valor alguno contra los apetitos de la carne.

CAPÍTULO 3

SI, pues, habéis resucitado con Cristo, buscad las cosas de arriba, donde está Cristo sentado a la diestra de Dios.

2 Poned la mira en las cosas de arriba, no en las de la tierra.

3 Porque habéis muerto, y vuestra vida está escondida con Cristo en Dios.

4 Cuando Cristo, vuestra vida, se manifieste, entonces vosotros también seréis manifestados con él en gloria.

5 Haced morir, pues, lo terrenal en vosotros: fornicación, impureza, pasiones desordenadas, malos deseos y avaricia, que es idolatría;

6 cosas por las cuales la ira de Dios viene sobre los hijos de desobediencia,

7 en las cuales vosotros también anduvisteis en otro tiempo cuando vivíais en ellas.

8 Pero ahora dejad también vosotros todas estas cosas: ira, enojo, malicia, blasfemia, palabras deshonestas de vuestra boca.

9 No mintáis los unos a los otros, habiéndoos despojado del viejo hombre con sus hechos,

10 y revestido del nuevo, el cual conforme a la imagen del que lo creó se va renovando hasta el conocimiento pleno,

11 donde no hay griego ni judío, circuncisión ni incircuncisión, bárbaro ni escita, siervo ni libre, sino que Cristo es el todo, y en todos.

12 Vestíos, pues, como escogidos de Dios, santos y amados, de entrañable misericordia, de benignidad, de humildad, de mansedumbre, de paciencia;

13 soportándoos unos a otros, y perdonándoos unos a otros si alguno tuviere

things which he hath not seen, vainly puffed up by his fleshly mind,

19 And not holding the Head, from which all the body by joints and bands having nourishment ministered, and knit together, increaseth with the increase of God.

20 Wherefore if ye be dead with Christ from the rudiments of the world, why, as though living in the world, are ye subject to ordinances,

21 (Touch not; taste not; handle not;

22 Which all are to perish with the using;) after the commandments and doctrines of men?

23 Which things have indeed a shew of wisdom in will worship, and humility, and neglecting of the body; not in any honour to the satisfying of the flesh.

CHAPTER 3

IF ye then be risen with Christ, seek those things which are above, where Christ sitteth on the right hand of God.

2 Set your affection on things above, not on things on the earth.

3 For ye are dead, and your life is hid with Christ in God.

4 When Christ, *who is* our life, shall appear, then shall ye also appear with him in glory.

5 Mortify therefore your members which are upon the earth; fornication, uncleanness, inordinate affection, evil concupiscence, and covetousness, which is idolatry:

6 For which things' sake the wrath of God cometh on the children of disobedience:

7 In the which ye also walked some time, when ye lived in them.

8 But now ye also put off all these; anger, wrath, malice, blasphemy, filthy communication out of your mouth.

9 Lie not one to another, seeing that ye have put off the old man with his deeds;

10 And have put on the new *man*, which is renewed in knowledge after the image of him that created him:

11 Where there is neither Greek nor Jew, circumcision nor uncircumcision, Barbarian, Scyth'i-an, bond *nor* free: but Christ *is* all, and in all.

12 Put on therefore, as the elect of God, holy and beloved, bowels of mercies, kindness, humbleness of mind, meekness, longsuffering;

13 Forbearing one another, and forgiving one another, if any man have a quar-

queja contra otro. De la manera que Cristo os perdonó, así también hacedlo vosotros.

14 Y sobre todas estas cosas vestíos de amor, que es el vínculo perfecto.

15 Y la paz de Dios gobierne en vuestros corazones, a la que asimismo fuisteis llamados en un solo cuerpo; y sed agradecidos.

16 La palabra de Cristo more en abundancia en vosotros, enseñándoos y exhortándoos unos a otros en toda sabiduría, cantando con gracia en vuestros corazones al Señor con salmos e himnos y cánticos espirituales.

17 Y todo lo que hacéis, sea de palabra o de hecho, hacedlo todo en el nombre del Señor Jesús, dando gracias a Dios Padre por medio de él.

18 Casadas, estad sujetas a vuestros maridos, como conviene en el Señor.

19 Maridos, amad a vuestras mujeres, y no seáis ásperos con ellas.

20 Hijos, obedeced a vuestros padres en todo, porque esto agrada al Señor.

21 Padres, no exasperéis a vuestros hijos, para que no se desalienten.

22 Siervos, obedeced en todo a vuestros amos terrenales, no sirviendo al ojo, como los que quieren agradar a los hombres, sino con corazón sincero, temiendo a Dios.

23 Y todo lo que hagáis, hacedlo de corazón, como para el Señor y no para los hombres;

24 sabiendo que del Señor recibiréis la recompensa de la herencia, porque a Cristo el Señor servís.

25 Mas el que hace injusticia, recibirá la injusticia que hiciere, porque no hay acepción de personas.

CAPÍTULO 4

AMOS, haced lo que es justo y recto con vuestros siervos, sabiendo que también vosotros tenéis un Amo en los cielos.

2 Perseverad en la oración, velando en ella con acción de gracias;

3 orando también al mismo tiempo por nosotros, para que el Señor nos abra puerta para la palabra, a fin de dar a conocer el misterio de Cristo, por el cual también estoy preso,

4 para que lo manifieste como debo hablar.

5 Andad sabiamente para con los de afuera, redimiendo el tiempo.

6 Sea vuestra palabra siempre con gracia, sazonada con sal, para que sepáis cómo debéis responder a cada uno.

rel against any: even as Christ forgave you, so also *do* ye.

14 And above all these things *put on* charity, which is the bond of perfectness.

15 And let the peace of God rule in your hearts, to the which also ye are called in one body; and be ye thankful.

16 Let the word of Christ dwell in you richly in all wisdom; teaching and admonishing one another in psalms and hymns and spiritual songs, singing with grace in your hearts to the Lord.

17 And whatsoever ye do in word or deed, *do* all in the name of the Lord Jesus, giving thanks to God and the Father by him.

18 Wives, submit yourselves unto your own husbands, as it is fit in the Lord.

19 Husbands, love *your* wives, and be not bitter against them.

20 Children, obey *your* parents in all things: for this is well pleasing unto the Lord.

21 Fathers, provoke not your children *to anger*, lest they be discouraged.

22 Servants, obey in all things *your* masters according to the flesh; not with eyeservice, as menpleasers; but in singleness of heart, fearing God:

23 And whatsoever ye do, do *it* heartily, as to the Lord, and not unto men;

24 Knowing that of the Lord ye shall receive the reward of the inheritance: for ye serve the Lord Christ.

25 But he that doeth wrong shall receive for the wrong which he hath done: and there is no respect of persons.

CHAPTER 4

MASTERS, give unto *your* servants that which is just and equal; knowing that ye also have a Master in heaven.

2 Continue in prayer, and watch in the same with thanksgiving;

3 Withal praying also for us, that God would open unto us a door of utterance, to speak the mystery of Christ, for which I am also in bonds:

4 That I may make it manifest, as I ought to speak.

5 Walk in wisdom toward them that are without, redeeming the time.

6 Let your speech *be* alway with grace, seasoned with salt, that ye may know how ye ought to answer every man.

7 Todo lo que a mí se refiere, os lo hará saber Tíquico, amado hermano y fiel ministro y consiervo en el Señor,

8 el cual he enviado a vosotros para esto mismo, para que conozca lo que a vosotros se refiere, y conforte vuestros corazones,

9 con Onésimo, amado y fiel hermano, que es uno de vosotros. Todo lo que acá pasa, os lo harán saber.

10 Aristarco, mi compañero de prisiones, os saluda, y Marcos el sobrino de Bernabé, acerca del cual habéis recibido mandamientos; si fuere a vosotros, recibidle;

11 y Jesús, llamado Justo; que son los únicos de la circuncisión que me ayudan en el reino de Dios, y han sido para mí un consuelo.

12 Os saluda Epafras, el cual es uno de vosotros, siervo de Cristo, siempre rogando encarecidamente por vosotros en sus oraciones, para que estéis firmes, perfectos y completos en todo lo que Dios quiere.

13 Porque de él doy testimonio de que tiene gran solicitud por vosotros, y por los que están en Laodicea, y los que están en Hierápolis.

14 Os saluda Lucas el médico amado, y Demas.

15 Saludad a los hermanos que están en Laodicea, y a Ninfas y a la iglesia que está en su casa.

16 Cuando esta carta haya sido leída entre vosotros, haced que también se lea en la iglesia de los laodicenses, y que la de Laodicea la leáis también vosotros.

17 Decid a Arquipo: Mira que cumplas el ministerio que recibiste en el Señor.

18 La salutación de mi propia mano, de Pablo. Acordaos de mis prisiones. La gracia sea con vosotros. Amén.

7 All my state shall Tych′i-cus declare unto you, *who is* a beloved brother, and a faithful minister and fellowservant in the Lord:

8 Whom I have sent unto you for the same purpose, that he might know your estate, and comfort your hearts;

9 With O-nes′i-mus, a faithful and beloved brother, who is *one* of you. They shall make known unto you all things which *are done* here.

10 Ar-is-tar′chus my fellowprisoner saluteth you, and Marcus, sister's son to Barnabas, (touching whom ye received commandments: if he come unto you, receive him;)

11 And Jesus, which is called Justus, who are of the circumcision. These only *are my* fellowworkers unto the kingdom of God, which have been a comfort unto me.

12 Ep′a-phras, who is *one* of you, a servant of Christ, saluteth you, always labouring fervently for you in prayers, that ye may stand perfect and complete in all the will of God.

13 For I bear him record, that he hath a great zeal for you, and them *that are* in La-od-i-ce′a, and them in Hi-e-rap′o-lis.

14 Luke, the beloved physician, and Demas, greet you.

15 Salute the brethren which are in La-od-i-ce′a, and Nym′phas, and the church which is in his house.

16 And when this epistle is read among you, cause that it be read also in the church of the La-od-i-ce′ans; and that ye likewise read the *epistle* from La-od-i-ce′a.

17 And say to Ar-chip′pus, Take heed to the ministry which thou hast received in the Lord, that thou fulfil it.

18 The salutation by the hand of me Paul. Remember my bonds. Grace *be* with you. Amen.

LA PRIMERA EPÍSTOLA DEL

APÓSTOL SAN PABLO A LOS

TESALONICENSES

CAPÍTULO 1

PABLO, Silvano y Timoteo, a la iglesia de los tesalonicenses en Dios Padre y en el Señor Jesucristo: Gracia y paz sean a vosotros, de Dios nuestro Padre y del Señor Jesucristo.

2 Damos siempre gracias a Dios por todos vosotros, haciendo memoria de vosotros en nuestras oraciones,

3 acordándonos sin cesar delante del Dios y Padre nuestro de la obra de vuestra fe, del trabajo de vuestro amor y de vuestra constancia en la esperanza en nuestro Señor Jesucristo.

4 Porque conocemos, hermanos amados de Dios, vuestra elección;

5 pues nuestro evangelio no llegó a vosotros en palabras solamente, sino también en poder, en el Espíritu Santo y en plena certidumbre, como bien sabéis cuáles fuimos entre vosotros por amor de vosotros.

6 Y vosotros vinisteis a ser imitadores de nosotros y del Señor, recibiendo la palabra en medio de gran tribulación, con gozo del Espíritu Santo,

7 de tal manera que habéis sido ejemplo a todos los de Macedonia y de Acaya que han creído.

8 Porque partiendo de vosotros ha sido divulgada la palabra del Señor, no sólo en Macedonia y Acaya, sino que también en todo lugar vuestra fe en Dios se ha extendido, de modo que nosotros no tenemos necesidad de hablar nada;

9 porque ellos mismos cuentan de nosotros la manera en que nos recibisteis, y cómo os convertisteis de los ídolos a Dios, para servir al Dios vivo y verdadero,

10 y esperar de los cielos a su Hijo, al cual resucitó de los muertos, a Jesús, quien nos libra de la ira venidera.

CAPÍTULO 2

PORQUE vosotros mismos sabéis, hermanos, que nuestra visita a vosotros no resultó vana;

2 pues habiendo antes padecido y sido ultrajados en Filipos, como sabéis, tuvimos denuedo en nuestro Dios para anunciaros el evangelio de Dios en medio de gran oposición.

THE FIRST EPISTLE OF PAUL THE

APOSTLE TO THE

THESSALONIANS

CHAPTER 1

PAUL, and Sil-va′nus, and Ti-mo′the-us, unto the church of the Thes-sa-lo′ni-ans *which is* in God the Father and *in* the Lord Jesus Christ: Grace *be* unto you, and peace, from God our Father, and the Lord Jesus Christ.

2 We give thanks to God always for you all, making mention of you in our prayers;

3 Remembering without ceasing your work of faith, and labour of love, and patience of hope in our Lord Jesus Christ, in the sight of God and our Father;

4 Knowing, brethren beloved, your election of God.

5 For our gospel came not unto you in word only, but also in power, and in the Holy Ghost, and in much assurance; as ye know what manner of men we were among you for your sake.

6 And ye became followers of us, and of the Lord, having received the word in much affliction, with joy of the Holy Ghost:

7 So that ye were ensamples to all that believe in Macedonia and A-chai′a.

8 For from you sounded out the word of the Lord not only in Macedonia and A-chai′a, but also in every place your faith to God-ward is spread abroad; so that we need not to speak any thing.

9 For they themselves shew of us what manner of entering in we had unto you, and how ye turned to God from idols to serve the living and true God;

10 And to wait for his Son from heaven, whom he raised from the dead, *even* Jesus, which delivered us from the wrath to come.

CHAPTER 2

FOR yourselves, brethren, know our entrance in unto you, that it was not in vain:

2 But even after that we had suffered before, and were shamefully entreated, as ye know, at Phi-lip′pi, we were bold in our God to speak unto you the gospel of God with much contention.

3 Porque nuestra exhortación no procedió de error ni de impureza, ni fue por engaño,

4 sino que según fuimos aprobados por Dios para que se nos confiase el evangelio, así hablamos; no como para agradar a los hombres, sino a Dios, que prueba nuestros corazones.

5 Porque nunca usamos de palabras lisonjeras, como sabéis, ni encubrimos avaricia; Dios es testigo;

6 ni buscamos gloria de los hombres; ni de vosotros, ni de otros, aunque podíamos seros carga como apóstoles de Cristo.

7 Antes fuimos tiernos entre vosotros, como la nodriza que cuida con ternura a sus propios hijos.

8 Tan grande es nuestro afecto por vosotros, que hubiéramos querido entregaros no sólo el evangelio de Dios, sino también nuestras propias vidas; porque habéis llegado a sernos muy queridos.

9 Porque os acordáis, hermanos, de nuestro trabajo y fatiga; cómo trabajando de noche y de día, para no ser gravosos a ninguno de vosotros, os predicamos el evangelio de Dios.

10 Vosotros sois testigos, y Dios también, de cuán santa, justa e irreprensiblemente nos comportamos con vosotros los creyentes;

11 así como también sabéis de qué modo, como el padre a sus hijos, exhortábamos y consolábamos a cada uno de vosotros,

12 y os encargábamos que anduvieseis como es digno de Dios, que os llamó a su reino y gloria.

13 Por lo cual también nosotros sin cesar damos gracias a Dios, de que cuando recibisteis la palabra de Dios que oísteis de nosotros, la recibisteis no como palabra de hombres, sino según es en verdad, la palabra de Dios, la cual actúa en vosotros los creyentes.

14 Porque vosotros, hermanos, vinisteis a ser imitadores de las iglesias de Dios en Cristo Jesús que están en Judea; pues habéis padecido de los de vuestra propia nación las mismas cosas que ellas padecieron de los judíos,

15 los cuales mataron al Señor Jesús y a sus propios profetas, y a nosotros nos expulsaron; y no agradan a Dios, y se oponen a todos los hombres,

16 impidiéndonos hablar a los gentiles para que éstos se salven; así colman ellos siempre la medida de sus pecados, pues vino sobre ellos la ira hasta el extremo.

17 Pero nosotros, hermanos, separados de vosotros por un poco de tiempo, de vista pero no de corazón, tanto más pro-

3 For our exhortation *was* not of deceit, nor of uncleanness, nor in guile:

4 But as we were allowed of God to be put in trust with the gospel, even so we speak; not as pleasing men, but God, which trieth our hearts.

5 For neither at any time used we flattering words, as ye know, nor a cloak of covetousness; God *is* witness:

6 Nor of men sought we glory, neither of you, nor *yet* of others, when we might have been burdensome, as the apostles of Christ.

7 But we were gentle among you, even as a nurse cherisheth her children:

8 So being affectionately desirous of you, we were willing to have imparted unto you, not the gospel of God only, but also our own souls, because ye were dear unto us.

9 For ye remember, brethren, our labour and travail: for labouring night and day, because we would not be chargeable unto any of you, we preached unto you the gospel of God.

10 Ye *are* witnesses, and God *also*, how holily and justly and unblameably we behaved ourselves among you that believe:

11 As ye know how we exhorted and comforted and charged every one of you, as a father *doth* his children,

12 That ye would walk worthy of God, who hath called you unto his kingdom and glory.

13 For this cause also thank we God without ceasing, because, when ye received the word of God which ye heard of us, ye received *it* not *as* the word of men, but as it is in truth, the word of God, which effectually worketh also in you that believe.

14 For ye, brethren, became followers of the churches of God which in Judæa are in Christ Jesus: for ye also have suffered like things of your own countrymen, even as they *have* of the Jews:

15 Who both killed the Lord Jesus, and their own prophets, and have persecuted us; and they please not God, and are contrary to all men:

16 Forbidding us to speak to the Gentiles that they might be saved, to fill up their sins alway: for the wrath is come upon them to the uttermost.

17 But we, brethren, being taken from you for a short time in presence, not in

curamos con mucho deseo ver vuestro
rostro;
18 por lo cual quisimos ir a vosotros, yo
Pablo ciertamente una y otra vez; pero
Satanás nos estorbó.
19 Porque ¿cuál es nuestra esperanza, o
gozo, o corona de que me glorie? ¿No lo
sois vosotros, delante de nuestro Señor
Jesucristo, en su venida?
20 Vosotros sois nuestra gloria y gozo.

CAPÍTULO 3

POR lo cual, no pudiendo soportarlo
más, acordamos quedarnos solos en
Atenas,
2 y enviamos a Timoteo nuestro her-
mano, servidor de Dios y colaborador nu-
estro en el evangelio de Cristo, para con-
firmaros y exhortaros respecto a vuestra
fe,
3 a fin de que nadie se inquiete por es-
tas tribulaciones; porque vosotros mis-
mas sabéis que para esto estamos pues-
tos.
4 Porque también estando con voso-
tros, os predecíamos que íbamos a pasar
tribulaciones, como ha acontecido y sa-
béis.
5 Por lo cual también yo, no pudiendo
soportar más, envié para informarme de
vuestra fe, no sea que os hubiese tentado
el tentador, y que nuestro trabajo resul-
tase en vano.
6 Pero cuando Timoteo volvió de voso-
tros a nosotros, y nos dio buenas noticias
de vuestra fe y amor, y que siempre nos
recordáis con cariño, deseando vernos,
como también nosotros a vosotros,
7 por ello, hermanos, en medio de toda
nuestra necesidad y aflicción fuimos con-
solados de vosotros por medio de vuestra
fe;
8 porque ahora vivimos, si vosotros es-
táis firmes en el Señor.
9 Por lo cual, ¿qué acción de gracias po-
dremos dar a Dios por vosotros, por todo
el gozo con que nos gozamos a causa de
vosotros delante de nuestro Dios,
10 orando de noche y de día con gran
insistencia, para que veamos vuestro ros-
tro, y completemos lo que falte a vuestra
fe?
11 Mas el mismo Dios y Padre nuestro,
y nuestro Señor Jesucristo, dirija nuestro
camino a vosotros.
12 Y el Señor os haga crecer y abundar
en amor unos para con otros y para con
todos, como también lo hacemos noso-
tros para con vosotros,
13 para que sean afirmados vuestros
corazones, irreprensibles en santidad de-

heart, endeavoured the more abundantly
to see your face with great desire.
18 Wherefore we would have come
unto you, even I Paul, once and again;
but Satan hindered us.
19 For what *is* our hope, or joy, or
crown of rejoicing? *Are* not even ye in
the presence of our Lord Jesus Christ at
his coming?
20 For ye are our glory and joy.

CHAPTER 3

WHEREFORE when we could no
longer forbear, we thought it good
to be left at Athens alone;
2 And sent Ti-mo'the-us, our brother,
and minister of God, and our fellowla-
bourer in the gospel of Christ, to estab-
lish you, and to comfort you concerning
your faith:
3 That no man should be moved by
these afflictions: for yourselves know
that we are appointed thereunto.
4 For verily, when we were with you,
we told you before that we should suffer
tribulation; even as it came to pass, and
ye know.
5 For this cause, when I could no longer
forbear, I sent to know your faith, lest by
some means the tempter have tempted
you, and our labour be in vain.
6 But now when Ti-mo'the-us came
from you unto us, and brought us good
tidings of your faith and charity, and that
ye have good remembrance of us always,
desiring greatly to see us, as we also *to
see* you:
7 Therefore, brethren, we were com-
forted over you in all our affliction and
distress by your faith:
8 For now we live, if ye stand fast in the
Lord.
9 For what thanks can we render to
God again for you, for all the joy where-
with we joy for your sakes before our
God;
10 Night and day praying exceedingly
that we might see your face, and might
perfect that which is lacking in your
faith?
11 Now God himself and our Father,
and our Lord Jesus Christ, direct our way
unto you.
12 And the Lord make you to increase
and abound in love one toward another,
and toward all *men*, even as we *do*
toward you:
13 To the end he may stablish your
hearts unblameable in holiness before

lante de Dios nuestro Padre, en la venida de nuestro Señor Jesucristo con todos sus santos.

CAPÍTULO 4

POR lo demás, hermanos, os rogamos y exhortamos en el Señor Jesús, que de la manera que aprendisteis de nosotros cómo os conviene conduciros y agradar a Dios, así abundéis más y más.

2 Porque ya sabéis qué instrucciones os dimos por el Señor Jesús;

3 pues la voluntad de Dios es vuestra santificación; que os apartéis de fornicación;

4 que cada uno de vosotros sepa tener su propia esposa en santidad y honor;

5 no en pasión de concupiscencia, como los gentiles que no conocen a Dios;

6 que ninguno agravie ni engañe en nada a su hermano; porque el Señor es vengador de todo esto, como ya os hemos dicho y testificado.

7 Pues no nos ha llamado Dios a inmundicia, sino a santificación.

8 Así que, el que desecha esto, no desecha a hombre, sino a Dios, que también nos dio su Espíritu Santo.

9 Pero acerca del amor fraternal no tenéis necesidad de que os escriba, porque vosotros mismos habéis aprendido de Dios que os améis unos a otros;

10 y también lo hacéis así con todos los hermanos que están por toda Macedonia. Pero os rogamos, hermanos, que abundéis en ello más y más;

11 y que procuréis tener tranquilidad, y ocuparos en vuestros negocios, y trabajar con vuestras manos de la manera que os hemos mandado,

12 a fin de que os conduzcáis honradamente para con los de afuera, y no tengáis necesidad de nada.

13 Tampoco queremos, hermanos, que ignoréis acerca de los que duermen, para que no os entristezcáis como los otros que no tienen esperanza.

14 Porque si creemos que Jesús murió y resucitó, así también traerá Dios con Jesús a los que durmieron en él.

15 Por lo cual os decimos esto en palabra del Señor: que nosotros que vivimos, que habremos quedado hasta la venida del Señor, no precederemos a los que durmieron.

16 Porque el Señor mismo con voz de mando, con voz de arcángel, y con trompeta de Dios, descenderá del cielo; y los muertos en Cristo resucitarán primero.

17 Luego nosotros los que vivimos, los que hayamos quedado, seremos arrebatados juntamente con ellos en las nubes

God, even our Father, at the coming of our Lord Jesus Christ with all his saints.

CHAPTER 4

FURTHERMORE then we beseech you, brethren, and exhort *you* by the Lord Jesus, that as ye have received of us how ye ought to walk and to please God, *so* ye would abound more and more.

2 For ye know what commandments we gave you by the Lord Jesus.

3 For this is the will of God, *even* your sanctification, that ye should abstain from fornication:

4 That every one of you should know how to possess his vessel in sanctification and honour;

5 Not in the lust of concupiscence, even as the Gentiles which know not God:

6 That no *man* go beyond and defraud his brother in *any* matter: because that the Lord *is* the avenger of all such, as we also have forewarned you and testified.

7 For God hath not called us unto uncleanness, but unto holiness.

8 He therefore that despiseth, despiseth not man, but God, who hath also given unto us his holy Spirit.

9 But as touching brotherly love ye need not that I write unto you: for ye yourselves are taught of God to love one another.

10 And indeed ye do it toward all the brethren which are in all Macedonia: but we beseech you, brethren, that ye increase more and more;

11 And that ye study to be quiet, and to do your own business, and to work with your own hands, as we commanded you;

12 That ye may walk honestly toward them that are without, and *that* ye may have lack of nothing.

13 But I would not have you to be ignorant, brethren, concerning them which are asleep, that ye sorrow not, even as others which have no hope.

14 For if we believe that Jesus died and rose again, even so them also which sleep in Jesus will God bring with him.

15 For this we say unto you by the word of the Lord, that we which are alive *and* remain unto the coming of the Lord shall not prevent them which are asleep.

16 For the Lord himself shall descend from heaven with a shout, with the voice of the archangel, and with the trump of God: and the dead in Christ shall rise first:

17 Then we which are alive *and* remain shall be caught up together with them in

para recibir al Señor en el aire, y así esta-
remos siempre con el Señor.
18 Por tanto, alentaos los unos a los o-
tros con estas palabras.

CAPÍTULO 5

PERO acerca de los tiempos y de las
ocasiones, no tenéis necesidad, herma-
nos, de que yo os escriba.
2 Porque vosotros sabéis perfectamen-
te que el día del Señor vendrá así como
ladrón en la noche;
3 que cuando digan: Paz y seguridad,
entonces vendrá sobre ellos destrucción
repentina, como los dolores a la mujer
encinta, y no escaparán.
4 Mas vosotros, hermanos, no estáis en
tinieblas, para que aquel día os sorprenda
como ladrón.
5 Porque todos vosotros sois hijos de
luz e hijos del día; no somos de la noche
ni de las tinieblas.
6 Por tanto, no durmamos como los de-
más, sino velemos y seamos sobrios.
7 Pues los que duermen, de noche duer-
men, y los que se embriagan, de noche se
embriagan.
8 Pero nosotros, que somos del día, sea-
mos sobrios, habiéndonos vestido con la
coraza de fe y de amor, y con la esperan-
za de salvación como yelmo.
9 Porque no nos ha puesto Dios para
ira, sino para alcanzar salvación por me-
dio de nuestro Señor Jesucristo,
10 quien murió por nosotros para que
ya sea que velemos, o que durmamos, vi-
vamos juntamente con él.
11 Por lo cual, animaos unos a otros, y
edificaos unos a otros, así como lo hacéis.
12 Os rogamos, hermanos, que reco-
nozcáis a los que trabajan entre vosotros,
y os presiden en el Señor, y os amones-
tan;
13 y que los tengáis en mucha estima y
amor por causa de su obra. Tened paz
entre vosotros.
14 También os rogamos, hermanos, que
amonestéis a los ociosos, que alentéis a
los de poco ánimo, que sostengáis a los
débiles, que seáis pacientes para con to-
dos.
15 Mirad que ninguno pague a otro mal
por mal; antes seguid siempre lo bueno
unos para con otros, y para con todos.
16 Estad siempre gozosos.
17 Orad sin cesar.
18 Dad gracias en todo, porque esta es
la voluntad de Dios para con vosotros en
Cristo Jesús.
19 No apaguéis al Espíritu.
20 No menospreciéis las profecías.

the clouds to meet the Lord in the air:
and so shall we ever be with the Lord.
18 Wherefore comfort one another
with these words.

CHAPTER 5

BUT of the times and the seasons,
brethren, ye have no need that I write
unto you.
2 For yourselves know perfectly that
the day of the Lord so cometh as a thief
in the night.
3 For when they shall say, Peace and
safety; then sudden destruction cometh
upon them, as travail upon a woman with
child; and they shall not escape.
4 But ye, brethren, are not in darkness,
that that day should overtake you as a
thief.
5 Ye are all the children of light, and
the children of the day: we are not of the
night, nor of darkness.
6 Therefore let us not sleep, as *do* oth-
ers; but let us watch and be sober.
7 For they that sleep sleep in the night;
and they that be drunken are drunken in
the night.
8 But let us, who are of the day, be so-
ber, putting on the breastplate of faith
and love; and for an helmet, the hope of
salvation.
9 For God hath not appointed us to
wrath, but to obtain salvation by our
Lord Jesus Christ,
10 Who died for us, that, whether we
wake or sleep, we should live together
with him.
11 Wherefore comfort yourselves to-
gether, and edify one another, even as
also ye do.
12 And we beseech you, brethren, to
know them which labour among you, and
are over you in the Lord, and admonish
you;
13 And to esteem them very highly in
love for their work's sake. *And* be at
peace among yourselves.
14 Now we exhort you, brethren, warn
them that are unruly, comfort the feeble-
minded, support the weak, be patient
toward all *men*.
15 See that none render evil for evil
unto any *man;* but ever follow that which
is good, both among yourselves, and to
all *men*.
16 Rejoice evermore.
17 Pray without ceasing.
18 In every thing give thanks: for this is
the will of God in Christ Jesus concern-
ing you.
19 Quench not the Spirit.
20 Despise not prophesyings.

21 Examinadlo todo; retened lo bueno.

22 Absteneos de toda especie de mal.

23 Y el mismo Dios de paz os santifique por completo; y todo vuestro ser, espíritu, alma y cuerpo, sea guardado irreprensible para la venida de nuestro Señor Jesucristo.

24 Fiel es el que os llama, el cual también lo hará.

25 Hermanos, orad por nosotros.

26 Saludad a todos los hermanos con ósculo santo.

27 Os conjuro por el Señor, que esta carta se lea a todos los santos hermanos.

28 La gracia de nuestro Señor Jesucristo sea con vosotros. Amén.

LA SEGUNDA EPÍSTOLA DEL
APÓSTOL SAN PABLO A LOS

TESALONICENSES

CAPÍTULO 1

PABLO, Silvano y Timoteo, a la iglesia de los tesalonicenses en Dios nuestro Padre y en el Señor Jesucristo:

2 Gracia y paz a vosotros, de Dios nuestro Padre y del Señor Jesucristo.

3 Debemos siempre dar gracias a Dios por vosotros, hermanos, como es digno, por cuanto vuestra fe va creciendo, y el amor de todos y cada uno de vosotros abunda para con los demás;

4 tanto, que nosotros mismos nos gloriamos de vosotros en las iglesias de Dios, por vuestra paciencia y fe en todas vuestras persecuciones y tribulaciones que soportáis.

5 Esto es demostración del justo juicio de Dios, para que seáis tenidos por dignos del reino de Dios, por el cual asimismo padecéis.

6 Porque es justo delante de Dios pagar con tribulación a los que os atribulan,

7 y a vosotros que sois atribulados, daros reposo con nosotros, cuando se manifieste el Señor Jesús desde el cielo con los ángeles de su poder,

8 en llama de fuego, para dar retribución a los que no conocieron a Dios, ni obedecen al evangelio de nuestro Señor Jesucristo;

9 los cuales sufrirán pena de eterna perdición, excluidos de la presencia del Señor y de la gloria de su poder,

10 cuando venga en aquel día para ser glorificado en sus santos y ser admirado

21 Prove all things; hold fast that which is good.

22 Abstain from all appearance of evil.

23 And the very God of peace sanctify you wholly; and *I pray God* your whole spirit and soul and body be preserved blameless unto the coming of our Lord Jesus Christ.

24 Faithful *is* he that calleth you, who also will do *it*.

25 Brethren, pray for us.

26 Greet all the brethren with an holy kiss.

27 I charge you by the Lord that this epistle be read unto all the holy brethren.

28 The grace of our Lord Jesus Christ *be* with you. Amen.

THE SECOND EPISTLE OF PAUL THE
APOSTLE TO THE

THESSALONIANS

CHAPTER 1

PAUL, and Sil-va'nus, and Ti-mo'the-us, unto the church of the Thes-sa-lo'ni-ans in God our Father and the Lord Jesus Christ:

2 Grace unto you, and peace, from God our Father and the Lord Jesus Christ.

3 We are bound to thank God always for you, brethren, as it is meet, because that your faith groweth exceedingly, and the charity of every one of you all toward each other aboundeth;

4 So that we ourselves glory in you in the churches of God for your patience and faith in all your persecutions and tribulations that ye endure:

5 *Which is* a manifest token of the righteous judgment of God, that ye may be counted worthy of the kingdom of God, for which ye also suffer:

6 Seeing *it is* a righteous thing with God to recompense tribulation to them that trouble you;

7 And to you who are troubled rest with us, when the Lord Jesus shall be revealed from heaven with his mighty angels,

8 In flaming fire taking vengeance on them that know not God, and that obey not the gospel of our Lord Jesus Christ:

9 Who shall be punished with everlasting destruction from the presence of the Lord, and from the glory of his power;

10 When he shall come to be glorified in his saints, and to be admired in all

en todos los que creyeron (por cuanto nuestro testimonio ha sido creído entre vosotros).

11 Por lo cual asimismo oramos siempre por vosotros, para que nuestro Dios os tenga por dignos de su llamamiento, y cumpla todo propósito de bondad y toda obra de fe con su poder,

12 para que el nombre de nuestro Señor Jesucristo sea glorificado en vosotros, y vosotros en él, por la gracia de nuestro Dios y del Señor Jesucristo.

CAPÍTULO 2

PERO con respecto a la venida de nuestro Señor Jesucristo, y nuestra reunión con él, os rogamos, hermanos,

2 que no os dejéis mover fácilmente de vuestro modo de pensar, ni os conturbéis, ni por espíritu, ni por palabra, ni por carta como si fuera nuestra, en el sentido de que el día del Señor está cerca.

3 Nadie os engañe en ninguna manera; porque no vendrá sin que antes venga la apostasía, y se manifieste el hombre de pecado, el hijo de perdición,

4 el cual se opone y se levanta contra todo lo que se llama Dios o es objeto de culto; tanto que se sienta en el templo de Dios como Dios, haciéndose pasar por Dios.

5 ¿No os acordáis que cuando yo estaba todavía con vosotros, os decía esto?

6 Y ahora vosotros sabéis lo que lo detiene, a fin de que a su debido tiempo se manifieste.

7 Porque ya está en acción el misterio de la iniquidad; sólo que hay quien al presente lo detiene, hasta que él a su vez sea quitado de en medio.

8 Y entonces se manifestará aquel inicuo, a quien el Señor matará con el espíritu de su boca, y destruirá con el resplandor de su venida;

9 inicuo cuyo advenimiento es por obra de Satanás, con gran poder y señales y prodigios mentirosos,

10 y con todo engaño de iniquidad para los que se pierden, por cuanto no recibieron el amor de la verdad para ser salvos.

11 Por esto Dios les envía un poder engañoso, para que crean la mentira,

12 a fin de que sean condenados todos los que no creyeron a la verdad, sino que se complacieron en la injusticia.

13 Pero nosotros debemos dar siempre gracias a Dios respecto a vosotros, hermanos amados por el Señor, de que Dios os haya escogido desde el principio para salvación, mediante la santificación por el Espíritu y la fe en la verdad,

14 a lo cual os llamó mediante nuestro

them that believe (because our testimony among you was believed) in that day.

11 Wherefore also we pray always for you, that our God would count you worthy of *this* calling, and fulfil all the good pleasure of *his* goodness, and the work of faith with power:

12 That the name of our Lord Jesus Christ may be glorified in you, and ye in him, according to the grace of our God and the Lord Jesus Christ.

CHAPTER 2

NOW we beseech you, brethren, by the coming of our Lord Jesus Christ, and *by* our gathering together unto him,

2 That ye be not soon shaken in mind, or be troubled, neither by spirit, nor by word, nor by letter as from us, as that the day of Christ is at hand.

3 Let no man deceive you by any means: for *that day shall not come,* except there come a falling away first, and that man of sin be revealed, the son of perdition;

4 Who opposeth and exalteth himself above all that is called God, or that is worshipped; so that he as God sitteth in the temple of God, shewing himself that he is God.

5 Remember ye not, that, when I was yet with you, I told you these things?

6 And now ye know what withholdeth that he might be revealed in his time.

7 For the mystery of iniquity doth already work: only he who now letteth *will let,* until he be taken out of the way.

8 And then shall that Wicked be revealed, whom the Lord shall consume with the spirit of his mouth, and shall destroy with the brightness of his coming:

9 *Even him,* whose coming is after the working of Satan with all power and signs and lying wonders,

10 And with all deceivableness of unrighteousness in them that perish; because they received not the love of the truth, that they might be saved.

11 And for this cause God shall send them strong delusion, that they should believe a lie:

12 That they all might be damned who believed not the truth, but had pleasure in unrighteousness.

13 But we are bound to give thanks alway to God for you, brethren beloved of the Lord, because God hath from the beginning chosen you to salvation through sanctification of the Spirit and belief of the truth:

14 Whereunto he called you by our gos-

evangelio, para alcanzar la gloria de nu-
estro Señor Jesucristo.
15 Así que, hermanos, estad firmes, y
retened la doctrina que habéis aprendido,
sea por palabra, o por carta nuestra.
16 Y el mismo Jesucristo Señor nu-
estro, y Dios nuestro Padre, el cual nos
amó y nos dio consolación eterna y
buena esperanza por gracia,
17 conforte vuestros corazones, y os
confirme en toda buena palabra y obra.

CAPÍTULO 3

POR lo demás, hermanos, orad por no-
sotros, para que la palabra del Señor
corra y sea glorificada, así como lo fue
entre vosotros,
2 y para que seamos librados de hom-
bres perversos y malos; porque no es de
todos la fe.
3 Pero fiel es el Señor, que os afirmará
y guardará del mal.
4 Y tenemos confianza respecto a voso-
tros en el Señor, en que hacéis y haréis lo
que os hemos mandado.
5 Y el Señor encamine vuestros corazo-
nes al amor de Dios, y a la paciencia de
Cristo.
6 Pero os ordenamos, hermanos, en el
nombre de nuestro Señor Jesucristo, que
os apartéis de todo hermano que ande
desordenadamente, y no según la ense-
ñanza que recibisteis de nosotros.
7 Porque vosotros mismos sabéis de
qué manera debéis imitarnos; pues noso-
tros no anduvimos desordenadamente
entre vosotros,
8 ni comimos de balde el pan de nadie,
sino que trabajamos con afán y fatiga día
y noche, para no ser gravosos a ninguno
de vosotros;
9 no porque no tuviésemos derecho,
sino por daros nosotros mismos un ejem-
plo para que nos imitaseis.
10 Porque también cuando estábamos
con vosotros, os ordenábamos esto: Si al-
guno no quiere trabajar, tampoco coma.
11 Porque oímos que algunos de entre
vosotros andan desordenadamente, no
trabajando en nada, sino entremetiéndo-
se en lo ajeno.
12 A los tales mandamos y exhortamos
por nuestro Señor Jesucristo, que traba-
jando sosegadamente, coman su propio
pan.
13 Y vosotros, hermanos, no os canséis
de hacer bien.
14 Si alguno no obedece a lo que deci-
mos por medio de esta carta, a ése seña-
ladlo, y no os juntéis con él, para que se
avergüence.
15 Mas no lo tengáis por enemigo, sino
amonestadle como a hermano.

pel, to the obtaining of the glory of our
Lord Jesus Christ.
15 Therefore, brethren, stand fast, and
hold the traditions which ye have been
taught, whether by word, or our epistle.
16 Now our Lord Jesus Christ himself,
and God, even our Father, which hath
loved us, and hath given *us* everlasting
consolation and good hope through
grace,
17 Comfort your hearts, and stablish
you in every good word and work.

CHAPTER 3

FINALLY, brethren, pray for us, that
the word of the Lord may have *free*
course, and be glorified, even as *it is* with
you:
2 And that we may be delivered from
unreasonable and wicked men: for all
men have not faith.
3 But the Lord is faithful, who shall
stablish you, and keep *you* from evil.
4 And we have confidence in the Lord
touching you, that ye both do and will do
the things which we command you.
5 And the Lord direct your hearts into
the love of God, and into the patient
waiting for Christ.
6 Now we command you, brethren, in
the name of our Lord Jesus Christ, that
ye withdraw yourselves from every
brother that walketh disorderly, and not
after the tradition which he received of
us.
7 For yourselves know how ye ought to
follow us: for we behaved not ourselves
disorderly among you;
8 Neither did we eat any man's bread
for nought; but wrought with labour and
travail night and day, that we might not
be chargeable to any of you:
9 Not because we have not power, but
to make ourselves an ensample unto you
to follow us.
10 For even when we were with you,
this we commanded you, that if any
would not work, neither should he eat.
11 For we hear that there are some
which walk among you disorderly, work-
ing not at all, but are busybodies.
12 Now them that are such we com-
mand and exhort by our Lord Jesus
Christ, that with quietness they work,
and eat their own bread.
13 But ye, brethren, be not weary in
well doing.
14 And if any man obey not our word
by this epistle, note that man, and have
no company with him, that he may be
ashamed.
15 Yet count *him* not as an enemy, but
admonish *him* as a brother.

16 Y el mismo Señor de paz os dé siempre paz en toda manera. El Señor sea con todos vosotros.

17 La salutación es de mi propia mano, de Pablo, que es el signo en toda carta mía; así escribo.

18 La gracia de nuestro Señor Jesucristo sea con todos vosotros. Amén.

LA PRIMERA EPÍSTOLA DEL APÓSTOL SAN PABLO A TIMOTEO

CAPÍTULO 1

PABLO, apóstol de Jesucristo por mandato de Dios nuestro Salvador, y del Señor Jesucristo nuestra esperanza,

2 a Timoteo, verdadero hijo en la fe: Gracia, misericordia y paz, de Dios nuestro Padre y de Cristo Jesús nuestro Señor.

3 Como te rogué que te quedases en Efeso, cuando fui a Macedonia, para que mandases a algunos que no enseñen diferente doctrina,

4 ni presten atención a fábulas y genealogías interminables, que acarrean disputas más bien que edificación de Dios que es por fe, así te encargo ahora.

5 Pues el propósito de este mandamiento es el amor nacido de corazón limpio, y de buena conciencia, y de fe no fingida,

6 de las cuales cosas desviándose algunos, se apartaron a vana palabrería,

7 queriendo ser doctores de la ley, sin entender ni lo que hablan ni lo que afirman.

8 Pero sabemos que la ley es buena, si uno la usa legítimamente;

9 conociendo esto, que la ley no fue dada para el justo, sino para los transgresores y desobedientes, para los impíos y pecadores, para los irreverentes y profanos, para los parricidas y matricidas, para los homicidas,

10 para los fornicarios, para los sodomitas, para los secuestradores, para los mentirosos y perjuros, y para cuanto se oponga a la sana doctrina,

11 según el glorioso evangelio del Dios bendito, que a mí me ha sido encomendado.

12 Doy gracias al que me fortaleció, a Cristo Jesús nuestro Señor, porque me tuvo por fiel, poniéndome en el ministerio,

13 habiendo yo sido antes blasfemo, perseguidor e injuriador; mas fui recibido

16 Now the Lord of peace himself give you peace always by all means. The Lord *be* with you all.

17 The salutation of Paul with mine own hand, which is the token in every epistle: so I write.

18 The grace of our Lord Jesus Christ *be* with you all. Amen.

THE FIRST EPISTLE OF PAUL THE APOSTLE TO TIMOTHY

CHAPTER 1

PAUL, an apostle of Jesus Christ by the commandment of God our Saviour, and Lord Jesus Christ, *which is* our hope;

2 Unto Timothy, *my* own son in the faith: Grace, mercy, *and* peace, from God our Father and Jesus Christ our Lord.

3 As I besought thee to abide still at Eph'e-sus, when I went into Macedonia, that thou mightest charge some that they teach no other doctrine,

4 Neither give heed to fables and endless genealogies, which minister questions, rather than godly edifying which is in faith: *so do*.

5 Now the end of the commandment is charity out of a pure heart, and *of* a good conscience, and *of* faith unfeigned:

6 From which some having swerved have turned aside unto vain jangling;

7 Desiring to be teachers of the law; understanding neither what they say, nor whereof they affirm.

8 But we know that the law *is* good, if a man use it lawfully;

9 Knowing this, that the law is not made for a righteous man, but for the lawless and disobedient, for the ungodly and for sinners, for unholy and profane, for murderers of fathers and murderers of mothers, for manslayers,

10 For whoremongers, for them that defile themselves with mankind, for menstealers, for liars, for perjured persons, and if there be any other thing that is contrary to sound doctrine;

11 According to the glorious gospel of the blessed God, which was committed to my trust.

12 And I thank Christ Jesus our Lord, who hath enabled me, for that he counted me faithful, putting me into the ministry;

13 Who was before a blasphemer, and a persecutor, and injurious: but I ob-

a misericordia porque lo hice por ignorancia, en incredulidad.

14 Pero la gracia de nuestro Señor fue más abundante con la fe y el amor que es en Cristo Jesús.

15 Palabra fiel y digna de ser recibida por todos: que Cristo Jesús vino al mundo para salvar a los pecadores, de los cuales yo soy el primero.

16 Pero por esto fui recibido a misericordia, para que Jesucristo mostrase en mí el primero toda su clemencia, para ejemplo de los que habrían de creer en él para vida eterna.

17 Por tanto, al Rey de los siglos, inmortal, invisible, al único y sabio Dios, sea honor y gloria por los siglos de los siglos. Amén.

18 Este mandamiento, hijo Timoteo, te encargo, para que conforme a las profecías que se hicieron antes en cuanto a ti, milites por ellas la buena milicia,

19 manteniendo la fe y buena conciencia, desechando la cual naufragaron en cuanto a la fe algunos,

20 de los cuales son Himeneo y Alejandro, a quienes entregué a Satanás para que aprendan a no blasfemar.

CAPÍTULO 2

EXHORTO ante todo, a que se hagan rogativas, oraciones, peticiones y acciones de gracias, por todos los hombres;

2 por los reyes y por todos los que están en eminencia, para que vivamos quieta y reposadamente en toda piedad y honestidad.

3 Porque esto es bueno y agradable delante de Dios nuestro Salvador,

4 el cual quiere que todos los hombres sean salvos y vengan al conocimiento de la verdad.

5 Porque hay un solo Dios, y un solo mediador entre Dios y los hombres, Jesucristo hombre,

6 el cual se dio a sí mismo en rescate por todos, de lo cual se dio testimonio a su debido tiempo.

7 Para esto yo fui constituido predicador y apóstol (digo verdad en Cristo, no miento), y maestro de los gentiles en fe y verdad.

8 Quiero, pues, que los hombres oren en todo lugar, levantando manos santas, sin ira ni contienda.

9 Asimismo que las mujeres se atavíen de ropa decorosa, con pudor y modestia; no con peinado ostentoso, ni oro, ni perlas, ni vestidos costosos,

10 sino con buenas obras, como corresponde a mujeres que profesan piedad.

11 La mujer aprenda en silencio, con toda sujeción.

tained mercy, because I did *it* ignorantly in unbelief.

14 And the grace of our Lord was exceeding abundant with faith and love which is in Christ Jesus.

15 This *is* a faithful saying, and worthy of all acceptation, that Christ Jesus came into the world to save sinners; of whom I am chief.

16 Howbeit for this cause I obtained mercy, that in me first Jesus Christ might shew forth all longsuffering, for a pattern to them which should hereafter believe on him to life everlasting.

17 Now unto the King eternal, immortal, invisible, the only wise God, *be* honour and glory for ever and ever. Amen.

18 This charge I commit unto thee, son Timothy, according to the prophecies which went before on thee, that thou by them mightest war a good warfare;

19 Holding faith, and a good conscience; which some having put away concerning faith have made shipwreck:

20 Of whom is Hy-me-næ'us and Alexander; whom I have delivered unto Satan, that they may learn not to blaspheme.

CHAPTER 2

I EXHORT therefore, that, first of all, supplications, prayers, intercessions, *and* giving of thanks, be made for all men;

2 For kings, and *for* all that are in authority; that we may lead a quiet and peaceable life in all godliness and honesty.

3 For this *is* good and acceptable in the sight of God our Saviour;

4 Who will have all men to be saved, and to come unto the knowledge of the truth.

5 For *there is* one God, and one mediator between God and men, the man Christ Jesus;

6 Who gave himself a ransom for all, to be testified in due time.

7 Whereunto I am ordained a preacher, and an apostle, (I speak the truth in Christ, *and* lie not;) a teacher of the Gentiles in faith and verity.

8 I will therefore that men pray every where, lifting up holy hands, without wrath and doubting.

9 In like manner also, that women adorn themselves in modest apparel, with shamefacedness and sobriety; not with broided hair, or gold, or pearls, or costly array.

10 But (which becometh women professing godliness) with good works.

11 Let the woman learn in silence with all subjection.

12 Porque no permito a la mujer enseñar, ni ejercer dominio sobre el hombre, sino estar en silencio.
13 Porque Adán fue formado primero, después Eva;
14 y Adán no fue engañado, sino que la mujer, siendo engañada, incurrió en transgresión.
15 Pero se salvará engendrando hijos, si permaneciere en fe, amor y santificación, con modestia.

CAPÍTULO 3

PALABRA fiel: Si alguno anhela obispado, buena obra desea.
2 Pero es necesario que el obispo sea irreprensible, marido de una sola mujer, sobrio, prudente, decoroso, hospedador, apto para enseñar;
3 no dado al vino, no pendenciero, no codicioso de ganancias deshonestas, sino amable, apacible, no avaro;
4 que gobierne bien su casa, que tenga a sus hijos en sujeción con toda honestidad
5 (pues el que no sabe gobernar su propia casa, ¿cómo cuidará de la iglesia de Dios?);
6 no un neófito, no sea que envaneciéndose caiga en la condenación del diablo.
7 También es necesario que tenga buen testimonio de los de afuera, para que no caiga en descrédito y en lazo del diablo.
8 Los diáconos asimismo deben ser honestos, sin doblez, no dados a mucho vino, no codiciosos de ganancias deshonestas;
9 que guarden el misterio de la fe con limpia conciencia.
10 Y éstos también sean sometidos a prueba primero, y entonces ejerzan el diaconado, si son irreprensibles.
11 Las mujeres asimismo sean honestas, no calumniadoras, sino sobrias, fieles en todo.
12 Los diáconos sean maridos de una sola mujer, y que gobiernen bien sus hijos y sus casas.
13 Porque los que ejerzan bien el diaconado, ganan para sí un grado honroso, y mucha confianza en la fe que es en Cristo Jesús.
14 Esto te escribo, aunque tengo la esperanza de ir pronto a verte,
15 para que si tardo, sepas cómo debes conducirte en la casa de Dios, que es la iglesia del Dios viviente, columna y baluarte de la verdad.
16 E indiscutiblemente, grande es el misterio de la piedad: Dios fue manifestado en carne, justificado en el Espíritu,

12 But I suffer not a woman to teach, nor to usurp authority over the man, but to be in silence.
13 For Adam was first formed, then Eve.
14 And Adam was not deceived, but the woman being deceived was in the transgression.
15 Notwithstanding she shall be saved in childbearing, if they continue in faith and charity and holiness with sobriety.

CHAPTER 3

THIS *is* a true saying, If a man desire the office of a bishop, he desireth a good work.
2 A bishop then must be blameless, the husband of one wife, vigilant, sober, of good behaviour, given to hospitality, apt to teach;
3 Not given to wine, no striker, not greedy of filthy lucre; but patient, not a brawler, not covetous;
4 One that ruleth well his own house, having his children in subjection with all gravity;
5 (For if a man know not how to rule his own house, how shall he take care of the church of God?)
6 Not a novice, lest being lifted up with pride he fall into the condemnation of the devil.
7 Moreover he must have a good report of them which are without; lest he fall into reproach and the snare of the devil.
8 Likewise *must* the deacons *be* grave, not doubletongued, not given to much wine, not greedy of filthy lucre;
9 Holding the mystery of the faith in a pure conscience.
10 And let these also first be proved; then let them use the office of a deacon, being *found* blameless.
11 Even so *must their* wives *be* grave, not slanderers, sober, faithful in all things.
12 Let the deacons be the husbands of one wife, ruling their children and their own houses well.
13 For they that have used the office of a deacon well purchase to themselves a good degree, and great boldness in the faith which is in Christ Jesus.
14 These things write I unto thee, hoping to come unto thee shortly:
15 But if I tarry long, that thou mayest know how thou oughtest to behave thyself in the house of God, which is the church of the living God, the pillar and ground of the truth.
16 And without controversy great is the mystery of godliness: God was manifest in the flesh, justified in the Spirit, seen of

visto de los ángeles, predicado a los gentiles, creído en el mundo, recibido arriba en gloria.

CAPÍTULO 4

PERO el Espíritu dice claramente que en los postreros tiempos algunos apostatarán de la fe, escuchando a espíritus engañadores y a doctrinas de demonios;
2 por la hipocresía de mentirosos que, teniendo cauterizada la conciencia,
3 prohibirán casarse, y mandarán abstenerse de alimentos que Dios creó para que con acción de gracias participasen de ellos los creyentes y los que han conocido la verdad.
4 Porque todo lo que Dios creó es bueno, y nada es de desecharse, si se toma con acción de gracias;
5 porque por la palabra de Dios y por la oración es santificado.
6 Si esto enseñas a los hermanos, serás buen ministro de Jesucristo, nutrido con las palabras de la fe y de la buena doctrina que has seguido.
7 Desecha las fábulas profanas y de viejas. Ejercítate para la piedad;
8 porque el ejercicio corporal para poco es provechoso, pero la piedad para todo aprovecha, pues tiene promesa de esta vida presente, y de la venidera.
9 Palabra fiel es esta, y digna de ser recibida por todos.
10 Que por esto mismo trabajamos y sufrimos oprobios, porque esperamos en el Dios viviente, que es el Salvador de todos los hombres, mayormente de los que creen.
11 Esto manda y enseña.
12 Ninguno tenga en poco tu juventud, sino sé ejemplo de los creyentes en palabra, conducta, amor, espíritu, fe y pureza.
13 Entre tanto que voy, ocúpate en la lectura, la exhortación y la enseñanza.
14 No descuides el don que hay en ti, que te fue dado mediante profecía con la imposición de las manos del presbiterio.
15 Ocúpate en estas cosas; permanece en ellas, para que tu aprovechamiento sea manifiesto a todos.
16 Ten cuidado de ti mismo y de la doctrina; persiste en ello, pues haciendo esto, te salvarás a ti mismo y a los que te oyeren.

CAPÍTULO 5

NO reprendas al anciano, sino exhórtale como a padre; a los más jóvenes, como a hermanos;

angels, preached unto the Gentiles, believed on in the world, received up into glory.

CHAPTER 4

NOW the Spirit speaketh expressly, that in the latter times some shall depart from the faith, giving heed to seducing spirits, and doctrines of devils;
2 Speaking lies in hypocrisy; having their conscience seared with a hot iron;
3 Forbidding to marry, *and commanding* to abstain from meats, which God hath created to be received with thanksgiving of them which believe and know the truth.
4 For every creature of God *is* good, and nothing to be refused, if it be received with thanksgiving:
5 For it is sanctified by the word of God and prayer.
6 If thou put the brethren in remembrance of these things, thou shalt be a good minister of Jesus Christ, nourished up in the words of faith and of good doctrine, whereunto thou hast attained.
7 But refuse profane and old wives' fables, and exercise thyself *rather* unto godliness.
8 For bodily exercise profiteth little: but godliness is profitable unto all things, having promise of the life that now is, and of that which is to come.
9 This *is* a faithful saying and worthy of all acceptation.
10 For therefore we both labour and suffer reproach, because we trust in the living God, who is the Saviour of all men, specially of those that believe.
11 These things command and teach.
12 Let no man despise thy youth; but be thou an example of the believers, in word, in conversation, in charity, in spirit, in faith, in purity.
13 Till I come, give attendance to reading, to exhortation, to doctrine.
14 Neglect not the gift that is in thee, which was given thee by prophecy, with the laying on of the hands of the presbytery.
15 Meditate upon these things; give thyself wholly to them; that thy profiting may appear to all.
16 Take heed unto thyself, and unto the doctrine; continue in them: for in doing this thou shalt both save thyself, and them that hear thee.

CHAPTER 5

REBUKE not an elder, but intreat *him* as a father; *and* the younger men as brethren;

2 a las ancianas, como a madres; a las jovencitas, como a hermanas, con toda pureza.

3 Honra a las viudas que en verdad lo son.

4 Pero si alguna viuda tiene hijos, o nietos, aprendan éstos primero a ser piadosos para con su propia familia, y a recompensar a sus padres; porque esto es lo bueno y agradable delante de Dios.

5 Mas la que en verdad es viuda y ha quedado sola, espera en Dios, y es diligente en súplicas y oraciones noche y día.

6 Pero la que se entrega a los placeres, viviendo está muerta.

7 Manda también estas cosas, para que sean irreprensibles;

8 porque si alguno no provee para los suyos, y mayormente para los de su casa, ha negado la fe, y es peor que un incrédulo.

9 Sea puesta en la lista sólo la viuda no menor de sesenta años, que haya sido esposa de un solo marido,

10 que tenga testimonio de buenas obras; si ha criado hijos; si ha practicado la hospitalidad; si ha lavado los pies de los santos; si ha socorrido a los afligidos; si ha practicado toda buena obra.

11 Pero viudas más jóvenes no admitas; porque cuando, impulsadas por sus deseos, se rebelan contra Cristo, quieren casarse,

12 incurriendo así en condenación, por haber quebrantado su primera fe.

13 Y también aprenden a ser ociosas, andando de casa en casa; y no solamente ociosas, sino también chismosas y entremetidas, hablando lo que no debieran.

14 Quiero, pues, que las viudas jóvenes se casen, críen hijos, gobiernen su casa; que no den al adversario ninguna ocasión de maledicencia.

15 Porque ya algunas se han apartado en pos de Satanás.

16 Si algún creyente o alguna creyente tiene viudas, que las mantenga, y no sea gravada la iglesia, a fin de que haya lo suficiente para las que en verdad son viudas.

17 Los ancianos que gobiernan bien, sean tenidos por dignos de doble honor, mayormente los que trabajan en predicar y enseñar.

18 Pues la Escritura dice: No pondrás bozal al buey que trilla; y: Digno es el obrero de su salario.

19 Contra un anciano no admitas acusación sino con dos o tres testigos.

2 The elder women as mothers; the younger as sisters, with all purity.

3 Honour widows that are widows indeed.

4 But if any widow have children or nephews, let them learn first to shew piety at home, and to requite their parents: for that is good and acceptable before God.

5 Now she that is a widow indeed, and desolate, trusteth in God, and continueth in supplications and prayers night and day.

6 But she that liveth in pleasure is dead while she liveth.

7 And these things give in charge, that they may be blameless.

8 But if any provide not for his own, and specially for those of his own house, he hath denied the faith, and is worse than an infidel.

9 Let not a widow be taken into the number under threescore years old, having been the wife of one man,

10 Well reported of for good works; if she have brought up children, if she have lodged strangers, if she have washed the saints' feet, if she have relieved the afflicted, if she have diligently followed every good work.

11 But the younger widows refuse: for when they have begun to wax wanton against Christ, they will marry;

12 Having damnation, because they have cast off their first faith.

13 And withal they learn *to be* idle, wandering about from house to house; and not only idle, but tattlers also and busybodies, speaking things which they ought not.

14 I will therefore that the younger women marry, bear children, guide the house, give none occasion to the adversary to speak reproachfully.

15 For some are already turned aside after Satan.

16 If any man or woman that believeth have widows, let them relieve them, and let not the church be charged; that it may relieve them that are widows indeed.

17 Let the elders that rule well be counted worthy of double honour, especially they who labour in the word and doctrine.

18 For the scripture saith, Thou shalt not muzzle the ox that treadeth out the corn. And, The labourer *is* worthy of his reward.

19 Against an elder receive not an accusation, but before two or three witnesses.

20 A los que persisten en pecar, repréndelos delante de todos, para que los demás también teman.

21 Te encarezco delante de Dios y del Señor Jesucristo, y de sus ángeles escogidos, que guardes estas cosas sin prejuicios, no haciendo nada con parcialidad.

22 No impongas con ligereza las manos a ninguno, ni participes en pecados ajenos. Consérvate puro.

23 Ya no bebas agua, sino usa de un poco de vino por causa de tu estómago y de tus frecuentes enfermedades.

24 Los pecados de algunos hombres se hacen patentes antes que ellos vengan a juicio, mas a otros se les descubren después.

25 Asimismo se hacen manifestas las buenas obras; y las que son de otra manera, no pueden permanecer ocultas.

CAPÍTULO 6

TODOS los que están bajo el yugo de esclavitud, tengan a sus amos por dignos de todo honor, para que no sea blasfemado el nombre de Dios y la doctrina.

2 Y los que tienen amos creyentes, no los tengan en menos por ser hermanos, sino sírvanles mejor, por cuanto son creyentes y amados los que se benefician de su buen servicio. Esto enseña y exhorta.

3 Si alguno enseña otra cosa, y no se conforma a las sanas palabras de nuestro Señor Jesucristo, y a la doctrina que es conforme a la piedad,

4 está envanecido, nada sabe, y delira acerca de cuestiones y contiendas de palabras, de las cuales nacen envidias, pleitos, blasfemias, malas sospechas,

5 disputas necias de hombres corruptos de entendimiento y privados de la verdad, que toman la piedad como fuente de ganancia; apártate de los tales.

6 Pero gran ganancia es la piedad acompañada de contentamiento;

7 porque nada hemos traído a este mundo, y sin duda nada podremos sacar.

8 Así que, teniendo sustento y abrigo, estemos contentos con esto.

9 Porque los que quieren enriquecerse caen en tentación y lazo, y en muchas codicias necias y dañosas, que hunden a los hombres en destrucción y perdición;

10 porque raíz de todos los males es el amor al dinero, el cual codiciando algunos, se extraviaron de la fe, y fueron traspasados de muchos dolores.

11 Mas tú, oh hombre de Dios, huye de estas cosas, y sigue la justicia, la piedad, la fe, el amor, la paciencia, la mansedumbre.

12 Pelea la buena batalla de la fe, echa

20 Them that sin rebuke before all, that others also may fear.

21 I charge *thee* before God, and the Lord Jesus Christ, and the elect angels, that thou observe these things without preferring one before another, doing nothing by partiality.

22 Lay hands suddenly on no man, neither be partaker of other men's sins: keep thyself pure.

23 Drink no longer water, but use a little wine for thy stomach's sake and thine often infirmities.

24 Some men's sins are open beforehand, going before to judgment; and some *men* they follow after.

25 Likewise also the good works *of some* are manifest beforehand; and they that are otherwise cannot be hid.

CHAPTER 6

LET as many servants as are under the yoke count their own masters worthy of all honour, that the name of God and *his* doctrine be not blasphemed.

2 And they that have believing masters, let them not despise *them*, because they are brethren; but rather do *them* service, because they are faithful and beloved, partakers of the benefit. These things teach and exhort.

3 If any man teach otherwise, and consent not to wholesome words, *even* the words of our Lord Jesus Christ, and to the doctrine which is according to godliness;

4 He is proud, knowing nothing, but doting about questions and strifes of words, whereof cometh envy, strife, railings, evil surmisings,

5 Perverse disputings of men of corrupt minds, and destitute of the truth, supposing that gain is godliness: from such withdraw thyself.

6 But godliness with contentment is great gain.

7 For we brought nothing into *this* world, *and it is* certain we can carry nothing out.

8 And having food and raiment let us be therewith content.

9 But they that will be rich fall into temptation and a snare, and *into* many foolish and hurtful lusts, which drown men in destruction and perdition.

10 For the love of money is the root of all evil: which while some coveted after, they have erred from the faith, and pierced themselves through with many sorrows.

11 But thou, O man of God, flee these things; and follow after righteousness, godliness, faith, love, patience, meekness.

12 Fight the good fight of faith, lay hold

mano de la vida eterna, a la cual asimismo fuiste llamado, habiendo hecho la buena profesión delante de muchos testigos.

13 Te mando delante de Dios, que da vida a todas las cosas, y de Jesucristo, que dio testimonio de la buena profesión delante de Poncio Pilato,

14 que guardes el mandamiento sin mácula ni reprensión, hasta la aparición de nuestro Señor Jesucristo,

15 la cual a su tiempo mostrará el bienaventurado y solo Soberano, Rey de reyes, y Señor de señores,

16 el único que tiene inmortalidad, que habita en luz inaccesible; a quien ninguno de los hombres ha visto *ni* puede ver, al cual sea la honra y el imperio sempiterno. Amén.

17 A los ricos de este siglo manda que no sean altivos, ni pongan la esperanza en las riquezas, las cuales son inciertas, sino en el Dios vivo, que nos da todas las cosas en abundancia para que las disfrutemos.

18 Que hagan bien, que sean ricos en buenas obras, dadivosos, generosos;

19 atesorando para sí buen fundamento para lo por venir, que echen mano de la vida eterna.

20 Oh Timoteo, guarda lo que se te ha encomendado, evitando las profanas pláticas sobre cosas vanas, y los argumentos de la falsamente llamada ciencia,

21 la cual profesando algunos, se desviaron de la fe. La gracia sea contigo. Amén.

on eternal life, whereunto thou art also called, and hast professed a good profession before many witnesses.

13 I give thee charge in the sight of God, who quickeneth all things, and *before* Christ Jesus, who before Pontius Pilate witnessed a good confession;

14 That thou keep *this* commandment without spot, unrebukeable, until the appearing of our Lord Jesus Christ:

15 Which in his times he shall shew, *who is* the blessed and only Potentate, the King of kings, and Lord of lords;

16 Who only hath immortality, dwelling in the light which no man can approach unto; whom no man hath seen, nor can see: to whom *be* honour and power everlasting. Amen.

17 Charge them that are rich in this world, that they be not highminded, nor trust in uncertain riches, but in the living God, who giveth us richly all things to enjoy;

18 That they do good, that they be rich in good works, ready to distribute, willing to communicate;

19 Laying up in store for themselves a good foundation against the time to come, that they may lay hold on eternal life.

20 O Timothy, keep that which is committed to thy trust, avoiding profane *and* vain babblings, and oppositions of science falsely so called:

21 Which some professing have erred concerning the faith. Grace *be* with thee. Amen.

LA SEGUNDA EPÍSTOLA DEL

APÓSTOL SAN PABLO A

TIMOTEO

CAPÍTULO 1

PABLO, apóstol de Jesucristo por la voluntad de Dios, según la promesa de la vida que es en Cristo Jesús,
2 a Timoteo, amado hijo: Gracia, misericordia y paz, de Dios Padre y de Jesucristo nuestro Señor.
3 Doy gracias a Dios, al cual sirvo desde mis mayores con limpia conciencia, de que sin cesar me acuerdo de ti en mis oraciones noche y día;
4 deseando verte, al acordarme de tus lágrimas, para llenarme de gozo;
5 trayendo a la memoria la fe no fingida que hay en ti, la cual habitó primero en tu abuela Loida, y en tu madre Eunice, y estoy seguro que en ti también.
6 Por lo cual te aconsejo que avives el fuego del don de Dios que está en ti por la imposición de mis manos.
7 Porque no nos ha dado Dios espíritu de cobardía, sino de poder, de amor y de dominio propio.
8 Por tanto, no te avergüences de dar testimonio de nuestro Señor, ni de mí, preso suyo, sino participa de las aflicciones por el evangelio según el poder de Dios,
9 quien nos salvó y llamó con llamamiento santo, no conforme a nuestras obras, sino según el propósito suyo y la gracia que nos fue dada en Cristo Jesús antes de los tiempos de los siglos,
10 pero que ahora ha sido manifestada por la aparición de nuestro Salvador Jesucristo, el cual quitó la muerte y sacó a luz la vida y la inmortalidad por el evangelio,
11 del cual yo fui constituido predicador, apóstol y maestro de los gentiles.
12 Por lo cual asimismo padezco esto; pero no me avergüenzo, porque yo sé a quién he creído, y estoy seguro que es poderoso para guardar mi depósito para aquel día.
13 Retén la forma de las sanas palabras que de mí oíste, en la fe y amor que es en Cristo Jesús.

THE SECOND EPISTLE OF PAUL THE

APOSTLE TO

TIMOTHY

CHAPTER 1

PAUL, an apostle of Jesus Christ by the will of God, according to the promise of life which is in Christ Jesus,
2 To Timothy, *my* dearly beloved son: Grace, mercy, *and* peace, from God the Father and Christ Jesus our Lord.
3 I thank God, whom I serve from *my* forefathers with pure conscience, that without ceasing I have remembrance of thee in my prayers night and day;
4 Greatly desiring to see thee, being mindful of thy tears, that I may be filled with joy;
5 When I call to remembrance the unfeigned faith that is in thee, which dwelt first in thy grandmother Lois, and thy mother Eunice; and I am persuaded that in thee also.
6 Wherefore I put thee in remembrance that thou stir up the gift of God, which is in thee by the putting on of my hands.
7 For God hath not given us the spirit of fear; but of power, and of love, and of a sound mind.
8 Be not thou therefore ashamed of the testimony of our Lord, nor of me his prisoner: but be thou partaker of the afflictions of the gospel according to the power of God;
9 Who hath saved us, and called *us* with an holy calling, not according to our works, but according to his own purpose and grace, which was given us in Christ Jesus before the world began,
10 But is now made manifest by the appearing of our Saviour Jesus Christ, who hath abolished death and hath brought life and immortality to light through the gospel:
11 Whereunto I am appointed a preacher, and an apostle, and a teacher of the Gentiles.
12 For the which cause I also suffer these things: nevertheless I am not ashamed: for I know whom I have believed, and am persuaded that he is able to keep that which I have committed unto him against that day.
13 Hold fast the form of sound words, which thou hast heard of me, in faith and love which is in Christ Jesus.

14 Guarda el buen depósito por el Espíritu Santo que mora en nosotros.
15 Ya sabes esto, que me abandonaron todos los que están en Asia, de los cuales son Figelo y Hermógenes.
16 Tenga el Señor misericordia de la casa de Onesíforo, porque muchas veces me confortó, y no se avergonzó de mis cadenas,
17 sino que cuando estuvo en Roma, me buscó solícitamente y me halló.
18 Concédale el Señor que halle misericordia cerca del Señor en aquel día. Y cuánto nos ayudó en Efeso, tú lo sabes mejor.

CAPÍTULO 2

TÚ, pues, hijo mío, esfuérzate en la gracia que es en Cristo Jesús.
2 Lo que has oído de mí ante muchos testigos, esto encarga a hombres fieles que sean idóneos para enseñar también a otros.
3 Tú, pues, sufre penalidades como buen soldado de Jesucristo.
4 Ninguno que milita se enreda en los negocios de la vida, a fin de agradar a aquel que lo tomó por soldado.
5 Y también el que lucha como atleta, no es coronado si no lucha legítimamente.
6 El labrador, para participar de los frutos, debe trabajar primero.
7 Considera lo que digo, y el Señor te dé entendimiento en todo.
8 Acuérdate de Jesucristo, del linaje de David, resucitado de los muertos conforme a mi evangelio,
9 en el cual sufro penalidades, hasta prisiones a modo de malhechor; mas la palabra de Dios no está presa.
10 Por tanto, todo lo soporto por amor de los escogidos, para que ellos también obtengan la salvación que es en Cristo Jesús con gloria eterna.
11 Palabra fiel es esta: Si somos muertos con él, también viviremos con él;
12 si sufrimos, también reinaremos con él; si le negáremos, él también nos negará.
13 Si fuéremos infieles, él permanece fiel; el no puede negarse a sí mismo.
14 Recuérdales esto, exhortándoles delante del Señor a que no contiendan sobre palabras, lo cual para nada aprovecha, sino que es para perdición de los oyentes.
15 Procura con diligencia presentarte a Dios aprobado, como obrero que no tiene de qué avergonzarse, que usa bien la palabra de verdad.

14 That good thing which was committed unto thee keep by the Holy Ghost which dwelleth in us.
15 This thou knowest, that all they which are in Asia be turned away from me; of whom are Phy-gel′lus and Her-mog′e-nes.
16 The Lord give mercy unto the house of On-e-siph′o-rus; for he oft refreshed me, and was not ashamed of my chain:
17 But, when he was in Rome, he sought me out very diligently, and found *me*.
18 The Lord grant unto him that he may find mercy of the Lord in that day: and in how many things he ministered unto me at Eph′e-sus, thou knowest very well.

CHAPTER 2

THOU therefore, my son, be strong in the grace that is in Christ Jesus.
2 And the things that thou hast heard of me among many witnesses, the same commit thou to faithful men, who shall be able to teach others also.
3 Thou therefore endure hardness, as a good soldier of Jesus Christ.
4 No man that warreth entangleth himself with the affairs of *this* life; that he may please him who hath chosen him to be a soldier.
5 And if a man also strive for masteries, *yet* is he not crowned, except he strive lawfully.
6 The husbandman that laboureth must be first partaker of the fruits.
7 Consider what I say; and the Lord give thee understanding in all things.
8 Remember that Jesus Christ of the seed of David was raised from the dead according to my gospel:
9 Wherein I suffer trouble, as an evil doer, *even* unto bonds; but the word of God is not bound.
10 Therefore I endure all things for the elect's sakes, that they may also obtain the salvation which is in Christ Jesus with eternal glory.
11 *It is* a faithful saying: For if we be dead with *him*, we shall also live with *him*:
12 If we suffer, we shall also reign with *him*: if we deny *him*, he also will deny us:
13 If we believe not, *yet* he abideth faithful: he cannot deny himself.
14 Of these things put *them* in remembrance, charging *them* before the Lord that they strive not about words to no profit, *but* to the subverting of the hearers.
15 Study to shew thyself approved unto God, a workman that needeth not to be ashamed, rightly dividing the word of truth.

16 Mas evita profanas y vanas palabrerías, porque conducirán más y más a la impiedad.

17 Y su palabra carcomerá como gangrena; de los cuales son Himeneo y Fileto,

18 que se desviaron de la verdad, diciendo que la resurrección ya se efectuó, y trastornan la fe de algunos.

19 Pero el fundamento de Dios está firme, teniendo este sello: Conoce el Señor a los que son suyos; y: Apártese de iniquidad todo aquel que invoca el nombre de Cristo.

20 Pero en una casa grande, no solamente hay utensilios de oro y de plata, sino también de madera y de barro; y unos son para usos honrosos, y otros para usos viles.

21 Así que, si alguno se limpia de estas cosas, será instrumento para honra, santificado, útil al Señor, y dispuesto para toda buena obra.

22 Huye también de las pasiones juveniles, y sigue la justicia, la fe, el amor y la paz, con los que de corazón limpio invocan al Señor.

23 Pero desecha las cuestiones necias e insensatas, sabiendo que engendran contiendas.

24 Porque el siervo del Señor no debe ser contencioso, sino amable para con todos, apto para enseñar, sufrido,

25 que con mansedumbre corrija a los que se oponen, por si quizá Dios les conceda que se arrepientan para conocer la verdad,

26 y escapen del lazo del diablo, en que están cautivos a voluntad de él.

CAPÍTULO 3

TAMBIÉN debes saber esto: que en los postreros días vendrán tiempos peligrosos.

2 Porque habrá hombres amadores de sí mismos, avaros, vanagloriosos, soberbios, blasfemos, desobedientes a los padres, ingratos, impíos,

3 sin afecto natural, implacables, calumniadores, intemperantes, crueles, aborrecedores de lo bueno,

4 traidores, impetuosos, infatuados, amadores de los deleites más que de Dios,

5 que tendrán apariencia de piedad, pero negarán la eficacia de ella; a éstos evita.

6 Porque de éstos son los que se meten en las casas y llevan cautivas a las mujercillas cargadas de pecados, arrastradas por diversas concupiscencias.

16 But shun profane *and* vain babblings: for they will increase unto more ungodliness.

17 And their word will eat as doth a canker: of whom is Hy-me-næ′us and Phi-le′tus;

18 Who concerning the truth have erred, saying that the resurrection is past already; and overthrow the faith of some.

19 Nevertheless the foundation of God standeth sure, having this seal, The Lord knoweth them that are his. And, Let every one that nameth the name of Christ depart from iniquity.

20 But in a great house there are not only vessels of gold and of silver, but also of wood and of earth; and some to honour, and some to dishonour.

21 If a man therefore purge himself from these, he shall be a vessel unto honour, sanctified, and meet for the master's use, *and* prepared unto every good work.

22 Flee also youthful lusts: but follow righteousness, faith, charity, peace, with them that call on the Lord out of a pure heart.

23 But foolish and unlearned questions avoid, knowing that they do gender strifes.

24 And the servant of the Lord must not strive; but be gentle unto all *men*, apt to teach, patient,

25 In meekness instructing those that oppose themselves; if God peradventure will give them repentance to the acknowledging of the truth;

26 And *that* they may recover themselves out of the snare of the devil, who are taken captive by him at his will.

CHAPTER 3

THIS know also, that in the last days perilous times shall come.

2 For men shall be lovers of their own selves, covetous, boasters, proud, blasphemers, disobedient to parents, unthankful, unholy,

3 Without natural affection, trucebreakers, false accusers, incontinent, fierce, despisers of those that are good,

4 Traitors, heady, highminded, lovers of pleasures more than lovers of God;

5 Having a form of godliness, but denying the power thereof: from such turn away.

6 For of this sort are they which creep into houses, and lead captive silly women laden with sins, led away with divers lusts,

7 Estas siempre están aprendiendo, y nunca pueden llegar al conocimiento de la verdad.

8 Y de la manera que Janes y Jambres resistieron a Moisés, así también éstos resisten a la verdad; hombres corruptos de entendimiento, réprobos en cuanto a la fe.

9 Mas no irán más adelante; porque su insensatez será manifiesta a todos, como también lo fue la de aquéllos.

10 Pero tú has seguido mi doctrina, conducta, propósito, fe, longanimidad, amor, paciencia,

11 persecuciones, padecimientos, como los que me sobrevinieron en Antioquía, en Iconio, en Listra; persecuciones que he sufrido, y de todas me ha librado el Señor.

12 Y también todos los que quieren vivir piadosamente en Cristo Jesús padecerán persecución;

13 mas los malos hombres y los engañadores irán de mal en peor, engañando y siendo engañados.

14 Pero persiste tú en lo que has aprendido y te persuadiste, sabiendo de quién has aprendido;

15 y que desde la niñez has sabido las Sagradas Escrituras, las cuales te pueden hacer sabio para la salvación por la fe que es en Cristo Jesús.

16 Toda la Escritura es inspirada por Dios, y útil para enseñar, para redargüir, para corregir, para instruir en justicia,

17 a fin de que el hombre de Dios sea perfecto, enteramente preparado para toda buena obra.

CAPÍTULO 4

TE encarezco delante de Dios y del Señor Jesucristo, que juzgará a los vivos y a los muertos en su manifestación y en su reino,

2 que prediques la palabra; que instes a tiempo y fuera de tiempo; redarguye, reprende, exhorta con toda paciencia y doctrina.

3 Porque vendrá tiempo cuando no sufrirán la sana doctrina, sino que teniendo comezón de oir, se amontonarán maestros conforme a sus propias concupiscencias,

4 y apartarán de la verdad el oído y se volverán a las fábulas.

5 Pero tú sé sobrio en todo, soporta las aflicciones, haz obra de evangelista, cumple tu ministerio.

6 Porque yo ya estoy para ser sacrificado, y el tiempo de mi partida está cercano.

7 He peleado la buena batalla, he acabado la carrera, he guardado la fe.

7 Ever learning, and never able to come to the knowledge of the truth.

8 Now as Jan'nes and Jam'bres withstood Moses, so do these also resist the truth: men of corrupt minds, reprobate concerning the faith.

9 But they shall proceed no further: for their folly shall be manifest unto all *men*, as theirs also was.

10 But thou hast fully known my doctrine, manner of life, purpose, faith, longsuffering, charity, patience,

11 Persecutions, afflictions, which came unto me at Antioch, at I-co'ni-um, at Lys'tra; what persecutions I endured: but out of *them* all the Lord delivered me.

12 Yea, and all that will live godly in Christ Jesus shall suffer persecution.

13 But evil men and seducers shall wax worse and worse, deceiving, and being deceived.

14 But continue thou in the things which thou hast learned and hast been assured of, knowing of whom thou hast learned *them;*

15 And that from a child thou hast known the holy scriptures, which are able to make thee wise unto salvation through faith which is in Christ Jesus.

16 All scripture *is* given by inspiration of God, and *is* profitable for doctrine, for reproof, for correction, for instruction in righteousness:

17 That the man of God may be perfect, throughly furnished unto all good works.

CHAPTER 4

I CHARGE *thee* therefore before God, and the Lord Jesus Christ, who shall judge the quick and the dead at his appearing and his kingdom;

2 Preach the word; be instant in season, out of season; reprove, rebuke, exhort with all longsuffering and doctrine.

3 For the time will come when they will not endure sound doctrine; but after their own lusts shall they heap to themselves teachers, having itching ears;

4 And they shall turn away *their* ears from the truth, and shall be turned unto fables.

5 But watch thou in all things, endure afflictions, do the work of an evangelist, make full proof of thy ministry.

6 For I am now ready to be offered, and the time of my departure is at hand.

7 I have fought a good fight, I have finished *my* course, I have kept the faith:

8 Por lo demás, me está guardada la corona de justicia, la cual me dará el Señor, juez justo, en aquel día; y no sólo a mí, sino también a todos los que aman su venida.

9 Procura venir pronto a verme,

10 porque Demas me ha desamparado, amando este mundo, y se ha ido a Tesalónica. Crescente fue a Galacia, y Tito a Dalmacia.

11 Sólo Lucas está conmigo. Toma a Marcos y tráele contigo, porque me es útil para el ministerio.

12 A Tíquico lo envié a Efeso.

13 Trae, cuando vengas, el capote que dejé en Troas en casa de Carpo, y los libros, mayormente los pergaminos.

14 Alejandro el calderero me ha causado muchos males; el Señor le pague conforme a sus hechos.

15 Guárdate tú también de él, pues en gran manera se ha opuesto a nuestras palabras.

16 En mi primera defensa ninguno estuvo a mi lado, sino que todos me desampararon; no les sea tomado en cuenta.

17 Pero el Señor estuvo a mi lado, y me dio fuerzas, para que por mí fuese cumplida la predicación, y que todos los gentiles oyesen. Así fui librado de la boca del león.

18 Y el Señor me librará de toda obra mala, y me preservará para su reino celestial. A él sea gloria por los siglos de los siglos. Amén.

19 Saluda a Prisca y a Aquila, y a la casa de Onesíforo.

20 Erasto se quedó en Corinto, y a Trófimo dejé en Mileto enfermo.

21 Procura venir antes del invierno. Eubulo te saluda, y Pudente, Lino, Claudia y todos los hermanos.

22 El Señor Jesucristo esté con tu espíritu. La gracia sea con vosotros. Amén.

8 Henceforth there is laid up for me a crown of righteousness, which the Lord, the righteous judge, shall give me at that day: and not to me only, but unto all them also that love his appearing.

9 Do thy diligence to come shortly unto me:

10 For Demas hath forsaken me, having loved this present world, and is departed unto Thes-sa-lo-ni′ca; Cres′cens to Ga-la′tia, Titus unto Dal-ma′tia.

11 Only Luke is with me. Take Mark, and bring him with thee: for he is profitable to me for the ministry.

12 And Tych′i-cus have I sent to Eph′e-sus.

13 The cloak that I left at Troas with Carpus, when thou comest, bring *with thee,* and the books, *but* especially the parchments.

14 Alexander the coppersmith did me much evil: the Lord reward him according to his works:

15 Of whom be thou ware also; for he hath greatly withstood our words.

16 At my first answer no man stood with me, but all *men* forsook me: *I pray God* that it may not be laid to their charge.

17 Notwithstanding the Lord stood with me, and strengthened me; that by me the preaching might be fully known, and *that* all the Gentiles might hear: and I was delivered out of the mouth of the lion.

18 And the Lord shall deliver me from every evil work, and will preserve *me* unto his heavenly kingdom: to whom *be* glory for ever and ever. Amen.

19 Salute Pris′ca and Aq′ui-la, and the household of On-e-siph′o-rus.

20 E-ras′tus abode at Corinth: but Troph′i-mus have I left at Mi-le′tum sick.

21 Do thy diligence to come before winter. Eu-bu′lus greeteth thee and Pu′dens, and Li′nus, and Clau′di-a, and all the brethren.

22 The Lord Jesus Christ *be* with thy spirit. Grace *be* with you. Amen.

LA EPÍSTOLA DEL APÓSTOL

SAN PABLO A

TITO

CAPÍTULO 1

PABLO, siervo de Dios y apóstol de Jesucristo, conforme a la fe de los escogidos de Dios y el conocimiento de la verdad que es según la piedad,

2 en la esperanza de la vida eterna, la cual Dios, que no miente, prometió desde antes del principio de los siglos,

3 y a su debido tiempo manifestó su palabra por medio de la predicación que me fue encomendada por mandato de Dios nuestro Salvador,

4 a Tito, verdadero hijo en la común fe: Gracia, misericordia y paz, de Dios Padre y del Señor Jesucristo nuestro Salvador.

5 Por esta causa te dejé en Creta, para que corrigieses lo deficiente, y establecieses ancianos en cada ciudad, así como yo te mandé;

6 el que fuere irreprensible, marido de una sola mujer, y tenga hijos creyentes que no estén acusados de disolución ni de rebeldía.

7 Porque es necesario que el obispo sea irreprensible, como administrador de Dios; no soberbio, no iracundo, no dado al vino, no pendenciero, no codicioso de ganancias deshonestas,

8 sino hospedador, amante de lo bueno, sobrio, justo, santo, dueño de sí mismo,

9 retenedor de la palabra fiel tal como ha sido enseñada, para que también pueda exhortar con sana enseñanza y convencer a los que contradicen.

10 Porque hay aún muchos contumaces, habladores de vanidades y engañadores, mayormente los de la circuncisión,

11 a los cuales es preciso tapar la boca; que trastornan casas enteras, enseñando por ganancia deshonesta lo que no conviene.

12 Uno de ellos, su propio profeta, dijo: Los cretenses, siempre mentirosos, malas bestias, glotones ociosos.

13 Este testimonio es verdadero; por tanto, repréndelos duramente, para que sean sanos en la fe,

14 no atendiendo a fábulas judaicas, ni a mandamientos de hombres que se apartan de la verdad.

15 Todas las cosas son puras para los puros, mas para los corrompidos e incré-

THE EPISTLE OF PAUL TO

TITUS

CHAPTER 1

PAUL, a servant of God, and an apostle of Jesus Christ, according to the faith of God's elect, and the acknowledging of the truth which is after godliness;

2 In hope of eternal life, which God, that cannot lie, promised before the world began;

3 But hath in due times manifested his word through preaching, which is committed unto me according to the commandment of God our Saviour;

4 To Titus, *mine* own son after the common faith: Grace, mercy, *and* peace, from God the Father and the Lord Jesus Christ our Saviour.

5 For this cause left I thee in Crete, that thou shouldest set in order the things that are wanting, and ordain elders in every city, as I had appointed thee:

6 If any be blameless, the husband of one wife, having faithful children not accused of riot or unruly.

7 For a bishop must be blameless, as the steward of God; not selfwilled, not soon angry, not given to wine, no striker, not given to filthy lucre;

8 But a lover of hospitality, a lover of good men, sober, just, holy, temperate;

9 Holding fast the faithful word as he hath been taught, that he may be able by sound doctrine both to exhort and to convince the gainsayers.

10 For there are many unruly and vain talkers and deceivers, specially they of the circumcision:

11 Whose mouths must be stopped, who subvert whole houses, teaching things which they ought not, for filthy lucre's sake.

12 One of themselves, *even* a prophet of their own, said, The Cretians *are* alway liars, evil beasts, slow bellies.

13 This witness is true. Wherefore rebuke them sharply, that they may be sound in the faith;

14 Not giving heed to Jewish fables, and commandments of men, that turn from the truth.

15 Unto the pure all things *are* pure: but unto them that are defiled and unbe-

dulos nada les es puro; pues hasta su mente y su conciencia están corrompidas.
16 Profesan conocer a Dios, pero con los hechos lo niegan, siendo abominables y rebeldes, reprobados en cuanto a toda buena obra.

CAPÍTULO 2

PERO tú habla lo que está de acuerdo con la sana doctrina.
2 Que los ancianos sean sobrios, serios, prudentes, sanos en la fe, en el amor, en la paciencia.
3 Las ancianas asimismo sean reverentes en su porte; no calumniadoras, no esclavas del vino, maestras del bien;
4 que enseñen a las mujeres jóvenes a amar a sus maridos y a sus hijos,
5 a ser prudentes, castas, cuidadosas de su casa, buenas, sujetas a sus maridos, para que la palabra de Dios no sea blasfemada.
6 Exhorta asimismo a los jóvenes a que sean prudentes;
7 presentándote tú en todo como ejemplo de buenas obras; en la enseñanza mostrando integridad, seriedad,
8 palabra sana e irreprochable, de modo que el adversario se avergüence, y no tenga nada malo que decir de vosotros.
9 Exhorta a los siervos a que se sujeten a sus amos, que agraden en todo, que no sean respondones;
10 no defraudando, sino mostrándose fieles en todo, para que en todo adornen la doctrina de Dios nuestro Salvador.
11 Porque la gracia de Dios se ha manifestado para salvación a todos los hombres,
12 enseñándonos que, renunciando a la impiedad y a los deseos mundanos, vivamos en este siglo sobria, justa y piadosamente,
13 aguardando la esperanza bienaventurada y la manifestación gloriosa de nuestro gran Dios y Salvador Jesucristo,
14 quien se dio a sí mismo por nosotros para redimirnos de toda iniquidad y purificar para sí un pueblo propio, celoso de buenas obras.
15 Esto habla, y exhorta y reprende con toda autoridad. Nadie te menosprecie.

CAPÍTULO 3

RECUÉRDALES que se sujeten a los gobernantes y autoridades, que obedezcan, que estén dispuestos a toda buena obra.
2 Que a nadie difamen, que no sean

lieving *is* nothing pure; but even their mind and conscience is defiled.
16 They profess that they know God; but in works they deny *him*, being abominable, and disobedient, and unto every good work reprobate.

CHAPTER 2

BUT speak thou the things which become sound doctrine:
2 That the aged men be sober, grave, temperate, sound in faith, in charity, in patience.
3 The aged women likewise, that *they be* in behaviour as becometh holiness, not false accusers, not given to much wine, teachers of good things;
4 That they may teach the young women to be sober, to love their husbands, to love their children,
5 *To be* discreet, chaste, keepers at home, good, obedient to their own husbands, that the word of God be not blasphemed.
6 Young men likewise exhort to be sober minded.
7 In all things shewing thyself a pattern of good works: in doctrine *shewing* uncorruptness, gravity, sincerity,
8 Sound speech, that cannot be condemned; that he that is of the contrary part may be ashamed, having no evil thing to say of you.
9 *Exhort* servants to be obedient unto their own masters, *and* to please *them* well in all *things;* not answering again;
10 Not purloining, but shewing all good fidelity; that they may adorn the doctrine of God our Saviour in all things.
11 For the grace of God that bringeth salvation hath appeared to all men,
12 Teaching us that, denying ungodliness and worldly lusts, we should live soberly, righteously, and godly, in this present world;
13 Looking for that blessed hope, and the glorious appearing of the great God and our Saviour Jesus Christ;
14 Who gave himself for us, that he might redeem us from all iniquity, and purify unto himself a peculiar people, zealous of good works.
15 These things speak, and exhort, and rebuke with all authority. Let no man despise thee.

CHAPTER 3

PUT them in mind to be subject to principalities and powers, to obey magistrates, to be ready to every good work,
2 To speak evil of no man, to be no

pendencieros, sino amables, mostrando
toda mansedumbre para con todos los
hombres.
3 Porque nosotros también éramos en
otro tiempo insensatos, rebeldes, extraviados,
esclavos de concupiscencias y deleites
diversos, viviendo en malicia y envidia,
aborrecibles, y aborreciéndonos
unos a otros.
4 Pero cuando se manifestó la bondad
de Dios nuestro Salvador, y su amor para
con los hombres,
5 nos salvó, no por obras de justicia
que nosotros hubiéramos hecho, sino por
su misericordia, por el lavamiento de la
regeneración y por la renovación en el
Espíritu Santo,
6 el cual derramó en nosotros abundantemente
por Jesucristo nuestro Salvador,
7 para que justificados por su gracia,
viniésemos a ser herederos conforme a la
esperanza de la vida eterna.
8 Palabra fiel es esta, y en estas cosas
quierc que insistas con firmeza, para que
los que creen en Dios procuren ocuparse
en buenas obras. Estas cosas son buenas
y útiles a los hombres.
9 Pero evita las cuestiones necias, y genealogías,
y contenciones, y discusiones
acerca de la ley; porque son vanas y sin
provecho.
10 Al hombre que cause divisiones,
después de una y otra amonestación
deséchalo,
11 sabiendo que el tal se ha pervertido,
y peca y está condenado por su propio
jucio.
12 Cuando envíe a ti a Artemas o a Tíquico,
apresúrate a venir a mí en Nicópolis,
porque allí he determinado pasar el
invierno.
13 A Zenas intérprete de la ley, y a Apolos,
encamínales con solicitud, de
modo que nada les falte.
14 Y aprendan también los nuestros a
ocuparse en buenas obras para los casos
de necesidad, para que no sean sin fruto.
15 Todos los que están conmigo te saludan.
Saluda a los que nos aman en la fe.
La gracia sea con todos vosotros. Amén.

brawlers, *but* gentle, shewing all meekness
unto all men.
3 For we ourselves also were sometimes
foolish, disobedient, deceived,
serving divers lusts and pleasures, living
in malice and envy, hateful, *and* hating
one another.
4 But after that the kindness and love
of God our Saviour toward man appeared,
5 Not by works of righteousness which
we have done, but according to his mercy
he saved us, by the washing of regeneration,
and renewing of the Holy Ghost;
6 Which he shed on us abundantly
through Jesus Christ our Saviour;
7 That being justified by his grace, we
should be made heirs according to the
hope of eternal life.
8 *This is* a faithful saying, and these
things I will that thou affirm constantly,
that they which have believed in God
might be careful to maintain good works.
These things are good and profitable unto
men.
9 But avoid foolish questions, and genealogies,
and contentions, and strivings
about the law; for they are unprofitable
and vain.
10 A man that is an heretick after the
first and second admonition reject;
11 Knowing that he that is such is subverted,
and sinneth, being condemned of
himself.
12 When I shall send Artemas unto
thee, or Tych'i-cus, be diligent to come
unto me to Ni-cop'o-lis: for I have determined
there to winter.
13 Bring Zenas the lawyer and Apollos
on their journey diligently, that nothing
be wanting unto them.
14 And let ours also learn to maintain
good works for necessary uses, that they
be not unfruitful.
15 All that are with me salute thee.
Greet them that love us in the faith.
Grace *be* with you all. Amen.

LA EPÍSTOLA DEL APÓSTOL
SAN PABLO A

FILEMÓN

PABLO, prisionero de Jesucristo, y el hermano Timoteo, al amado Filemón, colaborador nuestro,

2 y a la amada hermana Apia, y a Arquipo nuestro compañero de milicia, y a la iglesia que está en tu casa:

3 Gracia y paz a vosotros, de Dios nuestro Padre y del Señor Jesucristo.

4 Doy gracias a mi Dios, haciendo siempre memoria de ti en mis oraciones,

5 porque oigo del amor y de la fe que tienes hacia el Señor Jesús, y para con todos los santos;

6 para que la participación de tu fe sea eficaz en el conocimiento de todo el bien que está en vosotros por Cristo Jesús.

7 Pues tenemos gran gozo y consolación en tu amor, porque por ti, oh hermano, han sido confortados los corazones de los santos.

8 Por lo cual, aunque tengo mucha libertad en Cristo para mandarte lo que conviene,

9 más bien te ruego por amor, siendo como soy, Pablo ya anciano, y ahora, además, prisionero de Jesucristo;

10 te ruego por mi hijo Onésimo, a quien engendré en mis prisiones,

11 el cual en otro tiempo te fue inútil, pero ahora a ti y a mí nos es útil,

12 el cual vuelvo a enviarte; tú, pues, recíbele como a mí mismo.

13 Yo quisiera retenerle conmigo, para que en lugar tuyo me sirviese en mis prisiones por el evangelio;

14 pero nada quise hacer sin tu consentimiento, para que tu favor no fuese como de necesidad, sino voluntario.

15 Porque quizás para esto se apartó de ti por algún tiempo, para que le recibieses para siempre;

16 no ya como esclavo, sino como más que esclavo, como hermano amado, mayormente para mí, pero cuánto más para ti, tanto en la carne como en el Señor.

17 Así que, si me tienes por compañero, recíbele como a mí mismo.

18 Y si en algo te dañó, o te debe, ponlo a mi cuenta.

19 Yo Pablo lo escribo de mi mano, yo lo pagaré; por no decirte que aun tú mismo te me debes también.

THE EPISTLE OF PAUL TO

PHILEMON

PAUL, a prisoner of Jesus Christ, and Timothy *our* brother, unto Phi-le'mon our dearly beloved, and fellowlabourer,

2 And to *our* beloved Ap'phi-a, and Ar-chip'pus our fellowsoldier, and to the church in thy house:

3 Grace to you, and peace, from God our Father and the Lord Jesus Christ.

4 I thank my God, making mention of thee always in my prayers,

5 Hearing of thy love and faith, which thou hast toward the Lord Jesus, and toward all saints;

6 That the communication of thy faith may become effectual by the acknowledging of every good thing which is in you in Christ Jesus.

7 For we have great joy and consolation in thy love, because the bowels of the saints are refreshed by thee, brother.

8 Wherefore, though I might be much bold in Christ to enjoin thee that which is convenient,

9 Yet for love's sake I rather beseech *thee*, being such an one as Paul the aged, and now also a prisoner of Jesus Christ.

10 I beseech thee for my son O-nes'i-mus, whom I have begotten in my bonds:

11 Which in time past was to thee unprofitable, but now profitable to thee and to me:

12 Whom I have sent again: thou therefore receive him, that is, mine own bowels:

13 Whom I would have retained with me, that in thy stead he might have ministered unto me in the bonds of the gospel:

14 But without thy mind would I do nothing; that thy benefit should not be as it were of necessity, but willingly.

15 For perhaps he therefore departed for a season, that thou shouldest receive him for ever;

16 Not now as a servant, but above a servant, a brother beloved, specially to me, but how much more unto thee, both in the flesh, and in the Lord?

17 If thou count me therefore a partner, receive him as myself.

18 If he hath wronged thee, or oweth *thee* ought, put that on mine account;

19 I Paul have written *it* with mine own hand, I will repay *it*: albeit I do not say to thee how thou owest unto me even thine own self besides.

20 Sí, hermano, tenga yo algún provecho de ti en el Señor; conforta mi corazón en el Señor.

21 Te he escrito confiando en tu obediencia, sabiendo que harás aun más de lo que te digo.

22 Prepárame también alojamiento; porque espero que por vuestras oraciones os seré concedido.

23 Te saludan Epafras, mi compañero de prisiones por Cristo Jesús,

24 Marcos, Aristarco, Demas y Lucas, mis colaboradores.

25 La gracia de nuestro Señor Jesucristo sea con vuestro espíritu. Amén.

LA EPÍSTOLA A LOS

HEBREOS

CAPÍTULO 1

DIOS, habiendo hablado muchas veces y de muchas maneras en otro tiempo a los padres por los profetas,

2 en estos postreros días nos ha hablado por el Hijo, a quien constituyó heredero de todo, y por quien asimismo hizo el universo;

3 el cual, siendo el resplandor de su gloria, y la imagen misma de su sustancia, y quien sustenta todas las cosas con la palabra de su poder, habiendo efectuado la purificación de nuestros pecados por medio de sí mismo, se sentó a la diestra de la Majestad en las alturas,

4 hecho tanto superior a los ángeles, cuanto heredó más excelente nombre que ellos.

5 Porque ¿a cuál de los ángeles dijo Dios jamás: Mi Hijo eres tú, yo te he engendrado hoy, y otra vez: Yo seré a él Padre, y él me será a mí hijo?

6 Y otra vez, cuando introduce al Primogénito en el mundo, dice: Adórenle todos los ángeles de Dios.

7 Ciertamente de los ángeles dice: El que hace a sus ángeles espíritus, y a sus ministros llama de fuego.

8 Mas del Hijo dice: Tu trono, oh Dios, por el siglo del siglo; cetro de equidad es el cetro de tu reino.

9 Has amado la justicia, y aborrecido la maldad, por lo cual te ungió Dios, el Dios tuyo, con óleo de alegría más que a tus compañeros.

10 Y: Tú, oh Señor, en el principio fundaste la tierra, y los cielos son obra de tus manos.

20 Yea, brother, let me have joy of thee in the Lord: refresh my bowels in the Lord.

21 Having confidence in thy obedience I wrote unto thee, knowing that thou wilt also do more than I say.

22 But withal prepare me also a lodging: for I trust that through your prayers I shall be given unto you.

23 There salute thee Ep′a-phras, my fellowprisoner in Christ Jesus;

24 Marcus, Ar-is-tar′chus, Demas, Lucas, my fellowlabourers.

25 The grace of our Lord Jesus Christ *be* with your spirit. Amen.

THE EPISTLE OF PAUL THE APOSTLE

TO THE

HEBREWS

CHAPTER 1

GOD, who at sundry times and in divers manners spake in time past unto the fathers by the prophets,

2 Hath in these last days spoken unto us by *his* Son, whom he hath appointed heir of all things, by whom also he made the worlds;

3 Who being the brightness of *his* glory, and the express image of his person, and upholding all things by the word of his power, when he had by himself purged our sins, sat down on the right hand of the Majesty on high;

4 Being made so much better than the angels, as he hath by inheritance obtained a more excellent name than they.

5 For unto which of the angels said he at any time, Thou art my Son, this day have I begotten thee? And again, I will be to him a Father, and he shall be to me a Son?

6 And again, when he bringeth in the firstbegotten into the world, he saith, And let all the angels of God worship him.

7 And of the angels he saith, Who maketh his angels spirits, and his ministers a flame of fire.

8 But unto the Son *he saith*, Thy throne, O God, *is* for ever and ever: a sceptre of righteousness *is* the sceptre of thy kingdom.

9 Thou hast loved righteousness, and hated iniquity; therefore God, *even* thy God, hath anointed thee with the oil of gladness above thy fellows.

10 And, Thou, Lord, in the beginning hast laid the foundation of the earth; and the heavens are the works of thine hands:

11 Ellos perecerán, mas tú permaneces; y todos ellos se envejecerán como una vestidura,
12 y como un vestido los envolverás, y serán mudados; pero tú eres el mismo, y tus años no acabarán.
13 Pues, ¿a cuál de los ángeles dijo Dios jamás: Siéntate a mi diestra, hasta que ponga a tus enemigos por estrado de tus pies?
14 ¿No son todos espíritus ministradores, enviados para servicio a favor de los que serán herederos de la salvación?

CAPÍTULO 2

POR tanto, es necesario que con más diligencia atendamos a las cosas que hemos oído, no sea que nos deslicemos.
2 Porque si la palabra dicha por medio de los ángeles fue firme, y toda transgresión y desobediencia recibió justa retribución,
3 ¿cómo escaparemos nosotros, si descuidamos una salvación tan grande? La cual, habiendo sido anunciada primeramente por el Señor, nos fue confirmada por los que oyeron,
4 testificando Dios juntamente con ellos, con señales y prodigios y diversos milagros y repartimientos del Espíritu Santo según su voluntad.
5 Porque no sujetó a los ángeles el mundo venidero, acerca del cual estamos hablando;
6 pero alguien testificó en cierto lugar, diciendo: ¿Qué es el hombre, para que te acuerdes de él, o el hijo del hombre, para que le visites?
7 Le hiciste un poco menor que los ángeles, le coronaste de gloria y de honra, y le pusiste sobre las obras de tus manos;
8 todo lo sujetaste bajo sus pies. Porque en cuanto le sujetó todas las cosas, nada dejó que no sea sujeto a él; pero todavía no vemos que todas las cosas le sean sujetas.
9 Pero vemos a aquel que fue hecho un poco menor que los ángeles, a Jesús, coronado de gloria y de honra, a causa del padecimiento de la muerte, para que por la gracia de Dios gustase la muerte por todos.
10 Porque convenía a aquel por cuya causa son todas las cosas, y por quien todas las cosas subsisten, que habiendo de llevar muchos hijos a la gloria, perfeccionase por aflicciones al autor de la salvación de ellos.
11 Porque el que santifica y los que son santificados, de uno son todos; por lo cual no se avergüenza de llamarlos hermanos,

11 They shall perish; but thou remainest; and they all shall wax old as doth a garment;
12 And as a vesture shalt thou fold them up, and they shall be changed: but thou art the same, and thy years shall not fail.
13 But to which of the angels said he at any time, Sit on my right hand, until I make thine enemies thy footstool?
14 Are they not all ministering spirits, sent forth to minister for them who shall be heirs of salvation?

CHAPTER 2

THEREFORE we ought to give the more earnest heed to the things which we have heard, lest at any time we should let *them* slip.
2 For if the word spoken by angels was stedfast, and every transgression and disobedience received a just recompence of reward;
3 How shall we escape, if we neglect so great salvation; which at the first began to be spoken by the Lord, and was confirmed unto us by them that heard *him*;
4 God also bearing *them* witness, both with signs and wonders, and with divers miracles, and gifts of the Holy Ghost, according to his own will?
5 For unto the angels hath he not put in subjection the world to come, whereof we speak.
6 But one in a certain place testified, saying, What is man, that thou art mindful of him? or the son of man, that thou visitest him?
7 Thou madest him a little lower than the angels; thou crownedst him with glory and honour, and didst set him over the works of thy hands:
8 Thou hast put all things in subjection under his feet. For in that he put all in subjection under him, he left nothing *that is* not put under him. But now we see not yet all things put under him.
9 But we see Jesus, who was made a little lower than the angels for the suffering of death, crowned with glory and honour; that he by the grace of God should taste death for every man.
10 For it became him, for whom *are* all things, and by whom *are* all things, in bringing many sons unto glory, to make the captain of their salvation perfect through sufferings.
11 For both he that sanctifieth and they who are sanctified *are* all of one: for which cause he is not ashamed to call them brethren,

12 diciendo: Anunciaré a mis hermanos tu nombre, en medio de la congregación te alabaré.

13 Y otra vez: Yo confiaré en él. Y de nuevo: He aquí, yo y los hijos que Dios me dio.

14 Así que, por cuanto los hijos participaron de carne y sangre, él también participó de lo mismo, para destruir por medio de la muerte al que tenía el imperio de la muerte, esto es, al diablo,

15 y librar a todos los que por el temor de la muerte estaban durante toda la vida sujetos a servidumbre.

16 Porque ciertamente no socorrió a los ángeles, sino que socorrió a la descendencia de Abraham.

17 Por lo cual debía ser en todo semejante a sus hermanos, para venir a ser misericordioso y fiel sumo sacerdote en lo que a Dios se refiere, para expiar los pecados del pueblo.

18 Pues en cuanto él mismo padeció siendo tentado, es poderoso para socorrer a los que son tentados.

CAPÍTULO 3

POR tanto, hermanos santos, participantes del llamamiento celestial, considerad al apóstol y sumo sacerdote de nuestra profesión, Cristo Jesús;

2 el cual es fiel al que le constituyó, como también lo fue Moisés en toda la casa de Dios.

3 Porque de tanto mayor gloria que Moisés es estimado digno éste, cuanto tiene mayor honra que la casa el que la hizo.

4 Porque toda casa es hecha por alguno; pero el que hizo todas las cosas es Dios.

5 Y Moisés a la verdad fue fiel en toda la casa de Dios, como siervo, para testimonio de lo que se iba a decir;

6 pero Cristo como hijo sobre su casa, la cual casa somos nosotros, si retenemos firme hasta el fin la confianza y el gloriarnos en la esperanza.

7 Por lo cual, como dice el Espíritu Santo: Si oyereis hoy su voz,

8 no endurezcáis vuestros corazones, como en la provocación, en el día de la tentación en el desierto,

9 donde me tentaron vuestros padres; me probaron, y vieron mis obras cuarenta años.

10 A causa de lo cual me disgusté contra esa generación, y dije: Siempre andan vagando en su corazón, y no han conocido mis caminos.

11 Por tanto, juré en mi ira: No entrarán en mi reposo.

12 Saying, I will declare thy name unto my brethren, in the midst of the church will I sing praise unto thee.

13 And again, I will put my trust in him. And again, Behold I and the children which God hath given me.

14 Forasmuch then as the children are partakers of flesh and blood, he also himself likewise took part of the same; that through death he might destroy him that had the power of death, that is, the devil;

15 And deliver them who through fear of death were all their lifetime subject to bondage.

16 For verily he took not on *him the nature of* angels; but he took on *him* the seed of Abraham.

17 Wherefore in all things it behoved him to be made like unto *his* brethren, that he might be a merciful and faithful high priest in things *pertaining* to God, to make reconciliation for the sins of the people.

18 For in that he himself hath suffered being tempted, he is able to succour them that are tempted.

CHAPTER 3

WHEREFORE, holy brethren, partakers of the heavenly calling, consider the Apostle and High Priest of our profession, Christ Jesus;

2 Who was faithful to him that appointed him, as also Moses *was faithful* in all his house.

3 For this *man* was counted worthy of more glory than Moses, inasmuch as he who hath builded the house hath more honour than the house.

4 For every house is builded by some *man;* but he that built all things *is* God.

5 And Moses verily *was* faithful in all his house, as a servant, for a testimony of those things which were to be spoken after;

6 But Christ as a son over his own house; whose house are we, if we hold fast the confidence and the rejoicing of the hope firm unto the end.

7 Wherefore (as the Holy Ghost saith, To day if ye will hear his voice,

8 Harden not your hearts, as in the provocation, in the day of temptation in the wilderness:

9 When your fathers tempted me, proved me, and saw my works forty years.

10 Wherefore I was grieved with that generation, and said, They do alway err in *their* heart; and they have not known my ways.

11 So I sware in my wrath, They shall not enter into my rest.)

12 Mirad, hermanos, que no haya en ninguno de vosotros corazón malo de incredulidad para apartarse del Dios vivo;

13 antes exhortaos los unos a los otros cada día, entre tanto que se dice: Hoy; para que ninguno de vosotros se endurezca por el engaño del pecado.

14 Porque somos hechos participantes de Cristo, con tal que retengamos firme hasta el fin nuestra confianza del principio,

15 entre tanto que se dice: Si oyereis hoy su voz, no endurezcáis vuestros corazones, como en la provocación.

16 ¿Quiénes fueron los que, habiendo oído, le provocaron? ¿No fueron todos los que salieron de Egipto por mano de Moisés?

17 ¿Y con quiénes estuvo él disgustado cuarenta años? ¿No fue con los que pecaron, cuyos cuerpos cayeron en el desierto?

18 ¿Y a quiénes juró que no entrarían en su reposo, sino a aquellos que desobedecieron?

19 Y vemos que no pudieron entrar a causa de incredulidad.

CAPÍTULO 4

TEMAMOS, pues, no sea que permaneciendo aún la promesa de entrar en su reposo, alguno de vosotros parezca no haberlo alcanzado.

2 Porque también a nosotros se nos ha anunciado la buena nueva como a ellos; pero no les aprovechó el oir la palabra, por no ir acompañada de fe en los que la oyeron.

3 Pero los que hemos creído entramos en el reposo, de la manera que dijo: Por tanto, juré en mi ira, no entrarán en mi reposo; aunque las obras suyas estaban acabadas desde la fundación del mundo.

4 Porque en cierto lugar dijo así del séptimo día: Y reposó Dios de todas sus obras en el séptimo día.

5 Y otra vez aquí: No entrarán en mi reposo.

6 Por lo tanto, puesto que falta que algunos entren en él, y aquellos a quienes primero se les anunció la buena nueva no entraron por causa de desobediencia,

7 otra vez determina un día: Hoy, diciendo después de tanto tiempo, pro medio de David, como se dijo: Si oyereis hoy su voz, no endurezcáis vuestro corazones.

8 Porque si Josué les hubiera dado el reposo, no hablaría después de otro día.

9 Por tanto, queda un reposo para el pueblo de Dios.

10 Porque el que ha entrado en su reposo, también ha reposado de sus obras, como Dios de las suyas.

12 Take heed, brethren, lest there be in any of you an evil heart of unbelief, in departing from the living God.

13 But exhort one another daily, while it is called To day; lest any of you be hardened through the deceitfulness of sin.

14 For we are made partakers of Christ, if we hold the beginning of our confidence stedfast unto the end;

15 While it is said, To day if ye will hear his voice, harden not your hearts, as in the provocation.

16 For some, when they had heard, did provoke: howbeit not all that came out of Egypt by Moses.

17 But with whom was he grieved forty years? *was it* not with them that had sinned, whose carcases fell in the wilderness?

18 And to whom sware he that they should not enter into his rest, but to them that believed not?

19 So we see that they could not enter in because of unbelief.

CHAPTER 4

LET us therefore fear, lest, a promise being left *us* of entering into his rest, any of you should seem to come short of it.

2 For unto us was the gospel preached, as well as unto them: but the word preached did not profit them, not being mixed with faith in them that heard *it*.

3 For we which have believed do enter into rest, as he said, As I have sworn in my wrath, if they shall enter into my rest: although the works were finished from the foundation of the world.

4 For he spake in a certain place of the seventh *day* on this wise, And God did rest the seventh day from all his works.

5 And in this *place* again, If they shall enter into my rest.

6 Seeing therefore it remaineth that some must enter therein, and they to whom it was first preached entered not in because of unbelief:

7 Again, he limiteth a certain day, saying in David, To day, after so long a time; as it is said, To day if ye will hear his voice, harden not your hearts.

8 For if Jesus had given them rest, then would he not afterward have spoken of another day.

9 There remaineth therefore a rest to the people of God.

10 For he that is entered into his rest, he also hath ceased from his own works, as God *did* from his.

11 Procuremos, pues, entrar en aquel reposo, para que ninguno caiga en semejante ejemplo de desobediencia.

12 Porque la palabra de Dios es viva y eficaz, y más cortante que toda espada de dos filos; y penetra hasta partir el alma y el espíritu, las coyunturas y los tuétanos, y discierne los pensamientos y las intenciones del corazón.

13 Y no hay cosa creada que no sea manifiesta en su presencia; antes bien todas las cosas están desnudas y abiertas a los ojos de aquel a quien tenemos que dar cuenta.

14 Por tanto, teniendo un gran sumo sacerdote que traspasó los cielos, Jesús el Hijo de Dios, retengamos nuestra profesión.

15 Porque no tenemos un sumo sacerdote que no pueda compadecerse de nuestras debilidades, sino uno que fue tentado en todo según nuestra semejanza, pero sin pecado.

16 Acerquémonos, pues, confiadamente al trono de la gracia, para alcanzar misericordia y hallar gracia para el oportuno socorro.

CAPÍTULO 5

PORQUE todo sumo sacerdote tomado de entre los hombres es constituido a favor de los hombres en lo que a Dios se refiere, para que presente ofrendas y sacrificios por los pecados;

2 para que se muestre paciente con los ignorantes y extraviados, puesto que él también está rodeado de debilidad;

3 y por causa de ella debe ofrecer por los pecados, tanto por sí mismo como también por el pueblo.

4 Y nadie toma para sí esta honra, sino el que es llamado por Dios, como lo fue Aarón.

5 Así tampoco Cristo se glorificó a sí *mismo haciéndose* sumo sacerdote, sino el que le dijo: Tú eres mi Hijo, yo te he engendrado hoy.

6 Como también dice en otro lugar: Tú eres sacerdote para siempre, según el orden de Melquisedec.

7 Y Cristo, en los días de su carne, ofreciendo ruegos y súplicas con gran clamor y lágrimas al que le podía librar de la muerte, fue oído a causa de su temor reverente.

8 Y aunque era Hijo, por lo que padeció aprendió la obediencia;

9 y habiendo sido perfeccionado, vino a ser autor de eterna salvación para todos los que le obedecen;

10 y fue declarado por Dios sumo sacerdote según el orden de Melquisedec.

11 Acerca de esto tenemos mucho que

11 Let us labour therefore to enter into that rest, lest any man fall after the same example of unbelief.

12 For the word of God *is* quick, and powerful, and sharper than any two-edged sword, piercing even to the dividing asunder of soul and spirit, and of the joints and marrow, and *is* a discerner of the thoughts and intents of the heart.

13 Neither is there any creature that is not manifest in his sight: but all things *are* naked and opened unto the eyes of him with whom we have to do.

14 Seeing then that we have a great high priest, that is passed into the heavens, Jesus the Son of God, let us hold fast *our* profession.

15 For we have not an high priest which cannot be touched with the feeling of our infirmities; but was in all points tempted like as *we are, yet* without sin.

16 Let us therefore come boldly unto the throne of grace, that we may obtain mercy, and find grace to help in time of need.

CHAPTER 5

FOR every high priest taken from among men is ordained for men in things *pertaining* to God, that he may offer both gifts and sacrifices for sins:

2 Who can have compassion on the ignorant, and on them that are out of the way; for that he himself also is compassed with infirmity.

3 And by reason hereof he ought, as for the people, so also for himself, to offer for sins.

4 And no man taketh this honour unto himself, but he that is called of God, as *was* Aaron.

5 So also Christ glorified not himself to be made an high priest; but he that said unto him, Thou art my Son, to day have I begotten thee.

6 As he saith also in another *place*, Thou *art* a priest for ever after the order of Mel-chis'e-dec.

7 Who in the days of his flesh, when he had offered up prayers and supplications with strong crying and tears unto him that was able to save him from death, and was heard in that he feared;

8 Though he were a Son, yet learned he obedience by the things which he suffered;

9 And being made perfect, he became the author of eternal salvation unto all them that obey him;

10 Called of God an high priest after the order of Mel-chis'e-dec.

11 Of whom we have many things to

decir, y difícil de explicar, por cuanto os habéis hecho tardos para oir.
12 Porque debiendo ser ya maestros, después de tanto tiempo, tenéis necesidad de que se os vuelva a enseñar cuáles son los primeros rudimentos de las palabras de Dios; y habéis llegado a ser tales que tenéis necesidad de leche, y no de alimento sólido.
13 Y todo aquel que participa de la leche es inexperto en la palabra de justicia, porque es niño;
14 pero el alimento sólido es para los que han alcanzado madurez, para los que por el uso tienen los sentidos ejercitados en el discernimiento del bien y del mal.

CAPÍTULO 6

POR tanto, dejando ya los rudimentos de la doctrina de Cristo, vamos adelante a la perfección; no echando otra vez el fundamento del arrepentimiento de obras muertas, de la fe en Dios,
2 de la doctrina de bautismos, de la imposición de manos, de la resurrección de los muertos y del juicio eterno.
3 Y esto haremos, si Dios en verdad lo permite.
4 Porque es imposible que los que una vez fueron iluminados y gustaron del don celestial, y fueron hechos partícipes del Espíritu Santo,
5 y asimismo gustaron de la buena palabra de Dios y los poderes del siglo venidero,
6 y recayeron, sean otra vez renovados para arrepentimiento, crucificando de nuevo para sí mismos al Hijo de Dios y exponiéndole a vituperio.
7 Porque la tierra que bebe la lluvia que muchas veces cae sobre ella, y produce hierba provechosa a aquellos por los cuales es labrada, recibe bendición de Dios;
8 pero la que produce espinos y abrojos es reprobada, está próxima a ser maldecida, y su fin es el ser quemada.
9 Pero en cuanto a vosotros, oh amados, estamos persuadidos de cosas mejores, y que pertenecen a la salvación, aunque hablamos así.
10 Porque Dios no es injusto para olvidar vuestra obra y el trabajo de amor que habéis mostrado hacia su nombre, habiendo servido a los santos y sirviéndoles aún.
11 Pero deseamos que cada uno de vosotros muestre la misma solicitud hasta el fin, para plena certeza de la esperanza,
12 a fin de que no os hagáis perezosos, sino imitadores de aquellos que por la fe y la paciencia heredan las promesas.

say, and hard to be uttered, seeing ye are dull of hearing.
12 For when for the time ye ought to be teachers, ye have need that one teach you again which *be* the first principles of the oracles of God; and are become such as have need of milk, and not of strong meat.
13 For every one that useth milk *is* unskilful in the word of righteousness: for he is a babe.
14 But strong meat belongeth to them that are of full age, *even* those who by reason of use have their senses exercised to discern both good and evil.

CHAPTER 6

THEREFORE leaving the principles of the doctrine of Christ, let us go on unto perfection; not laying again the foundation of repentance from dead works, and of faith toward God,
2 Of the doctrine of baptisms, and of laying on of hands, and of resurrection of the dead, and of eternal judgment.
3 And this will we do, if God permit.
4 For *it is* impossible for those who were once enlightened, and have tasted of the heavenly gift, and were made partakers of the Holy Ghost,
5 And have tasted the good word of God, and the powers of the world to come,
6 If they shall fall away, to renew them again unto repentance; seeing they crucify to themselves the Son of God afresh, and put *him* to an open shame.
7 For the earth which drinketh in the rain that cometh oft upon it, and bringeth forth herbs meet for them by whom it is dressed, receiveth blessing from God:
8 But that which beareth thorns and briers *is* rejected, and *is* nigh unto cursing; whose end *is* to be burned.
9 But, beloved, we are persuaded better things of you, and things that accompany salvation, though we thus speak.
10 For God *is* not unrighteous to forget your work and labour of love, which ye have shewed toward his name, in that ye have ministered to the saints, and do minister.
11 And we desire that every one of you do shew the same diligence to the full assurance of hope unto the end:
12 That ye be not slothful, but followers of them who through faith and patience inherit the promises.

13 Porque cuando Dios hizo la promesa a Abraham, no pudiendo jurar por otro mayor, juró por sí mismo,

14 diciendo: De cierto te bendeciré con abundancia y te multiplicaré grandemente.

15 Y habiendo esperado con paciencia, alcanzó la promesa.

16 Porque los hombres ciertamente juran por uno mayor que ellos, y para ellos el fin de toda controversia es el juramento para confirmación.

17 Por lo cual, queriendo Dios mostrar más abundantemente a los herederos de la promesa la inmutabilidad de su consejo, interpuso juramento;

18 para que por dos cosas inmutables, en las cuales es imposible que Dios mienta, tengamos un fortísimo consuelo los que hemos acudido para asirnos de la esperanza puesta delante de nosotros.

19 La cual tenemos como segura y firme ancla del alma, y que penetra hasta dentro del velo,

20 donde Jesús entró por nosotros como precursor, hecho sumo sacerdote para siempre según el orden de Melquisedec.

CAPÍTULO 7

PORQUE este Melquisedec, rey de Salem, sacerdote del Dios Altísimo, que salió a recibir a Abraham que volvía de la derrota de los reyes, y le bendijo,

2 a quien asimismo dio Abraham los diezmos de todo; cuyo nombre significa primeramente Rey de justicia, y también Rey de Salem, esto es, Rey de paz;

3 sin padre, sin madre, sin genealogía; que ni tiene principio de días, ni fin de vida, sino hecho semejante al Hijo de Dios, permanece sacerdote para siempre.

4 Considerad, pues, cuán grande era éste, a quien aun Abraham el patriarca dio diezmos del botín.

5 Ciertamente los que de entre los hijos de Leví reciben el sacerdocio, tienen mandamiento de tomar del pueblo los diezmos según la ley, es decir, de sus hermanos, aunque éstos también hayan salido de los lomos de Abraham.

6 Pero aquel cuya genealogía no es contada de entre ellos, tomó de Abraham los diezmos, y bendijo al que tenía las promesas.

7 Y sin discusión alguna, el menor es bendecido por el mayor.

8 Y aquí ciertamente reciben los diezmos hombres mortales; pero allí, uno de quien se da testimonio de que vive.

9 Y por decirlo así, en Abraham pagó el diezmo también Leví, que recibe los diezmos;

13 For when God made promise to Abraham, because he could swear by no greater, he sware by himself,

14 Saying, Surely blessing I will bless thee, and multiplying I will multiply thee.

15 And so, after he had patiently endured, he obtained the promise.

16 For men verily swear by the greater: and an oath for confirmation *is* to them an end of all strife.

17 Wherein God, willing more abundantly to shew unto the heirs of promise the immutability of his counsel, confirmed *it* by an oath:

18 That by two immutable things, in which *it was* impossible for God to lie, we might have a strong consolation, who have fled for refuge to lay hold upon the hope set before us:

19 Which *hope* we have as an anchor of the soul, both sure and stedfast, and which entereth into that within the veil;

20 Whither the forerunner is for us entered, *even* Jesus, made an high priest for ever after the order of Mel-chis'e-dec.

CHAPTER 7

FOR this Mel-chis'e-dec, king of Salem, priest of the most high God, who met Abraham returning from the slaughter of the kings, and blessed him;

2 To whom also Abraham gave a tenth part of all; first being by interpretation King of righteousness, and after that also King of Salem, which is, King of peace;

3 Without father, without mother, without descent, having neither beginning of days, nor end of life; but made like unto the Son of God; abideth a priest continually.

4 Now consider how great this man *was*, unto whom even the patriarch Abraham gave the tenth of the spoils.

5 And verily they that are of the sons of Levi, who receive the office of the priesthood, have a commandment to take tithes of the people according to the law, that is, of their brethren, though they come out of the loins of Abraham:

6 But he whose descent is not counted from them received tithes of Abraham, and blessed him that had the promises.

7 And without all contradiction the less is blessed of the better.

8 And here men that die receive tithes; but there he *receiveth them*, of whom it is witnessed that he liveth.

9 And as I may so say, Levi also, who receiveth tithes, payed tithes in Abraham.

10 porque aún estaba en los lomos de su padre cuando Melquisedec le salió al encuentro.

11 Si, pues, la perfección fuera por el sacerdocio levítico (porque bajo él recibió el pueblo la ley), ¿qué necesidad habría aún de que se levantase otro sacerdote, según el orden de Melquisedec, y que no fuese llamado según el orden de Aarón?

12 Porque cambiado el sacerdocio, necesario es que haya también cambio de ley;

13 y aquel de quien se dice esto, es de otra tribu, de la cual nadie sirvió al altar.

14 Porque manifiesto es que nuestro Señor vino de la tribu de Judá, de la cual nada habló Moisés tocante al sacerdocio.

15 Y esto es aun más manifiesto, si a semejanza de Melquisedec se levanta un sacerdote distinto,

16 no constituido conforme a la ley del mandamiento acerca de la descendencia, sino según el poder de una vida indestructible.

17 Pues se da testimonio de él: Tú eres sacerdote para siempre, según el orden de Melquisedec.

18 Queda, pues, abrogado el mandamiento anterior a causa de su debilidad e ineficacia

19 (pues nada perfeccionó la ley), y de la introducción de una mejor esperanza, por la cual nos acercamos a Dios.

20 Y esto no fue hecho sin juramento;

21 porque los otros ciertamente sin juramento fueron hechos sacerdotes; pero éste, con el juramento del que le dijo: Juró el Señor, y no se arrepentirá: Tú eres sacerdote para siempre, según el orden de Melquisedec.

22 Por tanto, Jesús es hecho fiador de un mejor pacto.

23 Y los otros sacerdotes llegaron a ser muchos, debido a que por la muerte no podían continuar;

24 mas éste, por cuanto permanece para siempre, tiene un sacerdocio inmutable;

25 por lo cual puede también salvar perpetuamente a los que por él se acercan a Dios, viviendo siempre para interceder por ellos.

26 Porque tal sumo sacerdote nos convenía: santo, inocente, sin mancha, apartado de los pecadores, y hecho más sublime que los cielos;

27 que no tiene necesidad cada día, como aquellos sumos sacerdotes, de ofrecer primero sacrificios por sus propios pecados, y luego por los del pueblo; porque esto lo hizo una vez para siempre, ofreciéndose a sí mismo.

10 For he was yet in the loins of his father, when Mel-chis′e-dec met him.

11 If therefore perfection were by the Le-vit′i-cal priesthood, (for under it the people received the law,) what further need *was there* that another priest should rise after the order of Mel-chis′e-dec, and not be called after the order of Aaron?

12 For the priesthood being changed, there is made of necessity a change also of the law.

13 For he of whom these things are spoken pertaineth to another tribe, of which no man gave attendance at the altar.

14 For *it is* evident that our Lord sprang out of Juda; of which tribe Moses spake nothing concerning priesthood.

15 And it is yet far more evident: for that after the similitude of Mel-chis′e-dec there ariseth another priest,

16 Who is made, not after the law of a carnal commandment, but after the power of an endless life.

17 For he testifieth, Thou *art* a priest for ever after the order of Mel-chis′e-dec.

18 For there is verily a disannulling of the commandment going before for the weakness and unprofitableness thereof.

19 For the law made nothing perfect, but the bringing in of a better hope *did;* by the which we draw nigh unto God.

20 And inasmuch as not without an oath *he was made priest:*

21 (For those priests were made without an oath; but this with an oath by him that said unto him, The Lord sware and will not repent, Thou *art* a priest for ever after the order of Mel-chis′e-dec:)

22 By so much was Jesus made a surety of a better testament.

23 And they truly were many priests, because they were not suffered to continue by reason of death:

24 But this *man,* because he continueth ever, hath an unchangeable priesthood.

25 Wherefore he is able also to save them to the uttermost that come unto God by him, seeing he ever liveth to make intercession for them.

26 For such an high priest became us, *who is* holy, harmless, undefiled, separate from sinners, and made higher than the heavens;

27 Who needeth not daily, as those high priests, to offer up sacrifice, first for his own sins, and then for the people's: for this he did once, when he offered up himself.

28 Porque la ley constituye sumos sacerdotes a débiles hombres; pero la palabra del juramento, posterior a la ley, al Hijo, hecho perfecto para siempre.

CAPÍTULO 8

AHORA bien, el punto principal de lo que venimos diciendo es que tenemos tal sumo sacerdote, el cual se sentó a la diestra del trono de la Majestad en los cielos,
2 ministro del santuario, y de aquel verdadero tabernáculo que levantó el Señor, y no el hombre.
3 Porque todo sumo sacerdote está constituido para presentar ofrendas y sacrificios; por lo cual es necesario que también éste tenga algo que ofrecer.
4 Así que, si estuviese sobre la tierra, ni siquiera sería sacerdote, habiendo aún sacerdotes que presentan las ofrendas según la ley;
5 los cuales sirven a lo que es figura y sombra de las cosas celestiales, como se le advirtió a Moisés cuando iba a erigir el tabernáculo, diciéndole: Mira, haz todas las cosas conforme al modelo que se te ha mostrado en el monte.
6 Pero ahora tanto mejor ministerio es el suyo, cuanto es mediador de un mejor pacto, establecido sobre mejores promesas.
7 Porque si aquel primero hubiera sido sin defecto, ciertamente no se hubiera procurado lugar para el segundo.
8 Porque reprendiéndolos dice: He aquí vienen días, dice el Señor, en que estableceré con la casa de Israel y la casa de Judá un nuevo pacto;
9 no como el pacto que hice con sus padres el día que los tomé de la mano para sacarlos de la tierra de Egipto; porque ellos no permanecieron en mi pacto, y yo me desentendí de ellos, dice el Señor.
10 Por lo cual, este es el pacto que haré con la casa de Israel después de aquellos días, dice el Señor: Pondré mis leyes en la mente de ellos, y sobre su corazón las escribiré; y seré a ellos por Dios, y ellos me serán a mí por pueblo;
11 y ninguno enseñará a su prójimo, ni ninguno a su hermano, diciendo: Conoce al Señor; porque todos me conocerán, desde el menor hasta el mayor de ellos.
12 Porque seré propicio a sus injusticias, y nunca más me acordaré de sus pecados y de sus iniquidades.
13 Al decir: Nuevo pacto, ha dado por viejo al primero; y lo que se da por viejo y se envejece, está próximo a desaparecer.

28 For the law maketh men high priests which have infirmity; but the word of the oath, which was since the law, *maketh* the Son, who is consecrated for evermore.

CHAPTER 8

NOW of the things which we have spoken *this is* the sum: We have such an high priest, who is set on the right hand of the throne of the Majesty in the heavens;
2 A minister of the sanctuary, and of the true tabernacle, which the Lord pitched, and not man.
3 For every high priest is ordained to offer gifts and sacrifices: wherefore *it is* of necessity that this man have somewhat also to offer.
4 For if he were on earth, he should not be a priest, seeing that there are priests that offer gifts according to the law:
5 Who serve unto the example and shadow of heavenly things, as Moses was admonished of God when he was about to make the tabernacle: for, See, saith he, *that* thou make all things according to the pattern shewed to thee in the mount.
6 But now hath he obtained a more excellent ministry, by how much also he is the mediator of a better covenant, which was established upon better promises.
7 For if that first *covenant* had been faultless, then should no place have been sought for the second.
8 For finding fault with them, he saith, Behold, the days come, saith the Lord, when I will make a new covenant with the house of Israel and with the house of Judah:
9 Not according to the covenant that I made with their fathers in the day when I took them by the hand to lead them out of the land of Egypt; because they continued not in my covenant, and I regarded them not, saith the Lord.
10 For this *is* the covenant that I will make with the house of Israel after those days, saith the Lord; I will put my laws into their mind, and write them in their hearts: and I will be to them a God, and they shall be to me a people:
11 And they shall not teach every man his neighbour, and every man his brother, saying, Know the Lord: for all shall know me, from the least to the greatest.
12 For I will be merciful to their unrighteousness, and their sins and their iniquities will I remember no more.
13 In that he saith, A new *covenant*, he hath made the first old. Now that which decayeth and waxeth old *is* ready to vanish away.

CAPÍTULO 9

AHORA bien, aun el primer pacto tenía ordenanzas de culto y un santuario terrenal.

2 Porque el tabernáculo estaba dispuesto así: en la primera parte, llamada el Lugar Santo, estaban el candelabro, la mesa y los panes de la proposición.

3 Tras el segundo velo estaba la parte del tabernáculo llamada el Lugar Santísimo,

4 el cual tenía un incensario de oro y el arca del pacto cubierta de oro por todas partes, en la que estaba una urna de oro que contenía el maná, la vara de Aarón que reverdeció, y las tablas del pacto;

5 y sobre ella los querubines de gloria que cubrían el propiciatorio; de las cuales cosas no se puede ahora hablar en detalle.

6 Y así dispuestas estas cosas, en la primera parte del tabernáculo entran los sacerdotes continuamente para cumplir los oficios del culto;

7 pero en la segunda parte, sólo el sumo sacerdote una vez al año, no sin sangre, la cual ofrece por sí mismo y por los pecados de ignorancia del pueblo;

8 dando el Espíritu Santo a entender con esto que aún no se había manifestado el camino al Lugar Santísimo, entre tanto que la primera parte del tabernáculo estuviese en pie.

9 Lo cual es símbolo para el tiempo presente, según el cual se presentan ofrendas y sacrificios que no pueden hacer perfecto, en cuanto a la conciencia, al que practica ese culto,

10 ya que consiste sólo de comidas y bebidas, de diversas abluciones, y ordenanzas acerca de la carne, impuestas hasta el tiempo de reformar las cosas.

11 Pero estando ya presente Cristo, sumo sacerdote de los bienes venideros, por el más amplio y más perfecto tabernáculo, no hecho de manos, es decir, no de esta creación,

12 y no por sangre de machos cabríos ni de becerros, sino por su propia sangre, entró una vez para siempre en el Lugar Santísimo, habiendo obtenido eterna redención.

13 Porque si la sangre de los toros y de los machos cabríos, y las cenizas de la becerra rociadas a los inmundos, santifican para la purificación de la carne,

14 ¿cuánto más la sangre de Cristo, el cual mediante el Espíritu eterno se ofreció a sí mismo sin mancha a Dios, limpiará vuestras conciencias de obras muertas para que sirváis al Dios vivo?

CHAPTER 9

THEN verily the first *covenant* had also ordinances of divine service, and a worldly sanctuary.

2 For there was a tabernacle made; the first, wherein *was* the candlestick, and the table, and the shewbread; which is called the sanctuary.

3 And after the second veil, the tabernacle which is called the Holiest of all;

4 Which had the golden censer, and the ark of the covenant overlaid round about with gold, wherein *was* the golden pot that had manna, and Aaron's rod that budded, and the tables of the covenant;

5 And over it the cherubims of glory shadowing the mercyseat; of which we cannot now speak particularly.

6 Now when these things were thus ordained, the priests went always into the first tabernacle, accomplishing the service *of God.*

7 But into the second *went* the high priest alone once every year, not without blood, which he offered for himself, and *for* the errors of the people:

8 The Holy Ghost this signifying, that the way into the holiest of all was not yet made manifest, while as the first tabernacle was yet standing:

9 Which *was* a figure for the time then present, in which were offered both gifts and sacrifices, that could not make him that did the service perfect, as pertaining to the conscience;

10 *Which stood* only in meats and drinks, and divers washings, and carnal ordinances, imposed *on them* until the time of reformation.

11 But Christ being come an high priest of good things to come, by a greater and more perfect tabernacle, not made with hands, that is to say, not of this building;

12 Neither by the blood of goats and calves, but by his own blood he entered in once into the holy place, having obtained eternal redemption *for us.*

13 For if the blood of bulls and of goats, and the ashes of an heifer sprinkling the unclean, sanctifieth to the purifying of the flesh:

14 How much more shall the blood of Christ, who through the eternal Spirit offered himself without spot to God, purge your conscience from dead works to serve the living God?

15 Así que, por eso es mediador de un nuevo pacto, para que interviniendo muerte para la remisión de las transgresiones que había bajo el primer pacto, los llamados reciban la promesa de la herencia eterna.
16 Porque donde hay testamento, es necesario que intervenga muerte del testador.
17 Porque el testamento con la muerte se confirma; pues no es válido entre tanto que el testador vive.
18 De donde ni aun el primer pacto fue instituido sin sangre.
19 Porque habiendo anunciado Moisés todos los mandamientos de la ley a todo el pueblo, tomó la sangre de los becerros y de los machos cabríos, con agua, lana escarlata e hisopo, y roció el mismo libro y también a todo el pueblo,
20 diciendo: Esta es la sangre del pacto que Dios os ha mandado.
21 Y además de esto, roció también con la sangre el tabernáculo y todos los vasos del ministerio.
22 Y casi todo es purificado, según la ley, con sangre; y sin derramamiento de sangre no se hace remisión.
23 Fue, pues, necesario que las figuras de las cosas celestiales fuesen purificadas así; pero las cosas celestiales mismas, con mejores sacrificios que estos.
24 Porque no entró Cristo en el santuario hecho de mano, figura del verdadero, sino en el cielo mismo para presentarse ahora por nosotros ante Dios;
25 y no para ofrecerse muchas veces, como entra el sumo sacerdote en el Lugar Santísimo cada año con sangre ajena.
26 De otra manera le hubiera sido necesario padecer muchas veces desde el principio del mundo; pero ahora, en la consumación de los siglos, se presentó una vez para siempre por el sacrificio de sí mismo para quitar de en medio el pecado.
27 Y de la manera que está establecido para los hombres que mueran una sola vez, y después de esto el juicio,
28 así también Cristo fue ofrecido una sola vez para llevar los pecados de muchos; y aparecerá por segunda vez, sin relación con el pecado, para salvar a los que le esperan.

CAPÍTULO 10

PORQUE la ley, teniendo la sombra de los bienes venideros, no la imagen misma de las cosas, nunca puede, por los mismos sacrificios que se ofrecen continuamente cada año, hacer perfectos a los que se acercan.

15 And for this cause he is the mediator of the new testament, that by means of death, for the redemption of the transgressions *that were* under the first testament, they which are called might receive the promise of eternal inheritance.
16 For where a testament *is*, there must also of necessity be the death of the testator.
17 For a testament *is* of force after men are dead: otherwise it is of no strength at all while the testator liveth.
18 Whereupon neither the first *testament* was dedicated without blood.
19 For when Moses had spoken every precept to all the people according to the law, he took the blood of calves and of goats, with water, and scarlet wool, and hyssop, and sprinkled both the book, and all the people,
20 Saying, This *is* the blood of the testament which God hath enjoined unto you.
21 Moreover he sprinkled with blood both the tabernacle, and all the vessels of the ministry.
22 And almost all things are by the law purged with blood; and without shedding of blood is no remission.
23 *It was* therefore necessary that the patterns of things in the heavens should be purified with these; but the heavenly things themselves with better sacrifices than these.
24 For Christ is not entered into the holy places made with hands, *which are* the figures of the true; but into heaven itself, now to appear in the presence of God for us:
25 Nor yet that he should offer himself often, as the high priest entereth into the holy place every year with blood of others;
26 For then must he often have suffered since the foundation of the world: but now once in the end of the world hath he appeared to put away sin by the sacrifice of himself.
27 And as it is appointed unto men once to die, but after this the judgment:
28 So Christ was once offered to bear the sins of many; and unto them that look for him shall he appear the second time without sin unto salvation.

CHAPTER 10

FOR the law having a shadow of good things to come, *and* not the very image of the things, can never with those sacrifices which they offered year by year continually make the comers thereunto perfect.

2 De otra manera cesarían de ofrecerse, pues los que tributan este culto, limpios una vez, no tendrían ya más conciencia de pecado.

3 Pero en estos sacrificios cada año se hace memoria de los pecados;

4 porque la sangre de los toros y de los machos cabríos no puede quitar los pecados.

5 Por lo cual, entrando en el mundo dice: Sacrificio y ofrenda no quisiste; mas me preparaste cuerpo.

6 Holocaustos y expiaciones por el pecado no te agradaron.

7 Entonces dije: He aquí que vengo, oh Dios, para hacer tu voluntad, Como en el rollo del libro está escrito de mí.

8 Diciendo primero: Sacrificio y ofrenda y holocaustos y expiaciones por el pecado no quisiste, ni te agradaron (las cuales cosas se ofrecen según la ley),

9 y diciendo luego: He aquí que vengo, oh Dios, para hacer tu voluntad; quita lo primero, para establecer esto último.

10 En esa voluntad somos santificados mediante la ofrenda del cuerpo de Jesucristo hecha una vez para siempre.

11 Y ciertamente todo sacerdote está día tras día ministrando y ofreciendo muchas veces los mismos sacrificios, que nunca pueden quitar los pecados;

12 pero Cristo, habiendo ofrecido una vez para siempre un solo sacrificio por los pecados, se ha sentado a la diestra de Dios,

13 de ahí en adelante esperando hasta que sus enemigos sean puestos por estrado de sus pies;

14 porque con una sola ofrenda hizo perfectos para siempre a los santificados.

15 Y nos atestigua lo mismo el Espíritu Santo; porque después de haber dicho:

16 Este es el pacto que haré con ellos después de aquellos días, dice el Señor: Pondré mis leyes en sus corazones, y en sus mentes las escribiré,

17 añade: Y nunca más me acordaré de sus pecados y transgresiones.

18 Pues donde hay remisión de éstos, no hay más ofrenda por el pecado.

19 Así que, hermanos, teniendo libertad para entrar en el Lugar Santísimo por la sangre de Jesucristo,

20 por el camino nuevo y vivo que él nos abrió a través del velo, esto es, de su carne,

21 y teniendo un gran sacerdote sobre la casa de Dios,

22 acerquémonos con corazón sincero, en plena certidumbre de fe, purificados los corazones de mala conciencia, y lavados los cuerpos con agua pura.

2 For then would they not have ceased to be offered? because that the worshippers once purged should have had no more conscience of sins.

3 But in those *sacrifices there is* a remembrance again *made* of sins every year.

4 For *it is* not possible that the blood of bulls and of goats should take away sins.

5 Wherefore when he cometh into the world, he saith, Sacrifice and offering thou wouldest not, but a body hast thou prepared me:

6 In burnt offerings and *sacrifices* for sin thou hast had no pleasure.

7 Then said I, Lo, I come (in the volume of the book it is written of me,) to do thy will, O God.

8 Above when he said, Sacrifice and offering and burnt offerings and *offering* for sin thou wouldest not, neither hadst pleasure *therein;* which are offered by the law;

9 Then said he, Lo, I come to do thy will, O God. He taketh away the first, that he may establish the second.

10 By the which will we are sanctified through the offering of the body of Jesus Christ once *for all.*

11 And every priest standeth daily ministering and offering oftentimes the same sacrifices, which can never take away sins:

12 But this man, after he had offered one sacrifice for sins for ever, sat down on the right hand of God;

13 From henceforth expecting till his enemies be made his footstool.

14 For by one offering he hath perfected for ever them that are sanctified.

15 *Whereof* the Holy Ghost also is a witness to us: for after that he had said before,

16 This *is* the covenant that I will make with them after those days, saith the Lord, I will put my laws into their hearts, and in their minds will I write them;

17 And their sins and iniquities will I remember no more.

18 Now where remission of these *is, there is* no more offering for sin.

19 Having therefore, brethren, boldness to enter into the holiest by the blood of Jesus,

20 By a new and living way, which he hath consecrated for us, through the veil, that is to say, his flesh;

21 And *having* an high priest over the house of God;

22 Let us draw near with a true heart in full assurance of faith, having our hearts sprinkled from an evil conscience, and our bodies washed with pure water.

23 Mantengamos firme, sin fluctuar, la profesión de nuestra esperanza, porque fiel es el que prometió.

24 Y considerémonos unos a otros para estimularnos al amor y a las buenas obras;

25 no dejando de congregarnos, como algunos tienen por costumbre, sino exhortándonos; y tanto más, cuanto veis que aquel día se acerca.

26 Porque si pecáremos voluntariamente después de haber recibido el conocimiento de la verdad, ya no queda más sacrificio por los pecados,

27 sino una horrenda expectación de juicio, y de hervor de fuego que ha de devorar a los adversarios.

28 El que viola la ley de Moisés, por el testimonio de dos o de tres testigos muere irremisiblemente.

29 ¿Cuánto mayor castigo pensáis que merecerá el que pisoteare al Hijo de Dios, y tuviere por inmunda la sangre del pacto en la cual fue santificado, e hiciere afrenta al Espíritu de gracia?

30 Pues conocemos al que dijo: Mía es la venganza, yo daré el pago, dice el Señor. Y otra vez: El Señor juzgará a su pueblo.

31 ¡Horrenda cosa es caer en manos del Dios vivo!

32 Pero traed a la memoria los días pasados, en los cuales, después de haber sido iluminados, sostuvisteis gran combate de padecimientos;

33 por una parte, ciertamente, con vituperios y tribulaciones fuisteis hechos espectáculo; y por otra, llegasteis a ser compañeros de los que estaban en una situación semejante.

34 Porque de los presos también os compadecisteis, y el despojo de vuestros bienes sufristeis con gozo, sabiendo que tenéis en vosotros una mejor y perdurable herencia en los cielos.

35 No perdáis, pues, vuestra confianza, que tiene grande galardón;

36 porque os es necesaria la paciencia, para que habiendo hecho la voluntad de Dios, obtengáis la promesa.

37 Porque aún un poquito, y el que ha de venir vendrá, y no tardará.

38 Mas el justo vivirá por fe; y si retrocediere, no agradará a mi alma.

39 Pero nosotros no somos de los que retroceden para perdición, sino de los que tienen fe para preservación del alma.

CAPÍTULO 11

ES, pues, la fe la certeza de lo que se espera, la convicción de lo que no se ve.

23 Let us hold fast the profession of *our* faith without wavering; (for he *is* faithful that promised;)

24 And let us consider one another to provoke unto love and to good works:

25 Not forsaking the assembling of ourselves together, as the manner of some *is;* but exhorting *one another:* and so much the more, as ye see the day approaching.

26 For if we sin wilfully after that we have received the knowledge of the truth, there remaineth no more sacrifice for sins,

27 But a certain fearful looking for of judgment and fiery indignation, which shall devour the adversaries.

28 He that despised Moses' law died without mercy under two or three witnesses:

29 Of how much sorer punishment, suppose ye, shall he be thought worthy, who hath trodden under foot the Son of God, and hath counted the blood of the covenant, wherewith he was sanctified, an unholy thing, and hath done despite unto the Spirit of grace?

30 For we know him that hath said, Vengeance *belongeth* unto me, I will recompense, saith the Lord. And again, The Lord shall judge his people.

31 *It is* a fearful thing to fall into the hands of the living God.

32 But call to remembrance the former days, in which, after ye were illuminated, ye endured a great fight of afflictions;

33 Partly, whilst ye were made a gazingstock both by reproaches and afflictions; and partly, whilst ye became companions of them that were so used.

34 For ye had compassion of me in my bonds, and took joyfully the spoiling of your goods, knowing in yourselves that ye have in heaven a better and an enduring substance.

35 Cast not away therefore your confidence, which hath great recompence of reward.

36 For ye have need of patience, that, after ye have done the will of God, ye might receive the promise.

37 For yet a little while, and he that shall come will come, and will not tarry.

38 Now the just shall live by faith: but if *any man* draw back, my soul shall have no pleasure in him.

39 But we are not of them who draw back unto perdition; but of them that believe to the saving of the soul.

CHAPTER 11

NOW faith is the substance of things hoped for, the evidence of things not seen.

2 Porque por ella alcanzaron buen testimonio los antiguos.

3 Por la fe entendemos haber sido constituido el universo por la palabra de Dios, de modo que lo que se ve fue hecho de lo que no se veía.

4 Por la fe Abel ofreció a Dios más excelente sacrificio que Caín, por lo cual alcanzó testimonio de que era justo, dando Dios testimonio de sus ofrendas; y muerto, aún habla por ella.

5 Por la fe Enoc fue traspuesto para no ver muerte, y no fue hallado, porque lo traspuso Dios; y antes que fuese traspuesto, tuvo testimonio de haber agradado a Dios.

6 Pero sin fe es imposible agradar a Dios; porque es necesario que el que se acerca a Dios crea que le hay, y que es galardonador de los que le buscan.

7 Por la fe Noé, cuando fue advertido por Dios acerca de cosas que aún no se veían, con temor preparó el arca en que su casa se salvase; y por esa fe condenó al mundo, y fue hecho heredero de la justicia que viene por la fe.

8 Por la fe Abraham, siendo llamado, obedeció para salir al lugar que había de recibir como herencia; y salió sin saber a dónde iba.

9 Por la fe habitó como extranjero en la tierra prometida como en tierra ajena, morando en tiendas con Isaac y Jacob, coherederos de la misma promesa;

10 porque esperaba la ciudad que tiene fundamentos, cuyo arquitecto y constructor es Dios.

11 Por la fe también la misma Sara, siendo estéril, recibió fuerza para concebir; y dio a luz aun fuera del tiempo de la edad, porque creyó que era fiel quien lo había prometido.

12 Por lo cual también, de uno, y ése ya casi muerto, salieron como las estrellas del cielo en multitud, y como la arena innumerable que está a la orilla del mar.

13 Conforme a la fe murieron todos éstos sin haber recibido lo prometido, sino mirándolo de lejos, y creyéndolo, y saludándolo, y confesando que eran extranjeros y peregrinos sobre la tierra.

14 Porque los que esto dicen, claramente dan a entender que buscan una patria;

15 pues si hubiesen estado pensando en aquella de donde salieron, ciertamente tenían tiempo de volver.

16 Pero anhelaban una mejor, esto es, celestial; por lo cual Dios no se avergüen-

2 For by it the elders obtained a good report.

3 Through faith we understand that the worlds were framed by the word of God, so that things which are seen were not made of things which do appear.

4 By faith Abel offered unto God a more excellent sacrifice than Cain, by which he obtained witness that he was righteous, God testifying of his gifts: and by it he being dead yet speaketh.

5 By faith E'noch was translated that he should not see death; and was not found, because God had translated him: for before his translation he had this testimony, that he pleased God.

6 But without faith *it is* impossible to please *him:* for he that cometh to God must believe that he is, and *that* he is a rewarder of them that diligently seek him.

7 By faith Noah, being warned of God of things not seen as yet, moved with fear, prepared an ark to the saving of his house; by the which he condemned the world, and became heir of the righteousness which is by faith.

8 By faith Abraham, when he was called to go out into a place which he should after receive for an inheritance, obeyed; and he went out, not knowing whither he went.

9 By faith he sojourned in the land of promise, as *in* a strange country, dwelling in tabernacles with Isaac and Jacob, the heirs with him of the same promise:

10 For he looked for a city which hath foundations, whose builder and maker *is* God.

11 Through faith also Sara herself received strength to conceive seed, and was delivered of a child when she was past age, because she judged him faithful who had promised.

12 Therefore sprang there even of one, and him as good as dead, *so many* as the stars of the sky in multitude, and as the sand which is by the sea shore innumerable.

13 These all died in faith, not having received the promises, but having seen them afar off, and were persuaded of *them*, and embraced *them*, and confessed that they were strangers and pilgrims on the earth.

14 For they that say such things declare plainly that they seek a country.

15 And truly, if they had been mindful of that *country* from whence they came out, they might have had opportunity to have returned.

16 But now they desire a better *country*, that is, an heavenly: wherefore God

za de llamarse Dios de ellos; porque les ha preparado una ciudad.
17 Por la fe Abraham, cuando fue probado, ofreció a Isaac; y el que había recibido las promesas ofrecía su unigénito,
18 habiéndosele dicho: En Isaac te será llamada descendencia;
19 pensando que Dios es poderoso para levantar aun de entre los muertos, de donde, en sentido figurado, también le volvió a recibir.
20 Por la fe bendijo Isaac a Jacob y a Esaú respecto a cosas venideras.
21 Por la fe Jacob, al morir, bendijo a cada uno de los hijos de José, y adoró apoyado sobre el extremo de su bordón.
22 Por la fe José, al morir, mencionó la salida de los hijos de Israel, y dio mandamiento acerca de sus huesos.
23 Por la fe Moisés cuando nació, fue escondido por sus padres por tres meses, porque le vieron niño hermoso, y no temieron el decreto del rey.
24 Por la fe Moisés, hecho ya grande, rehusó llamarse hijo de la hija de Faraón,
25 escogiendo antes ser maltratado con el pueblo de Dios, que gozar de los deleites temporales del pecado,
26 teniendo por mayores riquezas el vituperio de Cristo que los tesoros de los egipcios; porque tenía puesta la mirada en el galardón.
27 Por la fe dejó a Egipto, no temiendo la ira del rey; porque se sostuvo como viendo al Invisible.
28 Por la fe celebró la pascua y la aspersión de la sangre, para que el que destruía a los primogénitos no los tocase a ellos.
29 Por la fe pasaron el Mar Rojo como por tierra seca; e intentando los egipcios hacer lo mismo, fueron ahogados.
30 Por la fe cayeron los muros de Jericó después de rodearlos siete días.
31 Por la fe Rahab la ramera no pereció juntamente con los desobedientes, habiendo recibido a los espías en paz.
32 ¿Y qué más digo? Porque el tiempo me faltaría contando de Gedeón, de Barac, de Sansón, de Jefté, de David, así como de Samuel y de los profetas;
33 que por fe conquistaron reinos, hicieron justicia, alcanzaron promesas, taparon bocas de leones,
34 apagaron fuegos impetuosos, evita-

is not ashamed to be called their God: for he hath prepared for them a city.
17 By faith Abraham, when he was tried, offered up Isaac: and he that had received the promises offered up his only begotten *son*,
18 Of whom it was said, That in Isaac shall thy seed be called:
19 Accounting that God *was* able to raise *him* up, even from the dead; from whence also he received him in a figure.
20 By faith Isaac blessed Jacob and Esau concerning things to come.
21 By faith Jacob, when he was a dying, blessed both the sons of Joseph; and worshipped, *leaning* upon the top of his staff.
22 By faith Joseph, when he died, made mention of the departing of the children of Israel; and gave commandment concerning his bones.
23 By faith Moses, when he was born, was hid three months of his parents, because they saw *he was* a proper child; and they were not afraid of the king's commandment.
24 By faith Moses, when he was come to years, refused to be called the son of Pharaoh's daughter;
25 Choosing rather to suffer affliction with the people of God, than to enjoy the pleasures of sin for a season;
26 Esteeming the reproach of Christ greater riches than the treasures in Egypt: for he had respect unto the recompence of the reward.
27 By faith he forsook Egypt, not fearing the wrath of the king: for he endured, as seeing him who is invisible.
28 Through faith he kept the passover, and the sprinkling of blood, lest he that destroyed the firstborn should touch them.
29 By faith they passed through the Red sea as by dry *land*: which the Egyptians assaying to do were drowned.
30 By faith the walls of Jericho fell down, after they were compassed about seven days.
31 By faith the harlot Rahab perished not with them that believed not, when she had received the spies with peace.
32 And what shall I more say? for the time would fail me to tell of Ged'e-on, and *of* Ba'rak, and *of* Samson, and *of* Jeph'tha-e; *of* David also, and Samuel, and *of* the prophets:
33 Who through faith subdued kingdoms, wrought righteousness, obtained promises, stopped the mouths of lions,
34 Quenched the violence of fire, es-

ron filo de espada, sacaron fuerzas de de-
bilidad, se hicieron fuertes en batallas,
pusieron en fuga ejércitos extranjeros.
35 Las mujeres recibieron sus muertos
mediante resurrección; mas otros fueron
atormentados, no aceptando el rescate, a
fin de obtener mejor resurrección.
36 Otros experimentaron vituperios y
azotes, y a más de esto prisiones y cárce-
les.
37 Fueron apedreados, aserrados, pues-
tos a prueba, muertos a filo de espada;
anduvieron de acá para allá cubiertos de
pieles de ovejas y de cabras, pobres, an-
gustiados, maltratados;
38 de los cuales el mundo no era digno;
errando por los desiertos, por los montes,
por las cuevas y por las cavernas de la
tierra.
39 Y todos éstos, aunque alcanzaron
buen testimonio mediante la fe, no reci-
bieron lo prometido;
40 proveyendo Dios alguna cosa mejor
para nosotros, para que no fuesen ellos
perfeccionados aparte de nosotros.

CAPÍTULO 12

POR tanto, nosotros también, teniendo
en derredor nuestro tan grande nube
de testigos, despojémonos de todo peso y
del pecado que nos asedia, y corramos
con paciencia la carrera que tenemos por
delante,
2 puestos los ojos en Jesús, el autor y
consumador de la fe, el cual por el gozo
puesto delante de él sufrió la cruz, me-
nospreciando el oprobio, y se sentó a la
diestra del trono de Dios.
3 Considerad a aquel que sufrió tal con-
tradicción de pecadores contra sí mismo,
para que vuestro ánimo no se canse hasta
desmayar.
4 Porque aún no habéis resistido hasta
la sangre, combatiendo contra el pecado;
5 y habéis ya olvidado la exhortación
que como a hijos se os dirige, diciendo:
Hijo mío, no menosprecies la disciplina
del Señor, ni desmayes cuando eres re-
prendido por él;
6 porque el Señor al que ama, discipli-
na, y azota a todo el que recibe por hijo.
7 Si soportáis la disciplina, Dios os tra-
ta como a hijos; porque ¿qué hijo es
aquel a quien el padre no disciplina?
8 Pero si se os deja sin disciplina, de la
cual todos han sido participantes, enton-
ces sois bastardos, y no hijos.
9 Por otra parte, tuvimos a nuestros pa-
dres terrenales que nos disciplinaban, y
los venerábamos. ¿Por qué no obedecere-
mos mucho mejor al Padre de los espíri-
tus, y viviremos?

caped the edge of the sword, out of
weakness were made strong, waxed val-
iant in fight, turned to flight the armies of
the aliens.
35 Women received their dead raised to
life again: and others were tortured, not
accepting deliverance; that they might
obtain a better resurrection:
36 And others had trial of *cruel* mock-
ings and scourgings, yea, moreover of
bonds and imprisonment:
37 They were stoned, they were sawn
asunder, were tempted, were slain with
the sword: they wandered about in
sheepskins and goatskins; being desti-
tute, afflicted, tormented;
38 (Of whom the world was not wor-
thy:) they wandered in deserts, and *in*
mountains, and *in* dens and caves of the
earth.
39 And these all, having obtained a
good report through faith, received not
the promise:
40 God having provided some better
thing for us, that they without us should
not be made perfect.

CHAPTER 12

WHEREFORE seeing we also are com-
passed about with so great a cloud
of witnesses, let us lay aside every
weight, and the sin which doth so easily
beset *us*, and let us run with patience the
race that is set before us,
2 Looking unto Jesus the author and
finisher of *our* faith; who for the joy that
was set before him endured the cross, de-
spising the shame, and is set down at the
right hand of the throne of God.
3 For consider him that endured such
contradiction of sinners against himself,
lest ye be wearied and faint in your
minds.
4 Ye have not yet resisted unto blood,
striving against sin.
5 And ye have forgotten the exhorta-
tion which speaketh unto you as unto
children, My son, despise not thou the
chastening of the Lord, nor faint when
thou art rebuked of him:
6 For whom the Lord loveth he chas-
teneth, and scourgeth every son whom
he receiveth.
7 If ye endure chastening, God dealeth
with you as with sons; for what son is he
whom the father chasteneth not?
8 But if ye be without chastisement,
whereof all are partakers, then are ye
bastards, and not sons.
9 Furthermore we have had fathers of
our flesh which corrected *us*, and we
gave *them* reverence: shall we not much
rather be in subjection unto the Father of
spirits, and live?

10 Y aquéllos, ciertamente por pocos días nos disciplinaban como a ellos les parecía, pero éste para lo que nos es provechoso, para que participemos de su santidad.
11 Es verdad que ninguna disciplina al presente parece ser causa de gozo, sino de tristeza; pero después da fruto apacible de justicia a los que en ella han sido ejercitados.
12 Por lo cual, levantad las manos caídas y las rodillas paralizadas;
13 y haced sendas dere-chas para vuestros pies, para que lo cojo no se salga del camino, sino que sea sanado.
14 Seguid la paz con todos, y la santidad, sin la cual nadie verá al Señor.
15 Mirad bien, no sea que alguno deje de alcanzar la gracia de Dios; que brotando alguna raíz de amargura, os estorbe, y por ella muchos sean contaminados;
16 no sea que haya algún fornicario, o profano, como Esaú, que por una sola comida vendió su primogenitura.
17 Porque ya sabéis que aun después, deseando heredar la bendición, fue desechado, y no hubo oportunidad para el arrepentimiento, aunque la procuró con lágrimas.
18 Porque no os habéis acercado al monte que se podía palpar, y que ardía en fuego, a la oscuridad, a las tinieblas y a la tempestad,
19 al sonido de la trompeta, y a la voz que hablaba, la cual los que la oyeron rogaron que no se les hablase más,
20 porque no podían soportar lo que se ordenaba: Si aun una bestia tocare el monte, será apedreada, o pasada con dardo;
21 y tan terrible era lo que se veía, que Moisés dijo: Estoy espantado y temblando;
22 sino que os habéis acercado al monte de Sion, a la ciudad del Dios vivo, Jerusalén la celestial, a la compañía de muchos millares de ángeles,
23 a la congregación de los primogénitos que están inscritos en los cielos, a Dios el Juez de todos, a los espíritus de los justos hechos perfectos,
24 a Jesús el Mediador del nuevo pacto, y a la sangre rociada que habla mejor que la de Abel.
25 Mirad que no desechéis al que habla. Porque si no escaparon aquellos que desecharon al que los amonestaba en la tierra, mucho menos nosotros, si desecháremos al que amonesta desde los cielos.
26 La voz del cual conmovió entonces la tierra, pero ahora ha prometido, dici-

10 For they verily for a few days chastened *us* after their own pleasure; but he for *our* profit, that *we* might be partakers of his holiness.
11 Now no chastening for the present seemeth to be joyous, but grievous: nevertheless afterward it yieldeth the peaceable fruit of righteousness unto them which are exercised thereby.
12 Wherefore lift up the hands which hang down, and the feeble knees;
13 And make straight paths for your feet, lest that which is lame be turned out of the way; but let it rather be healed.
14 Follow peace with all *men*, and holiness, without which no man shall see the Lord:
15 Looking diligently lest any man fail of the grace of God; lest any root of bitterness springing up trouble *you*, and thereby many be defiled;
16 Lest there *be* any fornicator, or profane person, as Esau, who for one morsel of meat sold his birthright.
17 For ye know how that afterward, when he would have inherited the blessing, he was rejected: for he found no place of repentance, though he sought it carefully with tears.
18 For ye are not come unto the mount that might be touched, and that burned with fire, nor unto blackness, and darkness, and tempest,
19 And the sound of a trumpet, and the voice of words; which *voice* they that heard intreated that the word should not be spoken to them any more:
20 (For they could not endure that which was commanded, And if so much as a beast touch the mountain, it shall be stoned, or thrust through with a dart:
21 And so terrible was the sight, *that* Moses said, I exceedingly fear and quake:)
22 But ye are come unto mount Sion, and unto the city of the living God, the heavenly Jerusalem, and to an innumerable company of angels,
23 To the general assembly and church of the firstborn, which are written in heaven, and to God the Judge of all, and to the spirits of just men made perfect,
24 And to Jesus the mediator of the new covenant, and to the blood of sprinkling, that speaketh better things than *that of* Abel.
25 See that ye refuse not him that speaketh. For if they escaped not who refused him that spake on earth, much more *shall not* we *escape*, if we turn away from him that *speaketh* from heaven:
26 Whose voice then shook the earth: but now he hath promised, saying, Yet

endo: Aún una vez, y conmoveré no solamente la tierra, sino también el cielo.

27 Y esta frase: Aún una vez, indica la remoción de las cosas movibles, como cosas hechas, para que queden las inconmovibles.

28 Así que, recibiendo nosotros un reino inconmovible, tengamos gratitud, y mediante ella sirvamos a Dios agradándole con temor y reverencia;

29 porque nuestro Dios es fuego consumidor.

CAPÍTULO 13

PERMANEZCA el amor fraternal.

2 No os olvidéis de la hospitalidad, porque por ella algunos, sin saberlo, hospedaron ángeles.

3 Acordaos de los presos, como si estuvierais presos juntamente con ellos; y de los maltratados, como que también vosotros mismos estáis en el cuerpo.

4 Honroso sea en todos el matrimonio, y el lecho sin mancilla; pero a los fornicarios y a los adúlteros los juzgará Dios.

5 Sean vuestras costumbres sin avaricia, *contentos con lo* que tenéis ahora; porque él dijo: No te desampararé, ni te dejaré;

6 de manera que podemos decir confiadamente: El Señor es mi ayudador; no temeré lo que me pueda hacer el hombre.

7 Acordaos de vuestros pastores, que os hablaron la palabra de Dios; considerad cuál haya sido el resultado de su conducta, e imitad su fe.

8 Jesucristo es el mismo ayer, y hoy, y por los siglos.

9 No os dejéis llevar de doctrinas diversas y extrañas; porque buena cosa es afirmar el corazón con la gracia, no con viandas, que nunca aprovecharon a los que se han ocupado de ellas.

10 Tenemos un altar, del cual no tienen derecho de comer los que sirven al tabernáculo.

11 Porque los cuerpos de aquellos animales cuya sangre a causa del pecado es introducida en el santuario por el sumo sacerdote, son quemados fuera del campamento.

12 Por lo cual también Jesús, para santificar al pueblo mediante su propia sangre, padeció fuera de la puerta.

13 Salgamos, pues, a él, fuera del campamento, llevando su vituperio;

14 porque no tenemos aquí ciudad permanente, sino que buscamos la por venir.

15 Así que, ofrezcamos siempre a Dios, por medio de él, sacrificio de alabanza, es decir, fruto de labios que confiesan su nombre.

once more I shake not the earth only, but also heaven.

27 And this *word*, Yet once more, signifieth the removing of those things that are shaken, as of things that are made, that those things which cannot be shaken may remain.

28 Wherefore we receiving a kingdom which cannot be moved, let us have grace, whereby we may serve God acceptably with reverence and godly fear:

29 For our God *is* a consuming fire.

CHAPTER 13

LET brotherly love continue.

2 Be not forgetful to entertain strangers: for thereby some have entertained angels unawares.

3 *Remember them* that are in bonds, as bound with them; *and* them which suffer adversity, as being yourselves also in the body.

4 Marriage *is* honourable in all, and the bed undefiled: but whoremongers and adulterers God will judge.

5 *Let your* conversation *be* without covetousness; *and be* content with such things as ye have: for he hath said, I will never leave thee, nor forsake thee.

6 So that we may boldly say, The Lord *is* my helper, and I will not fear what man shall do unto me.

7 Remember them which have the rule over you, who have spoken unto you the word of God: whose faith follow, considering the end of *their* conversation.

8 Jesus Christ the same yesterday, and to day, and for ever.

9 Be not carried about with divers and strange doctrines. For *it is* a good thing that the heart be established with grace; not with meats, which have not profited them that have been occupied therein.

10 We have an altar, whereof they have no right to eat which serve the tabernacle.

11 For the bodies of those beasts, whose blood is brought into the sanctuary by the high priest for sin, are burned without the camp.

12 Wherefore Jesus also, that he might sanctify the people with his own blood, suffered without the gate.

13 Let us go forth therefore unto him without the camp, bearing his reproach.

14 For here have we no continuing city, but we seek one to come.

15 By him therefore let us offer the sacrifice of praise to God continually, that is, the fruit of *our* lips giving thanks to his name.

16 Y de hacer bien y de la ayuda mutua no os olvidéis; porque de tales sacrificios se agrada Dios.

17 Obedeced a vuestros pastores, y sujetaos a ellos; porque ellos velan por vuestras almas, como quienes han de dar cuenta; para que lo hagan con alegría, y no quejándose, porque esto no os es provechoso.

18 Orad por nosotros; pues confiamos en que tenemos buena conciencia, deseando conducirnos bien en todo.

19 Y más os ruego que lo hagáis así, para que yo os sea restituido más pronto.

20 Y el Dios de paz que resucitó de los muertos a nuestro Señor Jesucristo, el gran pastor de las ovejas, por la sangre del pacto eterno,

21 os haga aptos en toda obra buena para que hagáis su voluntad, haciendo él en vosotros lo que es agradable delante de él por Jesucristo; al cual sea la gloria por los siglos de los siglos. Amén.

22 Os ruego, hermanos, que soportéis la palabra de exhortación, pues os he escrito brevemente.

23 Sabed que está en libertad nuestro hermano Timoteo, con el cual, si viniere pronto, iré a veros.

24 Saludad a todos vuestros pastores, y a todos los santos. Los de Italia os saludan.

25 La gracia sea con todos vosotros. Amén.

16 But to do good and to communicate forget not: for with such sacrifices God is well pleased.

17 Obey them that have the rule over you, and submit yourselves: for they watch for your souls, as they that must give account, that they may do it with joy, and not with grief: for that *is* unprofitable for you.

18 Pray for us: for we trust we have a good conscience, in all things willing to live honestly.

19 But I beseech *you* the rather to do this, that I may be restored to you the sooner.

20 Now the God of peace, that brought again from the dead our Lord Jesus, that great shepherd of the sheep, through the blood of the everlasting covenant,

21 Make you perfect in every good work to do his will, working in you that which is wellpleasing in his sight, through Jesus Christ; to whom *be* glory for ever and ever. Amen.

22 And I beseech you, brethren, suffer the word of exhortation: for I have written a letter unto you in few words.

23 Know ye that *our* brother Timothy is set at liberty; with whom, if he come shortly, I will see you.

24 Salute all them that have the rule over you, and all the saints. They of Italy salute you.

25 Grace *be* with you all. Amen.

LA EPÍSTOLA UNIVERSAL DE

SANTIAGO

CAPÍTULO 1

SANTIAGO, siervo de Dios y del Señor
Jesucristo, a las doce tribus que están
en la dispersión: Salud.
2 Hermanos míos, tened por sumo gozo
cuando os halléis en diversas pruebas,
3 sabiendo que la prueba de vuestra fe
produce paciencia.
4 Mas tenga la paciencia su obra com-
pleta, para que seáis perfectos y cabales,
sin que os falte cosa alguna.
5 Y si alguno de vosotros tiene falta de
sabiduría, pídala a Dios, el cual da a to-
dos abundantemente y sin reproche, y le
será dada.
6 Pero pida con fe, no dudando nada;
porque el que duda es semejante a la
onda del mar, que es arrastrada por el
viento y echada de una parte a otra.
7 No piense, pues, quien tal haga, que
recibirá cosa alguna del Señor.
8 El hombre de doble ánimo es incons-
tante en todos sus caminos.
9 El hermano que es de humilde condi-
ción, gloríese en su exaltación;
10 pero el que es rico, en su humilla-
ción; porque él pasará como la flor de la
hierba.
11 Porque cuando sale el sol con calor
abrasador, la hierba se seca, su flor se cae,
y perece su hermosa apariencia; así
también se marchitará el rico en todas sus
empresas.
12 Bienaventurado el varón que sopor-
ta la tentación; porque cuando haya re-
sistido la prueba, recibirá la corona de
vida, que Dios ha prometido a los que le
aman.
13 Cuando alguno es tentado, no diga
que es tentado de parte de Dios; porque
Dios no puede ser tentado por el mal, ni él
tienta a nadie;
14 sino que cada uno es tentado, cuan-
do de su propia concupiscencia es atraí-
do y seducido.
15 Entonces la concupiscencia, después
que ha concebido, da a luz el pecado; y el
pecado, siendo consumado, da a luz la
muerte.
16 Amados hermanos míos, no erréis.
17 Toda buena dádiva y todo don per-
fecto desciende de lo alto, del Padre de
las luces, en el cual no hay mudanza, ni
sombra de variación.
18 El, de su voluntad, nos hizo nacer
por la palabra de verdad, para que sea-
mos primicias de sus criaturas.

THE GENERAL EPISTLE OF

JAMES

CHAPTER 1

JAMES, a servant of God and of the
Lord Jesus Christ, to the twelve tribes
which are scattered abroad, greeting.
2 My brethren, count it all joy when ye
fall into divers temptations;
3 Knowing *this*, that the trying of your
faith worketh patience.
4 But let patience have *her* perfect
work, that ye may be perfect and entire,
wanting nothing.
5 If any of you lack wisdom, let him ask
of God, that giveth to all *men* liberally,
and upbraideth not; and it shall be given
him.
6 But let him ask in faith, nothing wa-
vering. For he that wavereth is like a
wave of the sea driven with the wind and
tossed.
7 For let not that man think that he
shall receive any thing of the Lord.
8 A double minded man *is* unstable in
all his ways.
9 Let the brother of low degree rejoice
in that he is exalted:
10 But the rich, in that he is made low:
because as the flower of the grass he
shall pass away.
11 For the sun is no sooner risen with a
burning heat, but it withereth the grass,
and the flower thereof falleth, and the
grace of the fashion of it perisheth: so
also shall the rich man fade away in his
ways.
12 Blessed *is* the man that endureth
temptation: for when he is tried, he shall
receive the crown of life, which the Lord
hath promised to them that love him.
13 Let no man say when he is tempted,
I am tempted of God: for God cannot be
tempted with evil, neither tempteth he
any man:
14 But every man is tempted, when he
is drawn away of his own lust, and en-
ticed.
15 Then when lust hath conceived, it
bringeth forth sin: and sin, when it is fin-
ished, bringeth forth death.
16 Do not err, my beloved brethren.
17 Every good gift and every perfect
gift is from above, and cometh down
from the Father of lights, with whom is
no variableness, neither shadow of turn-
ing.
18 Of his own will begat he us with the
word of truth, that we should be a kind of
firstfruits of his creatures.

19 Por esto, mis amados hermanos,
todo hombre sea pronto para oir, tardo
para hablar, tardo para airarse;
20 porque la ira del hombre no obra la
justicia de Dios.
21 Por lo cual, desechando toda inmun-
dicia y abundancia de malicia, recibid
con mansedumbre la palabra implantada,
la cual puede salvar vuestras almas.
22 Pero sed hacedores de la palabra, y
no tan solamente oidores, engañándoos a
vosotros mismos.
23 Porque si alguno es oidor de la
palabra pero no hacedor de ella, éste es
semejante al hombre que considera en un
espejo su rostro natural.
24 Porque él se considera a sí mismo, y
se va, y luego olvida cómo era.
25 Mas el que mira atentamente en la
perfecta ley, la de la libertad, y persevera
en ella, no siendo oidor olvidadizo, sino
hacedor de la obra, éste será bienaven-
turado en lo que hace.
26 Si alguno se cree religioso entre
vosotros, y no refrena su lengua, sino que
engaña su corazón, la religión del tal es
vana.
27 La religión pura y sin mácula delan-
te de Dios el Padre es esta: Visitar a los
huérfanos y a las viudas en sus tribula-
ciones, y guardarse sin mancha del mun-
do.

CAPÍTULO 2

HERMANOS míos, que vuestra fe en
nuestro glorioso Señor Jesucristo sea
sin acepción de personas.
2 Porque si en vuestra congregación
entra un hombre con anillo de oro y con
ropa espléndida, y también entra un po-
bre con vestido andrajoso,
3 y miráis con agrado al que trae la
ropa espléndida y le decís: Siéntate tú
aquí en buen lugar; y decís al pobre: Es-
tate tú allí en pie, o siéntate aquí bajo mi
estrado;
4 ¿no hacéis distinciones entre vosotros
mismos, y venís a ser jueces con malos
pensamientos?
5 Hermanos míos amados, oíd: ¿No ha
elegido Dios a los pobres de este mundo,
para que sean ricos en fe y herederos del
reino que ha prometido a los que le
aman?
6 Pero vosotros habéis afrentado al
pobre. ¿No os oprimen los ricos, y no son
ellos los mismos que os arrastran a los
tribunales?
7 ¿No blasfeman ellos el buen nombre
que fue invocado sobre vosotros?
8 Si en verdad cumplís la ley real, con-
forme a la Escritura: Amarás a tu próji-
mo como a ti mismo, bien hacéis;

19 Wherefore, my beloved brethren, let
every man be swift to hear, slow to
speak, slow to wrath:
20 For the wrath of man worketh not
the righteousness of God.
21 Wherefore lay apart all filthiness
and superfluity of naughtiness, and re-
ceive with meekness the engrafted word,
which is able to save your souls.
22 But be ye doers of the word, and not
hearers only, deceiving your own selves.
23 For if any be a hearer of the word,
and not a doer, he is like unto a man be-
holding his natural face in a glass:
24 For he beholdeth himself, and goeth
his way, and straightway forgetteth what
manner of man he was.
25 But whoso looketh into the perfect
law of liberty, and continueth *therein*, he
being not a forgetful hearer, but a doer of
the work, this man shall be blessed in his
deed.
26 If any man among you seem to be
religious, and bridleth not his tongue, but
deceiveth his own heart, this man's reli-
gion *is* vain.
27 Pure religion and undefiled before
God and the Father is this, To visit the
fatherless and widows in their affliction,
and to keep himself unspotted from the
world.

CHAPTER 2

MY brethren, have not the faith of our
Lord Jesus Christ, *the Lord* of glory,
with respect of persons.
2 For if there come unto your assembly
a man with a gold ring, in goodly apparel,
and there come in also a poor man in vile
raiment;
3 And ye have respect to him that
weareth the gay clothing, and say unto
him, Sit thou here in a good place; and
say to the poor, Stand thou there, or sit
here under my footstool:
4 Are ye not then partial in yourselves,
and are become judges of evil thoughts?
5 Hearken, my beloved brethren, Hath
not God chosen the poor of this world
rich in faith, and heirs of the kingdom
which he hath promised to them that
love him?
6 But ye have despised the poor. Do not
rich men oppress you, and draw you be-
fore the judgment seats?
7 Do not they blaspheme that worthy
name by the which ye are called?
8 If ye fulfil the royal law according to
the scripture, Thou shalt love thy neigh-
bour as thyself, ye do well:

9 pero si hacéis acepción de personas, cometéis pecado, y quedáis convictos por la ley como transgresores.

10 Porque cualquiera que guardare toda la ley, pero ofendiere en un punto, se hace culpable de todos.

11 Porque el que dijo: No cometerás adulterio, también ha dicho: No matarás. Ahora bien, si no cometes adulterio, pero matas, ya te has hecho transgresor de la ley.

12 Así hablad, y así haced, como los que habéis de ser juzgados por la ley de la libertad.

13 Porque juicio sin misericordia se hará con aquel que no hiciere misericordia; y la misericordia triunfa sobre el juicio.

14 Hermanos míos, ¿de qué aprovechará si alguno dice que tiene fe, y no tiene obras? ¿Podrá la fe salvarle?

15 Y si un hermano o una hermana están desnudos, y tienen necesidad del mantenimiento de cada día,

16 y alguno de vosotros les dice: Id en paz, calentaos y saciaos, pero no les dais las cosas que son necesarias para el cuerpo, ¿de qué aprovecha?

17 Así también la fe, si no tiene obras, es muerta en sí misma.

18 Pero alguno dirá: Tú tienes fe, y yo tengo obras. Muéstrame tu fe sin tus obras, y yo te mostraré mi fe por mis obras.

19 Tú crees que Dios es uno; bien haces. También los demonios creen, y tiemblan.

20 ¿Mas quieres saber, hombre vano, que la fe sin obras es muerta?

21 ¿No fue justificado por las obras Abraham nuestro padre, cuando ofreció a su hijo Isaac sobre el altar?

22 ¿No ves que la fe actuó juntamente con sus obras, y que la fe se perfeccionó por las obras?

23 Y se cumplió la Escritura que dice: Abraham creyó a Dios, y le fue contado por justicia, y fue llamado amigo de Dios.

24 Vosotros veis, pues, que el hombre es justificado por las obras, y no solamente por la fe.

25 Asimismo también Rahab la ramera, ¿no fue justificada por obras, cuando recibió a los mensajeros y los envió por otro camino?

26 Porque como el cuerpo sin espíritu está muerto, así también la fe sin obras está muerta.

CAPÍTULO 3

HERMANOS míos, no os hagáis maestros muchos de vosotros, sabiendo que recibiremos mayor condenación.

2 Porque todos ofendemos muchas

9 But if ye have respect to persons, ye commit sin, and are convinced of the law as transgressors.

10 For whosoever shall keep the whole law, and yet offend in one *point*, he is guilty of all.

11 For he that said, Do not commit adultery, said also, Do not kill. Now if thou commit no adultery, yet if thou kill, thou art become a transgressor of the law.

12 So speak ye, and so do, as they that shall be judged by the law of liberty.

13 For he shall have judgment without mercy, that hath shewed no mercy; and mercy rejoiceth against judgment.

14 What *doth it* profit, my brethren, though a man say he hath faith, and have not works? can faith save him?

15 If a brother or sister be naked, and destitute of daily food,

16 And one of you say unto them, Depart in peace, be ye warmed and filled; notwithstanding ye give them not those things which are needful to the body; what *doth it* profit?

17 Even so faith, if it hath not works, is dead, being alone.

18 Yea, a man may say, Thou hast faith, and I have works: shew me thy faith without thy works, and I will shew thee my faith by my works.

19 Thou believest that there is one God; thou doest well: the devils also believe, and tremble.

20 But wilt thou know, O vain man, that faith without works is dead?

21 Was not Abraham our father justified by works, when he had offered Isaac his son upon the altar?

22 Seest thou how faith wrought with his works, and by works was faith made perfect?

23 And the scripture was fulfilled which saith, Abraham believed God, and it was imputed unto him for righteousness: and he was called the Friend of God.

24 Ye see then how that by works a man is justified, and not by faith only.

25 Likewise also was not Rahab the harlot justified by works, when she had received the messengers, and had sent *them* out another way?

26 For as the body without the spirit is dead, so faith without works is dead also.

CHAPTER 3

MY brethren, be not many masters, knowing that we shall receive the greater condemnation.

2 For in many things we offend all. If

veces. Si alguno no ofende en palabra, éste es varón perfecto, capaz también de refrenar todo el cuerpo.

3 He aquí nosotros ponemos freno en la boca de los caballos para que nos obedezcan, y dirigimos así todo su cuerpo.

4 Mirad también las naves; aunque tan grandes, y llevadas de impetuosos vientos, son gobernadas con un muy pequeño timón por donde el que las gobierna quiere.

5 Así también la lengua es un miembro pequeño, pero se jacta de grandes cosas. He aquí, ¡cuán grande bosque enciende un pequeño fuego!

6 Y la lengua es un fuego, un mundo de maldad. La lengua está puesta entre nuestros miembros, y contamina todo el cuerpo, e inflama la rueda de la creación, y ella misma es inflamada por el infierno.

7 Porque toda naturaleza de bestias, y de aves, y de serpientes, y de seres del mar, se doma y ha sido domada por la naturaleza humana;

8 pero ningún hombre puede domar la lengua, que es un mal que no puede ser refrenado, llena de veneno mortal.

9 Con ella bendecimos al Dios y Padre, y con ella maldecimos a los hombres, que están hechos a la semejanza de Dios.

10 De una misma boca proceden bendición y maldición. Hermanos míos, esto no debe ser así.

11 ¿Acaso alguna fuente echa por una misma abertura agua dulce y amarga?

12 Hermanos míos, ¿puede acaso la higuera producir aceitunas, o la vid higos? Así también ninguna fuente puede dar agua salada y dulce.

13 ¿Quién es sabio y entendido entre vosotros? Muestre por la buena conducta sus obras en sabia mansedumbre.

14 Pero si tenéis celos amargos y contención en vuestro corazón, no os jactéis, ni mintáis contra la verdad;

15 porque esta sabiduría no es la que desciende de lo alto, sino terrenal, animal, diabólica.

16 Porque donde hay celos y contención, allí hay perturbación y toda obra perversa.

17 Pero la sabiduría que es de lo alto es primeramente pura, después pacífica, amable, benigna, llena de misericordia y de buenos frutos, sin incertidumbre ni hipocresía.

18 Y el fruto de justicia se siembra en paz para aquellos que hacen la paz.

CAPÍTULO 4

¿DE dónde vienen las guerras y los pleitos entre vosotros? ¿No es de vues-

any man offend not in word, the same *is* a perfect man, *and* able also to bridle the whole body.

3 Behold, we put bits in the horses' mouths, that they may obey us; and we turn about their whole body.

4 Behold also the ships, which though *they be* so great, and *are* driven of fierce winds, yet are they turned about with a very small helm, whithersoever the governor listeth.

5 Even so the tongue is a little member, and boasteth great things. Behold, how great a matter a little fire kindleth!

6 And the tongue *is* a fire, a world of iniquity: so is the tongue among our members, that it defileth the whole body, and setteth on fire the course of nature; and it is set on fire of hell.

7 For every kind of beasts, and of birds, and of serpents, and of things in the sea, is tamed, and hath been tamed of mankind:

8 But the tongue can no man tame; *it is* an unruly evil, full of deadly poison.

9 Therewith bless we God, even the Father; and therewith curse we men, which are made after the similitude of God.

10 Out of the same mouth proceedeth blessing and cursing. My brethren, these things ought not so to be.

11 Doth a fountain send forth at the same place sweet *water* and bitter?

12 Can the fig tree, my brethren, bear olive berries? either a vine, figs? so *can* no fountain both yield salt water and fresh.

13 Who *is* a wise man and endued with knowledge among you? let him shew out of a good conversation his works with meekness of wisdom.

14 But if ye have bitter envying and strife in your hearts, glory not, and lie not against the truth.

15 This wisdom descendeth not from above, but *is* earthly, sensual, devilish.

16 For where envying and strife *is*, there *is* confusion and every evil work.

17 But the wisdom that is from above is first pure, then peaceable, gentle, *and* easy to be intreated, full of mercy and good fruits, without partiality, and without hypocrisy.

18 And the fruit of righteousness is sown in peace of them that make peace.

CHAPTER 4

FROM whence *come* wars and fightings among you? *come they* not hence,

tras pasiones, las cuales combaten en vuestros miembros?

2 Codiciáis, y no tenéis; matáis y ardéis de envidia, y no podéis alcanzar; combatís y lucháis, pero no tenéis lo que deseáis, porque no pedís.

3 Pedís, y no recibís, porque pedís mal, para gastar en vuestros deleites.

4 ¡Oh almas adúlteras! ¿No sabéis que la amistad del mundo es enemistad contra Dios? Cualquiera, pues, que quiera ser amigo del mundo, se constituye enemigo de Dios.

5 ¿O pensáis que la Escritura dice en vano: El Espíritu que él ha hecho morar en nosotros nos anhela celosamente?

6 Pero él da mayor gracia. Por esto dice: Dios resiste a los soberbios, y da gracia a los humildes.

7 Someteos, pues, a Dios; resistid al diablo, y huirá de vosotros.

8 Acercaos a Dios, y él se acercará a vosotros. Pecadores, limpiad las manos; y vosotros los de doble ánimo, purificad vuestros corazones.

9 Afligíos, y lamentad, y llorad. Vuestra risa se convierta en lloro, y vuestro gozo en tristeza.

10 Humillaos delante del Señor, y él os exaltará.

11 Hermanos, no murmuréis los unos de los otros. El que murmura del hermano y juzga a su hermano, murmura de la ley y juzga a la ley; pero si tú juzgas a la ley, no eres hacedor de la ley, sino juez.

12 Uno solo es el dador de la ley, que puede salvar y perder; pero tú, ¿quién eres para que juzgues a otro?

13 ¡Vamos ahora! los que decís: Hoy y mañana iremos a tal ciudad, y estaremos allá un año, y traficaremos, y ganaremos;

14 cuando no sabéis lo que será mañana. Porque ¿qué es vuestra vida? Ciertamente es neblina que se aparece por un poco de tiempo, y luego se desvanece.

15 En lugar de lo cual deberíais decir: Si el Señor quiere, viviremos y haremos esto o aquello.

16 Pero ahora os jactáis en vuestras soberbias. Toda jactancia semejante es mala;

17 y al que sabe hacer lo bueno, y no lo hace, le es pecado.

CAPÍTULO 5

¡VAMOS ahora, ricos! Llorad y aullad por las miserias que os vendrán.

2 Vuestras riquezas están podridas, y vuestras ropas están comidas de polilla.

3 Vuestro oro y plata están enmohecidos; y su moho testificará contra voso-

even of your lusts that war in your members?

2 Ye lust, and have not: ye kill, and desire to have, and cannot obtain: ye fight and war, yet ye have not, because ye ask not.

3 Ye ask, and receive not, because ye ask amiss, that ye may consume *it* upon your lusts.

4 Ye adulterers and adulteresses, know ye not that the friendship of the world is enmity with God? whosoever therefore will be a friend of the world is the enemy of God.

5 Do ye think that the scripture saith in vain, The spirit that dwelleth in us lusteth to envy?

6 But he giveth more grace. Wherefore he saith, God resisteth the proud, but giveth grace unto the humble.

7 Submit yourselves therefore to God. Resist the devil, and he will flee from you.

8 Draw nigh to God, and he will draw nigh to you. Cleanse *your* hands, *ye* sinners; and purify *your* hearts, *ye* double minded.

9 Be afflicted, and mourn, and weep: let your laughter be turned to mourning, and *your* joy to heaviness.

10 Humble yourselves in the sight of the Lord, and he shall lift you up.

11 Speak not evil one of another, brethren. He that speaketh evil of *his* brother, and judgeth his brother, speaketh evil of the law, and judgeth the law: but if thou judge the law, thou art not a doer of the law, but a judge.

12 There is one lawgiver, who is able to save and to destroy: who art thou that judgest another?

13 Go to now, ye that say, To day or to morrow we will go into such a city, and continue there a year, and buy and sell, and get gain:

14 Whereas ye know not what *shall be* on the morrow. For what *is* your life? It is even a vapour, that appeareth for a little time, and then vanisheth away.

15 For that ye *ought* to say, If the Lord will, we shall live, and do this, or that.

16 But now ye rejoice in your boastings: all such rejoicing is evil.

17 Therefore to him that knoweth to do good, and doeth *it* not, to him it is sin.

CHAPTER 5

GO to now, *ye* rich men, weep and howl for your miseries that shall come upon *you*.

2 Your riches are corrupted, and your garments are motheaten.

3 Your gold and silver is cankered; and the rust of them shall be a witness

tros, y devorará del todo vuestras carnes como fuego. Habéis acumulado tesoros para los días postreros.

4 He aquí, clama el jornal de los obreros que han cosechado vuestras tierras, el cual por engaño no les ha sido pagado por vosotros; y los clamores de los que habían segado han entrado en los oídos del Señor de los ejércitos.

5 Habéis vivido en deleites sobre la tierra, y sido disolutos; habéis engordado vuestros corazones como en día de matanza.

6 Habéis condenado y dado muerte al justo, y él no os hace resistencia.

7 Por tanto, hermanos, tened paciencia hasta la venida del Señor. Mirad cómo el labrador espera el precioso fruto de la tierra, aguardando con paciencia hasta que reciba la lluvia temprana y la tardía.

8 Tened también vosotros paciencia, y afirmad vuestros corazones; porque la venida del Señor se acerca.

9 Hermanos, no os quejéis unos contra otros, para que no seáis condenados; he aquí, el juez está delante de la puerta.

10 Hermanos míos, tomad como ejemplo de aflicción y de paciencia a los profetas que hablaron en nombre del Señor.

11 He aquí, tenemos por bienaventurados a los que sufren. Habéis oído de la paciencia de Job, y habéis visto el fin del Señor, que el Señor es muy misericordioso y compasivo.

12 Pero sobre todo, hermanos míos, no juréis, ni por el cielo, ni por la tierra, ni por ningún otro juramento; sino que vuestro sí sea sí, y vuestro no sea no, para que no caigáis en condenación.

13 ¿Está alguno entre vosotros afligido? Haga oración. ¿Está alguno alegre? Cante alabanzas.

14 ¿Está alguno enfermo entre vosotros? Llame a los ancianos de la iglesia, y oren por él, ungiéndole con aceite en el nombre del Señor.

15 Y la oración de fe salvará al enfermo, y el Señor lo levantará; y si hubiere cometido pecados, le serán perdonados.

16 Confesaos vuestras ofensas unos a otros, y orad unos por otros, para que seáis sanados. La oración eficaz del justo puede mucho.

17 Elías era hombre sujeto a pasiones semejantes a las nuestras, y oró fervientemente para que no lloviese, y no llovió sobre la tierra por tres años y seis meses.

18 Y otra vez oró, y el cielo dio lluvia, y la tierra produjo su fruto.

19 Hermanos, si alguno de entre vosotros se ha extraviado de la verdad, y alguno le hace volver,

against you, and shall eat your flesh as it were fire. Ye have heaped treasure together for the last days.

4 Behold, the hire of the labourers who have reaped down your fields, which is of you kept back by fraud, crieth: and the cries of them which have reaped are entered into the ears of the Lord of Sab′a-oth.

5 Ye have lived in pleasure on the earth, and been wanton; ye have nourished your hearts, as in a day of slaughter.

6 Ye have condemned *and* killed the just; *and* he doth not resist you.

7 Be patient therefore, brethren, unto the coming of the Lord. Behold, the husbandman waiteth for the precious fruit of the earth, and hath long patience for it, until he receive the early and latter rain.

8 Be ye also patient; stablish your hearts: for the coming of the Lord draweth nigh.

9 Grudge not one against another, brethren, lest ye be condemned: behold, the judge standeth before the door.

10 Take, my brethren, the prophets, who have spoken in the name of the Lord, for an example of suffering affliction, and of patience.

11 Behold, we count them happy which endure. Ye have heard of the patience of Job, and have seen the end of the Lord; that the Lord is very pitiful, and of tender mercy.

12 But above all things, my brethren, swear not, neither by heaven, neither by the earth, neither by any other oath: but let your yea be yea; and *your* nay, nay; lest ye fall into condemnation.

13 Is any among you afflicted? let him pray. Is any merry? let him sing psalms.

14 Is any sick among you? let him call for the elders of the church; and let them pray over him, anointing him with oil in the name of the Lord:

15 And the prayer of faith shall save the sick, and the Lord shall raise him up; and if he have committed sins, they shall be forgiven him.

16 Confess *your* faults one to another, and pray one for another, that ye may be healed. The effectual fervent prayer of a righteous man availeth much.

17 E-li′as was a man subject to like passions as we are, and he prayed earnestly that it might not rain: and it rained not on the earth by the space of three years and six months.

18 And he prayed again, and the heaven gave rain, and the earth brought forth her fruit.

19 Brethren, if any of you do err from the truth, and one convert him;

20 sepa que el que haga volver al pecador del error de su camino, salvará de muerte un alma, y cubrirá multitud de pecados.

LA PRIMERA EPÍSTOLA UNIVERSAL DE

SAN PEDRO APÓSTOL

CAPÍTULO 1

PEDRO, apóstol de Jesucristo, a los expatriados de la dispersión en el Ponto, Galacia, Capadocia, Asia y Bitinia,

2 elegidos según la presciencia de Dios Padre en santificación del Espíritu, para obedecer y ser rociados con la sangre de Jesucristo: Gracia y paz os sean multiplicadas.

3 Bendito el Dios y Padre de nuestro Señor Jesucristo, que según su grande misericordia nos hizo renacer para una esperanza viva, por la resurrección de Jesucristo de los muertos,

4 para una herencia incorruptible, incontaminada e inmarcesible, reservada en los cielos para vosotros,

5 que sois guardados por el poder de Dios mediante la fe, para alcanzar la salvación que está preparada para ser manifestada en el tiempo postrero.

6 En lo cual vosotros os alegráis, aunque ahora por un poco de tiempo, si es necesario, tengáis que ser afligidos en diversas pruebas,

7 para que sometida a prueba vuestra fe, mucho más preciosa que el oro, el cual aunque perecedero se prueba con fuego, sea hallada en alabanza, gloria y honra cuando sea manifestado Jesucristo,

8 a quien amáis sin haberle visto, en quien creyendo, aunque ahora no lo veáis, os alegráis con gozo inefable y glorioso;

9 obteniendo el fin de vuestra fe, que es la salvación de vuestras almas.

10 Los profetas que profetizaron de la gracia destinada a vosotros, inquirieron y diligentemente indagaron acerca de esta salvación,

11 escudriñando qué persona y qué tiempo indicaba el Espíritu de Cristo que estaba en ellos, el cual anunciaba de antemano los sufrimientos de Cristo, y las glorias que vendrían tras ellos.

12 A éstos se les reveló que no para sí mismos, sino para nosotros, administraban las cosas que ahora os son anunciadas por los que os han predicado el evangelio por el Espíritu Santo enviado del

20 Let him know, that he which converteth the sinner from the error of his way shall save a soul from death, and shall hide a multitude of sins.

THE FIRST EPISTLE GENERAL OF

PETER

CHAPTER 1

PETER, an apostle of Jesus Christ, to the strangers scattered throughout Pontus, Ga-la'tia, Cap-pa-do'ci-a, Asia, and Bi-thyn'i-a,

2 Elect according to the foreknowledge of God the Father, through sanctification of the Spirit, unto obedience and sprinkling of the blood of Jesus Christ: Grace unto you, and peace be multiplied.

3 Blessed *be* the God and Father of our Lord Jesus Christ, which according to his abundant mercy hath begotten us again unto a lively hope by the resurrection of Jesus Christ from the dead,

4 To an inheritance incorruptible, and undefiled, and that fadeth not away, reserved in heaven for you,

5 Who are kept by the power of God through faith unto salvation ready to be revealed in the last time.

6 Wherein ye greatly rejoice, though now for a season, if need be, ye are in heaviness through manifold temptations:

7 That the trial of your faith, being much more precious than of gold that perisheth, though it be tried with fire, might be found unto praise and honour and glory at the appearing of Jesus Christ:

8 Whom having not seen, ye love; in whom, though now ye see *him* not, yet believing, ye rejoice with joy unspeakable and full of glory

9 Receiving the end of your faith, *even* the salvation of *your* souls.

10 Of which salvation the prophets have inquired and searched diligently, who prophesied of the grace *that should come* unto you:

11 Searching what, or what manner of time the Spirit of Christ which was in them did signify, when it testified beforehand the sufferings of Christ, and the glory that should follow.

12 Unto whom it was revealed, that not unto themselves, but unto us they did minister the things, which are now reported unto you by them that have preached the gospel unto you with the Holy Ghost sent down from heaven;

cielo; cosas en las cuales anhelan mirar los ángeles.

13 Por tanto, ceñid los lomos de vuestro entendimiento, sed sobrios, y esperad por completo en la gracia que se os traerá cuando Jesucristo sea manifestado;

14 como hijos obedientes, no os conforméis a los deseos que antes teníais estando en vuestra ignorancia;

15 sino, como aquel que os llamó es santo, sed también vosotros santos en toda vuestra manera de vivir;

16 porque escrito está: Sed santos, porque yo soy santo.

17 Y si invocáis por Padre a aquel que sin acepción de personas juzga según la obra de cada uno, conducíos en temor todo el tiempo de vuestra peregrinación;

18 sabiendo que fuisteis rescatados de vuestra vana manera de vivir, la cual recibisteis de vuestros padres, no con cosas corruptibles, como oro o plata,

19 sino con la sangre preciosa de Cristo, como de un cordero sin mancha y sin contaminación,

20 ya destinado desde antes de la fundación del mundo, pero manifestado en los postreros tiempos por amor de vosotros,

21 y mediante el cual creéis en Dios, quien le resucitó de los muertos y le ha dado gloria, para que vuestra fe y esperanza sean en Dios.

22 Habiendo purificado vuestras almas por la obediencia a la verdad, mediante el Espíritu, para el amor fraternal no fingido, amaos unos a otros entrañablemente, de corazón puro;

23 siendo renacidos, no de simiente corruptible, sino de incorruptible, por la palabra de Dios que vive y permanece para siempre.

24 Porque: Toda carne es como hierba, y toda la gloria del hombre como flor de la hierba. La hierba se seca, y la flor se cae;

25 mas la palabra del Señor permanece para siempre. Y esta es la palabra que por el evangelio os ha sido anunciada.

CAPÍTULO 2

DESECHANDO, pues, toda malicia, todo engaño, hipocresía, envidias, y todas las detracciones,

2 desead, como niños recién nacidos, la leche espiritual no adulterada, para que por ella crezcáis para salvación,

3 si es que habéis gustado la benignidad del Señor.

4 Acercándoos a él, piedra viva, desechada ciertamente por los hombres, mas para Dios escogida y preciosa,

5 vosotros también, como piedras vivas, sed edificados como casa espiritual y

which things the angels desire to look into.

13 Wherefore gird up the loins of your mind, be sober, and hope to the end for the grace that is to be brought unto you at the revelation of Jesus Christ;

14 As obedient children, not fashioning yourselves according to the former lusts in your ignorance:

15 But as he which hath called you is holy, so be ye holy in all manner of conversation;

16 Because it is written, Be ye holy; for I am holy.

17 And if ye call on the Father, who without respect of persons judgeth according to every man's work, pass the time of your sojourning *here* in fear:

18 Forasmuch as ye know that ye were not redeemed with corruptible things, *as* silver and gold, from your vain conversation *received* by tradition from your fathers;

19 But with the precious blood of Christ, as of a lamb without blemish and without spot:

20 Who verily was foreordained before the foundation of the world, but was manifest in these last times for you,

21 Who by him do believe in God, that raised him up from the dead, and gave him glory; that your faith and hope might be in God.

22 Seeing ye have purified your souls in obeying the truth through the Spirit unto unfeigned love of the brethren, *see that ye* love one another with a pure heart fervently:

23 Being born again, not of corruptible seed, but of incorruptible, by the word of God, which liveth and abideth for ever.

24 For all flesh *is* as grass, and all the glory of man as the flower of grass. The grass withereth, and the flower thereof falleth away:

25 But the word of the Lord endureth for ever. And this is the word which by the gospel is preached unto you.

CHAPTER 2

WHEREFORE laying aside all malice, and all guile, and hypocrisies, and envies, and all evil speakings,

2 As newborn babes, desire the sincere milk of the word, that ye may grow thereby:

3 If so be ye have tasted that the Lord *is* gracious.

4 To whom coming, *as unto* a living stone, disallowed indeed of men, but chosen of God, *and* precious,

5 Ye also, as lively stones, are built up a spiritual house, an holy priesthood, to of-

sacerdocio santo, para ofrecer sacrificios espirituales aceptables a Dios por medio de Jesucristo.

6 Por lo cual también contiene la Escritura: He aquí, pongo en Sion la principal piedra del ángulo, escogida, preciosa; y el que creyere en él, no será avergonzado.

7 Para vosotros, pues, los que creéis, él es precioso; pero para los que no creen, la piedra que los edificadores desecharon, ha venido a ser la cabeza del ángulo;

8 y: Piedra de tropiezo, y roca que hace caer, porque tropiezan en la palabra, siendo desobedientes; a lo cual fueron también destinados.

9 Mas vosotros sois linaje escogido, real sacerdocio, nación santa, pueblo adquirido por Dios, para que anunciéis las virtudes de aquel que os llamó de las tinieblas a su luz admirable;

10 vosotros que en otro tiempo no erais pueblo, pero que ahora sois pueblo de Dios; que en otro tiempo no habíais alcanzado misericordia, pero ahora habéis alcanzado misericordia.

11 Amados, yo os ruego como a extranjeros y peregrinos, que os abstengáis de los deseos carnales que batallan contra el alma,

12 manteniendo buena vuestra manera de vivir entre los gentiles; para que en lo que murmuran de vosotros como de malhechores, glorifiquen a Dios en el día de la visitación, al considerar vuestras buenas obras.

13 Por causa del Señor someteos a toda institución humana, ya sea al rey, como a superior,

14 ya a los gobernadores, como por él enviados para castigo de los malhechores y alabanza de los que hacen bien.

15 Porque esta es la voluntad de Dios: que haciendo bien, hagáis callar la ignorancia de los hombres insensatos;

16 como libres, pero no como los que tienen la libertad como pretexto para hacer lo malo, sino como siervos de Dios.

17 Honrad a todos. Amad a los hermanos. Temed a Dios. Honrad al rey.

18 Criados, estad sujetos con todo respeto a vuestros amos; no solamente a los buenos y afables, sino también a los difíciles de soportar.

19 Porque esto merece aprobación, si alguno a causa de la conciencia delante de Dios, sufre molestias padeciendo injustamente.

20 Pues ¿qué gloria es, si pecando sois abofeteados, y lo soportáis? Mas si haciendo lo bueno sufrís, y lo soportáis, esto ciertamente es aprobado delante de Dios.

21 Pues para esto fuisteis llamados; porque también Cristo padeció por noso-

fer up spiritual sacrifices, acceptable to God by Jesus Christ.

6 Wherefore also it is contained in the scripture, Behold, I lay in Sion a chief corner stone, elect, precious: and he that believeth on him shall not be confounded.

7 Unto you therefore which believe *he is* precious: but unto them which be disobedient, the stone which the builders disallowed, the same is made the head of the corner,

8 And a stone of stumbling, and a rock of offence, *even to them* which stumble at the word, being disobedient: whereunto also they were appointed.

9 But ye *are* a chosen generation, a royal priesthood, an holy nation, a peculiar people; that ye should shew forth the praises of him who hath called you out of darkness into his marvellous light:

10 Which in time past *were* not a people, but *are* now the people of God: which had not obtained mercy, but now have obtained mercy.

11 Dearly beloved, I beseech *you* as strangers and pilgrims, abstain from fleshly lusts, which war against the soul;

12 Having your conversation honest among the Gentiles: that, whereas they speak against you as evildoers, they may by *your* good works, which they shall behold, glorify God in the day of visitation.

13 Submit yourselves to every ordinance of man for the Lord's sake: whether it be to the king, as supreme;

14 Or unto governors, as unto them that are sent by him for the punishment of evildoers, and for the praise of them that do well.

15 For so is the will of God, that with well doing ye may put to silence the ignorance of foolish men:

16 As free, and not using *your* liberty for a cloak of maliciousness, but as the servants of God.

17 Honour all *men*. Love the brotherhood. Fear God. Honour the king.

18 Servants, *be* subject to *your* masters with all fear; not only to the good and gentle, but also to the froward.

19 For this *is* thankworthy, if a man for conscience toward God endure grief, suffering wrongfully.

20 For what glory *is it*, if, when ye be buffeted for your faults, ye shall take it patiently? but if, when ye do well, and suffer *for it*, ye take it patiently, this *is* acceptable with God.

21 For even hereunto were ye called: because Christ also suffered for us, leav-

tros, dejándonos ejemplo, para que sigáis sus pisadas;

22 el cual no hizo pecado, ni se halló engaño en su boca;

23 quien cuando le maldecían, no respondía con maldición; cuando padecía, no amenazaba, sino encomendaba la causa al que juzga justamente;

24 quien llevó él mismo nuestros pecados en su cuerpo sobre el madero, para que nosotros, estando muertos a los pecados, vivamos a la justicia; y por cuya herida fuisteis sanados.

25 Porque vosotros erais como ovejas descarriadas, pero ahora habéis vuelto al Pastor y Obispo de vuestras almas.

CAPÍTULO 3

ASIMISMO vosotras, mujeres, estad sujetas a vuestros maridos; para que también los que no creen a la palabra, sean ganados sin palabra por la conducta de sus esposas,

2 considerando vuestra conducta casta y respetuosa.

3 Vuestro atavío no sea el externo de peinados ostentosos, de adornos de oro o de vestidos lujosos,

4 sino el interno, el del corazón, en el incorruptible ornato de un espíritu afable y apacible, que es de grande estima delante de Dios.

5 Porque así también se ataviaban en otro tiempo aquellas santas mujeres que esperaban en Dios, estando sujetas a sus maridos;

6 como Sara obedecía a Abraham, llamándole señor; de la cual vosotras habéis venido a ser hijas, si hacéis el bien, sin temer ninguna amenaza.

7 Vosotros, maridos, igualmente, vivid con ellas sabiamente, dando honor a la mujer como a vaso más frágil, y como a coherederas de la gracia de la vida, para que vuestras oraciones no tengan estorbo.

8 Finalmente, sed todos de un mismo sentir, compasivos, amándoos fraternalmente, misericordiosos, amigables;

9 no devolviendo mal por mal, ni maldición por maldición, sino por el contrario, bendiciendo, sabiendo que fuisteis llamados para que heredaseis bendición.

10 Porque: El que quiere amar la vida y ver días buenos, refrene su lengua de mal, y sus labios no hablen engaño;

11 apártese del mal, y haga el bien; busque la paz, y sígala.

12 Porque los ojos del Señor están sobre los justos, y sus oídos atentos a sus oraciones; pero el rostro del Señor está contra aquellos que hacen el mal.

ing us an example, that ye should follow his steps:

22 Who did no sin, neither was guile found in his mouth:

23 Who, when he was reviled, reviled not again; when he suffered, he threatened not; but committed *himself* to him that judgeth righteously:

24 Who his own self bare our sins in his own body on the tree, that we, being dead to sins, should live unto righteousness: by whose stripes ye were healed.

25 For ye were as sheep going astray; but are now returned unto the Shepherd and Bishop of your souls.

CHAPTER 3

LIKEWISE, ye wives, *be* in subjection to your own husbands; that, if any obey not the word, they also may without the word be won by the conversation of the wives;

2 While they behold your chaste conversation *coupled* with fear.

3 Whose adorning let it not be that outward *adorning* of plaiting the hair, and of wearing of gold, or of putting on of apparel;

4 But *let it be* the hidden man of the heart, in that which is not corruptible, *even the ornament* of a meek and quiet spirit, which is in the sight of God of great price.

5 For after this manner in the old time the holy women also, who trusted in God, adorned themselves, being in subjection unto their own husbands:

6 Even as Sara obeyed Abraham, calling him lord: whose daughters ye are, as long as ye do well, and are not afraid with any amazement.

7 Likewise, ye husbands, dwell with *them* according to knowledge, giving honour unto the wife, as unto the weaker vessel, and as being heirs together of the grace of life; that your prayers be not hindered.

8 Finally, *be ye* all of one mind, having compassion one of another, love as brethren, *be* pitiful, *be* courteous:

9 Not rendering evil for evil, or railing for railing: but contrariwise blessing; knowing that ye are thereunto called, that ye should inherit a blessing.

10 For he that will love life, and see good days, let him refrain his tongue from evil, and his lips that they speak no guile:

11 Let him eschew evil, and do good; let him seek peace, and ensue it.

12 For the eyes of the Lord *are* over the righteous, and his ears *are open* unto their prayers: but the face of the Lord is against them that do evil.

13 ¿Y quién es aquel que os podrá hacer daño, si vosotros seguís el bien?

14 Mas también si alguna cosa padecéis por causa de la justicia, bienaventurados sois. Por tanto, no os amedrentéis por temor de ellos, ni os conturbéis,

15 sino santificad a Dios el Señor en vuestros corazones, y estad siempre preparados para presentar defensa con mansedumbre y reverencia ante todo el que os demande razón de la esperanza que hay en vosotros;

16 teniendo buena conciencia, para que en lo que murmuran de vosotros como de malhechores, sean avergonzados los que calumnian vuestra buena conducta en Cristo.

17 Porque mejor es que padezcáis haciendo el bien, si la voluntad de Dios así lo quiere, que haciendo el mal.

18 Porque también Cristo padeció una sola vez por los pecados, el justo por los injustos, para llevarnos a Dios, siendo a la verdad muerto en la carne, pero vivificado en espíritu;

19 en el cual también fue y predicó a los espíritus encarcelados,

20 los que en otro tiempo desobedecieron, cuando una vez esperaba la paciencia de Dios en los días de Noé, mientras se preparaba el arca, en la cual pocas personas, es decir, ocho, fueron salvadas por agua.

21 El bautismo que corresponde a esto ahora nos salva (no quitando las inmundicias de la carne, sino como la aspiración de una buena conciencia hacia Dios) por la resurrección de Jesucristo,

22 quien habiendo subido al cielo está a la diestra de Dios; y a él están sujetos ángeles, autoridades y potestades.

CAPÍTULO 4

PUESTO que Cristo ha padecido por nosotros en la carne, vosotros también armaos del mismo pensamiento; pues quien ha padecido en la carne, terminó con el pecado,

2 para no vivir el tiempo que resta en la carne, conforme a las concupiscencias de los hombres, sino conforme a la voluntad de Dios.

3 Baste ya el tiempo pasado para haber hecho lo que agrada a los gentiles, andando en lascivias, concupiscencias, embriagueces, orgías, disipación y abominables idolatrías.

4 A éstos les parece cosa extraña que vosotros no corráis con ellos en el mismo desenfreno de disolución, y os ultrajan;

5 pero ellos darán cuenta al que está preparado para juzgar a los vivos y a los muertos.

13 And who *is* he that will harm you, if ye be followers of that which is good?

14 But and if ye suffer for righteousness' sake, happy *are ye:* and be not afraid of their terror, neither be troubled;

15 But sanctify the Lord God in your hearts: and *be* ready always to *give* an answer to every man that asketh you a reason of the hope that is in you with meekness and fear:

16 Having a good conscience; that, whereas they speak evil of you, as of evildoers, they may be ashamed that falsely accuse your good conversation in Christ.

17 For *it is* better, if the will of God be so, that ye suffer for well doing, than for evil doing.

18 For Christ also hath once suffered for sins, the just for the unjust, that he might bring us to God, being put to death in the flesh, but quickened by the Spirit:

19 By which also he went and preached unto the spirits in prison;

20 Which sometime were disobedient, when once the longsuffering of God waited in the days of Noah, while the ark was a preparing, wherein few, that is, eight souls were saved by water.

21 The like figure whereunto *even* baptism doth also now save us (not the putting away of the filth of the flesh, but the answer of a good conscience toward God,) by the resurrection of Jesus Christ:

22 Who is gone into heaven, and is on the right hand of God; angels and authorities and powers being made subject unto him.

CHAPTER 4

FORASMUCH then as Christ hath suffered for us in the flesh, arm yourselves likewise with the same mind: for he that hath suffered in the flesh hath ceased from sin;

2 That he no longer should live the rest of *his* time in the flesh to the lusts of men, but to the will of God.

3 For the time past of *our* life may suffice us to have wrought the will of the Gentiles, when we walked in lasciviousness, lusts, excess of wine, revellings, banquetings, and abominable idolatries:

4 Wherein they think it strange that ye run not with *them* to the same excess of riot, speaking evil of *you:*

5 Who shall give account to him that is ready to judge the quick and the dead.

6 Porque por esto también ha sido predicado el evangelio a los muertos, para que sean juzgados en carne según los hombres, pero vivan en espíritu según Dios.

7 Mas el fin de todas las cosas se acerca; sed, pues, sobrios, y velad en oración.

8 Y ante todo, tened entre vosotros ferviente amor; porque el amor cubrirá multitud de pecados.

9 Hospedaos los unos a los otros sin murmuraciones.

10 Cada uno según el don que ha recibido, minístrelo a los otros, como buenos administradores de la multiforme gracia de Dios.

11 Si alguno habla, hable conforme a las palabras de Dios; si alguno ministra, ministre conforme al poder que Dios da, para que en todo sea Dios glorificado por Jesucristo, a quien pertenecen la gloria y el imperio por los siglos de los siglos. Amén.

12 Amados, no os sorprendáis del fuego de prueba que os ha sobrevenido, como si alguna cosa extraña os aconteciese,

13 sino gozaos por cuanto sois participantes de los padecimientos de Cristo, para que también en la revelación de su gloria os gocéis con gran alegría.

14 Si sois vituperados por el nombre de Cristo, sois bienaventurados, porque el glorioso Espíritu de Dios reposa sobre vosotros. Ciertamente, de parte de ellos, él es blasfemado, pero por vosotros es glorificado.

15 Así que, ninguno de vosotros padezca como homicida, o ladrón, o malhechor, o por entremeterse en lo ajeno;

16 pero si alguno padece como cristiano, no se avergüence, sino glorifique a Dios por ello.

17 Porque es tiempo de que el juicio comience por la casa de Dios; y si primero comienza por nosotros, ¿cuál será el fin de aquellos que no obedecen al evangelio de Dios?

18 Y: Si el justo con dificultad se salva, ¿en dónde aparecerá el impío y el pecador?

19 De modo que los que padecen según la voluntad de Dios, encomienden sus almas al fiel Creador, y hagan el bien.

CAPÍTULO 5

RUEGO a los ancianos que están entre vosotros, yo anciano también con ellos, y testigo de los padecimientos de Cristo, que soy también participante de la gloria que será revelada:

2 Apacentad la grey de Dios que está entre vosotros, cuidando de ella, no por

6 For for this cause was the gospel preached also to them that are dead, that they might be judged according to men in the flesh, but live according to God in the spirit.

7 But the end of all things is at hand: be ye therefore sober, and watch unto prayer.

8 And above all things have fervent charity among yourselves: for charity shall cover the multitude of sins.

9 Use hospitality one to another without grudging.

10 As every man hath received the gift, *even so* minister the same one to another, as good stewards of the manifold grace of God.

11 If any man speak, *let him speak* as the oracles of God; if any man minister, *let him do it* as of the ability which God giveth: that God in all things may be glorified through Jesus Christ, to whom be praise and dominion for ever and ever. Amen.

12 Beloved, think it not strange concerning the fiery trial which is to try you, as though some strange thing happened unto you:

13 But rejoice, inasmuch as ye are partakers of Christ's sufferings; that, when his glory shall be revealed, ye may be glad also with exceeding joy.

14 If ye be reproached for the name of Christ, happy *are ye;* for the spirit of glory and of God resteth upon you: on their part he is evil spoken of, but on your part he is glorified.

15 But let none of you suffer as a murderer, or *as* a thief, or *as* an evildoer, or as a busybody in other men's matters.

16 Yet if *any man suffer* as a Christian, let him not be ashamed; but let him glorify God on this behalf.

17 For the time *is come* that judgment must begin at the house of God: and if *it* first *begin* at us, what shall the end *be* of them that obey not the gospel of God?

18 And if the righteous scarcely be saved, where shall the ungodly and the sinner appear?

19 Wherefore let them that suffer according to the will of God commit the keeping of their souls *to him* in well doing, as unto a faithful Creator.

CHAPTER 5

THE elders which are among you I exhort, who am also an elder, and a witness of the sufferings of Christ, and also a partaker of the glory that shall be revealed:

2 Feed the flock of God which is among you, taking the oversight *thereof,* not by

fuerza, sino voluntariamente; no por ganancia deshonesta, sino con ánimo pronto;

3 no como teniendo señorío sobre los que están a vuestro cuidado, sino siendo ejemplos de la grey.

4 Y cuando aparezca el Príncipe de los pastores, vosotros recibiréis la corona incorruptible de gloria.

5 Igualmente, jóvenes, estad sujetos a los ancianos; y todos, sumisos unos a otros, revestíos de humildad; porque: Dios resiste a los soberbios, y da gracia a los humildes.

6 Humillaos, pues, bajo la poderosa mano de Dios, para que él os exalte cuando fuere tiempo;

7 echando toda vuestra ansiedad sobre él, porque él tiene cuidado de vosotros.

8 Sed sobrios, y velad; porque vuestro adversario el diablo, como león rugiente, anda alrededor buscando a quien devorar;

9 al cual resistid firmes en la fe, sabiendo que los mismos padecimientos se van cumpliendo en vuestros hermanos en todo el mundo.

10 Mas el Dios de toda gracia, que nos llamó a su gloria eterna en Jesucristo, después que hayáis padecido un poco de tiempo, él mismo os perfeccione, afirme, fortalezca y establezca.

11 A él sea la gloria y el imperio por los siglos de los siglos. Amén.

12 Por conducto de Silvano, a quien tengo por hermano fiel, os he escrito brevemente, amonestándoos, y testificando que ésta es la verdadera gracia de Dios, en la cual estáis.

13 La iglesia que está en Babilonia, elegida juntamente con vosotros, y Marcos mi hijo, os saludan.

14 Saludaos unos a otros con ósculo de amor. Paz sea con todos vosotros los que estáis en Jesucristo. Amén.

constraint, but willingly; not for filthy lucre, but of a ready mind;

3 Neither as being lords over *God's* heritage, but being ensamples to the flock.

4 And when the chief Shepherd shall appear, ye shall receive a crown of glory that fadeth not away.

5 Likewise, ye younger, submit yourselves unto the elder. Yea, all *of you* be subject one to another, and be clothed with humility: for God resisteth the proud, and giveth grace to the humble.

6 Humble yourselves therefore under the mighty hand of God, that he may exalt you in due time:

7 Casting all your care upon him; for he careth for you.

8 Be sober, be vigilant; because your adversary the devil, as a roaring lion, walketh about, seeking whom he may devour:

9 Whom resist stedfast in the faith, knowing that the same afflictions are accomplished in your brethren that are in the world.

10 But the God of all grace, who hath called us unto his eternal glory by Christ Jesus, after that ye have suffered a while, make you perfect, stablish, strengthen, settle *you.*

11 To him *be* glory and dominion for ever and ever. Amen

12 By Sil-va'nus, a faithful brother unto you, as I suppose, I have written briefly, exhorting, and testifying that this is the true grace of God wherein ye stand.

13 The *church that is* at Babylon, elected together with *you,* saluteth you; and *so doth* Marcus my son.

14 Greet ye one another with a kiss of charity. Peace *be* with you all that are in Christ Jesus. Amen.

LA SEGUNDA EPÍSTOLA UNIVERSAL DE

SAN PEDRO APÓSTOL

CAPÍTULO 1

SIMÓN Pedro, siervo y apóstol de Jesucristo, a los que habéis alcanzado, por la justicia de nuestro Dios y Salvador Jesucristo, una fe igualmente preciosa que la nuestra:

2 Gracia y paz os sean multiplicadas, en el conocimiento de Dios y de nuestro Señor Jesús.

3 Como todas las cosas que pertenecen a la vida y a la piedad nos han sido dadas por su divino poder, mediante el conocimiento de aquel que nos llamó por su gloria y excelencia,

4 por medio de las cuales nos ha dado preciosas y grandísimas promesas, para que por ellas llegaseis a ser participantes de la naturaleza divina, habiendo huido de la corrupción que hay en el mundo a causa de la concupiscencia;

5 vosotros también, poniendo toda diligencia por esto mismo, añadid a vuestra fe virtud; a la virtud, conocimiento;

6 al conocimiento, dominio propio; al dominio propio, paciencia; a la paciencia, piedad;

7 a la piedad, afecto fraternal; y al afecto fraternal, amor.

8 Porque si estas cosas están en vosotros, y abundan, no os dejarán estar ociosos ni sin fruto en cuanto al conocimiento de nuestro Señor Jesucristo.

9 Pero el que no tiene estas cosas tiene la vista muy corta; es ciego, habiendo olvidado la purificación de sus antiguos pecados.

10 Por lo cual, hermanos, tanto más procurad hacer firme vuestra vocación y elección; porque haciendo estas cosas, no caeréis jamás.

11 Porque de esta manera os será otorgada amplia y generosa entrada en el reino eterno de nuestro Señor y Salvador Jesucristo.

12 Por esto, yo no dejaré de recordaros siempre estas cosas, aunque vosotros las sepáis, y estéis confirmados en la verdad presente.

13 Pues tengo por justo, en tanto que estoy en este cuerpo, el despertaros con amonestación;

14 sabiendo que en breve debo abandonar el cuerpo, como nuestro Señor Jesucristo me ha declarado.

15 También yo procuraré con diligencia

THE SECOND EPISTLE GENERAL OF

PETER

CHAPTER 1

SIMON Peter, a servant and an apostle of Jesus Christ, to them that have obtained like precious faith with us through the righteousness of God and our Saviour Jesus Christ:

2 Grace and peace be multiplied unto you through the knowledge of God, and of Jesus our Lord,

3 According as his divine power hath given unto us all things that *pertain* unto life and godliness, through the knowledge of him that hath called us to glory and virtue:

4 Whereby are given unto us exceeding great and precious promises: that by these ye might be partakers of the divine nature, having escaped the corruption that is in the world through lust.

5 And beside this, giving all diligence, add to your faith virtue; and to virtue knowledge;

6 And to knowledge temperance; and to temperance patience; and to patience godliness;

7 And to godliness brotherly kindness; and to brotherly kindness charity.

8 For if these things be in you, and abound, they make *you that ye shall* neither *be* barren nor unfruitful in the knowledge of our Lord Jesus Christ.

9 But he that lacketh these things is blind, and cannot see afar off, and hath forgotten that he was purged from his old sins.

10 Wherefore the rather, brethren, give diligence to make your calling and election sure: for if ye do these things, ye shall never fall:

11 For so an entrance shall be ministered unto you abundantly into the everlasting kingdom of our Lord and Saviour Jesus Christ.

12 Wherefore I will not be negligent to put you always in remembrance of these things, though ye know *them*, and be established in the present truth.

13 Yea, I think it meet, as long as I am in this tabernacle, to stir you up by putting *you* in remembrance;

14 Knowing that shortly I must put off *this* my tabernacle, even as our Lord Jesus Christ hath shewed me.

15 Moreover I will endeavour that ye

que después de mi partida vosotros podáis en todo momento tener memoria de estas cosas.

16 Porque no os hemos dado a conocer el poder y la venida de nuestro Señor Jesucristo siguiendo fábulas artificiosas, sino como habiendo visto con nuestros propios ojos su majestad.

17 Pues cuando él recibió de Dios Padre honra y gloria, le fue enviada desde la magnífica gloria una voz que decía: Este es mi Hijo amado, en el cual tengo complacencia.

18 Y nosotros oímos esta voz enviada del cielo, cuando estábamos con él en el monte santo.

19 Tenemos también la palabra profética más segura, a la cual hacéis bien en estar atentos como a una antorcha que alumbra en lugar oscuro, hasta que el día esclarezca y el lucero de la mañana salga en vuestros corazones;

20 entendiendo primero esto, que ninguna profecía de la Escritura es de interpretación privada,

21 porque nunca la profecía fue traída por voluntad humana, sino que los santos hombres de Dios hablaron siendo inspirados por el Espíritu Santo.

CAPÍTULO 2

PERO hubo también falsos profetas entre el pueblo, como habrá entre vosotros falsos maestros, que introducirán encubiertamente herejías destructoras, y aun negarán al Señor que los rescató, atrayendo sobre sí mismos destrucción repentina.

2 Y muchos seguirán sus disoluciones, por causa de los cuales el camino de la verdad será blasfemado,

3 y por avaricia harán mercadería de vosotros con palabras fingidas. Sobre los tales ya de largo tiempo la condenación no se tarda, y su perdición no se duerme.

4 Porque si Dios no perdonó a los ángeles que pecaron, sino que arrojándolos al infierno los entregó a prisiones de oscuridad, para ser reservados al juicio;

5 y si no perdonó al mundo antiguo, sino que guardó a Noé, pregonero de justicia, con otras siete personas, trayendo el diluvio sobre el mundo de los impíos;

6 y si condenó por destrucción a las ciudades de Sodoma y de Gomorra, reduciéndolas a ceniza y poniéndolas de ejemplo a los que habían de vivir impíamente,

7 y libró al justo Lot, abrumado por la nefasta conducta de los malvados

8 (porque este justo, que moraba entre ellos, afligía cada día su alma justa, viendo y oyendo los hechos inicuos de ellos),

may be able after my decease to have these things always in remembrance.

16 For we have not followed cunningly devised fables, when we made known unto you the power and coming of our Lord Jesus Christ, but were eyewitnesses of his majesty.

17 For he received from God the Father honour and glory, when there came such a voice to him from the excellent glory, This is my beloved Son, in whom I am well pleased.

18 And this voice which came from heaven we heard, when we were with him in the holy mount.

19 We have also a more sure word of prophecy; whereunto ye do well that ye take heed, as unto a light that shineth in a dark place, until the day dawn, and the day star arise in your hearts:

20 Knowing this first, that no prophecy of the scripture is of any private interpretation.

21 For the prophecy came not in old time by the will of man: but holy men of God spake *as they were* moved by the Holy Ghost.

CHAPTER 2

BUT there were false prophets also among the people, even as there shall be false teachers among you, who privily shall bring in damnable heresies, even denying the Lord that bought them, and bring upon themselves swift destruction.

2 And many shall follow their pernicious ways; by reason of whom the way of truth shall be evil spoken of.

3 And through covetousness shall they with feigned words make merchandise of you: whose judgment now of a long time lingereth not, and their damnation slumbereth not.

4 For if God spared not the angels that sinned, but cast *them* down to hell, and delivered *them* into chains of darkness, to be reserved unto judgment;

5 And spared not the old world, but saved Noah the eighth *person*, a preacher of righteousness, bringing in the flood upon the world of the ungodly;

6 And turning the cities of Sodom and Go-mor'rha into ashes condemned *them* with an overthrow, making *them* an ensample unto those that after should live ungodly;

7 And delivered just Lot, vexed with the filthy conversation of the wicked:

8 (For that righteous man dwelling among them, in seeing and hearing, vexed *his* righteous soul from day to day with *their* unlawful deeds);

9 sabe el Señor librar de tentación a los
piadosos, y reservar a los injustos para
ser castigados en el día del juicio;
10 y mayormente a aquellos que, siguiendo la carne, andan en concupiscencia
e inmundicia, y desprecian el señorío. Atrevidos y contumaces, no temen decir
mal de las potestades superiores,
11 mientras que los ángeles, que son
mayores en fuerza y en potencia, no pronuncian juicio de maldición contra ellas
delante del Señor.
12 Pero éstos, hablando mal de cosas
que no entienden, como animales irracionales, nacidos para presa y destrucción,
perecerán en su propia perdición,
13 recibiendo el galardón de su injusticia, ya que tienen por delicia el gozar de
deleites cada día. Estos son inmundicias
y manchas, quienes aun mientras comen
con vosotros, se recrean en sus errores.
14 Tienen los ojos llenos de adulterio,
no se sacian de pecar, seducen a las almas inconstantes, tienen el corazón habituado a la codicia, y son hijos de maldición.
15 Han dejado el camino recto, y se han
extraviado siguiendo el camino de Balaam hijo de Beor, el cual amó el premio
de la maldad,
16 y fue reprendido por su iniquidad;
pues una muda bestia de carga, hablando
con voz de hombre, refrenó la locura del
profeta.
17 Estos son fuentes sin agua, y nubes
empujadas por la tormenta; para los
cuales la más densa oscuridad está reservada para siempre.
18 Pues hablando palabras infladas y
vanas, seducen con concupiscencias de la
carne y disoluciones a los que verdaderamente habían huido de los que viven en
error.
19 Les prometen libertad, y son ellos
mismos esclavos de corrupción. Porque
el que es vencido por alguno es hecho esclavo del que lo venció.
20 Ciertamente, si habiéndose ellos escapado de las contaminaciones del mundo, por el conocimiento del Señor y Salvador Jesucristo, enredándose otra vez
en ellas son vencidos, su postrer estado
viene a ser peor que el primero.
21 Porque mejor les hubiera sido no haber conocido el camino de la justicia, que
después de haberlo conocido, volverse atrás del santo mandamiento que les fue
dado.
22 Pero les ha acontecido lo del verdadero proverbio: El perro vuelve a su vómito, y la puerca lavada a revolcarse en
el cieno.

9 The Lord knoweth how to deliver the
godly out of temptations, and to reserve
the unjust unto the day of judgment to be
punished:
10 But chiefly them that walk after the
flesh in the lust of uncleanness, and despise government. Presumptuous *are
they*, selfwilled, they are not afraid to
speak evil of dignities.
11 Whereas angels, which are greater
in power and might, bring not railing accusation against them before the Lord.
12 But these, as natural brute beasts,
made to be taken and destroyed, speak
evil of the things that they understand
not; and shall utterly perish in their own
corruption;
13 And shall receive the reward of unrighteousness, *as* they that count it pleasure to riot in the day time. Spots *they
are* and blemishes, sporting themselves
with their own deceivings while they
feast with you;
14 Having eyes full of adultery, and
that cannot cease from sin; beguiling unstable souls: an heart they have exercised
with covetous practices; cursed children:
15 Which have forsaken the right way,
and are gone astray, following the way of
Ba'laam *the son* of Bo'sor, who loved the
wages of unrighteousness;
16 But was rebuked for his iniquity: the
dumb ass speaking with man's voice forbad the madness of the prophet.
17 These are wells without water,
clouds that are carried with a tempest: to
whom the mist of darkness is reserved
for ever.
18 For when they speak great swelling
words of vanity, they allure through the
lusts of the flesh, *through much* wantonness, those that were clean escaped from
them who live in error.
19 While they promise them liberty,
they themselves are the servants of corruption: for of whom a man is overcome,
of the same is he brought in bondage.
20 For if after they have escaped the
pollutions of the world through the
knowledge of the Lord and Saviour Jesus
Christ, they are again entangled therein,
and overcome, the latter end is worse
with them than the beginning.
21 For it had been better for them not
to have known the way of righteousness,
than, after they have known *it*, to turn
from the holy commandment delivered
unto them.
22 But it is happened unto them according to the true proverb, The dog *is*
turned to his own vomit again; and the
sow that was washed to her wallowing in
the mire.

CAPÍTULO 3

AMADOS, esta es la segunda carta que
os escribo, y en ambas despierto con
exhortación vuestro limpio entendimien-
to,
2 para que tengáis memoria de las pala-
bras que antes han sido dichas por los
santos profetas, y del mandamiento del
Señor y Salvador dado por vuestros a-
póstoles;
3 sabiendo primero esto, que en los
postreros días vendrán burladores, an-
dando según sus propias concupiscen-
cias,
4 y diciendo: ¿Dónde está la promesa
de su advenimiento? Porque desde el día
en que los padres durmieron, todas las
cosas permanecen así como desde el
principio de la creación.
5 Estos ignoran voluntariamente, que
en el tiempo antiguo fueron hechos por la
palabra de Dios los cielos, y también la
tierra, que proviene del agua y por el
agua subsiste,
6 por lo cual el mundo de entonces pe-
reció anegado en agua;
7 pero los cielos y la tierra que existen
ahora, están reservados por la misma
palabra, guardados para el fuego en el
día del juicio y de la perdición de los
hombres impíos.
8 Mas, oh amados, no ignoréis esto: que
para con el Señor un día es como mil
años, y mil años como un día.
9 El Señor no retarda su promesa, se-
gún algunos la tienen por tardanza, sino
que es paciente para con nosotros, no
queriendo que ninguno perezca, sino que
todos procedan al arrepentimiento.
10 Pero el día del Señor vendrá como
ladrón en la noche; en el cual los cielos
pasarán con grande estruendo, y los ele-
mentos ardiendo serán deshechos, y la
tierra y las obras que en ella hay serán
quemadas.
11 Puesto que todas estas cosas han de
ser deshechas, ¡cómo no debéis vosotros
andar en santa y piadosa manera de vi-
vir,
12 esperando y apresurándoos para la
venida del día de Dios, en el cual los cie-
los, encendiéndose, serán deshechos, y
los elementos, siendo quemados, se fun-
dirán!
13 Pero nosotros esperamos, según sus
promesas, cielos nuevos y tierra nueva,
en los cuales mora la justicia.
14 Por lo cual, oh amados, estando en
espera de estas cosas, procurad con dili-
gencia ser hallados por él sin mancha e
irreprensibles, en paz.
15 Y tened entendido que la paciencia

CHAPTER 3

THIS second epistle, beloved, I now
write unto you; in *both* which I stir up
your pure minds by way of remem-
brance:
2 That ye may be mindful of the words
which were spoken before by the holy
prophets, and of the commandment of us
the apostles of the Lord and Saviour:
3 Knowing this first, that there shall
come in the last days scoffers, walking
after their own lusts
4 And saying, Where is the promise of
his coming? for since the fathers fell
asleep, all things continue as *they were*
from the beginning of the creation.
5 For this they willingly are ignorant of,
that by the word of God the heavens
were of old, and the earth standing out of
the water and in the water:
6 Whereby the world that then was,
being overflowed with water, perished:
7 But the heavens and the earth, which
are now, by the same word are kept in
store, reserved unto fire against the day
of judgment and perdition of ungodly
men.
8 But, beloved, be not ignorant of this
one thing, that one day *is* with the Lord
as a thousand years, and a thousand
years as one day.
9 The Lord is not slack concerning his
promise, as some men count slackness;
but is longsuffering to us-ward, not will-
ing that any should perish, but that all
should come to repentance.
10 But the day of the Lord will come as
a thief in the night; in the which the heav-
ens shall pass away with a great noise,
and the elements shall melt with fervent
heat, the earth also and the works that
are therein shall be burned up.
11 *Seeing* then *that* all these things
shall be dissolved, what manner *of per-
sons* ought ye to be in *all* holy conversa-
tion and godliness,
12 Looking for and hasting unto the
coming of the day of God, wherein the
heavens being on fire shall be dissolved,
and the elements shall melt with fervent
heat?
13 Nevertheless we, according to his
promise, look for new heavens and a new
earth, wherein dwelleth righteousness.
14 Wherefore, beloved, seeing that ye
look for such things, be diligent that ye
may be found of him in peace, without
spot, and blameless.
15 And account *that* the longsuffering

de nuestro Señor es para salvación; como también nuestro amado hermano Pablo, según la sabiduría que le ha sido dada, os ha escrito,

16 casi en todas sus epístolas, hablando en ellas de estas cosas; entre las cuales hay algunas difíciles de entender, las cuales los indoctos e inconstantes tuercen, como también las otras Escrituras, para su propia perdición.

17 Así que vosotros, oh amados, sabiéndolo de antemano, guardaos, no sea que arrastrados por el error de los inicuos, caigáis de vuestra firmeza.

18 Antes bien, creced en la gracia y el conocimiento de nuestro Señor y Salvador Jesucristo. A él sea gloria ahora y hasta el día de la eternidad. Amén.

LA PRIMERA EPÍSTOLA UNIVERSAL DE

SAN JUAN APÓSTOL

CAPÍTULO 1

LO que era desde el principio, lo que hemos oído, lo que hemos visto con nuestros ojos, lo que hemos contemplado, y palparon nuestras manos tocante al Verbo de vida

2 (porque la vida fue manifestada, y la hemos visto, y testificamos, y os anunciamos la vida eterna, la cual estaba con el Padre, y se nos manifestó);

3 lo que hemos visto y oído, eso os anunciamos, para que también vosotros tengáis comunión con nosotros; y nuestra comunión verdaderamente es con el Padre, y con su Hijo Jesucristo.

4 Estas cosas os escribimos, para que vuestro gozo sea cumplido.

5 Este es el mensaje que hemos oído de él, y os anunciamos: Dios es luz, y no hay ningunas tinieblas en él.

6 Si decimos que tenemos comunión con él, y andamos en tinieblas, mentimos, y no practicamos la verdad;

7 pero si andamos en luz, como él está en luz, tenemos comunión unos con otros, y la sangre de Jesucristo su Hijo nos limpia de todo pecado.

8 Si decimos que no tenemos pecado, nos engañamos a nosotros mismos, y la verdad no está en nosotros.

9 Si confesamos nuestros pecados, él es fiel y justo para perdonar nuestros pecados, y limpiarnos de toda maldad.

of our Lord *is* salvation; even as our beloved brother Paul also according to the wisdom given unto him hath written unto you;

16 As also in all *his* epistles, speaking in them of these things; in which are some things hard to be understood, which they that are unlearned and unstable wrest, as *they do* also the other scriptures, unto their own destruction.

17 Ye therefore, beloved, seeing ye know *these things* before, beware lest ye also, being led away with the error of the wicked, fall from your own stedfastness.

18 But grow in grace, and *in* the knowledge of our Lord and Saviour Jesus Christ. To him *be* glory both now and for ever. Amen.

THE FIRST EPISTLE GENERAL OF

JOHN

CHAPTER 1

THAT which was from the beginning, which we have heard, which we have seen with our eyes, which we have looked upon, and our hands have handled, of the Word of life;

2 (For the life was manifested, and we have seen *it*, and bear witness, and shew unto you that eternal life, which was with the Father, and was manifested unto us;)

3 That which we have seen and heard declare we unto you, that ye also may have fellowship with us: and truly our fellowship *is* with the Father, and with his Son Jesus Christ.

4 And these things write we unto you, that your joy may be full.

5 This then is the message which we have heard of him, and declare unto you, that God is light, and in him is no darkness at all.

6 If we say that we have fellowship with him, and walk in darkness, we lie, and do not the truth:

7 But if we walk in the light, as he is in the light, we have fellowship one with another, and the blood of Jesus Christ his Son cleanseth us from all sin.

8 If we say that we have no sin, we deceive ourselves, and the truth is not in us.

9 If we confess our sins, he is faithful and just to forgive us *our* sins, and to cleanse us from all unrighteousness.

10 Si decimos que no hemos pecado, le hacemos a él mentiroso, y su palabra no está en nosotros.

CAPÍTULO 2

HIJITOS míos, estas cosas os escribo para que no pequéis; y si alguno hubiere pecado, abogado tenemos para con el Padre, a Jesucristo el justo.

2 Y él es la propiciación por nuestros pecados; y no solamente por los nuestros, sino también por los de todo el mundo.

3 Y en esto sabemos que nosotros le conocemos, si guardamos sus mandamientos.

4 El que dice: Yo le conozco, y no guarda sus mandamientos, el tal es mentiroso, y la verdad no está en él;

5 pero el que guarda su palabra, en éste verdaderamente el amor de Dios se ha perfeccionado; por esto sabemos que estamos en él.

6 El que dice que permanece en él, debe andar como él anduvo.

7 Hermanos, no os escribo mandamiento nuevo, sino el mandamiento antiguo que habéis tenido desde el principio; este mandamiento antiguo es la palabra que habéis oído desde el principio.

8 Sin embargo, os escribo un mandamiento nuevo, que es verdadero en él y en vosotros, porque las tinieblas van pasando, y la luz verdadera ya alumbra.

9 El que dice que está en la luz, y aborrece a su hermano, está todavía en tinieblas.

10 El que ama a su hermano, permanece en la luz, y en él no hay tropiezo.

11 Pero el que aborrece a su hermano está en tinieblas, y anda en tinieblas, y no sabe a dónde va, porque las tinieblas le han cegado los ojos.

12 Os escribo a vosotros, hijitos, porque vuestros pecados os han sido perdonados por su nombre.

13 Os escribo a vosotros, padres, porque conocéis al que es desde el principio. Os escribo a vosotros, jóvenes, porque habéis vencido al maligno. Os escribo a vosotros, hijitos, porque habéis conocido al Padre.

14 Os he escrito a vosotros, padres, porque habéis conocido al que es desde el principio. Os he escrito a vosotros, jóvenes, porque sois fuertes, y la palabra de Dios permanece en vosotros, y habéis vencido al maligno.

15 No améis al mundo, ni las cosas que están en el mundo. Si alguno ama al mundo, el amor del Padre no está en él.

16 Porque todo lo que hay en el mundo, los deseos de la carne, los deseos de los

10 If we say that we have not sinned, we make him a liar, and his word is not in us.

CHAPTER 2

MY little children, these things write I unto you, that ye sin not. And if any man sin, we have an advocate with the Father, Jesus Christ the righteous:

2 And he is the propitiation for our sins: and not for ours only, but also for *the sins of* the whole world.

3 And hereby we do know that we know him, if we keep his commandments.

4 He that saith, I know him, and keepeth not his commandments, is a liar, and the truth is not in him.

5 But whoso keepeth his word, in him verily is the love of God perfected: hereby know we that we are in him.

6 He that saith he abideth in him ought himself also so to walk, even as he walked.

7 Brethren, I write no new commandment unto you, but an old commandment which ye had from the beginning. The old commandment is the word which ye have heard from the beginning.

8 Again, a new commandment I write unto you, which thing is true in him and in you: because the darkness is past, and the true light now shineth.

9 He that saith he is in the light, and hateth his brother, is in darkness even until now.

10 He that loveth his brother abideth in the light, and there is none occasion of stumbling in him.

11 But he that hateth his brother is in darkness, and walketh in darkness, and knoweth not whither he goeth, because that darkness hath blinded his eyes.

12 I write unto you, little children, because your sins are forgiven you for his name's sake.

13 I write unto you, fathers, because ye have known him *that is* from the beginning. I write unto you, young men, because ye have overcome the wicked one. I write unto you, little children, because ye have known the Father.

14 I have written unto you, fathers, because ye have known him *that is* from the beginning. I have written unto you, young men, because ye are strong, and the word of God abideth in you, and ye have overcome the wicked one.

15 Love not the world, neither the things *that are* in the world. If any man love the world, the love of the Father is not in him.

16 For all that *is* in the world, the lust of the flesh, and the lust of the eyes, and

ojos, y la vanagloria de la vida, no provie-
ne del Padre, sino del mundo.
17 Y el mundo pasa, y sus deseos; pero
el que hace la voluntad de Dios perma-
nece para siempre.
18 Hijitos, ya es el último tiempo; y se-
gún vosotros oísteis que el anticristo
viene, así ahora han surgido muchos anti-
cristos; por esto conocemos que es el úl-
timo tiempo.
19 Salieron de nosotros, pero no eran
de nosotros; porque si hubiesen sido de
nosotros, habrían permanecido con noso-
tros; pero salieron para que se manifesta-
se que no todos son de nosotros.
20 Pero vosotros tenéis la unción del
Santo, y conocéis todas las cosas.
21 No os he escrito como si ignoraseis
la verdad, sino porque la conocéis, y
porque ninguna mentira procede de la
verdad.
22 ¿Quién es el mentiroso, sino el que
niega que Jesús es el Cristo? Este es anti-
cristo, el que niega al Padre y al Hijo.
23 Todo aquel que niega al Hijo, tam-
poco tiene al Padre. El que confiesa al
Hijo, tiene también al Padre.
24 Lo que habéis oído desde el princi-
pio, permanezca en vosotros. Si lo que
habéis oído desde el principio permanece
en vosotros, también vosotros permane-
ceréis en el Hijo y en el Padre.
25 Y esta es la promesa que él nos hizo,
la vida eterna.
26 Os he escrito esto sobre los que os
engañan.
27 Pero la unción que vosotros recibis-
teis de él permanece en vosotros, y no
tenéis necesidad de que nadie os enseñe;
así como la unción misma os enseña to-
das las cosas, y es verdadera, y no es
mentira, según ella os ha enseñado, per-
maneced en él.
28 Y ahora, hijitos, permaneced en él,
para que cuando se manifieste, tengamos
confianza, para que en su venida no nos
alejemos de él avergonzados.
29 Si sabéis que él es justo, sabed tam-
bién que todo el que hace justicia es naci-
do de él.

CAPÍTULO 3

MIRAD cuál amor nos ha dado el Pa-
dre, para que seamos llamados hijos
de Dios; por esto el mundo no nos cono-
ce, porque no le conoció a él.
2 Amados, ahora somos hijos de Dios, y
aún no se ha manifestado lo que hemos
de ser; pero sabemos que cuando él se
manifieste, seremos semejantes a él,
porque le veremos tal como él es.

the pride of life, is not of the Father, but
is of the world.
17 And the world passeth away, and
the lust thereof: but he that doeth the will
of God abideth for ever.
18 Little children, it is the last time: and
as ye have heard that antichrist shall
come, even now are there many anti-
christs; whereby we know that it is the
last time.
19 They went out from us, but they
were not of us: for if they had been of us,
they would *no doubt* have continued
with us: but *they went out*, that they
might be made manifest that they were
not all of us.
20 But ye have an unction from the
Holy One, and ye know all things.
21 I have not written unto you because
ye know not the truth, but because ye
know it, and that no lie is of the truth.
22 Who is a liar but he that denieth that
Jesus is the Christ? He is antichrist, that
denieth the Father and the Son.
23 Whosoever denieth the Son, the
same hath not the Father: *[but] he that
acknowledgeth the Son hath the Father
also.*
24 Let that therefore abide in you,
which ye have heard from the beginning.
If that which ye have heard from the be-
ginning shall remain in you, ye also shall
continue in the Son, and in the Father.
25 And this is the promise that he hath
promised us, *even* eternal life.
26 These *things* have I written unto you
concerning them that seduce you.
27 But the anointing which ye have re-
ceived of him abideth in you, and ye need
not that any man teach you: but as the
same anointing teacheth you of all
things, and is truth, and is no lie, and
even as it hath taught you, ye shall abide
in him.
28 And now, little children, abide in
him; that, when he shall appear, we may
have confidence, and not be ashamed be-
fore him at his coming.
29 If ye know that he is righteous, ye
know that every one that doeth right-
eousness is born of him.

CHAPTER 3

BEHOLD, what manner of love the Fa-
ther hath bestowed upon us, that we
should be called the sons of God: there-
fore the world knoweth us not, because it
knew him not.
2 Beloved, now are we the sons of God,
and it doth not yet appear what we shall
be: but we know that, when he shall ap-
pear, we shall be like him; for we shall
see him as he is.

3 Y todo aquel que tiene esta esperanza en él, se purifica a sí mismo, así como él es puro.

4 Todo aquel que comete pecado, infringe también la ley; pues el pecado es infracción de la ley.

5 Y sabéis que él apareció para quitar nuestros pecados, y no hay pecado en él.

6 Todo aquel que permanece en él, no peca; todo aquel que peca, no le ha visto, ni le ha conocido.

7 Hijitos, nadie os engañe; el que hace justicia es justo, como él es justo.

8 El que practica el pecado es del diablo; porque el diablo peca desde el principio. Para esto apareció el Hijo de Dios, para deshacer las obras del diablo.

9 Todo aquel que es nacido de Dios, no practica el pecado, porque la simiente de Dios permanece en él; y no puede pecar, porque es nacido de Dios.

10 En esto se manifiestan los hijos de Dios, y los hijos del diablo: todo aquel que no hace justicia, y que no ama a su hermano, no es de Dios.

11 Porque este es el mensaje que habéis oído desde el principio: Que nos amemos unos a otros.

12 No como Caín, que era del maligno y mató a su hermano. ¿Y por qué causa le mató? Porque sus obras eran malas, y las de su hermano justas.

13 Hermanos míos, no os extrañéis si el mundo os aborrece.

14 Nosotros sabemos que hemos pasado de muerte a vida, en que amamos a los hermanos. El que no ama a su hermano, permanece en muerte.

15 Todo aquel que aborrece a su hermano es homicida; y sabéis que ningún homicida tiene vida eterna permanente en él.

16 En esto hemos conocido el amor, en que él puso su vida por nosotros; también nosotros debemos poner nuestras vidas por los hermanos.

17 Pero el que tiene bienes de este mundo y ve a su hermano tener necesidad, y cierra contra él su corazón, ¿cómo mora el amor de Dios en él?

18 Hijitos míos, no amemos de palabra ni de lengua, sino de hecho y en verdad.

19 Y en esto conocemos que somos de la verdad, y aseguraremos nuestros corazones delante de él;

20 pues si nuestro corazón nos reprende, mayor que nuestro corazón es Dios, y él sabe todas las cosas.

21 Amados, si nuestro corazón no nos reprende, confianza tenemos en Dios;

3 And every man that hath this hope in him purifieth himself, even as he is pure.

4 Whosoever committeth sin transgresseth also the law: for sin is the transgression of the law.

5 And ye know that he was manifested to take away our sins; and in him is no sin.

6 Whosoever abideth in him sinneth not: whosoever sinneth hath not seen him, neither known him.

7 Little children, let no man deceive you: he that doeth righteousness is righteous, even as he is righteous.

8 He that committeth sin is of the devil; for the devil sinneth from the beginning. For this purpose the Son of God was manifested, that he might destroy the works of the devil.

9 Whosoever is born of God doth not commit sin; for his seed remaineth in him: and he cannot sin, because he is born of God.

10 In this the children of God are manifest, and the children of the devil: whosoever doeth not righteousness is not of God, neither he that loveth not his brother.

11 For this is the message that ye heard from the beginning, that we should love one another.

12 Not as Cain, *who* was of that wicked one, and slew his brother. And wherefore slew he him? Because his own works were evil, and his brother's righteous.

13 Marvel not, my brethren, if the world hate you.

14 We know that we have passed from death unto life, because we love the brethren. He that loveth not *his* brother abideth in death.

15 Whosoever hateth his brother is a murderer: and ye know that no murderer hath eternal life abiding in him.

16 Hereby perceive we the love *of God*, because he laid down his life for us: and we ought to lay down *our* lives for the brethren.

17 But whoso hath this world's good, and seeth his brother have need, and shutteth up his bowels *of compassion* from him, how dwelleth the love of God in him?

18 My little children, let us not love in word, neither in tongue; but in deed and in truth.

19 And hereby we know that we are of the truth, and shall assure our hearts before him.

20 For if our heart condemn us, God is greater than our heart, and knoweth all things.

21 Beloved, if our heart condemn us not, *then* have we confidence toward God.

22 y cualquiera cosa que pidiéremos la recibiremos de él, porque guardamos sus mandamientos, y hacemos las cosas que son agradables delante de él.

23 Y este es su mandamiento: Que creamos en el nombre de su Hijo Jesucristo, y nos amemos unos a otros como nos lo ha mandado.

24 Y el que guarda sus mandamientos, permanece en Dios, y Dios en él. Y en esto sabemos que él permanece en nosotros, por el Espíritu que nos ha dado.

CAPÍTULO 4

AMADOS, no creáis a todo espíritu, sino probad los espíritus si son de Dios; porque muchos falsos profetas han salido por el mundo.

2 En esto conoced el Espíritu de Dios: Todo espíritu que confiesa que Jesucristo ha venido en carne, es de Dios;

3 y todo espíritu que no confiesa que Jesucristo ha venido en carne, no es de Dios; y este es el espíritu del anticristo, el cual vosotros habéis oído que viene, y que ahora ya está en el mundo.

4 Hijitos, vosotros sois de Dios, y los habéis vencido; porque mayor es el que está en vosotros, que el que está en el mundo.

5 Ellos son del mundo; por eso hablan del mundo, y el mundo los oye.

6 Nosotros somos de Dios; el que conoce a Dios, nos oye; el que no es de Dios, no nos oye. En esto conocemos el espíritu de verdad y el espíritu de error.

7 Amados, amémonos unos a otros; porque el amor es de Dios. Todo aquel que ama, es nacido de Dios, y conoce a Dios.

8 El que no ama, no ha conocido a Dios; porque Dios es amor.

9 En esto se mostró el amor de Dios para con nosotros, en que Dios envió a su Hijo unigénito al mundo, para que vivamos por él.

10 En esto consiste el amor: no en que nosotros hayamos amado a Dios, sino en que él nos amó a nosotros, y envió a su Hijo en propiciación por nuestros pecados.

11 Amados, si Dios nos ha amado así, debemos también nosotros amarnos unos a otros.

12 Nadie ha visto jamás a Dios. Si nos amamos unos a otros, Dios permanece en nosotros, y su amor se ha perfeccionado en nosotros.

13 En esto conocemos que permanecemos en él, y él en nosotros, en que nos ha dado de su Espíritu.

14 Y nosotros hemos visto y testifica-

22 And whatsoever we ask, we receive of him, because we keep his commandments, and do those things that are pleasing in his sight.

23 And this is his commandment, That we should believe on the name of his Son Jesus Christ, and love one another, as he gave us commandment.

24 And he that keepeth his commandments dwelleth in him, and he in him. And hereby we know that he abideth in us, by the Spirit which he hath given us.

CHAPTER 4

BELOVED, believe not every spirit, but try the spirits whether they are of God: because many false prophets are gone out into the world.

2 Hereby know ye the Spirit of God: Every spirit that confesseth that Jesus Christ is come in the flesh is of God:

3 And every spirit that confesseth not that Jesus Christ is come in the flesh is not of God: and this is that *spirit* of antichrist, whereof ye have heard that it should come; and even now already is it in the world.

4 Ye are of God, little children, and have overcome them: because greater is he that is in you, than he that is in the world.

5 They are of the world: therefore speak they of the world, and the world heareth them.

6 We are of God: he that knoweth God heareth us; he that is not of God heareth not us. Hereby know we the spirit of truth, and the spirit of error.

7 Beloved, let us love one another: for love is of God; and every one that loveth is born of God, and knoweth God.

8 He that loveth not knoweth not God; for God is love.

9 In this was manifested the love of God toward us, because that God sent his only begotten Son into the world, that we might live through him.

10 Herein is love, not that we loved God, but that he loved us, and sent his Son *to be* the propitiation for our sins.

11 Beloved, if God so loved us, we ought also to love one another.

12 No man hath seen God at any time. If we love one another, God dwelleth in us, and his love is perfected in us.

13 Hereby know we that we dwell in him, and he in us, because he hath given us of his Spirit.

14 And we have seen and do testify

mos que el Padre ha enviado al Hijo, el Salvador del mundo.

15 Todo aquel que confiese que Jesús es el Hijo de Dios, Dios permanece en él, y él en Dios.

16 Y nosotros hemos conocido y creído el amor que Dios tiene para con nosotros. Dios es amor; y el que permanece en amor, permanece en Dios, y Dios en él.

17 En esto se ha perfeccionado el amor en nosotros, para que tengamos confianza en el día del juicio; pues como él es, así somos nosotros en este mundo.

18 En el amor no hay temor, sino que el perfecto amor echa fuera el temor; porque el temor lleva en sí castigo. De donde el que teme, no ha sido perfeccionado en el amor.

19 Nosotros le amamos a él, porque él nos amó primero.

20 Si alguno dice: Yo amo a Dios, y aborrece a su hermano, es mentiroso. Pues el que no ama a su hermano a quien ha visto, ¿cómo puede amar a Dios a quien no ha visto?

21 Y nosotros tenemos este mandamiento de él: El que ama a Dios, ame también a su hermano.

CAPÍTULO 5

TODO aquel que cree que Jesús es el Cristo, es nacido de Dios; y todo aquel que ama al que engendró, ama también al que ha sido engendrado por él.

2 En esto conocemos que amamos a los hijos de Dios, cuando amamos a Dios, y guardamos sus mandamientos.

3 Pues este es el amor a Dios, que guardemos sus mandamientos; y sus mandamientos no son gravosos.

4 Porque todo lo que es nacido de Dios vence al mundo; y esta es la victoria que ha vencido al mundo, nuestra fe.

5 ¿Quién es el que vence al mundo, sino el que cree que Jesús es el Hijo de Dios?

6 Este es Jesucristo, que vino mediante agua y sangre; no mediante agua solamente, sino mediante agua y sangre. Y el Espíritu es el que da testimonio; porque el Espíritu es la verdad.

7 Porque tres son los que dan testimonio en el cielo: el Padre, el Verbo y el Espíritu Santo; y estos tres son uno.

8 Y tres son los que dan testimonio en la tierra: el Espíritu, el agua y la sangre; y estos tres concuerdan.

9 Si recibimos el testimonio de los hombres, mayor es el testimonio de Dios; porque este es el testimonio con que Dios ha testificado acerca de su Hijo.

10 El que cree en el Hijo de Dios, tiene el testimonio en sí mismo; el que no cree a Dios, le ha hecho mentiroso, porque no

that the Father sent the Son *to be* the Saviour of the world.

15 Whosoever shall confess that Jesus is the Son of God, God dwelleth in him, and he in God.

16 And we have known and believed the love that God hath to us. God is love; and he that dwelleth in love dwelleth in God, and God in him.

17 Herein is our love made perfect, that we may have boldness in the day of judgment: because as he is, so are we in this world.

18 There is no fear in love; but perfect love casteth out fear: because fear hath torment. He that feareth is not made perfect in love.

19 We love him, because he first loved us.

20 If a man say, I love God, and hateth his brother, he is a liar: for he that loveth not his brother whom he hath seen, how can he love God whom he hath not seen?

21 And this commandment have we from him, That he who loveth God love his brother also.

CHAPTER 5

WHOSOEVER believeth that Jesus is the Christ is born of God: and every one that loveth him that begat loveth him also that is begotten of him.

2 By this we know that we love the children of God, when we love God, and keep his commandments.

3 For this is the love of God, that we keep his commandments: and his commandments are not grievous.

4 For whatsoever is born of God overcometh the world: and this is the victory that overcometh the world, *even* our faith.

5 Who is he that overcometh the world, but he that believeth that Jesus is the Son of God?

6 This is he that came by water and blood, *even* Jesus Christ; not by water only, but by water and blood. And it is the Spirit that beareth witness, because the Spirit is truth.

7 For there are three that bear record in heaven, the Father, the Word, and the Holy Ghost: and these three are one.

8 And there are three that bear witness in earth, the spirit, and the water, and the blood: and these three agree in one.

9 If we receive the witness of men, the witness of God is greater: for this is the witness of God which he hath testified of his Son.

10 He that believeth on the Son of God hath the witness in himself: he that believeth not God hath made him a liar; be-

ha creído en el testimonio que Dios ha dado acerca de su Hijo.

11 Y este es el testimonio: que Dios nos ha dado vida eterna; y esta vida está en su Hijo.

12 El que tiene al Hijo, tiene la vida; el que no tiene al Hijo de Dios no tiene la vida.

13 Estas cosas os he escrito a vosotros que creéis en el nombre del Hijo de Dios, para que sepáis que tenéis vida eterna, y para que creáis en el nombre del Hijo de Dios.

14 Y esta es la confianza que tenemos en él, que si pedimos alguna cosa conforme a su voluntad, él nos oye.

15 Y si sabemos que él nos oye en cualquiera cosa que pidamos, sabemos que tenemos las peticiones que le hayamos hecho.

16 Si alguno viere a su hermano cometer pecado que no sea de muerte, pedirá, y Dios le dará vida; esto es para los que cometen pecado que no sea de muerte. Hay pecado de muerte, por el cual yo no digo que se pida.

17 Toda injusticia es pecado; pero hay pecado no de muerte.

18 Sabemos que todo aquel que ha nacido de Dios, no practica el pecado, pues Aquel que fue engendrado por Dios le guarda, y el maligno no le toca.

19 Sabemos que somos de Dios, y el mundo entero está bajo el maligno.

20 Pero sabemos que el Hijo de Dios ha venido, y nos ha dado entendimiento para conocer al que es verdadero; y estamos en el verdadero, en su Hijo Jesucristo. Este es el verdadero Dios, y la vida eterna.

21 Hijitos, guardaos de los ídolos. Amén.

cause he believeth not the record that God gave of his Son.

11 And this is the record, that God hath given to us eternal life, and this life is in his Son.

12 He that hath the Son hath life; *and* he that hath not the Son of God hath not life.

13 These things have I written unto you that believe on the name of the Son of God; that ye may know that ye have eternal life, and that ye may believe on the name of the Son of God.

14 And this is the confidence that we have in him, that, if we ask any thing according to his will, he heareth us:

15 And if we know that he hear us, whatsoever we ask, we know that we have the petitions that we desired of him.

16 If any man see his brother sin a sin *which is* not unto death, he shall ask, and he shall give him life for them that sin not unto death. There is a sin unto death: I do not say that he shall pray for it.

17 All unrighteousness is sin: and there is a sin not unto death.

18 We know that whosoever is born of God sinneth not; but he that is begotten of God keepeth himself, and that wicked one toucheth him not.

19 *And* we know that we are of God, and the whole world lieth in wickedness.

20 And we know that the Son of God is come, and hath given us an understanding, that we may know him that is true, and we are in him that is true, *even* in his Son Jesus Christ. This is the true God, and eternal life.

21 Little children, keep yourselves from idols. Amen.

LA SEGUNDA EPÍSTOLA DE

SAN JUAN APÓSTOL

EL anciano a la señora elegida y a sus
hijos, a quienes yo amo en la verdad;
y no sólo yo, sino también todos los que
han conocido la verdad,
2 a causa de la verdad que permanece
en nosotros, y estará para siempre con
nosotros:
3 Sea con vosotros gracia, misericordia
y paz, de Dios Padre y del Señor Jesucris-
to, Hijo del Padre, en verdad y en amor.
4 Mucho me regocijé porque he hallado
a algunos de tus hijos andando en la ver-
dad, conforme al mandamiento que reci-
bimos del Padre.
5 Y ahora te ruego, señora, no como es-
cribiéndote un nuevo mandamiento, sino
el que hemos tenido desde el principio,
que nos amemos unos a otros.
6 Y este es el amor, que andemos según
sus mandamientos. Este es el manda-
miento: que andéis en amor, como voso-
tros habéis oído desde el principio.
7 Porque muchos engañadores han sali-
do por el mundo, que no confiesan que
Jesucristo ha venido en carne. Quien esto
hace es el engañador y el anticristo.
8 Mirad por vosotros mismos, para que
no perdáis el fruto de vuestro trabajo,
sino que recibáis galardón completo.
9 Cualquiera que se extravía, y no per-
severa en la doctrina de Cristo, no tiene a
Dios; el que persevera en la doctrina de
Cristo, ése sí tiene al Padre y al Hijo.
10 Si alguno viene a vosotros, y no trae
esta doctrina, no lo recibáis en casa, ni le
digáis: ¡Bienvenido!
11 Porque el que le dice: ¡Bienvenido!
participa en sus malas obras.
12 Tengo muchas cosas que escribiros,
pero no he querido hacerlo por medio de
papel y tinta, pues espero ir a vosotros y
hablar cara a cara, para que nuestro gozo
sea cumplido.
13 Los hijos de tu hermana, la elegida,
te saludan. Amén.

THE SECOND EPISTLE OF

JOHN

THE elder unto the elect lady and her
children, whom I love in the truth;
and not I only, but also all they that have
known the truth;
2 For the truth's sake, which dwelleth
in us, and shall be with us for ever.
3 Grace be with you, mercy, *and* peace,
from God the Father, and from the Lord
Jesus Christ, the Son of the Father, in
truth and love.
4 I rejoiced greatly that I found of thy
children walking in truth, as we have re-
ceived a commandment from the Father.
5 And now I beseech thee, lady, not as
though I wrote a new commandment
unto thee, but that which we had from
the beginning, that we love one another.
6 And this is love, that we walk after
his commandments. This is the com-
mandment, That, as ye have heard from
the beginning, ye should walk in it.
7 For many deceivers are entered into
the world, who confess not that Jesus
Christ is come in the flesh. This is a de-
ceiver and an antichrist.
8 Look to yourselves, that we lose not
those things which we have wrought, but
that we receive a full reward.
9 Whosoever transgresseth, and abid-
eth not in the doctrine of Christ, hath not
God. He that abideth in the doctrine of
Christ, he hath both the Father and the
Son.
10 If there come any unto you, and
bring not this doctrine, receive him not
into *your* house, neither bid him God
speed:
11 For he that biddeth him God speed
is partaker of his evil deeds.
12 Having many things to write unto
you, I would not *write* with paper and
ink: but I trust to come unto you, and
speak face to face, that our joy may be
full.
13 The children of thy elect sister greet
thee. Amen.

LA TERCERA EPÍSTOLA DE

SAN JUAN APÓSTOL

EL anciano a Gayo, el amado, a quien amo en la verdad.

2 Amado, yo deseo que tú seas prosperado en todas las cosas, y que tengas salud, así como prospera tu alma.

3 Pues mucho me regocijé cuando vinieron los hermanos y dieron testimonio de tu verdad, de cómo andas en la verdad.

4 No tengo yo mayor gozo que este, el oir que mis hijos andan en la verdad.

5 Amado, fielmente te conduces cuando prestas algún servicio a los hermanos, especialmente a los desconocidos,

6 los cuales han dado ante la iglesia testimonio de tu amor; y harás bien en encaminarlos como es digno de su servicio a Dios, para que continúen su viaje.

7 Porque ellos salieron por amor del nombre de El, sin aceptar nada de los gentiles.

8 Nosotros, pues, debemos acoger a tales personas, para que cooperemos con la verdad.

9 Yo he escrito a la iglesia; pero Diótrefes, al cual le gusta tener el primer lugar entre ellos, no nos recibe.

10 Por esta causa, si yo fuere, recordaré las obras que hace parloteando con palabras malignas contra nosotros; y no contento con estas cosas, no recibe a los hermanos, y a los que quieren recibirlos se lo prohibe, y los expulsa de la iglesia.

11 Amado, no imites lo malo, sino lo bueno. El que hace lo bueno es de Dios; pero el que hace lo malo, no ha visto a Dios.

12 Todos dan testimonio de Demetrio, y aun la verdad misma; y también nosotros damos testimonio, y vosotros sabéis que nuestro testimonio es verdadero.

13 Yo tenía muchas cosas que escribirte, pero no quiero escribírtelas con tinta y pluma,

14 porque espero verte en breve, y hablaremos cara a cara.

15 La paz sea contigo. Los amigos te saludan. Saluda tú a los amigos, a cada uno en particular.

THE THIRD EPISTLE OF

JOHN

THE elder unto the wellbeloved Gaius, whom I love in the truth.

2 Beloved, I wish above all things that *thou mayest prosper* and be in health, even as thy soul prospereth.

3 For I rejoiced greatly, when the brethren *came and testified of the truth* that is in thee, even as thou walkest in the truth.

4 I have no greater joy than to hear that my children walk in truth.

5 Beloved, thou doest faithfully whatsoever thou doest to the brethren, and to strangers;

6 Which have borne witness of thy charity before the church: whom if thou bring forward on their journey after a godly sort, thou shalt do well:

7 Because that for his name's sake they went forth, taking nothing of the Gentiles.

8 We therefore ought to receive such, that we might be fellowhelpers to the truth.

9 I *wrote unto the church*: but Di-ot´re-phes, who loveth to have the preeminence among them, receiveth us not.

10 Wherefore, if I come, I will remember his deeds which he doeth, prating against us with malicious words: and not content therewith, neither doth he himself receive the brethren, and forbiddeth them that would, and casteth *them* out of the church.

11 Beloved, follow not that which is evil, but that which is good. He that doeth good is of God: but he that doeth evil hath not seen God.

12 De-me´tri-us hath good report of all *men*, and of the truth itself: yea, and we *also* bear record; and ye know that our record is true.

13 I had many things to write, but I will not with ink and pen write unto thee:

14 But I trust I shall shortly see thee, *and we shall speak* face to face. Peace *be* to thee. *Our* friends salute thee. Greet the friends by name.

LA EPÍSTOLA UNIVERSAL DE

SAN JUDAS APÓSTOL

JUDAS, siervo de Jesucristo, y hermano de Jacobo, a los llamados, santificados en Dios Padre, y guardados en Jesucristo:

2 Misericordia y paz y amor os sean multiplicados.

3 Amados, por la gran solicitud que tenía de escribiros acerca de nuestra común salvación, me ha sido necesario escribiros exhortándoos que contendáis ardientemente por la fe que ha sido una vez dada a los santos.

4 Porque algunos hombres han entrado encubiertamente, los que desde antes habían sido destinados para esta condenación, hombres impíos, que convierten en libertinaje la gracia de nuestro Dios, y niegan a Dios el único soberano, y a nuestro Señor Jesucristo.

5 Mas quiero recordaros, ya que una vez lo habéis sabido, que el Señor, habiendo salvado al pueblo sacándolo de Egipto, después destruyó a los que no creyeron.

6 Y a los ángeles que no guardaron su dignidad, sino que abandonaron su propia morada, los ha guardado bajo oscuridad, en prisiones eternas, para el juicio del gran día;

7 como Sodoma y Gomorra y las ciudades vecinas, las cuales de la misma manera que aquéllos, habiendo fornicado e ido en pos de vicios contra naturaleza, fueron puestas por ejemplo, sufriendo el castigo del fuego eterno.

8 No obstante, de la misma manera también estos soñadores mancillan la carne, rechazan la autoridad y blasfeman de las potestades superiores.

9 Pero cuando el arcángel Miguel contendía con el diablo, disputando con él por el cuerpo de Moisés, no se atrevió a proferir juicio de maldición contra él, sino que dijo: El Señor te reprenda.

10 Pero éstos blasfeman de cuantas cosas no conocen; y en las que por naturaleza conocen, se corrompen como animales irracionales.

11 ¡Ay de ellos! porque han seguido el camino de Caín, y se lanzaron por lucro en el error de Balaam, y perecieron en la contradicción de Coré.

12 Estos son manchas en vuestros ágapes, que comiendo impúdicamente con vosotros se apacientan a sí mismos; nubes sin agua, llevadas de acá para allá

THE GENERAL EPISTLE OF

JUDE

JUDE, the servant of Jesus Christ, and brother of James, to them that are sanctified by God the Father, and preserved in Jesus Christ, *and* called:

2 Mercy unto you, and peace, and love, be multiplied.

3 Beloved, when I gave all diligence to write unto you of the common salvation, it was needful for me to write unto you, and exhort *you* that ye should earnestly contend for the faith which was once delivered unto the saints.

4 For there are certain men crept in unawares, who were before of old ordained to this condemnation, ungodly men, turning the grace of our God into lasciviousness, and denying the only Lord God, and our Lord Jesus Christ.

5 I will therefore put you in remembrance, though ye once knew this, how that the Lord, having saved the people out of the land of Egypt, afterward destroyed them that believed not.

6 And the angels which kept not their first estate, but left their own habitation, he hath reserved in everlasting chains under darkness unto the judgment of the great day.

7 Even as Sodom and Go-mor'rha, and the cities about them in like manner, giving themselves over to fornication, and going after strange flesh, are set forth for an example, suffering the vengeance of eternal fire.

8 Likewise also these *filthy* dreamers defile the flesh, despise dominion, and speak evil of dignities.

9 Yet Michael the archangel, when contending with the devil he disputed about the body of Moses, durst not bring against him a railing accusation, but said, The Lord rebuke thee.

10 But these speak evil of those things which they know not: but what they know naturally, as brute beasts, in those things they corrupt themselves.

11 Woe unto them! for they have gone in the way of Cain, and ran greedily after the error of Ba'laam for reward, and perished in the gainsaying of Co're.

12 These are spots in your feasts of charity, when they feast with you, feeding themselves without fear: clouds *they are* without water, carried about of

por los vientos; árboles otoñales, sin fru-
to, dos veces muertos y desarraigados;
13 fieras ondas del mar, que espuman
su propia vergüenza; estrellas errantes,
para las cuales está reservada eterna-
mente la oscuridad de las tinieblas.
14 De éstos también profetizó Enoc,
séptimo desde Adán, diciendo: He aquí,
vino el Señor con sus santas decenas de
millares,
15 para hacer juicio contra todos, y de-
jar convictos a todos los impíos de todas
sus obras impías que han hecho impía-
mente, y de todas las cosas duras que los
pecadores impíos han hablado contra él.
16 Estos son murmuradores, querello-
sos, que andan según sus propios deseos,
cuya boca habla cosas infladas, adulando
a las personas para sacar provecho.
17 Pero vosotros, amados, tened me-
moria de las palabras que antes fueron
dichas por los apóstoles de nuestro Señor
Jesucristo;
18 los que os decían: En el postrer tiem-
po habrá burladores, que andarán según
sus malvados deseos.
19 Estos son los que causan divisiones;
los sensuales, que no tienen al Espíritu.
20 Pero vosotros, amados, edificándoos
sobre vuestra santísima fe, orando en el
Espíritu Santo,
21 conservaos en el amor de Dios, espe-
rando la misericordia de nuestro Señor
Jesucristo para vida eterna.
22 A algunos que dudan, convencedlos.
23 A otros salvad, arrebatándolos del
fuego; y de otros tened misericordia con
temor, aborreciendo aun la ropa conta-
minada por su carne.
24 Y a aquel que es poderoso para
guardaros sin caída, y presentaros sin
mancha delante de su gloria con gran ale-
gría,
25 al único y sabio Dios, nuestro Salva-
dor, sea gloria y majestad, imperio y po-
tencia, ahora y por todos los siglos.
Amén.

winds; trees whose fruit withereth, with-
out fruit, twice dead, plucked up by the
roots;
13 Raging waves of the sea, foaming
out their own shame; wandering stars, to
whom is reserved the blackness of dark-
ness for ever.
14 And E'noch also, the seventh from
Adam, prophesied of these, saying, Be-
hold, the Lord cometh with ten thou-
sands of his saints,
15 To execute judgment upon all, and
to convince all that are ungodly among
them of all their ungodly deeds which
they have ungodly committed, and of all
their hard *speeches* which ungodly sin-
ners have spoken against him.
16 These are murmurers, complainers,
walking after their own lusts; and their
mouth speaketh great swelling *words*,
having men's persons in admiration be-
cause of advantage.
17 But, beloved, remember ye the
words which were spoken before of the
apostles of our Lord Jesus Christ;
18 How that they told you there should
be mockers in the last time, who should
walk after their own ungodly lusts.
19 These be they who separate them-
selves, sensual, having not the Spirit.
20 But ye, beloved, building up your-
selves on your most holy faith, praying in
the Holy Ghost,
21 Keep yourselves in the love of God,
looking for the mercy of our Lord Jesus
Christ unto eternal life.
22 And of some have compassion, mak-
ing a difference:
23 And others save with fear, pulling
them out of the fire; hating even the gar-
ment spotted by the flesh.
24 Now unto him that is able to keep
you from falling, and to present *you*
faultless before the presence of his glory
with exceeding joy,
25 To the only wise God our Saviour, *be*
glory and majesty, dominion and power,
both now and ever. Amen.

EL APOCALIPSIS O REVELACIÓN

DE SAN JUAN, EL TEÓLOGO

CAPÍTULO 1

LA revelación de Jesucristo, que Dios le dio, para manifestar a sus siervos las cosas que deben suceder pronto; y la declaró enviándola por medio de su ángel a su siervo Juan,

2 que ha dado testimonio de la palabra de Dios, y del testimonio de Jesucristo, y de todas las cosas que ha visto.

3 Bienaventurado el que lee, y los que oyen las palabras de esta profecía, y guardan las cosas en ella escritas; porque el tiempo está cerca.

4 Juan, a las siete iglesias que están en Asia: Gracia y paz a vosotros, del que es y que era y que ha de venir, y de los siete espíritus que están delante de su trono;

5 y de Jesucristo el testigo fiel, el primogénito de los muertos, y el soberano de los reyes de la tierra. Al que nos amó, y nos lavó de nuestros pecados con su sangre,

6 y nos hizo reyes y sacerdotes para Dios, su Padre; a él sea gloria e imperio por los siglos de los siglos. Amén.

7 He aquí que viene con las nubes, y todo ojo le verá, y los que le traspasaron; y todos los linajes de la tierra harán lamentación por él. Sí, amén.

8 Yo soy el Alfa y la Omega, principio y fin, dice el Señor, el que es y que era y que ha de venir, el Todopoderoso.

9 Yo Juan, vuestro hermano, y copartícipe vuestro en la tribulación, en el reino y en la paciencia de Jesucristo, estaba en la isla llamada Patmos, por causa de la palabra de Dios y el testimonio de Jesucristo.

10 Yo estaba en el Espíritu en el día del Señor, y oí detrás de mí una gran voz como de trompeta,

11 que decía: Yo soy el Alfa y la Omega, el primero y el último. Escribe en un libro lo que ves, y envíalo a las siete iglesias que están en Asia: a Efeso, Esmirna, Pérgamo, Tiatira, Sardis, Filadelfia y Laodicea.

12 Y me volví para ver la voz que hablaba conmigo; y vuelto, vi siete candeleros de oro,

THE REVELATION

OF SAINT JOHN THE DIVINE

CHAPTER 1

THE Revelation of Jesus Christ, which God gave unto him, to shew unto his servants things which must shortly come to pass; and he sent and signified *it* by his angel unto his servant John:

2 Who bare record of the word of God, and of the testimony of Jesus Christ, and of all things that he saw.

3 Blessed *is* he that readeth, and they that hear the words of this prophecy, and keep those things which are written therein: for the time *is* at hand.

4 JOHN to the seven churches which are in Asia: Grace *be* unto you, and peace, from him which is, and which was, and which is to come; and from the seven Spirits which are before his throne;

5 And from Jesus Christ, *who is* the faithful witness, *and* the first begotten of the dead, and the prince of the kings of the earth. Unto him that loved us, and washed us from our sins in his own blood,

6 And hath made us kings and priests unto God and his Father; to him *be* glory and dominion for ever and ever. Amen.

7 Behold, he cometh with clouds; and every eye shall see him, and they *also* which pierced him: and all kindreds of the earth shall wail because of him. Even so, Amen.

8 I am Alpha and Omega, the beginning and the ending, saith the Lord, which is, and which was, and which is to come, the Almighty.

9 I John, who also am your brother, and companion in tribulation, and in the kingdom and patience of Jesus Christ, was in the isle that is called Patmos, for the word of God, and for the testimony of Jesus Christ.

10 I was in the Spirit on the Lord's day, and heard behind me a great voice, as of a trumpet,

11 Saying, I am Alpha and Omega, the first and the last: and, What thou seest, write in a book, and send *it* unto the seven churches which are in Asia; unto Eph'e-sus, and unto Smyrna, and unto Per'ga-mos, and unto Thy-a-ti'ra, and unto Sardis, and unto Philadelphia, and unto La-od-i-ce'a.

12 And I turned to see the voice that spake with me. And being turned, I saw seven golden candlesticks;

13 y en medio de los siete candeleros, a uno semejante al Hijo del Hombre, vestido de una ropa que llegaba hasta los pies, y ceñido por el pecho con un cinto de oro.

14 Su cabeza y sus cabellos eran blancos como blanca lana, como nieve; sus ojos como llama de fuego;

15 y sus pies semejantes al bronce bruñido, refulgente como en un horno; y su voz como estruendo de muchas aguas.

16 Tenía en su diestra siete estrellas; de su boca salía una espada aguda de dos filos; y su rostro era como el sol cuando resplandece en su fuerza.

17 Cuando le vi, caí como muerto a sus pies. Y él puso su diestra sobre mí, diciéndome: No temas; yo soy el primero y el último;

18 y el que vivo, y estuve muerto; mas he aquí que vivo por los siglos de los siglos, amén. Y tengo las llaves de la muerte y del Hades.

19 Escribe las cosas que has visto, y las que son, y las que han de ser después de estas.

20 El misterio de las siete estrellas que has visto en mi diestra, y de los siete candeleros de oro: las siete estrellas son los ángeles de las siete iglesias, y los siete candeleros que has visto, son las siete iglesias.

CAPÍTULO 2

ESCRIBE al ángel de la iglesia en Efeso: El que tiene las siete estrellas en su diestra, el que anda en medio de los siete candeleros de oro, dice esto:

2 Yo conozco tus obras, y tu arduo trabajo y paciencia; y que no puedes soportar a los malos, y has probado a los que se dicen ser apóstoles, y no lo son, y los has hallado mentirosos;

3 y has sufrido, y has tenido paciencia, y has trabajado arduamente por amor de mi nombre, y no has desmayado.

4 Pero tengo contra ti, que has dejado tu primer amor.

5 Recuerda, por tanto, de dónde has caído, y arrepiéntete, y haz las primeras obras; pues si no, vendré pronto a ti, y quitaré tu candelero de su lugar, si no te hubieres arrepentido.

6 Pero tienes esto, que aborreces las obras de los nicolaítas, las cuales yo también aborrezco.

7 El que tiene oído, oiga lo que el Espíritu dice a las iglesias. Al que venciere, le daré a comer del árbol de la vida, el cual está en medio del paraíso de Dios.

8 Y escribe al ángel de la iglesia en Es-

13 And in the midst of the seven candlesticks *one* like unto the Son of man, clothed with a garment down to the foot, and girt about the paps with a golden girdle.

14 His head and *his* hairs *were* white like wool, as white as snow; and his eyes *were* as a flame of fire;

15 And his feet like unto fine brass, as if they burned in a furnace; and his voice as the sound of many waters.

16 And he had in his right hand seven stars: and out of his mouth went a sharp twoedged sword: and his countenance *was* as the sun shineth in his strength.

17 And when I saw him, I fell at his feet as dead. And he laid his right hand upon me, saying unto me, Fear not; I am the first and the last:

18 *I am* he that liveth, and was dead; and, behold, I am alive for evermore, Amen; and have the keys of hell and of death.

19 Write the things which thou hast seen, and the things which are, and the things which shall be hereafter;

20 The mystery of the seven stars which thou sawest in my right hand, and the seven golden candlesticks. The seven stars are the angels of the seven churches: and the seven candlesticks which thou sawest are the seven churches.

CHAPTER 2

UNTO the angel of the church of Eph′e-sus write; These things saith he that holdeth the seven stars in his right hand, who walketh in the midst of the seven golden candlesticks;

2 I know thy works, and thy labour, and thy patience, and how thou canst not bear them which are evil: and thou hast tried them which say they are apostles, and are not, and hast found them liars:

3 And hast borne, and hast patience, and for my name's sake hast laboured, and hast not fainted.

4 Nevertheless I have *somewhat* against thee, because thou hast left thy first love.

5 Remember therefore from whence thou art fallen, and repent, and do the first works; or else I will come unto thee quickly, and will remove thy candlestick out of his place, except thou repent.

6 But this thou hast, that thou hatest the deeds of the Nic-o-la′i-tanes, which I also hate.

7 He that hath an ear, let him hear what the Spirit saith unto the churches; To him that overcometh will I give to eat of the tree of life, which is in the midst of the paradise of God.

8 And unto the angel of the church in

mirna: El primero y el postrero, el que
estuvo muerto y vivió, dice esto:
9 Yo conozco tus obras, y tu tribulación, y tu pobreza (pero tú eres rico), y la
blasfemia de los que se dicen ser judíos,
y no lo son, sino sinagoga de Satanás.
10 No temas en nada lo que vas a padecer. He aquí, el diablo echará a algunos
de vosotros en la cárcel, para que seáis
probados, y tendréis tribulación por diez
días. Sé fiel hasta la muerte, y yo te daré
la corona de la vida.
11 El que tiene oído, oiga lo que el Espíritu dice a las iglesias. El que venciere, no
sufrirá daño de la segunda muerte.
12 Y escribe al ángel de la iglesia en
Pérgamo: El que tiene la espada aguda de
dos filos dice esto:
13 Yo conozco tus obras, y dónde moras, donde está el trono de Satanás; pero
retienes mi nombre, y no has negado mi
fe, ni aun en los días en que Antipas mi
testigo fiel fue muerto entre vosotros,
donde mora Satanás.
14 Pero tengo unas pocas cosas contra
ti: que tienes ahí a los que retienen la
doctrina de Balaam, que enseñaba a Balac a poner tropiezo ante los hijos de Israel, a comer de cosas sacrificadas a los
ídolos, y a cometer fornicación.
15 Y también tienes a los que retienen
la doctrina de los nicolaítas, la que yo aborrezco.
16 Por tanto, arrepiéntete; pues si no,
vendré a ti pronto, y pelearé contra ellos
con la espada de mi boca.
17 El que tiene oído, oiga lo que el Espíritu dice a las iglesias. Al que venciere,
daré a comer del maná escondido, y le
daré una piedrecita blanca, y en la piedrecita escrito un nombre nuevo, el cual
ninguno conoce sino aquel que lo recibe.
18 Y escribe al ángel de la iglesia en
Tiatira: El Hijo de Dios, el que tiene ojos
como llama de fuego, y pies semejantes
al bronce bruñido, dice esto:
19 Yo conozco tus obras, y amor, y fe, y
servicio, y tu paciencia, y que tus obras
postreras son más que las primeras.
20 Pero tengo unas pocas cosas contra
ti: que toleras que esa mujer Jezabel, que
se dice profetisa, enseñe y seduzca a mis
siervos a fornicar y a comer cosas sacrificadas a los ídolos.

Smyrna write; These things saith the first
and the last, which was dead, and is
alive;
9 I know thy works, and tribulation,
and poverty, (but thou art rich) and *I
know* the blasphemy of them which say
they are Jews, and are not, but *are* the
synagogue of Satan.
10 Fear none of those things which
thou shalt suffer: behold, the devil shall
cast *some* of you into prison, that ye may
be tried; and ye shall have tribulation ten
days: be thou faithful unto death, and I
will give thee a crown of life.
11 He that hath an ear, let him hear
what the Spirit saith unto the churches;
He that overcometh shall not be hurt of
the second death.
12 And to the angel of the church in
Per'ga-mos write; These things saith he
which hath the sharp sword with two
edges;
13 I know thy works, and where thou
dwellest, *even* where Satan's seat *is:* and
thou holdest fast my name, and hast not
denied my faith, even in those days
wherein An'ti-pas *was* my faithful martyr, who was slain among you, where Satan dwelleth.
14 But I have a few things against thee,
because thou hast there them that hold
the doctrine of Ba'laam, who taught Balac to cast a stumblingblock before the
children of Israel, to eat things sacrificed
unto idols, and to commit fornication.
15 So hast thou also them that hold the
doctrine of the Nic-o-la'i-tanes, which
thing I hate.
16 Repent; or else I will come unto thee
quickly, and will fight against them with
the sword of my mouth.
17 He that hath an ear, let him hear
what the Spirit saith unto the churches;
To him that overcometh will I give to eat
of the hidden manna, and will give him a
white stone, and in the stone a new name
written, which no man knoweth saving
he that receiveth *it*.
18 And unto the angel of the church in
Thy-a-ti'ra write; These things saith the
Son of God, who hath his eyes like unto a
flame of fire, and his feet *are* like fine
brass;
19 I know thy works, and charity, and
service, and faith, and thy patience, and
thy works; and the last *to be* more than
the first.
20 Notwithstanding I have a few things
against thee, because thou sufferest that
woman Jez'e-bel, which calleth herself a
prophetess, to teach and to seduce my
servants to commit fornication, and to
eat things sacrificed unto idols.

21 Y le he dado tiempo para que se arrepienta, pero no quiere arrepentirse de su fornicación.

22 He aquí, yo la arrojo en cama, y en gran tribulación a los que con ella adulteran, si no se arrepienten de las obras de ella.

23 Y a sus hijos heriré de muerte, y todas las iglesias sabrán que yo soy el que escudriña la mente y el corazón; y os daré a cada uno según vuestras obras.

24 Pero a vosotros y a los demás que están en Tiatira, a cuantos no tienen esa doctrina, y no han conocido lo que ellos llaman las profundidades de Satanás, yo os digo: No os impondré otra carga;

25 pero lo que tenéis, retenedlo hasta que yo venga.

26 Al que venciere y guardare mis obras hasta el fin, yo le daré autoridad sobre las naciones,

27 y las regirá con vara de hierro, y serán quebradas como vaso de alfarero; como yo también la he recibido de mi Padre;

28 y le daré la estrella de la mañana.

29 El que tiene oído, oiga lo que el Espíritu dice a las iglesias.

CAPÍTULO 3

ESCRIBE al ángel de la iglesia en Sardis: El que tiene los siete espíritus de Dios, y las siete estrellas, dice esto: Yo conozco tus obras, que tienes nombre de que vives, y estás muerto.

2 Sé vigilante, y afirma las otras cosas que están para morir; porque no he hallado tus obras perfectas delante de Dios.

3 Acuérdate, pues, de lo que has recibido y oído; y guárdaio, y arrepiéntete. Pues si no velas, vendré sobre ti como ladrón, y no sabrás a qué hora vendré sobre ti.

4 Pero tienes unas pocas personas en Sardis que no han manchado sus vestiduras; y andarán conmigo en vestiduras blancas, porque son dignas.

5 El que venciere será vestido de vestiduras blancas; y no borraré su nombre del libro de la vida, y confesaré su nombre delante de mi Padre, y delante de sus ángeles.

6 El que tiene oído, oiga lo que el Espíritu dice a las iglesias.

7 Escribe al ángel de la iglesia en Filadelfia: Esto dice el Santo, el Verdadero, el que tiene la llave de David, el que abre y ninguno cierra, y cierra y ninguno abre:

8 Yo conozco tus obras; he aquí, he

21 And I gave her space to repent of her fornication; and she repented not.

22 Behold, I will cast her into a bed, and them that commit adultery with her into great tribulation, except they repent of their deeds.

23 And I will kill her children with death; and all the churches shall know that I am he which searcheth the reins and hearts: and I will give unto every one of you according to your works.

24 But unto you I say, and unto the rest in Thy-a-ti′ra, as many as have not this doctrine, and which have not known the depths of Satan, as they speak; I will put upon you none other burden.

25 But that which ye have *already* hold fast till I come.

26 And he that overcometh, and keepeth my works unto the end, to him will I give power over the nations:

27 And he shall rule them with a rod of iron; as the vessels of a potter shall they be broken to shivers: even as I received of my Father.

28 And I will give him the morning star.

29 He that hath an ear, let him hear what the Spirit saith unto the churches.

CHAPTER 3

AND unto the angel of the church in Sardis write; These things saith he that hath the seven Spirits of God, and the seven stars; I know thy works, that thou hast a name that thou livest, and art dead.

2 Be watchful, and strengthen the things which remain, that are ready to die: for I have not found thy works perfect before God.

3 Remember therefore how thou hast received and heard, and hold fast, and repent. If therefore thou shalt not watch, I will come on thee as a thief, and thou shalt not know what hour I will come upon thee.

4 Thou hast a few names even in Sardis which have not defiled their garments; and they shall walk with me in white: for they are worthy.

5 He that overcometh, the same shall be clothed in white raiment; and I will not blot out his name out of the book of life, but I will confess his name before my Father, and before his angels.

6 He that hath an ear, let him hear what the Spirit saith unto the churches.

7 And to the angel of the church in Philadelphia write; These things saith he that is holy, he that is true, he that hath the key of David, he that openeth, and no man shutteth; and shutteth, and no man openeth;

8 I know thy works: behold, I have set

puesto delante de ti una puerta abierta, la cual nadie puede cerrar; porque aunque tienes poca fuerza, has guardado mi palabra, y no has negado mi nombre.

9 He aquí, yo entrego de la sinagoga de Satanás a los que se dicen ser judíos y no lo son, sino que mienten; he aquí, yo haré que vengan y se postren a tus pies, y reconozcan que yo te he amado.

10 Por cuanto has guardado la palabra de mi paciencia, yo también te guardaré de la hora de la prueba que ha de venir sobre el mundo entero, para probar a los que moran sobre la tierra.

11 He aquí, yo vengo pronto; retén lo que tienes, para que ninguno tome tu corona.

12 Al que venciere, yo lo haré columna en el templo de mi Dios, y nunca más saldrá de allí; y escribiré sobre él el nombre de mi Dios, y el nombre de la ciudad de mi Dios, la nueva Jerusalén, la cual desciende del cielo, de mi Dios, y mi nombre nuevo.

13 El que tiene oído, oiga lo que el Espíritu dice a las iglesias.

14 Y escribe al ángel de la iglesia en Laodicea: He aquí el Amén, el testigo fiel y verdadero, el principio de la creación de Dios, dice esto:

15 Yo conozco tus obras, que ni eres frío ni caliente. ¡Ojalá fueses frío o caliente!

16 Pero por cuanto eres tibio, y no frío ni caliente, te vomitaré de mi boca.

17 Porque tú dices: Yo soy rico, y me he enriquecido, y de ninguna cosa tengo necesidad; y no sabes que tú eres un desventurado, miserable, pobre, ciego y desnudo.

18 Por tanto, yo te aconsejo que de mí compres oro refinado en fuego, para que seas rico, y vestiduras blancas para vestirte, y que no se descubra la vergüenza de tu desnudez; y unge tus ojos con colirio, para que veas.

19 Yo reprendo y castigo a todos los que amo; sé, pues, celoso, y arrepiéntete.

20 He aquí, yo estoy a la puerta y llamo; si alguno oye mi voz y abre la puerta, entraré a él, y cenaré con él, y él conmigo.

21 Al que venciere, le daré que se siente conmigo en mi trono, así como yo he vencido, y me he sentado con mi Padre en su trono.

22 El que tiene oído, oiga lo que el Espíritu dice a las iglesias.

before thee an open door, and no man can shut it: for thou hast a little strength, and hast kept my word, and hast not denied my name.

9 Behold, I will make them of the synagogue of Satan, which say they are Jews, and are not, but do lie; behold, I will make them to come and worship before thy feet, and to know that I have loved thee.

10 Because thou hast kept the word of my patience, I also will keep thee from the hour of temptation, which shall come upon all the world, to try them that dwell upon the earth.

11 Behold, I come quickly: hold that fast which thou hast, that no man take thy crown.

12 Him that overcometh will I make a pillar in the temple of my God, and he shall go no more out: and I will write upon him the name of my God, and the name of the city of my God, *which is* new Jerusalem, which cometh down out of heaven from my God: and *I will write upon him* my new name.

13 He that hath an ear, let him hear what the Spirit saith unto the churches.

14 And unto the angel of the church of the La-od-i-ce'ans write; These things saith the Amen, the faithful and true witness, the beginning of the creation of God;

15 I know thy works, that thou art neither cold nor hot: I would thou wert cold or hot.

16 So then because thou art lukewarm, and neither cold nor hot, I will spue thee out of my mouth.

17 Because thou sayest, I am rich, and increased with goods, and have need of nothing; and knowest not that thou art wretched, and miserable, and poor, and blind, and naked:

18 I counsel thee to buy of me gold tried in the fire, that thou mayest be rich; and white raiment, that thou mayest be clothed, and *that* the shame of thy nakedness do not appear; and anoint thine eyes with eyesalve, that thou mayest see.

19 As many as I love, I rebuke and chasten: be zealous therefore, and repent.

20 Behold, I stand at the door, and knock: if any man hear my voice, and open the door, I will come in to him, and will sup with him, and he with me.

21 To him that overcometh will I grant to sit with me in my throne, even as I also overcame, and am set down with my Father in his throne.

22 He that hath an ear, let him hear what the Spirit saith unto the churches.

CAPÍTULO 4

DESPUÉS de esto miré, y he aquí una puerta abierta en el cielo; y la primera voz que oí, como de trompeta, hablando conmigo, dijo: Sube acá, y yo te mostraré las cosas que sucederán después de estas.

2 Y al instante yo estaba en el Espíritu; y he aquí, un trono establecido en el cielo, y en el trono, uno sentado.

3 Y el aspecto del que estaba sentado era semejante a piedra de jaspe y de cornalina; y había alrededor del trono un arco iris, semejante en aspecto a la esmeralda.

4 Y alrededor del trono había veinticuatro tronos; y vi sentados en los tronos a veinticuatro ancianos, vestidos de ropas blancas, con coronas de oro en sus cabezas.

5 Y del trono salían relámpagos y truenos y voces; y delante del trono ardían siete lámparas de fuego, las cuales son los siete espíritus de Dios.

6 Y delante del trono había como un mar de vidrio semejante al cristal; y junto al trono, y alrededor del trono, cuatro seres vivientes llenos de ojos delante y detrás.

7 El primer ser viviente era semejante a un león; el segundo era semejante a un becerro; el tercero tenía rostro como de hombre; y el cuarto era semejante a un águila volando.

8 Y los cuatro seres vivientes tenían cada uno seis alas, y alrededor y por dentro estaban llenos de ojos; y no cesaban día y noche de decir: Santo, santo, santo es el Señor Dios Todopoderoso, el que era, el que es, y el que ha de venir.

9 Y siempre que aquellos seres vivientes dan gloria y honra y acción de gracias al que está sentado en el trono, al que vive por los siglos de los siglos,

10 los veinticuatro ancianos se postran delante del que está sentado en el trono, y adoran al que vive por los siglos de los siglos, y echan sus coronas delante del trono, diciendo:

11 Señor, digno eres de recibir la gloria y la honra y el poder; porque tú creaste todas las cosas, y por tu voluntad existen y fueron creadas.

CAPÍTULO 5

Y vi en la mano derecha del que estaba sentado en el trono un libro escrito por dentro y por fuera, sellado con siete sellos.

2 Y vi a un ángel fuerte que pregonaba a gran voz: ¿Quién es digno de abrir el libro y desatar sus sellos?

CHAPTER 4

AFTER this I looked, and, behold, a door *was* opened in heaven: and the first voice which I heard *was* as it were of a trumpet talking with me; which said, Come up hither, and I will shew thee things which must be hereafter.

2 And immediately I was in the spirit: and, behold, a throne was set in heaven, and *one* sat on the throne.

3 And he that sat was to look upon like a jasper and a sardine stone: and *there was* a rainbow round about the throne, in sight like unto an emerald.

4 And round about the throne *were* four and twenty seats: and upon the seats I saw four and twenty elders sitting, clothed in white raiment; and they had on their heads crowns of gold.

5 And out of the throne proceeded lightnings and thunderings and voices: and *there were* seven lamps of fire burning before the throne, which are the seven Spirits of God.

6 And before the throne *there was* a sea of glass like unto crystal: and in the midst of the throne, and round about the throne, *were* four beasts full of eyes before and behind.

7 And the first beast *was* like a lion, and the second beast like a calf, and the third beast had a face as a man, and the fourth beast *was* like a flying eagle.

8 And the four beasts had each of them six wings about *him;* and *they were* full of eyes within: and they rest not day and night, saying, Holy, holy, holy, Lord God Almighty, which was, and is, and is to come.

9 And when those beasts give glory and honour and thanks to him that sat on the throne, who liveth for ever and ever,

10 The four and twenty elders fall down before him that sat on the throne, and worship him that liveth for ever and ever, and cast their crowns before the throne, saying,

11 Thou art worthy, O Lord, to receive glory and honour and power: for thou hast created all things, and for thy pleasure they are and were created.

CHAPTER 5

AND I saw in the right hand of him that sat on the throne a book written within and on the backside, sealed with seven seals.

2 And I saw a strong angel proclaiming with a loud voice, Who is worthy to open the book, and to loose the seals thereof?

3 Y ninguno, ni en el cielo ni en la tierra ni debajo de la tierra, podía abrir el libro, ni aun mirarlo.

4 Y lloraba yo mucho, porque no se había hallado a ninguno digno de abrir el libro, ni de leerlo, ni de mirarlo.

5 Y uno de los ancianos me dijo: No llores. He aquí que el León de la tribu de Judá, la raíz de David, ha vencido para abrir el libro y desatar sus siete sellos.

6 Y miré, y vi que en medio del trono y de los cuatro seres vivientes, y en medio de los ancianos, estaba en pie un Cordero como inmolado, que tenía siete cuernos, y siete ojos, los cuales son los siete espíritus de Dios enviados por toda la tierra.

7 Y vino, y tomó el libro de la mano derecha del que estaba sentado en el trono.

8 Y cuando hubo tomado el libro, los cuatro seres vivientes y los veinticuatro ancianos se postraron delante del Cordero; todos tenían arpas, y copas de oro llenas de incienso, que son las oraciones de los santos;

9 y cantaban un nuevo cántico, diciendo: Digno eres de tomar el libro y de abrir sus sellos; porque tú fuiste inmolado, y con tu sangre nos has redimido para Dios, de todo linaje y lengua y pueblo y nación;

10 y nos has hecho para nuestro Dios reyes y sacerdotes, y reinaremos sobre la tierra.

11 Y miré, y oí la voz de muchos ángeles alrededor del trono, y de los seres vivientes, y de los ancianos; y su número era millones de millones,

12 que decían a gran voz: El Cordero que fue inmolado es digno de tomar el poder, las riquezas, la sabiduría, la fortaleza, la honra, la gloria y la alabanza.

13 Y a todo lo creado que está en el cielo, y sobre la tierra, y debajo de la tierra, y en el mar, y a todas las cosas que en ellos hay, oí decir: Al que está sentado en el trono, y al Cordero, sea la alabanza, la honra, la gloria y el poder, por los siglos de los siglos.

14 Los cuatro seres vivientes decían: Amén; y los veinticuatro ancianos se postraron sobre sus rostros y adoraron al que vive por los siglos de los siglos.

CAPÍTULO 6

Y cuando el Cordero abrió uno de los sellos, y oí a uno de los cuatro seres vivientes decir como con voz de trueno: Ven y mira.

2 Y miré, y he aquí un caballo blanco; y el que lo montaba tenía un arco; y le fue

3 And no man in heaven, nor in earth, neither under the earth, was able to open the book, neither to look thereon.

4 And I wept much, because no man was found worthy to open and to read the book, neither to look thereon.

5 And one of the elders saith unto me, Weep not: behold, the Lion of the tribe of Juda, the Root of David, hath prevailed to open the book, and to loose the seven seals thereof.

6 And I beheld, and lo, in the midst of the throne and of the four beasts, and in the midst of the elders, stood a Lamb as it had been slain, having seven horns and seven eyes, which are the seven Spirits of God sent forth into all the earth.

7 And he came and took the book out of the right hand of him that sat upon the throne.

8 And when he had taken the book, the four beasts and four *and* twenty elders fell down before the Lamb, having every one of them harps, and golden vials full of odours, which are the prayers of saints.

9 And they sung a new song, saying, Thou art worthy to take the book, and to open the seals thereof: for thou wast slain, and hast redeemed us to God by thy blood out of every kindred, and tongue, and people, and nation;

10 And hast made us unto our God kings and priests: and we shall reign on the earth.

11 And I beheld, and I heard the voice of many angels round about the throne and the beasts and the elders: and the number of them was ten thousand times ten thousand, and thousands of thousands;

12 Saying with a loud voice, Worthy is the Lamb that was slain to receive power, and riches, and wisdom, and strength, and honour, and glory, and blessing.

13 And every creature which is in heaven, and on the earth, and under the earth, and such as are in the sea, and all that are in them, heard I saying, Blessing, and honour, and glory, and power, *be* unto him that sitteth upon the throne, and unto the Lamb for ever and ever.

14 And the four beasts said, Amen. And the four *and* twenty elders fell down and worshipped him that liveth for ever and ever.

CHAPTER 6

AND I saw when the Lamb opened one of the seals, and I heard, as it were the noise of thunder, one of the four beasts saying, Come and see.

2 And I saw, and behold a white horse: and he that sat on him had a bow; and a

dada una corona, y salió venciendo, y
para vencer.
3 Cuando abrió el segundo sello, oí al
segundo ser viviente, que decía: Ven y
mira.
4 Y salió otro caballo, bermejo; y al que
lo montaba le fue dado poder de quitar
de la tierra la paz, y que se matasen unos
a otros; y se le dio una gran espada.
5 Cuando abrió el tercer sello, oí al ter-
cer ser viviente, que decía: Ven y mira. Y
miré, y he aquí un caballo negro; y el que
lo montaba tenía una balanza en la mano.
6 Y oí una voz de en medio de los cua-
tro seres vivientes, que decía: Dos libras
de trigo por un denario, y seis libras de
cebada por un denario; pero no dañes el
aceite ni el vino.
7 Cuando abrió el cuarto sello, oí la voz
del cuarto ser viviente, que decía: Ven y
mira.
8 Miré, y he aquí un caballo amarillo, y
el que lo montaba tenía por nombre
Muerte, y el Hades le seguía; y le fue
dada potestad sobre la cuarta parte de la
tierra, para matar con espada, con
hambre, con mortandad, y con las fieras
de la tierra.
9 Cuando abrió el quinto sello, vi bajo
el altar las almas de los que habían sido
muertos por causa de la palabra de Dios
y por el testimonio que tenían.
10 Y clamaban a gran voz, diciendo:
¿Hasta cuándo, Señor, santo y verdadero,
no juzgas y vengas nuestra sangre en los
que moran en la tierra?
11 Y se les dieron vestiduras blancas, y
se les dijo que descansasen todavía un
poco de tiempo, hasta que se completara
el número de sus consiervos y sus herma-
nos, que también habían de ser muertos
como ellos.
12 Miré cuando abrió el sexto sello, y
he aquí hubo un gran terremoto; y el sol
se puso negro como tela de cilicio, y la
luna se volvió toda como sangre;
13 y las estrellas del cielo cayeron
sobre la tierra, como la higuera deja caer
sus higos cuando es sacudida por un
fuerte viento.
14 Y el cielo se desvaneció como un
pergamino que se enrolla; y todo monte y
toda isla se removió de su lugar.
15 Y los reyes de la tierra, y los
grandes, los ricos, los capitanes, los po-
derosos, y todo siervo y todo libre, se es-
condieron en las cuevas y entre las peñas
de los montes;

crown was given unto him: and he went
forth conquering, and to conquer.
3 And when he had opened the second
seal, I heard the second beast say, Come
and see.
4 And there went out another horse
that was red: and *power* was given to
him that sat thereon to take peace from
the earth, and that they should kill one
another: and there was given unto him a
great sword.
5 And when he had opened the third
seal, I heard the third beast say, Come
and see. And I beheld, and lo a black
horse; and he that sat on him had a pair
of balances in his hand.
6 And I heard a voice in the midst of
the four beasts say, A measure of wheat
for a penny, and three measures of barley
for a penny; and *see* thou hurt not the oil
and the wine.
7 And when he had opened the fourth
seal, I heard the voice of the fourth beast
say, Come and see.
8 And I looked, and behold a pale
horse: and his name that sat on him was
Death, and Hell followed with him. And
Power was given unto them over the
fourth part of the earth, to kill with
sword, and with hunger, and with death,
and with the beasts of the earth.
9 And when he had opened the fifth
seal, I saw under the altar the souls of
them that were slain for the word of God,
and for the testimony which they held:
10 And they cried with a loud voice,
saying, How long, O Lord, holy and true,
dost thou not judge and avenge our blood
on them that dwell on the earth?
11 And white robes were given unto ev-
ery one of them; and it was said unto
them, that they should rest yet for a little
season, until their fellowservants also
and their brethren, that should be killed
as they *were*, should be fulfilled.
12 And I beheld when he had opened
the sixth seal, and, lo, there was a great
earthquake; and the sun became black as
sackcloth of hair, and the moon became
as blood;
13 And the stars of heaven fell unto the
earth, even as a fig tree casteth her un-
timely figs, when she is shaken of a
mighty wind.
14 And the heaven departed as a scroll
when it is rolled together; and every
mountain and island were moved out of
their places.
15 And the kings of the earth, and the
great men, and the rich men, and the
chief captains, and the mighty men, and
every bondman, and every free man, hid
themselves in the dens and in the rocks
of the mountains;

16 y decían a los montes y a las peñas: Caed sobre nosotros, y escondednos del rostro de aquel que está sentado sobre el trono, y de la ira del Cordero;

17 porque el gran día de su ira ha llegado; ¿y quién podrá sostenerse en pie?

CAPÍTULO 7

DESPUÉS de esto vi a cuatro ángeles en pie sobre los cuatro ángulos de la tierra, que detenían los cuatro vientos de la tierra, para que no soplase viento alguno sobre la tierra, ni sobre el mar, ni sobre ningún árbol.

2 Vi también a otro ángel que subía de donde sale el sol, y tenía el sello del Dios vivo; y clamó a gran voz a los cuatro ángeles, a quienes se les había dado el poder de hacer daño a la tierra y al mar,

3 diciendo: No hagáis daño a la tierra, ni al mar, ni a los árboles, hasta que hayamos sellado en sus frentes a los siervos de nuestro Dios.

4 Y oí el número de los sellados: ciento cuarenta y cuatro mil sellados de todas las tribus de los hijos de Israel.

5 De la tribu de Judá, doce mil sellados. De la tribu de Rubén, doce mil sellados. De la tribu de Gad, doce mil sellados.

6 De la tribu de Aser, doce mil sellados. De la tribu de Neftalí, doce mil sellados. De la tribu de Manasés, doce mil sellados.

7 De la tribu de Simeón, doce mil sellados. De la tribu de Leví, doce mil sellados. De la tribu de Isacar, doce mil sellados.

8 De la tribu de Zabulón, doce mil sellados. De la tribu de José, doce mil sellados. De la tribu de Benjamín, doce mil sellados.

9 Después de esto miré y he aquí una gran multitud, la cual nadie podía contar, de todas naciones y tribus y pueblos y lenguas, que estaban delante del trono y en la presencia del Cordero, vestidos de ropas blancas, y con palmas en las manos;

10 y clamaban a gran voz, diciendo: La salvación pertenece a nuestro Dios que está sentado en el trono, y al Cordero.

11 Y todos los ángeles estaban en pie alrededor del trono, y de los ancianos y de los cuatro seres vivientes; y se postraron sobre sus rostros delante del trono, y adoraron a Dios,

12 diciendo: Amén. La bendición y la gloria y la sabiduría y la acción de gracias y la honra y el poder y la fortaleza, sean a nuestro Dios por los siglos de los siglos. Amén.

13 Entonces uno de los ancianos habló, diciéndome: Estos que están vestidos de

16 And said to the mountains and rocks, Fall on us, and hide us from the face of him that sitteth on the throne, and from the wrath of the Lamb:

17 For the great day of his wrath is come; and who shall be able to stand?

CHAPTER 7

AND after these things I saw four angels standing on the four corners of the earth, holding the four winds of the earth, that the wind should not blow on the earth, nor on the sea, nor on any tree.

2 And I saw another angel ascending from the east, having the seal of the living God: and he cried with a loud voice to the four angels, to whom it was given to hurt the earth and the sea,

3 Saying, Hurt not the earth, neither the sea, nor the trees, till we have sealed the servants of our God in their foreheads.

4 And I heard the number of them which were sealed: *and there were* sealed an hundred *and* forty *and* four thousand of all the tribes of the children of Israel.

5 Of the tribe of Juda *were* sealed twelve thousand. Of the tribe of Reuben *were* sealed twelve thousand. Of the tribe of Gad *were* sealed twelve thousand.

6 Of the tribe of A'ser *were* sealed twelve thousand. Of the tribe of Neph'tha-lim *were* sealed twelve thousand. Of the tribe of Ma-nas'ses *were* sealed twelve thousand.

7 Of the tribe of Simeon *were* sealed twelve thousand. Of the tribe of Levi *were* sealed twelve thousand. Of the tribe of Is'sa-char *were* sealed twelve thousand.

8 Of the tribe of Zab'u-lon *were* sealed twelve thousand. Of the tribe of Joseph *were* sealed twelve thousand. Of the tribe of Benjamin *were* sealed twelve thousand.

9 After this I beheld, and, lo, a great multitude, which no man could number, of all nations, and kindreds, and people, and tongues, stood before the throne, and before the Lamb, clothed with white robes, and palms in their hands;

10 And cried with a loud voice, saying, Salvation to our God which sitteth upon the throne, and unto the Lamb.

11 And all the angels stood round about the throne, and *about* the elders and the four beasts, and fell before the throne on their faces, and worshipped God,

12 Saying, Amen: Blessing, and glory, and wisdom, and thanksgiving, and honour, and power, and might, *be* unto our God for ever and ever. Amen.

13 And one of the elders answered, saying unto me, What are these which are

ropas blancas, ¿quiénes son, y de dónde han venido?

14 Yo le dije: Señor, tú lo sabes. Y él me dijo: Estos son los que han salido de la gran tribulación, y han lavado sus ropas, y las han emblanquecido en la sangre del Cordero.

15 Por esto están delante del trono de Dios, y le sirven día y noche en su templo; y el que está sentado sobre el trono extenderá su tabernáculo sobre ellos.

16 Ya no tendrán hambre ni sed, y el sol no caerá más sobre ellos, ni calor alguno;

17 porque el Cordero que está en medio del trono los pastoreará, y los guiará a fuentes de aguas de vida; y Dios enjugará toda lágrima de los ojos de ellos.

CAPÍTULO 8

CUANDO abrió el séptimo sello, se hizo silencio en el cielo como por media hora.

2 Y vi a los siete ángeles que estaban en pie ante Dios; y se les dieron siete trompetas.

3 Otro ángel vino entonces y se paró ante el altar, con un incensario de oro; y se le dio mucho incienso para añadirlo a las oraciones de todos los santos, sobre el altar de oro que estaba delante del trono.

4 Y de la mano del ángel subió a la presencia de Dios el humo del incienso con las oraciones de los santos.

5 Y el ángel tomó el incensario, y lo llenó del fuego del altar, y lo arrojó a la tierra; y hubo truenos, y voces, y relámpagos, y un terremoto.

6 Y los siete ángeles que tenían las siete trompetas se dispusieron a tocarlas.

7 El primer ángel tocó la trompeta, y hubo granizo y fuego mezclados con sangre, que fueron lanzados sobre la tierra; y la tercera parte de los árboles se quemó, y se quemó toda la hierba verde.

8 El segundo ángel tocó la trompeta, y como una gran montaña ardiendo en fuego fue precipitada en el mar; y la tercera parte del mar se convirtió en sangre.

9 Y murió la tercera parte de los seres vivientes que estaban en el mar, y la tercera parte de las naves fue destruida.

10 El tercer ángel tocó la trompeta, y cayó del cielo una gran estrella, ardiendo como una antorcha, y cayó sobre la tercera parte de los ríos, y sobre las fuentes de las aguas.

arrayed in white robes? and whence came they?

14 And I said unto him, Sir, thou knowest. And he said to me, These are they which came out of great tribulation, and have washed their robes, and made them white in the blood of the Lamb.

15 Therefore are they before the throne of God, and serve him day and night in his temple: and he that sitteth on the throne shall dwell among them.

16 They shall hunger no more, neither thirst any more; neither shall the sun light on them, nor any heat.

17 For the Lamb which is in the midst of the throne shall feed them, and shall lead them unto living fountains of waters: and God shall wipe away all tears from their eyes.

CHAPTER 8

AND when he had opened the seventh seal, there was silence in heaven about the space of half an hour.

2 And I saw the seven angels which stood before God; and to them were given seven trumpets.

3 And another angel came and stood at the altar, having a golden censer; and there was given unto him much incense, that he should offer *it* with the prayers of all saints upon the golden altar which was before the throne.

4 And the smoke of the incense, *which came* with the prayers of the saints, ascended up before God out of the angel's hand.

5 And the angel took the censer, and filled it with fire of the altar, and cast *it* into the earth: and there were voices, and thunderings, and lightnings, and an earthquake.

6 And the seven angels which had the seven trumpets prepared themselves to sound.

7 The first angel sounded, and there followed hail and fire mingled with blood, and they were cast upon the earth: and the third part of trees was burnt up, and all green grass was burnt up.

8 And the second angel sounded, and as it were a great mountain burning with fire was cast into the sea: and the third part of the sea became blood;

9 And the third part of the creatures which were in the sea, and had life, died; and the third part of the ships were destroyed.

10 And the third angel sounded, and there fell a great star from heaven, burning as it were a lamp, and it fell upon the third part of the rivers, and upon the fountains of waters;

11 Y el nombre de la estrella es Ajenjo. Y la tercera parte de las aguas se convirtió en ajenjo; y muchos hombres murieron a causa de esas aguas, porque se hicieron amargas.

12 El cuarto ángel tocó la trompeta, y fue herida la tercera parte del sol, y la tercera parte de la luna, y la tercera parte de las estrellas, para que se oscureciese la tercera parte de ellos, y no hubiese luz en la tercera parte del día, y asimismo de la noche.

13 Y miré, y oí a un ángel volar por en medio del cielo, diciendo a gran voz: ¡Ay, ay, ay, de los que moran en la tierra, a causa de los otros toques de trompeta que están para sonar los tres ángeles!

CAPÍTULO 9

EL quinto ángel tocó la trompeta, y vi una estrella que cayó del cielo a la tierra; y se le dio la llave del pozo del abismo.

2 Y abrió el pozo del abismo, y subió humo del pozo como humo de un gran horno; y se oscureció el sol y el aire por el humo del pozo.

3 Y del humo salieron langostas sobre la tierra; y se les dio poder, como tienen poder los escorpiones de la tierra.

4 Y se les mandó que no dañasen a la hierba de la tierra, ni a cosa verde alguna, ni a ningún árbol, sino solamente a los hombres que no tuviesen el sello de Dios en sus frentes.

5 Y les fue dado, no que los matasen, sino que los atormentasen cinco meses; y su tormento era como tormento de escorpión cuando hiere al hombre.

6 Y en aquellos días los hombres buscarán la muerte, pero no la hallarán; y ansiarán morir, pero la muerte huirá de ellos.

7 El aspecto de las langostas era semejante a caballos preparados para la guerra; en las cabezas tenían como coronas de oro; sus caras eran como caras humanas;

8 tenían cabello como cabello de mujer; sus dientes eran como de leones;

9 tenían corazas como corazas de hierro; el ruido de sus alas era como el estruendo de muchos carros de caballos corriendo a la batalla;

10 tenían colas como de escorpiones, y también aguijones; y en sus colas tenían poder para dañar a los hombres durante cinco meses.

11 And the name of the star is called Wormwood: and the third part of the waters became wormwood; and many men died of the waters, because they were made bitter.

12 And the fourth angel sounded, and the third part of the sun was smitten, and the third part of the moon, and the third part of the stars; so as the third part of them was darkened, and the day shone not for a third part of it, and the night likewise.

13 And I beheld, and heard an angel flying through the midst of heaven, saying with a loud voice, Woe, woe, woe, to the inhabiters of the earth by reason of the other voices of the trumpet of the three angels, which are yet to sound!

CHAPTER 9

AND the fifth angel sounded, and I saw a star fall from heaven unto the earth: and to him was given the key of the bottomless pit.

2 And he opened the bottomless pit; and there arose a smoke out of the pit, as the smoke of a great furnace; and the sun and the air were darkened by reason of the smoke of the pit.

3 And there came out of the smoke locusts upon the earth: and unto them was given power, as the scorpions of the earth have power.

4 And it was commanded them that they should not hurt the grass of the earth, neither any green thing, neither any tree; but only those men which have not the seal of God in their foreheads.

5 And to them it was given that they should not kill them, but that they should be tormented five months: and their torment *was* as the torment of a scorpion, when he striketh a man.

6 And in those days shall men seek death, and shall not find it; and shall desire to die, and death shall flee from them.

7 And the shapes of the locusts *were* like unto horses prepared unto battle; and on their heads *were* as it were crowns like gold, and their faces *were* as the faces of men.

8 And they had hair as the hair of women, and their teeth were as *the teeth* of lions.

9 And they had breastplates, as it were breastplates of iron; and the sound of their wings *was* as the sound of chariots of many horses running to battle.

10 And they had tails like unto scorpions, and there were stings in their tails: and their power *was* to hurt men five months.

11 Y tienen por rey sobre ellos al ángel
del abismo, cuyo nombre en hebreo es
Abadón, y en griego, Apolión.
12 El primer ay pasó; he aquí, vienen
aún dos ayes después de esto.
13 El sexto ángel tocó la trompeta, y oí
una voz de entre los cuatro cuernos del
altar de oro que estaba delante de Dios,
14 diciendo al sexto ángel que tenía la
trompeta: Desata a los cuatro ángeles
que están atados junto al gran río Eufra-
tes.
15 Y fueron desatados los cuatro ánge-
les que estaban preparados para la hora,
día, mes y año, a fin de matar a la tercera
parte de los hombres.
16 Y el número de los ejércitos de los
jinetes era doscientos millones. Yo oí su
número.
17 Así vi en visión los caballos y a sus
jinetes, los cuales tenían corazas de fu-
ego, de zafiro y de azufre. Y las cabezas
de los caballos eran como cabezas de
leones; y de su boca salían fuego, humo y
azufre.
18 Por estas tres plagas fue muerta la
tercera parte de los hombres; por el
fuego, el humo y el azufre que salían de
su boca.
19 Pues el poder de los caballos estaba
en su boca y en sus colas; porque sus co-
las, semejantes a serpientes, tenían cabe-
zas, y con ellas dañaban.
20 Y los otros hombres que no fueron
muertos con estas plagas, ni aun así se
arrepintieron de las obras de sus manos,
ni dejaron de adorar a los demonios, y a
las imágenes de oro, de plata, de bronce,
de piedra y de madera, las cuales no pue-
den ver, ni oir, ni andar;
21 y no se arrepintieron de sus homici-
dios, ni de sus hechicerías, ni de su forni-
cación, ni de sus hurtos.

CAPÍTULO 10

VI descender del cielo a otro ángel
fuerte, envuelto en una nube, con el
arco iris sobre su cabeza; y su rostro era
como el sol, y sus pies como columnas de
fuego.
2 Tenía en su mano un librito abierto; y
puso su pie derecho sobre el mar, y el
izquierdo sobre la tierra;
3 y clamó a gran voz, como ruge un
león; y cuando hubo clamado, siete true-
nos emitieron sus voces.
4 Cuando los siete truenos hubieron
emitido sus voces, yo iba a escribir; pero
oí una voz del cielo que me decía: Sella

11 And they had a king over them,
which is the angel of the bottomless pit,
whose name in the Hebrew tongue *is* A-
bad'don, but in the Greek tongue hath *his*
name A-pol'ly-on.
12 One woe is past; *and,* behold, there
come two woes more hereafter.
13 And the sixth angel sounded, and I
heard a voice from the four horns of the
golden altar which is before God,
14 Saying to the sixth angel which had
the trumpet, Loose the four angels which
are bound in the great river Eu-phra'tes.
15 And the four angels were loosed,
which were prepared for an hour, and a
day, and a month, and a year, for to slay
the third part of men.
16 And the number of the army of the
horsemen *were* two hundred thousand
thousand: and I heard the number of
them.
17 And thus I saw the horses in the vi-
sion, and them that sat on them, having
breastplates of fire, and of jacinth, and
brimstone: and the heads of the horses
were as the heads of lions; and out of
their mouths issued fire and smoke and
brimstone.
18 By these three was the third part of
men killed, by the fire, and by the smoke,
and by the brimstone, which issued out
of their mouths.
19 For their power is in their mouth,
and in their tails: for their tails *were* like
unto serpents, and had heads, and with
them they do hurt.
20 And the rest of the men which were
not killed by these plagues yet repented
not of the works of their hands, that they
should not worship devils, and idols of
gold, and silver, and brass, and stone,
and of wood: which neither can see, nor
hear, nor walk:
21 Neither repented they of their mur-
ders, nor of their sorceries, nor of their
fornication, nor of their thefts.

CHAPTER 10

AND I saw another mighty angel come
down from heaven, clothed with a
cloud: and a rainbow *was* upon his head,
and his face *was* as it were the sun, and
his feet as pillars of fire:
2 And he had in his hand a little book
open: and he set his right foot upon the
sea, and *his* left *foot* on the earth,
3 And cried with a loud voice, as *when*
a lion roareth: and when he had cried,
seven thunders uttered their voices.
4 And when the seven thunders had ut-
tered their voices, I was about to write:
and I heard a voice from heaven saying

las cosas que los siete truenos han dicho, y no las escribas.
5 Y el ángel que vi en pie sobre el mar y sobre la tierra, levantó su mano al cielo,
6 y juró por el que vive por los siglos de los siglos, que creó el cielo y las cosas que están en él, y la tierra y las cosas que están en ella, y el mar y las cosas que están en él, que el tiempo no sería más,
7 sino que en los días de la voz del séptimo ángel, cuando él comience a tocar la trompeta, el misterio de Dios se consumará, como él lo anunció a sus siervos los profetas.
8 La voz que oí del cielo habló otra vez conmigo, y dijo: Vé y toma el librito que está abierto en la mano del ángel que está en pie sobre el mar y sobre la tierra.
9 Y fui al ángel, diciéndole que me diese el librito. Y él me dijo: Toma, y cómelo; y te amargará el vientre, pero en tu boca será dulce como la miel.
10 Entonces tomé el librito de la mano del ángel, y lo comí; y era dulce en mi boca como la miel, pero cuando lo hube comido, amargó mi vientre.
11 Y él me dijo: Es necesario que profetices otra vez sobre muchos pueblos, naciones, lenguas y reyes.

CAPÍTULO 11

ENTONCES me fue dada una caña semejante a una vara de medir, y se me dijo: Levántate, y mide el templo de Dios, y el altar, y a los que adoran en él.
2 Pero el patio que está fuera del templo déjalo aparte, y no lo midas, porque ha sido entregado a los gentiles; y ellos hollarán la ciudad santa cuarenta y dos meses.
3 Y daré a mis dos testigos que profeticen por mil doscientos sesenta días, vestidos de cilicio.
4 Estos testigos son los dos olivos, y los dos candeleros que están en pie delante del Dios de la tierra.
5 Si alguno quiere dañarlos, sale fuego de la boca de ellos, y devora a sus enemigos; y si alguno quiere hacerles daño, debe morir él de la misma manera.
6 Estos tienen poder para cerrar el cielo, a fin de que no llueva en los días de su profecía; y tienen poder sobre las aguas para convertirlas en sangre, y para herir la tierra con toda plaga, cuantas veces quieran.
7 Cuando hayan acabado su testimo-

unto me, Seal up those things which the seven thunders uttered, and write them not.
5 And the angel which I saw stand upon the sea and upon the earth lifted up his hand to heaven,
6 And sware by him that liveth for ever and ever, who created heaven, and the things that therein are, and the earth, and the things that therein are, and the sea, and the things which are therein, that there should be time no longer:
7 But in the days of the voice of the seventh angel, when he shall begin to sound, the mystery of God should be finished, as he hath declared to his servants the prophets.
8 And the voice which I heard from heaven spake unto me again, and said, Go *and* take the little book which is open in the hand of the angel which standeth upon the sea and upon the earth.
9 And I went unto the angel, and said unto him, Give me the little book. And he said unto me, Take *it*, and eat it up; and it shall make thy belly bitter, but it shall be in thy mouth sweet as honey.
10 And I took the little book out of the angel's hand, and ate it up; and it was in my mouth sweet as honey: and as soon as I had eaten it, my belly was bitter.
11 And he said unto me, Thou must prophesy again before many peoples, and nations, and tongues, and kings.

CHAPTER 11

AND there was given me a reed like unto a rod: and the angel stood, saying, Rise, and measure the temple of God, and the altar, and them that worship therein.
2 But the court which is without the temple leave out, and measure it not; for it is given unto the Gentiles: and the holy city shall they tread under foot forty *and* two months.
3 And I will give *power* unto my two witnesses, and they shall prophesy a thousand two hundred *and* threescore days, clothed in sackcloth.
4 These are the two olive trees, and the two candlesticks standing before the God of the earth.
5 And if any man will hurt them, fire proceedeth out of their mouth, and devoureth their enemies: and if any man will hurt them, he must in this manner be killed.
6 These have power to shut heaven, that it rain not in the days of their prophecy: and have power over waters to turn them to blood, and to smite the earth with all plagues, as often as they will.
7 And when they shall have finished

nio, la bestia que sube del abismo hará guerra contra ellos, y los vencerá y los matará.

8 Y sus cadáveres estarán en la plaza de la grande ciudad que en sentido espiritual se llama Sodoma y Egipto, donde también nuestro Señor fue crucificado.

9 Y los de los pueblos, tribus, lenguas y naciones verán sus cadáveres por tres días y medio, y no permitirán que sean sepultados.

10 Y los moradores de la tierra se regocijarán sobre ellos y se alegrarán, y se enviarán regalos unos a otros; porque estos dos profetas habían atormentado a los moradores de la tierra.

11 Pero después de tres días y medio entró en ellos el espíritu de vida enviado por Dios, y se levantaron sobre sus pies, y cayó gran temor sobre los que los vieron.

12 Y oyeron una gran voz del cielo, que les decía: Subid acá. Y subieron al cielo en una nube; y sus enemigos los vieron.

13 En aquella hora hubo un gran terremoto, y la décima parte de la ciudad se derrumbó, y por el terremoto murieron en número de siete mil hombres; y los demás se aterrorizaron, y dieron gloria al Dios del cielo.

14 El segundo ay pasó; he aquí, el tercer ay viene pronto.

15 El séptimo ángel tocó la trompeta, y hubo grandes voces en el cielo, que decían: Los reinos del mundo han venido a ser de nuestro Señor y de su Cristo; y él reinará por los siglos de los siglos.

16 Y los veinticuatro ancianos que estaban sentados delante de Dios en sus tronos, se postraron sobre sus rostros, y adoraron a Dios,

17 diciendo: Te damos gracias, Señor Dios Todopoderoso, el que eres y que eras y que has de venir, porque has tomado tu gran poder, y has reinado.

18 Y se airaron las naciones, y tu ira ha venido, y el tiempo de juzgar a los muertos, y de dar el galardón a tus siervos los profetas, a los santos, y a los que temen tu nombre, a los pequeños y a los grandes, y de destruir a los que destruyen la tierra.

19 Y el templo de Dios fue abierto en el cielo, y el arca de su pacto se veía en el templo. Y hubo relámpagos, voces, truenos, un terremoto y grande granizo.

their testimony, the beast that ascendeth out of the bottomless pit shall make war against them, and shall overcome them, and kill them.

8 And their dead bodies *shall lie* in the street of the great city, which spiritually is called Sodom and Egypt, where also our Lord was crucified.

9 And they of the people and kindreds and tongues and nations shall see their dead bodies three days and an half, and shall not suffer their dead bodies to be put in graves.

10 And they that dwell upon the earth shall rejoice over them, and make merry, and shall send gifts one to another; because these two prophets tormented them that dwelt on the earth.

11 And after three days and an half the Spirit of life from God entered into them, and they stood upon their feet; and great fear fell upon them which saw them.

12 And they heard a great voice from heaven saying unto them, Come up hither. And they ascended up to heaven in a cloud; and their enemies beheld them.

13 And the same hour was there a great earthquake, and the tenth part of the city fell, and in the earthquake were slain of men seven thousand: and the remnant were affrighted, and gave glory to the God of heaven.

14 The second woe is past; *and*, behold, the third woe cometh quickly.

15 And the seventh angel sounded; and there were great voices in heaven, saying, The kingdoms of this world are become *the kingdoms* of our Lord, and of his Christ; and he shall reign for ever and ever.

16 And the four and twenty elders, which sat before God on their seats, fell upon their faces, and worshipped God,

17 Saying, We give thee thanks, O Lord God Almighty, which art, and wast, and art to come; because thou hast taken to thee thy great power, and hast reigned.

18 And the nations were angry, and thy wrath is come, and the time of the dead, that they should be judged, and that thou shouldest give reward unto thy servants the prophets, and to the saints, and them that fear thy name, small and great; and shouldest destroy them which destroy the earth.

19 And the temple of God was opened in heaven, and there was seen in his temple the ark of his testament: and there were lightnings, and voices, and thunderings, and an earthquake, and great hail.

CAPÍTULO 12

APARECIÓ en el cielo una gran señal: una mujer vestida del sol, con la luna debajo de sus pies, y sobre su cabeza una corona de doce estrellas.

2 Y estando encinta, clamaba con dolores de parto, en la angustia del alumbramiento.

3 También apareció otra señal en el cielo: he aquí un gran dragón escarlata, que tenía siete cabezas y diez cuernos, y en sus cabezas siete diademas;

4 y su cola arrastraba la tercera parte de las estrellas del cielo, y las arrojó sobre la tierra. Y el dragón se paró frente a la mujer que estaba para dar a luz, a fin de devorar a su hijo tan pronto como naciese.

5 Y ella dio a luz un hijo varón, que regirá con vara de hierro a todas las naciones; y su hijo fue arrebatado para Dios y para su trono.

6 Y la mujer huyó al desierto, donde tiene lugar preparado por Dios, para que allí la sustenten por mil doscientos sesenta días.

7 Después hubo una gran batalla en el cielo: Miguel y sus ángeles luchaban contra el dragón; y luchaban el dragón y sus ángeles;

8 pero no prevalecieron, ni se halló ya lugar para ellos en el cielo.

9 Y fue lanzado fuera el gran dragón, la serpiente antigua, que se llama diablo y Satanás, el cual engaña al mundo entero; fue arrojado a la tierra, y sus ángeles fueron arrojados con él.

10 Entonces oí una gran voz en el cielo, que decía: Ahora ha venido la salvación, el poder, y el reino de nuestro Dios, y la autoridad de su Cristo; porque ha sido lanzado fuera el acusador de nuestros hermanos, el que los acusaba delante de nuestro Dios día y noche.

11 Y ellos le han vencido por medio de la sangre del Cordero y de la palabra del testimonio de ellos, y menospreciaron sus vidas hasta la muerte.

12 Por lo cual alegraos, cielos, y los que moráis en ellos. ¡Ay de los moradores de la tierra y del mar! porque el diablo ha descendido a vosotros con gran ira, sabiendo que tiene poco tiempo.

13 Y cuando vio el dragón que había sido arrojado a la tierra, persiguió a la mujer que había dado a luz al hijo varón.

14 Y se le dieron a la mujer las dos alas de la gran águila, para que volase de delante de la serpiente al desierto, a su lu-

CHAPTER 12

AND there appeared a great wonder in heaven; a woman clothed with the sun, and the moon under her feet, and upon her head a crown of twelve stars:

2 And she being with child cried, travailing in birth, and pained to be delivered.

3 And there appeared another wonder in heaven; and behold a great red dragon, having seven heads and ten horns, and seven crowns upon his heads.

4 And his tail drew the third part of the stars of heaven, and did cast them to the earth: and the dragon stood before the woman which was ready to be delivered, for to devour her child as soon as it was born.

5 And she brought forth a man child, who was to rule all nations with a rod of iron: and her child was caught up unto God, and *to* his throne.

6 And the woman fled into the wilderness, where she hath a place prepared of God, that they should feed her there a thousand two hundred *and* threescore days.

7 And there was war in heaven: Michael and his angels fought against the dragon; and the dragon fought and his angels,

8 And prevailed not; neither was their place found any more in heaven.

9 And the great dragon was cast out, that old serpent, called the Devil, and Satan, which deceiveth the whole world: he was cast out into the earth, and his angels were cast out with him.

10 And I heard a loud voice saying in heaven, Now is come salvation, and strength, and the kingdom of our God, and the power of his Christ: for the accuser of our brethren is cast down, which accused them before our God day and night.

11 And they overcame him by the blood of the Lamb, and by the word of their testimony; and they loved not their lives unto the death.

12 Therefore rejoice, *ye* heavens, and ye that dwell in them. Woe to the inhabiters of the earth and of the sea! for the devil is come down unto you, having great wrath, because he knoweth that he hath but a short time

13 And when the dragon saw that he was cast unto the earth, he persecuted the woman which brought forth the man *child*.

14 And to the woman were given two wings of a great eagle, that she might fly into the wilderness, into her place, where

gar, donde es sustentada por un tiempo, y tiempos, y la mitad de un tiempo.

15 Y la serpiente arrojó de su boca, tras la mujer, agua como un río, para que fuese arrastrada por el río.

16 Pero la tierra ayudó a la mujer, pues la tierra abrió su boca y tragó el río que el dragón había echado de su boca.

17 Entonces el dragón se llenó de ira contra la mujer; y se fue a hacer guerra contra el resto de la descendencia de ella, los que guardan los mandamientos de Dios y tienen el testimonio de Jesucristo.

CAPÍTULO 13

ME paré sobre la arena del mar, y vi subir del mar una bestia que tenía siete cabezas y diez cuernos; y en sus cuernos diez diademas; y sobre sus cabezas, un nombre blasfemo.

2 Y la bestia que vi era semejante a un leopardo, y sus pies como de oso, y su boca como boca de león. Y el dragón le dio su poder y su trono, y grande autoridad.

3 Vi una de sus cabezas como herida de muerte, pero su herida mortal fue sanada; y se maravilló toda la tierra en pos de la bestia,

4 y adoraron al dragón que había dado autoridad a la bestia, y adoraron a la bestia, diciendo: ¿Quién como la bestia, y quién podrá luchar contra ella?

5 También se le dio boca que hablaba grandes cosas y blasfemias; y se le dio autoridad para actuar cuarenta y dos meses.

6 Y abrió su boca en blasfemias contra Dios, para blasfemar de su nombre, de su tabernáculo, y de los que moran en el cielo.

7 Y se le permitió hacer guerra contra los santos, y vencerlos. También se le dio autoridad sobre toda tribu, pueblo, lengua y nación.

8 Y la adoraron todos los moradores de la tierra cuyos nombres no estaban escritos en el libro de la vida del Cordero que fue inmolado desde el principio del mundo.

9 Si alguno tiene oído, oiga.

10 Si alguno lleva en cautividad, va en cautividad; si alguno mata a espada, a espada debe ser muerto. Aquí está la paciencia y la fe de los santos.

11 Después vi otra bestia que subía de la tierra; y tenía dos cuernos semejantes a los de un cordero, pero hablaba como dragón.

12 Y ejerce toda la autoridad de la primera bestia en presencia de ella, y hace

she is nourished for a time, and times, and half a time, from the face of the serpent.

15 And the serpent cast out of his mouth water as a flood after the woman, that he might cause her to be carried away of the flood.

16 And the earth helped the woman, and the earth opened her mouth, and swallowed up the flood which the dragon cast out of his mouth.

17 And the dragon was wroth with the woman, and went to make war with the remnant of her seed, which keep the commandments of God, and have the testimony of Jesus Christ.

CHAPTER 13

AND I stood upon the sand of the sea, and saw a beast rise up out of the sea, having seven heads and ten horns, and upon his horns ten crowns, and upon his heads the name of blasphemy.

2 And the beast which I saw was like unto a leopard, and his feet were as *the feet* of a bear, and his mouth as the mouth of a lion: and the dragon gave him his power, and his seat, and great authority.

3 And I saw one of his heads as it were wounded to death; and his deadly wound was healed: and all the world wondered after the beast.

4 And they worshipped the dragon which gave power unto the beast: and they worshipped the beast, saying, Who *is* like unto the beast? who is able to make war with him?

5 And there was given unto him a mouth speaking great things and blasphemies; and power was given unto him to continue forty *and* two months.

6 And he opened his mouth in blasphemy against God, to blaspheme his name, and his tabernacle, and them that dwell in heaven.

7 And it was given unto him to make war with the saints, and to overcome them: and power was given him over all kindreds, and tongues, and nations.

8 And all that dwell upon the earth shall worship him, whose names are not written in the book of life of the Lamb slain from the foundation of the world.

9 If any man have an ear, let him hear.

10 He that leadeth into captivity shall go into captivity: he that killeth with the sword must be killed with the sword. Here is the patience and the faith of the saints.

11 And I beheld another beast coming up out of the earth; and he had two horns like a lamb, and he spake as a dragon.

12 And he exerciseth all the power of the first beast before him, and causeth the

que la tierra y los moradores de ella adoren a la primera bestia, cuya herida mortal fue sanada.

13 También hace grandes señales, de tal manera que aun hace descender fuego del cielo a la tierra delante de los hombres.

14 Y engaña a los moradores de la tierra con las señales que se le ha permitido hacer en presencia de la bestia, mandando a los moradores de la tierra que le hagan imagen a la bestia que tiene la herida de espada, y vivió.

15 Y se le permitió infundir aliento a la imagen de la bestia, para que la imagen hablase e hiciese matar a todo el que no la adorase.

16 Y hacía que a todos, pequeños y grandes, ricos y pobres, libres y esclavos, se les pusiese una marca en la mano derecha, o en la frente;

17 y que ninguno pudiese comprar ni vender, sino el que tuviese la marca o el nombre de la bestia, o el número de su nombre.

18 Aquí hay sabiduría. El que tiene entendimiento, cuente el número de la bestia, pues es número de hombre. Y su número es seiscientos sesenta y seis.

CAPÍTULO 14

DESPUÉS miré, y he aquí el Cordero estaba en pie sobre el monte de Sion, y con él ciento cuarenta y cuatro mil, que tenían el nombre de él y el de su Padre escrito en la frente.

2 Y oí una voz del cielo como estruendo de muchas aguas, y como sonido de un gran trueno; y la voz que oí era como de arpistas que tocaban sus arpas.

3 Y cantaban un cántico nuevo delante del trono, y delante de los cuatro seres vivientes, y de los ancianos; y nadie podía aprender el cántico sino aquellos ciento cuarenta y cuatro mil que fueron redimidos de entre los de la tierra.

4 Estos son los que no se contaminaron con mujeres, pues son vírgenes. Estos son los que siguen al Cordero por dondequiera que va. Estos fueron redimidos de entre los hombres como primicias para Dios y para el Cordero;

5 y en sus bocas no fue hallada mentira, pues son sin mancha delante del trono de Dios.

6 Vi volar por en medio del cielo a otro ángel, que tenía el evangelio eterno para predicarlo a los moradores de la tierra, a toda nación, tribu, lengua y pueblo,

7 diciendo a gran voz: Temed a Dios, y dadle gloria, porque la hora de su juicio

earth and them which dwell therein to worship the first beast, whose deadly wound was healed.

13 And he doeth great wonders, so that he maketh fire come down from heaven on the earth in the sight of men,

14 And deceiveth them that dwell on the earth by *the means of* those miracles which he had power to do in the sight of the beast; saying to them that dwell on the earth, that they should make an image to the beast, which had the wound by a sword, and did live.

15 And he had power to give life unto the image of the beast, that the image of the beast should both speak, and cause that as many as would not worship the image of the beast should be killed.

16 And he causeth all, both small and great, rich and poor, free and bond, to receive a mark in their right hand, or in their foreheads:

17 And that no man might buy or sell, save he that had the mark, or the name of the beast, or the number of his name.

18 Here is wisdom. Let him that hath understanding count the number of the beast: for it is the number of a man; and his number *is* Six hundred threescore *and* six.

CHAPTER 14

AND I looked, and, lo, a Lamb stood on the mount Sion, and with him an hundred forty *and* four thousand, having his Father's name written in their foreheads.

2 And I heard a voice from heaven, as the voice of many waters, and as the voice of a great thunder: and I heard the voice of harpers harping with their harps:

3 And they sung as it were a new song before the throne, and before the four beasts, and the elders: and no man could learn that song but the hundred *and* forty *and* four thousand, which were redeemed from the earth.

4 These are they which were not defiled with women; for they are virgins. These are they which follow the Lamb whithersoever he goeth. These were redeemed from among men, *being* the firstfruits unto God and to the Lamb.

5 And in their mouth was found no guile: for they are without fault before the throne of God.

6 And I saw another angel fly in the midst of heaven, having the everlasting gospel to preach unto them that dwell on the earth, and to every nation, and kindred, and tongue, and people,

7 Saying with a loud voice, Fear God, and give glory to him; for the hour of his

ha llegado; y adorad a aquel que hizo el cielo y la tierra, el mar y las fuentes de las aguas.
8 Otro ángel le siguió, diciendo: Ha caído, ha caído Babilonia, la gran ciudad, porque ha hecho beber a todas las naciones del vino del furor de su fornicación.
9 Y el tercer ángel los siguió, diciendo a gran voz: Si alguno adora a la bestia y a su imagen, y recibe la marca en su frente o en su mano,
10 él también beberá del vino de la ira de Dios, que ha sido vaciado puro en el cáliz de su ira; y será atormentado con fuego y azufre delante de los santos ángeles y del Cordero;
11 y el humo de su tormento sube por los siglos de los siglos. Y no tienen reposo de día ni de noche los que adoran a la bestia y a su imagen, ni nadie que reciba la marca de su nombre.
12 Aquí está la paciencia de los santos, los que guardan los mandamientos de Dios y la fe de Jesús.
13 Oí una voz que desde el cielo me decía: Escribe: Bienaventurados de aquí en adelante los muertos que mueren en el Señor. Sí, dice el Espíritu, descansarán de sus trabajos, porque sus obras con ellos siguen.
14 Miré, y he aquí una nube blanca; y sobre la nube uno sentado semejante al Hijo del Hombre, que tenía en la cabeza una corona de oro, y en la mano una hoz aguda.
15 Y del templo salió otro ángel, clamando a gran voz al que estaba sentado sobre la nube: Mete tu hoz, y siega; porque la hora de segar ha llegado, pues la mies de la tierra está madura.
16 Y el que estaba sentado sobre la nube metió su hoz en la tierra, y la tierra fue segada.
17 Salió otro ángel del templo que está en el cielo, teniendo también una hoz aguda.
18 Y salió del altar otro ángel, que tenía poder sobre el fuego, y llamó a gran voz al que tenía la hoz aguda, diciendo: Mete tu hoz aguda, y vendimia los racimos de la tierra, porque sus uvas están maduras.
19 Y el ángel arrojó su hoz en la tierra, y vendimió la viña de la tierra, y echó las uvas en el gran lagar de la ira de Dios.
20 Y fue pisado el lagar fuera de la ciudad, y del lagar salió sangre hasta los fre-

judgment is come: and worship him that made heaven, and earth, and the sea, and the fountains of waters.
8 And there followed another angel, saying, Babylon is fallen, is fallen, that great city, because she made all nations drink of the wine of the wrath of her fornication.
9 And the third angel followed them, saying with a loud voice, If any man worship the beast and his image, and receive *his* mark in his forehead, or in his hand,
10 The same shall drink of the wine of the wrath of God, which is poured out without mixture into the cup of his indignation; and he shall be tormented with fire and brimstone in the presence of the holy angels, and in the presence of the Lamb:
11 And the smoke of their torment ascendeth up for ever and ever: and they have no rest day nor night, who worship the beast and his image, and whosoever receiveth the mark of his name.
12 Here is the patience of the saints: here *are* they that keep the commandments of God, and the faith of Jesus.
13 And I heard a voice from heaven saying unto me, Write, Blessed *are* the dead which die in the Lord from henceforth: Yea, saith the Spirit, that they may rest from their labours; and their works do follow them.
14 And I looked, and behold a white cloud, and upon the cloud *one* sat like unto the Son of man, having on his head a golden crown, and in his hand a sharp sickle.
15 And another angel came out of the temple, crying with a loud voice to him that sat on the cloud, Thrust in thy sickle, and reap: for the time is come for thee to reap; for the harvest of the earth is ripe.
16 And he that sat on the cloud thrust in his sickle on the earth; and the earth was reaped.
17 And another angel came out of the temple which is in heaven, he also having a sharp sickle.
18 And another angel came out from the altar, which had power over fire; and cried with a loud cry to him that had the sharp sickle, saying, Thrust in thy sharp sickle, and gather the clusters of the vine of the earth; for her grapes are fully ripe.
19 And the angel thrust in his sickle into the earth, and gathered the vine of the earth, and cast *it* into the great winepress of the wrath of God.
20 And the winepress was trodden without the city, and blood came out of

nos de los caballos, por mil seiscientos estadios.

CAPÍTULO 15

VI en el cielo otra señal, grande y admirable: siete ángeles que tenían las siete plagas postreras; porque en ellas se consumaba la ira de Dios.

2 Vi también como un mar de vidrio mezclado con fuego; y a los que habían alcanzado la victoria sobre la bestia y su imagen, y su marca y el número de su nombre, en pie sobre el mar de vidrio, con las arpas de Dios.

3 Y cantan el cántico de Moisés siervo de Dios, y el cántico del Cordero, diciendo: Grandes y maravillosas son tus obras, Señor Dios Todopoderoso; justos y verdaderos son tus caminos, Rey de los santos.

4 ¿Quién no te temerá, oh Señor, y glorificará tu nombre? pues sólo tú eres santo; por lo cual todas las naciones vendrán y te adorarán, porque tus juicios se han manifestado.

5 Después de estas cosas miré, y he aquí fue abierto en el cielo el templo del tabernáculo del testimonio;

6 y del templo salieron los siete ángeles que tenían las siete plagas, vestidos de lino limpio y resplandeciente, y ceñidos alrededor del pecho con cintos de oro.

7 Y uno de los cuatro seres vivientes dio a los siete ángeles siete copas de oro, llenas de la ira de Dios, que vive por los siglos de los siglos.

8 Y el templo se llenó de humo por la gloria de Dios, y por su poder; y nadie podía entrar en el templo hasta que se hubiesen cumplido las siete plagas de los siete ángeles.

CAPÍTULO 16

OÍ una gran voz que decía desde el templo a los siete ángeles: Id y derramad sobre la tierra las siete copas de la ira de Dios.

2 Fue el primero, y derramó su copa sobre la tierra, y vino una úlcera maligna y pestilente sobre los hombres que tenían la marca de la bestia, y que adoraban su imagen.

3 El segundo ángel derramó su copa sobre el mar, y éste se convirtió en sangre como de muerto; y murió todo ser vivo que había en el mar.

4 El tercer ángel derramó su copa sobre los ríos, y sobre las fuentes de las aguas, y se convirtieron en sangre.

5 Y oí al ángel de las aguas, que decía: Justo eres tú, oh Señor, el que eres y que eras, el Santo, porque has juzgado estas cosas.

the winepress, even unto the horse bridles, by the space of a thousand *and* six hundred furlongs.

CHAPTER 15

AND I saw another sign in heaven, great and marvellous, seven angels having the seven last plagues; for in them is filled up the wrath of God.

2 And I saw as it were a sea of glass mingled with fire: and them that had gotten the victory over the beast, and over his image, and over his mark, *and* over the number of his name, stand on the sea of glass, having the harps of God.

3 And they sing the song of Moses the servant of God, and the song of the Lamb, saying, Great and marvellous *are* thy works, Lord God Almighty; just and true *are* thy ways, thou King of saints.

4 Who shall not fear thee, O Lord, and glorify thy name? for *thou* only *art* holy: for all nations shall come and worship before thee; for thy judgments are made manifest.

5 And after that I looked, and, behold, the temple of the tabernacle of the testimony in heaven was opened:

6 And the seven angels came out of the temple, having the seven plagues, clothed in pure and white linen, and having their breasts girded with golden girdles.

7 And one of the four beasts gave unto the seven angels seven golden vials full of the wrath of God, who liveth for ever and ever.

8 And the temple was filled with smoke from the glory of God, and from his power; and no man was able to enter into the temple, till the seven plagues of the seven angels were fulfilled.

CHAPTER 16

AND I heard a great voice out of the temple saying to the seven angels, Go your ways, and pour out the vials of the wrath of God upon the earth.

2 And the first went, and poured out his vial upon the earth; and there fell a noisome and grievous sore upon the men which had the mark of the beast, and *upon* them which worshipped his image.

3 And the second angel poured out his vial upon the sea; and it became as the blood of a dead *man*: and every living soul died in the sea.

4 And the third angel poured out his vial upon the rivers and fountains of waters; and they became blood.

5 And I heard the angel of the waters say, Thou art righteous, O Lord, which art, and wast, and shalt be, because thou hast judged thus.

6 Por cuanto derramaron la sangre de los santos y de los profetas, también tú les has dado a beber sangre; pues lo merecen.

7 También oí a otro, que desde el altar decía: Ciertamente, Señor Dios Todopoderoso, tus juicios son verdaderos y justos.

8 El cuarto ángel derramó su copa sobre el sol, al cual fue dado quemar a los hombres con fuego.

9 Y los hombres se quemaron con el gran calor, y blasfemaron el nombre de Dios, que tiene poder sobre estas plagas, y no se arrepintieron para darle gloria.

10 El quinto ángel derramó su copa sobre el trono de la bestia; y su reino se cubrió de tinieblas, y mordían de dolor sus lenguas,

11 y blasfemaron contra el Dios del cielo por sus dolores y por sus úlceras, y no se arrepintieron de sus obras.

12 El sexto ángel derramó su copa sobre el gran río Eufrates; y el agua de éste se secó, para que estuviese preparado el camino a los reyes del oriente.

13 Y vi salir de la boca del dragón, y de la boca de la bestia, y de la boca del falso profeta, tres espíritus inmundos a manera de ranas;

14 pues son espíritus de demonios, que hacen señales, y van a los reyes de la tierra en todo el mundo, para reunirlos a la batalla de aquel gran día del Dios Todopoderoso.

15 He aquí, yo vengo como ladrón. Bienaventurado el que vela, y guarda sus ropas, para que no ande desnudo, y vean su vergüenza.

16 Y los reunió en el lugar que en hebreo se llama Armagedón.

17 El séptimo ángel derramó su copa por el aire; y salió una gran voz del templo del cielo, del trono, diciendo: Hecho está.

18 Entonces hubo relámpagos y voces y truenos, y un gran temblor de tierra, un terremoto tan grande, cual no lo hubo jamás desde que los hombres han estado sobre la tierra.

19 Y la gran ciudad fue dividida en tres partes, y las ciudades de las naciones cayeron; y la gran Babilonia vino en memoria delante de Dios, para darle el cáliz del vino del ardor de su ira.

20 Y toda isla huyó, y los montes no fueron hallados.

21 Y cayó del cielo sobre los hombres un enorme granizo como del peso de un talento; y los hombres blasfemaron contra Dios por la plaga del granizo; porque su plaga fue sobremanera grande.

6 For they have shed the blood of saints and prophets, and thou hast given them blood to drink; for they are worthy.

7 And I heard another out of the altar say, Even so, Lord God Almighty, true and righteous *are* thy judgments.

8 And the fourth angel poured out his vial upon the sun; and power was given unto him to scorch men with fire.

9 And men were scorched with great heat, and blasphemed the name of God, which hath power over these plagues: and they repented not to give him glory.

10 And the fifth angel poured out his vial upon the seat of the beast; and his kingdom was full of darkness; and they gnawed their tongues for pain,

11 And blasphemed the God of heaven because of their pains and their sores, and repented not of their deeds.

12 And the sixth angel poured out his vial upon the great river Eu-phra'tes; and the water thereof was dried up, that the way of the kings of the east might be prepared.

13 And I saw three unclean spirits like frogs *come* out of the mouth of the dragon, and out of the mouth of the beast, and out of the mouth of the false prophet.

14 For they are the spirits of devils, working miracles, *which* go forth unto the kings of the earth and of the whole world, to gather them to the battle of that great day of God Almighty.

15 Behold, I come as a thief. Blessed *is* he that watcheth, and keepeth his garments, lest he walk naked, and they see his shame.

16 And he gathered them together into a place called in the Hebrew tongue Ar-ma-ged'don.

17 And the seventh angel poured out his vial into the air; and there came a great voice out of the temple of heaven, from the throne, saying, It is done.

18 And there were voices, and thunders, and lightnings; and there was a great earthquake, such as was not since men were upon the earth, so mighty an earthquake, *and* so great.

19 And the great city was divided into three parts, and the cities of the nations fell: and great Babylon came in remembrance before God, to give unto her the cup of the wine of the fierceness of his wrath.

20 And every island fled away, and the mountains were not found.

21 And there fell upon men a great hail out of heaven, *every stone* about the weight of a talent: and men blasphemed God because of the plague of the hail; for the plague thereof was exceeding great.

CAPÍTULO 17

VINO entonces uno de los siete ángeles que tenían las siete copas, y habló conmigo diciéndome: Ven acá, y te mostraré la sentencia contra la gran ramera, la que está sentada sobre muchas aguas;

2 con la cual han fornicado los reyes de la tierra, y los moradores de la tierra se han embriagado con el vino de su fornicación.

3 Y me llevó en el Espíritu al desierto; y vi a una mujer sentada sobre una bestia escarlata llena de nombres de blasfemia, que tenía siete cabezas y diez cuernos.

4 Y la mujer estaba vestida de púrpura y escarlata, y adornada de oro, de piedras preciosas y de perlas, y tenía en la mano un cáliz de oro lleno de abominaciones y de la inmundicia de su fornicación;

5 y en su frente un nombre escrito, un misterio: BABILONIA LA GRANDE, LA MADRE DE LAS RAMERAS Y DE LAS ABOMINACIONES DE LA TIERRA.

6 Vi a la mujer ebria de la sangre de los santos, y de la sangre de los mártires de Jesús; y cuando la vi, quedé asombrado con gran asombro.

7 Y el ángel me dijo: ¿Por qué te asombras? Yo te diré el misterio de la mujer, y de la bestia que la trae, la cual tiene las siete cabezas y los diez cuernos.

8 La bestia que has visto, era, y no es; y está para subir del abismo e ir a perdición; y los moradores de la tierra, aquellos cuyos nombres no están escritos desde la fundación del mundo en el libro de la vida, se asombrarán viendo la bestia que era y no es, y será.

9 Esto, para la mente que tenga sabiduría: Las siete cabezas son siete montes, sobre los cuales se sienta la mujer,

10 y son siete reyes. Cinco de ellos han caído; uno es, y el otro aún no ha venido; y cuando venga, es necesario que dure breve tiempo.

11 La bestia que era, y no es, es también el octavo; y es de entre los siete, y va a la perdición.

12 Y los diez cuernos que has visto, son diez reyes, que aún no han recibido reino; pero por una hora recibirán autoridad como reyes juntamente con la bestia.

13 Estos tienen un mismo propósito, y entregarán su poder y su autoridad a la bestia.

14 Pelearán contra el Cordero, y el Cordero los vencerá, porque él es Señor de

CHAPTER 17

AND there came one of the seven angels which had the seven vials, and talked with me, saying unto me, Come hither; I will shew unto thee the judgment of the great whore that sitteth upon many waters:

2 With whom the kings of the earth have committed fornication, and the inhabitants of the earth have been made drunk with the wine of her fornication.

3 So he carried me away in the spirit into the wilderness: and I saw a woman sit upon a scarlet coloured beast, full of names of blasphemy, having seven heads and ten horns.

4 And the woman was arrayed in purple and scarlet colour, and decked with gold and precious stones and pearls, having a golden cup in her hand full of abominations and filthiness of her fornication:

5 And upon her forehead *was* a name written, MYSTERY, BABYLON THE GREAT, THE MOTHER OF HARLOTS AND ABOMINATIONS OF THE EARTH.

6 And I saw the woman drunken with the blood of the saints, and with the blood of the martyrs of Jesus: and when I saw her, I wondered with great admiration.

7 And the angel said unto me, Wherefore didst thou marvel? I will tell thee the mystery of the woman, and of the beast that carrieth her, which hath the seven heads and ten horns.

8 The beast that thou sawest was, and is not; and shall ascend out of the bottomless pit, and go into perdition: and they that dwell on the earth shall wonder, whose names were not written in the book of life from the foundation of the world, when they behold the beast that was, and is not, and yet is.

9 And here *is* the mind which hath wisdom. The seven heads are seven mountains, on which the woman sitteth.

10 And there are seven kings: five are fallen, and one is, *and* the other is not yet come; and when he cometh, he must continue a short space.

11 And the beast that was, and is not, even he is the eighth, and is of the seven, and goeth into perdition.

12 And the ten horns which thou sawest are ten kings, which have received no kingdom as yet; but receive power as kings one hour with the beast.

13 These have one mind, and shall give their power and strength unto the beast.

14 These shall make war with the Lamb, and the Lamb shall overcome

señores y Rey de reyes; y los que están
con él son llamados y elegidos y fieles.
15 Me dijo también: Las aguas que has
visto donde la ramera se sienta, son
pueblos, muchedumbres, naciones y len-
guas.
16 Y los diez cuernos que viste en la
bestia, éstos aborrecerán a la ramera, y la
dejarán desolada y desnuda; y devorarán
sus carnes, y la quemarán con fuego;
17 porque Dios ha puesto en sus cora-
zones el ejecutar lo que él quiso: ponerse
de acuerdo, y dar su reino a la bestia,
hasta que se cumplan las palabras de
Dios.
18 Y la mujer que has visto es la gran
ciudad que reina sobre los reyes de la
tierra.

CAPÍTULO 18

DESPUÉS de esto vi a otro ángel des-
cender del cielo con gran poder; y la
tierra fue alumbrada con su gloria.
2 Y clamó con voz potente, diciendo: Ha
caido, ha caído la gran Babilonia, y se ha
hecho habitación de demonios y guarida de
todo espíritu inmundo, y albergue de toda
ave inmunda y aborrecible.
3 Porque todas las naciones han bebido
del vino del furor de su fornicación; y los
reyes de la tierra han fornicado con ella,
y los mercaderes de la tierra se han enri-
quecido de la potencia de sus deleites.
4 Y oí otra voz del cielo, que decía: Sa-
lid de ella, pueblo mío, para que no seáis
partícipes de sus pecados, ni recibáis
parte de sus plagas;
5 porque sus pecados han llegado hasta
el cielo, y Dios se ha acordado de sus
maldades.
6 Dadle a ella como ella os ha dado, y
pagadle doble según sus obras; en el cáliz
en que ella preparó bebida, preparadle a
ella el doble.
7 Cuanto ella se ha glorificado y ha vi-
vido en deleites, tanto dadle de tormento
y llanto; porque dice en su corazón: Yo
estoy sentada como reina, y no soy viuda,
y no veré llanto;
8 por lo cual en un solo día vendrán sus
plagas; muerte, llanto y hambre, y será
quemada con fuego; porque poderoso es
Dios el Señor, que la juzga.
9 Y los reyes de la tierra que han forni-
cado con ella, y con ella han vivido en
deleites, llorarán y harán lamentación

them: for he is Lord of lords, and King of
kings: and they that are with him *are*
called, and chosen, and faithful.
15 And he saith unto me, The waters
which thou sawest, where the whore sit-
teth, are peoples, and multitudes, and na-
tions, and tongues.
16 And the ten horns which thou saw-
est upon the beast, these shall hate the
whore, and shall make her desolate and
naked, and shall eat her flesh, and burn
her with fire.
17 For God hath put in their hearts to
fulfil his will, and to agree, and give their
kingdom unto the beast, until the words
of God shall be fulfilled.
18 And the woman which thou sawest
is that great city, which reigneth over the
kings of the earth.

CHAPTER 18

AND after these things I saw another
angel come down from heaven, hav-
ing great power; and the earth was light-
ened with his glory.
2 And he cried mightily with a strong
voice, saying, Babylon the great is fallen,
is fallen, and is become the habitation of
devils, and the hold of every foul spirit,
and a cage of every unclean and hateful
bird.
3 For all nations have drunk of the wine
of the wrath of her fornication, and the
kings of the earth have committed forni-
cation with her, and the merchants of the
earth are waxed rich through the abun-
dance of her delicacies.
4 And I heard another voice from
heaven, saying, Come out of her, my peo-
ple, that ye be not partakers of her sins,
and that ye receive not of her plagues.
5 For her sins have reached unto
heaven, and God hath remembered her
iniquities.
6 Reward her even as she rewarded
you, and double unto her double accord-
ing to her works: in the cup which she
hath filled fill to her double.
7 How much she hath glorified herself,
and lived deliciously, so much torment
and sorrow give her: for she saith in her
heart, I sit a queen, and am no widow,
and shall see no sorrow.
8 Therefore shall her plagues come in
one day, death, and mourning, and fam-
ine; and she shall be utterly burned with
fire: for strong *is* the Lord God who judg-
eth her.
9 And the kings of the earth, who have
committed fornication and lived deli-
ciously with her, shall bewail her, and la-

sobre ella, cuando vean el humo de su incendio,

10 parándose lejos por el temor de su tormento, diciendo: ¡Ay, ay, de la gran ciudad de Babilonia, la ciudad fuerte; porque en una hora vino tu juicio!

11 Y los mercaderes de la tierra lloran y hacen lamentación sobre ella, porque ninguno compra más sus mercaderías;

12 mercadería de oro, de plata, de piedras preciosas, de perlas, de lino fino, de púrpura, de seda, de escarlata, de toda madera olorosa, de todo objeto de marfil, de todo objeto de madera preciosa, de cobre, de hierro y de mármol;

13 y canela, especias aromáticas, incienso, mirra, olíbano, vino, aceite, flor de harina, trigo, bestias, ovejas, caballos y carros, y esclavos, almas de hombres.

14 Los frutos codiciados por tu alma se apartaron de ti, y todas las cosas exquisitas y espléndidas te han faltado, y nunca más las hallarás.

15 Los mercaderes de estas cosas, que se han enriquecido a costa de ella, se pararán lejos por el temor de su tormento, llorando y lamentando,

16 y diciendo: ¡Ay, ay, de la gran ciudad, que estaba vestida de lino fino, de púrpura y de escarlata, y estaba adornada de oro, de piedras preciosas y de perlas!

17 Porque en una hora han sido consumidas tantas riquezas. Y todo piloto, y todos los que viajan en naves, y marineros, y todos los que trabajan en el mar, se pararon lejos;

18 y viendo el humo de su incendio, dieron voces, diciendo: ¿Qué ciudad era semejante a esta gran ciudad?

19 Y echaron polvo sobre sus cabezas, y dieron voces, llorando y lamentando, diciendo: ¡Ay, ay de la gran ciudad, en la cual todos los que tenían naves en el mar se habían enriquecido de sus riquezas; pues en una hora ha sido desolada!

20 Alégrate sobre ella, cielo, y vosotros, santos, apóstoles y profetas; porque Dios os ha hecho justicia en ella.

21 Y un ángel poderoso tomó una piedra, como una gran piedra de molino, y la arrojó en el mar, diciendo: Con el mismo ímpetu será derribada Babilonia, la gran ciudad, y nunca más será hallada.

22 Y voz de arpistas, de músicos, de flautistas y de trompeteros no se oirá más en ti; y ningún artífice de oficio alguno se hallará más en ti, ni ruido de molino se oirá más en ti.

ment for her, when they shall see the smoke of her burning,

10 Standing afar off for the fear of her torment, saying, Alas, alas that great city Babylon, that mighty city! for in one hour is thy judgment come.

11 And the merchants of the earth shall weep and mourn over her; for no man buyeth their merchandise any more:

12 The merchandise of gold, and silver, and precious stones, and of pearls, and fine linen, and purple, and silk, and scarlet, and all thyine wood, and all manner vessels of ivory, and all manner vessels of most precious wood, and of brass, and iron, and marble,

13 And cinnamon, and odours, and ointments, and frankincense, and wine, and oil, and fine flour, and wheat, and beasts, and sheep, and horses, and chariots, and slaves, and souls of men.

14 And the fruits that thy soul lusted after are departed from thee, and all things which were dainty and goodly are departed from thee, and thou shalt find them no more at all.

15 The merchants of these things, which were made rich by her, shall stand afar off for the fear of her torment, weeping and wailing,

16 And saying, Alas, alas, that great city, that was clothed in fine linen, and purple, and scarlet, and decked with gold, and precious stones, and pearls!

17 For in one hour so great riches is come to nought. And every shipmaster, and all the company in ships, and sailors, and as many as trade by sea, stood afar off,

18 And cried when they saw the smoke of her burning, saying, What *city is* like unto this great city!

19 And they cast dust on their heads, and cried, weeping and wailing, saying, Alas, alas, that great city, wherein were made rich all that had ships in the sea by reason of her costliness! for in one hour is she made desolate.

20 Rejoice over her, *thou* heaven, and *ye* holy apostles and prophets; for God hath avenged you on her.

21 And a mighty angel took up a stone like a great millstone, and cast *it* into the sea, saying, Thus with violence shall that great city Babylon be thrown down, and shall be found no more at all.

22 And the voice of harpers, and musicians, and of pipers, and trumpeters, shall be heard no more at all in thee; and no craftsman, of whatsoever craft *he be*, shall be found any more in thee; and the sound of a millstone shall be heard no more at all in thee;

23 Luz de lámpara no alumbrará más en ti, ni voz de esposo y de esposa se oirá más en ti; porque tus mercaderes eran los grandes de la tierra; pues por tus hechicerías fueron engañadas todas las naciones.

24 Y en ella se halló la sangre de los profetas y de los santos, y de todos los que han sido muertos en la tierra.

CAPÍTULO 19

DESPUÉS de esto oí una gran voz de gran multitud en el cielo, que decía: ¡Aleluya! Salvación y honra y gloria y poder son del Señor Dios nuestro;

2 porque sus juicios son verdaderos y justos; pues ha juzgado a la gran ramera que ha corrompido a la tierra con su fornicación, y ha vengado la sangre de sus siervos de la mano de ella.

3 Otra vez dijeron: ¡Aleluya! Y el humo de ella sube por los siglos de los siglos.

4 Y los veinticuatro ancianos y los cuatro seres vivientes se postraron en tierra y adoraron a Dios, que estaba sentado en el trono, y decían: ¡Amén! ¡Aleluya!

5 Y salió del trono una voz que decía: Alabad a nuestro Dios todos sus siervos, y los que le teméis, así pequeños como grandes.

6 Y oí como la voz de una gran multitud, como el estruendo de muchas aguas, y como la voz de grandes truenos, que decía: ¡Aleluya, porque el Señor nuestro Dios Todopoderoso reina!

7 Gocémonos y alegrémonos y démosle gloria; porque han llegado las bodas del Cordero, y su esposa se ha preparado.

8 Y a ella se le ha concedido que se vista de lino fino, limpio y resplandeciente; porque el lino fino es las acciones justas de los santos.

9 Y el ángel me dijo: Escribe: Bienaventurados los que son llamados a la cena de las bodas del Cordero. Y me dijo: Estas son palabras verdaderas de Dios.

10 Yo me postré a sus pies para adorarle. Y él me dijo: Mira, no lo hagas; yo soy consiervo tuyo, y de tus hermanos que retienen el testimonio de Jesús. Adora a Dios; porque el testimonio de Jesús es el espíritu de la profecía.

11 Entonces vi el cielo abierto; y he aquí un caballo blanco, y el que lo montaba se llamaba Fiel y Verdadero, y con justicia juzga y pelea.

12 Sus ojos eran como llama de fuego, y había en su cabeza muchas diademas; y

23 And the light of a candle shall shine no more at all in thee; and the voice of the bridegroom and of the bride shall be heard no more at all in thee: for thy merchants were the great men of the earth; for by thy sorceries were all nations deceived.

24 And in her was found the blood of prophets, and of saints, and of all that were slain upon the earth.

CHAPTER 19

AND after these things I heard a great voice of much people in heaven, saying, Alleluia; Salvation, and glory, and honour, and power, unto the Lord our God:

2 For true and righteous *are* his judgments: for he hath judged the great whore, which did corrupt the earth with her fornication, and hath avenged the blood of his servants at her hand.

3 And again they said, Alleluia. And her smoke rose up for ever and ever.

4 And the four and twenty elders and the four beasts fell down and worshipped God that sat on the throne, saying, Amen; Alleluia.

5 And a voice came out of the throne, saying, Praise our God, all ye his servants, and ye that fear him, both small and great.

6 And I heard as it were the voice of a great multitude, and as the voice of many waters, and as the voice of mighty thunderings, saying, Alleluia: for the Lord God omnipotent reigneth.

7 Let us be glad and rejoice, and give honour to him: for the marriage of the Lamb is come, and his wife hath made herself ready.

8 And to her was granted that she should be arrayed in fine linen, clean and white: for the fine linen is the righteousness of saints.

9 And he saith unto me, Write, Blessed *are* they which are called unto the marriage supper of the Lamb. And he saith unto me, These are the true sayings of God.

10 And I fell at his feet to worship him. And he said unto me, See *thou do it* not: I am thy fellowservant, and of thy brethren that have the testimony of Jesus: worship God: for the testimony of Jesus is the spirit of prophecy.

11 And I saw heaven opened, and behold a white horse; and he that sat upon him *was* called Faithful and True, and in righteousness he doth judge and make war.

12 His eyes *were* as a flame of fire, and on his head *were* many crowns; and he

tenía un nombre escrito que ninguno conocía sino él mismo.

13 Estaba vestido de una ropa teñida en sangre; y su nombre es: EL VERBO DE DIOS.

14 Y los ejércitos celestiales, vestidos de lino finísimo, blanco y limpio, le seguían en caballos blancos.

15 De su boca sale una espada aguda, para herir con ella a las naciones, y él las regirá con vara de hierro; y él pisa el lagar del vino del furor y de la ira del Dios Todopoderoso.

16 Y en su vestidura y en su muslo tiene escrito este nombre: REY DE REYES Y SEÑOR DE SEÑORES.

17 Y vi a un ángel que estaba en pie en el sol, y clamó a gran voz, diciendo a todas las aves que vuelan en medio del cielo: Venid, y congregaos a la gran cena de Dios,

18 para que comáis carnes de reyes y de capitanes, y carnes de fuertes, carnes de caballos y de sus jinetes, y carnes de todos, libres y esclavos, pequeños y grandes.

19 Y vi a la bestia, a los reyes de la tierra y a sus ejéricitos, reunidos para guerrear contra el que montaba el caballo, y contra su ejército.

20 Y la bestia fue apresada, y con ella el falso profeta que había hecho delante de ella las señales con las cuales había engañado a los que recibieron la marca de la bestia, y habían adorado su imagen. Estos dos fueron lanzados vivos dentro de un lago de fuego que arde con azufre.

21 Y los demás fueron muertos con la espada que salía de la boca del que montaba el caballo, y todas las aves se saciaron de las carnes de ellos.

CAPÍTULO 20

VI a un ángel que descendía del cielo, con la llave del abismo, y una gran cadena en la mano.

2 Y prendió al dragón, la serpiente antigua, que es el diablo y Satanás, y lo ató por mil años;

3 y lo arrojó al abismo, y lo encerró, y puso su sello sobre él, para que no engañase más a las naciones, hasta que fuesen cumplidos mil años; y después de esto debe ser desatado por un poco de tiempo.

4 Y vi tronos, y se sentaron sobre ellos los que recibieron facultad de juzgar; y vi las almas de los decapitados por causa del testimonio de Jesús y por la palabra de Dios, los que no habían adorado a la

had a name written, that no man knew, but he himself.

13 And he *was* clothed with a vesture dipped in blood: and his name is called The Word of God.

14 And the armies *which were* in heaven followed him upon white horses, clothed in fine linen, white and clean.

15 And out of his mouth goeth a sharp sword, that with it he should smite the nations: and he shall rule them with a rod of iron: and he treadeth the winepress of the fierceness and wrath of Almighty God.

16 And he hath on *his* vesture and on his thigh a name written, KING OF KINGS, AND LORD OF LORDS.

17 And I saw an angel standing in the sun; and he cried with a loud voice, saying to all the fowls that fly in the midst of heaven, Come and gather yourselves together unto the supper of the great God;

18 That ye may eat the flesh of kings, and the flesh of captains, and the flesh of mighty men, and the flesh of horses, and of them that sit on them, and the flesh of all *men, both* free and bond, both small and great.

19 And I saw the beast, and the kings of the earth, and their armies, gathered together to make war against him that sat on the horse, and against his army.

20 And the beast was taken, and with him the false prophet that wrought miracles before him, with which he deceived them that had received the mark of the beast, and them that worshipped his image. These both were cast alive into a lake of fire burning with brimstone.

21 And the remnant were slain with the sword of him that sat upon the horse, which *sword* proceeded out of his mouth: and all the fowls were filled with their flesh.

CHAPTER 20

AND I saw an angel come down from heaven, having the key of the bottomless pit and a great chain in his hand.

2 And he laid hold on the dragon, that old serpent, which is the Devil, and Satan, and bound him a thousand years,

3 And cast him into the bottomless pit, and shut him up, and set a seal upon him, that he should deceive the nations no more, till the thousand years should be fulfilled: and after that he must be loosed a little season.

4 And I saw thrones, and they sat upon them, and judgment was given unto them: and *I saw* the souls of them that were beheaded for the witness of Jesus, and for the word of God, and which had

bestia ni a su imagen, y que no recibieron
la marca en sus frentes ni en sus manos;
y vivieron y reinaron con Cristo mil años.
5 Pero los otros muertos no volvieron a
vivir hasta que se cumplieron mil años.
Esta es la primera resurrección.
6 Bienaventurado y santo el que tiene
parte en la primera resurrección; la se-
gunda muerte no tiene potestad sobre és-
tos, sino que serán sacerdotes de Dios y
de Cristo, y reinarán con él mil años.
7 Cuando los mil años se cumplan, Sa-
tanás será suelto de su prisión,
8 y saldrá a engañar a las naciones que
están en los cuatro ángulos de la tierra, a
Gog y a Magog, a fin de reunirlos para la
batalla; el número de los cuales es como
la arena del mar.
9 Y subieron sobre la anchura de la
tierra, y rodearon el campamento de los
santos y la ciudad amada; y de Dios des-
cendió fuego del cielo, y los consumió.
10 Y el diablo que los engañaba fue lan-
zado en el lago de fuego y azufre, donde
estaban la bestia y el falso profeta; y se-
rán atormentados día y noche por los si-
glos de los siglos.
11 Y vi un gran trono blanco y al que
estaba sentado en él, de delante del cual
huyeron la tierra y el cielo, y ningún lu-
gar se encontró para ellos.
12 Y vi a los muertos, grandes y peque-
ños, de pie ante Dios; y los libros fueron
abiertos, y otro libro fue abierto, el cual
es el libro de la vida; y fueron juzgados
los muertos por las cosas que estaban es-
critas en los libros, según sus obras.
13 Y el mar entregó los muertos que
había en él; y la muerte y el Hades entre-
garon los muertos que había en ellos; y
fueron juzgados cada uno según sus o-
bras.
14 Y la muerte y el Hades fueron lanza-
dos al lago de fuego. Esta es la muerte
segunda.
15 Y el que no se halló inscrito en el
libro de la vida fue lanzado al lago de fu-
ego.

CAPÍTULO 21

Vi un cielo nuevo y una tierra nueva;
porque el primer cielo y la primera
tierra pasaron, y el mar ya no existía
más.
2 Y yo Juan vi la santa ciudad, la nueva
Jerusalén, descender del cielo, de Dios,
dispuesta como una esposa ataviada para
su marido.
3 Y oí una gran voz del cielo que decía:

not worshipped the beast, neither his
image, neither had received *his* mark
upon their foreheads, or in their hands;
and they lived and reigned with Christ a
thousand years.
5 But the rest of the dead lived not
again until the thousand years were fin-
ished. This *is* the first resurrection.
6 Blessed and holy *is* he that hath part
in the first resurrection: on such the sec-
ond death hath no power, but they shall
be priests of God and of Christ, and shall
reign with him a thousand years.
7 And when the thousand years are ex-
pired, Satan shall be loosed out of his
prison,
8 And shall go out to deceive the na-
tions which are in the four quarters of the
earth, Gog and Ma′gog, to gather them
together to battle: the number of whom
is as the sand of the sea.
9 And they went up on the breadth of
the earth, and compassed the camp of
the saints about, and the beloved city:
and fire came down from God out of
heaven, and devoured them.
10 And the devil that deceived them
was cast into the lake of fire and brim-
stone, where the beast and the false
prophet *are*, and shall be tormented day
and night for ever and ever.
11 And I saw a great white throne, and
him that sat on it, from whose face the
earth and the heaven fled away; and
there was found no place for them.
12 And I saw the dead, small and great,
stand before God; and the books were
opened: and another book was opened,
which is *the book* of life: and the dead
were judged out of those things which
were written in the books, according to
their works.
13 And the sea gave up the dead which
were in it; and death and hell delivered
up the dead which were in them: and
they were judged every man according to
their works.
14 And death and hell were cast into
the lake of fire. This is the second death.
15 And whosoever was not found writ-
ten in the book of life was cast into the
lake of fire.

CHAPTER 21

And I saw a new heaven and a new
earth: for the first heaven and the
first earth were passed away; and there
was no more sea.
2 And I John saw the holy city, new Je-
rusalem, coming down from God out of
heaven, prepared as a bride adorned for
her husband.
3 And I heard a great voice out of

He aquí el tabernáculo de Dios con los hombres, y él morará con ellos; y ellos serán su pueblo, y Dios mismo estará con ellos como su Dios.

4 Enjugará Dios toda lágrima de los ojos de ellos; y ya no habrá muerte, ni habrá más llanto, ni clamor, ni dolor; porque las primeras cosas pasaron.

5 Y el que estaba sentado en el trono dijo: He aquí, yo hago nuevas todas las cosas. Y me dijo: Escribe; porque estas palabras son fieles y verdaderas.

6 Y me dijo: Hecho está. Yo soy el Alfa y la Omega, el principio y el fin. Al que tuviere sed, yo le daré gratuitamente de la fuente del agua de la vida.

7 El que venciere heredará todas las cosas, y yo seré su Dios, y él será mi hijo.

8 Pero los cobardes e incrédulos, los abominables y homicidas, los fornicarios y hechiceros, los idólatras y todos los mentirosos tendrán su parte en el lago que arde con fuego y azufre, que es la muerte segunda.

9 Vino entonces a mí uno de los siete ángeles que tenían las siete copas llenas de las siete plagas postreras, y habló conmigo, diciendo: Ven acá, yo te mostraré la desposada, la esposa del Cordero.

10 Y me llevó en el Espíritu a un monte grande y alto, y me mostró la gran ciudad santa de Jerusalén, que descendía del cielo, de Dios,

11 teniendo la gloria de Dios. Y su fulgor era semejante al de una piedra preciosísima, como piedra de jaspe, diáfana como el cristal.

12 Tenía un muro grande y alto con doce puertas; y en las puertas, doce ángeles, y nombres inscritos, que son los de las doce tribus de los hijos de Israel;

13 al oriente tres puertas; al norte tres puertas; al sur tres puertas; al occidente tres puertas.

14 Y el muro de la ciudad tenía doce cimientos, y sobre ellos los doce nombres de los doce apóstoles del Cordero.

15 El que hablaba conmigo tenía una caña de medir, de oro, para medir la ciudad, sus puertas y su muro.

16 La ciudad se halla establecida en cuadro, y su longitud es igual a su anchura; y él midió la ciudad con la caña, doce mil estadios; la longitud, la altura y la anchura de ella son iguales.

17 Y midió su muro, ciento cuarenta y cuatro codos, de medida de hombre, la cual es de ángel.

heaven saying, Behold, the tabernacle of God *is* with men, and he will dwell with them, and they shall be his people, and God himself shall be with them, *and be* their God.

4 And God shall wipe away all tears from their eyes; and there shall be no more death, neither sorrow, nor crying, neither shall there be any more pain: for the former things are passed away.

5 And he that sat upon the throne said, Behold, I make all things new. And he said unto me, Write: for these words are true and faithful.

6 And he said unto me, It is done. I am Alpha and Omega, the beginning and the end. I will give unto him that is athirst of the fountain of the water of life freely.

7 He that overcometh shall inherit all things; and I will be his God, and he shall be my son.

8 But the fearful, and unbelieving, and the abominable, and murderers, and whoremongers, and sorcerers, and idolaters, and all liars, shall have their part in the lake which burneth with fire and brimstone: which is the second death.

9 And there came unto me one of the seven angels which had the seven vials full of the seven last plagues, and talked with me, saying, Come hither, I will shew thee the bride, the Lamb's wife.

10 And he carried me away in the spirit to a great and high mountain, and shewed me that great city, the holy Jerusalem, descending out of heaven from God,

11 Having the glory of God: and her light *was* like unto a stone most precious, even like a jasper stone, clear as crystal;

12 And had a wall great and high, *and* had twelve gates, and at the gates twelve angels, and names written thereon, which are *the names* of the twelve tribes of the children of Israel:

13 On the east three gates; on the north three gates; on the south three gates; and on the west three gates.

14 And the wall of the city had twelve foundations, and in them the names of the twelve apostles of the Lamb.

15 And he that talked with me had a golden reed to measure the city, and the gates thereof, and the wall thereof.

16 And the city lieth foursquare, and the length is as large as the breadth: and he measured the city with the reed, twelve thousand furlongs. The length and the breadth and the height of it are equal.

17 And he measured the wall thereof, an hundred *and* forty *and* four cubits, *according to* the measure of a man, that is, of the angel.

18 El material de su muro era de jaspe; pero la ciudad era de oro puro, semejante al vidrio limpio;
19 y los cimientos del muro de la ciudad estaban adornados con toda piedra preciosa. El primer cimiento era jaspe; el segundo, zafiro; el tercero, ágata; el cuarto, esmeralda;
20 el quinto, ónice; el sexto, cornalina; el séptimo, crisólito; el octavo, berilo; el noveno, topacio; el décimo, crisopraso; el undécimo, jacinto; el duodécimo, amatista.
21 Las doce puertas eran doce perlas; cada una de las puertas era una perla. Y la calle de la ciudad era de oro puro, transparente como vidrio.
22 Y no vi en ella templo; porque el Señor Dios Todopoderoso es el templo de ella, y el Cordero.
23 La ciudad no tiene necesidad de sol ni de luna que brillen en ella; porque la gloria de Dios la ilumina, y el Cordero es su lumbrera.
24 Y las naciones que hubieren sido salvas andarán a la luz de ella; y los reyes de la tierra traerán su gloria y honor a ella.
25 Sus puertas nunca serán cerradas de día, pues allí no habrá noche.
26 Y llevarán la gloria y la honra de las naciones a ella.
27 No entrará en ella ninguna cosa inmunda, o que hace abominación y mentira, sino solamente los que están inscritos en el libro de la vida del Cordero.

CAPÍTULO 22

DESPUÉS me mostró un río limpio de agua de vida, resplandeciente como cristal, que salía del trono de Dios y del Cordero.
2 En medio de la calle de la ciudad, y a uno y otro lado del río, estaba el árbol de la vida, que produce doce frutos, dando cada mes su fruto; y las hojas del árbol eran para la sanidad de las naciones.
3 Y no habrá más maldición; y el trono de Dios y del Cordero estará en ella, y sus siervos le servirán,
4 y verán su rostro, y su nombre estará en sus frentes.
5 No habrá allí más noche; y no tienen necesidad de luz de lámpara, ni de luz del sol, porque Dios el Señor los iluminará; y reinarán por los siglos de los siglos.
6 Y me dijo: Estas palabras son fieles y verdaderas. Y el Señor, el Dios de los espíritus de los profetas, ha enviado su ángel, para mostrar a sus siervos las cosas que deben suceder pronto.

18 And the building of the wall of it was *of* jasper: and the city *was* pure gold, like unto clear glass.
19 And the foundations of the wall of the city *were* garnished with all manner of precious stones. The first foundation was jasper; the second, sapphire; the third, a chalcedony; the fourth, an emerald;
20 The fifth, sardonyx; the sixth, sardius; the seventh, chrysolyte; the eighth, beryl; the ninth, a topaz; the tenth, a chrysoprasus; the eleventh, a jacinth; the twelfth, an amethyst.
21 And the twelve gates *were* twelve pearls; every several gate was of one pearl: and the street of the city *was* pure gold, as it were transparent glass.
22 And I saw no temple therein: for the Lord God Almighty and the Lamb are the temple of it.
23 And the city had no need of the sun, neither of the moon, to shine in it: for the glory of God did lighten it, and the Lamb *is* the light thereof.
24 And the nations of them which are saved shall walk in the light of it: and the kings of the earth do bring their glory and honour into it.
25 And the gates of it shall not be shut at all by day: for there shall be no night there.
26 And they shall bring the glory and honour of the nations into it.
27 And there shall in no wise enter into it any thing that defileth, neither *whatsoever* worketh abomination, or *maketh* a lie: but they which are written in the Lamb's book of life.

CHAPTER 22

AND he shewed me a pure river of water of life, clear as crystal, proceeding out of the throne of God and of the Lamb.
2 In the midst of the street of it, and on either side of the river, *was there* the tree of life, which bare twelve *manner of* fruits, *and* yielded her fruit every month: and the leaves of the tree *were* for the healing of the nations.
3 And there shall be no more curse: but the throne of God and of the Lamb shall be in it; and his servants shall serve him:
4 And they shall see his face; and his name *shall be* in their foreheads.
5 And there shall be no night there; and they need no candle, neither light of the sun; for the Lord God giveth them light: and they shall reign for ever and ever.
6 And he said unto me, These sayings *are* faithful and true: and the Lord God of the holy prophets sent his angel to shew unto his servants the things which must shortly be done.

7 ¡He aquí, vengo pronto! Bienaventurado el que guarda las palabras de la profecía de este libro.

8 Yo Juan soy el que oyó y vio estas cosas. Y después que las hube oído y visto, me postré para adorar a los pies del ángel que me mostraba estas cosas.

9 Pero él me dijo: Mira, no lo hagas; porque yo soy consiervo tuyo, de tus hermanos los profetas, y de los que guardan las palabras de este libro. Adora a Dios.

10 Y me dijo: No selles las palabras de la profecía de este libro, porque el tiempo está cerca.

11 El que es injusto, sea injusto todavía; y el que es inmundo, sea inmundo todavía; y el que es justo, practique la justicia todavía; y el que es santo, santifíquese todavía.

12 He aquí yo vengo pronto, y mi galardón conmigo, para recompensar a cada uno según sea su obra.

13 Yo soy el Alfa y la Omega, el principio y el fin, el primero y el último.

14 Bienaventurados los que lavan sus ropas, para tener derecho al árbol de la vida, y para entrar por las puertas en la ciudad.

15 Mas los perros estarán fuera, y los hechiceros, los fornicarios, los homicidas, los idólatras, y todo aquel que ama y hace mentira.

16 Yo Jesús he enviado mi ángel para daros testimonio de estas cosas en las iglesias. Yo soy la raíz y el linaje de David, la estrella resplandeciente de la mañana.

17 Y el Espíritu y la Esposa dicen: Ven. Y el que oye, diga: Ven. Y el que tiene sed, venga; y el que quiera, tome del agua de la vida gratuitamente.

18 Yo testifico a todo aquel que oye las palabras de la profecía de este libro: Si alguno añadiere a estas cosas, Dios traerá sobre él las plagas que están escritas en este libro.

19 Y si alguno quitare de las palabras del libro de esta profecía, Dios quitará su parte del libro de la vida, y de la santa ciudad y de las cosas que están escritas en este libro.

20 El que da testimonio de estas cosas dice: Ciertamente vengo en breve. Amén; sí, ven, Señor Jesús.

21 La gracia de nuestro Señor Jesucristo sea con todos vosotros. Amén.

7 Behold, I come quickly: blessed *is* he that keepeth the sayings of the prophecy of this book.

8 And I John saw these things, and heard *them*. And when I had heard and seen, I fell down to worship before the feet of the angel which shewed me these things.

9 Then saith he unto me, See *thou do it* not: for I am thy fellowservant, and of thy brethren the prophets, and of them which keep the sayings of this book: worship God.

10 And he saith unto me, Seal not the sayings of the prophecy of this book: for the time is at hand.

11 He that is unjust, let him be unjust still: and he which is filthy, let him be filthy still: and he that is righteous, let him be righteous still: and he that is holy, let him be holy still.

12 And, behold, I come quickly; and my reward *is* with me, to give every man according as his work shall be.

13 I am Alpha and Omega, the beginning and the end, the first and the last.

14 Blessed *are* they that do his commandments, that they may have right to the tree of life, and may enter in through the gates into the city.

15 For without *are* dogs, and sorcerers, and whoremongers, and murderers, and idolaters, and whosoever loveth and maketh a lie.

16 I Jesus have sent mine angel to testify unto you these things in the churches. I am the root and the offspring of David, *and* the bright and morning star.

17 And the Spirit and the bride say, Come. And let him that heareth say, Come. And let him that is athirst come. And whosoever will, let him take the water of life freely.

18 For I testify unto every man that heareth the words of the prophecy of this book, If any man shall add unto these things, God shall add unto him the plagues that are written in this book:

19 And if any man shall take away from the words of the book of this prophecy, God shall take away his part out of the book of life, and out of the holy city, and *from* the things which are written in this book.

20 He which testifieth these things saith, Surely I come quickly. Amen. Even so, come, Lord Jesus.

21 The grace of our Lord Jesus Christ *be* with you all. Amen.